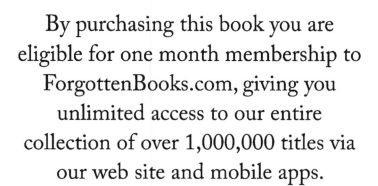

ISBN 978-0-332-62358-0
PIBN 10351109

Zeitschrift

für

Mathematik und Physik

herausgegeben

unter der verantwortlichen Redaction

von

Dr. O. Schlömilch, Dr. E. Kahl

und

Dr. M. Cantor.

Zehnter Jahrgang.

Mit 5 lithographirten Tafeln und Holzschnitten.

LEIPZIG,

Verlag von B. G. Teubner.

1865.

Inhalt.

Mechanik.

Optik.

Wärmelehre und Molecularphysik.

Elektricität und Magnetismus.

Akustik.

Vermischtes.

Ueber einen Codex des Klosters Salem.

Von Moritz Cantor.

Unter den Handschriften, welche früher dem Kloster Salem am Bodensee angehörten, jetzt im Besitze der Heidelberger Universitätsbibliothek sich befinden, dürfte eine der Aufmerksamkeit derjenigen Mathematiker empfohlen werden, welche für die Geschichte ihrer Wissenschaft Interesse empfinden. Bei der Seltenheit mathematischer Handschriften in Deutschland glaubten wir sogar keine überflüssige Mühe zu übernehmen, wenn wir den Abdruck in dieser Zeitschrift veranlassend die vielen Abkürzungen, durch welche das Lesen solcher Handschriften häufig beträchtlich erschwert wird, auflösten und einzelne Stellen mit Anmerkungen begleiteten. In diese Anmerkungen haben wir auch verwiesen, was allenfalls für Folgerungen aus gewissen Sätzen gezogen werden dürften, und um uns nicht zu wiederholen, begnügen wir uns als Einleitung nur kurze Andeutungen über das Aeussere der Handschrift vorauszuschicken.

Der Quartband Manuscripten der Heidelberger Bibliothek, welcher mit „Schrank IX, Nro. 23" bezeichnet ist, enthält eine ziemliche Anzahl verschiedener Gegenstände, welche ohne inneren Zusammenhang unmittelbar auf einander folgen, in der Weise, dass keine Seite unnöthig frei gelassen wird, ja dass sogar auf derselben Seite, auf welcher eine Schrift endigt, sogleich eine neue beginnt. So finden wir am Anfange den *Solinus Polyhistor*, dann eine Schrift des heiligen Methodius von Tyrus, darauf ein *liber de miraculis sanctae Mariae*, einen *tractatus de arte rhetorica* und nun folgt die Abhandlung, welche gegenwärtig veröffentlicht wird. Die sehr sauber geschriebene, nur auf einigen Seiten bedeutend abgeblasste Abhandlung füllt 15 grosse Quartseiten. Das Material der Handschrift ist Pergament. Die Buchstaben, sowie die vorkommenden Zahlzeichen, besonders die fast jedes Wort verunstaltenden Abkürzungen deuten etwa auf das Jahr 1200 als die Zeit, zu welcher der Codex geschrieben wurde, vielleicht noch etwas früher. Wir bemerken ausdrücklich, dass dieses die Meinung von Prof. Wattenbach ist, welcher uns auch zuerst auf die Existenz des Manuscriptes aufmerksam machte, und später bei der Collationirung auf's freundlichste unterstützte.

Incipit liber algorizmi.

Omnis sapientia sive scientia a domino Deo; sicut scriptum est: Hoc quod continet omnia scientiam habet, et iterum: Omnia in mensura et pondere et numero constituisti. Quoniam multi multa de scientia bujus artis, quae algorizmus [1]) inscribitur, scriptis suis nobis tradiderunt, quibus necesse non est quidquam addere, sed nec licet aliquid demere, sapientibus quidem satis fecerunt. Quapropter visum est nobis parvulis, nobis consimilibus, lac non escam potum propinare. Igitur de numeris in quibus sacramenta profundissima sunt, sicut testantur divina eloquia novi et veteris testamenti, exordium sumamus. Igitur numerus, sicut a sapientibus describitur, est collectio unitatum. Quid enim aliud sunt duo nisi unitas duplicata? Quid tria nisi unitas triplicata. Sic omnis numerus ab una generatur, ipsa a nullo [2]). Praeterea sciendum est, quod numerus aut generatur per multiplicationem, aut per duplicationem, aut per addicionem. Verbi gratia per multiplicationem, bis duo sunt quatuor, ter tria sunt IX. Per duplicationem autem sic, bis tria sunt VI, bis IIII sunt octo, bis V sunt decem. Per additionem ita, duo et tria erunt V, tria et quatuor fiunt VII, septem et tria faciunt X. Igitur aliud in numero est digitus, aliud articulus, aliud numerus compositus. Digiti dicuntur I. II. III. IIII. V. VI. VII. VIII. IX. Decem, C, M articuli sunt. Compositus est ex digito et articulo. Igitur sicut numerus infinitus, sic differentiae [3]) infinitae. Est itaque differentia unitatum ab uno usque ad IX, differentia decenorum a decem usque ad XC, differentia centenorum a C usque ad nongenta, sic usque in infinitum. Hujus artis scientia plurimum est utilis et necessaria, his maxime qui volunt in quadruvio proficere [4]). Novem itaque inventae sunt figurae, ut quodammodo per finitum comprehendatur infinitum [5]). Nam omne, quod dici aut excogitari potest de numeris, scribi et legi potest his IX figuris, addita ista 0, quae cifra vocatur nichil habens significare, praeter locum absque numero demonstrare.

IX	VIII	VII		VI	V
9	8	7		6	5
Nongecies	octagies	septies mille	millia	sexcenta	quinquaginta

IIII	III	II	I
4	3	2	1
quatuor milia	trecenti	viginti	unus [6]).

Significationem naturalem numerus superior, sed accidentalem denotat inferior. Verbi gratia haec figura 1 in primo loco posita unitatem significat, in secundo decuplat 10, in tercio centum denotat 100, in quarto mille significat 1000. Sic quotiens versus sinistram movetur, totiens usque in infinitum decuplatur. Similiter haec figura 9 in primo novem, in secundo XC, 90, in tercio nongenta 900, in quarto posita novem milia significat, sicut *haec descriptio* denotat: 9000, ita usque in infinitum semper decuplatur.

Quod de prima diximus et ultima de reliquis intelligantur similia. Hujus disciplinae non plures quam VII habentur species. Additio, Subtractio, Dupplatio, Dimidiatio, Multiplicatio, Divisio et radicum extractio[7]). Quomodo legendus seu pronunciandus sit numerus quantumcunque fuerit magnus paucis innotescimus. Notandum quot ternarii tot fiunt puncti[8]), et quot fuerint puncti tociens mille debet pronuntiari. Et notandum quot figurae sequantur punctum, aut una aut duae aut tres. Si una tantum secundum proprietatem differentiae unitatum denominari debet. Si duae secundum proprietatem differentiae decenorum. Si tres secundum proprietatem centenorum pronuncietur.

Exemplum. 495.827.361.052.951. Ecce V ternarii et quatuor puncti. Qua propter secundum numerum punctorum repetatur denominatio millenorum, in ultimo pluraliter, in penultimo singulariter, in reliquis adverbialiter, excepto ternario primo ad dextram posito. Nota: Quadringecies nonages quinquies milies milies mille milia. Octingecies vigies septies milies mille milia. Trecenties sexagies mille milia. Quinquagies bis mille, vel duo milia. Nongenti quinquaginta unus.

Igitur prima species algorizmi additio dicitur. Additio itaque nil aliud est, quam ex diversis numeris unum consummare. Scribantur ergo duo ordines, quorum alter alteri addiciatur. Sed notandum cum figurae figura addicitur[9]), id est numerus per figuram significatus, aut excrescit[10]) in digitum, aut in articulum vel articulos, aut in digitum et articulum vel articulos. Si in digitum superior est delendus, iste scribendus; si in articulum vel articulos nichilominus superior deleatur, inibi cifra scribatur, et articulus vel articuli primae differentiae versus sinistram imprimantur. Quod si iterum in articulum vel articulos surgat, lege qua supra fiat, id est cifra scribatur et articulus transferatur, sed si in digitum et articulum digitus ex directo figurae superponatur et articulus lege qua supra transferatur. Verbi gratia sexcentis LX. VI addamus CXLIIII. Scribantur ergo duo ordines in hunc modum. $\begin{matrix}666\\144\end{matrix}$ adice itaque quatuor sex et sunt decem. Dele 6 et scribe 0, unitatem, per quam decem intelliguntur, proximae figurae appone secundum hoc exemplum $\begin{matrix}670\\144\end{matrix}$. Iterum adice 4, 7 et erunt XI. Dele 7, et ibi scribe digitum, et transfer articulum secundum regulum supradictam, et talem videbis inscriptionem $\begin{matrix}710\\144\end{matrix}$ id est septingenti decem. Adice nunc 1 ad 7 et erit haec summa. 810

De subtractione. Si autem probare volueris, an bene vel male feceris, eidem summae subtrahe per easdem figuras numerum, quem addidisse scias. Si redeunt eaedem figurae bene, sinautem male. Sic operare. $\begin{matrix}810\\144\end{matrix}$ Quoniam a nichilo nichil potest subtrahi, accipe ergo a secunda differentia unitatem, in qua X intelliguntur. Inde subtrahe IIII et remanent VI, quae inscribas primae differentiae. Sed ibi scribe 0, ne locus vacuus remaneat, eritque talis forma $\genfrac{}{}{0pt}{}{806}{144}$. Per secundam figuram lege qua supra subtrahe. Accipe ergo a proxima differentia unitatem et remanent 7, a qua IIII auferas et remanent VI. 0 deleatur et talis figura egreditur $\genfrac{}{}{0pt}{}{766}{144}$. Iterum a 7 unum accipe et reversae sunt figurae. Ecce $\genfrac{}{}{0pt}{}{666}{144}$.

Aliud exemplum. Ad nongenta nonaginta novem adicere vis unum. Ita facito 999. Addice 1 ad 9 et fiunt 10. Unitatem eandem, per quam intelliguntur X, transfer in differentiam secundam et similiter fiunt X, quae iterum oportet transferri. Et iterum erunt 10, quae nichilominus transferantur, et talis figura formabitur 1000. Si autem subtrahere vis 1 a praedicta summa, accipe 1 articulum a milibus et remanent 900. Item ab hoc articulo, qui continet C, iterum subtrahe articulum, et remanent 990, a quo unitatem deme, et reversae sunt figurae. Ecce 999.

Epilogus brevis. In additione et dupplatione et multiplicatione quando numerus surgit in articulum proximae figurae versus sinistram unitas pro X apponenda est. In subtractione et dedupplatione et divisione e converso unitas in proximam versus dextram transferatur differentiam non scribendo sed intelligendo, a qua demendum est quod subtrahendum est, sed inibi reliquum est exarandum. Verbi gratia si a 10 subtraxeris 5, unitatem tollis et loco cifrae reliquum scribis, id est 5. Similiter de reliquis est intelligendum articulis. Sequitur de dupplatione et dimidiatione.

Notandum quando in addicione vel dupplatione seu in multiplicatione numerus numero additur, si in digitum consummatur, figura superior debet deleri, digitus ibidem scribi. Si in articulum cifra scribatur, articulus ad proximam differentiam transferatur. Hoc memoriae imprimendum, quod articulus semper transferatur de differentia, in qua generatur, sed inibi aut 0 aut digitus inscribatur. Econverso in subtractione et dimidiatione et divisione quando articulus ab aliqua sequestratur differentia, et inde demitur mente quod necessarium est, in secunda differentia ad dextram ejus reliquum scribendum est, quia in translatione versus dextram per 1, X intelliguntur. Sic econverso in translatione articuli versus sinistram per X, 1 scribitur, quod etiam supra dixisse me memini.

Igitur numerus dupplandus scribatur in ordinibus duobus, ut figura depingatur sub figura similis sub simili, et figura addatur figurae secundum hoc exemplum $\genfrac{}{}{0pt}{}{532}{532}$. Hoc sciendum est, quod in dupplatione et multiplicatione inultimis[11]) differentiis est incipiendum, econverso in reliquis. Addamus itaque 5 ad 5 et erunt X. Deleatur superior figura, 0 scribatur, articulus secundum regulam transferatur secundum hoc exemplum $\genfrac{}{}{0pt}{}{1032}{532}$.

Addico nunc 3 ad 3 et fiunt 6. Aspice $\frac{1062}{532}$. Copula 2 ad 2 et nascuntur 4. $\frac{1064}{532}$ ecce.

Si vis probare an bene feceris, deme quod apposuisse scis te. A 4 aufer duo, et talis erit praescriptio $\frac{1062}{532}$. Item a 6, 3 deme, et erit exemplum tale $\frac{1032}{532}$. Adhuc 5 debes demere. Articulus itaque tollatur, quinarius auferatur, et residuum articuli in loco cifrae scribatur. Ecce redicre figurae $\frac{532}{532}$.

Sic sic species a specie examinantur, quemadmodum hic est demonstratum. Nota: sicut omnis numerus potest dupplari, sic et potest dimidiari, excepta unitate, quae quidem potest dupplari sed non dimidiari, in quo magnum latet sacramentum.

De multiplicatione. Multiplicatio quanto praecedentibus utilior tanto et difficilior. Quapropter quam summam constituat numerus per alium multiplicatus exercitatio computationis necessaria est, cujus rei gratia ut sciri possit compendiosius regulas has praescribimus. Digitus si digitum multiplicat a V et supra, differentiam[12]) alterius ab altero subtrahas, in residuo articulos intelligas, deinde differentiam per differentiam multiplica, et summam totalis numeri habés. Differentiam dicimus quicquid est inter digitum et X. Verbi gratia novies 9 quid sunt? Respondeo 81. Unde hoc scis? Regula. Dic regulam. Subtrahe differentiam a digito et remanent VIII, duc differentiam per differentiam et surgit 1, ecce.

Aliter: novies 9 exceptis 0 sunt 90. Sic novies 8 sunt absque 8, 80[13]). Octies 8 quid sunt? Respondeo 64. Unde hoc scis? Regula. Dic. Subtrahe differentiam a digito et remanent 6, duc differentiam per differentiam dicens bis duo quot sunt? 4 ecce. Cetera ex usu sciuntur. Quis enim non sciat, quod quinquies 5 sunt 25? Quater quatuor sunt 16, ter 3 sunt 9, bis duo sunt 4, semel 1 est 1. Ergo per prima et novissima intelligantur et media.

Igitur in multiplicatione disponantur lineae duae multiplicans et multiplicanda, ita tamen ut multiplicantis prima[11]) sub ultima multiplicandae figura. Deinde singulae multiplicandae per omnes ducantur multiplicantes. Ab ultimis incipiatur differentiis, ac terminetur in primis. Et notandum, cum figura figuram multiplicat, an digitum vel articulum aut digitum et articulum generat. Si digitum figurae ducenti[14]) superponatur, si articulus transferatur et 0 scribatur, si digitum et articulum digitum figurae superscribas, articulum transferas. Cum autem figura fuerit per omnes multiplicata, ipsa scilicet multiplicata debet deleri et digitus aut 0, si articulus fuerit, scribi. Hoc peracto transferantur omnes figurae multiplicantes, et prima ponatur sub penultima scilicet multiplicanda. Ducatur et ipsa et ultima. Ita facias usque dum singulas per omnes ducas. Verbi gratia 128 ducamus per 10 et 9. Exemplum $\genfrac{}{}{0pt}{}{128}{19}$. Dic semel 1 est 1, pone 1 super 1, sic $\genfrac{}{}{0pt}{}{1}{1}$, eandem unitatem, id est 100, duc per 9 et ecce 1928. Dele superiorem, ibidem scribe inferiorem secundum hoc exemplum $\genfrac{}{}{0pt}{}{1928}{19}$. Transfer lineam inferiorem, ut prima figura sit sub penultima secundum quod superius dictum est. Exemplum $\genfrac{}{}{0pt}{}{1928}{19}$. Dic modo semel 2 sunt 2, appone ea 9 et ecce 11, scribe digitum, transfer articulum. Exemplum $\genfrac{}{}{0pt}{}{2128}{19}$. Modo per novem duc eandem, erunt pro certo 18, scribe digitum, transfer articulum secundum hoc exemplum $\genfrac{}{}{0pt}{}{2288}{19}$. Transfer iterum lineam inferiorem sic $\genfrac{}{}{0pt}{}{2288}{19}$. Duc etiam nunc per ultimam primam superiorem. Dic semel 8 sunt 8, 8 ad 8 sunt 16, superiorem dele, digitum scribe, ibidem articulum transpone. Exemplum inspice, ecce $\genfrac{}{}{0pt}{}{2368}{19}$. Duc modo 8 per 9 et surgunt 72. Superior debet deleri, digitus ibidem poni, articulus transferri, ibique erit 13. Scribe digitum, transfer articulum, eritque hoc exemplum 2432. Ecce quomodo 128 per 10 et 9, sive 10 et 9 per 128. Haec excrevit summa. Si vis probare, av bene feceris necne, per easdem figuras dividito, per quas facta sit multiplicatio. Plane si figurae revertuntur per quotiens bene, sinavtem male.

De divisione. Divisio plane difficilis et laboriosa, sed utilis, sed fructuosa, sed jocunda. Quaerit curiosos non fastidiosos, sed ingeniosos. Divisio nil aliud est, quam quaedam consideratio, quociens minor in majori numero reperiatur. Scribatur uterque numerus, dividens scilicet et dividendus, in ordinibus plane duobus ita sane, ut dividentis ultima sit penultima[15]) dividendi differentia, si par aut minor fuerit, nam major a minori non potest subtrahi. Si major scribi ultima sub dividendi debet penultima. Ex his nempe duobus surgit ordo tercius. Inferior ipse est divisor, aut certe dividens denominetur. Secundus dividendus dicitur. Tertius egrediens, aut certe quociens intituletur. Divisionis exemplum $\genfrac{}{}{0pt}{}{2432}{19}$. Computa, curiose, quociens 1 possis a 2 extrahere, ut 9 tociens possis a reliquo demere. Reliquum dicitur omne, quod est ab ipso divisore usque in finem. Quociens potes? Semel. Unde hocscis. Regula. Dic. Quota fuerit ab ultimo divisore subtractio, tota debet a singulis fieri de reliquo. Nam si bis unum de duobus subtrahis, remanent 4, a quibus 9 bis demere non poteris. Quapropter deme semel et remanent 14. Ipsam denominationem[16]) super primum divisorem pone, et denominationem 9 subtrahe, supererunt 5 plane. $\begin{matrix}1\\1432\\19\end{matrix}$ Modo transfer ordinem dividentem secundum hoc exemplum $\begin{matrix}12\\532\\19\end{matrix}$.

Iterum considera, quociens a 5 possis 1 subtrahere, ut 9 tociens a reliquo possis. Bis tantum. Scribe denominationem. Tociens extrahe 9 de reliquo. Adhuc sunt 15. Detransferas dividentes figuras. Exemplum $\begin{matrix}128\\152\\19\end{matrix}$. Iterum 1 a 15 quociens possis, deme, fac octies, scribe quociens, et remanent 72. Abstrahe 9 tociens, et nichil remanet. Ecce $\begin{matrix}128\\19\end{matrix}$. Rediere figurae, perfecta divisio, per quam examinata est multiplicatio. Duc iterum si placet ordinem egredientem per ordinem dividentem, et surget plane eadem summa, quae nunc a nobis est divisa. Sic sic una examinatur ab altera. Aliter. Dividamus 100 libras inter XI mercatores. Haec namque propositio quamvis brevior tamen longe difficilior.

Exemplum librarum C. $\begin{matrix}100\\11\end{matrix}$. Per ultimum divisorem subtrahere potes 9 et remanet 1 respectu divisoris ejusdem, secundum hoc exemplum $\begin{matrix}9\\10\\11\end{matrix}$. Subtrahe nunc per primum quantum subtraxeras per divisorem secundum, eritque hoc exemplum $\begin{matrix}9\\1\\11\end{matrix}$. Ecce unicuique erunt IX librae, et una ad huc superest libra, quae dividi non potest inter tot mercatores. Cujus rei gratia redigatur in minutias, id est in XL solidos[17]), eosque dividamus inter ipsos $\begin{matrix}40\\11\end{matrix}$. Ter 1 a 40, et remanent 10 respectu figurae prioris. Deme tociens per priorem, et remanent solidi 7, quos nichilominus duc in denarios. 7 enim solidi sunt 84 nummi, quod adhuc dividere debes. $\begin{matrix}84\\11\end{matrix}$. 1 septies ab 8 abstrahere potes, et remanent $\begin{matrix}14\\11\end{matrix}$. Per primum abstrahe 7, supererunt adhuc 7, quos si in obulos redigam, per hoc forsan ipsos confundam. Quapropter, ut honestati eorum parcatur, placuit nobis, ut ova emantur. Mercatores enim sunt, delapidationem substantiae pati nesciunt. Emamus ex eis ova, sunt pro certo ad prandium sibi profutura. Dabuntur denique nobis 13 pro singulis denariis, et ecce 91. Modo per artem invenire libet, quod unusquisque in portionem accipere debeat. $\begin{matrix}91\\11\end{matrix}$ Subtrahe 8 a 9, et remanent 11 respectu figurae prioris. Per primum divisorem simili modo subtrahere debes 8, et adhuc tria supersunt ova. Quae, si placet, demus divisori pro mercede aut certe pro sale. Ecce 9 librae et tres solidi, 7 quoque nummi unicuique veniunt institori, et ex aliis 7 denariis 8 ova, insuper pro sale tria.

Placuit nobis hoc in loco de aggregatione[18]) pauca et breviter dicere, quae quidem magis redolent vanitatem quam utilitatem. Esto. Si non multum necessarie, sed gloriose, sed subtilissime, sed exercitationi profuturae.

Si contingat, ut aliquis numerus crescat in infinitum usque ab uno incipiens nullum transsiliens, scire autem cupis, quis sit numerus totalis, tali ingenio utere. Numerus in quo terminatur reliquus aut est par aut impar. Si par per ejus mediam partem duc majorem se sequentem. Verbi gratia ab uno usque decem et octo totalis numerus quis sit scire vis. Dedupla ultimum, id est 18, habesque 9, duc per 9 majorem ipsum sequentem, id est 19, surgitque 171. Si fuerit impar, per majorem ejus partem duc ipsum eundem, habebisque numerum totalem. Verbi gratia ab 1 usque novem scire vis quot sint. Accipe majorem ejus partem, id est 5, duc eundem ipsum, id est 9, surguntque 45. Aliter. Si contingat, aliquem numerum per omnes pergredi impares sic I, III, V, VII, IX, interrogatusque fueris, quotus est numerus totalis, hac arte utere Majorem ultimi numeri partem accipe, ducasque ipsam per se, summam totalis numeri producetque. Verbi gratia de 9 accipe majorem partem, id est 5, duc ipsam per se surguntque 25. Alia. Si aliquis numerus protentatur per omnes pares sic II, IIII, VI, VIII, quaesitusque fueris, quotus sit numerus totalis, ita experire. Dedupla ultimum, addeque uni parti 1, deinde duc alteram partem per alteram, videbisque totalem summam. Verbi gratia 8 dedupla, duc modo 4 per 5, et surget numerus iste 20. Aliter. Si quis proponat numerum, qui excrescat per duplum sic I, II, IIII, VIII, et scire cupiat, in quam summam excrescat, dupla ultimum, reice 1, ipse est, tene eum. Nota, locus, in quo fuerit binarius, intelligatur esse primus, et ipse est radix loci secundi, secundus quarti, quartus octavi, per continens contentum intellige, sic usque in infinitum procede. Si per binarium sumpserit initium, ultimum debes duplare, duo abicere, summamque totalem tali ingenio tene. Verbi gratia I, II, IIII, VIII quot sunt? 15. Unde hoc scis? Regula. Dic. Ultimum duppla, 1 reseca, ecce totalis summa. Si per binarium inchoaveris sic II, IIII, VIII, interrogatusque fueris, quot sunt, responde 14. Unde hoc scis? Regula. Dic. Ultimum dupla, 2 reseca, ecce totalis summa.

De radicum subtractione. Igitur radicum subtractio necessaria magis quidem mathematicis quam algoristis[19]). His plane ad investigandum constellationis ortum, istis ad inveniendam radicem numerorum. Omnis sane numerus radix est alterius, sed non e converso. Est igitur numerorum alius linealis, alius superficialis, alius vero solidus[20]). Primus numerorum est binarius, cujus partes cum sint duae unitates, secundum solam longitudinem disponi possunt. Quocunque modo ordinentur, linea pingitur, quapropter linealis dicitur, nam partes ejus secundum solam disponi possunt longitudinem. Superficialis duas habet dimmensiones, longitudinem scilicet et latitudinem, quorum primus est ternarius, cujus partes cum sint tres unitates, possunt disponi in modum trianguli, et ita est ibi longitudo et latitudo. Omnis superficialis potest esse linealis, sed non e converso. Tantum solus excipitur binarius. Superficialis a superficie dicitur, quia superfaciem id est lineam aliquid habet inscriptum. Solidus a soliditate dictus, quia omne solidum corpus est dictum et e converso, et tres recipit dimmensiones, longitudinem scilicet et latitudinem et spissitudinem. Inde numerus, cujus partes disponi possunt secundum illas tres dimmensiones, illorum primus est quaternarius. Cujus partes cum sint quatuor unitates, tres illarum possunt disponi in modum trianguli et quarta eis in modum piramidis imponi, et sic longitudo, latitudo et spissitudo considerari. Nota quod omnis solidus potest esse superficialis aut linearis, sed non omnis superficialis aut linearis potest esse solidus, quod probat ternarius atque binarius. Superficialium ergo numerorum alius est superficialis et cubicus sive quadratus[21]) alius superficialis et non cubicus. Superficialis et quadratus qui tres[22]) recipit dimensiones ita, ut equalia habeat latera quatuor, sicut in nullorum primo potest considerari scilicet quaternarius. Nam si in modum quadranguli disposueris, IIII equalia latera habebis, et unumqnodque latus duas habet unitates. Quadratus namque a IIII equalibus lateribus est dictus. Omnis sane cubicus[23]) in IIII lateribus tot recipit ordines, quot habet radix denominationes. Verbi gratia novenarius III recipit ordines[24]), quia radix ipsius est ternarius. Quis sit cubicus[23]) sic scire poteris. Omnis numerus per se ductus consurgit ex se cubicus[23]). Sic bis bini sunt IIII, ter trini sunt IX. Item solidorum alius est solidus quadratus[25]), alius solidus et non quadratus[25]). Solidus quadratus[25]) est, cujus partes disponi possunt secundum tres praedictas dimmensiones ita, quod IIII[26]) latera habeat aqualia. Horum primus est octonarius, cujus partes cum sint VIII unitates, IIII illarum intelligantur dispositae in modum quadranguli et aliae IIII illis eodem modo superpositae. Sic ergo dispositis in longitudinem, latitudinem, spissitudinem, notare poteris latera esse equalia. Erunt enim in longitudine unitates duae, in latitudine duae, in spissitudine duae. Omnis numerus solidus et quadratus[25]) tantum habet in spissitudine, quantum in latitudine aut longitudine et tribus excrescit denominatibus (sic!). Sic bis bini bis VIII, ter trini ter XXVII, quater quatuor quater LXIIII. Ecce numerorum quadratorumque omnium lex. Omnis numerus aut simplex aut compositus. Simplex omnis dicitur digitus, insuper deconus, centenus, millenus. Omnes reliqui compositi sunt.

Fecimus excursum quidem magnum, sed necessarium. Redeamus ergo tempus est ad propositum. Igitur numerus, cujus radix queritur, in linea una scribatur, deinde numerus excogitetur, qui totum subtrahet superpositum, quod si non potest, demat quanto magis potest. Si impares fuerint figurae, sub ultima excogitatum debes scribere, si pares sub penultima ipsum ponere debes. Ipsum duppla. Pone sub proximam versus dextram. Iterum alium excogita, quem pones sub proximam ipso dupplato, scilicet figura, secundum cujus denominationem abstrahas dupplatum. Nichilominus noviter excogitatum eundem ipsum simili *modo* dupples, et omnes dupplatos semper versus dextram moveas. Sic semper alium excogites, donec sub primam figuram pervenias, secundum cujus denominationem dupplatos omnes subtrahas, nichilominus eundem ipsum. Verbi gratia 2222. Excogita ergo numerum secundum regulam superius positam: Numerus excogitetur etc. Sit iste 4, alius enim non potest esse. Dic quater 4 sunt 16, deme, et istae remanent figurae 622. Isto dupplato 4, alioque excogitato scilicet isto 7, modo dic septies 8 erunt 56[27]). Eisdem sublatis a reliquo istae adhuc manent figurae 62, ab his subtrahe septies 7 et remanent istae figurae 13[28]). Perpende, quod numerus iste est sine radice. Sed cujus radicem inveneris, ita experiri poteris: Dedupla duplatos et ecce radix. Sed cujus si scire vis, duc eam per se, dicetque ipsam tibi certissime. Si probare vis, an bene feceris, adde huic reliquum, et si rediere priores figurae bene, sinautem male.

Epilogus de examinatione omnium specierum.

De addicione. Singulus numerus, qui alteri est adiciendus, per 9 prius divide[29]). Si nichil supererit 0 scribe, si aliquid reliquum unius, adice reliquo alterius, et per 9 divide. Si quid supererit pinge, si nil cifram scribe et pro nota tene. Hoc itaque peracto numerus addatur numero, et haec totalis summa per 9 est dividenda. Si apparebit nota addicio est vera, sin autem sine dubio falsa. Eodem modo probari debet subtractio, dupplatio, dedupplatio, ipsa quoque multiplicatio excepto quod notae, scilicet multiplicantis[30]) et multiplicandi, altera per alteram duci debet, sed simili modo per subtractionem novenarii debet examinari. De divisione seu radicum extractione nichil planius dici potest, quam quod superius explanatum est.

Nec praetereundum est, quod 0 per omnia omnibus algorizmi utitur legibus quemadmodum et alia figura, excepto quod nullum numerorum multiplicat, sed et ipsa a nullo multiplicatur. Quid enim si dixeris milies nichil quam nichil? aut nichil ad mille quam mille? Facit tamen quandam multiplicationem, sed tandum per decuplationem. Verbi gratia praepone 0 uni et fiunt X, praepone deceno et surgunt C, praepone centeno et erunt M. Et sciendum, quod in hoc magnum latet sacramentum. Per hoc, quod sine inicio est et fine, figuratur ipse, qui est vere alpha et ω, id est sine inicio et fine; et sicut 0 non auget nec minuit, sic ipse necrecipit aucmentum nec detrimentum; et sicut omnes numeros decuplat, sic ipse non solum decuplat, sed millificat, immo ut verius dicam omnia ex nichilo creat, conservat atque gubernat.

Haec autem omnia superius commemorata quamvis non verborum lepore sed forsan non inutili simplicitate sint explanata, perfectius discuntur in pulvere[31]) quam in deaurato codice, qua propter appellatur opus pulveris, non gloriosi codicis. Sicut scriptum est: Da sapienti occasionem et sapientior erit. Cujus rei gratia sapientibus haec sufficiant, simpliciores in eisdem per eosdem proficiant.

Incipit explanatio super algorizmum[32]).

Quoniam spiritus est, qui vivificat, caro non prodest quidquam, quemadmodum veritas testatur, quapropter ut nugleus gustetur testa abiciatur, igitur VII species sunt algorizmi, quia VII sunt dona spiritus sancti. Sicut I a numero nullo, sicut omnis numerus ab ipso, ita deus, qui vere semper idem est, sicut dicit psalmista, est et vere unus, unde Moyses: Deus tuus deus unus est in saecula saeculorum. Omne quod est ab ipso, qui vere est, habet esse et est, sed ipse a nullo. Sequitur binarius, quamvis sit infamis eo, quod discedat ab unitate primus. Similiter et in misterio, id est deus factus est homo, infamis habetur, sed inter gentes et ivdeos, non sic, impii, non sic inter fideles et christianos. Quapropter si placet istum recipiamus in misterio binarium, id est in principio creavit deus caelum et terram, vel angelicam et humanam naturam, vel aliter: Plasmavit deus hominem de limo terrae, masculum et feminam creavit ipsum. Aliter: Fecit deus hominem, et ipsum, quem creavit, eundem ipsum qui creavit assumpsit, ut ipse, qui est creator, sit creator et creatura, gigas geminae substantiae assumendo creaturam et creando assumpsit, non in confusione substantiae sed in unitate personae. Quid ternarius, nisi pater et filius et spiritus sanctus? Quapropter tria sunt tempora, tempus ante legem, tempus sub lege, tempus gratiae, ut intelligamus qui salvantur in his tribus temporibus per fidem sancte sanentur, et Ezechiel praecipit, ut thau litera trinitatis[33]) signet eos, qui salvandi sunt. Per thau CCC intelligguntur, per CCC hii, qui perfecte habent fidem trinitatis. Sequitur quaternarius, in cujus figura sunt IIII partes mundi, IIII tempora anni, et IIII fuerunt archae circuli et IIII evangelistae sancti, et nomen domini ineffabile detragramathon IIII quidem literis scribitur, joth he vav he, quamvis minime pronuntietur. Et notandum, quod in numeris primus hic invenitur par[34]) quadratus. Quod nam quadratum est, in quocunque latere fuerit, firmiter et equaliter stabit. Sic electi et dilecti IIII virtutibus, scilicet prudentia, justicia, fortitudine et temperantia, suffulti sicut in prosperis non extolluntur, sic nec in adversis praecipitantur. Sive venti impingant, sive flumina fluant, movere eos non possunt, quia quadrati sunt, et supra petram fundati sunt. Quinarius. Deus hominem, quem fecerat, V sensibus ditaverat, quos ipse peccando corruperat, sed ipse ipsum misericorditer quinquepartita passione restauraverat. Senarius numerus est sacratus, constat namque ex partibus suis[35]). Nam unus, duo, tres sunt sex. In eo, sicut sacra testatur scriptura, mundus est creatus; sed non ideo sacratus, quia mundus in ipso est creatus, sed mundus in eo ideo est creatus, quia numerus ipse est sacratus, sicut in libro de sancta trinitate sanctus testatur Augustinus. Sex alae referuntur cherubin uni, et VI alae cherubin alteri, et VI dies sunt operationis, VII us requietionis, VIII us gaudii et perfruitionis. Item septimus numerus sacratus propter septiformem gratiam spiritus sancti, et sapientia domum, quam sibi edificavit, VII columpnis fulcivit. Octavus propter octo beatidines non immerito sacratus judicatur, et quia Christus octava die resurrexisse creditur, et omnis resurrectio octavo die a fidelibus futura expectatur, creditur et exoptatur, unde propheta: Da partes VII, nec non et octo, septem propter septimam diem et VII ebdomadam et VII mensem et VII annum, quibus sollempnizabant patres veteris testamenti. Nec non et VIII, id est fidem resurrectionis, quae octavo die ex parte est celebrata et octava die celebratura. Quapropter ecclesia octavo die in misterio sabbatizat. Et notandum, quod octonarius numerorum est primus solidus quadratus[25]), in quo figurantur omnes, qui plenam resurrectionis habent fidem. Suat enim quadrati et solidi, quia neque mors, neque vita separabit eos a karitate Christi. Nam quod quadratum et solidum est, in quocumque latere erit, firmiter semper consistit, quapropter occidi possunt et flecti nequeunt. Sequitur per novenarium, qui deceno est proximus. Figuratur sanctorum spirituum exercitus, qui specialius contemplantur eum, de quo scriptum est: Vacate et videte, quod ego sum deus. Et notandum, quod si novenario unum adiciatur, ad X pervenitur. Per hanc unitatem pulchre satis intelligitur sponsus et sponsa, caput et membra, quia sumptus est a filio dei in unitate personae, ut deus esset et homo unus Emmanuel, et nos cum ipso erimus in deo spiritus unus, sicut scriptum est: Qui adheret deo unus spiritus est cum ipso. Et hic est perfectus denarius, cum deus erit omnia in omnibus. De cifra quod sentimus in primo opusculo compendiose diximus.

De additione. In principio creavit deus coelum et terram et angelicam creaturam, cui addidit hominem, quem de limo terrae plasmavit.

De subtractione. Dominus dicit quando et ubi facta sit in evangelio: Vidi sathan quasi fulgur de coelo cadentem. Item alia: In quocumque die comederis morte morieris. Comedit miser homo, et secuta est secunda subtractio. Aliter. Additio celebrata est, quando deus parietem ex gentibus venientem conjunxit parieti ex ivdeis consistenti in uno angulari lapide Jesu Christo, secundum quod dicit scriptura: Populus quem non cognovi, servivit mihi: in auditu auris obedivit mihi. Subtractio facta est, sicut scriptum est: Filii alieni mentiti sunt mihi, filii alieni inveterati sunt, et claudicaverunt a somitis suis. Moralisatio. Cum virtuti virtutem copulamus adicimus, cum autem peccamus subtrahimus.

Dupplatio. Primo fecit deus hominem de limo terrae, deinde inspiravit in faciem ejus spiraculum vitae, et factus est homo ad ymaginem et similitudinem dei, quae nichilominus celebrat in singulis hominibus. Sequitur in uno quoque nostram, secundum quod propheta testatur dicens: Dedupplatio. Quis est homo, qui vivit et non videbit mortem?

De multiplicatione. Omnia, quae facta sunt, ex nichilo facta sunt. Nonne tibi videtur esse magna, mirabilis et multiplicatio ineffabilis? Item fecit hominem unum, et multiplicatus est super numerum. Factus est itaque innumerabilis sicut stellae coeli, id est electi et dilecti, de quibus scriptum est: Fulgebunt iusti, sicut sol in regno patris eorum. Et sicut arena maris, id est reprobi et steriles, qui non ferunt semen, aliud tricesimum, aliud sexacesimum, aliud centesimum, sedremanent steriles et infecundi. Moralisatio. Multiplicamus cum damus terraena pro coelestibus, temporalia pro aeternis secundum quod veritas testatur dicens: Omnis qui reliquerit patrem aut matrem etc. centuplum accipiet et vitae aeternae partem. Valuit Zachaeo pro dimidio bonorum suorum, valuit viduae pro duobus minutis. Quantum habet, tandum valet. Valet namque pro calice frigidae aquae. Sic, sic multiplicemus, carissimi, ut mereamur heredes dei fieri et choeredes Christi, qui est benedictus in saecula saeculorum, amen.

De divisione. Posuit deus terminos gentium ivxta numerum angelorum, ex quibus Ysrael elegit in hereditatem sibi. Relictis itaque in errore gentibus, notus tantum in Judea deus. Vocati sunt hii filii[39]), canes appellati sunt illi. Facta est autem mutatio dexterae excelsi, ut hii, qui prius dicebantur canes, modo non solum vocitentur filii, sed et dilecti et amici dei, sicut per prophetam pronuntiatum fuerat: Populus, quem non cognovi servivit mihi; in auditu auris obedivit. Et alibi: Vocabo non plebem plebem meam, et non dilectam dilectam? Sed de illis quidem: Filii alieni mentiti sunt mihi, filii alieni inveterati, et claudicaverunt a semitis suis. Item: Circumdederunt me . *c* . *m* . *c* . *m* . *o* . *m* . [32]). Item: Cum plenitudo gentium introierit, tunc omnis Ysrael salvus erit. Et propheta: Si fuerit Ysrael, sicut *a* . *m* . reliquiae *s* . *f*. [32]). Plena divisio et perfecta adque terribilis erit in adventu judicis, quando separabuntur oves ab edis, et tunc dicetur illis: Ite maledicti etc., istis: Venite benedicti et rel. Quo nos producat qui vivit et regnat.

De radicum extractione. De extractione radicum Apostolus ait: Quos praescivit deus et praedestinavit, hos et vocavit; et quos vocavit, hos et justificavit: quos autem justificavit, hos magnificavit mirabilis extractio. Adam genuit duos filios, unum deus vocavit, alium reprobavit. Abraham duos genuit, quorum unus eligitur, alter reprobatur. Ysaac duos genuit, et cum adhuc essent in utero matris, dictum est: Jacob elegi, Esau autem odio habui. Latro per crucem pro sceleribus damnatur et salvatur. Infans in utero matris moritur et damnatur. Extractio terribilis, justa quidem sed occulta. Iste puer vocatur, moritur et salvatur, sed per gratiam; ille puer reprobatur et damnatur, sed per justiciam. Alius in puericia bonus et senectute perversus, quapropter reprobatur. Econverso alius ab infancia malus in senectute conversus et salvatur. Alius a puericia malus sed in fine deterior, alius a puericia bonus sed in fine melior. Sexquipartita est ista radicum extractio, quorum tres salvantur, sicut jam dictum est, sed per gratiam, tres damnantur, sed per justitiam terribilem valde et occultam. Haec non sunt discutienda sed timenda. Justus est dominus, justus damnandis et terribilis, misericors salvandis et amabilis, unde canit propheta: Misericordiam et judicium cantabo tibi domine. Aliquis est parens et reprobus, et gignit filium, qui est electus, et econverso alius est parens et electus, et gignit filium, et hic est reprobatus. Alius est parens et reprobatus, et gignit filium, et hic similiter reprobatus. Alius est parens electus, et nichilominus gignit filium, et hic est electus. Alius est parens et electus et gignit filium alium electum, alterum reprobatum. Alius est parens et reprobatus, et gignit filium alium electum, et alterum reprobatum. Alius habet parentes utrosque bonos, et ipse efficitur malus. Alius habet parentes utrosque malos, et ipse efficitur bonus. Alius ambos malos et ipse malus, alius ambos bonos et ipse bonus. Alius habet parentem unum bonum, alterum malum, et ipse malus. Alius unum habet similiter malum, alterum bonum, et ipse bonus. Hanc radicum extractionem nemo novit, nisi his, qui dat homini scientiam, deus et pater domini nostri iesu christi, pater misericordiarum, et deus tocius consolationis, qui nos extrahere et abstrahere dignetur ab hoc saeculo nequam et perducere in vitam aeternam, qui vivit et regnat.

---

1) Der Gebrauch des Nominativs *algorizmus* beweist, dass das Bewusstsein, dass *Algorizmus* der Name eines Mannes sei, bei dem Verfasser der Abhandlung schon verloren gegangen war. Er hielt offenbar dieses Wort für den Namen der Rechenkunst selbst.

2) Vergl. *Trattati d'Aritmetica publicati da Baldassare Boncompagni. Roma* 1857. p. 2: *Non enim possunt esse duo vel tria, si unum auferatur. Unum vero potest esse absque secundo vel tercio. Igitur nichil aliud sunt duo, nisi unius duplicitas vel geminatio: et similiter tria nichil aliud sunt, nisi ejusdem unitatis triplicatio: sic de reliquo numero intellige.*

3) *Differentia* bedeutet demnach an dieser Stelle Nichts anderes als: Rangordnung, eine Bedeutung, welche diesem Worte bei den Algorithmikern inne zu wohnen pflegt. Die Abacisten dagegen benutzten das Wort in dem Sinne von Ergänzung besonders bei der Division, worauf noch zurückgekommen werden wird.

4) Der in dem Worte *quadrivium* enthaltene Begriff ist griechisch-römischen Ursprunges, sowie denn auch in der That in dieser Abhandlung Algorithmisches, d. h. Arabisches und Abacistisches, d. h. Griechisch-Römisches, bunt gemengt erscheinen, ersteres Element freilich überwiegend, wie fast allgemein seit der Mitte des 12. Jahrhunderts. Vergl. *Haec in quadrivio, id est in Musica, Arithmetica, Geometrica, Astronomia, ita est necessaria et utilis, ut sine illa pene omnis labor studentium videatur inanis.* (*Regulae Domini Oddonis super abacum* in den von Gerbert 1784 herausgegebenen *Scriptores ecclesiastici de musica*. Bd. I. S. 296.)

5) *Trattati d'Aritmetica* pag. 26: *Ideo apertissimis indiis sub quibusdam regulis et certis limitibus infinita numerositas coarctatur ut de infinitis difinita disciplina traderetur.*

6) Der Gebrauch, die neun Ziffern, von 9 abwärts bis 1, hinzuschreiben ist sehr häufig, allein dass dieselben, wie im gegenwärtigen Falle, nach Positionswerth der neun Zahlen aufgefasst werden, scheint unserem Schriftsteller eigenthümlich zu sein.

7) Mitunter werden 9 *species* angenommen, indem zu den im Texte angeführten noch die *numeratio* und *progressio* hinzutritt, welche hier auch vorkommen, aber nicht unter besonderer Ueberschrift. Vergl. *Joannis de Sacro-Bosco tractatus de arte numerandi* bei *Halliwell, Rara Mathematica* pag. 2. Andere wieder, z. B. *Lucas Paciolus* lassen die *dupplatio* und *dimidiatio* weg und behalten die 7 anderen *species*.

8) Die durch Punkte getrennten Gruppen von je drei Ziffern, Triaden, finden sich auch schon bei *Sacro-Bosco*: *Item sciendum est, quod supra quamlibet figuram loco millenarii positam componenter possunt poni quidam punctus ad denotandum quod tot millenarios debet ultima figura representare, quot fuerunt puncta pertransita* (*Rara Mathematica* pag. 5).

9) Das Wort addicitur ist am Rande ergänzt.

10) Vergl. *Sacro-Bosco*: *Additio est numeri vel numerorum aggregatio, ut videatur summa excrescens.*

11) *Ultima differentia* ist immer die äusserste Rangordnung nach links, also die höchste. Die niederste Rangordnung, d. h. die der Einer, heisst *prima differentia* oder *figura*.

12) *Differentia* hat hier den Sinn der Ergänzung zu 10, welchen es (vergl. Anmerkung 3) in der sogenannten complementären Divisionsmethode der Abacisten zu besitzen pflegt. Die hier auseinandergesetzte Multiplicationsmethode ist die bei Schriftstellern des 16. Jahrhunderts häufig wiederkehrende, deren erste Spuren bisher nur bis auf Regiomontanus in der Mitte des 15. Jahrhunderts zurückverfolgt werden konnten. Die Frage, welche ich (Mathem. Beiträge zum Kulturleben der Völker S. 216) stellte, ob ein Werk in irgend einer Sprache existire, welches die Anwendung der Differenzmethode bei Multiplication und Division gleichzeitig enthalte, ist damit allerdings noch nicht beantwortet, da in unserem Codex die complementäre Division fehlt. Indessen ist doch die dereinstige Bejahung der Frage dadurch wahrscheinlicher geworden, dass jetzt die Existenz der complementären Multiplication für eine Zeit nachgewiesen ist, welche der Zeit der Anwendung der complementären Division fast um 3 Jahrhunderte näher liegt.

13) Diese Art zu multipliciren, welche mit der complementären Multiplication ja nicht verwechselt werden darf, so nahe die Versuchung auch liegt, findet sich ausführlicher beschrieben bei *Sacro-Bosco*: *Si vis scire quot sunt quater in octo*, *vide quot sunt unitates intra octo et decem*, *denario simul computato*, *et patet quot sunt duo*: *subtrahatur ergo quaternarius a quadraginta bis et remanent* 32, *et haec est summa totius multiplicationis* (*Rara Mathematica* pag. 12). Ferner *Trattati d'Aritmetica* pag. 97: *Omnis namque numerus infra denarium multiplicatus in se ipsum reddit summam sue denominationis decupatae*, *subtracta inte multiplicatione differentie ipsius ad denarium facta in se ipsum. Verbi gratia sexies sex dicantur fieri.* 60. *que est denominatio a sex deculpata*; *differentia autem senarii ad denarium est quaternarius*, *qui multiplicatus in sex facit.* 24. *His ergo.* 24. *de sexaginta subtractis remanent.* 36.

14) Das Wort *ducenti* ist am Rande ergänzt.

15) Der erste bedeutendere Schreibfehler in dem Manuscripte. Der Sinn erfordert offenbar *ultima*. Da von hier an die Fehler etwas häufiger werden, so ist vielleicht die Ansicht gerechtfertigt, die Rechenkunst des Schreibers habe bei der Division ihre Schranken gehabt, und das Weitere habe er zum Theil ohne es zu verstehen abgeschrieben.

16) *Denominatio* ist also hier Nichts anderes als Quotient; das ist die Bedeutung, welche das Wort bei den Abacisten zu haben pflegt, während es bei den Algorithmikern den Nenner eines Bruches bedeutet (vergl. meine Mathem. Beiträge u. s. w. S. 298), oder die Zahl selbst, von der zuvor die Rede war. Vergl. Anmerkung 13.

17) Dass eine *libra* = 40 *solidi* ist ganz abweichend von den Angaben, welche man sonst zu finden pflegt. Am häufigsten ist 1 *libra* = 20 *solidi*, dann kommen bei *Ducange*, *Glossarium mediae et infimae latinitatis* (neueste Ausgabe Paris 1845, Bd. IV S. 100) noch einige andere Gleichungen vor: *Libra* = 22 *solidi, libra* = 48 *solidi*, aber nirgends 1 *libra* = 40 *solidi!* Vielleicht ist hier eine Doppel-Libra gemeint, was mitunter vorkommen soll.

18) Damit sind die Progressionen gemeint, also dieselben Sätze, welche bei *Sacro-Bosco* z. B. unter der Ueberschrift *progressio* vereinigt sind. Vergl. Anmerkung 7.

19) Die den Algoristen, Rechnern, gegenübergestellten Mathematiker sind selbstverständlich die *mathematici damnabiles*, von welchen auch das römische Recht spricht, nämlich die Sterndeuter.

20) Auch bei *Sacro-Bosco* (*Rara Mathematica* pag. 19) ist zwischen der Lehre von den Progressionen und der Wurzelausziehung ein Abschnitt IX. *Perambulum ad Radicum Extractionem* eingeschoben, welcher sich mit den Begriffen der linearen Zahl, der Oberflächenzahl und der Körperzahl beschäftigt. Allein zwischen *Sacro-Bosco* und dem Verfasser unseres Codex findet derselbe Gegensatz statt, welcher in diesem Theile der Arithmetik zwischen den beiden griechischen Zahlentheoretikern des 2. Jahrhunderts nach Chr. Geb., zwischen Theon von Smyrna und Nikomachus existirt. *Sacro-Bosco*, ebenso wie Theon von Smyrna, nennt das Product von zwei Factoren Oberflächenzahl, das von drei Factoren Körperzahl, und diese Defini-

tionen, wie sie die naturgemässen sind, sind auch wohl die alt-ursprünglichen, wenigstens stimmen sie mit den im platonischen Timäus vorgetragenen Sätzen überein. Nikomachus dagegen, nach ihm Boethius in seiner Arithmetik und auch unser Autor rechnen schon die Dreieckszahlen zu den Oberflächenzahlen, welche daher bei ihnen identisch mit Vieleckszahlen sind und ebenso rechnen sie die Pyramidalzahlen bereits zu den Körperzahlen. Von dem Unsinne, den unser Autor auf eigene Faust hinzufügt, vergl. weiter unten die Anmerkungen 21, 22, 23, 25, 26.

21) Die Verwechslung dessen, was Quadrat und Cubikzahl ist, beginnt hier.

22) *Tres dimensiones* giebt hier offenbar keinen Sinn; entweder müssen 2 oder 4 Dimensionen gemeint sein.

23) Soll heissen *quadratus*.

24) Das Wort *ordines* ist am Rande ergänzt.

25) Soll heissen *cubicus*.

26) Soll heissen VIII.

27) Die Worte: *Modo dic septies* 8 *erunt* 56 sind am Rande ergänzt.

28) Die Worte: *ab his subtrahe septies* 7 *et remanent istae figurae* 13 sind am Rande ergänzt.

29) Die Neunerprobe ist den Algorithmikern eigen, während sie bei den Abacisten zu fehlen pflegt.

30) Im Texte folgt hier zum zweiten Male *et multiplicantis*, welches aber durchstrichen ist.

31) Diese Stelle beweist, dass unser Autor auf einem Sandbrette zu rechnen pflegte, wie es vordem in häufigem Gebrauche war. Später benutzte man eine weisse Tafel, auf welcher die Schriftzüge leicht ausgewischt werden konnten. Vergl. *Leonardo Pisanus*, Opera I, pag. 7 (Roma 1857): *Scribantur in tabula dealbata, in qua littere leviter deleantur.*

32) Der mittelalterlich-mystische Inhalt dieses zweiten Theiles der vorliegenden Schrift dürfte gerade für Mathematiker, welche an derartige barocke Aussprüche nicht gewöhnt sind, hinlängliches Interesse bieten, um den Abdruck desselben gleichfalls zu rechtfertigen. Ich bemerke, dass die vielen Bibelstellen, welche vorkommen, nur durch die Anfangsbuchstaben der betreffenden Worte angedeutet sind, deren Interpretation also mit Hülfe sogen. Concordantien versucht werden musste. Zweimal ist es mir nicht gelungen, die angezogene Stelle aufzufinden, weshalb auch im Abdrucke nur Anfangsbuchstaben stehen.

33) Dieses bezieht sich auf Hesekiel IX, 4. Der Buchstabe *tav*, mit welchem das Zeichen des Kreutzes auf die Stirne der Rechtschaffenen und Frommen gemacht werden soll, bedeutet übrigens in hebräischer Zahlbezeichnung nicht 300, sondern 400. Der folgende Satz des Textes: *Per thav CCC intelliguntur* ist also der Unwissenheit des Verfassers entschlüpft. Das Wort *trinitatis* ist übrigens am Rande erst ergänzt.

34) Das Wort *par* ist am Rande ergänzt.

35) Bekanntlich ist der hier angegebene Grund für die Heiligkeit der Zahl 6 sonst als Definition der vollkommenen Zahlen angeführt, und von der Vollkommenheit zur Heiligkeit ist der Uebergang leicht.

36) Das Wort *filii* ist am Rande ergänzt.

II.

Ueber die idealen Primfactoren der complexen Zahlen, welche aus den Wurzeln einer beliebigen irreductiblen Gleichung rational gebildet sind.

Von

Dr. Eduard Selling,

ausserord. Prof. an der Universität Würzburg.

I.

Es sollen im Folgenden die complex-irrationalen Zahlen behandelt werden, welche aus den Wurzeln $\varrho_1, \varrho_2 \ldots \varrho_n$ einer irreductiblen algebraischen Gleichung $R_n = a_0 x^n + a_1 x^{n-1} + \ldots + a_n = 0$ rational gebildet sind, und zwar soll die Zerlegung dieser Zahlen in ihre idealen Primfactoren in völliger Analogie mit der von Kummer in Bezug auf die aus Wurzeln der Einheit gebildeten Zahlen durchgeführten Theorie entwickelt werden. Diese Zahlen spielen seit der zweiten Gauss'schen Abhandlung über die biquadratischen Reste, wenn auch oft nur verborgen oder durch ganz specielle Fälle vertreten, eine bedeutende Rolle in der mathematischen Literatur. Sowohl die Scheu, die grossen mit der Theorie dieser Zahlen zusammenhängenden Fragen zu berühren, als die Kenntniss davon, dass Herr Kronecker dieselben Untersuchungen seit lange pflege und bereits alle Schwierigkeiten, die mir zunächst ein Ziel gesetzt hatten, überwunden habe und die Hoffnung, dass das mathematische Publikum sich bald einer ausgedehnten Veröffentlichung seiner Resultate zu erfreuen habe, hatte mich bisher abgehalten, diese in geringerer Allgemeinheit schon im Herbste 1859, noch bevor mir die Kummer'sche Abhandlung von 1859 über die Reciprocitätsgesetze bekannt sein konnte, ausgearbeitete Untersuchung zu veröffentlichen.

Ich beschränke mich auf die Annahme, dass die Coefficienten a in R_n gewöhnliche ganze Zahlen sind und zwar sollen dieselben ohne einen allen gemeinsamen Divisor angenommen werden. Die so beschränkte Function

R_n soll sich in ebenso beschränkte Functionen als Factoren nicht zerlegen lassen, welche Eigenschaft ich hier mit dem Beiwort irreductibel bezeichne.

Zunächst können alle rationalen Functionen der Wurzeln $\varrho_1, \varrho_2 \ldots \varrho_n$ als ganze Functionen derselben dargestellt werden, deren Coefficienten rational sind, wenn die Coefficienten der gegebenen rationalen Functionen, wie angenommen werden soll, rational waren. Zu diesem Zwecke hat man nur in jeder einfach gebrochenen Function Zähler und Nenner mit Producten von Functionen zu multipliciren, welche durch Permutation der Wurzeln ϱ aus dem gegebenen Nenner hervorgehen und den neuen Nenner zu einer symmetrischen Function der Wurzeln ϱ, also zu einer rationalen Zahl machen.

Aus einer solchen Function ist man ferner jedenfalls im Stande, eine beliebige Wurzel z. B. ϱ_1 ganz, von einer zweiten z. B. ϱ_2 die zweite und alle höheren, im Allgemeinen von ϱ_h die h^{te} und alle höheren Potenzen zu eliminiren. Dividirt man nämlich die Function R_n durch $(x-\varrho_{h+1})$ $(x-\varrho_{h+2})\ldots(x-\varrho_n)$, so giebt der Quotient, gleich Null gesetzt, eine Gleichung vom Grade h, deren Coefficienten ganze Functionen von ϱ_{h+1}, $\varrho_{h+2}\ldots\varrho_n$ und deren Wurzeln die h übrigen Wurzeln ϱ sind. Mittels dieser durch $R_h=0$ zu bezeichnenden Gleichung ist die Reduction von ϱ_h auf die $(h-1)^{te}$ Potenz auszuführen. Die Coefficienten der verschiedenen Potenzen von ϱ_h bleiben dabei ganze, wenn auch im Allgemeinen nicht ganzzahlige Functionen von ϱ_{h+1} bis ϱ_n, da der Coefficient von x^h in R_h diese Wurzeln nicht enthält.

Bei vielen Klassen von Gleichungen tritt nun aber der Fall ein, dass von den aus ihnen abzuleitenden Gleichungen $R_h=0$ einige durch Gleichungen niedrigerer Grade ersetzt werden können, deren Coefficienten auch rational aus ϱ_{h+1} bis ϱ_n gebildet sind. So können für $h=1$ bis $h=n-1$ Gleichungen vom ersten Grad aufgestellt werden bei den Kreistheilungsgleichungen und den nach Kronecker auf diese zurückzuführenden Abel'schen Gleichungen mit ganzzahligen Coefficienten, für $h=1$ bis $h=n-2$ Gleichungen vom ersten Grad bei den algebraisch auflösbaren Gleichungen mit ganzzahligen Coefficienten und von einem Primzahlgrade. Wenn es eine Gleichung giebt, deren Coefficienten nur die Wurzeln ϱ_{h+1} bis ϱ_n enthalten, und welche einen Divisor mit der Gleichung $R_h=0$ gemeinsam hat, so lässt sich der gemeinsame Divisor vom höchsten Grad getrennt darstellen mit Coefficienten, welche ebenfalls nur die Wurzeln ϱ_{h+1} bis ϱ_n enthalten. Als Coefficient der höchsten Potenz von x lässt sich hierin immer eine gewöhnliche ganze Zahl annehmen, denn der Multiplicator, welcher nöthig ist, um im Quotienten zweier ganzer Functionen von ϱ_{h+1} bis ϱ_n den Nenner rational zu machen, enthält die Wurzeln ϱ_1 bis ϱ_h symmetrisch, welche demnach aus ihm, also auch aus dem neuen Zähler ganz entfernt werden können, etwa mittels der durch die Coefficienten der Gleichung $R_h=0$ gegebenen symmetrischen Functionen dieser

Wurzeln. Ist $S_i = 0$ eine solche in der Gleichung $R_h = 0$ enthaltene Gleichung, deren Wurzeln ich mit $\varrho_h, \varrho_{h-1} \ldots \varrho_{h-i+1}$ bezeichne, so können jedenfalls die Gleichungen $S_i = 0$, $S_{i-1} = \frac{S_i}{x - \varrho_h} = 0$, $S_{i-2} = \frac{S_i}{(x - \varrho_h)(x - \varrho_{h-1})} = 0$ etc. zur Reduction von respective ϱ_h, ϱ_{h-1}, ϱ_{h-2} etc. auf die Grade $i-1$, $i-2$, $i-3$ etc. dienen, es ist jedoch möglich, dass auch diese Gleichungen von der zweiten oder dritten etc. an wieder in Divisoren niedrigerer Grade zerfallen, deren Coefficienten auch nur Functionen von respective den Wurzeln ϱ_h bis ϱ_n, ϱ_{h-1} bis ϱ_n etc. sind, welche Divisoren dann anstatt der Gleichungen $S_{i-1} = 0$, $S_{i-2} = 0$ etc. zur Reduction ihrer Wurzeln zu benutzen sind etc. Analoges, wie für diese i Wurzeln wird noch für andere Gruppen von k, l etc. Wurzeln aus den $n-h-i$ noch übrigen stattfinden, wobei in den Coefficienten einer für irgend eine Wurzel ϱ geltenden Gleichung immer alle Wurzeln ϱ mit höherem Index vorkommen dürfen.

Die Anzahl m von Producten von Potenzen verschiedener Wurzeln ϱ je mit rationalen Coefficienten, welche eine Function $f(\varrho_1, \varrho_2 \ldots \varrho_n)$ als ganze Function dargestellt, nach all diesen Reductionen, welche bei den Wurzeln ϱ mit dem niedrigsten Index zu beginnen haben, noch besitzen kann, ist gleich dem Producte der Anzahlen der verschiedenen Potenzen, mit Einschluss der nullten, in welchen die einzelnen Wurzeln ϱ noch vorkommen können, also höchstens gleich $1.2.3 \ldots . n$, im Allgemeinen gleich einer Zahl, welche aus diesem Producte dadurch hervorgeht, dass man Producte von bestimmten i, k, l etc. aufeinanderfolgenden Factoren desselben ersetzt durch die Producte $1.2 \ldots . i$, $1.2 \ldots . k$, $1.2 \ldots . l$ etc. und in diesen wieder Producte von $\varkappa$, λ etc. auf einander folgenden Factoren durch die Producte $1.2 \ldots . \varkappa$, $1.2 \ldots . \lambda$ etc. Jedenfalls ist also die gesuchte Anzahl m ein Divisor von $1.2 \ldots . n$.

In der nun besprochenen Form, welche ich die normale nenne, und welche offenbar von der zum Theil willkürlichen Annahme der Reihenfolge der Wurzeln ϱ abhängt, hat jede, immer als rationale angenommene Function der Wurzeln ϱ die Eigenschaft, nicht anders gleich Null sein zu können als indem alle ihre Coefficienten gleich Null sind. Es soll nämlich immer angenommen werden, dass zur Reduction jeder Wurzel die Gleichung vom möglichst niedrigen Grade angewandt worden ist. Würde nun, ohne dass alle Coefficienten in $f(\varrho_1, \varrho_2 \ldots \varrho_n)$ gleich Null sind, $f(\varrho_1, \varrho_2 \ldots \varrho_n) = 0$ sein, so würde diese Gleichung selbst eine unbenutzt gebliebene Gleichung sein, mittelst deren die höchste darin vorkommende Potenz der Wurzel ϱ von dem niedrigsten Index, welche darin vorkommt, noch hätte eliminirt werden können. Functionen der Wurzeln ϱ in der normalen Form nenne ich complexe Zahlen. Es können also zwei complexe Zahlen nur dann einander gleich sein, wenn ihre m einzelnen Coefficienten respective einander gleich sind.

Es seien $\varrho_{h+1}^{(\vartheta)}, \varrho_{h+2}^{(\vartheta)} \dots \varrho_n^{(\vartheta)}$ beliebige in beliebiger Reihenfolge genommen $n-h$ aus den n Wurzeln ϱ und bedeute $R_h^{(\vartheta)}$, $S_i^{(\vartheta)}$ etc. die aus respective R_h, S_i etc. durch die Verwandlung der Wurzeln ϱ in die Wurzeln $\varrho^{(\vartheta)}$ von demselben Index entstehenden Functionen. Wenn nun die Gleichung $R_h = 0$ in zwei Factoren $S_i = 0$ und $T_{h-i} = 0$ von den Graden i und $h-i$ und mit Functionen von ϱ_{h+1} bis ϱ_n als Coefficienten zerfällt, so zerfällt die Gleichung $R_h^{(\vartheta)} = 0$ in die zwei Factoren $S_i^{(\vartheta)} = 0$ und $T_{h-i}^{(\vartheta)} = 0$, deren Coefficienten wie die von $R_h^{(\vartheta)}$ Functionen von $\varrho_{h+1}^{(\vartheta)}$ bis $\varrho_n^{(\vartheta)}$ sind; denn das Product von $S_i^{(\vartheta)}$ und $T_{h-i}^{(\vartheta)}$ wird sich durch die Gleichungen $R_{h+1}^{(\vartheta)} = 0$, $R_{h+2}^{(\vartheta)} = 0, \dots R_{n-1}^{(\vartheta)} = 0$, $R_n = 0$ in dieselbe Form $R_h^{(\vartheta)}$ als Function der Wurzeln $\varrho^{(\vartheta)}$ bringen lassen, welche R_h als Function der Wurzeln ϱ hat, und in welche das Product von S_i und T_{h-i} als durch die Gleichungen $R_{h+1} = 0$, $R_{h+2} = 0, \dots R_{n-1} = 0$, $R_n = 0$ gebracht angesehen werden kann. Nur wenn h der grösste Index ist, bei welchem R_h in der betrachteten Weise zerfällbar ist, können als $\varrho_{h+1}^{(\vartheta)}$ bis $\varrho_n^{(\vartheta)}$ beliebige $n-h$ Wurzeln ϱ als den Wurzeln ϱ_{h+1} bis ϱ_n entsprechend angenommen werden, durch diese ist dann eine Gruppe von i Wurzeln $\varrho_{h-i+1}^{(\vartheta)}$ bis $\varrho_h^{(\vartheta)}$ bestimmt, welche in noch willkürlicher Reihenfolge den i Wurzeln ϱ_{h-i+1} bis ϱ_h entsprechen. Die analoge Behauptung gilt, wenn eine der Gleichungen $S_{i-1} = 0$, $S_{i-2} = 0$ etc. wieder in Factoren zerfällt etc. Wenn in dieser Weise zwischen den Wurzeln $\varrho_1^{(\vartheta)}, \varrho_2^{(\vartheta)} \dots \varrho_n^{(\vartheta)}$ dieselben zur Reduction zu benutzenden Gleichungen bestehen, wie zwischen den Wurzeln $\varrho_1, \varrho_2, \dots \varrho_n$ von respective denselben Indexen, so nenne ich diese beiden Reihenfolgen der Wurzeln ϱ conjugirt. Um alle zu der ursprünglichen conjugirten Reihenfolgen zu erhalten, ist ϱ_n mit allen Wurzeln ϱ, den Wurzeln von $R_n = 0$ zu vertauschen. Nachdem statt dieser eine bestimmte Wurzel $\varrho_n^{(\vartheta)}$ genommen ist, wird an die erst von ϱ_{n-1} eingenommene Stelle irgend eine Wurzel $\varrho_{n-1}^{(\vartheta)}$ von $R_{n-1}^{(\vartheta)} = 0$ gesetzt etc., endlich an die erst von ϱ_{h+1} eingenommene Stelle irgend eine Wurzel $\varrho_{h+1}^{(\vartheta)}$ von $R_{h+1}^{(\vartheta)} = 0$, dann an die erst von ϱ_h eingenommene Stelle irgend eine Wurzel $\varrho_h^{(\vartheta)}$ von $S_i^{(\vartheta)} = 0$ etc. Die Anzahl aller conjugirten Reihenfolgen wird demnach gleich dem Product der Grade der Gleichungen, welche zur Reduction für $\varrho_n, \varrho_{n-1}, \dots \varrho_2, \varrho_1$ zu dienen haben, also gleich der Anzahl m der willkürlichen Coefficienten einer complexen Zahl. Die m complexen Zahlen, welche durch

Vertauschung der m conjugirten Reihenfolgen der ϱ aus einander hervorgehen, nenne ich **conjugirte complexe Zahlen**. Die symmetrischen Functionen dieser m Zahlen sind symmetrische Functionen aller n Wurzeln ϱ, denn es ist durch den Schluss von $\nu-1$ auf ν zu zeigen, dass die symmetrischen Functionen der conjugirten Zahlen, welche durch die zulässigen Vertauschungen der Wurzeln ϱ_1 bis ϱ_ν aus $f(\varrho_1, \varrho_2, \ldots \varrho_n)$ hervorgehen, symmetrische Functionen der Wurzeln ϱ_1 bis ϱ_ν sind. Es giebt also eine Gleichung vom Grade m, deren Coefficienten rational und deren Wurzeln die m betrachteten conjugirten complexen Zahlen sind. Die $\frac{1.2\ldots.n}{1.2\ldots.\lambda}$ durch alle Permutationen der Wurzeln ϱ aus einer complexen Zahl hervorgehenden Functionen der Wurzeln ϱ zerfallen in $\frac{1.2\ldots.n}{1.2\ldots.\lambda.m}$ Gruppen von je m conjugirten Zahlen, wobei λ die Anzahl der zur Reduction zu benutzenden Gleichungen vom ersten Grad bezeichnet, durch welche die betreffenden Wurzeln ganz eliminirt werden. Wenn eine der Gleichungen $S_t=0$, $S_{t-1}=0$ etc. eine weitere Zerlegung in Factoren als bisher zuliesse, nach Adjunction von Wurzeln von $T_{k-t}=0$, d. h. nachdem man in die Coefficienten der Factoren auch diese Wurzeln hätte eintreten lassen oder wenn Aehnliches in anderen abgeleiteten Gleichungen stattfände, wäre es möglich, dass die Zahl m durch eine kleinere Zahl ersetzt werden könnte, dadurch, dass man anstatt der Gleichung $S_t=0$ einen anderen Factor der Gleichung $R_k=0$ zuerst benutzte, oder das Aehnliche mit anderen abgeleiteten Gleichungen vornähme. Da die Anzahl der denkbaren Reihenfolgen dieser Gleichungen eine endliche ist, so wird sich immer diejenige Reihenfolge derselben finden lassen, welche zum kleinsten Werth von m führt, wenn man überhaupt die Auflösbarkeit unserer Gleichungen in Factoren der betrachteten Art entscheiden kann, wozu zwar allgemeine, sogar directe, aber praktisch ganz unausführbare Methoden angegeben werden können. Uebrigens ist sowohl das Bisherige als das Folgende nicht von der Annahme abhängig, dass m den kleinsten in dieser Art möglichen Werth habe, es dürfen nur die zur Reduction für ϱ_ν dienenden Gleichungen nicht weiter in Factoren zerlegbar sein, deren Coefficienten nur $\varrho_{\nu+1}$ bis ϱ_n enthalten.

Sind zwei von den m conjugirten Zahlen einander gleich, ist z. B. $f(\varrho_1, \varrho_2, \ldots \varrho_n) = f(\varrho_1^{(\vartheta)}, \varrho_2^{(\vartheta)}, \ldots \varrho_n^{(\vartheta)})$, so muss diese Gleichung identisch erfüllt sein, es müssen, nachdem die zweite Zahl in die normale Form der ersten gebracht worden ist, die m beiderseitigen Coefficienten respective einander gleich sein. Führt die Vertauschung, durch welche die Reihenfolge $\varrho_1^{(\vartheta)}, \varrho_2^{(\vartheta)}, \ldots \varrho_n^{(\vartheta)}$ aus der ursprünglichen $\varrho_1, \varrho_2, \ldots \varrho_n$ hervorgeht, erst nach t maliger Anwendung auf die je dieselben Stellen einnehmenden Wurzeln zu der ursprünglichen Reihenfolge zurück, so sind demnach mindestens je t von den m conjugirten Zahlen einander gleich. Nimmt man je eine aus je t solchen Zahlen, so sind die symmetrischen Functionen der $\frac{m}{t}$ so erhaltenen conjugirten complexen Zahlen ebenfalls symmetrische Functionen aller Wurzeln ϱ.

Jedes Product von m oder weniger conjugirten complexen Zahlen, welches eine rationale Zahl ist, bezeichne ich als Norm dieser complexen Zahlen, wobei die Anzahl der Factoren besonders anzugeben ist.

Ausser der hier aufgestellten normalen Form liessen sich die zu betrachtenden complexen Zahlen noch in mannigfachen anderen Formen behandeln, welche bei speciellen Untersuchungen besondere Vortheile gewähren, jedoch im Allgemeinen willkürlicher und weniger unmittelbar erscheinen und zu dem zunächst hier Durchzuführenden noch nicht nothwendig sind. Insbesondere liessen sich alle hier betrachteten complexen Zahlen als ganze Functionen jeder m werthigen solchen Zahl darstellen. Setzt man die für diese geltende Gleichung vom Grade m an die Stelle der Gleichung $R_n = 0$, so erkennt man diese Form als eine specielle der hier behandelten. Da die Functionen der Wurzeln mehrerer irreductibler Gleichungen sich ebenfalls als ganze Functionen einer solchen Function darstellen lassen, ist auch die Theorie solcher Functionen in einem gewissen Umfange in der vorliegenden Darstellung enthalten.

II.

Ich gebe nun mit Unterdrückung der früher hier eingeschalteten Aufsuchung der Zahlen, welche durch die gewöhnlichen Methoden in Factoren zerlegt werden können (deren Classenanzahl $= 1$ ist), unmittelbar zur Theorie der idealen Primfactoren unserer Zahlen über, deren Einführung sich nun im Verlauf von selbst rechtfertigen soll. Es ist dabei die Gleichung $R_n = 0$ als Congruenz zu betrachten nach den verschiedenen gewöhnlichen Primzahlen und ihren Potenzen als Moduln, weshalb über Congruenzen im Allgemeinen Einiges vorauszuschicken ist. Es sei $R_n = a_0 x^n + a_1 x^{n-1} + \ldots + a_n = (b_0 x^\beta + b_1 x^{\beta-1} + \ldots + b_\beta)(c_0 x^{n-\beta} + c_1 x^{n-\beta-1} + \ldots + c_{n-\beta}) + p^\mu F(x)$, wobei p eine gewöhnliche Primzahl, μ eine positive ganze, die Coefficienten b und c rationale Zahlen, $F(x)$ eine beliebige ganze ganzzahlige Function von x sei, so können, wie dies von den Coefficienten a vorausgesetzt wird, auch die Coefficienten b, ebenso die Coefficienten c weder Potenzen von p im Nenner enthalten, noch alle eine solche Potenz als gemeinsamen Divisor besitzen, es sei denn, was vermieden werden kann, dass eine solche Potenz Divisor aller c und Nenner der b oder umgekehrt sei; denn, wenn λ der niedrigste Index ist, für welchen b_λ einen Factor p^h, und ν der niederste Index, für welchen c_ν einen Factor p^i enthält, wo h und i die kleinsten auch negativen als vorkommend gedachten Exponenten bezeichnen, so wird der Coefficient von

$x^{n-\lambda-\nu}$ in dem entwickelten Product p^{h+i} und werden alle anderen Coefficienten in demselben dieselbe oder eine höhere Potenz von p als Factor enthalten. Es muss also $h+i=0$ sein, was zu beweisen war. Coefficienten b oder c mit anderen Factoren im Nenner können auf bekannte Weise durch ganze Zahlen ersetzt werden. Man schreibt für obige Gleichung kürzer $R_n \equiv (b_0 x^\beta + \ldots + b_\beta)\ (c_0 x^{n-\beta} + \ldots + c_{n-\beta})\ (mod\ p^\mu)$, nennt R_n congruent dem Product dieser Functionen, theilbar durch diese Functionen, diese selbst Factoren von R_n, Alles nach dem Modul p^μ. Ist $\Phi(x)$ eine solche ganze ganzzahlige Function vom Grade t, welche sich nach dem Modul p nicht in Factoren zerlegen lässt, so nennt man die Congruenz $\Phi(x) \equiv 0\ (mod\ p)$ irreductibel. Ich benutze hier die von Galois (*Bulletin de Férussac*, T. XIII, wieder abgedruckt in Liouville's Journal T. XI) eingeführte, mir nur aus der Darstellung von Serret (*Cours d'Algèbre supérieure*, 2me ed.) bekannte Theorie der imaginären Congruenzwurzeln, welche mir hier eine für alle Fälle gleichmässige einfache Ausdrucksweise gestattet. Man vergleiche darüber auch eine Abhandlung von Schönemann, Crelle's Journal Bd. 31 und 32 und von Dedekind, dasselbe Journal Bd. 54.

Wurzel der Congruenz $\Phi(x) \equiv 0\ (mod\ p)$ kann nach den Annahmen keine rationale Zahl sein, es steht zwar nichts im Wege, als solche eine wirkliche irrationale reelle oder complexe Zahl sich zu denken, jedoch auch abgesehen davon führen wir ein Symbol j für eine solche Wurzel ein und nennen diese eine imaginäre Congruenzwurzel. Eine Congruenz $f(j) \equiv 0\ (mod\ p)$ soll dann lediglich ein abkürzender Ausdruck für $f(x) \equiv \Phi(x)\ F(x)\ (mod\ p)$ sein, wo $f(x)$ und $F(x)$ ganze ganzzahlige Functionen der willkürlich Veränderlichen x darstellen. Da keine solche Function mit $\Phi(x)$ nach dem Modul p einen anderen Divisor als $\Phi(x)$ selbst oder die Einheit gemein haben kann, ist es gerechtfertigt, dass hier zunächst eine Unterscheidung zwischen etwaigen verschiedenen Wurzeln von $\Phi(x) \equiv 0\ (mod\ p)$ nicht gemacht wird, wenn nur in derselben Formel j immer dieselbe Wurzel bezeichnet. Ist $f_1(x)$ eine eben solche Function wie $f(x)$, ist also ausser $f(j) \equiv 0\ (mod\ p)$ auch $f_1(j) \equiv 0\ (mod\ p)$, so ist auch $f(j) \pm f_1(j) \equiv 0\ (mod\ p)$, ist ausserdem $f_2(x)$ eine beliebige ganze ganzzahlige Function, so ist auch $f(j) \cdot f_2(j) \equiv 0\ (mod\ p)$. Auf zwei ganze ganzzahlige Functionen von j lässt sich immer die Methode des grössten gemeinsamen Divisors anwenden, wobei die einzelnen Dividenden und Divisoren um Producte von p oder $\Phi(j)$ in beliebige ganze ganzzahlige Functionen von j vermehrt oder vermindert, mit beliebigen durch p nicht theilbaren gewöhnlichen ganzen Zahlen multiplicirt werden können. Man wird, den Grad der Functionen successive verringernd, jederzeit auf einen Rest Null kommen können. Ist der letzte Divisor eine gewöhnliche, natürlich durch p nicht theilbare Zahl, so haben die zwei Functionen nach dem Modul p keinen gemeinsamen Divisor ausser der Einheit oder anderen durch p nicht theilbaren gewöhnlichen ganzen Zahlen, welche hier von keiner anderen Bedeutung sind, als die Einheit. Durch Anwendung dieser Methode auf die Functionen $f(j)$ und $\Phi(j)$ lässt sich zu jeder ganzen ganzzahligen Function $f(j)$, welche nicht durch p theilbar, nicht $\equiv 0 \pmod p$ ist, eine zugehörige Function $\Psi(j)$ finden, sodass $f(j) \cdot \Psi(j) \equiv 1 \pmod p$ ist. Unter dem Quotienten $\frac{1}{f(j)}$ ist diese Function $\Psi(j)$ zu verstehen. Das Product zweier Functionen $f(j)$ und $\varphi(j)$ kann nicht durch p theilbar sein, ohne dass eine derselben, z. B. $\varphi(j)$ durch p theilbar ist, da, wenn $f(j)$ nicht durch p theilbar, $\varphi(j) \equiv \varphi(j) f(j) \cdot \Psi(j) \pmod p$ ist. Jede ganze Function von j lässt sich auf eine Function vom Grade $t-1$ reduciren, und eine solche kann nur dann $\equiv 0 \pmod p$ sein, wenn ihre t Coefficienten $\equiv 0 \pmod p$ sind, da sie auf keine andere Weise durch $\Phi(j)$ theilbar sein kann nach dem Modul p. Die $(p^t-1)^{te}$ Potenz jeder ganzen ganzzahligen nicht durch p theilbaren Function $f(j)$ ist $\equiv 1 \pmod p$, welcher Satz nichts ist als der Fermat'sche Satz auf diese Functionen ausgedehnt, und ebenso bewiesen werden kann, wie dieser für gewöhnliche Zahlen, z. B. dadurch, dass die Producte von $f(j)$ in alle p^t-1 weder unter einander, noch der Null congruenten solchen Functionen wieder alle diese Functionen darstellen, dass also $f(j)^{p^t-1}$ multiplicirt mit dem Producte dieser Functionen congruent ist dem Product dieser Functionen. Dass eine Congruenz nach dem Modul p, wenn ihre Coefficienten gewöhnliche ganze Zahlen, oder selbst schon Functionen von j sind, nicht mehr Functionen von j oder einer ähnlichen imaginären Congruenzwurzel, als ihr Grad beträgt, als Wurzeln zulässt, ist ganz wie für gewöhnliche Zahlen zu beweisen. Die Congruenz $x^{p^t-1} \equiv 1 \pmod p$ hat also die p^t-1 überhaupt möglichen unter sich und der Null nicht congruenten Functionen $f(j)$ und nur diese zu Wurzeln. Da für j selbst, welches eine dieser Functionen ist, keine specielleren Voraussetzungen gemacht wurden, so folgt, dass alle Wurzeln aller irreductiblen Congruenzen nach dem Modul p vom Grade t Wurzeln der Congruenz $x^{p^t-1} \equiv 1 \pmod p$, also Functionen $f(j)$ sind. Als solche Functionen $f(j)$ lassen sich auch alle Wurzeln aller irreductiblen Congruenzen nach dem Modul p, deren Grad h Divisor von t ist, und nur diese ausdrücken; denn diese sind Wurzeln der Congruenz $x^{p^h-1}-1 \equiv 0 \pmod p$, welche Divisor der Congruenz $x^{p^t-1}-1 \equiv 0 \pmod p$ ist, wenn h Divisor von t, und ist $f(j)$ Wurzel einer irreductiblen Congruenz nach dem Modul p vom Grade h, so lassen sich p^h-1 ganze ganzzahlige Functionen von $f(j)$ bilden, welche die p^h-1 Wurzeln der Congruenz $x^{p^h-1}-1 \equiv 0 \pmod p$, und gleichzeitig als ganze ganzzahlige Functionen von j Wurzeln der Congruenz $x^{p^t-1}-1 \equiv 0 \pmod p$ sind, es muss also die erstere Congruenz Divisor der letzteren sein, was nur möglich, wenn h Divisor von t ist. Dass es bei gegebenem Modul p von jedem Grade t wirklich irreductible

Congruenzen giebt, beweist sich aus dem leicht angebbaren Ausdrucke für die Anzahl aller Wurzeln aller verschiedenen irreductiblen Congruenzen vom Grade t. Bezeichnet man mit $\varphi(t)$ diese Anzahl, mit $D(t)$ jeden Divisor von t und bezieht sich das Summenzeichen Σ auf alle solche Divisoren, ist ferner $t = a^{\alpha} . b^{\beta} . c^{\gamma} \ldots$, wo $a, b, c, \ldots$ verschiedene Primzahlen sind, so ist nach dem eben Entwickelten, da sich offenbar jede Function $f(j)$ als Wurzel irgend einer und nur einer irreductiblen Congruenz ansehen lässt, $p^t - 1 = \Sigma\varphi[D(t)] = \Sigma\varphi[D(b^{\beta} . c^{\gamma} \ldots .)] + \Sigma\varphi[a . D(b^{\beta} . c^{\gamma} \ldots .)] + \ldots + \Sigma\varphi[a^{\alpha} . D(b^{\beta} . c^{\gamma} \ldots .)]$, also, da das Analoge auch für $\alpha - 1$ statt α gilt, $p^t - p^{\frac{t}{a}} = \Sigma\varphi[a^{\alpha} . D(b^{\beta} . c^{\gamma} \ldots .)]$, hieraus durch Wiederholung desselben Uebergangs $\left(p^t - p^{\frac{t}{a}}\right) - \left(p^{\frac{t}{b}} - p^{\frac{t}{ab}}\right) = \Sigma\varphi[a^{\alpha} . b^{\beta} . D(c^{\gamma} \ldots .)]$ etc. bis die Primfactoren von t erschöpft sind. Die hier auftretenden Differenzen sind offenbar immer grösser als Null. Man erhält schliesslich für $\varphi(t)$ den Ausdruck $p^t - Sp^{\frac{t}{a}} + Sp^{\frac{t}{ab}} - Sp^{\frac{t}{abc}} + - \ldots$, wo unter den Summenzeichen S für a, ab, $abc, \ldots$ alle Combinationen von 1, 2, 3, ... verschiedenen der Primzahlen a, b, c etc. zu setzen sind. Die übrigen Wurzeln von $\Phi(x) \equiv 0 \ (mod\, p)$ ausser j sind $j^p, j^{p^2}, \ldots j^{p^{t-1}}$, denn nach einem bekannten Schlusse ist $\Phi(x^{p^k}) \equiv \Phi(x)^{p^k} (mod\, p)$, wenn k eine beliebige positive ganze Zahl ist, indem in der Entwickelung der $(p^k)^{ten}$ Potenz des Polynoms $\Phi(x)$ alle Producte von Potenzen verschiedener Glieder $c_{\alpha} x^{\alpha}$ desselben mit durch p theilbaren Polynomialcoefficienten multiplicirt sind, und die Potenzen $c_{\alpha}^{p^k} . x^{\alpha p^k} \equiv c_{\alpha} . x^{p^k \alpha} (mod\, p)$ nach dem Fermat'schen Satze sind, und die angegebenen Potenzen von j sind sämmtlich von einander verschieden nach dem Modul p, da ausserdem für einen Werth von $s < t$ die Congruenz $j^{p^{\beta+s}} \equiv j^{p^{\beta}} (mod\, p)$ und in Folge derselben die Congruenz $j^{p^s - 1} \equiv 1 \ (mod\, p)$ erfüllt sein, also j Wurzel einer irreductiblen Congruenz sein müsste, deren Grad von t verschieden ist. Aus denselben Gründen sind allgemein, wenn $f(j)$ eine Wurzel einer irreductiblen Congruenz vom Grade h, einem Divisor von t ist, die übrigen Wurzeln derselben Congruenz $f(j)^p, f(j)^{p^2}, \ldots f(j)^{p^{h-1}}$, oder, was nach dem Modul p dasselbe ist, $f(j^p), f(j^{p^2}), \ldots f(j^{p^{h-1}})$. In Producte von irreductiblen Factoren gleich hoher Grade h kann man die Congruenz $R_n \equiv 0 \ (mod\, p)$, nachdem man aus ihr die congruenten Wurzeln entfernt hat, zerlegen durch Aufsuchung derjenigen ihrer gemeinsamen Divisoren mit Congruenzen $x^{p^h - 1} - 1 \equiv 0 \ (mod\, p)$, welche nicht schon Divisoren von Congruenzen $x^{p^k - 1} - 1 \equiv 0 \ (mod\, p)$ sind, in denen k Divisor von h. Es sei nun t das kleinstmögliche Multiplum aller dabei wirklich vorkommenden Grade h und sei $\Phi(x) \equiv 0 \ (mod\, p)$ eine irreductible Congruenz vom Grade t, so werden sich als Functionen $f(j)$ einer Wurzel j dieser Congruenz alle Wurzeln der Congruenz $R_n \equiv 0 \ (mod\, p)$ darstellen lassen. Für diese Functionen, sofern sie nicht $\equiv 0$ sind, können einfache Potenzen von j angenommen werden, wenn j eine primitive Wurzel der Congruenz $x^{p^t-1} \equiv 1 \ (mod\ p)$ ist, in welchem Falle die Exponenten derjenigen Potenzen von j, welche Wurzeln irreductibler Congruenzen vom Grade h geben, durch $\frac{p^t-1}{p^h-1}$ theilbar sind. Hier sollen diese Functionen als ganze ganzzahlige Functionen $(t-1)^{\text{ten}}$ Grades dargestellt werden. Durch Aufstellung aller $p^t - 1$ Functionen $f(j)$ und Vergleichung der Coefficienten der aufzulösenden Congruenzen oder der Summen gleich hoher Potenzen ihrer Wurzeln mit den analogen aus allen zulässigen Gruppen von Functionen $f(j)$ gebildeten Werthen, ist die Darstellung dieser Wurzeln durch Functionen $f(j)$ zu finden, wenn dies nicht in directerer Weise möglich sein sollte.

Es sei nun q eine Primzahl, welche weder im Coefficient a_0 von x^n in R_n, noch in der Discriminante, dem Product der Quadrate der Differenzen je zweier Wurzeln, der Gleichung $R_n = 0$ als Factor enthalten ist, sodass die Congruenz $R_n \equiv 0 \ (mod\ q)$ wirklich vom n^{ten} Grade ist, und keine congruenten Wurzeln zulässt. Dann lässt sich für jede positive ganze Zahl μ aus jeder Wurzel $\overset{\mu-1}{r}$ der Congruenz $R_n \equiv 0 \ (mod\ q^{\mu-1})$ eine Wurzel $\overset{\mu}{r}$ der Congruenz $R_n \equiv 0 \ (mod\ q^{\mu})$ ableiten; denn, setzt man $\overset{\mu}{r} \equiv \overset{\mu-1}{r} + q^{\mu-1}.y \ (mod\ q^{\mu})$, so geht die letztere Congruenz für $x = \overset{\mu}{r}$ über in

$$R_n + \frac{dR_n}{dx} . q^{\mu-1} . y + \frac{1}{1.2} \frac{d^2 R_n}{dx^2} q^{2(\mu-1)} y^2 + \dots$$
$$\dots + \frac{1}{1.2 \dots n} \cdot \frac{d^n R_n}{dx^n} q^{n(\mu-1)} y^n \equiv 0 \ (mod\ q^{\mu}),$$

worin nach den Differentiationen $\overset{\mu-1}{r}$ für x zu setzen ist. Da in dieser Congruenz alle Coefficienten höherer Potenzen von y durch q^{μ} theilbar sind, der Coefficient von y aber nur durch $q^{\mu-1}$, durch welches auch das erste Glied theilbar ist, so kann man beide Seiten der Congruenz sammt dem Modul durch $q^{\mu-1}$ dividiren und erhält nach der Multiplication mit dem reciproken Ausdruck des Coefficienten von y eine ganze ganzzahlige Function von j für y nach dem Modul q, also eine eben solche Function für $\overset{\mu}{r}$ nach dem Modul q^{μ}, sodass sich, wie für die erste, so für jede μ^{te} Potenz von q als Modul genau n Wurzeln der Congruenz $R_n \equiv 0$ angeben lassen, welche ich mit $\overset{\mu}{r}_1, \overset{\mu}{r}_2, \dots \overset{\mu}{r}_n$ bezeichne.

Wie sich nun aus der Gleichung $R_n = 0$ Gleichungen $R_h = 0$ ableiten liessen durch Division mit linearen Factoren von R_n, auf dieselbe Weise lassen sich für jede Potenz von q als Modul aus der Congruenz $R_n \equiv 0$ C[...]gruenzen $R_h \equiv 0$ ableiten, deren Wurzeln h Wurzeln r, z. B. r_1 bis r_h [...]d deren Coefficienten ebenso aus den $n-h$ übrigen Wurzeln r, wie [...]fficienten der Gleichung $R_h = 0$ aus den Wurzeln ϱ_{h+1} bis ϱ_n ge-[...]ind. Wenn die Gleichung $R_h = 0$ wie oben einen Factor $S_t = 0$

enthält, so enthält die Congruenz $R_h \equiv 0$ einen Factor $S_i \equiv 0$ von demselben Grade, dessen Coefficienten ebenso aus r_{h+1} bis r_n gebildet sind, wie die Coefficienten in $S_i = 0$ aus ϱ_{h+1} bis ϱ_n. Dasselbe gilt in Bezug auf andere solche Factoren und Factoren solcher Factoren etc. Ich nehme nun an, dass die Wurzeln $r_1, r_2, \ldots r_n$ eine solche Reihenfolge bilden, dass die zur Reduction für $\varrho_1, \varrho_2, \ldots \varrho_n$ benutzten Gleichungen, welche alle auch für respective $\varrho_1^{(\vartheta)}, \varrho_2^{(\vartheta)}, \ldots \varrho_n^{(\vartheta)}$ gelten, durch die Wurzeln $r_1, r_2, \ldots r_n$ von respective denselben Indexen als Congruenzen erfüllt werden. Die Einsetzung der Congruenzwurzeln $r_1, r_2, \ldots r_n$ für die Gleichungswurzeln $\varrho_1^{(\vartheta)}, \varrho_2^{(\vartheta)}, \ldots \varrho_n^{(\vartheta)}$ von respective denselben Indexen in irgend einer Function der letzteren nenne ich die Substitution $\varrho^{(\vartheta)} = r$, oder auch die Substitution $\varrho = r^{(\eta)}$, wenn die Congruenzwurzeln $r^{(\eta)}$ durch dieselbe Permutation aus den Congruenzwurzeln r hervorgehen, durch welche die Gleichungswurzeln ϱ aus den Gleichungswurzeln $\varrho^{(\vartheta)}$ hervorgehen. Diese Permutationen, durch welche die m ebenfalls conjugirte zu nennenden Reihenfolgen $r_1^{(\eta)}, r_2^{(\eta)}, \ldots r_n^{(\eta)}$ aus einander hervorgehen, beruhen auf allen möglichen Permutationen der Wurzeln der Congruenzen, in welche die zur Reduction für die Wurzeln ϱ benutzten Gleichungen übergehen. Verwandelt man in den Functionen von j, durch welche die Wurzeln $r_1^{(\eta)}, r_2^{(\eta)}, \ldots r_n^{(\eta)}$ dargestellt werden, j in j^q, so stellen die neuen Functionen nach dem oben Entwickelten dieselben Wurzeln r dar, nur in einer anderen Reihenfolge, welche aus der ersteren durch cyclische Permutation der Wurzeln von je denselben irreductiblen Congruenzen hervorgeht. Diese neue Reihenfolge ist wieder eine der m conjugirten; denn jede Congruenz, welche zwischen Functionen von j erfüllt ist, bleibt wegen der Irreductibilität der Congruenz $\Phi(x) \equiv 0 \ (mod\ q)$ zwischen denselben Functionen von j^q bestehen.

Es sei nun das folgende System von Congruenzen gegeben:

$$1)\qquad f(\overset{\mu}{r}_1{}^{(\eta)}, \overset{\mu}{r}_2{}^{(\eta)}, \ldots \overset{\mu}{r}_n{}^{(\eta)}) \equiv g_\eta \ (mod\ q^\mu),$$

worin den m Werthen von η entsprechend die m conjugirten Reihenfolgen der r successive einzusetzen sind, während durch die m Zeichen g_η ganze ganzzahlige Functionen von j bezeichnet werden, welche beliebig gegeben sein können mit der einzigen Beschränkung, dass, wenn die linke Seite von einer der Congruenzen 1) aus der einer anderen durch die Verwandlung von j in j^q hervorgeht, auch die Function g_η in der ersteren aus der in der letzteren durch dieselbe Verwandlung hervorgeht. Die Auflösung dieses Systems von m Congruenzen nach den m in $f(\varrho_1, \varrho_2, \ldots \varrho_n)$ vorkommenden willkürlichen Coefficienten, in welche wegen der eben gemachten Voraussetzung $j, j^q, \ldots j^{q^{\epsilon-1}}$ symmetrisch eintreten werden, erkennt man folgendermassen als ausführbar. Wenn die zur Reduction für ϱ_2 benutzte Gleichung vom zweiten Grade war und $f(r_1^{(\eta)}, r_2^{(\eta)}, \ldots r_n^{(\eta)})$

$= \varphi\,(r_3^{(\eta)}, r_4^{(\eta)}, \ldots r_n^{(\eta)}) + r_2^{(\eta)}\,\varphi_1\,(r_3^{(\eta)}, r_4^{(\eta)}, \ldots r_n^{(\eta)})$ ist, so ist $f(r_2^{(\eta)}, r_1^{(\eta)}, \ldots r_n^{(\eta)}) = \varphi(r_3^{(\eta)}, r_4^{(\eta)}, \ldots r_n^{(\eta)}) + r_1^{(\eta)}\,\varphi_1\,(r_3^{(\eta)}, r_4^{(\eta)}, \ldots r_n^{(\eta)})$, sodass sich aus je zwei Functionen g, welchen $f(r_1^{(\eta)}, r_2^{(\eta)}, \ldots r_n^{(\eta)})$ und $f(r_2^{(\eta)}, r_1^{(\eta)}, \ldots r_n^{(\eta)})$, congruent werden sollen, zwei Functionen von j berechnen lassen, welchen $\varphi\,(r_3^{(\eta)}, r_4^{(\eta)}, \ldots r_n^{(\eta)})$ und $\varphi_1\,(r_3^{(\eta)}, r_4^{(\eta)}, \ldots r_n^{(\eta)})$ congruent werden müssen. War nun die zur Reduction für ϱ_3 benutzte Gleichung vom dritten Grade, und ist $\varphi(r_3^{(\eta)}, r_4^{(\eta)}, \ldots r_n^{(\eta)}) = \psi(r_4^{(\eta)}, \ldots r_n^{(\eta)}) + r_3^{(\eta)}\,\psi_1\,(r_4^{(\eta)}, \ldots r_n^{(\eta)}) + r_3^{(\eta)^2}\,\psi_2\,(r_4^{(\eta)}, \ldots r_n^{(\eta)})$, so ist $\varphi(r_2^{(\eta)}, r_4^{(\eta)}, \ldots r_n^{(\eta)}) = \psi\,(r_4^{(\eta)}, \ldots r_n^{(\eta)}) + r_2^{(\eta)}\,\psi_1\,(r_4^{(\eta)}, \ldots r_n^{(\eta)}) + r_2^{(\eta)^2}\,\psi_2\,(r_4^{(\eta)}, \ldots r_n^{(\eta)})$ und $\varphi\,(r_1^{(\eta)}, r_4^{(\eta)}, \ldots r_n^{(\eta)}) = \psi\,(r_4^{(\eta)}, \ldots r_n^{(\eta)}) + r_1^{(\eta)}\,\psi_1\,(r_4^{(\eta)}, \ldots r_n^{(\eta)}) + r_1^{(\eta)^2}\,\psi_2\,(r_4^{(\eta)}, \ldots r_n^{(\eta)})$, sodass sich aus den drei Functionen von j, welchen die drei eben angeschriebenen Functionen φ congruent werden sollen, drei Functionen von j berechnen lassen, welchen die drei angeschriebenen Functionen ψ, ψ_1, ψ_2 congruent werden müssen, und dasselbe gilt offenbar in Bezug auf die mit φ_1 bezeichneten Functionen. Auf dieselbe Weise kommt man immer von m Functionen von k Wurzeln r auf m Functionen von $k-1$ Wurzeln r, sei es nun, dass die Grade der betrachteten Reductionsgleichungen für die auf einander folgenden ϱ immer um eins wachsen, oder dass sie mehrmals auf eins zurücksinken. Bei dem letzten solchen Uebergang für $k=1$ erhält man die gesuchten Coefficienten bestimmt nach dem durchaus benutzten Modul q^μ, und zwar wegen der Symmetrie, in welcher in dieselben die verschiedenen imaginären Congruenzwurzeln derselben irreductiblen Congruenzen eintreten, als gewöhnliche ganze Zahlen. Dass die bei diesen Auflösungen auftretenden Determinanten in dem hier betrachteten Falle nicht durch q theilbar werden können, folgt aus dem bekannten Satze, nach welchem sich dieselben als Producte der Differenzen der betreffenden Wurzeln r darstellen.

Ist $g_\eta \equiv 0 \pmod{q^\mu}$, wird also die ganze complexe Zahl $f(\varrho_1, \varrho_2, \ldots \varrho_n)$ nach der Substitution $\varrho^{(\vartheta)} = \overset{\mu}{r}$ durch q^μ theilbar, so gebrauche ich den Ausdruck: die complexe Zahl $f(\varrho_1, \varrho_2, \ldots \varrho_n)$ enthält den zur Substitution $\varrho^{(\vartheta)} = r$ gehörigen idealen Primfactor von q μ mal, und zwar sage ich: $f(\varrho_1, \varrho_2, \ldots \varrho_n)$ enthält diesen idealen Primfactor genau μ mal, wenn gleichzeitig $f(\varrho_1, \varrho_2, \ldots \varrho_n)$ nach der Substitution $\varrho^{(\vartheta)} = \overset{\mu+1}{r}$ nicht durch $q^{\mu+1}$ theilbar wird. Da diejenigen je t Substitutionen, welche durch die Verwandlung von j in j^q aus einander hervorgehen, in der hier betrachteten Hinsicht zu demselben Resultat führen, so kann nur von $\frac{m}{t}$ verschiedenen idealen Primfactoren von q gesprochen werden; dass diese von einander unabhängig sind, dass ganze complexe Zahlen angegeben werden können, welche beliebige derselben je eine beliebige Anzahl mal enthalten, geht aus der Auflösbarkeit des betrachteten Systems von Congruenzen hervor. Die Auflösung des letzteren wäre, auch wenn $m < 1.2....n$ ist, ebenso möglich gewesen, wenn man jede Wurzel $r_h^{(\eta)}$, oder also ϱ_h in der nullten bis $(h-1)^{\text{ten}}$ Potenz hätte auftreten lassen, und $1.2....n$ Congruenzen wie die 1) aufgestellt hätte, woraus folgt, dass die hier betrachteten Eigenschaften von einander unabhängig sind nicht nur in den einzelnen Gruppen conjugirter complexer Zahlen, sondern in allen $\frac{1.2....n}{m}$ solchen Gruppen zusammen, welche aus einer $1.2....n$ werthigen Function der Wurzeln $\varrho_1, \varrho_2, \ldots \varrho_n$ durch Vertauschung derselben hervorgehen.

Es seien $\varrho^{(2)} = r$, $\varrho^{(3)} = r$, $\ldots \varrho^{(t)} = r$ diejenigen Substitutionen, welche aus der $\varrho^{(1)} = r$ durch wiederholte Verwandlung von j in j^q hervorgehen, so lässt sich jederzeit eine ganze complexe Zahl $\varphi(\varrho_1^{(1)}, \varrho_2^{(1)}, \ldots \varrho_n^{(1)})$ angeben, welche $= \varphi(\varrho_1^{(2)}, \varrho_2^{(2)}, \ldots \varrho_n^{(2)}) = \varphi(\varrho_1^{(3)}, \varrho_2^{(3)}, \ldots \varrho_n^{(3)}) = \ldots = \varphi(\varrho_1^{(t)}, \varrho_2^{(t)}, \ldots \varrho_n^{(t)})$ ist, von deren m conjugirten Werthen also je diejenigen t einander gleich sind, welche durch dieselben Vertauschungen der dieselben Stellen einnehmenden Wurzeln, wie die angeschriebenen aus einander hervorgehen, während die $\frac{m}{t}$ willkürlich bleibenden conjugirten Werthe nach der Substitution $\varrho^{(1)} = r$ Functionen $\gamma_{(\eta)}$ von j congruent sind, welche beliebig gegeben sein können nur wieder mit der Beschränkung, dass sie aus einander oder aus sich selbst durch die Verwandlung von j in j^q hervorgehen, wenn die entsprechenden Functionen $\varphi(r_1^{(\eta)}, r_2^{(\eta)}, \ldots r_n^{(\eta)})$ aus einander oder aus sich selbst durch dieselbe Verwandlung hervorgehen. Man kann z. B. als solche Zahl $\varphi(\varrho_1^{(1)}, \varrho_2^{(1)}, \ldots \varrho_n^{(1)})$ eine Summe $f(\varrho_1^{(1)}, \varrho_2^{(1)}, \ldots \varrho_n^{(1)}) + f(\varrho_1^{(2)}, \varrho_2^{(2)}, \ldots \varrho_n^{(2)}) + \ldots + f(\varrho_1^{(t)}, \varrho_2^{(t)}, \ldots \varrho_n^{(t)})$ annehmen, wobei die m Functionen g_η, welchen die m conjugirten Zahlen $f(\varrho_1^{(\eta)}, \varrho_2^{(\eta)}, \ldots \varrho_n^{(\eta)})$ nach der Substitution $\varrho^{(1)} = r$ congruent werden sollen, so anzunehmen sind, dass die Summen von je t bestimmten derselben congruent gegebenen Functionen γ_η von j sind. Geht einer von den $\varphi(r_1^{(\eta)}, r_2^{(\eta)}, \ldots r_n^{(\eta)})$ bildenden Summanden $f(r_1^{(\eta)}, r_2^{(\eta)}, \ldots r_n^{(\eta)})$ aus einem anderen derselben durch die Verwandlung von j in j^{q^h} hervor, so gehen $\frac{t}{h}$ von diesen t Summanden durch dieselbe Verwandlung auseinander hervor, indem sowohl die Permutationen von bestimmte Stellen einnehmenden Wurzeln r, durch welche die t Summanden auseinander hervorgehen, als die mit der Verwandlung von j in j^{q^h} verbundenen Permutationen aus cyclischen Permutationen zusammengesetzt sind, sich also wiederholen lassen, bis sie zur ursprünglichen Reihenfolge zurückführen. Führt man in jedem solcher $\frac{t}{h}$ Summanden ein und dieselbe Permutation der bestimmte Stellen einnehmenden Wurzeln aus, welche aus einem derselben zu einem der übrigen $t - \frac{t}{h}$ Summanden führt, so erhält man $\frac{t}{h}$ neue von den t Summanden, welche wieder durch die Verwandlung von j in j^{q^h} auseinander hervorgehen, da sie wie die $\frac{t}{h}$ ersten als ein und dieselben Functionen von respective $j, j^{q^h}, j^{q^{2h}}, \ldots j^{q^{t-h}}$ angesehen werden können. Es gehen demnach von allen t je $\frac{t}{h}$ durch die Verwandlung von j in j^{q^h} auseinander hervor. Ist h die kleinste Zahl, welche die besprochene Eigenschaft in Bezug auf $\varphi(r_1^{(\eta)}, r_2^{(\eta)}, \ldots r_n^{(\eta)})$ besitzt, so kommen neben $\varphi(r_1^{(\eta)}, r_2^{(\eta)}, \ldots r_n^{(\eta)})$ unter den $\frac{m}{t}$ willkürlichen Functionen γ congruent zu setzenden conjugirten Functionen noch diejenigen $h-1$ vor, welche aus dieser durch die Verwandlung von j in $j^q, j^{q^2}, \ldots j^{q^{h-1}}$ hervorgehen, während die entsprechenden Functionen γ durch respective dieselben Verwandlungen aus einander hervorgehen und bei der Verwandlung von j in j^{q^h} ungeändert bleiben müssen. Theilt man nun γ_η in sonst beliebiger Weise in h Theile w_η von derselben ebengenannten Eigenschaft, und theilt jede solche Function w_η in $\frac{t}{h}$ Functionen g_η von j, welche durch die Verwandlung von j in j^{q^h} cyclisch aus einander hervorgehen, indem man z. B. eine dieser Functionen $g_\eta \equiv v \,.\, w_\eta \,.\, (j^k + j^{kq} + j^{kq^2} + \ldots + j^{kq^{h-1}}) \ (mod\ q^\mu)$ setzt, wobei v durch die Congruenz $v\,(j^k + j^{kq} + \ldots + j^{kq^{t-1}}) \equiv 1 \ (mod\ q^\mu)$ bestimmt ist, und k eine beliebige ganze nicht negative Zahl ist, für welche $j^k + j^{kq} + \ldots + j^{kq^{t-1}}$ nicht $\equiv 0 \ (mod\ q)$ ist, so erhält man nach Verwandlung von j in $j^q, j^{q^2}, \ldots j^{q^{t-1}}$ genau ht Functionen wie g_η, durch welche den durch die h betrachteten Functionen γ gestellten Bedingungen genügt wird, man erhält also im Ganzen m Functionen wie g_η, durch welche den durch alle $\frac{m}{t}$ Functionen γ gestellten Bedingungen genügt wird. Eine durch diese m Functionen g_η mittels der Congruenzen 1) bestimmte Function $f(\varrho_1, \varrho_2, \ldots \varrho_n)$ erfüllt dann den angegebenen Zweck, es lässt sich also, wie auch auf andere Art zu zeigen gewesen wäre, eine Function $\varphi(\varrho_1, \varrho_2, \ldots \varrho_n)$ angeben, welche nur $\frac{m}{t}$ verschiedene conjugirte Werthe zulässt, und welche, wenn γ_1 durch $q^{\mu-1}$, aber nicht durch q^μ theilbar ist, und wenn keine der übrigen Functionen γ durch q theilbar ist, den zur Substitution $\varrho^{(1)} = r$ gehörigen idealen Primfactor von q genau $\mu - 1$ mal und keinen anderen idealen Primfactor von q enthält.

Der Grundgedanke bei der Einführung der idealen Primfactoren besteht darin, die complexen Zahlen nicht im Ganzen, sondern getrennt in Beziehung auf die einzelnen gewöhnlichen Primzahlen zu untersuchen, da sich in Bezug auf die einzelnen Primzahlen die Functionen der Gleichungswurzeln durch Functionen von Congruenzwurzeln ersetzen lassen, welche die zur Zerlegung in Primfactoren nöthigen Eigenschaften besitzen, da sich die Methode des grössten gemeinsamen Divisors auf sie anwenden lässt. In Bezug auf die Primzahl q kann nun jede complexe Zahl als ganze complexe Zahl angesehen werden, deren Coefficienten nur nicht q im Nenner enthalten. Jeder andere Bruch kann nach dem Modul q^μ durch eine ganze Zahl ersetzt werden. Ist der Quotient zweier complexer Zahlen in diesem Sinn eine ganze complexe Zahl, so kann die eine in Bezug auf die Primzahl q als durch die andere theilbar angesehen werden. Aus unserer Entwickelung folgt nun unmittelbar eine Gruppe von Sätzen, welche vollständig mit denen von Kummer übereinstimmen (s. Abhandlungen der k. Akademie d. W. zu Berlin für 1856):

1) Das entwickelte Product zweier oder mehrerer in Bezug auf die Primzahl q ganzer complexer Zahlen enthält genau dieselben idealen Primfactoren von q und jeden genau ebenso oft, als die Factoren zusammengenommen, und umgekehrt: Wenn eine in Bezug auf q ganze complexe Zahl alle idealen Primfactoren von q mindestens ebenso oft enthält, als eine andere, so ist sie durch diese in Bezug auf q theilbar und enthält der Quotient genau den Ueberschuss der idealen Primfactoren des Dividenden über die des Divisors, wie man unmittelbar aus den Functionen g_η erkennt, in welche die drei complexen Zahlen durch die betreffenden Substitutionen übergehen. Würde man in dem gemeinsamen Nenner der Coefficienten im Quotienten eine Potenz von q eintreten lassen, so würden alle dem von diesem Nenner befreiten Quotienten entsprechenden Functionen g_η durch mindestens dieselbe Potenz von q theilbar werden, würden also, da von den bei der Auflösung der Congruenzen 1) auftretenden Determinanten keine durch q theilbar ist, auch alle Zähler der Coefficienten des Quotienten durch dieselbe Potenz von q theilbar werden. Durch Specialisirung folgt hieraus:

2) Wenn eine complexe Zahl alle verschiedenen idealen Primfactoren von q enthält und zwar jeden mindestens μ mal, so ist sie durch q^μ theilbar, enthält sie jeden genau μ mal, so erschöpft q^μ alle in ihr enthaltenen idealen Primfactoren von q, da hier alle Functionen g_η durch die μ^{te}, in dem besonderen Fall

genau durch die μ^{te} Potenz von q theilbar sind. Aus den Sätzen 1) und 2) folgt wieder unmittelbar:

3) Wenn eine in Bezug auf q ganze complexe Zahl genau μ ideale Primfactoren von q enthält, dieselben mögen verschieden, oder auch zum Theil oder alle einander gleich sein, so enthält die aus den m conjugirten Werthen derselben gebildete Norm den Factor q genau μt mal. Die aus den $\frac{m}{t}$ verschiedenen conjugirten Werthen gebildete Norm einer complexen Zahl, wie die oben mit $\varphi(\varrho_1, \varrho_2, \ldots \varrho_n)$ bezeichnete, welche nur den zur Substitution $\varrho^{(1)} = r$ gehörigen idealen Primfactor von q und diesen genau μ mal enthält, enthält den Factor q genau μ mal.

Complexe Zahlen, welche wie die von Kummer mit $\Psi(\omega_r)$ bezeichneten alle idealen Primfactoren von q ausser einem enthalten, liessen sich als complexe Zahlen $f(\varrho_1, \varrho_2, \ldots \varrho_n)$ oder $\varphi(\varrho_1, \varrho_2, \ldots \varrho_n)$ nach dem Entwickelten immer darstellen und liessen sich hier in derselben Weise wie bei Kummer benutzen. Dasselbe lässt sich in Bezug auf alle noch zu behandelnden Primzahlen behaupten.

Durch jede Wurzel der Congruenz nach dem Modul q, welche der Gleichung für die primitiven Wurzeln der Gleichung $x^n = 1$ entspricht, lassen sich alle Wurzeln dieser Congruenz, auch alle Wurzeln der Congruenz $x^n \equiv 1 \pmod q$ ausdrücken, welche, wenn n nicht durch q theilbar ist, sämmtlich unter einander incongruent sind. Es folgt hieraus, dass die erstgenannten Wurzeln sämmtlich Wurzeln irreductibler Congruenzen von ein und demselben Grade sind, der mit t zu bezeichnen ist, dass demnach $x^{q^t-1} - 1$ nach dem Modul q durch $x^n - 1$ theilbar ist, und dasselbe für keine kleinere Zahl als die Zahl t der Fall ist. Hieraus folgt, dass $q^t - 1$ durch n theilbar ist, und dass auch dies für keine kleinere Zahl als die Zahl t der Fall ist.

III.

Es sei nun zweitens p eine Primzahl, welche nicht im Coefficient a_0 von x^n in R_n, aber in der Discriminante der Gleichung $R_n = 0$ als Factor enthalten ist, sodass die Congruenz $R_n \equiv 0 \pmod p$ zwar noch wirklich vom Grade n ist, dass aber unter ihren n Wurzeln $\overset{1}{r}$ auch unter einander congruente vorkommen. Diese Wurzeln $\overset{1}{r}$ sind im Allgemeinen Functionen einer imaginären Congruenzwurzel j einer irreductiblen Congruenz $\Phi(x) \equiv 0 \pmod p$, deren Grad der möglichst niedrige t sei. Ich werde jedoch im Folgenden der Einfachheit wegen von solchen Functionen wie von gewöhnlichen Zahlen sprechen, so oft nur Eigenschaften derselben in Betracht kommen, welche sie nach dem Obigen mit gewöhnlichen Zahlen gemein haben. Als Wurzeln der Congruenz $R_n \equiv 0 \pmod{p^\mu}$ können auch hier nur n bestimmte Werthe $r_1, r_2, \ldots r_n$ anerkannt werden, durch welche auch hier $R_n \equiv a_0\ (x - r_1)\ (x - r_2) \ldots (x - r_n)\ (mod\, p^{\mu})$ wird, wobei jedoch die Ausdrücke r, deren Anfangsglieder $\overset{1}{r}$ einander congruent sind, nicht sämmtlich nach der μ^{ten}, sondern nur einer niedrigeren Potenz von p als Modul bestimmt sind. Da durch Multiplication von R_n mit einer durch p nicht theilbaren Zahl der Coefficient von x^n congruent der Einheit nach jeder Potenz von p als Modul gemacht werden kann, so kann man sich auf die Annahme $a_0 \equiv 1$ nach jedem solchen Modul hier beschränken. Es lässt sich nun zunächst für jede Potenz von p als Modul und nur auf eine Weise R_n in diejenigen Factoren zerlegen, welche $\equiv 0\ (mod\, p)$ gesetzt, die einzelnen Gruppen von unter einander congruenten Wurzeln geben. Es sei nämlich, wenn $\overset{1}{r}_1$ genau β mal unter den n Wurzeln $\overset{1}{r}$ vorkommt, eine Function $B_1 \equiv (x - \overset{1}{r}_1)^{\beta}\ (mod\, p)$. Ist nun $R_n \equiv B\,P\ (mod\, p^{\mu-1})$, wo $B \equiv B_1 + p B_2 + \ldots + p^{\mu-2} B_{\mu-1}\ (mod\, p^{\mu-1})$ und $P \equiv P_1 + p P_2 + \ldots + p^{\mu-2} P_{\mu-1}\ (mod\, p^{\mu-1})$ Functionen von x von den Graden β und $n - \beta$ sind, in denen die Coefficienten von respective x^{β} und $x^{n-\beta}$ congruent eins nach dem Modul p^{μ} sind, so lassen sich, da die Functionen B und P von jedem durch p theilbaren gemeinsamen Divisor frei sind, durch Anwendung der gewöhnlichen Methode des grössten gemeinsamen Divisors zwei Functionen B_{μ} und P_{μ} von respective den Graden $\beta - 1$ und $n - \beta - 1$, und zwar nur auf eine Weise so bestimmen, dass $R_n \equiv (B + p^{\mu-1} B_{\mu})\ (P + p^{\mu-1} P_{\mu})\ (mod\, p^{\mu})$, nämlich, wenn $R_n - B\,P = p^{\mu-1} M$ gesetzt wird, $M \equiv B_1 P_{\mu} + P_1 B_{\mu}\ (mod\, p)$ wird.

Es werde nun, nachdem $\overset{1}{r}_1 + y$ für x eingesetzt worden, der Factor $B + p^{\mu-1} B_{\mu}$, den ich wieder mit B bezeichne, $\equiv y^{\beta} + b_1 y^{\beta-1} + b_2 y^{\beta-2} + \ldots + b_{\beta}\ (mod\, p^{\mu})$, und sei jeder Coefficient b_h genau durch eine $k_h{}^{te}$ Potenz von p theilbar. Ist dann jeder Quotient $\frac{k_h}{h} \geqq 1$, so geht die Congruenz $B \equiv 0\ (mod\, p^{\mu})$ durch Einsetzung von $p z$ für y und Division mit p^{β} in eine nur noch nach dem Modul $p^{\mu-\beta}$ aufzulösende Congruenz über. Die Wurzeln der Congruenz $B \equiv 0\ (mod\, p^{\mu})$ sind dadurch offenbar nur nach dem Modul $p^{\mu+1-\beta}$ bestimmt, wenn die nun vorliegende Congruenz nach dem Modul p keine congruenten Wurzeln mehr zulässst, ausserdem einige derselben oder alle nur nach einer noch niedrigeren Potenz von p als Modul. Ist l der kleinste Divisor von t von der Art, dass die Coefficienten der nun vorliegenden Congruenz bei der Verwandlung von j in j^{p^l} ungeändert bleiben, so werden neben dieser bei der Auflösung der Congruenz $R_n \equiv 0\ (mod\, p^{\mu})$ nach $l - 1$ ähnliche Congruenzen erhalten werden, welche durch die Verwandlung von j in $j^p, j^{p^2}, \ldots j^{p^{l-1}}$ aus der ersteren hervorgehen. Das gewöhnliche Zahlen als Coefficienten enthaltende Product dieser l Congruenzen giebt die $l\,.\,\beta$ Wurzeln dieser Congruenzen zunächst nach dem Modul p als Functionen einer Wurzel einer irreductiblen Congruenz, deren

Grad l oder ein Multiplum von l sein wird. Diese Wurzeln kann man auch durch j in Verbindung mit einer anderen imaginären Congruenzwurzel ausdrücken, wie man sie auch unmittelbar aus den Congruenzen vom Grade β mit Functionen von j als Coefficienten ableiten kann. Sind zweitens die Verhältnisse $\frac{k_h}{h}$ nicht sämmtlich $\geqq 1$, so lässt sich die Congruenz $B \equiv 0 \pmod{p^\mu}$ in keiner der bisher betrachteten Weisen in lineare Factoren auflösen. Es ist in diesem Falle eine neue Art fingirter Congruenzwurzeln einzuführen, nämlich zunächst, wenn i der grösste Werth von h ist, für welchen $\frac{k_h}{h}$ den kleinsten vorkommenden Werth hat, und wenn $i = \delta . \gamma$ und $k_i = \delta . \varkappa$ ist, wo δ den grössten gemeinsamen Divisor von i und k_i bezeichnet, ist eine Wurzel der Congruenz $y^\gamma \equiv p \pmod{p^\mu}$ einzuführen, welche keiner der bisher betrachteten Arten angehörige Wurzel man mit $\sqrt[\gamma]{p}$ bezeichnen, und als welche man eine algebraische γ^{te} Wurzel aus p ansehen kann. Anstatt $(\sqrt[\gamma]{p})^\alpha$ schreibe ich $\sqrt[\gamma]{p^\alpha}$. Man setze nun $z . \sqrt[\gamma]{p}$ für y in B ein, dividire durch $\sqrt[\gamma]{p^{\varkappa\beta}}$, lasse die noch mit $\sqrt[\gamma]{p}$ multiplicirten Glieder weg, dividire durch $z^{\beta-i}$ und setze das so aus B Erhaltene $B' \equiv 0 \pmod{p}$. Es können darin nur ganze Potenzen von z^γ vorkommen, weil, wenn $k_{i-l} + \frac{\varkappa}{\gamma}(\beta - i + l) = \frac{\varkappa}{\gamma}\beta$, also $k_{i-l} = \frac{\varkappa}{\gamma}(i-l)$ sein soll, l durch γ theilbar sein muss. Sind die i wie in dem eben betrachteten Fall durch j in Verbindung mit einer anderen imaginären Congruenzwurzel jedenfalls ausdrückbaren Wurzeln der so gebildeten Congruenz sämmtlich unter einander incongruent und setzt man $\nu = \gamma\mu - \beta\varkappa$, so kann man $z_1 + z_2\sqrt[\gamma]{p} + z_3\sqrt[\gamma]{p^2} + \ldots + z_\nu\sqrt[\gamma]{p^{\nu-1}}$ für z und eine beliebige dieser i Wurzeln für z_1 in B einsetzen. Die Congruenz, durch welche darauf die Summe der nur mit der niedrigsten in B noch vorkommenden, der $(\beta\varkappa + 1)^{\text{ten}}$ Potenz von $\sqrt[\gamma]{p}$ multiplicirten Glieder $\equiv 0 \pmod{p}$ gesetzt wird, enthält von den noch unbekannten Zahlen nur z_2, diese aber in der ersten Potenz und mit einem durch p nicht theilbaren Coefficienten. Nach Einsetzung des hierdurch zu findenden Werthes z_2 erhält man aus den die $(\beta\varkappa + 2)^{\text{te}}$ Potenz von $\sqrt[\gamma]{p}$ enthaltenden Gliedern z_3 etc., endlich z_ν. Kommt jedoch von jenen i Wurzeln eine, welche ich mit z_1 bezeichne, genau λ mal unter denselben vor, so zerfälle man B' in zwei Factoren, von denen der eine $C_1 \equiv (z - z_1)^\lambda \pmod{p}$ sei, und setze $B \equiv \sqrt[\gamma]{p^{\beta\varkappa}} . C . D \pmod{p^\mu}$, wo $C \equiv C_1 + C_2\sqrt[\gamma]{p} + C_3\sqrt[\gamma]{p^2} + \ldots + C_\nu\sqrt[\gamma]{p^{\nu-1}}$ und $D \equiv D_1 + D_2\sqrt[\gamma]{p} + \ldots + D_\nu\sqrt[\gamma]{p^{\nu-1}}$ Functionen von z von respective den Graden λ und $\beta - \lambda$ bezeichnen, deren je mit $\sqrt[\gamma]{p^\alpha}$ multiplicirte Glieder

$C_{\alpha+1}$ und $D_{\alpha+1}$ successive für $\alpha = 1$ bis $\alpha = \nu - 1$ mittels der Methode des grössten gemeinsamen Divisors zu finden sind, als Functionen von respective den Graden $\lambda - 1$ und $\beta - \lambda - 1$, nämlich aus Congruenzen $C_1\, D_{\alpha+1} + D_1\, C_{\alpha+1} \equiv M \pmod p$, welche die Bedingung ausdrücken, dass in $B - \sqrt[\gamma]{p^{\beta\varkappa}}\,.\, C\,.\, D$ die Summe der mit der $(\beta\varkappa + \alpha)^{\text{ten}}$ Potenz von $\sqrt[\gamma]{p}$ multiplicirten Glieder $\equiv 0 \pmod p$ wird, nachdem dieselbe Bedingung für die niedrigeren Potenzen bereits erfüllt ist. Durch ein ähnliches noch einfacheres Verfahren liesse sich die die i zunächst betrachteten Wurzeln gebende Congruenz unmittelbar darstellen und zwar mit Beibehaltung der Variablen y ohne Benutzung von Wurzeln aus p. In dieser Congruenz sind die durch respective $p^{\varkappa}, p^{2\varkappa}, \dots p^{k_i-\varkappa}, p^{k_i}$ theilbaren Coefficienten von $y^{i-\gamma}$, $y^{i-2\gamma}, \dots y^{\gamma}$, 1 die Coefficienten von respective $y^{\beta-\gamma}, y^{\beta-2\gamma}, \dots y^{\beta-i+\gamma}, y^{\beta-i}$ in B abgesehen von den durch noch höhere Potenzen von p theilbaren Gliedern derselben und es können die durch mindestens dieselben Potenzen von p theilbaren Coefficienten von respective $y^{i-\gamma+1}, y^{i-2\gamma+1}, \dots y^{\gamma+1}, y$ gleichzeitig mit den Coefficienten von $y^{\beta-i-\gamma+1}, y^{\beta-i-2\gamma+1}, \dots$ in dem anderen Factor von B durch immer auflösbare nur je eine Unbekannte enthaltende Congruenzen bestimmt werden, ebenso successive die übrigen Coefficienten und die höheren Glieder der schon bestimmten. Es soll nun die Unbekannte in C sowohl als in D so bestimmt werden, dass diese Functionen durch $\sqrt[\gamma]{p^{\nu}}$ theilbar, oder wie ich dies ausdrücke $\equiv 0 \pmod{\sqrt[\gamma]{p^{\nu}}}$ werden. Die Congruenz $D \equiv 0 \pmod{\sqrt[\gamma]{p^{\nu}}}$ ist sofort in Factoren zu zerlegen, welche gleich der Congruenz $C \equiv 0 \pmod{\sqrt[\gamma]{p^{\nu}}}$ gebildet, und wie diese weiter zu behandeln sind. Einer dieser Factoren ist $\equiv z^{\beta-i} \pmod{\sqrt[\gamma]{p}}$. Da die Auflösung der Congruenz $B' \equiv 0 \pmod p$ vom Grade i auf die Aufsuchung der incongruenten oder congruenten Wurzeln einer Congruenz vom Grade $\delta = \frac{i}{\gamma}$ und die Auflösung binomischer Congruenzen vom Grade γ zurückkam, so erkennt man, da alle Wurzeln einer Congruenz $x^{p^{\alpha}} \equiv k \pmod p$ einander congruent sind, dass, wenn $\gamma = \gamma' \cdot p^{\alpha}$, und γ' nicht durch p theilbar ist, mindestens γ' verschiedene Gruppen gefunden werden, welche durch p^{α} theilbare Anzahlen λ von congruenten Wurzeln enthalten. In den solche congruente Wurzeln gebenden Congruenzen $\sqrt[\gamma]{p^{\lambda\varkappa}}\,.\, C \equiv 0$ und folglich auch je in dem übrigen Factor von B werden nicht mehr γ^{te}, sondern nur noch γ'^{te} Wurzeln aus p vorkommen, wie in dem eben Betrachteten alle Wurzeln aus p verschwanden, und wie man unmittelbar erkennt, wenn man in dem Factor $\sqrt[\gamma]{p^{\lambda\varkappa}}\, C_1 \equiv \sqrt[\gamma]{p^{\lambda\varkappa}}\, (z - z_1)^{\lambda}$ die frühere Unbekannte y wieder einführt und denselben, welcher offenbar in den zunächst in Betracht kommenden Gliedern die genannte Eigenschaft hat, aus B weiter entwickelt.

Zur ferneren Zerlegung der Congruenz $C \equiv 0$ kann man durch Substitution von $u = z - z_1$ C in die Form $u^\lambda + c_1 u^{\lambda-1} + \ldots + c_\lambda$ bringen, in welcher alle Coefficienten c durch $\sqrt[\gamma']{p}$ theilbar sind, woraus man leicht erkennt, dass die fernere Zerlegung dieser Congruenz nach einer Potenz von $\sqrt[\gamma']{p}$ als Modul völlig analog der Zerlegung der Congruenz $B \equiv 0$ nach einer Potenz von p als Modul ausgeführt werden kann. Dasselbe gilt für alle Factoren von B, dann für die Factoren dieser Factoren etc. Die Ausziehung p^{ter} Wurzeln aus Wurzeln von p soll und kann dabei wie bisher vermieden oder wiederaufgehoben werden. Nach jeder neuen Wurzelausziehung kann man alle vorkommenden Wurzeln aus p als Potenzen einer einzigen s^{ten} Wurzel ausdrücken, wobei also s niemals durch p theilbar wird.

Es wird schliesslich eine bestimmte solche s^{te} Wurzel aus p ausreichen, um die Auflösung der vorliegenden Congruenzen auf die Auflösung von verschiedenen Gruppen von Congruenzen zurückzuführen, deren Grade eins oder Potenzen von p und von deren Coefficienten der erste eins, die übrigen durch $\sqrt[s]{p}$ theilbare Functionen von $\sqrt[s]{p}$ und von den neu einzuführen gewesenen imaginären Congruenzwurzeln sind, welche Congruenzen endlich nur durch die Einführung p^{ter} Wurzeln aus $\sqrt[s]{p}$ weiter zerlegt werden könnten. Denn so lange solche Congruenzen noch nicht erreicht sind, lassen sich noch weitere Zerlegungen vornehmen; da mit jeder neuen von den anzuwendenden Wurzelausziehungen eine wirkliche Scheidung der Congruenzwurzeln verbunden ist, kann nicht ein unendlich grosser Werth von s nöthig werden, und da die Discriminante der Congruenz $R_n \equiv 0$ nach einer beliebig hohen Potenz von p als Modul nur durch eine bestimmte endliche Potenz von p theilbar ist, können nicht ohne bei immer neuen Wurzelausziehungen von einer bestimmten Stelle an immer nur noch congruente Wurzeln erhalten werden, wodurch die weitere Scheidung unmöglich würde. Die Coefficienten der schliesslich gefundenen Congruenzen können dann bis zu den beliebig hohe Potenzen von $\sqrt[s]{p}$ oder also von p enthaltenden Gliedern entwickelt werden. Ausser bei der Congruenz $x^p - h^p \sqrt[s]{p^k} \equiv 0$ würde die weitere Auflösung bei keiner Congruenz von einem Grad p^α, welche sofort die Einführung $p^{\alpha\,\text{ter}}$ Wurzeln nöthig machte, zu einer vollständigen Trennung der Wurzeln führen, und würde immer weitere Wurzelausziehungen nöthig machen, und gleichwohl nicht bis zu den beliebig hohe Potenzen von $\sqrt[s]{p}$ enthaltenden Gliedern führen.

Wenn nun die Bestimmung einer Congruenzwurzel r_i auf die Wurzel einer solchen Congruenz zurückführt, so gebrauche man für diese Wurzel das symbolische Zeichen v_i, sodass r_i sich als Function von einer imaginären Congruenzwurzel j^1, von $\sqrt[s]{p}$ und von v_i darstellen lässt, nämlich in einer

Form $\alpha_0 + \alpha_1 \sqrt[s]{p} + \alpha_2 \sqrt[s]{p^2} + \ldots + \alpha_\delta \sqrt[s]{p^\delta} + (\alpha_{\delta+1} + \beta v_\iota) \sqrt[s]{p^{\delta+1}}$, in welcher die α und β ganze ganzzahlige Functionen von j^1 sind. Es ist übrigens zu bemerken, dass der Fall, in welchem diese schliesslich gefundenen Congruenzen nicht vom Grade eins sind, nur einen Ausnahmefall unter den Primzahlen p darstellt, welcher nur bei manchen Gleichungen $R_n = 0$ möglich ist, während die Primzahlen p selbst nur einen Ausnahmefall aus allen Primzahlen darstellen. In der Regel wird sich also die Wurzel r_i der Congruenz $R_n \equiv 0 \ (mod\, p^\mu)$ als ganze ganzzahlige Function von j^1 und $\sqrt[s]{p}$ darstellen lassen. R_n kann, wie leicht ersichtlich und schon oben in einem speciellen Falle besonders bemerkt ist, durch p^μ theilbar sein, während r_i nur nach einer niedrigeren als der $(\mu s)^{\text{ten}}$, einer $(\mu s - \varkappa)^{\text{ten}}$ Potenz von $\sqrt[s]{p}$ bestimmt ist. Da jedoch die Wurzeln r nur nach bestimmten endlichen Potenzen von $\sqrt[s]{p}$ unter einander congruent sein können, hat $\varkappa$ nur einen bestimmten endlichen Werth. Soll r_i genau nach dem Modul $\sqrt[s]{p^k}$ bestimmt sein, so muss R_n durch eine höhere, die $(k+\varkappa)^{\text{te}}$ Potenz von $\sqrt[s]{p}$ theilbar werden. Der Zahl μ soll nun in allem Folgenden ein zu dem jeweilig zu Besprechenden hinreichend hoher Werth beigelegt werden.

Da s nicht durch p theilbar ist, giebt es s verschiedene, im Allgemeinen eine imaginäre Congruenzwurzel, aber niemals eine Wurzel aus p enthaltende Ausdrücke ε, welche der Congruenz $\varepsilon^s \equiv 1 \ (mod\, p^\mu)$ genügen. Die s Ausdrücke $\varepsilon \sqrt[s]{p}$ sind dann die s Wurzeln der Congruenz $w^s \equiv p \ (mod\, p^\mu)$. Wenn nun $\sqrt[s]{p}$ zu der geschilderten Darstellung von r_i nothwendig, so wird r_i eine von s Wurzeln r sein, von welchen auf völlig gleiche Weise je eine aus je einem der s Ausdrücke $\varepsilon \sqrt[s]{p}$ gebildet ist, sodass auch, wenn in r_i eine Wurzel v_i vorkommt, in jeder dieser s Wurzeln r je eine Wurzel v von je einer der s Congruenzen vorkommt, von welchen auf völlig gleiche Weise je eine aus je einem der s Ausdrücke $\varepsilon \sqrt[s]{p}$ gebildet ist. Dies zeigt sich für s aus der analogen Erscheinung für die successive aufgetretenen Factoren wie γ^1 von s, welche sich unmittelbar aus der Art der Einführung dieser Wurzelausziehungen z. B. der $\gamma^{1\,\text{ten}}$ Wurzeln ergiebt. Dass mit einer Verwandlung von v_i in eine andere Wurzel derselben Congruenz, in welcher $\varepsilon \sqrt[s]{p}$ ungeändert bleibt, eine Verwandlung von r_i in eine andere Wurzel r verbunden ist, ist von selbst klar. Ist endlich j_1 eine Wurzel einer irreductiblen Congruenz von einem möglichst niedrigen Grade t_1, durch welche sich alle diejenigen imaginären Congruenzwurzeln ausdrücken lassen, welche zur Darstellung der Wurzel r_i nothwendig waren, so ist r_i eine von t_1 Wurzeln, welche durch die wiederholte Verwandlung von j_1 in j_1^p auseinander hervorgehen. Die mit j, j_1, j^1 bezeichneten oder zu bezeichnenden imaginären Congruenzwurzeln brauchen nur als Wurzeln einer Congruenz nach dem Modul p angenommen zu werden, die Coefficienten der Potenzen von p oder $\sqrt[s]{p}$ in r_i sind bestimmte Functionen dieser einmal gewählten Wurzeln. Mit j^1 soll endlich eine Wurzel einer irreductiblen Congruenz von einem möglichst niedrigen Grade Θ bezeichnet werden, durch welche sich alle diejenigen imaginären Congruenzwurzeln ausdrücken lassen, welche zur Darstellung aller Wurzeln r, jedoch nicht nur ausschliesslich zur Darstellung der Wurzeln s nothwendig sind.

Es sei nun wie früher $r_1, r_2, \dots r_n$ eine Reihenfolge der Wurzeln r, in welcher dieselben die zwischen respective $\varrho_1, \varrho_2, \dots \varrho_n$ stattfindenden Gleichungen als Congruenzen nach dem Modul p^μ erfüllen, und seien allgemein den verschiedenen Werthen von η entsprechend $r_1^{(\eta)}, r_2^{(\eta)}, \dots r_n^{(\eta)}$ je diejenigen Reihenfolgen derselben Wurzeln, welche aus $r_1, r_2, \dots r_n$ durch dieselbe Permutation hervorgehen, durch welche die Reihenfolge $\varrho_1, \varrho_2, \dots \varrho_n$ aus je der Reihenfolge $\varrho_1^{(\vartheta)}, \varrho_2^{(\vartheta)}, \dots \varrho_n^{(\vartheta)}$ hervorgeht. Da eine Congruenz immer genau so viele Wurzeln hat als die Gleichung aus der sie hervorgeht, so sind durch die aus den erwähnten Gleichungen hervorgehenden Congruenzen die m conjugirte zu nennenden Reihenfolgen $r_1^{(\eta)}, r_2^{(\eta)}, \dots r_n^{(\eta)}$ bestimmt, nur mit Ausnahme der Anordnungen der Wurzeln r, welche sich durch Wurzeln v ausdrücken, welche Wurzeln derselben durch $\sqrt[s]{p}$ ausdrückbaren Congruenzen sind. Die Anzahl der unter den m conjugirten vorkommenden Reihenfolgen, welche sich nur durch die Anordnungen solcher Wurzeln von einer unter ihnen, z. B. $r_1, r_2, \dots r_n$ unterscheiden, will ich mit σ bezeichnen. Denkt man sich durch eine bestimmte Permutation $r_1^{(\eta)}, r_2^{(\eta)}, \dots r_n^{(\eta)}$ in $r_1, r_2, \dots r_n$ verwandelt, diese Reihenfolge in eine der genannten $\sigma - 1$ verwandelt, und in dieser die ursprüngliche Permutation in umgekehrter Ordnung ausgeführt, so unterscheidet sich auch die neue Reihenfolge von $r_1^{(\eta)}, r_2^{(\eta)}, \dots r_n^{(\eta)}$ nur durch die Anordnungen der mehrgenannten Wurzeln und ist ebenfalls eine conjugirte Reihenfolge. Es ist daraus zu erkennen, dass je σ der m conjugirten Reihenfolgen durch Vertauschungen von Wurzeln r aus einander hervorgehen, welche sich durch die Wurzeln v von je ein und derselben durch $\sqrt[s]{p}$ ausdrückbaren Congruenz darstellen lassen. Verwandelt man in allen Wurzeln r, auch in den Coefficienten der Congruenzen für die Wurzeln v eine Wurzel $\sqrt[s]{p}$ in eine andere $\varepsilon\sqrt[s]{p}$, so geht aus einer jener $\frac{m}{\sigma}$ Gruppen von σ conjugirten Reihenfolgen der Wurzeln r eine andere derselben hervor; denn ausserdem müsste für eine Reihenfolge der ersten Gruppe eine Congruenz erfüllt sein, welche für keine Reihenfolge der aus ihr hervorgehenden Gruppe erfüllt wäre, was man, etwa nach Elimination der Wurzeln v, leicht als unmöglich erkennt, da die Congruenz $w^s \equiv p \pmod{p\mu}$ keinen Divisor zulässt, dessen Coefficienten nicht selbst schon Wurzeln aus p enthielten. Es zerfallen also die genannten $\frac{m}{\sigma}$ Grupen in $\frac{m}{\sigma s}$ Gruppen von je s Gruppen der ersteren Art, welche durch die Verwandlung einer Wurzel $\sqrt[s]{p}$ in eine andere $\varepsilon\sqrt[s]{p}$ aus einander hervorgehen. Von den $\frac{m}{\sigma s}$ Gruppen gehen wieder je Θ durch die Verwandlung von j' in j'^p aus einander hervor. Es bedarf kaum der Erwähnung, dass, wenn μ so klein angenommen wird, dass statt der Zahlen s und Θ noch kleinere hingereicht hätten, dann von den genannten s und Θ Gruppen aliquote Theile noch unter einander identisch sind.

Für das Folgende ist noch mehrfach die Einführung von Brüchen mit Potenzen von p im Nenner als Wurzeln von Congruenzen nothwendig. Ist in der Congruenz $Ax \equiv B \pmod{p^\mu}$ $A = A'.\sqrt[s]{p^\lambda}$, sind A' und B ganze nicht durch $\sqrt[s]{p}$ theilbare Functionen von $\sqrt[s]{p}$, und ist $A'x' \equiv B \pmod{p^\mu}$, so kann man für x den Quotient $\frac{x'}{\sqrt[s]{p^\lambda}}$ annehmen, in welchem wie in x' die Coefficienten von Potenzen von p bestimmt sind, deren ganze oder gebrochene Exponenten innerhalb eines Intervalles von der Grösse μ liegen. Die Coefficienten der niedrigeren negativen Potenzen sind als Null, die der höheren als nicht bestimmt anzusehen.

In den Congruenzen

$$2) \qquad f(r_1^{(\eta)}, r_2^{(\eta)}, \ldots r_n^{(\eta)}) \equiv g_\eta \pmod{p^\mu}$$

seien nun mit g_η m Functionen von den Wurzeln v, den Wurzeln $\varepsilon\sqrt[s]{p}$ und von j' bezeichnet, von welchen gleichzeitig mit den Reihenfolgen der Wurzeln r auf den linken Seiten der Congruenzen je σ durch die zulässigen Vertauschungen der Wurzeln v, je s durch die Verwandlungen von $\sqrt[s]{p}$ in die analogen Wurzeln $\varepsilon\sqrt[s]{p}$, und je Θ durch die Verwandlung von j' in j'^p auseinander hervorgehen. Wie in dem Fall der Primzahlen q lassen sich aus diesen m Congruenzen m andere ableiten, in deren jeder nur je einer der m unbekannten Coefficienten in $f(r_1^{(\eta)}, r_2^{(\eta)}, \ldots r_n^{(\eta)})$ vorkommt. Diese sind hier mit durch p theilbaren Zahlen multiplicirt, sodass sich nicht immer ganze, aber doch immer gebrochene Werthe für dieselben angeben lassen. Diese werden weder Wurzeln v, noch Wurzeln aus p, noch imaginäre Congruenzwurzeln mehr enthalten, weil alle Wurzeln dieser einzelnen Arten je in symmetrischer Weise in dieselben eingetreten sind.

Wenn in der durch $\sqrt[s]{p}$ ausdrückbaren Congruenz von einem Grade p^α

für eine Wurzel v das constante Glied durch $\sqrt[s]{p^{\varkappa}}$ theilbar ist, so kann man v als eine Wurzel ansehen, welche nach Potenzen von p mit steigenden gebrochenen Exponenten geordnet ein durch die $\varkappa^{\text{te}}$ Potenz einer $(p^{\alpha}.s)^{\text{ten}}$ Wurzel aus p theilbares erstes Glied erhält. Denn würde diese Congruenz beim Versuch einer der früheren analogen Auflösung nicht zu einem solchen Anfangsglied für ihre Wurzeln führen, so müsste sie nach dem Früheren in Factoren niedrigerer Grade zerlegbar sein. Ebenso lässt sich, wenn das Product von σ durch blosse Vertauschung von Wurzeln v auseinander hervorgehenden Ausdrücken g_η durch $\sqrt[s]{p^{\lambda}}$ theilbar ist, jeder dieser Ausdrücke als eine Congruenzwurzel ansehen, welche in derselben Weise ein durch $\sqrt[\sigma s]{p^{\lambda}}$ theilbares erstes Glied erhält, weil diese σ Wurzeln in keiner Weise von einander zu unterscheiden sind, also auch alle das nämliche erste Glied erhalten müssen. Die einfachen symmetrischen Functionen von einem Grade h von diesen σ Ausdrücken, die h^{ten} Coefficienten der für sie geltenden Congruenzen, sind dann mindestens durch $\sqrt[\sigma s]{p^{\lambda h}}$ nämlich durch eine nicht niedrigere Potenz von $\sqrt[s]{p}$ theilbar. Es sei nun δ der kleinste positive Werth, welcher an der Stelle von λ auftreten kann, wenn für g_η beliebige ganze oder gebrochene Functionen der Wurzeln v, $\varepsilon\sqrt[s]{p}$ und f' angenommen werden. Dieser Werth δ muss offenbar ein Divisor von σ sein, indem man ausserdem zwei ganze Zahlen h und k finden könnte, durch welche $\frac{h\delta}{\sigma s} - \frac{k}{s} < \frac{\delta}{\sigma s}$ werden würde. Die Zahl δ ist dadurch zu finden, dass, wenn man eine Function der Wurzeln v darstellen wollte als lineare Function der σ durch Vertauschung der Wurzeln v aus einander entstehenden Werthe, und wenn alle diese Werthe zum ersten Gliede 1 hätten, die Coefficienten dieser Werthe den Factor $\sqrt[\sigma s]{p^{\delta}}$ im Nenner erhalten würden.

Die sämmtlichen Ausdrücke g_η werden nach dem Entwickelten ein erstes Glied $g'_\eta . \sqrt[\sigma s]{p^{\delta \nu}}$ geben, wo g'_η eine ganze durch p nicht theilbare Function von f', und ν eine beliebige ganze Zahl ist. Erfüllen nun die Coefficienten einer complexen Zahl $f(\varrho_1, \varrho_2, \ldots \varrho_n)$ die Congruenzen 2), und ist von den m Zahlen ν, welche den m Ausdrücken g_η entsprechen, keine negativ, so soll die complexe Zahl $f(\varrho_1, \varrho_2, \ldots \varrho_n)$ eine ganze complexe Zahl in Bezug auf die Primzahl p genannt werden, auch wenn von den Coefficienten derselben einige p im Nenner als Factor enthalten. Ferner soll eine complexe Zahl durch eine andere theilbar in Bezug auf die Primzahl p genannt werden, wenn der Quotient in der eben definirten Weise eine ganze complexe Zahl in Bezug auf die Primzahl p ist. Ferner gebrauche ich nun den Ausdruck: die complexe

Zahl $f(\varrho_1, \varrho_2, \ldots \varrho_n)$ enthält den zur Substitution $\varrho = r^{(\eta)}$ gehörigen idealen Primfactor von p ν mal, wenn das erste Glied von g_η, also das erste Glied des Ausdrucks, in welchen $f(\varrho_1, \varrho_2, \ldots \varrho_n)$ durch die Substitution $\varrho = r^{(\eta)}$ übergeht, durch $\sqrt[\sigma s]{p^{\delta\nu}}$ theilbar ist. Durch die Worte genau ν mal anstatt ν mal soll bezeichnet werden, dass, wie oben angenommen, dasselbe nicht gleichzeitig für einen höheren Werth von ν stattfindet. Da je $\sigma s \Theta$ Substitutionen hier zu demselben Resultate führen, so kann nur von $\frac{m}{\sigma s \Theta}$ idealen Primfactoren von p gesprochen werden. Es lassen sich also nach dem Entwickelten mit Zulassung gebrochener Coefficienten complexe Zahlen angeben, welche beliebige dieser $\frac{m}{\sigma s \Theta}$ idealen Primfactoren von p je eine beliebig gegebene Anzahl mal, beliebige andere nicht enthalten, und welche noch immer den oben definirten Character ganzer complexer Zahlen in Bezug auf p besitzen. Auch liesse sich hier wie früher zeigen, dass complexe Zahlen $\varphi(\varrho_1, \varrho_2, \ldots \varrho_n)$ aufgestellt werden können, welche nur so viele verschiedene conjugirte Werthe haben, als es verschiedene ideale Primfactoren von p giebt, indem diejenigen je $\sigma s \Theta$ conjugirten Werthe einander gleich sind, welche nach einer bestimmten Substitution, z. B. der $\varrho^{(1)} = r$ nothwendig durch ein und dieselbe Potenz von $\sqrt[\sigma s]{p^{\delta}}$ theilbar sind. Diese Zahlen könnten insbesondere so bestimmt werden, dass sie den zur Substitution $\varrho^{(1)} = r$ gehörigen idealen Primfactor von p genau $\nu \cdot \frac{\sigma s}{\delta}$ mal und keinen anderen idealen Primfactor von p enthielten.

Es ergeben sich unmittelbar nun wieder die Sätze:

1) Das entwickelte Product zweier oder mehrerer complexer Zahlen enthält genau dieselben idealen Primfactoren von p, und jeden genau ebenso oft, als die Factoren zusammengenommen, und umgekehrt: Wenn eine complexe Zahl alle idealen Primfactoren von p mindestens ebenso oft enthält, als eine andere, so ist sie durch diese in Bezug auf p theilbar. Der Quotient enhält genau den Ueberschuss der idealen Primfactoren von p des Dividenden über die des Divisors. Durch blosse Specialisirung folgt hieraus:

2) Wenn eine complexe Zahl alle idealen Primfactoren von p mindestens $\nu \cdot \frac{\sigma s}{\delta}$ mal enthält, ist sie durch p^ν theilbar in Bezug auf die Primzahl p, enthält sie diese idealen Primfactoren genau $\nu \cdot \frac{\sigma s}{\delta}$ mal, so erschöpft p^ν alle in ihr enthal-

tenen idealen Primfactoren von p. Aus den Sätzen 1) und 2) zusammen folgt:

3) Wenn eine in Bezug auf die Primzahl p ganze complexe Zahl genau ν ideale Primfactoren von p enthält, dieselben mögen verschieden, oder auch zum Theil oder alle einander gleich sein, so enthält die aus den m conjugirten Werthen derselben gebildete Norm den Factor p genau $\nu \,.\, \delta \,.\, \Theta$ mal. Die aus den $\frac{m}{\sigma s \Theta}$ verschiedenen conjugirten Werthen gebildete Norm einer in Bezug auf p ganzen complexen Zahl wie der nun mit $\varphi(\varrho_1, \varrho_2, \ldots \varrho_n)$ bezeichneten, welche nur den zur Substitution $\varrho^{(1)} \doteq r$ gehörigen idealen Primfactor von p, und diesen genau $\nu \,.\, \frac{\sigma s}{\delta}$ mal enthält, enthält den Factor p genau ν mal.

In der Kummer'schen Theorie a. a. O. §. 6 ist $s = p - 1$, $\sigma = p^{s-1}$, $\delta = 1$, ist $1 - z$ eine ganze complexe Zahl, welche jeden idealen Primfactor von p genau einmal enthält, und vertreten Functionen von $\bar{\omega}'$ die hier mit $\varphi(\varrho_1, \varrho_2, \ldots \varrho_n)$ bezeichneten Zahlen.

IV.

Da die Primzahlen p als die allgemeineren auch die Primzahlen q umfassenden angesehen werden können, so will ich auch die schliesslich noch zu betrachtenden im Coefficient a_0 von x^n in R_n als Factoren enthaltenen Primzahlen mit p bezeichnen. Ist eine solche in den Coefficienten a_0 bis $a_{\gamma-1}$, aber nicht in a_γ enthalten, so hat die Congruenz $R_n \equiv 0 \pmod{p^{\mu-1}}$ nur $n - \gamma$ Wurzeln von den bisher betrachteten Arten. Ist $R_n \equiv E \,.\, G \pmod{p^{\mu-1}}$, wo die Congruenz $E \equiv E_1 + p E_2 + \ldots + p^{\mu-2} E_{\mu-1} \equiv 0 \pmod{p^{\mu-1}}$ diese $n - \gamma$ Wurzeln giebt, während $G \equiv 1 + p G_2 + \ldots + p^{\mu-2} G_{\mu-1} \pmod{p^{\mu-1}}$ eine Function von x vom Grade γ bezeichnet, in welcher nur das constante Glied nicht durch p theilbar ist, so lässt sich diese Zerlegung von R_n für den Modul p^μ fortsetzen, indem man, wenn $R_n - EG = p^{\mu-1} M$ ist, mit der Function E_1 in M dividirt, den Rest vom Grade $n - \gamma - 1$ mit E_μ, den Quotient mit G_μ bezeichnet, also $M \equiv E_1 G_\mu + E_\mu \pmod{p}$ und $R_n \equiv (E + p^{\mu-1} E_\mu)(G + p^{\mu-1} G_\mu) \pmod{p^\mu}$ macht. Diese für $\mu = 1$ mögliche Zerlegung ist also für jeden Werth von μ möglich. In derselben Weise, wie sich oben die Congruenz $B \equiv 0 \pmod{p^\mu}$, in welcher alle Coefficienten ausser dem der höchsten Potenz von x durch p theilbar waren, in β lineare Factoren $x - r$ zerlegen liess, lässt sich nun die Congruenz $G \equiv 0 \pmod{p^\mu}$ in γ lineare Factoren $1 - wx$ zerlegen. Bestimmt man nun die γ übrigen Wurzeln r aus den nach dem oben Besprochenen stets auflösbaren γ Congruenzen $rw \equiv 1 \pmod{p^\mu}$, so erhält man wie früher $R_n \doteq a_0 (x - r_1)(x - r_2) \ldots . (x - r_n) \pmod{p^\mu}$. Auf das vorliegende System von n Congruenzwurzeln r lassen sich nun dieselben Bezeichnungen, Definitionen und Sätze gründen, wie in Bezug auf die erst betrachteten Primzahlen p. Da hier durch eine Substitution $\varrho = r^{(\eta)}$ eine ganze ganzzahlige Function $f(\varrho_1, \varrho_2, \ldots \varrho_n)$, selbst wenn sie in der normalen Form enthalten ist, in einen Ausdruck g_η übergehen kann, dessen erstes Glied eine Potenz von $\sqrt[\sigma s]{p^\delta}$ mit negativem Exponent ist, so ist hier nicht jede solche Function als ganze complexe Zahl im Sinn der obigen Definition anzusehen, sondern es muss, wenn dies der Fall sein soll, eine Reihe von Congruenzen zwischen den Coefficienten der complexen Zahl erfüllt sein, welche bewirken, dass auch der Zähler durch die im Nenner auftretende Potenz theilbar wird. Es ist bei diesen Primzahlen eine noch etwas weitere Ausdehnung des Begriffs der Congruenzen, als oben nothwendig. Eine gebrochene Zahl $K_1 p^{-\alpha} + K_2 p^{-\alpha+1} + \ldots + K_\mu p^{-\alpha+\mu-1} + h p^{-\alpha+\mu}$, in welcher mit K ganze nicht negative Zahlen bezeichnet werden, die sämmtlich kleiner als p sind, während ausserdem $K_1 > 0$ ist, heisse nämlich einer ähnlichen anderen congruent nach dem Modul p^μ, wenn die beiderseitigen Zahlen K dieselben sind. (Nach einer anderen weniger leicht zu Irrungen Anlass gebenden Bezeichnung würde man zwei solche Zahlen nur nach dem Modul $p^{\mu-\alpha}$ congruent nennen.) Die Modification für den Fall, dass auch Wurzeln aus p vorkommen, ergiebt sich von selbst. Auch wenn Wurzeln v vorkommen, ist das Obige leicht zu übertragen.

Die letztbesprochene Erweiterung lässt sich in grösster Ausdehnung auf alle Primzahlen q und p anwenden. Man kann in beliebigen gebrochenen complexen Zahlen Substitutionen $\varrho = r^{(\eta)}$ anwenden und unmittelbar die idealen Primfactoren erkennen, welche dieselben im Zähler oder im Nenner mit andern Worten eine positive oder negative Anzahl mal enthalten, je nachdem die betreffende Zahl ν positiv oder negativ ist, und kann umgekehrt, wenn die Ausdrücke g_η auch mit negativem ν gegeben sind, die Coefficienten der complexen Zahl durch Congruenzen bestimmen. Die obigen Sätze 1) und 2) für die Primzahlen p und q bleiben wörtlich dieselben, wenn beliebige der dort auftretenden Zahlen ν respective μ negativ sind, ebenso der Satz 3), wenn man von der Anzahl der im Zähler enthaltenen idealen Primfactoren, die Anzahl der im Nenner enthaltenen abzieht.

V.

Es soll nun das in Bezug auf die einzelnen Primzahlen Erkannte auf alle Primzahlen zugleich angewendet werden. Ich bezeichne dieselben von hier an sämmtlich mit p, p_1 etc. Den Primzahlen q entsprechend wird $\Theta = t$, $s = 1$, $\sigma = 1$, $\delta = 1$, auch der Ausdruck eine ganze Zahl in Bezug auf eine bestimmte Primzahl und theilbar in Bezug auf eine bestimmte Primzahl hat für die Primzahlen q dieselbe Bedeutung wie für die übrigen.

Als ganze complexe Zahl soll diejenige bezeichnet werden, welche in Bezug auf alle einzelnen Primzahlen p eine ganze complexe Zahl ist, eine ganze complexe Zahl ist also jede complexe Zahl, welche keinen idealen Primfactor irgend einer Primzahl p im Nenner enthält. Nach dem Früheren ist also weder jede ganze complexe Zahl eine in der normalen Form ganze und ganzzahlige Function der Wurzeln ϱ, noch jede solche Function eine ganze complexe Zahl, es sei denn, dass einzelne Klassen der oben betrachteten Primzahlen nicht vorkommen, oder ein anderer leicht bestimmbarer bei den Kreistheilungsgleichungen stattfindender specieller Fall eintritt. Ist z. B. $R_n^- = 7x^2 + x + 1$, so ist $\frac{1}{3} - \frac{7}{3}\varrho_1$ eine ganze complexe Zahl, während $1 - \varrho_1$ eine gebrochene complexe Zahl ist, nämlich in Bezug auf die Primzahl 7. Ferner heisse eine complexe Zahl durch eine andere theilbar, wenn der Quotient eine ganze complexe Zahl ist.

Aus den früheren Sätzen 1) und 3) gehen nun sofort die folgenden allgemeinen hervor, in welchen für die Zahlen ν, welche angeben, wie oft ein bestimmter idealer Primfactor in einer vorliegenden Zahl enthalten ist, auch negative Werthe angenommen werden dürfen, wo dies nicht ausdrücklich ausgeschlossen, also von einer ganzen complexen Zahl gesprochen wird.

Das entwickelte Product zweier oder mehrerer complexer Zahlen enthält genau dieselben idealen Primfactoren, und jeden genau eben so oft, als die Factoren zusammengenommen. Insbesondere ist also das Product ganzer complexer Zahlen wieder eine ganze complexe Zahl. Wenn eine complexe Zahl alle idealen Primfactoren mindestens eben so oft enthält als eine andere, so ist sie durch diese theilbar. Der Quotient enthält genau den Ueberschuss der idealen Primfactoren des Dividenden über die des Divisors. Enthalten beide complexe Zahlen dieselben idealen Primfactoren genau gleich oft, so enthält der Quotient, welcher eine ganze complexe Zahl ist, überhaupt keinen idealen Primfactor, enthält mit anderen Worten weder im Zähler noch im Nenner irgend einen idealen Primfactor. Eine solche ganze complexe Zahl wird eine complexe Einheit genannt. Die Principien von Kronecker (*De unitatibus complexis*, *Dissert. inaug. Berolini* 1845) und von Dirichlet (Monatsberichte der Berliner Akademie 1841, 1842 und 1846) für die complexen Einheiten, lassen sich auf die hier behandelten complexen Zahlen anwenden.

Wenn eine complexe Zahl genau ν ideale Primfactoren einer Primzahl p enthält, dieselben mögen verschieden oder auch zum Theil oder alle einander gleich sein, wobei die Anzahl der im Nenner enthaltenen abzuziehen ist, und wenn das

Analoge für eine Reihe von Primzahlen p_1, p_2 *etc. der Fall ist, so ist die aus den* m *conjugirten Werthen gebildete Norm dieser complexen Zahl* $= \pm\, p^{\delta\Theta\nu} . p_1^{\delta_1\Theta_1\nu_1} . p_2^{\delta_2\Theta_2\nu_2} \ldots .$ Denn, wenn in der Norm noch ein anderer Factor vorkäme, so müsste in einer der m conjugirten complexen Zahlen, deren Product sie ist, also auch in der ursprünglich betrachteten complexen Zahl nach dem ersten vorstehenden Satz noch ein anderer idealer Primfactor vorkommen. *Die Norm einer complexen Einheit ist demnach* $= \pm 1$. Da die Norm einer complexen Zahl, deren Coefficienten immer als endlich vorausgesetzt werden sollen, endlich ist, und bei einer ganzen complexen Zahl die Zahlen ν, ν_1, ν_2 etc. positiv sind, so erkennt man, dass bei jeder einzelnen solchen nur eine endliche Anzahl von Primzahlen p, p_1, p_2 etc. vorkommen kann und die Zahlen ν, ν_1, ν_2 etc. sämmtlich endlich sein müssen. *Jede ganze complexe Zahl enthält also nur eine endliche Anzahl unveränderlich bestimmter idealer Primfactoren.* Da sich jede complexe Zahl als ganze in der normalen Form enthaltene Function der Wurzeln ϱ mit Coefficienten, deren gemeinsamer Nenner eine gewöhnliche ganze Zahl ist, darstellen lässt, und die Anzahl der Primzahlen p, deren ideale Primfactoren eine ganze ganzzahlige Function der Wurzeln ϱ im Nenner haben kann, eine beschränkte ist, wie auch die Anzahl, wie oft sie in der normalen Form einen solchen idealen Primfactor im Nenner haben kann, so erkennt man: *Jede complexe Zahl enthält nur eine endliche Anzahl unveränderlich bestimmter idealer Primfactoren theils im Zähler, theils im Nenner.*

Soll eine complexe Zahl $f(\varrho_1, \varrho_2, \ldots \varrho_n)$ so bestimmt werden, dass sie gegebene ideale Primfactoren eine gegebene positive, aber nicht nothwendig genau diese gegebene Anzahl mal enthält, und ist nicht verlangt, dass sie bestimmte andere ideale Primfactoren nicht enthalte, so können immer ganze Zahlen als Coefficienten in derselben gefunden werden, da dann nichts hindert, die rechte Seite in den Congruenzen (2) und den aus ihnen abgeleiteten durch beliebig hohe Protenzen von $\sqrt[\sigma s]{p^\delta}$ theilbar zu machen. Soll $f(\varrho_1, \varrho_2, \ldots \varrho_n)$ den zur Substitution $\varrho = r^{(\eta)}$ gehörigen idealen Primfactor einer nicht in a_0 enthaltenen Primzahl p, für welche $\sigma = 1$ ist, ν mal enthalten, so denke man sich das Resultat dieser Substitution in $f(\varrho_1, \varrho_2, \ldots \varrho_n)$ als Function vom Grade $\Theta - 1$ von j^1 und nach Potenzen von $\varepsilon\sqrt[s]{p}$ entwickelt. Damit successive die mit der nullten, ersten bis $(\nu - 1)$ten Potenz von $\varepsilon\sqrt[s]{p}$ multiplicirten Glieder durch p theilbar werden, müssen offenbar die m ursprünglichen Coefficienten, respective die Coefficienten ihrer Entwickelung nach Potenzen von p, $\Theta . \nu$ lineare homogene Congruenzen nach dem Modul p erfüllen. Von diesen können in dem Ausnahmefall, dass $s > 1$, einige eine nothwendige Folge der übrigen sein. Von den analogen Congruenzen, welche ausdrücken, dass $f(\varrho_1, \varrho_2, \dots \varrho_n)$ noch einen anderen idealen Primfactor von p ν^1 mal enthalte, können in dem Ausnahmefall, dass unter den Wurzeln $\overset{1}{r}$ congruente vorkommen, einige oder bei kleinen Werthen von ν^1 alle in den ersteren enthalten sein. Soll $f(\varrho_1, \varrho_2, \dots \varrho_n)$ schliesslich ν gleiche oder verschiedene gegebene ideale Primfactoren von p enthalten, so müssen die m Coefficienten, respective die mit Potenzen von p multiplicirten Glieder derselben $\Theta . \nu$ oder in Ausnahmefällen weniger lineare homogene Congruenzen nach dem Modul p erfüllen, welche sich nicht unter einander widersprechen. Dass die analogen Congruenzen nach verschiedenen Primzahlmoduln mit einander vereinbar sind, bedarf kaum einer Erwähnung. Im Falle $\sigma > 1$ kann man sich in Analogie mit einem bekannten algebraischen Satze alle Wurzeln v durch eine einzige Function derselben ausgedrückt denken, welche Wurzel einer durch $\sqrt[s]{p}$ ausdrückbaren Congruenz vom Grade σ ist, und deren erstes Glied in der früher entwickelten Weise nur durch $\sqrt[\sigma s]{p^\delta}$ theilbar sei, was ich wegen der Unwichtigkeit für das hier beabsichtigte Resultat, hier nicht genauer besprechen will. Die Anzahl der Congruenzen nach dem Modul p, welche wie soeben nothwendig ist, damit das Resultat der Substitution $\varrho = r^{(\eta)}$ ein durch $\sqrt[\sigma s]{p^{\delta\nu}}$ theilbares erstes Glied habe, ist leicht ersichtlich $= \Theta\nu$. Wenn $f(\varrho_1, \varrho_2, \dots \varrho_n)$ bei ganz willkürlichen ganzen Coefficienten einen bestimmten idealen Primfactor einer in a_0 enthaltenen Primzahl p α mal im Nenner enthalten könnte, so sind, um diesen idealen Primfactor aus dem Nenner verschwinden zu machen, in der obigen Weise $\Theta . \alpha$ Congruenzen nach dem Modul p zu erfüllen. Sind diese erfüllt, so ist die Anzahl der Congruenzen, welche bedingen, dass $f(\varrho_1, \varrho_2, \dots \varrho_n)$ denselben idealen Primfactor eine gegebene Anzahl mal im Zähler enthalte, wie oben zu bestimmen. Es bezeichne nun P das Product aller Potenzen $p^{\Theta\nu}$, wo p alle Primzahlen bezeichne, von welchen irgend welche, im Ganzen ν, ideale Primfactoren in einer zu bestimmenden ganzen complexen Zahl $f(\varrho_1, \varrho_2, \dots \varrho_n)$ enthalten sein sollen. Ferner bezeichne A das Product aller Potenzen $p^{\Theta\alpha + \Theta\alpha' + \cdots}$, wo p alle in a_0 enthaltenen Primzahlen bezeichne, und $\alpha, \alpha', \dots$ die Anzahlen der in eben genannter Weise im Nenner einer ganzzahligen Function möglicher Weise vorkommenden idealen Primfactoren derselben. Wie P gleich dem absoluten Werth der aus den m conjugirten Werthen gebildeten Norm von $f(\varrho_1, \varrho_2, \dots \varrho_n)$, oder kleiner als dieser ist, je nachdem für alle in P vorkommenden Primzahlen $\delta = 1$ oder $\delta > 1$ ist, so ist A gleich der aus Potenzen von Factoren von a_0 zusammengesetzten ganzen Zahl, welche bei unbestimmten ganzen Coefficienten im Nenner einer solchen Norm einer complexen Zahl auftritt, oder kleiner als diese Zahl, je nachdem für alle in A, oder in a_0 vorkommenden Primzahlen $\delta = 1$ oder $\delta > 1$ ist. Bestimmt man nun die kleinste ganze Zahl K, für welche $K^m > AP$ ist, und setzt auf alle K^m möglichen Weisen die ganzen Zahlen null bis $K - 1$ für die m Coefficienten in $f(\varrho_1, \varrho_2, \ldots \varrho_n)$, so können die K^m Restensysteme, welche die zu erfüllenden Congruenzen noch diesen K^m Einsetzungen geben, nicht sämmtlich unter einander und von dem verlangten System von Resten null verschieden sein, weil das System dieser Congruenzen nur AP verschiedene Restensysteme zulässt. Setzt man für jeden der m Coefficienten die Differenz der zwei Werthe, welche er bei zwei zu demselben Restensysteme führenden Einsetzungen hatte, so werden alle Reste null, es lassen sich also alle verlangten Congruenzen durch Coefficienten erfüllen, deren absoluter Werth kleiner als K ist, und welche nicht sämmtlich $= 0$ sind.

Die aus den m conjugirten Werthen gebildete Norm einer complexen Zahl ist eine homogene Function $m$ten Grades von den Coefficienten derselben. Ist M der Werth, welchen diese Norm annimmt, wenn man in allen einzelnen Gliedern derselben für die Producte von m Coefficienten die Einheit setzt mit dem Vorzeichen, durch welches das ganze Glied positiv wird, so ist diese Norm kleiner als $(K-1)^m . M$, wenn der absolute Werth der Coefficienten $(K-1)$ nicht überschreitet. Da $(K-1)^m \leqq AP$ ist, ist also die Norm der wirklich zu findenden ganzen complexen Zahl, welche die geforderten idealen Primfactoren enthält, kleiner als $M.A.P$, sie ist also weniger als $M.A$ mal grösser, als sie sein würde, wenn sie ausser den geforderten keine anderen idealen Primfactoren mehr enthielte.

Diese allgemeinere Untersuchung ist hiermit an dem Punkte angekommen, von welchem an sie mit der Kummer'schen Entwickelung, soweit sie in der citirten Abhandlung von 1856 gegeben ist, völlig conform werden würde. Nach Einführung des Kummer'schen Begriffs der idealen complexen Zahlen ergiebt sich nämlich nun sofort der Satz: Alle idealen complexen Zahlen, deren Anzahl unendlich ist, können durch Zusammensetzung mit einer endlichen Anzahl idealer Multiplicatoren zu wirklichen complexen Zahlen gemacht werden, und die auf diese idealen Multiplicatoren gegründete Eintheilung der idealen complexen Zahlen in Klassen, mit dem Satz, dass jede ideale complexe Zahl sich als eine Wurzel aus einer wirklichen darstellen lässt, ist so gut als wörtlich aus dem §. 10 jener Abhandlung hierher zu übertragen.

III.

Ueber einige Aufgaben, welche die Theorie des logarithmischen Potentials und den Durchgang eines constanten elektrischen Stroms durch eine Ebene betreffen.

Von Dr. E. Jochmann in Berlin.

I.

1. Es sei ein von zwei concentrischen kreisförmigen Elektroden begrenzter leitender Theil der Ebene gegeben. Der Halbmesser des inneren Kreises sei a, der des äusseren b; auf der Peripherie des inneren Kreises habe das elektrische Potential den constanten Werth V_a, auf der des inneren Kreises den constanten Werth V_b. Die Niveaucurven des Potentials sind in diesem Falle offenbar concentrische Kreise, die Strömungslinien die Halbmesser dieser Kreise. Da durch jede geschlossene Niveaulinie in der Zeiteinheit dieselbe Elektricitätsmenge c strömen muss, so ist die Stromdichtigkeit der Entfernung vom Mittelpunkt umgekehrt proportional, oder wenn u die Stromdichtigkeit in der Entfernung ϱ vom Mittelpunkt bezeichnet, so hat man

$$2\pi u = \frac{c}{\varrho}.$$

Andererseits ist, wenn k das Leitungsvermögen der Ebene bezeichnet

$$u = -2k\frac{\partial V}{\partial \varrho},$$

woraus sich ergiebt:

$$4k\pi V = -c \log \varrho + c_1.$$

Die Constanten c und c_1 bestimmen sich durch die gegebenen Grenzwerthe des Potentials V_a und V_b, so dass man hat:

$$V = \frac{V_b - V_a}{\log b - \log a}\log \varrho + \frac{V_a \log b - V_b \log a}{\log b - \log a}$$

$$c = -4k\pi\frac{V_b - V_a}{\log b - \log a}.$$

Die Constante c_1 wird Null, wenn V_a und V_b so gewählt werden, dass

$$\frac{V_a}{V_b} = \frac{\log a}{\log b}$$

wird. In diesem Falle erhält man

$$\frac{V}{\log \varrho} = \frac{V_a}{\log a} = \frac{V_b}{\log b} = -\frac{c}{4\pi k}.$$

Lässt man nun den Halbmesser der Elektrode a stetig abnehmen und sich der Grenze Null nähern, so muss, wenn die durch die Ebene strömende Elektricitätsmenge c ungeändert bleiben soll, V_a wachsen und für $a = 0$ unendlich werden, wie $-\frac{c}{4\pi k} \log a$. Lässt man umgekehrt den Halbmesser der äusseren Elektrode ins Unbegrenzte wachsen, so muss, damit die Stromdichtigkeit einen endlichen von Null verschiedenen Werth behalte, V_b unendlich werden, wie $-\frac{c}{4\pi k} \log b$, oder der Widerstand der nach allen Seiten unbegrenzt ausgedehnten Ebene ist unendlich.

2. Die Function

$$\log \varrho = \log \sqrt{x^2 + y^2}$$

genügt bekanntlich der partiellen Differentialgleichung:

$$1) \qquad \frac{\partial^2 V}{\partial x^2} + \frac{\partial^2 V}{\partial y^2} = 0$$

und spielt in den Aufgaben, welche sich auf eine Integration dieser Gleichung mit Rücksicht auf gegebene Grenzbedingungen zurückführen lassen, eine ähnliche Rolle, wie die Function $\frac{1}{\varrho}$ bei den entsprechenden Aufgaben für den nach drei Dimensionen ausgedehnten Raum. Wie durch die Integration der entsprechenden Gleichung für drei Dimensionen ausser dem elektrodynamischen Problem gleichzeitig ein Problem der Elektrostatik, und wenn unter V die Temperatur verstanden wird, das Problem des constanten Wärmeflusses für den gegebenen Raum gelöst wird, so lässt sich auch hier zu jedem auf die Stromverbreitung in der Ebene bezüglichen Problem ein entsprechendes statisches angeben, indem man sich zwei Fluida vorstellt, welche einander wie die entgegengesetzten Elektricitäten anziehen und abstossen, aber nicht dem Quadrat, sondern der ersten Potenz der Entfernungen umgekehrt proportional. Sind $m_1, m_2, m_3 \ldots$ gegebene Mengen dieser Fluida, welche in gegebenen Punkten der Ebene $p_1, p_2, p_3 \ldots$ concentrirt sind, und $\varrho_1, \varrho_2, \varrho_3 \ldots$ die Entfernungen eines Punktes p von $p_1, p_2, p_3 \ldots$ so stellt

$$V = \Sigma m \log \varrho$$

das Potential der gegebenen Massenvertheilung in Beziehung auf den Punkt p vor. Die Eigenschaften dieses „logarithmischen Potentials", welche insbesondere von C. Neumann (Crelle's J. LIX) untersucht worden sind, besitzen grosse Analogie mit den Eigenschaften des Laplaceschen Potentials im Raume. Dasselbe genügt in allen Theilen der Ebene, welche keine Massen enthalten, der Gleichung

$$\frac{\partial^2 V}{\partial x^2} + \frac{\partial^2 V}{\partial y^2} = 0.$$

Sind durch einen Theil der Ebene Massen stetig mit der Dichtigkeit ε verbreitet, so genügt dasselbe innerhalb dieses Theiles der Gleichung

$$\frac{\partial^2 V}{\partial x^2} + \frac{\partial^2 V}{\partial y^2} = + 2\pi\varepsilon.$$

Dasselbe bleibt, wenn die Massen mit endlicher Dichtigkeit durch die Ebene verbreitet sind, nebst seinen ersten Differentialquotienten in der ganzen Ebene endlich und stetig. Im Unendlichen reducirt es sich auf $M \log \varrho$, wenn M die algebraische Summe aller Massen bezeichnet. Es verschwindet im Unendlichen, wenn $M = 0$ ist.

Sind endliche Massen auf einer Linie mit der Dichtigkeit ε vertheilt, so bleibt beim Durchgang durch diese Linie das Potential V zwar noch stetig, die Differentialquotienten $\frac{\partial V}{\partial x}$, $\frac{\partial V}{\partial y}$ hingegen erleiden eine Stetigkeitsunterbrechung und zwar ist, wenn $\frac{\partial V}{\partial N}$ den in der Richtung der Normale genommenen Differentialquotienten bezeichnet

$$2) \qquad \left(\frac{\partial V}{\partial N}\right)_{+\delta} - \left(\frac{\partial V}{\partial N}\right)_{-\delta} = 2\pi\varepsilon.$$

Ist eine endliche Masse m in einem Punkte concentrirt, so wird in diesem Punkte das Potential unstetig wie $m \log \varrho$.

3. Den Punkten der Ebene, in welchen endliche Massen concentrirt sind, entsprechen beim elektrodynamischen Problem die Einströmungspunkte der Elektricität; in diesen Punkten wird das Potential unendlich, während es in allen übrigen Theilen der Ebene endlich und stetig bleibt und der Gleichung 1) genügt. Strömt die Elektricität nicht durch einzelne Punkte, sondern durch Linien in die Ebene ein, so bleibt das Potential beim Durchgang durch diese Linien stetig, seine Differentialquotienten aber, d. h. die Stromdichtigkeiten haben auf beiden Seiten derselben verschiedene Werthe. Sind in der unbegrenzten Ebene beliebige Einströmungspunkte p_1, p_2, p_3 ... gegeben, durch welche die Elektricitätsmengen c_1, c_2, c_3 ... einströmen, so ist das Potential

$$V = -\frac{1}{4\pi k} \Sigma c \log \varrho \;*).$$

Das elektrodynamische Problem erleidet jedoch im Fall einer unbegrenzten Ebene eine Einschränkung, welcher das statische nicht unterworfen ist.

*) Vergl die Abhandlung von Kirchhoff: Ueber den Durchgang eines elektrischen Stromes durch eine Ebene, insbesondere durch eine kreisförmige. Pogg Ann. LXIV.

Es muss nämlich, wenn sich ein constanter Strömungszustand herstellen soll, die Summe aller einströmenden Elektricitätsmengen gleich Null sein, wenn nicht das Potential im Unendlichen ins Unbegrenzte wachsen soll*).

4. Es sei ein Rechteck $ABCD$ (Taf. I Fig. 1) gegeben. Es soll das logarithmische Potential gefunden werden, welches in dem innerhalb des Rechtecks gelegenen Punkte P unendlich wird, wie $c \log \varrho$, im ganzen Umfange des Rechtecks aber sich auf Null reducirt. Um die letztere Grenzbedingung zu erfüllen, denke man sich die Ebene des Rechtecks nach allen Seiten ins Unbegrenzte erweitert und den Punkt P, wie es in Taf. 1 Fig. 1 angedeutet ist, unendlich oft an den Rändern des Rechtecks gespiegelt und in den Bildpunkten gleiche Massen mit abwechselnd entgegengesetzten Vorzeichen angebracht. In der Figur sind die positiven Spiegelbilder durch Punkte, die negativen durch Ringe bezeichnet; dann ist

$$V = c\,\Sigma\Sigma \pm \log \varrho$$

das gesuchte Potential. Es sei A der Anfangspunkt der Coordinaten, $AB = \frac{1}{2}\omega$, $AC = \frac{1}{2}\omega'$. Die Coordinaten des Punktes P seien a, b, so muss V unendlich werden wie $c \log \varrho$

$$\text{für} \begin{cases} x = a + \frac{1}{2} m \omega \\ y = b + n \omega' \end{cases} \quad \text{und für} \quad \begin{cases} x = -a + \frac{1}{2} m \omega \\ y = -b + n \omega', \end{cases}$$

dagegen unendlich wie $-c \log \varrho$

$$\text{für} \begin{cases} x = -a + \frac{1}{2} m \omega \\ y = b + n \omega' \end{cases} \quad \text{und für} \quad \begin{cases} x = a + \frac{1}{2} m \omega \\ y = -b + n \omega', \end{cases}$$

wo für m und n der Reihe nach alle positiven und negativen ganzen Zahlen mit Einschluss der Null zu setzen sind. Bestimmt man demnach die Vorzeichen der einzelnen Glieder des Summenausdrucks für V, so ergiebt sich:

$$V = \frac{1}{2} c \log \prod_{m=-\infty}^{m=+\infty} \prod_{n=-\infty}^{n=+\infty} \frac{[(x-a-\frac{1}{2} m \omega)^2 + (y-b-n\omega')^2][(x+a-\frac{1}{2} m\omega)^2 + (y+b-n\omega')^2]}{[(x-a-\frac{1}{2} m \omega)^2 + (y+b-n\omega')^2][(x+a-\frac{1}{2} m\omega)^2 + (y-b-n\omega')^2]}.$$

Bemerkt man, dass

$$\prod_{m=-\infty}^{m=+\infty} \frac{(x \mp a - \frac{1}{2} m \omega)^2 + (y \mp b - n\omega')^2}{(x \mp a - \frac{1}{2} m \omega)^2 + (y \pm b - n\omega')^2}$$

$$= \frac{\sin \frac{2\pi}{\omega} [x \mp a + (y \mp b - n\omega') i] \,.\, \sin \frac{2\pi}{\omega} [x \mp a - (y \mp b - n\omega') i]}{\sin \frac{2\pi}{\omega} [x \mp a + (y \pm b - n\omega') i] \,.\, \sin \frac{2\pi}{\omega} [x \mp a - (y \pm b - n\omega') i]}$$

ist, so ergiebt sich, wie leicht ersichtlich, V gleich dem reellen Theile der doppelt periodischen Function

$$U \equiv V + Wi = c \log \frac{\Theta_3 [x - a + (y - b) i] \,.\, \Theta_3 [x + a + (y + b) i]}{\Theta_3 [x - a + (y + b) i] \,.\, \Theta_3 [x + a + (y - b) i]},$$

*) Von dem Elektricitätsverlust an die die Platte umgebende Luft, mit Rücksicht auf welchen der Durchgang eines Stromes durch die unbegrenzte Ebene von Smaasen behandelt worden ist, soll im Folgenden abgesehen werden. Vergl. Smaasen: *De aequilibrio dynamico electricitatis in plano et in spatio. Trajecti ad Rhenum* 1846 und *Pogg. Ann. LXIX.*

wenn ω und $\omega' i$ die reelle und imaginäre Periode bilden*). In der That ist es leicht zu verificiren, dass der gefundene Werth von V alle Bedingungen der Aufgabe erfüllt. Derselbe genügt zunächst als reeller Theil einer monogenen Function von $x + yi$ der Gleichung 1); er bleibt nebst seinen Ableitungen stetig und endlich mit Ausnahme der Punkte der Ebene, in welchen eines der vier Argumente gleich Null oder gleich $\frac{1}{2} m\omega + n\omega' i$ wird. In diesen Punkten wird er unendlich wie $\pm\, c \log \varrho$. Er reducirt sich ferner auf Null, so oft x gleich 0 oder gleich $m \frac{\omega}{4}$ und so oft y gleich 0 oder $n \frac{\omega'}{2}$ wird. Der Quotient der vier Θ besitzt die reelle Periode $\frac{1}{2}\omega$, die imaginäre Periode $\omega' i$. Es erhält also V dieselben Werthe wieder, so oft x um $\frac{1}{2}\omega$ oder y um ω' wächst. Betrachtet man P als Einströmungspunkt der Elektricität, während der ganze Umfang des Rechtecks auf dem constanten Potentialwerth Null erhalten wird, so giebt der reelle Theil von U, gleich einer Constanten gesetzt, die Niveaulinien des Potentials, der imaginäre Theil W hingegen, gleich einer Constanten gesetzt, die Gleichung der zu jenen orthogonalen Strömungscurven an. Der Umfang des Rechtecks wird als Niveaulinie von sämmtlichen Strömungscurven rechtwinklig durchschnitten. — Es ist ferner ersichtlich, dass eine Summe analoger Ausdrücke die Lösung der Aufgabe für eine beliebige Zahl von Einströmungspunkten enthält. In dem Falle, dass ein Einströmungspunkt im Mittelpunkte des Rechtecks vorhanden ist oder für $a = \frac{1}{8}\omega$, $b = \frac{1}{4}\omega'$ hat man:

$$\Theta_3\left[x + \frac{\omega}{8} + \left(y \pm \frac{\omega'}{4}\right) i\right] = \frac{1}{\sqrt{k'}}\, \Theta_2\left[x - \frac{\omega}{8} + \left(y \pm \frac{\omega'}{4}\right) i\right],$$

mithin:
$$V + Wi = c \log \frac{\bar{\omega}\left[x - \frac{\omega}{8} + \left(y - \frac{\omega'}{4}\right) i\right]}{\bar{\omega}\left[x - \frac{\omega}{8} + \left(y + \frac{\omega'}{4}\right) i\right]}$$

oder auch:
$$\frac{\Theta_3\left[x + \frac{\omega}{8} + \left(y + \frac{\omega'}{4}\right) i\right]}{\Theta_3\left[x - \frac{\omega}{8} + \left(y + \frac{\omega'}{4}\right) i\right]} = \frac{\Theta_1\left[x + \frac{\omega}{8} + \left(y - \frac{\omega'}{4}\right) i\right]}{\Theta_1\left[x - \frac{\omega}{8} + \left(y - \frac{\omega'}{4}\right) i\right]} \cdot e^{-\frac{1}{2}\pi i}$$

mithin:
$$V + Wi = c\left\{-\frac{\pi}{2} i + \log \frac{\lambda\left[x - \frac{\omega}{8} + \left(y - \frac{\omega'}{4}\right) i\right]}{\lambda\left[x + \frac{\omega}{8} + \left(y - \frac{\omega'}{4}\right) i\right]}\right\}.$$

*) Es ist in dieser Abhandlung die von Briot und Bouquet gebrauchte Bezeichnungsweise der elliptischen Functionen gewählt:

$$\lambda(z) = \sin am\, z \quad \mu(z) = \cos am\, z \quad \nu(z) = \Delta am\, z \quad \bar{\omega}(z) = \operatorname{tang} am\, z$$

$$\lambda(z) = \frac{\Theta_3(z)}{\Theta_1(z)} \quad \mu(z) = \frac{\Theta_2(z)}{\Theta_1(z)} \quad \nu(z) = \frac{\Theta(z)}{\Theta_1(z)} \quad \bar{\omega}(z) = \frac{\Theta_3(z)}{\Theta_2(z)}.$$

5. Es soll die dem Punkte P **entsprechende** Randbelegung des rechteckigen Raumes, d. h. die Dichtigkeit derjenigen Massenvertheilung auf dem Umfang des Rechtecks gefunden werden, welche zusammen mit der im Punkte P concentrirten Masse $+1$ das Potential im Umfange des Rechtecks zu Null macht. Bezeichnet $G_{(p)}$ das Potential dieser Massenvertheilung, so muss an jedem Punkte des Umfanges

$$G_{(p)} + \log \varrho_{(p)} = 0$$

sein, wenn $\varrho_{(p)}$ die Entfernung des Punktes von dem Centrum P bezeichnet. Es ist daher offenbar, wenn in dem oben gefundenen Werth für V, $c = 1$ gesetzt wird, innerhalb des Rechtecks

$$G_{(p)} + \log \varrho_{(p)} = V$$

und im ganzen äusseren Raum

$$G_{(p)} + \log \varrho_{(p)} = 0,$$

mithin nach 2):

$$2\pi\varepsilon = \left(\frac{\partial G_{(p)}}{\partial N}\right)_{+\delta} - \left(\frac{\partial G_{(p)}}{\partial N}\right)_{-\delta} = \frac{\partial V}{\partial N},$$

wo die Differentiation nach der Richtung der nach dem Innern des Rechtecks gezogenen Normale zu nehmen ist. Da der Umfang des Rechtecks eine Niveaulinie des Potentials ist, verschwindet $\frac{\partial W}{\partial N}$ am ganzen Umfange, und es kann anstatt $\frac{\partial V}{\partial N}$ gesetzt werden $\frac{\partial U}{\partial N}$. Die Ausführung der Differentiation ergiebt mit Rücksicht auf die bekannte Relation:

$$\frac{\Theta'_3(u+v)}{\Theta_3(u+v)} - \frac{\Theta'_3(u-v)}{\Theta_3(u-v)} = 2\,\frac{\Theta'_1(v)}{\Theta_1(v)} + 2\,\frac{\lambda(v)\,\mu(v)\,\nu(v)}{\mu^2(u) - \mu^2(v)}$$

$$\frac{\partial U}{\partial x} = \frac{1}{i}\,\frac{\partial U}{\partial y} = \lambda\mu\nu(x+yi)\left[\frac{1}{\mu^2(a+bi) - \mu^2(x+yi)} - \frac{1}{\mu^2(a-bi) - \mu^2(x+yi)}\right].$$

Man erhält demnach

für die Seite AC:
$$2\pi\varepsilon = \left(\frac{\partial U}{\partial x}\right)_{x=0}$$
$$= \lambda\mu\nu(yi)\left[\frac{1}{\mu^2(a+bi) - \mu^2(yi)} - \frac{1}{\mu^2(a-bi) - \mu^2(yi)}\right],$$

für die Seite BD:
$$2\pi\varepsilon = -\left(\frac{\partial U}{\partial x}\right)_{x=\frac{\omega}{4}}$$
$$= -\lambda\mu\nu\left(\frac{\omega}{4}+yi\right)\left[\frac{1}{\mu^2(a+bi) - \mu^2\left(\frac{\omega}{4}+yi\right)} - \frac{1}{\mu^2(a-bi) - \mu^2\left(\frac{\omega}{4}+yi\right)}\right],$$

für die Seite AB:
$$2\pi\varepsilon = \left(\frac{\partial U}{\partial y}\right)_{y=0}$$
$$= i\,.\,\lambda\mu\nu(x)\left[\frac{1}{\mu^2(a+bi) - \mu^2(x)} - \frac{1}{\mu^2(a-bi) - \mu^2(x)}\right],$$

für die Seite CD:
$$2\pi\varepsilon = -\left(\frac{\partial U}{\partial y}\right)_{y=\frac{\omega'}{2}}$$
$$= -i.\lambda\mu\nu(x)\left[\frac{1}{\mu^2(a+bi)-\mu^2\left(x+\frac{\omega'}{2}i\right)} - \frac{1}{\mu^2(a-bi)-\mu^2\left(x+\frac{\omega'}{2}i\right)}\right].$$

Ist P der Mittelpunkt des Rechtecks, so wird
$$\mu^2(a\mp bi) = \mu^2\left(\frac{\omega}{8}\mp\frac{\omega'}{4}i\right) = \pm i\frac{k'}{k},$$
mithin:
$$\frac{\partial U}{\partial x} = \frac{1}{i}\frac{\partial U}{\partial y} = 2i\frac{k'}{k}\cdot\frac{\lambda\mu\nu(x+yi)}{\frac{k'^2}{k^2}+\mu^4(x+yi)} = ikk'\frac{\lambda(2x+2yi)}{\nu(2x+2yi)},$$
also:

für die Seite AC $2\pi\varepsilon = \quad ikk'\frac{\lambda(2yi)}{\nu(2yi)} = ik\mu\left(\frac{\omega}{4}-2yi\right)$,

„ „ „ BD $2\pi\varepsilon = -ikk'\frac{\lambda\left(\frac{\omega}{2}+2yi\right)}{\nu\left(\frac{\omega}{2}+2yi\right)} = ik\mu\left(\frac{\omega}{4}-2yi\right)$,

„ „ „ AB $2\pi\varepsilon = -\;kk'\frac{\lambda(2x)}{\nu(2x)} = -k\mu\left(\frac{\omega}{4}-2x\right)$,

„ „ „ CD $2\pi\varepsilon = +\;kk'\frac{\lambda(2x+\omega' i)}{\nu(2x+\omega' i)} = -k\mu\left(\frac{\omega}{4}-2x\right)$.

Da $\mu\left(\frac{\omega}{4}\right) = 0$, so ist die Dichtigkeit der Randbelegung (beziehungsweise die Stromdichtigkeit) gleich Null an den vier Eckpunkten des Rechtecks. Dieselbe besitzt Maximalwerthe auf den Mitten der Rechtecksseiten, wo nämlich

auf den Seiten AC und BD $2\pi\varepsilon = ik\mu\left(\frac{\omega}{4}-\frac{\omega'}{2}i\right) = -k'$

„ „ „ AB „ CD $2\pi\varepsilon = -k\mu(o) \qquad = -k$

wird.

Mit Hülfe der gefundenen Randbelegung ε, deren Potential
$$G_{(p)} = V - \log\varrho_{(p)}$$
sich in jedem Punkte des Randes auf $-\log\varrho_{(p)}$ reducirt, im Uebrigen innerhalb des ganzen Rechtecks stetig und endlich bleibt, kann nach einem bekannten Satze die Aufgabe gelöst werden eine Potentialfunction Φ zu bestimmen, welche innerhalb des ganzen Rechtecks stetig und endlich bleibt, der Gleichung 1) genügt und sich am Rande des Rechtecks auf eine beliebig gegebene stetige Function $\overline{\Phi}$ reducirt. Die gesuchte Potentialfunction wird nämlich durch das über den ganzen Umfang des Rechtecks ausgedehnte Integral

$$\Phi_{(p)} = -\int \varepsilon_{(p)}\, \overline{\Phi}\, ds$$

ausgedrückt. (Vergl. C. Neumann. Crelle J. LIX. p. 339.)

6. Es sei ein Rechteck $ABCD$ (Taf. I Fig. 2) und innerhalb desselben beliebige Einströmungspunkte gegeben. Es soll das logarithmische Potential so bestimmt werden, dass seine Niveaulinien den Umfang des Rechtecks überall rechtwinklig durchschneiden, oder dass durch den Umfang Elektricität weder ein- noch ausströmt. Damit die Lösung möglich sei, ist offenbar die Bedingung erforderlich, dass die Summe der durch die gegebenen Punkte in das Rechteck einströmenden Elektricitätsmengen Null sei. — Es seien die Coordinaten der Einströmungspunkte $a_1 b_1$, $a_2 b_2$, $a_3 b_3 \ldots . a_\nu b_\nu$, die durch dieselben einströmenden Elektricitätsmengen c_1, c_2, $c_3 \ldots . c_\nu$, so genügen letztere der Bedingung

$$\Sigma c = 0.$$

Um die Grenzbedingung zu erfüllen, dass durch den Rand des Rechteckes keine Ein- oder Ausströmung von Elektricität stattfinde, denke man sich wieder jeden Einströmungspunkt an den Rändern des Rechtecks unendlich oft gespiegelt und in den Bildpunkten Einströmungspunkte mit gleichem Vorzeichen angebracht. Es ist dann leicht ersichtlich, dass man allen Bedingungen der Aufgabe durch den reellen Theil einer Summe von Ausdrücken ähnlicher Form, wie in §. 4, genügen kann. Das Potential V muss unendlich werden wie $c_s \log \varrho_s$, so oft

$$\begin{cases} x = a_s + \tfrac{1}{2} m\omega \\ y = b_s + n\omega' \end{cases} \quad \text{oder} \quad \begin{cases} x = -a_s + \tfrac{1}{2} m\omega \\ y = -b_s + n\omega' \end{cases}$$

$$\text{oder} \quad \begin{cases} x = a_s + \tfrac{1}{2} m\omega \\ y = -b_s + n\omega' \end{cases} \quad \text{oder} \quad \begin{cases} x = -a_s + \tfrac{1}{2} m\omega \\ y = b_s + n\omega' \end{cases}$$

Man setze

$$U = V + Wi = \Sigma c_s \log \{ \Theta_3[x - a_s + (y - b_s)i]\ \Theta_3[x - a_s + (y + b_s)i]$$
$$\Theta_3[x + a_s + (y - b_s)i]\ \Theta_3[x + a_s + (y + b_s)i] \}.$$

Der reelle Theil dieser Summe wird an den Einströmungspunkten und ihren Spiegelbildern in der vorgeschriebenen Weise unendlich. Derselbe genügt der Gleichung 1). Dass die Grenzbedingungen erfüllt sind, folgt aus der Symmetrie in Beziehung auf die Seiten des Rechtecks. Das Product der vier Θ hat die reelle Periode $\frac{1}{2}\omega$. Wächst y um ω', so erhält das Product der Θ den Factor

$$e^{\frac{8\pi}{\omega}[\omega' - 2i(x + yi)]}$$

oder U erhält den Summanden

$$\frac{8\pi}{\omega}[\omega' - 2i(x + yi)] \,.\, \Sigma c_s,$$

welcher in Folge der Bedingung $\Sigma c_s = 0$ verschwindet. In der Discussion der Resultate beschränken wir uns auf die besonderen Fälle, dass zwei Einströmungspunkte mit den einströmenden Elektricitätsmengen $+1$ und

— 1 vorhanden sind, welche entweder mit zwei benachbarten oder mit zwei gegenüberliegenden Eckpunkten des Rechtecks zusammenfallen. Der erstere Fall umfasst gleichzeitig den zweier Einströmungspunkte auf den Mitten zweier gegenüberliegender Rechtecksseiten, indem man dann nur das Rechteck durch die Verbindungslinie der Seitenmitten in zwei symmetrische Hälften zu theilen braucht.

Sind A und C die Einströmungspunkte, so hat man:

$$a_1 = 0 \quad b_1 = 0 \qquad\qquad a_2 = 0 \quad b_2 = \tfrac{1}{2}\omega'$$

$$U = V + Wi = \log \frac{\Theta_3^4(x+yi)}{\Theta_3^2(x+yi-\frac{1}{2}\omega' i)\,\Theta_3^2(x+yi+\frac{1}{2}\omega' i)}$$

oder mit Unterdrückung des constanten Summanden $-2\pi\frac{\omega'}{\omega} + 2\log k$

$$U = V + Wi = 4\log\lambda(x+yi)$$

$$V = 2\log\frac{\lambda^2(x) - \lambda^2(yi)}{1 - k^2\lambda^2(x)\lambda^2(yi)}$$

$$Wi = 2\log\frac{\lambda(x)\,\mu(yi)\,\nu(yi) + \lambda(yi)\,\mu(x)\,\nu(x)}{\lambda(x)\,\mu(yi)\,\nu(yi) - \lambda(yi)\,\mu(x)\,\nu(x)}.$$

Die Componenten der Stromdichtigkeit in einem beliebigen Punkte des Rechtecks sind:

$$\frac{\partial V}{\partial x} = \frac{\lambda(2x)}{\lambda^2(x) - \lambda^2(yi)}\cdot\frac{[1-k^2\lambda^4(x)]\,[1-k^2\lambda^4(yi)]}{1-k^2\lambda^2(x)\lambda^2(yi)},$$

$$\frac{\partial V}{\partial y} = \frac{i\lambda(2yi)}{\lambda^2(yi) - \lambda^2(x)}\cdot\frac{[1-k^2\lambda^4(x)]\,[1-k^2\lambda^4(yi)]}{1-k^2\lambda^2(x)\lambda^2(yi)}.$$

Die Richtung der Strömungslinien ist in jedem Punkte bestimmt durch das Verhältniss

$$\frac{\partial V}{\partial x} : \frac{\partial V}{\partial y} = \lambda(2x) : -i\lambda(2yi).$$

Werden ferner die gegenüberliegenden Eckpunkte A und D als Einströmungspunkte gewählt, so ist

$$a_1 = 0 \quad b_1 = 0 \qquad\qquad a_2 = \tfrac{1}{4}\omega \quad b_2 = \tfrac{1}{2}\omega'$$

zu setzen und man erhält

$$U = V + Wi = \log\frac{\Theta_3^4(x+yi)}{\Theta_3^2\left[x - \frac{\omega}{4} + \left(y - \frac{\omega'}{2}\right)i\right]\,\Theta_3^2\left[x - \frac{\omega}{4} + \left(y + \frac{\omega'}{2}\right)i\right]}$$

oder mit Weglassung des constanten Summanden

$$-2\pi\frac{\omega'}{\omega} + 2\log(kk')$$

$$U = 4\log\frac{\lambda(x+yi)}{\nu(x+yi)} = 4\log\frac{1}{k'}\,\mu\left[\frac{\omega}{4} - (x+yi)\right],$$

$$V = 2\log\frac{\lambda^2(x) - \lambda^2(yi)}{k'^2 + k^2\mu^2(x)\,\mu^2(yi)},$$

$$\frac{\partial V}{\partial x}=\frac{2\lambda(2x)}{\lambda^2(x)-\lambda^2(yi)}\cdot\frac{[1-k^2\lambda^4(x)]\,[k'^2+k^2\mu^4(yi)]}{k_1^2+k^2\mu^2(x)\,\mu^2(yi)},$$

$$\frac{\partial V}{\partial y}=\frac{2i\,\lambda(2yi)}{\lambda^2(yi)-\lambda^2(x)}\cdot\frac{[1-k^2\lambda^4(yi)]\,[k'^2+k^2\mu^4(x)]}{k'^2+k^2\mu^2(x)\,\mu^2(yi)}.$$

Im besonderen Falle einer quadratischen Platte hat man

$$\omega=2\omega'$$

$$k=k'=\sqrt{\tfrac{1}{2}}$$

$$V=2\log 2\,.\,\frac{1-\mu^2(x)\,\mu^2(y)}{\mu^2(x)+\mu^2(y)},$$

$$\frac{\partial V}{\partial x}=\frac{2\lambda(2x)}{\mu^2(x)+\mu^2(y)}\cdot\frac{[1+\mu^4(y)]\,[1-\frac{1}{2}\lambda^4(x)]}{1-\mu^2(x)\,\mu^2(y)},$$

$$\frac{\partial V}{\partial y}=\frac{2\lambda(2y)}{\mu^2(x)+\mu^2(y)}\cdot\frac{[1+\mu^4(x)]\,[1-\frac{1}{2}\lambda^4(y)]}{1-\mu^2(x)\,\mu^2(y)}.$$

7. In ganz gleicher Weise wie die in §§. 4 und 6 behandelten Aufgaben, lässt sich die dritte Aufgabe lösen, das Potential so zu bestimmen, dass die Seiten AC und BD Strömungslinien, AB und CD hingegen Linien gleichen Potentials werden, während innerhalb des Rechtecks beliebige Einströmungspunkte gegeben sind. Man hat in diesem Falle die Einströmungspunkte an den Seiten AC und BD mit gleichen, an den Seiten AB und CD mit abwechselnd entgegengesetzten Vorzeichen sich spiegeln zu lassen, um eine Potentialfunction zu bestimmen, welche sich auf den Seiten AB und CD auf einen constanten Werth reducirt und an den Einströmungspunkten in der vorgeschriebenen Weise unendlich wird. Wird ferner verlangt, dass auf der Seite AB das Potential einen gegebenen constanten Werth V_1 auf der Seite CD einen andern gegebenen Werth V_2 annehme, so erreicht man dies durch Hinzufügung eines Ausdrucks von der Form $py+q$, in welchem die Constanten p, q den gegebenen Grenzwerthen gemäss bestimmt werden. Es soll beispielsweise der Fall behandelt werden, dass ein Einströmungspunkt gegeben ist, welcher auf der die Seiten AB und CD halbirenden Mittellinie des Rechtecks liegt. Es sei $AB=\frac{1}{2}\omega$, $AC=\frac{1}{2}\omega'$; die Coordinaten des Einströmungspunktes seien $a=\frac{\omega}{4}$, b.

Der reelle Theil der Function

$$U=V+Wi=c\log\frac{\Theta_1\left[x-\frac{\omega}{4}+(y-b)\,i\right]}{\Theta_1\left[x-\frac{\omega}{4}+(y+b)\,i\right]}$$

wird unendlich wie $c\log\varrho$ für $\begin{cases}x=\frac{\omega}{4}\\ y=b\end{cases}$ oder für $\begin{cases}x=\frac{3\omega}{4}\\ y=b\end{cases}$

wie $-c\log\varrho$ für $\begin{cases}x=\frac{\omega}{4}\\ y=-b\end{cases}$ oder für $\begin{cases}x=\frac{3\omega}{4}\\ y=-b\end{cases}$

Derselbe reducirt sich auf Null für $y = 0$, dagegen auf die constante Grösse $-4\pi c \frac{b}{\omega}$ für $y = \frac{1}{2}\omega'$. Der imaginäre Theil W verschwindet für $x = 0$ und für $x = \frac{1}{2}\omega$. Die Seiten AB und CD sind also wie verlangt, Linien gleichen Potentials, AC und BD Strömungslinien. Soll auf AB $V = V_1$, auf CD $V = V_2$ sein, so hat man

$$V = V_1 + \frac{2y}{\omega'}(V_2 - V_1) + 8\pi c \frac{by}{\omega\omega'}$$

$$+ c \log \frac{\Theta_1\left[x - \frac{\omega}{4} + (y-b)i\right] \Theta_2\left[x - \frac{\omega}{4} - (y-b)i\right]}{\Theta_3\left[x - \frac{\omega}{4} + (y-b)i\right] \Theta_2\left[x - \frac{\omega}{4} - (y-b)i\right]}$$

Ist insbesondere der Einströmungspunkt der Mittelpunkt des Rechtecks, also $b = \frac{\omega'}{4}$, so genügt man den Forderungen der Aufgabe durch die Function

$$U = c \log \sqrt{k} \, . \, \lambda\left[x - \frac{\omega}{4} + \left(y - \frac{\omega'}{4}\right)i\right]$$

deren reeller Theil für $y = 0$ und $y = \frac{\omega'}{2}$ verschwindet. Für die Stromdichtigkeit an den Seiten AB und CD erhält man

$$\left(\frac{\partial V}{\partial y}\right)_{\left\{\begin{smallmatrix} y=0 \\ y=\frac{\omega'}{2}\end{smallmatrix}\right\}} = \mp c(1+k) \, . \, \frac{1 - k\lambda^2\left(x - \frac{\omega}{4}\right)}{1 + k\lambda^2\left(x - \frac{\omega}{4}\right)}.$$

Dieselbe hat ein Maximum $\mp c(1+k)$ auf der Mitte dieser Seiten, ein Minimum $\mp c(1-k)$ an den Eckpunkten des Rechtecks*).

*) Nach Beendigung und Absendung des Manuscripts zu der vorstehenden ersten Abtheilung dieser Abhandlung ist die Aufmerksamkeit des Verfassers auf eine Stelle in der Inauguraldissertation von Minnigerode: „Ueber Wärmeleitung in Krystallen" (Göttingen 1862) gelenkt worden, in welcher derselbe das Problem des nicht constanten Wärmeflusses auf einem Parallelepipedon und einem regulär dreiseitigen Prisma mit Hülfe eines analogen Spiegelungsprincips, wie das im Vorstehenden benutzte, behandelt und ebenfalls auf Θ-Reihen geführt wird. Der Verfasser hat dies an dieser Stelle zu erwähnen nicht unterlassen wollen, obgleich die von Minnigerode behandelten Probleme wesentlich anderer Natur sind und die Θ-Functionen in anderer Form als in dieser Abhandlung auftreten.

IV.

Ueber Systeme kosmischer Ringe von gleicher Umlaufszeit als discontinuirliche Gleichgewichtsformen einer frei rotirenden Flüssigkeitsmasse.

Von Dr. LUDWIG MATTHIESSEN in Jever.

Neben den sorgfältigen Beobachtungen und Messungen der Saturnsringe, welche namentlich im letzten Decennium von Galle, Lassel, Jacob, Secchi u. A. angestellt wurden, sind seltener theoretische Untersuchungen über ihre räthselhafte Entstehungsweise, Gestalt sowie die Gesetze ihrer Bewegung mit besonderem Erfolge angestellt worden. Da aber die Lösung dieser Probleme, um nicht den Charakter wissenschaftlicher Forschung zu verlieren, sich auf wirkliche Naturvorgänge zu gründen haben, so ist es zunächst die Hauptaufgabe der Wissenschaft, das Beobachtungsmaterial dem mathematischen Calcul zu unterwerfen und von möglichst wenigen, sowie einfachen Voraussetzungen auszugehen. Die Hauptschwierigkeiten, derentwegen eine genügende Theorie der Saturnsringe oder der kosmischen Ringe überhaupt noch immer nicht erzielt worden ist, liegen einerseits in dem Probleme selbst, andererseits in dem Mangel an Beobachtungen über den Aggregatzustand, über die Anzahl der Saturnsringe (sie ist gewiss sehr gross) und über die particulären Umlaufszeiten. Die Entstehung der Saturnsringe wird gleich dem Bildungsgange des Planeten ein kosmisches Räthsel bleiben, weil sie einfach historische Begebenheiten sind, welche dem menschlichen Geiste zu schauen nicht vergönnt gewesen. Alexander von Humboldt spricht sich in einem Briefe an mich vom Jahre 1858 hierüber in folgenden Worten aus: „Die Gleichgewichtsfiguren rotirender Flüssigkeiten gehören glücklicherweise zu den Lösungen solcher Probleme, die eine innere durch mathematische Gedankenverbindung gesicherte Gewissheit darbieten. Gehen wir in die vielen Processe der Bildung von Weltkörpern über, so würden sich historische Begebenheiten finden, deren Folgen und Ursachen uns unbekannt bleiben. Saturn liegt nicht in der Mitte seiner Ringe. In unsern Tagen hat der Biela'sche

Comet sich in zwei Weltkörper getrennt. Die Planetenabstände sind in vier Formeln eingekleidet. Aus denselben Pendelversuchen, aus denen Airy (*Kosmos*, Bd. IV p. 647) eine Dichte von 6,565 folgert, zieht neuerdings Staughton in Dublin, worin er eine mittlere Höhe der Continente annimmt, wieder nur 5,48. Ich nenne beruhigend den höhern Theil der theoretischen Astronomie, weil er ordnet, was in der wirklichen Welt des Geballten durch eine Reihe von uns ungekannten Revolutionen (Weltbegebenheiten) seine Gestalt, Dichte, Achsenneigung und relative Lage erhalten hat. Die Himmelskörper haben ihre Geschichte, wie die sogenannten Systeme der gehobenen Gebirgsketten und die Reihen der Meerestiefen. Darum führt Weltbeschreibung nicht leicht zur Welterklärung, und das ärmliche Sein, auf das ich mich nach der eingeschrumpften (?) Richtung meiner Studien beschränken muss, erläutert selten das Werden. Auch preise ich nicht blos der hohen Würde, sondern der Beruhigung wegen die Bahn, die Sie vorziehen." — —

Noch weniger der Mühe lohnend, ja thöricht muss jede teleologische Betrachtung auf diesem Gebiete erscheinen. Ueber den problematischen Zweck der Saturnsringe sind die wunderlichsten Meinungen ans Licht getreten. Einige wollen den Ring als eine nächtliche Leuchte des Saturn angesehen wissen, während er doch fast nur denjenigen Theilen der Oberfläche des Saturn leuchtend erscheint, welche Tag haben. Andere suchen in der durch die Reibung und die fortdauernden heftigen Collisionen dieser „ungeheuren Menge von Asteroiden" eine beträchtliche und beständige Wärmequelle, welche hinreichend sei, den unerträglichen Frost in der kalten Zone des Sonnensystems in gewissem Grade zu mildern (Vaughan). Die Meinung, dass die kosmischen Ringe noch in ihrer Fortbildung begriffene, also nicht fertig gewordene Weltkörper seien, erscheint ebenso einseitig, wie die Ansicht dessen es sein würde, welcher behaupten wollte, dass die Quadrupeden unfertige Menschen wären. Ist der Ring vielleicht eine weniger vollkommene Figur als die Kugel? Die flüssigen Körper können in unendlich mannigfaltigen Gestaltungen als permanente Gleichgewichtsformen auftreten. Macht doch gerade diese Mannigfaltigkeit in den Formen der Naturgegenstände auf unser Gemüth und Gefühl den erhabensten und wohlthuensten Eindruck! Hoffen wir, dass jenes Wunderwerk der Schöpfung ewig eine Zierde des Firmaments bleibe!

Unter den ernsteren Speculationen über die Entstehung der Saturnsringe und deren Constitution, welche auf einem rein analytischen Calcul basirt sind, müssen erwähnt werden die Arbeiten von Vaughan (*Philos. Mag.* XX, 1860 und XXI, 1861). Der genannte Physiker leitet den Ursprung der Ringe von der Instabilität sphäroidischer Satelliten in sehr kleinen Entfernungen vom Hauptkörper her. Nach dieser Theorie soll der ursprüngliche Satellit an der Grenze der Region der Instabilität eine plötzliche Zerstreuung (Explosion) seiner Masse erlitten haben und von der Zeit an ein breiter Ring von Trümmern mit ungleicher Revolutionsgeschwindigkeit den Centralkörper umgeben. Mir ist es wahrscheinlich, dass nicht an Explosion, sondern an Ampullentheilung (Plateau) zu denken sei, so dass sich die Masse in eine breite Fläche sowohl centripetal als centrifugal ausdehnt ganz zerfliessend, weswegen der Ring überall ziemlich gleich dick sein mag. Die Zweitheilung des Ringes würde dann auf eine anfängliche Theilung in zwei Hauptampullen schliessen lassen. Diese Hypothesen können erst in der gesicherten Entdeckung des Aggregatzustandes so wie der Dichtigkeit der Masse einen sichern Stützpunkt gewinnen. Denn in der That würde in dem wirklichen Abstande des Ringes vom Centralkörper das Gleichgewicht eines sphäroidischen (ellipsoidischen) Satelliten, dessen Dichtigkeit wenig von der des Saturn verschieden wäre, nicht bestehen können, und nach Laplace auch das eines einfachen Ringes von elliptischem Querschnitte nicht. Bedeutet x die Entfernung, wo die Stabilität aufhört, R den Radius des Hauptkörpers, so ist im ersteren Falle nach Vaughan $x:R = 2{,}489$, im zweiten Falle nach Laplace $x:R = 2{,}404$. Wäre der mittlere breite Ring einfach in allen seinen Theilen cohärent und nicht etwa eine Zone von Asteroiden oder sehr schmalen Ringen, endlich der elliptische Querschnitt die einzig mögliche Gleichgewichtsform, so müsste demselben eine mindestens 8fache Dichtigkeit zugeschrieben werden, welches der geringen Masse $\frac{1}{118}$ wegen nicht zulässig ist. Die Hypothese einer Asteroidenzone gewinnt der Laplace'schen gegenüber an grösserer Wahrscheinlichkeit, da dieselbe mit der Stabilität des ganzen Systems vereinbar ist.

Da insbesondere die Vervollkommnung der Theorie der Gleichgewichtsformen frei schwebender Flüssigkeitsmassen, deren Theilchen sich nach dem Newton'schen Gesetze anziehen, eine vollständige Lösung der complicirteren Probleme erst anbahnen muss, so wenden wir uns hier auch specielleren Aufgaben dieser Gattung zu und betrachten zunächst die Gesetze der Bewegung eines Paares von concentrischen, coaxialen Ringen von gleicher Dichtigkeit und Umlaufszeit um den gemeinschaftlichen Schwerpunkt. Dieses System kann alsdann als eine einzige und zwar discontinuirliche Gleichgewichtsfigur betrachtet werden. Die Bewegungsgleichung eines solitären Ringes mit kreisförmigen Querschnitt ist zuerst im Jahre 1850 von mir in meiner Monographie aufgestellt worden; sie findet sich auch in Bd. VI dieser Zeitschrift p. 68 und lautet:

$$\frac{\omega^2}{2\pi f\varrho} = V = \frac{a^2}{4r^2} \log nat \frac{64r^2}{e \,.\, a^2} = \frac{q}{4r^2\pi} \log nat \frac{64r^2\pi}{e \,.\, q},$$

wo a die halbe Dicke des Ringes, q den Querschnitt, r den Halbmesser und e die Basis der natürlichen Logarithmen bedeuten. Wir nehmen im Folgenden also vorläufig an, dass der Querschnitt der beiden Ringe kreisförmig sei, indem wir am Schlusse der Untersuchung den Beweis führen werden, dass der Querschnitt der Ringe nur sehr wenig von dieser Gestalt abweicht. Ist der Querschnitt elliptisch und sind die Halbmesser a und b, so ist die Bewegungsgleichung ziemlich genau (*ibid.*):

$$V = \frac{ab}{4r^2} \log nat \frac{64 r^2}{eab \cdot \sqrt{1+\lambda^2}} = \frac{q}{4r^2\pi} \log nat \frac{64 r^2 \pi}{e \cdot q\sqrt{1+\lambda^2}} .$$

Wir berechnen zunächst den partiellen Differentialquotienten des Gesammtpotentiales U*) der beiden Ringkörper auf den Mittelpunkt des Querschnitts jedes einzelnen Ringes. Um die Bewegungsgleichung zu erhalten, genügt es, das Potential nach r zu differenziren, weil die Figur nach allen Richtungen hin symmetrisch ist. Die Componente R der Anziehung in der Richtung des Radius vector der Bahn ist alsdann

$$R = f\mu \cdot \frac{dU}{dr},$$

wo f bekanntlich die Gravitationsconstante 0,0002959 ist, deren Berechnung sich findet in Poisson's Lehrbuch der Mechanik, übers. von Ed. Schmidt, zweiter Theil pag. 14.

Es sei nun

a) U_1 das Potential des äussern Ringes auf sich selbst, $R_1 = f.\mu \frac{dU_1}{dr}$.

b) U_{11} das Potential des innern Ringes auf den äussern, $R_{11} = f.\mu \frac{dU_{11}}{dr}$.

c) U_{111} das Potential des innern Ringes auf sich selbst, $R_{111} = f.\mu \frac{dU_{111}}{dr_1}$.

d) U_{1111} das Potential des äussern Ringes auf den innern, $R_{1111} = f.\mu \frac{dU_{1111}}{dr_1}$.

Die genaue Bestimmung dieser Potentiale ist eine an sich sehr schwierige Aufgabe und möchte vielleicht in blossen Integralformeln möglich sein. Da diese uns indess bei der Erzielung einer concreten Anschauung völlig im Stiche lassen würden, so wollen wir einer Näherungsmethode den Vorzug geben und der Einfachheit wegen annehmen, dass die Dicke der Ringe im Verhältniss zu ihrem Durchmesser klein seien. Das Verhältniss der zum Gleichgewichte erforderlichen Dimensionen soll alsdann an Zahlenbeispielen zur deutlichen Anschauung gebracht werden.

a) Der Werth von R_1 ist nach dem Obigen gleich

$$-2\pi f \varrho \cdot \frac{a^2}{4r} \log nat \frac{64 r^2}{e . a^2}$$

also

$$1) \qquad R_1 = -2\pi f \varrho \frac{a^2}{2r} \log nat \frac{8r}{\sqrt{e} . a}$$

*) Obgleich es üblich ist, das Potential bei dem Newton'schen Attractionsgesetze mit V zu bezeichnen, so ist hier die allgemeinere Bezeichnung beibehalten worden, um die Verwechselung mit dem Rotationsmoment V zu vermeiden.

b) Die Anziehung R_{II} eines Ringes auf einem äussern Punkt ist in dem vorliegenden Falle nahezu gleich der eines Kreises von derselben Masse; mithin

$$R_{\text{II}} = 2q_1 f\varrho \int_0^\pi \frac{(r - r_1 \cos\varphi)\, r_1\, d\varphi}{(r^2 - 2r r_1 \cos\varphi + r_1^2)^{\frac{3}{2}}}$$

$$= 2q_1 f\varrho \frac{r_1}{(r+r_1)^2} \int_0^\pi \frac{\left(1 - 2\frac{r_1}{r+r_1} \cos\frac{\varphi}{2}^2\right) d\varphi}{\left(1 - \frac{4rr_1}{(r+r_1)^2} \cos\frac{\varphi}{2}^2\right)^{\frac{3}{2}}}.$$

Setzt man fortan $4rr_1 : (r+r_1)^2 = \varepsilon^2$, $\frac{\varphi}{2} = \frac{\pi}{2} - \vartheta$, so geht das vorstehende Integral über in die beiden folgenden:

$$-q_1 f\varrho \frac{\varepsilon^2}{r} \int_0^{\frac{\pi}{2}} \frac{d\vartheta}{\sqrt{1 - \varepsilon^2 \sin\vartheta^2}} - q_1 f\varrho \frac{\varepsilon^4}{2r}\left(1 - \frac{r_1}{r}\right) \int_0^{\frac{\pi}{2}} \frac{\sin\vartheta^2\, d\vartheta}{\sqrt{(1 - \varepsilon^2 \sin\vartheta^2)^3}}.$$

Da nun

$$\int_0^{\frac{\pi}{2}} \frac{d\vartheta}{\sqrt{1 - \varepsilon^2 \sin\vartheta^2}} = F\left(\frac{\pi}{2}, \varepsilon\right), \int_0^{\frac{\pi}{2}} \frac{\sin\vartheta^2\, d\vartheta}{\sqrt{(1 - \varepsilon^2 \sin\vartheta^2)^3}}$$

$$= -\frac{1}{\varepsilon^2}\left\{F\left(\frac{\pi}{2}, \varepsilon\right) - \frac{1}{1-\varepsilon^2} E\left(\frac{\pi}{2}, \varepsilon\right)\right\},$$

so ist der erste Theil von R_{II} gleich

$$-\pi f\varrho q_1 \frac{\varepsilon^2}{2r}\left\{1 + \left(\frac{1}{2}\right)^2 \varepsilon^2 + \left(\frac{1.3}{2.4}\right)^2 \varepsilon^4 + \left(\frac{1.3.5}{2.4.6}\right)^2 \varepsilon^6 + \ldots\right\}$$

Das zweite Integral hat den Werth

$$-\pi f\varrho q_1 \frac{\varepsilon^4}{2r}\left(1 - \frac{r_1}{r}\right)\left\{\left(\frac{1}{2}\right)^2 + 2\left(\frac{1.3}{2.4}\right)^2 \varepsilon^2 + 3\left(\frac{1.3.5}{2.4.6}\right)^2 \varepsilon^4 + \ldots\right\}$$

Vereinigt man dieselben, so wird

$$2)\quad \begin{aligned} R_{\text{II}} = -\pi f\varrho q_1 \frac{\varepsilon^2}{2r}&\left\{\left[1 + 2\left(\frac{1}{2}\right)^2 \varepsilon^2 + 3\left(\frac{1.3}{2.4}\right)^2 \varepsilon^4 + \ldots\ldots\right]\right. \\ &\left. - \frac{r_1}{r}\left[\left(\frac{1}{2}\right)^2 \varepsilon^2 + 2\left(\frac{1.3}{2.4}\right)^2 \varepsilon^4 + 3\left(\frac{1.3.5}{2.4.6}\right)^2 \varepsilon^6 + \ldots\right]\right\}, \end{aligned}$$

worin sich auch noch das Verhältniss $r_1 : r$ verwandeln lässt in

$$\frac{r_1}{r} = \frac{2-\varepsilon^2}{\varepsilon^2} - \sqrt{\left[\frac{2-\varepsilon^2}{\varepsilon^2}\right]^2 - 1}$$

$$= \frac{1}{2}\left(\frac{1}{2}\right)\varepsilon^2 + \frac{1}{3}\cdot\left(\frac{1.3}{2.4}\right)\varepsilon^4 + \frac{1}{4}\left(\frac{1.3.5}{2.4.6}\right)\varepsilon^6 + \ldots.$$

Dies ist jedoch für eine wirkliche Berechnung des Integrals unzweckmässig. Die Bewegungsgleichung für den äussern Ring ist demgemäss

$$V = \frac{a^2}{2r^2} \log nat \frac{8r}{\sqrt{e}\,.\,a} + \frac{q_1 \varepsilon^2}{4r^2} \left\{ \left[1 + 2\left(\frac{1}{2}\right)^2 \varepsilon^2 + 3\left(\frac{1\,.\,3}{2\,.\,4}\right)^2 \varepsilon^4 + \ldots \right] - \frac{r_1}{r}\left[\left(\frac{1}{2}\right)^2 \varepsilon^2 + 2\left(\frac{1\,.\,3}{2\,.\,4}\right)^2 \varepsilon^4 + \ldots\right]\right\}.$$

c) Die Componente R_{III} ist wiederum analog *a*)

3) $$R_{III} = -2\pi f \varrho \frac{a_1^2}{2r_1} \log nat \frac{8r_1}{\sqrt{e}\,.\,a_1}.$$

d) Die Anziehung des äussern Ringes auf den Mittelpunkt eines Querschnitts des innern Ringes ergiebt sich durch Analogie aus R_{II}, wenn man r mit r_1 und umgekehrt vertauscht; ebenso q_1 mit q und q mit q_1. Die Gleichung der Bewegung des innern Ringes ist demgemäss

4) $$V_1 = \frac{a_1^2}{2r_1^2} \log nat \frac{8r_1}{\sqrt{e}\,.\,a_1}$$
$$+ \frac{q\varepsilon^2}{4r_1^2}\left\{\left[1+2\left(\frac{1}{2}\right)^2\varepsilon^2+3\left(\frac{1\,.\,3}{2\,.\,4}\right)^2\varepsilon^4+\ldots\right]-\frac{r}{r_1}\left[\left(\frac{1}{2}\right)^2\varepsilon^2+2\left(\frac{1\,.\,3}{2\,.\,4}\right)^2\varepsilon^4+\ldots\right]\right\}$$

worin der eingeklammerte Ausdruck negativ ist. Es ist nämlich

$$\frac{r}{r_1} = \frac{2-\varepsilon^2}{\varepsilon^2} + \sqrt{\left[\frac{2-\varepsilon^2}{\varepsilon^2}\right]^2 - 1} = \frac{4 - 2\varepsilon^2 - \frac{1}{2}\left(\frac{1}{2}\right)\varepsilon^4 - \frac{1}{3}\left(\frac{1.3}{2.4}\right)\varepsilon^6 - \ldots}{\varepsilon^2}.$$

Führt man diesen Werth in die Klammer ein, so geht sie über in

$$-\frac{\varepsilon^2}{8}\left\{1 + \varepsilon^2 + \frac{121}{128}\varepsilon^4 + \frac{114}{128}\varepsilon^6 + \ldots\right\}.$$

Sollen die beiden Ringe gleiche Umlaufszeiten besitzen, so muss $V = V_1$ sein, und es lässt sich für gegebene Verhältnisse ihrer Durchmesser immer das ihrer Querschnitte oder ihrer Dicken berechnen.

Man zieht nämlich aus *b*) und *d*) leicht die Bedingungsgleichung

$$\frac{q_1}{q} = \frac{\left[\log nat \frac{8r}{\sqrt{q}}\sqrt{\frac{\pi}{e}}\right] : 2r^2\pi - \frac{\varepsilon^2}{4r_1^2}\left\{\left[1+2\left(\frac{1}{2}\right)^2\varepsilon^2+3\left(\frac{1.3}{2.4}\right)^2\varepsilon^4+\ldots\right] - \frac{r}{r_1}\left[\left(\frac{1}{2}\right)^2\varepsilon^2+2\left(\frac{1.3}{2.4}\right)^2\varepsilon^4+\ldots\right]\right\}}{\left[\log nat \frac{8r_1}{\sqrt{q_1}}\sqrt{\frac{\pi}{e}}\right] : 2r_1^2\pi - \frac{\varepsilon^2}{4r^2}\left\{\left[1+2\left(\frac{1}{2}\right)^2\varepsilon^2+3\left(\frac{1.3}{2.4}\right)^2\varepsilon^4+\ldots\right] - \frac{r_1}{r}\left[\left(\frac{1}{2}\right)^2\varepsilon^2+2\left(\frac{1.3}{2.4}\right)^2\varepsilon^4+\ldots\right]\right\}}.$$

$$= \frac{\log nat \frac{8r}{\sqrt{q}}\sqrt{\frac{\pi}{e}} - \left(\frac{r}{r_1}\right)^2 \pi \frac{\varepsilon^2}{2}\left\{\left[1+2\left(\frac{1}{2}\right)^2\varepsilon^2+3\left(\frac{1.3}{2.4}\right)^2\varepsilon^4+\ldots\right] - \frac{r}{r_1}\left[\left(\frac{1}{2}\right)^2\varepsilon^2+2\left(\frac{1.3}{2.4}\right)^2\varepsilon^4+\ldots\right]\right\}}{\left(\frac{r}{r_1}\right)^2 \log nat \frac{8r_1}{\sqrt{q_1}}\sqrt{\frac{\pi}{e}} - \pi\frac{\varepsilon^2}{2}\left\{\left[1+2\left(\frac{1}{2}\right)^2\varepsilon^2+3\left(\frac{1.3}{2.4}\right)^2\varepsilon^4+\ldots\right] - \frac{r_1}{r}\left[\left(\frac{1}{2}\right)^2\varepsilon^2+2\left(\frac{1.3}{2.4}\right)^2\varepsilon^4+\ldots\right]\right\}}$$

Um die physikalischen Analogien dieser Formel zu fixiren, sei beispielsweise $r : r_1 = 3$, $r : \sqrt{q} = 10$. Dann ist $r : a = 10\sqrt{\pi} = 17{,}725$. Da nun das hiervon abhängige Verhältniss $r_1 : a_1$ noch unbekannt ist, so nehmen wir es auf der rechten Seite der Gleichung vorläufig gleich $r : a$ an; es wird sich alsdann aus dem hieraus berechneten Werthe von $q_1 : q$ ein genauerer Werth substituiren lassen. Die Formel geht wegen $\varepsilon^2 = \frac{3}{4}$ über in:

$$\frac{q_1}{q} = \frac{\log nat\, 86 - \frac{27\pi}{8}\{2{,}2409 \cdot\ 2{,}5563\}}{9 \log nat 86 - \frac{3\pi}{8}\{2{,}2409 - 0{,}2840\}} = \frac{4{,}4543 + 2{,}6738}{40{,}0887 - 2{,}3042} = \frac{1}{5{,}31}.$$

Um einen zweiten Näherungswerth zu erhalten, hat man also rechts den Quotienten $r_1 : \sqrt{q_1} = \frac{\sqrt{5{,}31}}{3} r : \sqrt{q}$ einzuführen. Hieraus folgt:

$$\frac{q_1}{q} = \frac{\log nat\, 86 + 2{,}6738}{9 \log nat\, 64 - 2{,}3042} = \frac{4{,}4543 + 2{,}6738}{37{,}4299 - 2{,}3042} = \frac{1}{4{,}93}.$$

Das hypothetische Verhältniss betrug $q_1 : q = 1 : 9$, das wahre ist $1 : 4{,}921$. Aus dem Vorhergehenden ergeben sich folgende Gesetze:

1. Bei solitären Ringen von derselben Dichtigkeit sind die Umlaufszeiten gleich, wenn das Verhältniss ihrer Dicke zu ihrem Durchmesser constant bleibt, d. h. wenn sie einander ähnlich sind.

2. Innerhalb mässig weiter Grenzen sind die Umlaufszeiten den Durchmessern direct, den Dicken umgekehrt proportional. Der Exponent des Verhältnisses nimmt ab bei wachsendem Durchmesser der Bahn.

3. Bei zwei concentrischen Ringen von derselben Dichtigkeit und gleicher Umlaufszeit nimmt im Gegensatz zu 1. das Verhältniss der Dicken in einem geringeren Maasse zu, als das ihrer Durchmesser. Ist z. B. $r : r_1 = 3 : 1$, so ist $a : a_1 = \sqrt{4{,}92} : 1$.

4. Die Umlaufszeit des äussern Ringes ist kleiner, die des innern grösser, als wenn jeder nur seiner eigenen Anziehung unterworfen wäre. Im vorliegenden Falle ist das Rotationsmoment $V = 0{,}0080$, wogegen für den äussern Ring allein betragen würde $V = 0{,}0071$, für den innern $V_1 = 0{,}0121$. Die Unterschiede dieser Werthe von dem gemeinsamen verhalten sich umgekehrt wie die Querschnitte.

5. Das Volumen des äussern Ringes ist viel grösser und verhält sich im vorliegenden Falle wie $rq : r_1 q_1 = 3 . \sqrt{4{,}92} : 1 = 6{,}67 : 1$.

Nachdem nun die gegenseitige Lage des Systems für einen speciellen Fall ermittelt worden ist, wollen wir es versuchen, die Grösse der Abplattung des Querschnitts, welcher nahezu elliptisch ist, näherungsweise zu bestimmen. Jeder Querschnitt hat einen Polar- und Aequatorialhalbmesser. Der erstere sei a, der zweite b und $b : a = \sqrt{1 + \lambda^2}$.

Um zunächst die Componente B_1 der Anziehung eines Punktes des Aequators des äussern Ringes seiten der eignen Masse zu bestimmen, hat man das Verhältniss der Anziehung R_1 des ganzen Ringes auf das Centrum eines elliptischen Querschnitts zu der Anziehung R_5 desselben auf den Aequator aufzusuchen. Alsdann ist

$$B_1 = R_5 - R_1,$$

oder wenn man nach φ differenzirt:

$$d B_1 = \frac{d R_5}{d\varphi} d\varphi - \frac{d R_1}{\partial \varphi} d\varphi = \frac{d R_5}{d\vartheta} d\vartheta - \frac{d R_1}{d\vartheta} d\vartheta.$$

Die Anziehung irgend eines Querschnittes auf das Centrum des Hauptschnittes ist, wie in meiner früheren Schrift gezeigt worden ist,

$$d R_1 = -4\pi f \varrho r (1 - \cos\delta) \cos\vartheta\, d\vartheta.$$

Bezeichnen wir die dem Punkte des Aequators entsprechenden Grössen mit R_5, δ_1, ϑ_1, so ist für $b^2 : r^2 < 2(1 - \cos\varphi)$, also ungefähr $\varphi > \frac{\pi}{16}$

$$\frac{\cos\delta_1}{\cos\delta} = \frac{[r^2 + (r+b)^2 - 2r(r+b)\cos\varphi]^{\frac{1}{2}} : [r^2 + (r+b)^2 - 2r(r+b)\cos\varphi + a^2]^{\frac{1}{2}}}{[2r^2 - 2r^2\cos\varphi]^{\frac{1}{2}} : [2r^2 - 2r^2\cos\varphi + a^2]^{\frac{1}{2}}}$$

also näherungsweise

$$\cos\delta_1 = \cos\delta + \frac{a^2 b}{4r^3(1 - \cos\varphi)}.$$

Ferner ist

$$\cos\vartheta_1 : \cos\vartheta = \frac{r + y + b}{[r^2 + (r+b)^2 - 2r(r+b)\cos\varphi]^{\frac{1}{2}}} : \frac{r + y}{[2r^2 - 2r^2\cos\varphi]^{\frac{1}{2}}}$$

$$= \left[1 + \frac{b}{r+y}\right] : \left[1 + \frac{b}{2r}\right],$$

also näherungsweise

$$\cos\vartheta_1 = \cos\vartheta\left(1 + \frac{b}{2r}\tan\vartheta^2\right).$$

Da nun $$d R_5 = -4\pi f \varrho r (1 - \cos\delta_1)\cos\vartheta_1\, d\vartheta$$

ist, so erhält man für $2\vartheta < \frac{15}{16}\pi$

$$\frac{d B_1}{d\vartheta} = -4\pi f \varrho \left\{ -\frac{a^2 b}{8r^3\cos\vartheta} + \frac{b}{2r}\left(1 - \frac{\cos\vartheta}{\sqrt{\frac{a^2}{4r^2} + \cos\vartheta^2}}\right)\tan\vartheta \sin\vartheta \right\} r.$$

Es lässt sich weiter der Querschnitt berechnen, bis zu welchem der Unterschied der Gesammtattraction der entfernteren Theile des Ringes auf das Centrum und den Aequator gleich Null ist. Sei für diese Grenze $\vartheta = \Theta$, so ist

$$\int_{-\Theta}^{+\Theta} d B_1$$

$$= -4\pi f \varrho \int_0^{\Theta} r\, d\vartheta \left\{ -\frac{a^2 b}{4r^3\cos\vartheta} + \frac{b}{r}\left[1 - \frac{\cos\vartheta}{\sqrt{\frac{a^2}{4r^2} + \cos\vartheta^2}}\right]\tan\vartheta \sin\vartheta \right\} = 0.$$

Für diejenigen Werthe von ϑ, wobei $\frac{a^2}{4r^2}$ gegen $\cos\vartheta^2$ sehr klein ist, kann man das Integral durch Näherung finden. Es ist alsdann

$$2\int_0^\Theta dB_1 = -4\pi f\varrho \int_0^\Theta \frac{a^2 b}{8r^3}\left\{\frac{1-3\cos\vartheta^2}{\cos\vartheta^3}\right\} r\,d\vartheta = 0$$

also

$$\frac{\sin\Theta}{\cos\Theta^2} = 5\, log\ nat\ tan\left(\frac{\pi}{4}+\frac{\Theta}{2}\right).$$

Diese Gleichung giebt nahezu den Wurzelwerth $\Theta = \frac{13\pi}{32}$ oder 73^0. Der grössern Klarheit wegen wollen wir hier die Intensität i für jeden Querschnitt nach sechzehntel Theilen von π berechnen. Die Werthe von i sind berechnet nach der Formel:

$$i = \frac{a^2}{16r^2}\left\{\frac{1-3\cos\vartheta^2}{\cos\vartheta^3}\right\} . 1000.$$

2ϑ	0	$\frac{\pi}{16}$	$\frac{\pi}{8}$	$\frac{3\pi}{16}$	$\frac{\pi}{4}$	$\frac{5\pi}{16}$	$\frac{3\pi}{8}$	$\frac{7\pi}{16}$	$\frac{\pi}{2}$
i	— 0,398	— 0,397	— 0,396	— 0,395	— 0,394	— 0,387	— 0,372	— 0,342	— 0,281

2ϑ	$\frac{9\pi}{16}$	$\frac{5\pi}{8}$	$\frac{11\pi}{16}$	$\frac{3\pi}{4}$	$\frac{13\pi}{16}$	$\frac{7\pi}{8}$	$\frac{15\pi}{16}$	π
i	— 0,161	+ 0,089	+ 0,609	+ 1,980	+ 6,103	+ 23,480	+ 194,60	—

Bei Berechnung dieser Tabelle ist $r^2 : a^2 = 100 . \pi$ angenommen. Aus derselben geht ebenfalls hervor, dass Θ nahe bei $\frac{13\pi}{32}$ liegt. Da die oben angeführte Gleichung $F(\Theta) = 0$ von der Oeffnung des Ringes unabhängig ist, so gilt der Wurzelwerth Θ für alle Ringe, deren Oeffnung beträchtlich ist im Verhältniss zur Dicke. Wenn wir nun die übrigen Werthe von i mit den entsprechenden i_1 eines unendlichen Cylinders von derselben Dicke vergleichen, so scheint daraus hervorzugehen, dass die Componente B_1 von der Componente B_{11} des Cylinders um etwas übertroffen wird. Bezeichnen wir nämlich die halbe Länge eines im Hauptschnitt gelegenen Cylinders mit s, so ist für s beträchtlich gegen b

$$dB_{11} = -4\pi f\varrho b \frac{ab\,ds}{4(s^2+b^2)^{\frac{3}{2}}} = -4\pi f\varrho b \frac{ab\,r\,d\vartheta}{2(s^2+b^2)^{\frac{3}{2}}},$$

wenn man $ds = 2r\,d\vartheta$ annimmt. Es ist demnach $r = b . 17{,}725$ und nahezu

$$i_1 = \frac{b^2 r}{2(s^2+b^2)^{\frac{3}{2}}} . 1000.$$

$\frac{s}{r}$	π	$\frac{15\pi}{16}$	$\frac{7\pi}{8}$	$\frac{13\pi}{16}$	$\frac{3\pi}{4}$	$\frac{11\pi}{16}$	$\frac{5\pi}{8}$	$\frac{9\pi}{16}$	$\frac{\pi}{2}$
i_1	+ 0,052	0,062	0,076	0,095	0,122	0,157	0,210	0,288	0,411

$\frac{s}{r}$	$\frac{7\pi}{16}$	$\frac{3\pi}{8}$	$\frac{5\pi}{16}$	$\frac{\pi}{4}$	$\frac{3\pi}{16}$	$\frac{\pi}{8}$	$\frac{\pi}{16}$	0
i_1	0,614	0,975	1,680	3,290	7,796	25,488	186,66	—

Hieraus folgt, dass der Ueberschuss der Anziehung des Cylinders nahezu sich ausdrücken lässt durch das Integral

$$-2\pi f\varrho b\,.\int_{s=\infty}^{s=\frac{3\pi}{16}r}\frac{ab\,ds}{(s^2+b^2)^{\frac{3}{2}}}=-4\pi f\varrho b\,\frac{64\,ab}{9\pi^2 r^2}=-4\pi f\varrho b\,.\,0{,}00229.$$

Demgemäss ist die Componente Y der Anziehung des Ringes auf einen Punkt (x, y) seines Hauptschnittes, so weit sie auf die Abplattung einwirkt

$$Y=-4\pi f\varrho\left\{\frac{1}{1+\sqrt{1+\lambda^2}}-0{,}00229\right\}y.$$

Zur Vergleichung sollen hier auch die Intensitäten J der Anziehung der entfernteren Theile des Ringes auf den Schwerpunkt eines Hauptschnittes von 32stel zu 32stel seiner Bogentheile berechnet werden. Dabei bedeutet ϑ wieder die Amplitude des anziehenden Querschnitts J, die Intensität in Tausendfachen ihrer wirklichen Werthe ausgedrückt. Die Formel ist also:

$$J=\cos\vartheta\left\{1-\frac{\cos\vartheta}{\sqrt{\frac{a^2}{4r^2}+\cos\vartheta^2}}\right\}.1000.$$

2ϑ	0	$\frac{\pi}{16}$	$\frac{\pi}{8}$	$\frac{3\pi}{16}$	$\frac{\pi}{4}$	$\frac{5\pi}{16}$	$\frac{3\pi}{8}$	$\frac{7\pi}{16}$	$\frac{\pi}{2}$
J	0,398	0,400	0,406	0,416	0,431	0,451	0,479	0,515	0,563

2ϑ	$\frac{9\pi}{16}$	$\frac{5\pi}{8}$	$\frac{11\pi}{16}$	$\frac{3\pi}{4}$	$\frac{13\pi}{16}$	$\frac{7\pi}{8}$	$\frac{15\pi}{16}$	π
J	0,628	0,717	0,845	1,039	1,372	2,041	4,061	0,000

Das Max. von J 6,820 liegt bei $\cos\vartheta^2=\frac{1}{2}(\sqrt{5}-1)$, oder $\cos\vartheta=0{,}044$ $=\cos\frac{35\pi}{72}$. Von dieser Stelle an nimmt J rasch gegen Null ab. Die Anziehung des nächsten Quadranten ist ungefähr 3mal so stark als die des entfernteren.

Die Componente X der Anziehung des Ringes auf einen Punkt (x, y) seines Hauptschnittes, so weit sie bei der Berechnung der Abplattung in Betracht kommt, weicht weniger von der eines hypothetischen Cylinders ab. Sie ist bis zu denselben Grenzen der Genauigkeit auf ähnliche Art zu berechnen. Die gesuchte Componente hat für einen unendlichen elliptischen Cylinder den Werth

$$X = -4\pi f\varrho\,\frac{\sqrt{1+\lambda^2}}{1+\sqrt{1+\lambda^2}}\,x.$$

Bei dem Ringe ist eine kleine Correction anzubringen, die man erhält, wenn man in geeigneter Weise den Ueberschuss der Anziehung des Ringes über die des Cylinders zu ermitteln sucht. Die Massenanziehung A_1 des Ringes auf den vom äussern und innern Aequator am weitesten entfernten Punkt $(0, b)$, also auf den Pol des Hauptschnitts ist, gerechnet bis zur Amplitude ϑ

$$A_1 = -2\pi f\varrho a\int_0^{\vartheta}\frac{ab\,ds}{(4r^2\cos\vartheta^2+a^2)^{\frac{3}{2}}} = -4\pi f\varrho a\int_0^{\vartheta}\frac{abr\,d\vartheta}{8r^3\cos\vartheta^3}\left(1-\frac{3a^2}{8r^2\cos\vartheta^2}\right),$$

worin der Ausdruck $\frac{3a^2}{8r^2\cos\vartheta^2}$ innerhalb der Klammer vernachlässigt werden darf. Zur deutlichen Einsicht berechnen wir, jedoch mit Berücksichtigung der genauen Formel bei $\frac{7\pi}{8}$ und $\frac{15\pi}{16}$

$$i_{II} = \frac{a^2}{16r^2}\cdot\frac{1}{\cos\vartheta^3}\cdot 1000.$$

2ϑ	0	$\frac{\pi}{16}$	$\frac{\pi}{8}$	$\frac{3\pi}{16}$	$\frac{\pi}{4}$	$\frac{5\pi}{16}$	$\frac{3\pi}{8}$	$\frac{7\pi}{16}$	$\frac{\pi}{2}$
i_{II}	0,199	0,202	0,211	0,227	0,252	0,290	0,347	0,431	0,563
	+	+	+	+	+	+	+	+	+
Δ	0,147	0,140	0,135	0,132	0,130	0,133	0,137	0,143	0,152

2ϑ	$\frac{9\pi}{16}$	$\frac{5\pi}{8}$	$\frac{11\pi}{16}$	$\frac{3\pi}{4}$	$\frac{13\pi}{16}$	$\frac{7\pi}{8}$	$\frac{15\pi}{16}$	π
i_{II}	0,781	1,164	1,904	3,540	8,159	25,970	187,31	—
	+	+	+	+	+	+	+	
Δ	0,167	0,189	0,224	0,250	0,363	0,482	0,65	0,000

Es folgt nun auf den ersten Blick aus den Differenzen $\Delta = i_{II} - i_{I}$, ferner daraus, dass die Resultante der absoluten Massenanziehung in allen Punkten der Oberfläche eines elliptischen Cylinders constant*) ist, der Satz:

*) Vergl. meine: Neue Untersuchungen über frei rotirende Flüssigkeiten. Kiel 1859. pag. 37.

Die Componente A_{I} seitens der Anziehung des Ringes ist grösser als die Componente A_{II} seiten der Anziehung des Cylinders und zwar wird der Unterschied $A_{\text{I}} - A_{\text{II}}$ sehr nahe ausgedrückt durch das Integral

$$-4\pi f\varrho \,.\, a \,.\int_{s=\infty}^{s=\frac{\pi}{8}r} \frac{ab\,ds}{(s^2+a^2)^{\frac{3}{2}}} + 4\pi f\varrho \,.\, a \int_{0}^{\frac{7\pi}{16}} \frac{ab\,d\vartheta}{8r^2\cos\vartheta^3}$$

oder nahezu
$$-4\pi f\varrho a\left[\frac{ab}{16r^2}\log\tan\frac{15\pi}{32}\right].$$

Für den Fall, dass $r^2 : a^2 = 100\pi$ ist, nimmt der eingeklammerte Ausdruck den Werth 0,00046 an. Demgemäss ist die Componente X der Anziehung auf irgend einen Punkt (x, y) in der Richtung der x-Axe gleich

$$X = -4\pi f\varrho\left\{\frac{\sqrt{1+\lambda^2}}{1+\sqrt{1+\lambda^2}} + 0{,}00046\right\} x.$$

In den beiden Componenten X und Y ist die Anziehung des innern Ringes noch nicht berücksichtigt. Da dieselben aber dazu dienen können, die Bedingungen des Gleichgewichts solitärer Ringe von grosser Oeffnung zu berechnen, so wollen wir hierbei noch kurz verweilen. Man erhält die Differenzialgleichung der Peripherie des Querschnittes, wenn man die Anziehungen in die Elemente ihrer Richtungen multiplicirt, die Summe durch $2\pi f\varrho$ dividirt und gleich Null setzt, also:

$$\left\{\frac{2}{1+\sqrt{1+\lambda^2}} - 0{,}00458 - V\right\} y\,dy + \left\{\frac{2\sqrt{1+\lambda^2}}{1+\sqrt{1+\lambda^2}} + 0{,}00092\right\} x\,dx = 0.$$

Da nun die Differentialgleichung der Ellipse einen ähnlichen Ausdruck hat, nämlich

$$y\,dy + (1+\lambda^2)\,x\,dx = 0,$$

so ergiebt sich hieraus, dass die Gleichgewichtsbedingungen freier Ringe mit grosser Oeffnung sind

$$V = \frac{a^2}{4r^2}\log nat\frac{64r^2}{e\,.\,a^2},$$

$$\frac{\dfrac{2\sqrt{1+\lambda^2}}{1+\sqrt{1+\lambda^2}} + \dfrac{a^2}{8r^2}\log nat\dfrac{15\pi}{32}}{\dfrac{2}{1+\sqrt{1+\lambda^2}} - \dfrac{a^2}{2r^2}\left(\dfrac{16}{3\pi}\right)^2 - \dfrac{a^2}{4r^2}\log nat\dfrac{64r^2}{ea^2}} = 1+\lambda^2.$$

Die erste Gleichung bestimmt die Umwälzungszeit des Ringes, die zweite seine Abplattung, welche immer sehr gering ist, so dass man in den eben aufgestellten Formeln a^2 an die Stelle von ab setzen darf. Für unsern speciellen Fall ist

$$V = 0{,}0071,$$

$$\frac{\frac{2\sqrt{1+\lambda^2}}{1+\sqrt{1+\lambda^2}} + 0{,}00092}{\frac{2}{1+\sqrt{1+\lambda^2}} - 0{,}00458 - 0{,}0071} = 1 + \lambda^2.$$

Setzt man p an die Stelle von $\sqrt{1+x^2}$, so erhält man die Gleichung

$$0{,}01168 p^3 - 1{,}98832 p^2 + 2{,}00092 p + 0{,}00092 = 0\,,$$

deren kleinster Wurzelwerth $p = b : a = 1{,}0132$ ist. Die Abplattung würde also $\frac{1}{77}$ betragen.

Für den Erdball beträgt $V = 0{,}0022997$ und $r : a = 33{,}23$*). Die Gleichung, durch welche die Abplattung bestimmt wird, würde lauten:

$$0{,}0036 p^3 - 1{,}9964 p^2 + 2{,}00026 p + 0{,}00026 = 0.$$

Hieraus findet man $p = b : a = 1{,}0039$. Stellen wir die Resultate tabellarisch zusammen, so ergiebt sich:

$$V = 0{,}0071\,,\quad a : b : r = 1 : 1{,}0132 : \ 17{,}725$$

$$V = 0{,}0023\,,\quad a : b : r = 1 : 1{,}0039 : \ 33{,}23$$

$$V = 0{,}0001\,,\quad a : b : r = 1 : 1{,}0001 : 198{,}0$$

Für sehr kleine Werthe von V oder für grosse Oeffnungen ist nahe zu

$$V = \frac{\lambda^2}{2} = \frac{a^2}{4r^2} \log nat \frac{16 r^2}{a^2}.$$

In dieser Eigenschaft nähert sich der freie Ring dem Jacobi'schen Ellipsoide, indem unter denselben Verhältnissen die Bewegungsgleichung die analoge Form

$$V = \frac{\lambda^2}{2} = \frac{a^2}{c^2} \log nat \frac{4c^2}{a^2}$$

annimmt (vergl. Zeitschr. Bd. VI pag. 72).

Wir kehren zur frühern Aufgabe zurück, und untersuchen, wie nun die Componenten X und Y durch die Einwirkung des innern Ringes modificirt werden. Die Aenderung der Anziehung des innern Ringes auf den äussern vom Centrum zum Aequator hin wird gefunden, wenn man R_{II} nach r differenzirt und den Differenzialquotienten mit b multiplicirt. Man findet nun durch Näherung

$$\left(\frac{dR_{II}}{dr}\right) b = -\frac{2b}{r - r_1 \cos\varphi},$$

Bezeichnen wir die Componenten der Anziehung des innern Ringes auf die Punkte $(b, 0)$ und $(0, a)$ bezüglich mit B_{III} und A_{III}, so erhält man B_{III}, indem man $\left(\frac{dR_{II}}{dr}\right) b$ mit R_{II} multiplicirt, also

---

*) Vergl. Neue Untersuchungen etc. Kiel 1859 pag. 73; und: Zeitschrift, Jahrgang VI. 1861 pag. 68.

$$B_{III} = -4 q_1 f \varrho b \int_0^\pi \frac{r_1 d\varphi}{(r^2 - 2 r r_1 \cos\varphi + r_1^2)^{\frac{3}{2}}}$$

$$= + 8 q_1 f \varrho b \frac{r_1}{(r+r_1)^3} \int_0^{\frac{\pi}{2}} \frac{d\vartheta}{(1 - \varepsilon^2 \sin\vartheta^2)^{\frac{3}{2}}} = \frac{8 q_1 f \varrho b r_1}{(r+r_1)^3} \cdot \frac{1}{1-\varepsilon^2} \cdot E\left(\frac{\pi}{2}, \varepsilon\right)$$

$$= 4 \pi f \varrho \frac{q_1 r_1}{(r+r_1)^3} 2{,}9878\, b = 4 \pi f \varrho \,.\, 0{,}000467\, b.$$

Die Componente A_{III} kann annähernd aus der B_{III} gefunden werden. Man nehme die Anziehung eines in der Entfernung r_{II} befindlichen Querschnittes auf den Punkt (x, y) und multiplicire sie mit dem Elemente ihrer Richtung $d\sqrt{(r_{II}+y)^2 + x^2}$, also

$$- q_1 f \frac{d\sqrt{(r_{II}+y)^2 + x^2}}{(r_{II}+y)^2 + x^2},$$

und wenn man nach ausgeführter Differenzirung sehr kleine Grössen vernachlässigt

$$- q_1 f \left\{ \frac{dy}{r_{II}^2} - \frac{2 y dy}{r_{II}^3} + \frac{x dx}{r_{II}^3} \right\}.$$

Da nun die beiden letzten Ausdrücke Functionen der Coordinate des Hauptschnittes sind, so geht hieraus hervor, dass für irgend einen Punkt (x, y) die Componenten der Anziehung seiten des innern Ringes in der Proportion

$$X_{III} : Y_{III} = x : (-2y)$$

stehen, dass also sein wird

$$X_{III} = - Y_{III} \frac{x}{2y} = - B_{III} \frac{x}{2b} = - 4 \pi f \varrho \,.\, 0{,}00023 \,.\, x$$

Die vollständige Differentialgleichung der Peripherie des Hauptschnitts von dem äusseren Ringe ist also

$$\left\{ \frac{2}{1+\sqrt{1+\lambda^2}} - 0{,}00458 - 0{,}00047 - V \right\} y dy$$
$$+ \left\{ \frac{2\sqrt{1+\lambda^2}}{1+\sqrt{1+\lambda^2}} + 0{,}00092 + 0{,}00023 \right\} x dx = 0$$

und weil V für das Doppelsystem den Werth 0,0080

$$0{,}01305 p^3 - 1{,}98695 p^2 + 2{,}00115 p + 0{,}00115 = 0.$$

Hieraus ergiebt sich

$$p \text{ oder } \sqrt{1+\lambda^2} = 1{,}0147, \text{ also Abplattung } \frac{b-a}{a} = \frac{1}{68}.$$

Durch einen concentrischen innern Ring wird also die Abplattung vergrössert.

Die Berechnung der Abplattung des innern Ringes geschieht auf ähnliche Art. Dabei ist zu berücksichtigen, dass $a_1^2 : r_1^2 = 9 : 490 \pi$ und

$$\left(\frac{d R_{III}}{d r_1}\right) b = - \frac{b}{r \cos\varphi - r_1} + \frac{3 b (r \cos\varphi - r_1)}{(r^2 + r_1{}^2 - 2 r r_1 \cos\varphi)}$$

Mit Zuziehung von R_{III} und wegen $\sin\varphi = \sin 2\vartheta = 2\sin\vartheta\cos\vartheta$ erhält man

$$B_{\text{III}} = +8qf\varrho\frac{br}{(r+r_1)^3}\left\{\int_0^{\frac{\pi}{2}}\frac{d\vartheta}{(1-\varepsilon^2\sin\vartheta^2)^{\frac{3}{2}}} - \frac{br^2}{(r+r_1)^2}\int_0^{\frac{\pi}{2}}\frac{(\sin\vartheta^2-\sin\vartheta^4)\,d\vartheta}{(1-\varepsilon^2\sin\vartheta^2)^{\frac{3}{2}}}\right\},$$

welche Integrale wegen $\sin\vartheta^2 = \dfrac{1-(1-\varepsilon^2\sin\vartheta^2)}{\varepsilon^2}$ leicht auf elliptische reducirt werden können. Indess kann man versichert sein, dass der Werth von B_{III} sehr klein ausfallen wird, also vernachlässigt werden darf. Die Componente A_{III} ist aber bedeutender, nämlich

$$A_{\text{III}} = -4qf\varrho\frac{ar}{(r+r_1)^3}\int_0^{\frac{\pi}{2}}\frac{d\vartheta}{(1-\varepsilon^2\sin\vartheta^2)^{\frac{3}{2}}} = -4qf\varrho\frac{ar}{(r+r_1)^3}\cdot\frac{1}{1-\varepsilon^2}E\left(\frac{\pi}{2},\varepsilon\right).$$

Führt man die Werthe in Zahlen ein, so wird $A_{\text{III}} = -4\pi f\varrho \,.\, 0{,}00129 \,.\, a.$

Die vollständige Differentialgleichung der Peripherie des Hauptschnittes von dem innern Ringe ist also

$$\left\{\frac{2}{1+\sqrt{1+\lambda^2}} - 0{,}00843 - V\right\}y\,dy + \left\{\frac{2\sqrt{1+\lambda^2}}{1+\sqrt{1+\lambda^2}} + 0{,}00169 + 0{,}00129\right\}x\,dx = 0,$$

welches in p ausgedrückt, folgende Gleichung für die Abplattung ergiebt

$$0{,}01643p^3 - 1{,}98357p^2 + 2{,}00298p + 0{,}00298 = 0.$$

Die Wurzel dieser Gleichung ist

$$p = \sqrt{1+\lambda^2} = 1{,}0227,\ \text{also Abplattung}\ \frac{b-a}{a} = \frac{1}{44}.$$

Ohne den Einfluss des äussern Ringes müsste zum Bestehen des Gleichgewichts die Umlaufszeit kürzer, nämlich $V = 0{,}0121$ und die Abplattung grösser sein. Man findet unter dieser Annahme $p = \sqrt{1+\lambda^2} = 1{,}0234$, also die Abplattung gleich $\frac{1}{42{,}7}$. Zugleich geht aus der Berechnung hervor, dass der innere Ring eine grössere Abplattung als der äussere besitzt. Sollte man hieraus nicht den Schlusss ziehen dürfen, dass auch bei einfachen Ringen der innere Rand schärfer ist wie der äussere?

Kleinere Mittheilungen.

I. Notiz über die Convergenz und Divergenz unendlicher Reihen.

Die gewöhnliche Convergenzregel, dass die aus positiven Gliedern bestehende Reihe

$$u_0 + u_1 + u_2 + u_3 + \ldots.$$

convergirt oder divergirt, je nachdem $Lim \frac{u_{n+1}}{u_n}$ weniger oder mehr als die Einheit beträgt, liefert bekanntlich in dem Falle keine Entscheidung, wo jener Grenzwerth gleich der Einheit ist; man benutzt dann das weitere Criterium, dass die Reihe convergirt oder divergirt, je nachdem

$$Lim \left\{ n \left(1 - \frac{u_{n+1}}{u_n} \right) \right\}$$

mehr oder weniger als die Einheit ausmacht. Auch dieser Satz verliert seine Anwendbarkeit, sobald der vorliegende Grenzwerth die Einheit erreicht; man hat dann zu untersuchen, ob der Ausdruck

$$Lim \left\{ n\, l n - \frac{u_{n+1}}{u_n} (n+1)\, l(n+1) \right\}$$

positiv oder negativ ist; im ersten Falle convergirt die Reihe, im zweiten divergirt sie.*) Da es ohne Zweifel eine gewisse Unbequemlichkeit hat, eventualiter drei verschiedene Convergenzregeln anwenden zu müssen, so ist vielleicht der Nachweiss nicht überflüssig, dass man dieselben zu **einem**, für die meisten praktischen Fälle ausreichenden Satze zusammenziehen kann.

Es gelingt nämlich sehr häufig, den Quotienten $\frac{u_{n+1}}{u_n}$ in eine Reihe zu verwandeln, welche nach absteigenden Potenzen von n fortschreitet und bei hinreichend grossen n convergirt; man hat dann eine Gleichung von der Form

---

*) Die Convergenzregeln findet man vollständig in des Verfassers „Handbuch der algebraischen Analysis", 3. Aufl. S. 109—113.

$$\frac{u_{n+1}}{u_n} = \alpha - \frac{\beta}{n} + \frac{\gamma}{n^2} + \frac{\delta}{n^3} + \dots$$

oder kürzer

$$1) \qquad \frac{u_{n+1}}{u_n} = \alpha - \frac{\beta}{n} + \frac{\varrho}{n^2},$$

wo ϱ eine endliche Grösse bezeichnet, auf deren Betrag es nicht weiter ankommt. Aus der vorstehenden Gleichung folgt zunächst

$$Lim \frac{u_{n+1}}{u_n} = \alpha,$$

also convergirt die Reihe $u_0 + u_1 +$ etc. für $\alpha < 1$ und divergirt für $\alpha > 1$. Im Falle $\alpha = 1$ giebt die Gleichung 1)

$$Lim \left\{ n\left(1 - \frac{u_{n+1}}{u_n}\right)\right\} = Lim \left(\beta - \frac{\varrho}{n}\right) = \beta;$$

es entscheidet demnach $\beta > 1$ die Convergenz, $\beta < 1$ die Divergenz. Für $\alpha = 1$ und $\beta = 1$ ergiebt sich aus No. 1)

$$Lim \left\{ n\,l\,n - \frac{u_{n+1}}{u_n}(n+1)\,l\,(n+1)\right\}$$

$$= Lim \left\{ n\,l\,n - n\,l\,(n+1) + (\varrho - 1)\frac{l\,(n+1)}{n} + \varrho\frac{l\,(n+1)}{n^2}\right\}$$

$$= Lim \left\{ -l\left[\left(1 + \frac{1}{n}\right)^n\right] + (\varrho - 1)\frac{l\,(n+1)}{n} + \varrho\frac{l\,(n+1)}{n^2}\right\}$$

$$= -le = -1,$$

mithin divergirt die Reihe. Das Bisherige führt zu dem Satze:

Wenn der Quotient $u_{n+1} : u_n$ auf die Form

$$\frac{u_{n+1}}{u_n} = \alpha - \frac{\beta}{n} + \frac{\gamma}{n^2} + \dots$$

gebracht werden kann, so convergirt oder divergirt die Reihe $u_0 + u_1 + u_2 +$ etc., je nachdem $\alpha < 1$ oder $\alpha > 1$ ist, und im Falle $\alpha = 1$ convergirt sie nur unter der Bedingung $\beta > 1$.

Hierin ist u. A. die bekannte Gauss'sche Convergenzregel begriffen, welche unter der Voraussetzung gilt, dass der Quotient $u_{n+1} : u_n$ folgende Form habe:

$$\frac{u_{n+1}}{u_n} = \frac{n^k + A' n^{k-1} + B' n^{k-2} + \dots}{n^k + A n^{k-1} + B n^{k-2} + \dots}$$

$$= \frac{1 + \frac{A'}{n} + \frac{B'}{n^2} + \dots\dots}{1 + \frac{A}{n} + \frac{B}{n^2} + \dots\dots}$$

Die Entwickelung nach Potenzen von $\frac{1}{n}$ giebt nämlich:

$$\frac{u_{n+1}}{u_n} = 1 - \frac{A - A'}{n} + \dots\dots;$$

also convergirt die Reihe wenn $A - A' > 1$ ist, und divergirt für $A - A' \leqq 1$. Der obige Satz passt aber allgemeiner auf viele Fälle, in denen die Gauss'sche Regel keine Anwendung findet, namentlich empfiehlt er sich durch den bequemen Umstand, dass man nur die beiden ersten Glieder der Entwickelung von $u_{n+1} : u_n$ zu berechnen braucht. Für die Reihe z. B.

$$1 + e^{-\frac{1}{1}} + e^{-(\frac{1}{1}+\frac{1}{2})} + e^{-(\frac{1}{1}+\frac{1}{2}+\frac{1}{3})} + \ldots$$

ist, wenn $u_0 = 0$, $u_1 = 1$, $u_2 = e^{-1}$ etc. gesetzt wird,

$$\frac{u_{n+1}}{u_n} = e^{-\frac{1}{n}} = 1 - \frac{1}{n} + \ldots$$

also divergirt die Reihe. — Für die ähnliche Reihe dagegen

$$1 + \frac{1}{1} e^{-\frac{1}{1}} + \frac{1}{2} e^{-(\frac{1}{1}+\frac{1}{2})} + \frac{1}{3} e^{-(\frac{1}{1}+\frac{1}{2}+\frac{1}{3})} + \ldots$$

hat man

$$\frac{u_{n+1}}{u_n} = \frac{n}{n+1} e^{-\frac{1}{n}} = \frac{1}{1+\frac{1}{n}} e^{-\frac{1}{n}}$$

$$= \left(1 - \frac{1}{n} + \ldots\right)\left(1 - \frac{1}{n} + \ldots\right) = 1 - \frac{2}{n} + \ldots,$$

mithin ist hier Convergenz vorhanden. — SCHLÖMILCH.

II. Ueber zwei bestimmte Integrale.

Obschon bereits seit langer Zeit die beiden Integralformeln

$$\int_0^\infty e^{-\alpha^2 t^2} \cos 2\beta t \, dt = \frac{\sqrt{\pi}}{2\alpha} e^{-\left(\frac{\beta}{\alpha}\right)^2}, \qquad \alpha > 0$$

$$\int_0^\infty e^{-\alpha^2 t^2} \sin 2\beta t \, dt = \frac{1}{\alpha} e^{-\left(\frac{\beta}{\alpha}\right)^2} \int_0^{\frac{\beta}{\alpha}} e^{+t^2} dt, \qquad \alpha > 0$$

bekannt sind, so hat doch, wie es scheint, Niemand den Versuch gemacht, die analogen Integrale

$$\int_0^\infty e^{-2\beta t} \cos(\alpha^2 t^2)\, dt \quad \text{und} \quad \int_0^\infty e^{-2\beta t} \sin(\alpha^2 t^2)\, dt$$

zu entwickeln. Vielleicht ist daher die Bemerkung nicht überflüssig, dass die Werthe aller vier Integrale aus einer und derselben Quelle hergeleitet werden können, nämlich aus der Gleichung

$$\int_0^a F(x+ib)\, dx - \int_0^a F(x)\, dx = i\int_0^b F(a+iy)\, dy - i\int_0^b F(iy)\, dy,$$

welche gilt, wenn die Function $F(x+iy)$ endlich, stetig und eindeutig bleibt für alle Punkte xy, welche das aus den Seiten a und b construirte Rechteck nicht überschreiten.

Nimmt man $F(z) = e^{-z^2}$, vergleicht beiderseits die reellen und imaginären Theile und lässt schliesslich a unendlich werden, so erhält man die Gleichungen

$$e^{b^2}\int_0^\infty e^{-x^2}\cos 2bx\,dx = \int_0^\infty e^{-x^2}\,dx = \frac{1}{2}\sqrt{\pi},$$

$$e^{b^2}\int_0^\infty e^{-x^2}\sin 2bx\,dx = \int_0^b e^{y^2}\,dy,$$

aus welchen die anfangs erwähnten Formeln mittelst der Substitutionen $x = \alpha t$, $b = \frac{\beta}{\alpha}$ folgen.

Nimmt man zweitens $F(z) = e^{iz^2}$, so findet man durch Vergleichung der reellen und imaginären Partien

$$\int_0^a e^{-2bx}\cos(x^2-b^2)\,dx = \int_0^a \cos(x^2)\,dx - \int_0^b \sin(y^2)\,dy$$
$$+\int_0^b e^{-2ay}\sin(y^2-a^2)\,dy,$$

$$\int_0^a e^{-2bx}\sin(x^2-b^2)\,dx = \int_0^a \sin(x^2)\,dx - \int_0^b \cos(y^2)\,dy$$
$$+\int_0^b e^{-2ay}\cos(y^2-a^2)\,dy.$$

Wie leicht zu sehen ist, verschwinden für $a = \infty$ die letzten Integrale rechter Hand; es bleiben daher folgende Gleichungen

$$\int_0^\infty e^{-2bx}\cos(x^2-b^2)\,dx = \int_0^\infty \cos(x^2)\,dx - \int_0^b \sin(y^2)\,dy,$$

$$\int_0^\infty e^{-2bx}\sin(x^2-b^2)\,dx = \int_0^\infty \sin(x^2)\,dx - \int_0^b \cos(y^2)\,dy,$$

wofür man wegen des bekannten Werthes

$$\int_0^\infty \cos(x^2)\,dx = \int_0^\infty \sin(x^2)\,dx = \frac{1}{2}\sqrt{\frac{\pi}{2}}$$

kürzer schreiben kann

$$\int_0^\infty e^{-2bx} \cos(x^2 - b^2)\,dx = \int_b^\infty \sin(y^2)\,dy,$$

$$\int_0^\infty e^{-2bx} \sin(x^2 - b^2)\,dx = \int_b^\infty \cos(y^2)\,dy.$$

Hieraus leitet man ohne Mühe die folgenden Formeln ab

$$\int_0^\infty e^{-2bx} \cos(x^2)\,dx = \cos(b^2) \int_b^\infty \sin(y^2)\,dy - \sin(b^2) \int_b^\infty \cos(y^2)\,dy,$$

$$\int_0^\infty e^{-2bx} \sin(x^2)\,dx = \sin(b^2) \int_b^\infty \sin(y^2)\,dy + \cos(b^2) \int_b^\infty \cos(y^2)\,dy,$$

welche für $x = \alpha t$, $b = \frac{\beta}{\alpha}$ in die nachstehenden übergehn

$$\int_0^\infty e^{-2\beta t} \cos(\alpha^2 t^2)\,dt$$

$$= \frac{1}{\alpha} \left\{ \cos\left(\frac{\beta^2}{\alpha^2}\right) \int_{\frac{\beta}{\alpha}}^\infty \sin(y^2)\,dy - \sin\left(\frac{\beta^2}{\alpha^2}\right) \int_{\frac{\beta}{\alpha}}^\infty \cos(y^2)\,dy \right\},$$

$$\int_0^\infty e^{-2\beta t} \sin(\alpha^2 t^2)\,dt$$

$$= \frac{1}{\alpha} \left\{ \sin\left(\frac{\beta^2}{\alpha^2}\right) \int_{\frac{\beta}{\alpha}}^\infty \sin(y^2)\,dy + \cos\left(\frac{\beta^2}{\alpha^2}\right) \int_{\frac{\beta}{\alpha}}^\infty \cos(y^2)\,dy \right\}.$$

Die gesuchten Integrale sind hiermit reducirt auf die beiden Transcendenten

$$\int_\eta^\infty \sin(y^2)\,dy \text{ und } \int_\eta^\infty \cos(y^2)\,dy,$$

welche sich nach bekannten Methoden leicht berechnen lassen.

Will man die Theorie der Functionen complexer Variabelen nicht als bekannt voraussetzen, so kann man auch das Verfahren anwenden, mittelst dessen Laplace in der *Théorie des probabilités* die anfangs erwähnten Integrale entwickelt hat. Es sei nämlich

$$y = \int_0^\infty e^{-2xu+iu^2}\, du\,, \qquad x \geqq 0\,,$$

so giebt die Differentiation nach x, welche hier erlaubt ist,

$$\frac{dy}{dx} = -\int_0^\infty e^{-2xu}\, e^{iu^2}\, 2u\, du$$

und hieraus folgt, wenn rechter Hand die theilweise Integration vorgenommen wird,

$$\frac{dy}{dx} = \frac{1}{i} - \frac{2x}{i}\int_0^\infty e^{-2xu+iu^2}\, du = \frac{1-2xy}{i}$$

oder

$$y' - 2ixy + i = 0.$$

Diese Differentialgleichung ist ein specieller Fall der folgenden

$$y' + Xy + X_0 = 0$$

und daher leicht zu integriren; man findet

$$y = e^{ix^2}\left\{C - i\int e^{-ix^2}\, dx\right\}$$

oder, was auf Dasselbe hinauskommt,

$$y = e^{ix^2}\left\{A + iB - i\int_0^x e^{-ix^2}\, dx\right\}.$$

Vergleicht man jetzt die reellen und imaginären Bestandtheile der beiden Formen von y, so gelangt man zu den beiden Gleichungen

$$\int_0^\infty e^{-2xu}\cos(u^2)\, du$$

$$= \cos(x^2)\left[A - \int_0^x \sin(x^2)\, dx\right] - \sin(x^2)\left[B - \int_0^x \cos(x^2)\, dx\right],$$

$$\int_0^\infty e^{-2xu}\sin(u^2)\, du$$

$$= \sin(x^2)\left[A - \int_0^x \sin(x^2)\, dx\right] + \cos(x^2)\left[B - \int_0^x \cos(x^2)\, dx\right].$$

Die Constanten A und B bestimmen sich durch die Specialisirung $x = 0$ nämlich

$$\int_0^\infty \cos(u^2)\,du = A \text{ oder } A = \int_0^\infty \sin(u^2)\,du,$$

$$\int_0^\infty \sin(u^2)\,du = B \text{ oder } B = \int_0^\infty \cos(u^2)\,du;$$

schreibt man nach Substitution der letzteren Werthe b für x, so erhält man die Formeln

$$\int_0^\infty e^{-2bu}\cos(u^2)\,du = \cos(b^2)\int_b^\infty \sin(x^2)\,dx - \sin(b^2)\int_b^\infty \cos(x^2)\,dx,$$

$$\int_0^\infty e^{-2bu}\sin(u^2)\,du = \sin(b^2)\int_b^\infty \sin(x^2)\,dx + \cos(b^2)\int_b^\infty \cos(x^2)\,dx,$$

welche mit den früheren übereinstimmen.

SCHLÖMILCH.

III. Ueber eine allgemeine Darstellung des Trägheitsmoments ebener Figuren durch Zeichnung.

Nehmen wir in einer Ebene zwei feste Punkte O und I (Taf. I Fig. 3) und nennen wir zwei Punkte der Ebene A und A' entsprechende Punkte, wenn zwischen den Strecken OA und OA' die Gleichung $OA'.OI = OA^2$ oder, wenn $OI = 1$ gesetzt wird, $OA' = OA^2$ und zwischen den Winkeln $A'OI$ und AOI die Gleichung $A'OI = 2AOI$ stattfindet, bezeichnen wir ferner zwei einander in dieser Weise entsprechende Figuren durch S und S', so entspricht jeder geraden Linie in S eine Parabel in S', deren Brennpunkt in O liegt (ich habe daher die durch diese Bezeichnung ausgedrückte Verwandtschaft a. a. O. die parabolische genannt, vergl. Crelle's Journal Bd. 55, und bemerke beiläufig noch, dass jeder geraden Linie in S' eine gleichseitige Hyperbel in S entspricht). Diese Verwandtschaft hat aber u. A. noch folgende bemerkenswerthe Eigenschaft: Ist S eine beliebige geschlossene Figur, so ist der Flächeninhalt der ihr entsprechenden Figur S' gleich dem doppelten Trägheitsmoment von S, sofern man als Drehaxe die durch O gehende Normale zur Ebene nimmt.

Sei nämlich ABC ein Elementardreieck in S und $A'B'C'$ das entsprechende Dreieck in S', so ist zunächst das Dreieck

$$OC'A' = \tfrac{1}{2} OA'.OC'.\sin A'OC',$$

folglich nach Obigem und da die *sinus* unendlich kleiner Winkel sich wie die Winkel selbst erhalten und somit $\sin A'OC' = 2\sin AOC$

$$OC'A' = OA^2.OC^2.\sin AOC = 2\,OA.OC.OCA.$$

Setzt man hier die unendlich wenig differirenden Strecken OA und $OC = r$, so hat man

$$OC'A' = 2r^2 . OCA.$$

Ebenso

$$OA'B' = 2r^2 . OAB$$
$$OB'C' = 2r^2 . OB'C'.$$

Da nun

$$ABC = OCA + OAB + OBC$$
$$A'B'C' = OC'A' + OA'B' + OB'C',$$

so folgt aus der vorhergehenden Gleichung, dass

$$A'B'C' = 2r^2 . ABC.$$

Hieraus geht aber der obige Satz unmittelbar hervor.

Liegnitz. Dir. Dr. Siebeck.

IV. Bestimmung der Wellenlängen der Fraunhofer'schen Linien des Sonnenspectrums. Von Dr. L. Ditscheiner. (Wiener Akad.)

Bezeichnen $b + c$ die Entfernung der Mittelpunkte je zweier Spalten eines Beugungsgitters, dessen Spalten ebenfalls gleich breit sind, γ den Winkel, welchen der aus dem Gitter austretende directe Strahl mit der Gitternormale bildet, δ_r und δ_l die Deviationen der nach rechts und links gebeugten Strahlen der n^{ten} Spectra vom directen Strahle, und ist endlich λ die Wellenlänge der diesen Deviationen entsprechenden Linien, so bestehen folgende Gleichungen:

$$\frac{n\lambda}{b+c} = \sin(\gamma + \delta_l) - \sin\gamma$$
$$= \sin\gamma - \sin(\gamma - \delta_r),$$

welche zur Wellenlängenbestimmung geeignet, sobald $b + c$ bekannt und γ und δ_r oder δ_l gemessen worden sind. Es ist hierbei angenommen, dass die Stellung des Gitters eine solche ist, dass seine Normale rechts vom directen Strahle zu liegen kommt.

Ist die Gitterfläche senkrecht auf dem austretenden Strahle, so wird $\gamma = 0$, und

$$\frac{n\lambda}{b+c} = \sin\Delta,$$

wobei Δ die entsprechende Deviation bedeutet. In diesem Falle sind bekanntlich die Spectra symmetrisch um den directen Strahl vertheilt, während sie bei jeder andern Gitterstellung asymmetrisch angeordnet sind.

Ist das Gitter auf einer vollkommen planparallelen Platte, so ist der Austrittswinkel γ des directen Strahles dem Einfallswinkel α desselben vollkommen gleich. Ist aber das Gitter auf einem Prisma gearbeitet, so ist $\sin\gamma = \mu \sin(A - \beta)$ und $\mu \sin\beta = \sin\alpha$, wobei μ der Berechnungsquotient, der Wellenlänge λ entsprechend, und Δ der brechende Winkel des Prismas.

Der Winkel γ lässt sich entweder direct am Instrumente, oder auch indirect aus den gemessenen rechten und linken Deviationen einer und derselben Linien der zwei entsprechenden Spectra bestimmen. Es dient hierzu die Gleichung

$$tang\left(\gamma + \frac{\delta_l - \delta_r}{2}\right) = \frac{sin\,\frac{\delta_l - \delta_r}{2}}{2\,sin\,\frac{\delta_l}{2}\;sin\,\frac{\delta_r}{2}}.$$

Wenn man das Gitter nahezu senkrecht auf den austretenden directen Strahl sellt, so hat eine bestimmte Linie in einem der rechten Spectra eine gewisse Deviation. Denkt man sich nun das Gitter so gedreht, dass dessen linker Theil sich dem Collimator des Instrumentes nähert, oder was dasselbe ist, sich vom Beobachter entfernt, so wird die Deviation dieser Linie immer kleiner und kleiner, sie nähert sich also immer mehr dem directen Strahle, bis sie endlich bei einer bestimmten Gitterstellung ein Minimum erreicht hat. Bei fortgesetztem Drehen des Gitters wachsen dann die Deviationen wieder fort und fort. Die links vom directen Strahle liegenden Linien entfernen sich schon bei beginnender Drehung, sie erreichen also bei dieser Drehung nie eine geringere Deviation als bei senkrechter Incidenz. Bei einer Drehung des Gitters im umgekehrten Sinne vertauschen auch die rechten und linken Spectra ihre Rollen, das Minimum tritt dann auf der linken Seite ein.

Die obigen Gleichungen geben auch vollkommen die Stellung des Gitters, bei welcher das Minimum einer bestimmten Linie eintritt. Aus der Gleichung:

$$sin\,\gamma - sin\,(\gamma - \delta_r) = sin\,\Delta$$

folgt nämlich das Minimum von δ_r für

$$sin\,\gamma = \frac{sin\,\Delta}{2}$$

und die Minimum-Deviation δ_1 selbst ist der doppelte Werth von γ. Diese Minimumstellung lässt sich sehr gut bei Wellenlängenbestimmungen verwenden und ist besonders dann von praktischer Bedeutung, wenn das Gitter auf einem Prisma oder einer nicht vollkommen planparallelen Platte angebracht ist, weil in diesen Fällen die Brechungsquotienten aus der Rechnung fallen. Zur Bestimmung von λ benutzt man dann die Gleichung

$$\lambda = 2\,\frac{b+c}{n}\,.\,sin\,\frac{\delta_1}{2}.$$

Wird das Gitter in dem oben angegebenen Sinne gedreht, so erreichen bei Anwendung von weissem Lichte die violetten Strahlen früher ihr Minimum als die rothen desselben Spectrums, sowie die näher am directen

Strahle liegenden Spectra auch bei geringerer Drehung des Gitters in die Minimumstellung kommen als die entfernteren.

Von dem zur Bestimmung der Wellenlängen benutzten Gitter konnte leider die Spaltenbreite nicht direct bestimmt werden. Es wurde zur indirecten Bestimmung die von Fraunhofer für die eine mit 1006·8 von Kirchhoff bezeichnete *D* Linie gefundene Wellenlänge von 588·80 Milliontel des Millimeters benutzt. Es ergab sich aus einer Reihe von Bestimmungen für dieses Gitter der Werth

$$b + c = 0\overset{\text{mm}}{\cdot}00462294.$$

Um die Intensität der Beugungsspectra, die wegen der geringen Spaltenbreite keine sehr bedeutende war, zu erhöhen, wurden die vom Heliostaten kommenden Strahlen durch eine Sammellinse concentrirt, so dass sie sich unmittelbar vor der Spalte des Collimators vereinigten. Die Anwendung von rothen und violetten Gläsern vor der Spalte des Collimators bei Beobachtung der rothen und violetten Theile des Spectrums erleichtert ebenfalls die Beobachtung.

Von den erhaltenen Werthen für etwa 130 verschiedene Fraunhofer'sche Linien sind hier die wichtigeren angeführt. Die erste Colonne enthält die Kirchhoff'schen Zeichen, die zweite die Wellenlängen in Milliontel des Millimeters.

B	593.	687·06	*E*	1523·5	526·86		2467·4	455·21
C	694.	655·95		1577·5	522·52		2489·4	453·23
	860	616·82		1634	518·16		2566·3	447·97
	877	613·57	*b*	1648·8	517·13		2606	445·51
Db	1002·8	589 44		1655·6	516·58		2670	441·40
Da	1006·8	588·80		1750·4	509·74		2686·6	440·39
	1135	570·88		1834	504·00		2721·6	438·27
	1207·5	561·36		1885·8	500·52		2775·6	435·19
	1280	552 66		1961	495·61		2797	433·86
	1324·8	547·53		2005	491·78		2822·8	432·34
	1351·3	544·48		2041·4	489·00	*G*	2854·7	430·88
	1389·6	540·32		2067	487 01	*H*		396·68
	1421·6	536·93	*F*	2080·1	485·97	*H'*		393·32
	1463	532·70		2309	466·56			

V. Ueber die Natur des unpolarisirten Lichtes und die Doppelbrechung des Quarzes in der Richtung der optischen Axe. Von Prof. Stefan. (Wiener Akad.)

Während die Natur der Lichtschwingungen in einem polarisirten Strahle durch dessen Definition als eines gradlinig, elliptisch oder circular polarisirten Strahles bestimmt ist, ist dies nicht der Fall mit den Schwingungen in einem unpolarisirten Strahle. Diese können lineare oder elliptische sein, aus dem Verhalten des unpolarisirten Lichtes können wir nur schliessen, dass in dem einen Fall die Richtungen der Schwingungsgeraden, im andern Falle die Richtungen der Axen der Schwingungsellipsen sehr rasch hinter einander sich ändern. Es können aber in einem solchen Strahle auch lineare Schwingungen mit elliptischen und circularen abwechseln. Welcher von diesen Fällen statthabe, lässt sich durch folgendes Experiment entscheiden: Man theile ein Bündel unpolarisirten homogenen Lichtes in zwei, drehe in dem einen der Bündel die Schwingungen um einen rechten Winkel und bringe denselben einen Gangunterschied von einer ungeraden Anzahl halber Wellenlängen bei. Wenn die beiden Bündel nun zur Interferenz gebracht, kein schwächeres Licht geben als vorher, so enthalten sie geradlinige Schwingungen, schwächen sich die beiden Bündel, so enthalten sie elliptische, löschen sie sich aus, so enthalten sie kreisförmige Schwingungen.

Dieser Versuch wurde auf folgende Weise ausgeführt. In einem vier Prismen enthaltenden Spectralapparate wurde jene Hälfte des Objectives des Collimators oder des Beobachtungsfernrohres, welche gegen die Kanten der Prismen gerichtet ist, mit einer senkrecht zur Axe geschnittenen Quarzplatte bedeckt, und die Interferenz des durch diese Platte und des frei gehenden Lichtes im Spectrum beobachtet. Eine 5 Millimeter dicke Platte gab zwischen den Fraunhofer'schen Linien B und H 3200 Interferenzstreifen. Als die Platte senkrecht gegen die einfallenden Strahlen gestellt wurde, verschwanden die Streifen in der Nähe der Linie C, vor und hinter C erschienen sie grau und wurden gegen den blauen Theil des Spectrums hin immer schwärzer. Diese Platte dreht die Schwingungen der Strahlen von der Linie C um einen rechten Winkel; da hier die Interferenzstreifen fehlen, so sind die interferirenden Schwingungen geradlinige.

Es treten aber dunkle Streifen auch bei der Linie C wieder auf, sobald die Platte etwas gedreht, oder elliptisch polarisirtes Licht in den Apparat geschickt wird. Circular polarisirtes giebt vollständig schwarze Streifen. Geht man von links zu rechts circular polarisirtem Licht über, so verschieben sich die Interferenzstreifen so, dass daraus folgt: in einer links drehenden Platte pflanzt sich links circulares Licht schneller fort als rechts circulares. Die beobachtete Grösse der Verschiebung stimmt mit der aus Fresnel's Theorie der Drehung der Polarisationsebene im Quarz berechneten überein.

Um grössere Verschiebungen zu erhalten, wurde noch die eine Hälfte des Objectivs mit einer links drehenden, die andere Hälfte mit einer rechts drehenden Platte bedeckt, und auch durch diesen Versuch die Fresnel'sche Theorie bestätigt gefunden.

Solche Interferenzversuche wurden mit Platten bis zu elf Millimeter Dicke gemacht. Die Anzahl der Interferenzstreifen, welche eine solche

Platte liefert, ist bei 7000. Den letzten entspricht ein Gangunterschied von 15000 Wellenlängen. Da die Interferenzlinien immer schwarz erschienen, so folgt daraus, dass die Schwingungen in einem unpolarisirten Strahle über lange Strecken hin einerlei Richtung bewahren. Es besteht also ein unpolarisirter Strahl aus auf einander folgenden linear polarisirten Stücken von wechselnder Polarisationsrichtung. Solche Stücke, welche Schwingungen von einerlei Richtung enthalten, betragen nachweisbar viele Tausend von Wellenlängen, können auch meilenlang sein.

VI. Ueber Nebenringe am Newton'schen Farbenglase. Von Prof. Stefan. (Wiener Akad.)

Sieht man schief gegen das Newton'sche Farbenglas, so ist das in's Auge kommende Licht immer theilweise polarisirt. Betrachtet man dasselbe durch eine Turmalinplatte oder ein Nicol'sches Prisma, stellt dieses so, dass das Farbenglas dunkel erscheint und bringt dann zwischen Farbenglas und Nicol eine parallel zur Axe geschliffene Quarzplatte so, dass die optische Axe der Platte gegen den Hauptschnitt des Nicol's unter 45° geneigt ist, so sieht man am Farbenglase eine Reihe von Nebenringen, die zu demselben Centrum gehören, wie die Newton'schen, von diesen aber um so entfernter sind, je dicker die eingeschobene Quarzplatte ist. Dieses Ringsystem besteht aus einem mittleren schwarzen Ringe, an den sich auf beiden Seiten farbige anschliessen.

Jeder der Strahlen, die von der Vorder- oder Hinterfläche der im Farbenglase eingeschlossenen Luftschicht kommen, wird in der Quarzplatte in zwei Theile zerlegt, den ordentlichen und ausserordentlichen. Letzterer wird in der Quarzplatte gegen ersteren verzögert. Dadurch wird der durch die Luftschicht entstandene Gangunterschied zwischen dem ordentlichen Theile des von der Hinterfläche und dem ausserordentlichen Theile des von der Vorderfläche der Luftschicht kommenden Strahles verringert. Diese Theile der Strahlen geben die secundäre Interferenzerscheinung, welche, weil durch Strahlen von geringem Gangunterschied erzeugt, so dem freien Auge sichtbar wird.

Eine solche Herabminderung des Gangunterschiedes der vom Farbenglase reflectirten Strahlen durch ein die Pupille zum Theil verdeckendes Glimmerblatt ist auch die Ursache der secundären Halbkreise, welche bei dieser Beobachtungsweise am Newton'schen Glase gesehen werden und die Gegenstand eines früheren Berichtes waren.

VII. Die zweckmässigste Form der Zinkeisensäule. Von Dr. F. Dellmann.

Unter dieser Ueberschrift habe ich im 6. Jahrgang, S. 287 ff. einen kleinen Aufsatz mitgetheilt, zu welchem folgende zwei Bemerkungen zweckdienlich sein mögen.

Seit jener Mittheilung habe ich in dem beschriebenen Apparate statt der verdünnten Schwefelsäure die verdünnte Salzsäure anzuwenden versucht und mit dem besten Erfolg, da man bei demselben Grade der Verdünnung einen noch stärkeren Strom erhält. Mit etwas stärkerer Salzsäure habe ich das in jener Mittheilung beschriebene Element sogar ein paar Mal bis zur Erzeugung eines Stromes gebracht, welcher an der auch bei jenen Versuchen gebrauchten Weber'schen Tangentenboussole einen Ausschlag von 78 Grad gab, welcher also mehr als 2,7 Mal so stark war als jener mit der verdünnten Schwefelsäure; jedoch war es mir nicht möglich, ihn auf dieser für den kleinen Apparat sehr bedeutenden Höhe länger als einige Minuten zu erhalten; ein Strom aber, der fast die doppelte Stärke hat, wie jener mit verdünnter Schwefelsäure erzeugte, ist mit verdünnter Salzsäure leicht zu erzielen und auch auf dieser Höhe leicht geraume Zeit festzuhalten, wenn man nur von Zeit zu Zeit ein paar Tropfen Salzsäure nachgiesst.

Jene Mittheilung über die Zinkeisensäule ist auch in technische Journale und in technische Schriften, z. B. über Galvanoplastik, übergegangen. Derjenige Herausgeber einer technischen Zeitschrift, welcher sie zuerst aufgenommen hat, ist nicht aufrichtig gewesen, da er hinter das von mir gesetzte Wort „Papier" das Wort „Pergamentpapier" einklammerte. Wäre das nöthig gewesen, so hätte ich es selbst gethan. Ich habe in der That beim Niederschreiben des Wortes an das Pergamentpapier gar nicht gedacht, sonst würde ich etwa eingeklammert haben: „aber nicht Pergamentpapier". Also man nehme jedes beliebige Papier, geleimtes oder ungeleimtes, am besten dünnes. Es kommt nur darauf an, das amalgamirte Zink mit dem Eisen nicht in leitende Verbindung kommen zu lassen, weshalb ich auch auf den Boden des gusseisernen Bechers gewöhnlich ein Stück Glas lege.

Nebenbei sei es mir erlaubt, Herrn Fau und Herrn Thiele, den Bearbeitern der Walker'schen Galvanoplastik, den Rath zu geben, bei einer etwaigen neuen Auflage ihres Buches die Beschreibung der vortrefflichen Methode von Berjot, die Zinkcylinder zu amalgamiren, nicht auszulassen. Sie finden dieselbe in Compt. Rend. XLVII, S. 273 ff.; in Ding. Journal CXLIX, S. 370; in den Fortschritten der Physik Bd. XIV, S. 441. Es wäre nur etwa noch hinzuzufügen, das Eintauchen in die Quecksilbersalzlösung ein paar Mal zu wiederholen und den Cylinder nach jedem Eintauchen im Wasser abzuspülen und etwas abzureiben.

VIII. Preisfragen der physikalisch-mathematischen Classe der königl. preussischen Akademie der Wissenschaften für die Jahre 1866 und 1867. Bekannt gemacht in der öffentlichen Sitzung am Leibnitz'schen Jahrestage, den 7. Juli 1864.

I. (Aus dem Steiner'schen Legate.) In einer in den Monatsberichten der Akademie vom Januar 1856, sowie in dem 53. Bande des Crelle'schen Journals veröffentlichten Abhandlung hat Steiner eine Reihe von Fundamentaleigenschaften der Flächen dritten Grades mitgetheilt und dadurch den Grund zu einer rein geometrischen Theorie derselben gelegt. Die Akademie wünscht, dass diese ausgezeichnete Arbeit des grossen Geometers nach synthetischer Methode weiter ausgeführt und in einigen wesentlichen Punkten vervollständigt werde. Dazu würde es zunächst nothwendig sein, die grösstentheils nur angedeuteten oder ganz fehlenden Beweise der aufgestellten Hauptsätze zu geben; dann aber müsste die Untersuchung auch auf die von Steiner nicht berücksichtigten Fälle, in denen die zur geometrischen Construction der in Rede stehenden Flächen dienenden Elemente zum Theil imaginär sind, ausgedehnt werden. Ausserdem ist eine genaue Charakterisirung der verschiedenen Gattungen von Raumcurven, in welchen zwei solche Flächen sich schneiden können, zwar nicht unumgänglich erforderlich, würde aber von der Akademie als eine wichtige Ergänzung der Steiner'schen Theorie betrachtet werden.

Die ausschliessende Frist für die Einsendung der dieser Aufgabe gewidmeten Schriften, welche nach der Wahl der Bewerber in deutscher, lateinischer oder französischer Sprache abgefasst sein können, ist der 1. März 1866. Jede Bewerbungsschrift ist mit einem Motto zu versehen und dieses auf dem Aeussern des versiegelten Zettels, welcher den Namen des Verfassers enthält, zu wiederholen. Die Ertheilung des Preises von 600 Thalern geschieht in der öffentlichen Sitzung am Leibnitz'schen Jahrestage im Monat Juli des Jahres 1866.

II. Die Theorie der elliptischen und Abel'schen Functionen, welche schon jetzt fast in allen Theilen der Mathematik die Lösung von Aufgaben möglich gemacht hat, für welche die früher der Analysis zu Gebote stehenden Hülfsmittel nicht ausreichten, ist ohne Zweifel noch zahlreicher weiterer Anwendungen fähig, und es stellt daher die Akademie folgende Preisfrage:

> „Es soll irgend ein bedeutendes Problem, dessen Gegenstand der Algebra, Zahlentheorie, Integralrechnung, Geometrie, Mechanik und mathematischen Physik angehören kann, mit Hülfe der elliptischen oder der Abel'schen Transcendenten vollständig gelöst werden."

Die ausschliessende Frist für die Einsendung der dieser Aufgabe gewidmeten Schriften, welche nach der Wahl der Bewerber in deutscher, lateinischer oder französischer Sprache abgefasst sein können, ist der 1. März 1867. Jede Bewerbungsschrift ist mit einem Motto zu versehen

und dieses auf dem Aeussern des versiegelten Zettels, welcher den Nam des Verfassers enthält, zu wiederholen. Die Ertheilung des Preises v 100 Ducaten geschieht in der öffentlichen Sitzung am Leibnitz'schen Jahre tage im Monat Juli des Jahres 1867.

IX. Beseitigung des Getöns der Telegraphenleitungen. Von Pr Dr. Listing in Göttingen (aus den Mittheilungen des hannöver'sch Gewerbvereins 1864. S. 31).

Als der Draht, durch welchen die Sternwarte in Göttingen mit d Telegraphenstation auf dem Bahnhofe in Verbindung steht, bei dem co stanten Winde im Januar 1864 namentlich Nachts durch seine Aeolstö sehr anhaltend belästigte, steuerte Prof. Dr. Listing diesem Unwes mit bestem Erfolg dadurch, dass er zwischen der Sternwarte und dem näc sten Anknüpfungspunkte des Drahtes in eine Entfernung von $\frac{1}{100}$ d Drahtlänge von einem der Endpunkte ein Gewicht von circa 2 Pfd. a bringen liess, wodurch die harmonischen Obertöne des Grundtones 1 b mit dem Oberton 99 ausgeschlossen werden sollten. Der Uebelstand w nach Anheftung der genannten Masse verschwunden und es blieb nur noc ein sehr leiser Ton übrig, von dem a. a. Orte berichtet wird, dass er durc die Tonleitung des Drahtes von grösserer Entfernung her zur Wahrnel mung gebracht worden sei. Dr. Kahl.

V.

Ueber einige Aufgaben, welche die Theorie des logarithmischen Potentials und den Durchgang eines constanten elektrischen Stroms durch eine Ebene betreffen.

Von Dr. E. JOCHMANN in Berlin.

II.

8. Für die Theorie der Ladung der Flaschendrähte, so wie für die Theorie des Inductoriums ist es von Interesse, die statische Vertheilung der Elektricität auf zwei parallelen unbegrenzten cylindrischen Drähten oder auf einem cylindrischen Draht zu bestimmen, welcher von einer concentrischen oder excentrischen cylindrischen Hülle umschlossen wird, wobei vorausgesetzt wird, dass der Draht seiner ganzen Länge nach mit gleichförmiger Dichtigkeit geladen sei, so dass die Dichtigkeit und das Potential der elektrischen Vertheilung nur von den Coordinaten des Querschnitts abhängen. Das Potential muss dann auf jeder von beiden Cylinderflächen einen constanten Werth besitzen und in dem von beiden Flächen begrenzten Raume der Laplace'schen Gleichung genügen, welche sich, da das Potential von der Längencoordinate des Drahtes unabhängig ist, auf die Gleichung 1) reducirt. Dieser Umstand ist, wie bekannt, einer besonderen Deutung fähig, indem die Anziehung, welche eine unbegrenzte und ihrer ganzen Länge nach mit Masse von gleichförmiger Dichte ε belegte Gerade auf einen äussern Punkt ausübt, durch die Anziehung einer Masse 2ε ersetzt werden kann, welche in dem Fusspunkt des von dem angezogenen Punkt auf die Gerade gefällten Perpendikels concentrirt gedacht wird, welche aber nicht nach dem umgekehrten Verhältniss des Quadrats der Entfernung, sondern der ersten Potenz der Entfernung anziehend wirkt. Es wird dadurch das Problem der elektrischen Vertheilung auf zwei parallelen Cylindern auf das den im ersten Abschnitt behandelten Aufgaben entsprechende Problem zurückgeführt, die Vertheilung zweier solcher nach dem umgekehrten Verhältniss der Entfernungen wirkender Fluida

nach den Peripherien zweier in der Ebene gegebener Kreise zu finden, von welchen angenommen werden soll, dass sie keine reellen Durchschnittspunkte haben, dass also entweder einer vom andern umschlossen wird, oder beide ausser einander liegen.

9. Der von zwei nicht concentrischen Kreisen begrenzte Theil einer Ebene kann mittelst des von C. Neumann*) angegebenen „dipolaren" Coordinatensystems auf der Fläche eines Rechtecks in den kleinsten Theilen ähnlich abgebildet werden. Die Entwickelungen des ersten Abschnitts können daher mit geringen Modificationen auf einen solchen Raum übertragen werden. Es seien P_1 und P_2 diejenigen Punkte, in welchen die Centrale der beiden gegebenen Kreise von der Peripherie eines dritten, beide orthogonal schneidenden Kreises getroffen wird, so beruht das Neumann'sche Coordinatensystem bekanntlich auf der Eintheilung der Ebene durch zwei orthogonale Kreisschaaren, von welchen die eine durch die festen „Pole" P_1 und P_2 geht, während die Kreise der anderen Schaar die geometrischen Oerter der Punkte bilden, deren Entfernungen von P_1 und P_2 in einem constanten Verhältnisse stehen. Als Parameter für die erste Schaar wird der für jeden derselben angehörigen durch die Pole P_1 und P_2 (Taf. II Fig. 1) begrenzten Kreisbogen constante Werth des Peripheriewinkels $P_1 A P_2 = \alpha$ gewählt, welcher bei einem Umlauf um einen oder den andern der beiden Pole um 2π wächst. Als Parameter der andern Kreisschaar dient der Logarithmus des constanten Verhältnisses der *radii vectores* $\log \frac{r_1}{r_2} = \beta$, welcher von $-\infty$ bis $+\infty$ variiren kann. Zwischen den rechtwinkligen Parallelcoordinaten x, y und den Coordinaten α, β finden dann folgende Beziehungen statt, wenn $2h = P_1 P_2$ die Entfernung der Pole bezeichnet:

$$\left\{\begin{aligned}
& e^{2\beta} = \frac{r_1^2}{r_2^2} = \frac{(x-h)^2+y^2}{(x+h)^2+y^2} \qquad \tang \alpha = \frac{2hy}{x^2+y^2-h^2} \\
& x = -h\,\frac{e^{\beta}-e^{-\beta}}{\psi} \qquad y = \frac{2h \sin \alpha}{\psi} \\
& \psi = e^{\beta}+e^{-\beta}-2\cos\alpha = \frac{4h^2}{r_1 r_2} \\
& dx^2+dy^2 = \frac{4h^2}{\psi^2}(d\alpha^2+d\beta^2) \\
& (x-x')^2+(y-y')^2 = \frac{4h^2}{\psi\psi'}\{e^{\beta-\beta'}+e^{\beta'-\beta}-2\cos(\alpha-\alpha')\} \\
& \frac{\partial^2 V}{\partial x^2}+\frac{\partial^2 V}{\partial y^2} = \frac{\psi^2}{4h^2}\left(\frac{\partial^2 V}{\partial \alpha^2}+\frac{\partial^2 V}{\partial \beta^2}\right)
\end{aligned}\right.$$

*) C. Neumann: Allgemeine Lösung des Problems über den stationären Temperaturzustand eines homogenen Körpers, welcher von zwei nichtconcentrischen Kugelflächen begrenzt wird. Halle 1862. — Auszugsweise in Borchardt's Journal LXII.

10. Es seien $\beta = \beta_1$, $\beta = \beta_2$ die Gleichungen der gegebenen Kreise und zwar soll immer

$$\beta_2 > \beta_1$$

vorausgesetzt werden. Das Potential muss dann für jeden Werth von β, welcher zwischen β_1 und β_2 liegt, der Gleichung

$$\frac{\partial^2 V}{\partial x^2} + \frac{\partial^2 V}{\partial \beta^2} = 0$$

genügen; dasselbe muss eine periodische Function von α sein, welche wieder denselben Werth annimmt, so oft α um 2π wächst; dasselbe muss für $\beta = \beta_1$, $\beta = \beta_2$ die gegebenen Grenzbedingungen erfüllen. Haben β_1 und β_2 gleiche Vorzeichen, so wird einer der beiden gegebenen Kreise vom andern umschlossen, haben sie entgegengesetzte Vorzeichen, so liegen beide Kreise ausser einander. Da im letzteren Fall der betrachtete Raum, für welchen das logarithmische Potential bestimmt werden soll, sich ins Unendliche erstreckt, indem den Coordinaten $\alpha = 0$, $\beta = 0$ der unendlich entfernte Punkt entspricht, so muss das Verhalten des Potentials in unendlicher Entfernung besonders berücksichtigt werden, und es sollen einige auf dasselbe bezügliche Sätze vorausgeschickt werden, von welchen wir im Folgenden Gebrauch zu machen haben.

1. Wenn die Summen aller in der Ebene vertheilten Massen gleich Null ist, verschwindet V im Unendlichen; ist hingegen jene Summe M von Null verschieden, so wird V logarithmisch unendlich wie $M \log R$, wenn R den über jede Grenze wachsenden Entfernung des angezogenen Punktes von einem beliebig in der Ebene gewählten festen Punkte bezeichnet. Der erste Fall entspricht dem elektro-dynamischen Problem, bei welchem die Summe aller in die Ebene einströmenden Elektricitätsmengen gleich Null ist. Im letzteren Falle bezeichne ϱ die Entfernung eines beliebigen Punktes der Ebene von dem Punkt p, in welchem sich die Masse m befindet, r_1 und r_2 seine Entfernungen von den Polen P_1 und P_2, so nähert sich die Differenz

$$m \log \varrho - m \log \sqrt{r_1 r_2}$$

der Grenze Null, wenn ϱ ins Unbegrenzte wächst. Es muss sich also V, wenn α und β sich der Grenze Null nähern, auf $(\Sigma m) . \log \sqrt{r_1 r_2}$ oder auf

$$M \log \frac{2h}{\sqrt{\psi}}$$

oder endlich auf

$$M \log 2h - M \log \sqrt{\alpha^2 + \beta^2}$$

reduciren.

2. Aus dem Vorhergehenden folgt als Corollar, dass sich das Potential V im Unendlichen weder auf eine von Null verschiedene Constante C, noch auf einen Ausdruck von der Form $C + M \log R$ reduciren kann.

3. Wenn das Potential auf einer geschlossenen Curve, **ausserhalb** welcher keine Massen vorhanden sind, einen constanten von Null verschiedenen Werth hat, so kann dasselbe im Unendlichen nicht verschwinden. Die Wirkung der innerhalb des von der Curve S umschlossenen Raumes vorhandenen Massen auf äussere Punkte kann nämlich jederzeit auf **eine** Weise durch eine Randbelegung dieser Curve ersetzt werden. Bildet man diese Randbelegung, so muss ihr Potential nach Voraussetzung in Beziehung auf alle Punkte der Curve S und in Folge dessen auch innerhalb des ganzen von der Curve umschlossenen Raumes einen constanten von Null verschiedenen Werth haben. Bezeichnet daher $\frac{\partial V}{\partial N}$ den nach der nach dem äussern Raum gezogenen Normale gewonnenen Differentialquotienten, so stellt $\frac{1}{2\pi}\frac{\partial V}{\partial N}$ die Dichtigkeit der Randbelegung in irgend einem Punkte der Curve und das über die ganze geschlossene Curve ausgedehnte Integral $\frac{1}{2\pi}\int\frac{\partial V}{\partial N}\,ds$ die Gesammtmasse der Randbelegung dar. Da aber die Curve nach Voraussetzung eine Niveaulinie ist, so hat $\frac{\partial V}{\partial N}$ längs der ganzen Curve dasselbe Vorzeichen oder die Summe der Massen ist von Null verschieden; ihr Potential kann also im Unendlichen nicht verschwinden. Es ist ersichtlich, dass der Satz auch dann noch gültig bleibt, wenn die Curve S aus zwei oder mehreren getrennten Theilen besteht, ausserhalb deren sich keine weiteren Massen befinden und auf welchen das Potential **denselben** constanten Werth besitzt. Man denke sich nämlich das System der Niveaucurven construirt, so ändert sich das Integral $\frac{1}{2\pi}\int\frac{\partial V}{\partial N}\,ds$, welches die Summe der von der Niveaucurve umschlossenen Massen ausdrückt, nicht von einer Niveaucurve zur andern und da $\frac{\partial V}{\partial N}$ längs der ganzen Niveaucurve dasselbe Vorzeichen besitzt, so muss dieses für alle Niveaucurven, welche dasselbe Massensystem umschliessen, dasselbe sein, d. h. das Potential muss von Innen nach Aussen entweder fortwährend wachsen, oder fortwährend abnehmen, je nachdem die Summe der umschlossenen Massen positiv oder negativ ist. Es ist aber auch nicht möglich, dass für die das eine System von Massen umschliessenden Niveaucurven ein Abnehmen, für die das andere umschliessenden ein Wachsen des Potentials von Innen nach Aussen stattfinde, indem sonst irgendwo zwischen beiden Massensystemen eine Unstetigkeit stattfinden müsste, was nicht möglich ist. Es müssen also die Werthe des Integrals für beide Niveaucurven gleiches Vorzeichen besitzen oder die Summe der Massen muss von Null verschieden sein. — Da sich keine Niveaucurve, welche einem endlichen von Null verschiedenen Werth von V entspricht, ins Unendliche erstrecken kann, so

überzeugt man sich leicht durch eine ähnliche Betrachtung, dass der Satz auch dann noch richtig bleibt, wenn das Potential auf den gegebenen getrennten Curven, ausserhalb deren keine Massen liegen dürfen, nicht gleiche Werthe, sondern nur constante Werthe von gleichem Vorzeichen besitzt.

11. **Es soll die Vertheilung nach dem umgekehrten Verhältniss der Entfernungen wirkender Massen auf der Peripherie beider Kreise angegeben werden, für welche das Potential auf der Peripherie des einen Kreises den gegebenen constanten Werth V_1, auf der Peripherie des andern Kreises den constanten Werth V_2 besitzt.** — Es ist zunächst ersichtlich, dass die Gleichung 1) durch eine Function von der Form

$$V = p\beta + q$$

erfüllt werden kann, oder indem die Constanten p, q den gegebenen Grenzwerthen gemäss bestimmt werden, durch

$$V = \frac{V_2 - V_1}{\beta_2 - \beta_1}\beta + \frac{V_1\beta_2 - V_2\beta_1}{\beta_2 - \beta_1}.$$

Die Niveaulinien des Potentials bilden dann das durch den Parameter α, ihre Orthogonalen das durch den Parameter β charakterisirte Kreissystem. In der That ist diese Lösung immer ausreichend **für den Fall, dass gleich grosse, aber dem Vorzeichen nach entgegengesetzte Mengen der beiden Fluida vorhanden sind**, oder dass V im Unendlichen verschwindet. Ist nämlich erstens

$$\beta_2 > 0 > \beta_1,$$

so hat innerhalb des von der Kreislinie $\beta = \beta_2$ umschlossenen Raumes das Potential den constanten Werth V_2, innerhalb der Kreislinie $\beta = \beta_1$ den constanten Werth V_1. Damit V im Unendlichen verschwinde, müssen die gegebenen Werthe V_1 und V_2 entgegengesetzte Vorzeichen haben und die Bedingung erfüllen:

$$V_1\beta_2 - V_2\beta_1 = 0,$$

so dass in dem zwischen beiden Kreisen gelegenen Raume

$$\frac{V}{\beta} = \frac{V_1}{\beta_1} = \frac{V_2}{\beta_2}$$

ist. Die Dichtigkeit ε_1 auf der Kreislinie β_1 bestimmt sich durch die Gleichung

$$2\pi\varepsilon_1 = \frac{\partial V}{\partial N} = \frac{\psi_1}{2h}\cdot\frac{\partial V}{\partial \beta} = \frac{\psi_1}{2h}\cdot\frac{V_1}{\beta_1},$$

für den Kreis β_2 hingegen hat man

$$2\pi\varepsilon_2 = \frac{\partial V}{\partial N} = -\frac{\psi_2}{2h}\frac{\partial V}{\partial \beta} = -\frac{\psi_2}{2h}\cdot\frac{V_2}{\beta_2},$$

indem β in der Richtung der nach dem Innern des von beiden Kreisen begrenzten Raumes gezogenen Normale für den Kreis β_1 wächst, für den Kreis β_2 hingegen abnimmt. Die Gesammtmenge des auf jeder Kreislinie vorhandenen Fluidums ergiebt sich durch Integration über die ganze Kreisperipherie

$$m_1 = -m_2 = \frac{1}{2\pi}\int \frac{\psi}{2h}\cdot\frac{V}{\beta}\,ds = \frac{V_2}{\beta_2} = \frac{V_1}{\beta_1}.$$

Ist zweitens

$$\beta_2 > \beta_1 > 0,$$

so muss, da das Potential nach Voraussetzung im Unendlichen verschwinden soll, nach §. 10. 3 auf der Peripherie des äusseren Kreises

$$V_1 = 0$$

sein. Der Werth von V für den zwischen beiden Kreisen liegenden ringförmigen Raume wird daher

$$V = V_2\,\frac{\beta - \beta_1}{\beta_2 - \beta_1}.$$

Innerhalb des Kreises β_2 ist

$$V = V_2 = const.$$

und man erhält

$$2\pi\varepsilon_1 = \frac{\psi_1}{2h}\,\frac{V_2}{\beta_2 - \beta_1} = \frac{\psi_1}{2h}\cdot m_1$$

$$2\pi\varepsilon_2 = -\frac{\psi_2}{2h}\,\frac{V_2}{\beta_2 - \beta_1} = \frac{\psi_2}{2h}\cdot m_2$$

$$m_1 = -m_2 = \frac{V_2}{\beta_2 - \beta_1}.$$

12. Ist die Summe

$$M = m_1 + m_2$$

von Null verschieden, oder sind die Bedingungen, welche zum Verschwinden des Potentials im Unendlichen erforderlich sind, durch die gegebenen Werthe V_1 und V_2 nicht erfüllt, so soll zuerst der Fall betrachtet werden, dass

$$\beta_2 > \beta_1 > 0$$

ist. Bezeichnet dann

$$R = \frac{2h}{e^{\beta_1} - e^{-\beta_1}}$$

den Halbmesser des äussern Kreises β_1 und ist ϱ der Abstand eines beliebigen, ausserhalb dieses Kreises gelegenen Punktes vom Mittelpunkt desselben, so muss sich V im äusseren Raume auf $M \log \varrho$ reduciren und für $\varrho = R$ den constanten Werth V_1 annehmen. Es folgt daraus

$$V_1 = M \log R,$$

wodurch bei gegebenem Werth von V_1 die Summe der Massen M bestimmt ist und umgekehrt. Um die Vertheilung der Massen auf beiden Kreislinien zu finden, denke man sich die auf der Peripherie des äusseren Kreises vorhandene Masse m_1 in die beiden Theile $-m_2$ und M zerlegt. Vertheilt man letztere mit gleichförmiger Dichte auf der Peripherie von β_1, so hat *ihr Potential* innerhalb dieses Kreises den constanten Werth $V_1 = M \log R$, während die Massen $-m_2$ und $+m_2$ auf den Peripherien des äusseren und inneren Kreises nach §. 11 in der Weise vertheilt werden können, dass ihr Potential auf der Peripherie des äusseren Kreises den constanten Werth 0, auf der Peripherie des inneren Kreises den constanten Werth $-m_2(\beta_2-\beta_1)$ besitzt. Demnach ergiebt sich das gesammte Potential auf der Peripherie des äusseren Kreises:

$$V_1 = M \log R,$$

das gesammte Potential auf der Peripherie des inneren Kreises.

$$V_2 = M \log R - m_2(\beta_2-\beta_1).$$

In dem zwischen beiden Kreisen gelegenem Raume wird

$$V = M \log R - m_2(\beta-\beta_1).$$

Für die Dichtigkeit erhält man die Ausdrücke:

$$2\pi\varepsilon_1 = \frac{M}{R} - \frac{\psi_1}{2h} m_2 = \frac{V_1}{R \log R} + \frac{\psi_1}{2h} \cdot \frac{V_2-V_1}{\beta_2-\beta_1}$$

$$2\pi\varepsilon_2 = \frac{\psi_2}{2h} m_2 = -\frac{\psi_2}{2h} \frac{V_2-V_1}{\beta_2-\beta_1}$$

$$m_1 = \frac{V_1}{\log R} + \frac{V_2-V_1}{\beta_2-\beta_1}$$

$$m_2 = -\frac{V_2-V_1}{\beta_2-\beta_1}.$$

13. Es bleibt noch der Fall zu betrachten, dass

$$\beta_2 > 0 > \beta_1$$

ist. Dann besitzt das Potential innerhalb des Kreises β_1 den constanten Werth V_1, innerhalb des Kreises β_2 den constanten Werth V_2. Für $\alpha=0$, $\beta=0$ muss V unendlich werden, indem es sich auf den Werth (§. 10. 1)

$$M \log \varrho = M \log 2h - M \log \sqrt{\alpha^2+\beta^2}$$

reducirt. Die Summe der Massen M ist offenbar nicht willkürlich, sondern durch die gegebenen Potentialwerthe V_1 und V_2 in einer Weise bestimmt, welche sich unten ergeben wird. — Es sei

$$\frac{\omega'}{\omega} = \frac{\beta_2-\beta_1}{2\pi},$$

so reducirt sich die Function

$$U = \tfrac{1}{2} \log \frac{\Theta_3\left(\frac{\omega}{2\pi} \cdot \frac{\alpha+\beta i - 2\beta_2 i}{2}\right) \Theta_3\left(\frac{\omega}{2\pi} \frac{\alpha-\beta i+2\beta_2 i}{2}\right)}{\Theta_3\left(\frac{\omega}{2\pi} \frac{\alpha+\beta i}{2}\right) \Theta_3\left(\frac{\omega}{2\pi} \frac{\alpha-\beta i}{2}\right)},$$

für $\beta=\beta_2$ auf Null,

für $\beta=\beta_1$ auf den constanten Werth β_2.

Für $\alpha=0$, $\beta=0$ wird U unendlich, indem es für verschwindend kleine Werthe von α und β den Werth

$$\log\left[-i\Theta_3\left(\frac{\omega\beta_2 i}{2\pi}\right)\right] - \log\left(\frac{\omega}{4\pi}\sqrt{\alpha^2+\beta^2}\right)$$

annimmt. Ausserdem bleibt die Function U innerhalb des ganzen von beiden Kreisen begrenzten Theiles der Ebene endlich und stetig, genügt der Gleichung 1) und besitzt in Beziehung auf α die Periode 2π.

Es ist demnach mit Hülfe der Function U leicht eine Potentialfunction zu bilden, welche alle Bedingungen der Aufgabe erfüllt. Die Function

$$V = \frac{V_2 - V_1}{\beta_2 - \beta_1}\beta + \frac{V_1\beta_2 - V_2\beta_1}{\beta_2 - \beta_1} - C\beta_2\frac{\beta_2 - \beta}{\beta_2 - \beta_1} + CU$$

erhält für $\beta = \beta_1$, $\beta = \beta_2$ die vorgeschriebenen Werthe V_1 und V_2. Im Unendlichen reducirt sich dieselbe auf

$$\frac{V_1\beta_2 - V_2\beta_1}{\beta_2 - \beta_1} - C\frac{\beta_2^2}{\beta_2 - \beta_1} + C\log\left[-\frac{4\pi i}{\omega}\Theta_3\left(\frac{\omega\beta_2 i}{2\pi}\right)\right] - C\log\sqrt{\alpha^2 + \beta^2}.$$

Damit dieser Werth mit dem obigen

$$M\log 2h - M\log\sqrt{\alpha^2 + \beta^2}$$

identisch werde, muss zunächst wegen des über jede Grenze wachsenden Werthes des letzten Gliedes

$$M = C$$

sein, worauf sich durch Gleichsetzung der übrigen Theile zur Bestimmung von M die Gleichung ergiebt:

$$M\log 2h = \frac{V_1\beta_2 - V_2\beta_1}{\beta_2 - \beta_1} - M\frac{\beta_2^2}{\beta_2 - \beta_1} + M\log\left[-\frac{4\pi i}{\omega}\Theta_3\left(\frac{\omega\beta_2 i}{2\pi}\right)\right],$$

oder:

$$M = \frac{V_1\beta_2 - V_2\beta_1}{\beta_2^2 - (\beta_2 - \beta_1)\log\left[-\frac{2\pi i}{h\omega}\Theta_3\left(\frac{\omega\beta_2 i}{2\pi}\right)\right]}.$$

Um die auf den beiden einzelnen Kreisen vorhandenen Massen und Dichtigkeiten zu finden, hat man zunächst den Werth von $\left(\frac{\partial V}{\partial N}\right)$ für $\beta = \beta_1$ und $\beta = \beta_2$ zu bilden. Die Differentiation ergiebt:

$$\frac{\partial U}{\partial \beta} = \frac{\omega i}{8\pi}\left\{\frac{\Theta_3'\left(\frac{\omega}{2\pi}\frac{\alpha+\beta i-2\beta_2 i}{2}\right)}{\Theta_3\left(\frac{\omega}{2\pi}\frac{\alpha+\beta i-2\beta_2 i}{2}\right)} - \frac{\Theta_3'\left(\frac{\omega}{2\pi}\frac{\alpha-\beta i+2\beta_2 i}{2}\right)}{\Theta_3\left(\frac{\omega}{2\pi}\frac{\alpha-\beta i+2\beta_2 i}{2}\right)}\right.$$
$$\left. - \frac{\Theta_3'\left(\frac{\omega}{2\pi}\frac{\alpha+\beta i}{2}\right)}{\Theta_3\left(\frac{\omega}{2\pi}\frac{\alpha+\beta i}{2}\right)} + \frac{\Theta_3'\left(\frac{\omega}{2\pi}\frac{\alpha-\beta i}{2}\right)}{\Theta_3\left(\frac{\omega}{2\pi}\frac{\alpha-\beta i}{2}\right)}\right\}$$
$$= \frac{\omega i}{4\pi}\left\{\frac{\Theta_1'\left(\frac{\omega}{2\pi}\frac{\beta i-2\beta_2 i}{2}\right)}{\Theta_1\left(\frac{\omega}{2\pi}\frac{\beta i-2\beta_2 i}{2}\right)} + \frac{\lambda\mu\nu\left(\frac{\omega}{2\pi}\frac{\beta i-2\beta_2 i}{2}\right)}{\lambda^2\left(\frac{\omega}{2\pi}\frac{\beta i-2\beta_2 i}{2}\right) - \lambda^2\left(\frac{\omega\alpha}{4\pi}\right)}\right.$$
$$\left. - \frac{\Theta_1'\left(\frac{\omega\beta i}{4\pi}\right)}{\Theta_1\left(\frac{\omega\beta i}{4\pi}\right)} - \frac{\lambda\mu\nu\left(\frac{\omega\beta i}{4\pi}\right)}{\lambda^2\left(\frac{\omega\beta i}{4\pi}\right) - \lambda^2\left(\frac{\omega\alpha}{4\pi}\right)}\right\}.$$

Bemerkt man, dass sowohl die Function $\frac{\Theta'_1(z)}{\Theta_1(z)}$ als das Product $\lambda\mu\nu(z)$ mit dem Argument z ihr Zeichen wechseln, so erhält man:

$$\left(\frac{\partial U}{\partial \beta}\right)_{\beta=\beta_2} = -\frac{\omega i}{2\pi}\left\{\frac{\Theta'_1\left(\frac{\omega\beta_2 i}{4\pi}\right)}{\Theta_1\left(\frac{\omega\beta_2 i}{4\pi}\right)} + \frac{\lambda\mu\nu\left(\frac{\omega\beta_2 i}{4\pi}\right)}{\lambda^2\left(\frac{\omega\beta_2 i}{4\pi}\right)-\lambda^2\left(\frac{\omega\alpha}{4\pi}\right)}\right\}.$$

Man hat ferner:

$$-\frac{\omega}{2\pi}\,\frac{\beta_1 i - 2\beta_2 i}{2} = \frac{\omega\beta_1 i}{4\pi} + \omega' i$$

$$\frac{\Theta'_1(z+\omega' i)}{\Theta_1(z+\omega' i)} = \frac{\Theta'_1(z)}{\Theta_1(z)} - \frac{4\pi i}{\omega}.$$

Mit Rücksicht darauf ergiebt sich:

$$\left(\frac{\partial U}{\partial \beta}\right)_{\beta=\beta_1} = \frac{\omega i}{4\pi}\left\{-2\,\frac{\Theta'_1\left(\frac{\omega\beta_1 i}{4\pi}\right)}{\Theta_1\left(\frac{\omega\beta_1 i}{4\pi}\right)} - 2\,\frac{\lambda\mu\nu\left(\frac{\omega\beta_1 i}{4\pi}\right)}{\lambda^2\left(\frac{\omega\beta_1 i}{4\pi}\right)-\lambda^2\left(\frac{\omega\alpha}{4\pi}\right)} + \frac{4\pi i}{\omega}\right\}$$

$$= -1 - \frac{\omega i}{2\pi}\left\{\frac{\Theta'_1\left(\frac{\omega\beta_1 i}{4\pi}\right)}{\Theta_1\left(\frac{\omega\beta_1 i}{4\pi}\right)} + \frac{\lambda\mu\nu\left(\frac{\omega\beta_1 i}{4\pi}\right)}{\lambda^2\left(\frac{\omega\beta_1 i}{4\pi}\right)-\lambda^2\left(\frac{\omega\alpha}{4\pi}\right)}\right\}.$$

Mit Benutzung dieser Werthe wird:

$$2\pi\varepsilon_1 = \frac{\psi_1}{2h}\left(\frac{\partial V}{\partial \beta}\right)_{\beta=\beta_1}$$

$$= \frac{\psi_1}{2h}\left[\frac{V_2-V_1}{\beta_2-\beta_1} + M\frac{\beta_1}{\beta_2-\beta_1} - M\frac{\omega i}{2\pi}\left\{\frac{\Theta'_1\left(\frac{\omega\beta_1 i}{4\pi}\right)}{\Theta_1\left(\frac{\omega\beta_1 i}{4\pi}\right)} + \frac{\lambda\mu\nu\left(\frac{\omega\beta_1 i}{4\pi}\right)}{\lambda^2\left(\frac{\omega\beta_1 i}{4\pi}\right)-\lambda^2\left(\frac{\omega\alpha}{4\pi}\right)}\right\}\right]$$

$$2\pi\varepsilon_2 = -\frac{\psi_2}{2h}\left(\frac{\partial V}{\partial \beta}\right)_{\beta=\beta_2}$$

$$= -\frac{\psi_2}{2h}\left[\frac{V_2-V_1}{\beta_2-\beta_1} + M\frac{\beta_2}{\beta_2-\beta_1} - M\frac{\omega i}{2\pi}\left\{\frac{\Theta'_1\left(\frac{\omega\beta_2 i}{4\pi}\right)}{\Theta_1\left(\frac{\omega\beta_2 i}{4\pi}\right)} + \frac{\lambda\mu\nu\left(\frac{\omega\beta_2 i}{4\pi}\right)}{\lambda^2\left(\frac{\omega\beta_2 i}{4\pi}\right)-\lambda^2\left(\frac{\omega\alpha}{4\pi}\right)}\right\}\right].$$

Um durch Integration über die Kreisperipherien die auf beiden Kreisen vorhandenen Massen zu finden, bemerke man, dass man hat:

$$\frac{1}{2\pi}\int_0^{2\pi}\frac{\lambda\mu\nu(vi)}{\lambda^2(vi)-\lambda^2\left(\frac{\omega\alpha}{4\pi}\right)}\,d\alpha = \frac{2}{\omega}\cdot\frac{\mu\nu}{\lambda}(vi)\int_0^{\frac{\omega}{2}}\frac{dz}{1-\frac{\lambda^2(z)}{\lambda^2(vi)}} = -\frac{\Theta'_1(vi)}{\Theta_1(vi)} + \frac{2s\pi i}{\omega}.$$

In diesem Ausdruck ist der aus der Vieldeutigkeit des Integrals herrührende ganzzahlige Coefficient s der Bedingung gemäss zu bestimmen, dass z auf dem reellen Integrationswege von 0 bis $\frac{1}{2}\omega$ wachsen soll. Die von den in den geschwungenen Klammern stehenden Ausdrücken herrührenden Theile der über die Kreisperipherien auszudehnenden Integrale reduciren sich demnach auf $-s_1 M$, beziehungsweise $+s_2 M$ und man erhält:

$$m_1 = \frac{V_2 - V_1}{\beta_2 - \beta_1} + M\frac{\beta_1}{\beta_2 - \beta_1} - s_1 M,$$

$$m_2 = -\frac{V_2 - V_1}{\beta_2 - \beta_1} - M\frac{\beta_2}{\beta_2 - \beta_1} + s_2 M.$$

14. Zur Bestimmung der Werthe von s_1 und s_2 dient am leichtesten die Betrachtung des besonderen Falles, dass beide Kreise gleichen Halbmesser haben, oder dass

$$\beta_2 = -\beta_1 = \pi\frac{\omega'}{\omega}$$

ist. Da nämlich vi rein imaginär ist, so ist ersichtlich, dass eine Unstetigkeit des auf dem reellen Integrationswege zunehmenden Integrals und eine sprungweise Aenderung des Werthes von s nur für diejenigen Werthe von v eintreten kann, für welche $\lambda(vi)$ gleich Null oder unendlich wird, d. i. für $v=0$ oder $v=\frac{1}{2}\omega'$. Da nun der Werth $\frac{\omega\beta_2}{4\pi}$ immer zwischen den Grenzen 0 und $\frac{1}{2}\omega'$ und $\frac{\omega\beta_1}{4\pi}$ immer zwischen 0 und $-\frac{1}{2}\omega'$ liegt, so kann also zur Bestimmung von s_1 und s_2

$$\beta_2 = -\beta_1 = \beta_0,$$

oder

$$\frac{\omega\beta_2}{4\pi} = \frac{1}{4}\omega' \qquad \frac{\omega\beta_1}{4\pi} = -\frac{1}{4}\omega'$$

gesetzt werden. In diesem besonderen Fall wird aber:

$$U = \frac{1}{2}\log\frac{\Theta_3\left(\frac{\omega}{2\pi}\frac{\alpha+\beta i}{2} - \frac{1}{2}\omega' i\right)\Theta_3\left(\frac{\omega}{2\pi}\frac{\alpha-\beta i}{2} + \frac{1}{2}\omega' i\right)}{\Theta_3\left(\frac{\omega}{2\pi}\frac{\alpha+\beta i}{2}\right) \qquad \Theta_3\left(\frac{\omega}{2\pi}\frac{\alpha-\beta i}{2}\right)}$$

$$= \frac{\beta_0 - \beta}{2} - \frac{1}{2}\log\left[k\,.\,\lambda\left(\frac{\omega}{2\pi}\frac{\alpha+\beta i}{2}\right)\lambda\left(\frac{\omega}{2\pi}\frac{\alpha-\beta i}{2}\right)\right]$$

$$V = \frac{V_2 - V_1}{2}\frac{\beta}{\beta_0} + \frac{V_2+V_1}{2} - \frac{1}{2}M\log\left[k\,.\,\lambda\left(\frac{\omega}{2\pi}\frac{\alpha+\beta i}{2}\right)\lambda\left(\frac{\omega}{2\pi}\frac{\alpha-\beta i}{2}\right)\right]$$

$$\left(\frac{\partial V}{\partial\beta}\right)_{\beta=\pm\beta_0} = \frac{V_2 - V_1}{2\beta_0} \mp M\frac{\omega i}{4\pi}\frac{\mu\nu}{\lambda}\left(\frac{\omega\alpha}{4\pi} + \frac{1}{4}\omega' i\right)$$

$$2\pi\varepsilon_1 = \frac{\psi_1}{2h}\left\{\frac{V_2 - V_1}{2\beta_0} + M\frac{\omega i}{4\pi}\frac{\mu\nu}{\lambda}\left(\frac{\omega\alpha}{4\pi} + \frac{1}{4}\omega' i\right)\right\}$$

$$2\pi\varepsilon_2 = -\frac{\psi_2}{2h}\left\{\frac{V_2 - V_1}{2\beta_0} + M\frac{\omega i}{4\pi}\frac{\mu\nu}{\lambda}\left(\frac{\omega\alpha}{4\pi} + \frac{1}{4}\omega' i\right)\right\}$$

$$m_1 = \frac{V_2 - V_1}{2\beta_0} + M\frac{i}{2\pi}\cdot\frac{\omega}{4\pi}\int_0^{2\pi}\frac{\mu\nu}{\lambda}\left(\frac{\omega\alpha}{4\pi}+\tfrac{1}{4}\omega' i\right)d\alpha$$

$$m_2 = -\frac{V_2 - V_1}{2\beta_0} + M\frac{i}{2\pi}\cdot\frac{\omega}{4\pi}\int_0^{2\pi}\frac{\mu\nu}{\lambda}\left(\frac{\omega\alpha}{4\pi}+\tfrac{1}{4}\omega' i\right)d\alpha.$$

Es ist aber

$$\frac{\omega}{4\pi}\int_0^{2\pi}\frac{\mu\nu}{\lambda}\left(\frac{\omega\alpha}{4\pi}+\tfrac{1}{4}\omega' i\right)d\alpha = \int_{\frac{1}{4}\omega' i}^{\frac{1}{2}\omega+\frac{1}{4}\omega' i}\frac{\mu\nu}{\lambda}(z)\,dz = (2s+1)\pi i.$$

Zur Bestimmung des dem reellen Integrationsweg für α entsprechenden Werthes von s bemerke man, dass die Integration in Beziehung auf z auf dem Wege AB (Taf. II Fig. 2) auszuführen ist. Dieser Weg kann aber, da eine Unstetigkeit nur an den Verzweigungspunkten 0, $\frac{\omega}{2}$, $\frac{\omega' i}{2}$, $\frac{\omega+\omega' i}{2}$ stattfindet, durch den Weg $ACDEFB$ ersetzt werden. Da

$$\frac{\mu\nu}{\lambda}(z+\tfrac{1}{2}\omega) = \frac{\mu\nu}{\lambda}(z),$$

so heben die von den in entgegengesetzter Richtung durchlaufenen Strecken AC und FB herrührenden Theile des Integrals einander auf. In Betreff der Strecke DE bemerke man, dass

$$\frac{\mu\nu}{\lambda}(\tfrac{1}{4}\omega+z) = -\frac{\mu\nu}{\lambda}(\tfrac{1}{4}\omega-z)$$

ist, dass also die von dem in gleicher Richtung durchlaufenen Strecken DG und GE herrührenden Theile des Integrals ebenfalls gleiche und dem Vorzeichen nach entgegengesetzte Werthe besitzen. Es bleiben also nur noch die Theile zu betrachten, welche von den mit dem beliebig kleinen Halbmesser $\mathfrak{r}$ um die Unstetigkeitspunkte beschriebenen Kreisquadranten CD und EF herrühren. Um diese Theile zu ermitteln, sei für den Quadranten CD

$$z = \mathfrak{r}\,e^{\varphi i} \qquad \frac{dz}{z} = i\,d\varphi,$$

wo also φ den von C bis D von $\frac{1}{2}\pi$ bis 0 abnehmenden Winkel bezeichnet. Da für sehr kleine Werthe von z

$$\frac{\mu\nu}{\lambda}(z) = \frac{1}{z}$$

gesetzt werden darf, so hat man

$$\int_C^D \frac{\mu\nu}{\lambda}(z)\,dz = \int_{\frac{\pi}{2}}^0 i\,d\varphi = -\tfrac{1}{2}\pi i.$$

Ebenso hat man für den Quadranten EF

$$z - \tfrac{1}{2}\omega = r\, e^{(\pi-\psi)i}, \qquad \frac{dz}{z-\frac{1}{2}\omega} = -i\,d\psi,$$

wo ψ den von E bis F von 0 auf $\frac{1}{2}\pi$ wachsenden Winkel bezeichnet. Für Werthe von z, welche sehr nahe an $\frac{1}{2}\omega$ liegen, ist aber

$$\frac{\mu\nu}{\lambda}(z) = \frac{\mu\nu}{\lambda}(z-\tfrac{1}{2}\omega) = \frac{1}{z-\frac{1}{2}\omega},$$

mithin

$$\int_E^F \frac{\mu\nu}{\lambda}(z)\,dz = -\int_0^{\frac{1}{2}\pi} i\,d\psi = -\tfrac{1}{2}\pi i.$$

Man erhält also schliesslich

$$\int_A^B \frac{\mu\nu}{\lambda}(z)\,dz = -\pi i.$$

Durch Einsetzung dieses Werthes in die Formeln für m_1 und m_2 ergiebt sich:

$$m_1 = \frac{V_2 - V_1}{2\beta_0} + \tfrac{1}{2}M$$

$$m_2 = -\frac{V_2 - V_1}{2\beta_0} + \tfrac{1}{2}M.$$

Die Summe der beiden Massen ist, wie es sein muss, gleich M*). Der oben im allgemeinen Fall gefundene Ausdruck für M vereinfacht sich ebenfalls für den besonderen Fall zweier gleichen Kreise, indem man erhält:

$$M = \frac{V_2 + V_1}{2 \log \frac{h\omega\sqrt{k}}{2\pi}}$$

mithin:

$$m_1 = +\frac{V_2 - V_1}{2}\cdot\frac{1}{\beta_0} + \frac{V_2 + V_1}{2}\cdot\frac{1}{2\log\frac{h\omega\sqrt{k}}{2\pi}}$$

$$m_2 = -\frac{V_2 - V_1}{2}\cdot\frac{1}{\beta_0} + \frac{V_2 + V_1}{2}\cdot\frac{1}{2\log\frac{h\omega\sqrt{k}}{2\pi}}.$$

Diese Formeln dienen zur Berechnung der Massen, welche erforderlich sind, um die gegebenen Potentialwerthe auf beiden Kreisen zu erzeugen. Umgekehrt hat man zur Berechnung der Potentialwerthe, welche durch die gegebenen Massen m_1 und m_2 erzeugt werden, die Formeln:

---

*) Diese Bedingung hätte natürlich viel schneller zur Bestimmung des Werthes von s geführt, doch ist absichtlich der Verificirung wegen der Weg der wirklichen *Integration* vorgezogen worden.

$$V_1 = -\tfrac{1}{2}\beta_0(m_1 - m_2) + (m_1 + m_2) \log \frac{h\omega\sqrt{k}}{2\pi}$$

$$V_2 = +\tfrac{1}{2}\beta_0(m_1 - m_2) + (m_1 + m_2) \log \frac{h\omega\sqrt{k}}{2\pi}.$$

15. Kehren wir nach dieser Excursion zur Betrachtung des allgemeinen Falls zweier ungleichen Kreise zurück, so sieht man, dass zur Uebereinstimmung der oben (§. 13) gefundenen Werthe für m_1 und m_2 mit denen, welche für den Fall zweier gleicher Kreise gelten, erforderlich ist, dass

$$s_2 = 1 \quad , \quad s_1 = -1$$

gesetzt werde, so dass man erhält

$$m_1 = \frac{V_2 - V_1}{\beta_2 - \beta_1} + M\frac{\beta_2}{\beta_2 - \beta_1}$$

$$m_2 = -\frac{V_2 - V_1}{\beta_2 - \beta_1} - M\frac{\beta_1}{\beta_2 - \beta_1}$$

oder, wenn der Kürze halber

$$N = \beta_1 + \log\left[\frac{2\pi i}{h\omega}\Theta_3\left(\frac{\omega\beta_1 i}{2\pi}\right)\right] = -\beta_2 + \log\left[-\frac{2\pi i}{h\omega}\Theta_3\left(\frac{\omega\beta_2 i}{2\pi}\right)\right]$$

gesetzt wird:

$$m_1 = \frac{V_2 - V_1}{\beta_2 - \beta_1} + \frac{\beta_2}{\beta_2 - \beta_1} \cdot \frac{V_1\beta_2 - V_2\beta_1}{\beta_1\beta_2 - N(\beta_2 - \beta_1)}$$

$$m_2 = -\frac{V_2 - V_1}{\beta_2 - \beta_1} - \frac{\beta_1}{\beta_2 - \beta_1} \cdot \frac{V_1\beta_2 - V_2\beta_1}{\beta_1\beta_2 - N(\beta_2 - \beta_1)},$$

woraus die Relation folgt:

$$m_1\beta_1 + m_2\beta_2 = V_1 - V_2.$$

Durch Auflösung dieser Gleichungen in Beziehung auf V_1 und V_2 erhält man die Potentialwerthe, welche durch die gegebenen Massen m_1 und m_2 erzeugt werden, nämlich:

$$V_1 = m_1\beta_1 - MN$$

$$V_2 = -m_2\beta_2 - MN.$$

16. Die Vertheilung der Fluida würde keine Anwendung erfahren, wenn man sich die Ebene durch einen Kreis begrenzt dächte, dessen Halbmesser R gegen die Dimensionen der beiden gegebenen Kreise sehr gross ist und wenn man auf der Peripherie dieses Kreises eine Masse $-M$ mit gleichförmiger Dichte vertheilte. Es erhielte dadurch das Potential auf dem Grenzkreis und im ganzen äusseren Raume den constanten Werth Null. Innerhalb des Begrenzungskreises erführe dasselbe einen überall constanten Zuwachs

$$-M \log R,$$

sodass in diesem Fall

$$V_1 = m_1\beta_1 - M(N + \log R)$$

$$V_2 = -m_2\beta_2 - M(N + \log R)$$

würde, oder um gegebene Potentialwerthe zu erzeugen, die Massen

$$m_1 = \frac{V_2 - V_1}{\beta_2 - \beta_1} + \frac{\beta_2}{\beta_2 - \beta_1} \cdot \frac{V_1 \beta_2 - V_2 \beta_1}{\beta_1 \beta_2 - (\beta_2 - \beta_1)(N + \log R)}$$

$$m_2 = -\frac{V_2 - V_1}{\beta_2 - \beta_1} - \frac{\beta_1}{\beta_2 - \beta_1} \cdot \frac{V_1 \beta_2 - V_2 \beta_1}{\beta_1 \beta_2 - (\beta_2 - \beta_1)(N + \log R)}$$

$$-M = -\frac{V_1 \beta_2 - V_2 \beta_1}{\beta_1 \beta_2 - (\beta_2 - \beta_1)(N + \log R)}$$

auf den Peripherien der beiden Kreise β_1, β_2 und des Begrenzungskreises vertheilt werden müssten.

47. **Die Green'sche Function für den von zwei nichtconcentrischen Kreisen begrenzten Raum***). In einem zwischen den beiden Kreisen $\beta = \beta_1$, $\beta = \beta_2$ gelegenen Punkte p sei die Masse $+1$ concentrirt. Es soll eine Massenvertheilung auf beiden Kreisen angegeben werden, welche so beschaffen ist, dass ihr Potential zusammen mit dem der im Punkte p concentrirten Masse $+1$ in jedem Punkte beider Kreisperipherien die Summe Null giebt. Bezeichnet $G_{(p)}$ das Potential der gesuchten Massenvertheilung, so muss

$$V = G_{(p)} + \log \varrho_{(p)}$$

auf jeder Kreisperipherie verschwinden, oder es muss für $\beta = \beta_1$, oder $\beta = \beta_2$

$$G_{(p)} = -\log \varrho_{(p)}$$

werden.

Es sei **erstens**

$$\beta_2 > \beta_1 > 0,$$

so verschwindet V auf der Peripherie des äusseren Kreises, also auch im ganzen äusseren Raume. Die Summe der auf beiden Kreisperipherien vertheilten Massen muss also -1 sein. Im Punkte p oder für $\alpha = a$, $\beta = b$ muss V unendlich werden wie $\log \varrho_{(p)}$, $G_{(p)}$ hingegen einen endlichen Werth behalten. — Die Function

$$U = \tfrac{1}{2} \log \frac{\Theta_3\left(\frac{\omega}{2\pi}\,\frac{(\alpha - a) + (\beta - b) i}{2}\right) \Theta_3\left(\frac{\omega}{2\pi}\,\frac{(\alpha - a) - (\beta - b) i}{2}\right)}{\Theta_3\left(\frac{\omega}{2\pi}\,\frac{(\alpha - a) + (\beta - 2\beta_1 + b) i}{2}\right) \Theta_3\left(\frac{\omega}{2\pi}\,\frac{(\alpha - a) - (\beta - 2\beta_1 + b) i}{2}\right)}$$

reducirt sich

für $\beta = \beta_1$ auf Null,
für $\beta = \beta_2$ auf $-(b - \beta_1)$.

Für $\alpha = a$, $\beta = b$ wird U unendlich, während die Differenz $U - \log \varrho$ in diesem Punkte stetig bleibt und den Werth

$$\log \frac{i \omega \psi_{(p)}}{8 \pi h \Theta_3\left(\frac{\omega (b - \beta_1) i}{2\pi}\right)}$$

---

*) Vergl. die schon früher citirte Abhandlung von C. Neumann in Borchardt's Journal LIX S. 366.

erhält. Die Function

$$V = \frac{(\beta - \beta_1)(b - \beta_1)}{\beta_2 - \beta_1} + U$$

erfüllt daher sämmtliche Bedingungen der Aufgabe und die Function

$$G_{(p)} = \frac{(\beta - \beta_1)(b - \beta_1)}{\beta_2 - \beta_1} + U - \log \varrho_{(p)}$$

ist die gesuchte Green'sche Function für den von zwei nicht concentrischen Kreisen begrenzten ringförmigen Raum. Um die Dichtigkeit $\varepsilon^{(p)}$ der dem Centrum p entsprechenden Randbelegung zu finden, hat man nur den Ausdruck $\left(\frac{\partial V}{\partial N}\right)$ für beide Kreise zu bilden und erhält:

$$2\pi\varepsilon_1{}^{(p)} = \frac{\psi_1}{2h}\left[\frac{b-\beta_1}{\beta_2-\beta_1} - \frac{\omega i}{2\pi}\left\{\frac{\Theta'_1\left(\frac{\omega(b-\beta_1)i}{4\pi}\right)}{\Theta_1\left(\frac{\omega(b-\beta_1)i}{4\pi}\right)} + \frac{\lambda\mu\nu\left(\frac{\omega(b-\beta_1)i}{4\pi}\right)}{\lambda^2\left(\frac{\omega(b-\beta_1)i}{4\pi}\right) - \lambda^2\left(\frac{\omega(a-\alpha)}{4\pi}\right)}\right\}\right]$$

$$2\pi\varepsilon_2{}^{(p)} = -\frac{\psi_2}{2h}\left[-\frac{\beta_2-b}{\beta_2-\beta_1} + \frac{\omega i}{2\pi}\left\{\frac{\Theta'_1\left(\frac{\omega(\beta_2-b)i}{4\pi}\right)}{\Theta_1\left(\frac{\omega(\beta_2-b)i}{4\pi}\right)} + \frac{\lambda\mu\nu\left(\frac{\omega(\beta_2-b)i}{4\pi}\right)}{\lambda^2\left(\frac{\omega(\beta_2-b)i}{4\pi}\right) - \lambda^2\left(\frac{\omega(\alpha-a)}{4\pi}\right)}\right\}\right]$$

$$m_1 = -\frac{\beta_2 - b}{\beta_2 - \beta_1} \qquad m_2 = -\frac{b - \beta_1}{\beta_2 - \beta_1}$$

$$m_1 + m_2 = -1.$$

Mit Hülfe der gefundenen Randbelegung kann die Aufgabe gelöst werden, eine Potentialfunction Φ zu finden, welche innerhalb des von beiden Kreisen begrenzten ringförmigen Raumes stetig und endlich bleibt und sich für $\beta = \beta_1$ und $\beta = \beta_2$ auf gegebene Functionen von α, $\overline{\Phi}_1$ und $\overline{\Phi}_2$ reducirt. Es ist nämlich die gesuchte Function

$$\Phi_{(p)} = -\int \varepsilon_1{}^{(p)}\,\overline{\Phi}_1\,ds_1 - \int \varepsilon_2{}^{(p)}\,\overline{\Phi}_2\,ds_2.$$

Wäre z. B.

$$\overline{\Phi}_1 = V_1 = const. \qquad \overline{\Phi}_2 = V_2 = const.$$

gegeben, so würde

$$\Phi_{(p)} = -V_1 m_1{}^{(p)} - V_2 m_2{}^{(p)} = \frac{V_2 - V_1}{\beta_2 - \beta_1}\cdot b + \frac{V_1\beta_2 - V_2\beta_1}{\beta_2 - \beta_1},$$

was mit dem oben (§. 12) gefundenen Werth übereinstimmt.

18. Ist zweitens

$$\beta_2 > 0 > \beta_1,$$

so ist zu beachten, dass sich V_1 als Potentialfunction im Unendlichen nicht auf eine von Null verschiedene Constante reduciren kann, sondern gleich $M \log R$ oder

$$M \log 2h - M \log \sqrt{\alpha^2 + \beta^2}$$

werden muss, wenn M die Summe der im Punkte p und auf den beiden Kreisen vertheilten Massen bezeichnet. Es ist leicht zu zeigen, dass diese

Summe von Null verschieden sein muss. Die in (§. 17) mit V bezeichnete Function genügt nämlich den auf den Punkt p und auf die Grenzkreise bezüglichen Bedingungen auch noch in diesem Falle, reducirt sich aber für $\alpha=0$, $\beta=0$ auf einen constanten von Null verschiedenen Werth V_0. Die Function $V - V_0$ verschwindet im Unendlichen, wird im Punkte p unendlich wie $log\, \varrho_{(p)}$, erhält aber auf den Grenzkreisen den Werth $- V_0$. Sollte es nun eine Potentialfunction geben, welche im Punkte (p) unendlich wird wie $log\, \varrho_{(p)}$ und sich sowohl auf den Grenzkreisen als auch im Unendlichen auf Null reducirt, so müsste dieselbe von der Function $V - V_0$ um eine Potentialfunction verschieden sein, welche im Unendlichen verschwindet, auf den Grenzkreisen den constanten Werth $+ V_0$ erhält und sonst überall stetig und endlich ist, was nach §. 10. 3 nicht möglich ist. Die Summe der auf den Kreisen vertheilten Massen ist also in diesem Falle von -1 verschieden. Die Function

$$Z = \tfrac{1}{2} log \frac{\Theta_3\left(\frac{\omega}{2\pi} \frac{\alpha - a + (\beta - b)i}{2}\right) \Theta_3\left(\frac{\omega}{2\pi} \frac{\alpha - a - (\beta - b)i}{2}\right)}{\Theta_3\left(\frac{\omega}{2\pi} \frac{\alpha - a + (\beta - 2\beta_1 + b)i}{2}\right) \Theta_3\left(\frac{\omega}{2\pi} \frac{\alpha - a - (\beta - 2\beta_1 + b)i}{2}\right)}$$

reducirt sich

für $\beta = \beta_1$ auf 0

für $\beta = \beta_2$ auf $-(b - \beta_1)$

für $\alpha = a$, $\beta = b$ wird U unendlich wie $log\, \varrho_{(p)}$

für $\alpha=0$, $\beta=0$ wird $Z_0 = \tfrac{1}{2} log \dfrac{\Theta_3\left(\frac{\omega}{2\pi} \frac{a + bi}{2}\right) \Theta_3\left(\frac{\omega}{2\pi} \frac{a - bi}{2}\right)}{\Theta_3\left(\frac{\omega}{2\pi} \frac{a + (2\beta_1 - b)i}{2}\right) \Theta_3\left(\frac{\omega}{2\pi} \frac{a - (2\beta_1 - b)i}{2}\right)}$.

Die Function

$$W = \tfrac{1}{2} log \frac{\Theta_3\left(\frac{\omega}{2\pi} \frac{\alpha + \beta i}{2}\right) \Theta_3\left(\frac{\omega}{2\pi} \frac{\alpha - \beta i}{2}\right)}{\Theta_3\left(\frac{\omega}{2\pi} \frac{\alpha + \beta i - 2\beta_1 i}{2}\right) \Theta_3\left(\frac{\alpha - \beta i + 2\beta_1 i}{2}\right)}$$

hingegen wird

für $\beta = \beta_1$ gleich 0

für $\beta = \beta_2$ gleich $+\beta_1$.

Für $\alpha = 0$ $\beta = 0$ wird

$$W_0 = - log \left[i\, \Theta_3\left(\frac{\omega \beta_1 i}{2\pi}\right)\right] + log \frac{\omega}{4\pi} \sqrt{\alpha^2 + \beta^2}.$$

oder

$$W_0 = - log\, R - log \left[\frac{2\pi i}{h\omega} \Theta_3\left(\frac{\omega \beta_1 i}{2\pi}\right)\right].$$

Mit Hülfe der beiden Functionen U und W ist es daher leicht eine Potentialfunction zusammenzusetzen, welche allen Bedingungen der Aufgabe genügt. Die Function

$$V = \frac{\beta - \beta_1}{\beta_2 - \beta_1}(b + C\beta_1) + Z - (1 + C) \cdot W$$

besitzt die verlangten Eigenschaften. Dieselbe verschwindet für $\beta = \beta_1$, und für $\beta = \beta_2$; $V - \log \varrho_{(p)}$ behält im Punkte p einen endlichen Werth; für $\alpha = 0$, $\beta = 0$ wird

$$V_0 = \frac{\beta_1(\beta_1 - b)}{\beta_2 - \beta_1} - (1 + C)\frac{\beta_1^2}{\beta_2 - \beta_1} + Z_0 + (1 + C)\log\left[\frac{2\pi i}{h\omega}\Theta_3\left(\frac{\omega\beta_1 i}{2\pi}\right)\right] + (1 + C)\log R.$$

Die Constante C stellt offenbar die Summe der auf beiden Kreisen vertheilten Massen dar. Dieselbe bestimmt sich durch die Bedingung, dass in dem Ausdrucke für V_0 sämmtliche Glieder mit Ausnahme des letzten einander aufheben müssen, so dass man, wenn der Kürze halber, wie oben,

$$N = \beta_1 + \log\left[\frac{2\pi i}{h\omega}\Theta_3\left(\frac{\omega\beta_1 i}{2\pi}\right)\right] = -\beta_2 + \log\left[-\frac{2\pi i}{h\omega}\Theta_3\left(\frac{\omega\beta_2 i}{2\pi}\right)\right]$$

gesetzt wird, erhält

$$1 + C = \frac{\beta_1(\beta_1 - b) + Z_0(\beta_2 - \beta_1)}{\beta_1\beta_2 - N(\beta_2 - \beta_1)}$$

Für die Dichtigkeit der dem Punkte p entsprechenden Belegungen ergiebt sich:

$$2\pi\varepsilon_1^{(p)} ds_1 = d\alpha_1\left[\frac{b + C\beta_1}{\beta_2 - \beta_1} - \frac{\omega i}{2\pi}\left\{\frac{\Theta'_1\left(\frac{\omega(b - \beta_1)i}{4\pi}\right)}{\Theta_1\left(\frac{\omega(b - \beta_1)i}{4\pi}\right)} + \frac{\lambda\mu\nu\left(\frac{\omega(b - \beta_1)i}{4\pi}\right)}{\lambda^2\left(\frac{\omega(b - \beta_1)i}{4\pi}\right) - \lambda^2\left(\frac{\omega(a - \alpha)}{4\pi}\right)}\right.\right.$$
$$\left.\left. + (1 + C)\left(\frac{\Theta'_1\left(\frac{\omega\beta_1 i}{4\pi}\right)}{\Theta_1\left(\frac{\omega\beta_1 i}{4\pi}\right)} + \frac{\lambda\mu\nu\left(\frac{\omega\beta_1 i}{4\pi}\right)}{\lambda^2\left(\frac{\omega\beta_1 i}{4\pi}\right) - \lambda^2\left(\frac{\omega\alpha}{4\pi}\right)}\right)\right\}\right]$$

$$2\pi\varepsilon_2^{(p)} ds_2 = -d\alpha_2\left[\frac{b + C\beta_2}{\beta_2 - \beta_1} - \frac{\omega i}{2\pi}\left\{\frac{\Theta'_1\left(\frac{\omega(b - \beta_2)i}{4\pi}\right)}{\Theta_1\left(\frac{\omega(b - \beta_2)i}{4\pi}\right)} + \frac{\lambda\mu\nu\left(\frac{\omega(b - \beta_2)i}{4\pi}\right)}{\lambda^2\left(\frac{\omega(b - \beta_2)i}{4\pi}\right) - \lambda^2\left(\frac{\omega(a - \alpha)}{4\pi}\right)}\right.\right.$$
$$\left.\left. + (1 + C)\left(\frac{\Theta'_1\left(\frac{\omega\beta_2 i}{4\pi}\right)}{\Theta_1\left(\frac{\omega\beta_2 i}{4\pi}\right)} + \frac{\lambda\mu\nu\left(\frac{\omega\beta_2 i}{4\pi}\right)}{\lambda^2\left(\frac{\omega\beta_2 i}{4\pi}\right) - \lambda^2\left(\frac{\omega\alpha}{4\pi}\right)}\right)\right\}\right]$$

$$m_1^{(p)} = \frac{b + C\beta_2}{\beta_2 - \beta_1}$$

$$m_2^{(p)} = -\frac{b + C\beta_1}{\beta_2 - \beta_1}$$

Die gefundene, dem Punkte p entsprechende Randbelegung kann, wie oben, dazu dienen, die Potentialfunction $\Phi_{(p)}$ zu finden, welche im ganzen ausserhalb der Kreise gelegenen Raum stetig und endlich bleibt, im Unendlichen logarithmisch unendlich wird und sich für $\beta = \beta_1$ oder $\beta = \beta_2$ auf gegebene Functionen von α reducirt. Ist z. B.

$$\overline{\Phi}_1 = V_1 = const \quad \overline{\Phi}_2 = V_2 = const$$

gegeben, so erhält man

$$\Phi_{(p)} = -V_1 m_1^{(p)} - V_2 m_2^{(p)} = \frac{V_2 - V_1}{\beta_2 - \beta_1} b - C.\frac{V_1\beta_2 - V_2\beta_1}{\beta_2 - \beta_1}$$

oder mit Rücksicht auf den für C gefundenen Werth:

$$\Phi_{(p)} = \frac{V_2 - V_1}{\beta_2 - \beta_1} b + \frac{V_1\beta_2 - V_2\beta_1}{\beta_2 - \beta_1} + \frac{V_1\beta_2 - V_2\beta_1}{\beta_1\beta_2 - N(\beta_2 - \beta_1)} \left\{ \beta_1 \frac{b - \beta_1}{\beta_2 - \beta_1} - Z_0 \right\}.$$

Die Identität dieses Ausdrucks mit dem oben §. 13 gefundenen

$$V = \frac{V_2 - V_1}{\beta_2 - \beta_1} b + \frac{V_1\beta_2 - V_2\beta_1}{\beta_2 - \beta_1} + \frac{V_1\beta_2 - V_2\beta_1}{\beta_1\beta_2 - N(\beta_2 - \beta_1)} \left\{ \beta_2 \frac{b - \beta_2}{\beta_2 - \beta_1} + U \right\}$$

erhellt sofort, wenn man bemerkt, dass in §. 13

$$U_{(a,b)} = \tfrac{1}{2} \log \frac{\Theta_3\left(\frac{\omega}{2\pi}\frac{a + bi - 2\beta_2 i}{2}\right)\Theta_3\left(\frac{\omega}{2\pi}\frac{a - bi + 2\beta_2 i}{2}\right)}{\Theta_3\left(\frac{\omega}{2\pi}\frac{a + bi}{2}\right)\Theta_3\left(\frac{\omega}{2\pi}\frac{a - bi}{2}\right)}$$

war, dass mithin

$$U + Z_0 = \tfrac{1}{2} \log \frac{\Theta_3\left(\frac{\omega}{2\pi}\frac{a + bi - 2\beta_2 i}{2}\right)\Theta_3\left(\frac{\omega}{2\pi}\frac{a - bi + 2\beta_2 i}{2}\right)}{\Theta_3\left(\frac{\omega}{2\pi}\frac{a + bi - 2\beta_1 i}{2}\right)\Theta_3\left(\frac{\omega}{2\pi}\frac{a - bi + 2\beta_1 i}{2}\right)} = \beta_1 + \beta_2 - b$$

ist, woraus die Identität folgt

$$\beta_1 \frac{b - \beta_1}{\beta_2 - \beta_1} - Z_0 = \beta_2 \frac{b - \beta_2}{\beta_2 - \beta_1} + U.$$

10. Es sollen schliesslich die Folgerungen zusammengestellt werden, welche sich aus dem Vorstehenden für die elektrische Ladung eines von einer cylindrischen Hülle umgebenen Drahtes oder zweier parallelen cylindrischen Drähte ergeben. Die Anziehung einer unbegrenzten Graden, welche ihrer ganzen Länge nach mit Masse von gleichförmiger Dichtigkeit λ belegt ist, auf einen äusseren Punkt wird, wie in §. 8 bemerkt, durch die einer Masse 2λ ersetzt, welche in dem Fusspunkt des von dem angezogenen Punkt auf die Grade gefällten Perpendikels concentrirt ist und nach dem umgekehrten Verhältniss der Entfernungen anzieht. Demnach braucht man die gefundenen Werthe der Massen, welche erforderlich sind, um auf den beiden Kreisperipherien die Potentialwerthe V_1 und V_2 zu erzeugen, nur durch 2 zu dividiren, um die Elektricitätsmengen m_1 und m_2 zu finden, lche erforderlich sind, um die Längeneinheit der beiden Cylinder zu den benen Potentialwerthen V_1 und V_2 zu laden. Man erhält daher folle Werthe:

1. **Im Fall eines von einer concentrischen cylindrischen Hülle umgebenen Drahtes**, wenn R_1 den Halbmesser des äusseren, R_2 den des innern Cylinders bezeichnet:

$$m_1 = \frac{1}{2}\frac{V_1}{\log R_1} + \frac{1}{2}\frac{V_2 - V_1}{\log\frac{R_1}{R_2}} \qquad m_2 = -\frac{1}{2}\frac{V_2 - V_1}{\log\frac{R_1}{R_2}}.$$

Setzt man das Potential auf der äusseren Belegung $V_1 = 0$, so erhält man die bekannte von Thomson [Phil. Mag. (4. ser.) IX. 531] aufgestellte Formel für die elektrostatische Capacität eines Flaschendrahtes.

2. **Für den Fall eines cylindrischen Drathes, welcher von einer excentrischen cylindrischen Hülle umgeben ist**, (§. 12):

$$m_1 = \frac{1}{2}\frac{V_1}{\log R_1} + \frac{1}{2}\frac{V_2 - V_1}{\beta_2 - \beta_1} \qquad m_2 = -\frac{1}{2}\frac{V_2 - V_1}{\beta_2 - \beta_1}.$$

Sind R_1 und R_2 die Halbmesser des äussern und innern Cylinders, A der Abstand ihrer Mittelpunkte, also

$$R_1 = \frac{2h}{e^{\beta_1} - e^{-\beta_1}} \qquad R_2 = \frac{2h}{e^{\beta_2} - e^{-\beta_2}}$$

$$A = \frac{R_1}{e^{\beta_1}} - \frac{R_2}{e^{\beta_2}},$$

so wird:

$$m_2 = -\frac{\frac{1}{2}(V_2 - V_1)}{\log\frac{\sqrt{(R_1+R_2+A)(R_1+R_2-A)} + \sqrt{(R_1-R_2+A)(R_1-R_2-A)}}{\sqrt{(R_1+R_2+A)(R_1+R_2-A)} - \sqrt{(R_1-R_2+A)(R_1-R_2-A)}}}.$$

3. **Für zwei parallele cylindrische Drähte** (§. 15) wird, wenn

$$\frac{\omega'}{\omega} = \frac{\beta_2 - \beta_1}{2\pi}$$

$$N = \beta_1 + \log\left[\frac{2\pi i}{h\omega}\,\Theta_1\left(\frac{\omega\beta_1 i}{2\pi}\right)\right] = -\beta_2 + \log\left[\left(-\frac{2\pi i}{h\omega}\,\Theta_1\left(\frac{\omega\beta_2 i}{2\pi}\right)\right)\right]$$

gesetzt wird:

$$m_1 = \quad \frac{1}{2}\frac{V_2 - V_1}{\beta_2 - \beta_1} + \frac{1}{2}\frac{\beta_2}{\beta_2 - \beta_1}\cdot\frac{V_1\beta_2 - V_2\beta_1}{\beta_1\beta_2 - N(\beta_2 - \beta_1)}$$

$$m_2 = -\frac{1}{2}\frac{V_2 - V_1}{\beta_2 - \beta_1} - \frac{1}{2}\frac{\beta_1}{\beta_2 - \beta_1}\cdot\frac{V_1\beta_2 - V_2\beta_1}{\beta_1\beta_2 - N(\beta_2 - \beta_1)}$$

$$m_1\beta_1 + m_2\beta_2 = \frac{V_1 - V_2}{2}.$$

4. Wenn die beiden Drähte von einer weiten cylindrischen Hülle vom Halbmesser R umgeben sind, werden die Elektricitätsmengen M, m_1, m_2 welche erforderlich sind, um die Längeneinheit der Hülle und der beiden Drähte zu den Potentialwerthen 0, V_1, V_2 zu laden (§. 16):

$$M = -\tfrac{1}{2}\,\frac{V_1\beta_2 - V_2\beta_1}{\beta_1\beta_2 - (\beta_2-\beta_1)(N+\log R)}$$

$$m_1 = \tfrac{1}{2}\,\frac{V_2-V_1}{\beta_2-\beta_1} + \tfrac{1}{2}\,\frac{\beta_2}{\beta_2-\beta_1}\cdot\frac{V_1\beta_2 - V_2\beta_1}{\beta_1\beta_2 - (\beta_2-\beta_1)(N+\log R)}$$

$$m_2 = -\tfrac{1}{2}\,\frac{V_2-V_1}{\beta_2-\beta_1} - \tfrac{1}{2}\,\frac{\beta_1}{\beta_2-\beta_1}\cdot\frac{V_1\beta_2 - V_2\beta_1}{\beta_1\beta_2 - (\beta_2-\beta_1)(N+\log R)}.$$

20. Der Nenner des in §. 19. 2. aufgestellten Ausdrucks für m_2 drückt bekanntlich, mit einem constanten Factor multiplicirt, den Leitungswiderstand des zwischen den excentrischen Cylinderflächen enthaltenen Raumes aus, wenn man sich diesen Raum mit homogener leitender Substanz erfüllt denkt. Gaugain hat in einer experimentellen Arbeit (*Ann. d. chim. et de phys.* (3. *sér.*) Bd. *LXIV*, 174) die Analogie nachzuweisen gesucht, welche zwischen den Erscheinungen der Ladung und der Stromleitung besteht. Derselbe geht dabei von dem von Faraday aufgestellten Gesichtspunkt aus (*Exp. Res. no.* 1320) „*that insulation and conduction are only extreme degrees of one common condition or effect, and in any sufficient mathematical theory of electricity must be taken as cases of the same kind*". Gaugain hat insbesondere die Erscheinungen der Ladung und Leitung zwischen zwei nichtconcentrischen Cylindern untersucht, und beide Klassen von Erscheinungen unter einander und mit der aus der Kirchhoff'schen Theorie der Stromverbreitung abgeleiteten Formel (welche von Gaugain §. 199 seiner Abhandlung in unwesentlich verschiedener Form angeführt wird) in völliger Uebereinstimmung gefunden*). Wenn man darin einerseits eine schöne Bestätigung der theoretischen Ergebnisse sehen kann, so wird man sich andererseits nicht mit den Folgerungen einverstanden erklären können, welche Gaugain aus diesem Resultat zu Gunsten der Faraday'schen Theorie der „Induction in krummen Linien" zu ziehen geneigt ist. Gaugain hält den Fall der concentrischen cylindrischen Condensatoren nicht für geeignet, zwischen der „alten Theorie" und der „Theorie von Faraday" zu entscheiden. „Es giebt sogar einen Grund", sagt derselbe, „zu glauben, dass „in diesem Falle beide Theorien zu derselben Formel führen. In der „That ist es eines der Merkmale, welche am schärfsten die Theorie von „Faraday von der alten Theorie unterscheiden, dass nach der ersten „die Influenz sich im Allgemeinen in krummen Linien fortpflanzt, nach der „zweiten hingegen immer in geraden Linien. Aus der Symmetrie der Ge„stalt folgt, dass dieser Unterschied im besonderen Falle concentrischer „Cylinder verschwindet. Es scheint demnach einige Wahrscheinlichkeit für „sich zu haben, dass beide Theorien zu denselben Resultaten führen. „Diese Uebereinstimmuug ist hingegen sehr unwahrscheinlich im Fall ex„centrischer cylindrischer Condensatoren, bei welchen der bei weitem grössere

*) Vergl. auch die Untersuchungen von Siemens Pogg. Ann. CII p. 100 ff.

„Theil der Influenz sich nach der Theorie von Faraday in krummer „Linie fortpflanzt, während dieselbe nach der alten Theorie ausschliesslich in „gerader Linie erfolgt. Die experimentelle Untersuchung der excentrischen „cylindrischen Condensatoren scheint deshalb geeignet, zur Controle der „Theorien zu dienen". Gaugain hat es nicht unternommen, die Consequenzen aus der Coulomb-Poisson'schen Theorie für den Fall excentrischer Condensatoren zu ziehen. Er glaubt, dass dies noch nirgends geschehen und möglicherweise mit erheblichen analytischen Schwierigkeiten verknüpft sei; er begnügt sich mit der Vermuthung, dass diese Theorie wohl zu andern Resultaten führen werde, um sich für die Induction in krummen Linien zu entscheiden. Diese Vermuthung ist eine irrthümliche. In der That ist die Uebereinstimmung beider Klassen von Erscheinungen auch in der Potentialtheorie begründet und es muss demnach der Beurtheilung jedes Einzelnen überlassen bleiben, ob er eine grössere Klarheit darin findet, die Erscheinungen der Influenz und der Stromleitung mit Faraday als ihrem Wesen nach identisch aufzufassen, oder beide in der Vorstellung von einander zu trennen und die durch Theorie und Versuch nachgewiesene Analogie zwischen beiden lediglich als eine analytisch nothwendige Consequenz der Potentialtheorie zu betrachten.

Berlin im Dezember 1864.

VI.

Entwickelung eines Satzes der mechanischen Wärmetheorie für beliebige Prozesse, in welchem der Clausius'sche Satz der Aequivalenz der Verwandlungen für Kreisprozesse als besonderer Fall enthalten ist.

Von J. Bauschinger,
Lehrer an der königl. Gewerb- und Handelsschule in Fürth.

In seiner letzten Abhandlung*) dehnt Herr Clausius seinen Satz von der Aequivalenz der Verwandlungen, den er ursprünglich nur für umkehrbare und nicht umkehrbare Kreisprozesse entwickelt hat**), auch auf andere Prozesse, für welche die Aenderung der innern Wärme und

*) Poggend. Ann Bd CXVI. S. 73.
**) Poggend. Ann. Bd. XCIII. S. 481.

Arbeit nicht gleich Null ist, aus. Er nimmt dabei eine neu eingeführte Grösse, die er Disgregation nennt, und die Hypothese zu Hülfe, „dass die mechanische Arbeit, welche die Wärme bei irgend einer Anordnungsänderung eines Körpers thun kann, der absoluten Temperatur, bei welcher die Abänderung geschieht, proportional ist“.

Nun lässt sich ganz ohne die letzteren oder ähnliche Hülfsmittel auf rein mathematischem Wege aus den Grundprincipien der mechanischen Wärmetheorie für den Ausdruck

$$\int \frac{dq}{a+t},$$

wo q die der Gewichtseinheit eines Körpers behufs irgend einer Zustandsänderung zuzuführende (oder zu entziehende) Wärme, t die Temperatur des Körpers vom Eispunkt an gerechnet und a den reciproken Werth des Ausdehnungscoefficienten der Gase (273 für die Celsius'sche Scala) bedeutet, ein Werth berechnen, der für jeden Prozess gültig ist, und aus dem der Clausius'sche Satz von der Aequivalenz der Verwandlungen für umkehrbare und nicht umkehrbare Kreisprozesse als specieller Fall hervorgeht.

Die Entwickelung dieses allgemeinen Satzes ist der Zweck der nachfolgenden Arbeit. Wenn ich dabei etwas weiter aushole, so halte ich dies deshalb für nothwendig, weil ich einige bisher schon bekannte Sätze der mechanischen Wärmetheorie in allgemeinerer Form, als es bisher geschehen ist, aufstellen und in dieser Form zu dem angegebenen Zwecke benutzen möchte.

§. 1. Der Zustand eines Körpers ist vom physikalischen Standpunkte aus durch die drei Grössen p, v, t, d. h. durch seinen Druck, sein specifisches Volum (Volumen der Gewichtseinheit) und seine Temperatur im Allgemeinen vollkommen und in der Weise bestimmt, dass jede dieser drei Grössen als Function der beiden andern unabhängig Veränderlichen angesehen werden kann. Der grösseren Allgemeinheit wegen wollen wir nach dem Vorgange Kirchhoff's*) die beiden Grössen p und v als Functionen zweier unabhängig Veränderlicher betrachten, von denen die eine die Temperatur t (in Graden des hunderttheiligen Luftthermometers vom Eispunkt an gezählt), die andere eine, noch spätern Verfügungen vorbehaltene, einstweilen mit x bezeichnete Grösse sei.

Die beiden Gleichungen

1) $$p = p(x, t) \quad ; \quad v = v(x, t)$$

durch welche Abhängigkeit zwischen den 4 Grössen p, v, t, x ausgedrückt ist, wollen wir kurz „Zustandsgleichungen“ des Körpers nennen.

§. 2. Bezeichnet q die Wärmemenge, welche der Gewichtseinheit eines Körpers behufs irgend einer Zustandsänderung desselben zugeführt

---

*) Poggend. Ann. Bd. CIII. S. 177.

(im Falle q positiv) oder entzogen (im Falle q negativ ist) werden muss, so ist bekanntlich das Hauptprincip der mechanischen Wärmetheorie in der Gleichung ausgedrückt:

$$2)\qquad dq = du + Ap\,dv.$$

Hierin bezeichnet u eine gewisse Function der beiden unabhängig Veränderlichen x und t, die wir mit Kirchhoff die Wirkungsfunctionen der Gewichtseinheit des Körpers nennen wollen.*) Der reciproke Werth von A ist das sogenannte mechanische Aequivalent der Wärme (nach Joule im Mittel $\frac{1}{A} = 424$ Kilogramm-Meter.

In der Gleichung 2) sind du und dv vollständige Differentiale der Functionen u und v zweier unabhängig Veränderlicher x, t. Bezeichnet man daher mit ∂ partielle Differentiale, so kann die Gleichung 2) auch so geschrieben werden:

$$3)\qquad dq = \left(\frac{\partial u}{\partial x} + Ap\frac{\partial v}{\partial x}\right)dx + \left(\frac{\partial u}{\partial t} + Ap\frac{\partial v}{\partial t}\right)dt.$$

§. 3. Die drei einfachsten Fälle der Zustandsänderung eines Körpers sind die, wo *a*) der Druck, *b*) das Volumen, *c*) die Temperatur constant bleibt.

a) Bezeichnet c die specifische Wärme des Körpers bei constantem Druck, so ist die Wärmemenge dq, welche nothwendig ist, um die Temperatur des Körpers bei constantem Drucke um dt zu erhöhen:

$$dq = c\,dt,$$

wo c Function der unabhängig Veränderlichen x und t ist. Ferner hat man für diesen Fall

$$dp = \frac{\partial p}{\partial x}dx + \frac{\partial p}{\partial t}dt = 0.$$

Mittelst der letzten beiden Gleichungen folgt aus der 3):

$$4)\qquad c\frac{\partial p}{\partial x} = \frac{\partial u}{\partial t}\frac{\partial p}{\partial x} - \frac{\partial u}{\partial x}\frac{\partial p}{\partial t} + Ap\left(\frac{\partial v}{\partial t}\frac{\partial p}{\partial x} - \frac{\partial v}{\partial x}\cdot\frac{\partial p}{\partial t}\right).$$

b) Bezeichnet c_1 die specifische Wärme des Körpers bei constantem Volumen, so ist die Wärmemenge dq, welche nothwendig ist, um die Temperatur des Körpers bei constantem Volumen um dt zu erhöhen:

$$dq = c_1\,dt,$$

wo c_1 wieder Function der unabhängig Veränderlichen x und t ist. Für den gegenwärtigen Fall ist ferner:

$$dv = \frac{\partial v}{\partial x}dx + \frac{\partial v}{\partial t}dt = 0$$

---

*) Eigentlich benennt Kirchhoff (Poggend. Ann. Bd. CIII. S. 179) den Ausdruck $-\frac{u}{A}$ so.

und mittelst dieser beiden letzten Gleichungen findet man wieder aus der 3):

$$5) \qquad c_1 \frac{\partial v}{\partial x} = \frac{\partial u}{\partial t}\,\frac{\partial v}{\partial x} - \frac{\partial u}{\partial x}\,\frac{\partial v}{\partial t}.$$

c) Wenn endlich bei constanter Temperatur das Volumen eines Körpers um die Volumeinheit vergrössert wird, so nennen wir die zugeführte Wärmemenge die specifische Wärme des Körpers bei constanter Temperatur und bezeichnen sie mit c_2. Sie ist gleichfalls im Allgemeinen Function der unabhängig Veränderlichen x und t. Die Wärmemenge dq, welche einem Körper zuzuführen ist, um sein Volumen bei constanter Temperatur um dv zu vergrössern, ist folglich:

$$dq = c_2\,dv$$

und aus dieser Gleichung folgt im Verein mit der 3) unter Berücksichtigung, dass $dt = 0$

$$6) \qquad c_2 \frac{\partial v}{\partial x} = \frac{\partial u}{\partial x} + Ap\,\frac{\partial v}{\partial x}.$$

§. 4. Aus den drei Gleichungen 4) bis 6) kann die Wirkungsfunction u, ausgedrückt durch die Wärmecapacitäten c, c_1 und c_2, gefunden werden; ausserdem liefern diese Gleichungen noch zwei Relationen zwischen c, c_1 und c_2 selbst, die es gestatten, zwei von diesen Grössen durch die dritte auszudrücken. Diese letzteren mögen zuerst aufgeführt werden.

Aus Gleichung 6) folgt zunächst:

$$7) \qquad \frac{\partial u}{\partial x} = (c_2 - Ap)\frac{\partial v}{\partial x}.$$

Setzt man dies in die Gleichung 5) ein, so kommt:

$$8) \qquad \frac{\partial u}{\partial t} = c_1 + (c_2 - Ap)\frac{\partial v}{\partial t}.$$

Beide Werthe 7) und 8) endlich, in die Gleichung 4) substituirt, ergeben:

$$9) \qquad c\frac{\partial p}{\partial x} = c_1\frac{\partial p}{\partial x} + c_2\left(\frac{\partial v}{\partial t}\,\frac{\partial p}{\partial x} - \frac{\partial v}{\partial x}\,\frac{\partial p}{\partial t}\right)$$

als erste Relation zwischen den Wärmecapacitäten. Die zweite ergiebt sich aus den Gleichungen 7) und 8) mittelst des bekannten Differentialsatzes:

$$\frac{\partial}{\partial t}\left(\frac{\partial u}{\partial x}\right) = \frac{\partial}{\partial x}\left(\frac{\partial u}{\partial t}\right)$$

und ist:

$$10) \qquad \frac{\partial c_2}{\partial t}\,\frac{\partial v}{\partial x} - \frac{\partial c_2}{\partial x}\,\frac{\partial v}{\partial t} = \frac{\partial c_1}{\partial x} + A\left(\frac{\partial v}{\partial x}\,\frac{\partial p}{\partial t} - \frac{\partial v}{\partial t}\,\frac{\partial p}{\partial x}\right).$$

Aus den beiden partiellen Differentialquotienten von u in Gleichung 7) und 8) folgt nun das vollständige Differential:

$$du = (c_2 - Ap)\frac{\partial v}{\partial x}\,dx + \left[c_1 + (c_2 - Ap)\frac{\partial v}{\partial t}\right]dt$$

araus, wenn x_0, t_0, u_0 die Werthe von x, t, u für irgend einen Anfangs-d des Körpers bezeichnen:

$$11)\qquad u-u_0=\int_{x_0}^{x}(c_2-Ap)\frac{\partial v}{\partial x}\partial x+\int_{t_0}^{t}\left[c_1+(c_2-Ap)\frac{\partial v}{\partial t}\right]_{x_0}dt.$$

Hierin bedeutet das rechts unten an den eingeklammerten Ausdruck des zweiten Integrals angehängte x_0, dass überall für x in diesem Ausdruck x_0 zu setzen ist. Noch bemerke ich, dass ich unter dem Integralzeichen ∂x oder ∂t schreibe, wenn die Integration nur nach dem unmittelbar in dem zu integrirenden Ausdruck vorkommende x oder t ausgeführt werden soll. Enthält dagegen der zu integrirende Ausdruck nur eine Veränderliche, oder soll die andere als Function dieser einen Veränderlichen betrachtet und nach allem x oder allem t integrirt werden, so schreibe ich unter dem Integralzeichen dx oder dt.

§. 5. Aus der Hauptgleichung 2) der mechanischen Wärmetheorie folgt nun für die Wärmemenge q, welche nothwendig ist, um die Gewichtseinheit eines Körpers aus dem Zustande p_0, v_0, t_0, x_0 in den Zustand p, v, t, x überzuführen:

$$12)\qquad q=u-u_0+\int_{v_0}^{v}Ap\,dv.$$

In dieser Gleichung ist $u-u_0$ aus 11) zu substituiren; es ist, wie man sieht, und wie schon aus der ursprünglichen Bedeutung der Wirkungsfunction hervorgeht, nur von dem Anfangs- und Endzustande des Körpers, nicht aber von dem Wege abhängig, auf welchen ersterer in letzteren übergeführt wird. Das Integral $\int_{v_0}^{v}Ap\,dv$ dagegen, die sogenannte äussere Arbeit, hängt aufs Innigste mit der Art und Weise zusammen, wie der Anfangszustand des Körpers in den Endzustand übergeht. Setzen wir den Weg, auf welchem dieser Uebergang stattfindet, dadurch fest, dass wir zwischen den ursprünglich unabhängig Veränderlichen x und t die Relation

$$13)\qquad t=t(x)$$

gegeben annehmen, welche Relation wir in der Folge kurz mit dem Namen der „Ueberführungsgleichung“ bezeichnen wollen. Man hat dann in obigem Integral p und v, welche nach den Zustandsgleichungen 1) Functionen von x und t sind, mittelst der Ueberführungsgleichung 13) als Functionen von x allein herzustellen und dann nach allem x zu integriren. So wird:

$$14)\qquad q=\int_{x_0}^{x}(c_2-Ap)\frac{\partial v}{\partial x}\partial x+\int_{t_0}^{t}\left[c_1+(c_2-Ap)\frac{\partial v}{\partial t}\right]_{x_0}dt$$
$$+\int_{x_0}^{x}Ap\left(\frac{\partial v}{\partial t}\frac{dt}{dx}+\frac{\partial v}{\partial x}\right)dx,$$

wo unter dem letzten Integralzeichen p, $\frac{\partial v}{\partial x}$, $\frac{\partial v}{\partial t}$ mittelst der Gleichung 13) als Functionen von x allein herzustellen sind und $\frac{dt}{dx}$ aus derselben Gleichung 13) zu entnehmen ist.

Differentiirt man die Gleichung 14) nun umgekehrt nach allem x, so erhält man nach leichter Reduction als vollständiges Differential von q:

15) $$dq = \left[c_2 \frac{\partial v}{\partial x} + \left(c_1 + c_2 \frac{\partial v}{\partial t}\right)\frac{dt}{dx}\right] dx$$

oder auch:

15a) $$dq = c_2 \frac{\partial v}{\partial x} dx + \left(c_1 + c_2 \frac{\partial v}{\partial t}\right) dt.$$

Für x durchweg v gesetzt, geht diese letztere Gleichung in die von selbst verständliche:

15b) $$dq = c_2 dv + c_1 dt$$

über.

§. 6. Mit Zuhülfenahme des Erfahrungssatzes, dass niemals von selbst Wärme aus einem kälteren in einen wärmeren Körper übergehen kann, folgt aus den vorhergehenden Gleichungen die

16) $$c_2 \frac{\partial v}{\partial x} = A(a+t)\left(\frac{\partial v}{\partial x}\frac{\partial p}{\partial t} - \frac{\partial v}{\partial t}\frac{\partial p}{\partial x}\right),$$

wo a wieder den reciproken Werth des Ausdehnungscoefficienten der Gase bedeutet.

Die Ableitung dieser letzteren Gleichung würde mich zu weit von dem eigentlichen Ziele dieses Aufsatzes abführen. Ich begnüge mich, darauf hinzudeuten, dass sie für $x = v$ in die schon von Carnot, nur in anderer Form, aufgestellte Gleichung

16a) $$c_2 = A(a+t)\frac{\partial p}{\partial t}$$

übergeht. Ihrem Inhalte nach schliesst sich die Gleichung 16) den beiden Gleichungen 9) und 10) an.

§. 7. Nach dieser vorbereitenden Einleitung gehe ich nun zu dem eigentlichen, bereits oben bezeichneten Zwecke dieser Arbeit über. Als Ausgangspunkt für die vorzunehmende Entwickelung nehme ich die Gleichung 15) und setze in diese Gleichung die aus den Gleichungen 10) und 16) folgenden Werthe für c_1 und c_2. Zu diesem Behufe bilden wir:

$$\frac{\partial}{\partial x}\left(c_1 + c_2 \frac{\partial v}{\partial t}\right) = \frac{\partial c_1}{\partial x} + \frac{\partial c_2}{\partial x}\frac{\partial v}{\partial t} + c_2 \frac{\partial^2 v}{\partial t \partial x},$$

nach Gleichung 10) übergeht in:

$$\frac{\partial}{\partial x}\left(c_1 + c_2 \frac{\partial v}{\partial t}\right) = \frac{\partial}{\partial t}\left(c_2 \frac{\partial v}{\partial x}\right) - A\left(\frac{\partial v}{\partial x}\frac{\partial p}{\partial t} - \frac{\partial v}{\partial t}\frac{\partial p}{\partial x}\right).$$

Substituirt man in der rechten Seite dieser Gleichung für $c_2 \frac{\partial v}{\partial x}$ seinen Werth aus der Gleichung 16), so erhält man nach leichter Reduction:

$$\frac{\partial}{\partial x}\left(c_1 + c_2 \frac{\partial v}{\partial t}\right) = A(a+t)\frac{\partial}{\partial t}\left(\frac{\partial v}{\partial x}\frac{\partial p}{\partial t} - \frac{\partial v}{\partial t}\frac{\partial p}{\partial x}\right),$$

woraus, wenn x_0 das x eines Anfangszustandes bezeichnet:

$$17)\quad c_1 + c_2 \frac{\partial v}{\partial t} = A(a+t)\frac{\partial}{\partial t}\int\limits_{x_0}^{x}\left(\frac{\partial v}{\partial x}\frac{\partial p}{\partial t} - \frac{\partial v}{\partial t}\frac{\partial p}{\partial x}\right)\partial x + \left(c_1 + c_2 \frac{\partial v}{\partial t}\right)_{x_0,t}.$$

Die in dem letzten Gliede rechts unten an die Klammer angehängten Buchstaben x_0 und t bedeuten, dass in dem eingeklammerten Ausdruck für x der Anfangswerth x_0 zu setzen, für t aber der allgemeine Werth beizubehalten ist.

Substituirt man die Werthe aus 17) und 16) in die Gleichung 15), so ergiebt sich:

$$18)\quad dq = \Bigg\{A(a+t)\left(\frac{\partial v}{\partial x}\frac{\partial p}{\partial t} - \frac{\partial v}{\partial t}\frac{\partial p}{\partial x}\right)$$

$$+ \left[A(a+t)\frac{\partial}{\partial t}\int\limits_{x_0}^{x}\left(\frac{\partial v}{\partial x}\frac{\partial p}{\partial t} - \frac{\partial v}{\partial t}\frac{\partial p}{\partial x}\right)\partial x + \left(c_1 + c_2\frac{\partial v}{\partial t}\right)_{x_0,t}\right]\frac{dt}{dx}\Bigg\} dx.$$

Setzt man wieder für x durchweg v, so folgt aus letzterer Gleichung:

$$18a)\quad dq = A(a+t)\frac{\partial p}{\partial t}dv + \left(A(a+t)\int\limits_{v_0}^{v}\frac{\partial^2 p}{\partial t^2}\partial v\right)\frac{dt}{dv}dv + (c_1)_{v_0,t}\cdot\frac{dt}{dv}dv.$$

Eine ähnliche Gleichung wie diese hat schon Rankine gefunden (vergl. Poggend. Ann. Bd. CXVI. S. 92); der Weg, auf welchem er dazu gelangt ist, ist mir nicht bekannt.

Wenn K eine absolute Constante bedeutet und das stehende d eine Differentiation nach allem x bezeichnet, so ist

$$\frac{d}{dx}\left[\int\limits_{x_0}^{x}\left(\frac{\partial v}{\partial x}\frac{\partial p}{\partial t} - \frac{\partial v}{\partial t}\frac{\partial p}{\partial x}\right)\partial x + K\right] = \left(\frac{\partial v}{\partial x}\frac{\partial p}{\partial t} - \frac{\partial v}{\partial t}\frac{\partial p}{\partial p}\right)$$

$$+ \left[\frac{\partial}{\partial t}\int\limits_{x_0}^{x}\left(\frac{\partial v}{\partial x}\frac{\partial p}{\partial t} - \frac{\partial v}{\partial t}\frac{\partial p}{\partial x}\right)\partial x\right]\frac{dt}{dx}.$$

Vergleicht man dies mit der Gleichung 18), so folgt:

$$19)\quad dq = A(a+t)\frac{d}{dx}\left[\int\limits_{x_0}^{x}\left(\frac{\partial v}{\partial x}\frac{\partial p}{\partial t} - \frac{\partial v}{\partial t}\frac{\partial p}{\partial x}\right)\partial x + K\right]dx$$

$$+ \left(c_1 + c_2\frac{\partial v}{\partial t}\right)_{x_0,t}\cdot\frac{dt}{dx}dx.$$

Setzt man hierin das allgemeine Integral:

$$20)\quad \int\left(\frac{\partial v}{\partial x}\frac{\partial p}{\partial t}-\frac{\partial v}{\partial t}\frac{\partial p}{\partial x}\right)\partial x = F(x,t),$$

so ist diese Function F nur von den Zustandsgleichungen 1) des Körpers abhängig. Mit Einführung dieser Bezeichnung wird nun die Gleichung 19):

$$21)\quad dq = A(a+t)\frac{d}{dx}[F(x,t)-F(x_0,t)+K]\,dx+\left(c_1+c_2\frac{\partial v}{\partial t}\right)_{x_0,t}\cdot\frac{dt}{dx}\,dx,$$

wo überall t als die durch die Ueberführungsgleichung 13) vorgeschriebene Function von x zu betrachten ist.

§. 8. Denken wir uns nun einen Körper in dem ursprünglichen Zustande p_1, v_1, t_1, x_1. Durch Zuführung einer geeigneten Wärmemenge q' gehe x_1 in x_2 über und zwar auf einem Wege, der durch die Ueberführungsgleichung

$$22)\quad t = t(x)$$

vorgeschrieben sei. Der Kürze wegen werden wir in der Folge immer, wo es ohne Missverständniss geschehen kann $t(x_1)=t_1$ und $t(x_2)=t_2$ setzen. Die Zustandsgleichungen des Körpers seien während des in Rede stehenden Vorganges:

$$23)\quad p = p(x,t);\qquad v = v(x,t),$$

und wir werden wieder $p(x_1,t_1)$ kürzer mit p_1 und $p(x_2,t_2)$ mit p_2, sowie entsprechend $v(x_1,t_1)$ mit v_1 und $v(x_2,t_2)$ mit v_2 bezeichnen.

Die bei diesem Uebergange von x_1 in x_2 verwendete (oder gewonnene) Wärmemenge q' kann durch Integration der rechten Seite der Gleichung 21) zwischen den Grenzen x_1 und x_2 erhalten werden. Es ist aber, wie leicht ersichtlich, vortheilhafter, die Gleichung 21) so zu schreiben:

$$24)\quad \frac{dq}{a+t} = A\frac{d}{dx}[F(x,t)-F(x_0,t)+K]\,dx+\frac{\left(c_1+c_2\frac{\partial v}{\partial t}\right)_{x_0,t}}{a+t}\frac{dt}{dx}\,dx.$$

Nun kann q aus Gleichung 21) als Function von x und folglich mittelst der Gleichung 22) als Function von t erhalten werden. Man kann daher auf der linken Seite der Gleichung 24) auch t als Function von q betrachten. Integrirt man also diese linke Seite zwischen den Grenzen q' und 0, die rechte zwischen denen x_2 und x_1, so kommt:

$$\int_0^{q'}\frac{dq}{a+t} = A\{F(x_2,t_2)-F(x_1,t_1)-[F(x_0,t_2)-F(x_0,t_1)]\}$$
$$+\int_{x_1}^{x_2}\frac{\left(c_1+c_2\frac{\partial v}{\partial t}\right)_{x_0,t}}{a+t}\cdot\frac{dt}{dx}\,dx$$

oder, da unter dem Integralzeichen in $\frac{\left(c_1+c_2\frac{\partial v}{\partial t}\right)_{x_0,t}}{a+t}$ die Veränderliche x doch nur mittelbar in t vorkommt:

$$25)\qquad \int_0^{q'}\frac{dq}{a+t}=A\{F(x_2,t_2)-F(x_1,t_1)-[F(x_0,t_2)-F(x_0,t_1)]\}$$
$$+\int_{t_1}^{t_2}\frac{\left(c_1+c_2\frac{\partial v}{\partial t}\right)_{x_0,t}}{a+t}dt,$$

wo für den Anfangswerth x_0 auch x_1 gesetzt werden könnte.

Die Gleichung 25) enthält den allgemeinen Satz, welchen ich ableiten wollte. Er gilt für irgend einen Prozess, mit der einzigen Voraussetzung, dass die Zustandsgleichungen (23) des Körpers während des ganzen Prozesses, die nämliche Form behalten. Aber wenn sich diese Form der Zustandsgleichungen auch ändern sollte und mit ihr die Form der Function F, so ist nichts leichter, als den Prozess in so viele Theile abzutheilen, dass während jedes dieser Theile jene Voraussetzung erfüllt ist, und hierauf auf jeden Theil die Gleichung 25) anzuwenden.

Wenn $x=v$ gesetzt, und folglich die Ueberführungsgleichung

$$22a)\qquad t=t(v)$$

wird und die beiden Zustandsgleichungen in die eine

$$23a)\qquad p=p(v,t)$$

übergehen, so erhält die Gleichung 25) die Form:

$$25a)\qquad \int_0^{q'}\frac{dq}{a+t}=A\{F(v_2,t_2)-F(v_1,t_1)-[F(v_0,t_2)-F(v_0,t_1)]\}+\int_{t_1}^{t_2}\frac{c_1(v_0,t)}{a+t}dt,$$

wo nach Gleichung 20)

$$25b)\qquad F(v,t)=\int\frac{\partial p}{\partial t}\partial v$$

ist und für v_0 auch v_1 gesetzt werden kann.

§. 9. Die Gleichung 25) zeigt eine merkwürdige Eigenschaft des Integrals $\int_0^{q'}\frac{dq}{a+t}$. Man sieht nämlich aus der rechten Seite sofort, dass dieses Integral nur von den Zustandsgleichungen des Körpers und von den Anfangs und Endwerthen x_1, t_1 und x_2, t_2 von x und t, nicht aber von dem Wege abhängig ist, auf welchem der Anfangs- in den Endzustand übergeht, d. h. von der Ueberführungsgleichung 22). Wenn wir uns daher vorstellen, dass sich x und t willkürlich und unabhängig von einander ändern, so ist der Werth jenes Integrals doch stets derselbe, wenn nur die Anfangs-

und Endwerthe von x und t dieselben bleiben. Dies ist nur möglich, wenn $\frac{dq}{a+t}$ ein vollständiges Differential in Bezug auf die unabhängig Veränderlichen x und t ist. Nun ist nach Gleichung 15a)

$$\frac{dq}{a+t} = \frac{c_2 \frac{\partial v}{\partial x}}{a+t} dx + \frac{c_1 + c_2 \frac{\partial v}{\partial t}}{a+t} dt$$

und für die Erfüllung jener Bedingung muss folglich:

$$\frac{\partial}{\partial t}\left(\frac{c_2 \frac{\partial v}{\partial x}}{a+t}\right) = \frac{\partial}{\partial x}\left(\frac{c_1 + c_2 \frac{\partial v}{\partial t}}{a+t}\right)$$

sein. Entwickelt man dies, so kommt

$$c_2 \frac{\partial v}{\partial x} = (a+t)\left[\frac{\partial c_2}{\partial t}\frac{\partial v}{\partial x} - \frac{\partial c_2}{\partial x}\frac{\partial v}{\partial t} - \frac{\partial c_1}{\partial x}\right],$$

was nach Gleichung 10) übergeht in

$$c_2 \frac{\partial v}{\partial x} = A(a+t)\left(\frac{\partial v}{\partial x}\frac{\partial p}{\partial t} - \frac{\partial v}{\partial t}\frac{\partial p}{\partial x}\right).$$

Dies ist aber nichts Anderes als die Carnot'sche Gleichung 16), wie wir denn ja auch umgekehrt aus dieser und der Gleichung 10), beide angewandt auf die Gleichung 15), die Gleichung 25) erhalten haben.

§. 10. Bei demselben Körper, den wir vorhin (§. 8) durch Zuführung (oder Entziehung) der Wärmemenge q' aus den ursprünglichen Zustand p_1, v_1, t_1, x_1 in den p_2, v_2, t_2, x_2 brachten, führen wir nun x_2 wieder in x_1 zurück, aber nicht mehr auf demselben Wege wie vorhin, d. h. nicht mehr unter Befolgung derselben Ueberführungsgleichung 22), sondern einer andern, die wir mit

26) $$t = [t(x)]$$

bezeichnen; da diese letztere Gleichung da beginnen soll, wo die andere 22) aufhört, so setzen wir natürlich voraus, dass

27) $$t(x_2) = [t(x_2)] = t_2$$

sei. Wir nehmen ferner an, dass mit x_1 auch die ursprüngliche Temperatur t_1, somit der ganze ursprüngliche Zustand des Körpers zurückkehre, derselbe also im Ganzen einen Kreisprozess durchlaufe. Dies bedingt, dass

28) $$t(x_1) = [t(x_1)] = t_1.$$

Was die Zustandsgleichungen betrifft, so wollen wir vorläufig annehmen, dass sie bei dieser Zurückführung eine andere Form annehmen, nämlich die:

29) $$p = [p(x_1, t)] \quad ; \quad v = [v(x_1, t)].$$

Mit dieser Aenderung der Form der Zustandsgleichungen ist aber eine Formänderung der Functionen c_1 und c_2 von x und t im Allgemeinen nothwendig verbunden, wie aus den Gleichungen 10) und 16) hervorgeht. Wir bezeichnen die veränderte Form dieser Functionen mit $[c_1]$ und $[c_2]$.

Endlich setzen wir noch voraus, dass der Zustand des Körpers durch Veränderlichen x und t eindeutig bestimmt sei, dass somit mit x und t

auch der Druck p und das specifische Volum v in ihre ursprünglichen Werthe zurückkehren. Dies wird bedingt durch die Bezeichnungen:

$$30)\quad \begin{cases} p(x_2,t_2) = [p(x_2,t_2)] = p_2 \\ v(x_2,t_2) = [v(x_2,t_2)] = v_2 \end{cases}$$

$$31)\quad \begin{cases} p(x_1,t_1) = [p(x_1,t_1)] = p_1 \\ a(x_1,t_1) = [v(x_1,t_1)] = v_1. \end{cases}$$

Bei der in Rede stehenden Zurückführung werde die Wärmemenge q'' verbraucht (oder erzeugt). Wir können dann für diesen zweiten Prozess eine ähnliche Gleichung aufstellen wie die 25). Durch die Aenderung der Zustandsgleichung wird die Function F ebenfalls eine andere Form annehmen; wir bezeichnen sie mit F'. Der aus den neuen Zustandsgleichungen 29) folgende Differentialquotient $\frac{\partial v}{\partial t}$ sei $\left[\frac{\partial v}{\partial t}\right]$. Unter dem Integralzeichen links wird t aus beiden Ursachen, wegen Aenderung der Form der Zustandsgleichungen sowohl, wie der der Ueberführungsgleichung, eine andere Function von q werden (Gleichung 21) als oben; wir bezeichnen sie mit $[t]$. Je nachdem dann in $[t]$ das q von 0 bis q'' oder von q' bis $q'+q''$ gezählt wird, haben wir das Integral der linken Seite als $\int_0^{q''}\frac{dq}{a+[t]}$ oder als $\int_{q'}^{q'+q''}\frac{dq}{a+[t]}$ zu schreiben. Thun wir das erstere, und berücksichtigen wir noch, dass im Allgemeinen nicht $F'(x_2,t_2) = F(x_2,t_2)$ und $F'(x_1,t_1) = F(x_1,t_1)$ zu sein braucht, so erhalten wir für die Zurückführung

$$32)\quad \int_0^{q''}\frac{dq}{a+[t]} = A[F'(x_1,t_1) - F'(x_2,t_2) - \{F'(x_0,t_1) - F'(x_0,t_2)\}]$$
$$+\int_{t_2}^{t_1}\frac{\left\{[c_1]+[c_2]\left[\frac{\partial v}{\partial t}\right]\right\}_{x_0,t}}{a+t}\,dt.$$

Wir addiren nun die Gleichungen 25) und 32). Für die Summe der Integrale auf der linken Seite können wir dann, wenn wir $q'+q''=q$ nehmen, das eine Integral $\int_0^q\frac{dq}{a+t}$ setzen; denn in diesem Integral muss ja ohnedies eine Trennung eintreten, wenn t als Function von q seine Form wechselt, wie es bei einem Kreisprozess immer der Fall ist. Setzen wir endlich noch der Kürze wegen die allgemeinen Integrale

$$\int\frac{\left(c_1+c_2\frac{\partial v}{\partial t}\right)_{x_0,t}}{a+t}\,dt = C(x_0,t),$$

$$\int\frac{\left\{[c_1]+[c_2]\left[\frac{\partial v}{\partial t}\right]\right\}_{x_0,t}}{a+t}\,dt = C'(x_0,t),$$

so erhalten wir für irgend einen Kreisprozess die Formel:

$$33)\quad \int_0^q \frac{dq}{a+t} = A \left\{ \begin{array}{l} F(x_2,t_2) - F(x_1,t_1) - [F(x_0,t_2) - F(x_0,t_1)] \\ + F'(x_1,t_1) - F'(x_2,t_2) - [F'(x_0,t_1) - F'(x_0,t_2)] \end{array} \right\}$$
$$+ C(x_0,t_2) - C(x_0,t_1) + C'(x_0,t_1) - C'(x_0,t_2).$$

Es ist leicht, diese letzte Gleichung allgemeiner auch auf solche Fälle auszudehnen, wo in einem Kreisprozess die Formen der Zustands- und Ueberführungsgleichungen beliebig oft wechseln.

Wenn man $x = v$ setzt und zugleich für v_0 den Werth v_1 wählt, so wird die Gleichung 33)

$$\int_0^q \frac{dq}{a+t} = A\{F(v_2,t_2) - F(v_1,t_1) - [F'(v_2,t_2) - F'(v_1,t_2)]\}$$
$$+ C(v_1,t_2) - C(v_1,t_1) - [C'(v_1,t_2) - C'(v_1,t_1)]$$

oder für F, F', C und C' ihre Werthe gesetzt:

$$33a)\quad \int_0^q \frac{dq}{a+t} = A \int_{v_1}^{v_2} \left[\frac{\partial p}{\partial t} - \left[\frac{\partial p}{\partial t}\right]\right]_{v,t_2} dv + \int_{t_2}^{t_1} \frac{[c_1 - [c_1]]_{v_1,t}}{a+t}\, dt$$

Die Form, welche Herr Clausius seinem Satze von der Aequivalenz der Verwandlungen für irgend einen Kreisprozess gegeben hat, ist:

$$\int \frac{dq}{a+t} = N,$$

wo N „die Summe der uncompensirten Verwandlungen“ bedeutet. Nach unserer Entwickelung ist dieses N gleich der rechten Seite der Gleichung 33) oder 33a).

§. 11. Wenn in dem ganzen Kreisprozesse, den wir im vorigen Paragraphen betrachtet haben, die Zustandsgleichungen des Körpers die nämliche Form behalten, wenn also

$$p(x,t) = [p(x,t)] \text{ und } v(x,t) = [v(x,t)]$$

für jedes x und t, wenn folglich auch

$$F(x,t) = F'(x,t) \text{ und } C(x_0,t) = C'(x_0,t)$$

für jedes x und t ist, so wird die rechte Seite der Gleichungen 33) oder 33a) Null, und man erhält für diesen Fall die Gleichung:

$$34)\quad \int_0^q \frac{dq}{a+t} = 0.$$

Unter dem Integralzeichen muss t als Function von q seine Form wenigstens einmal ändern, damit überhaupt ein Kreisprozess möglich ist. Formänderung hat aber hier lediglich ihren Grund in der Form- der Ueberführungsgleichung. Aendert die Ueberführungsglei- somit auch die Function $t(q)$, ihre Form öfter als einmal, so ist als die Gleichung 34) auf diesen allgemeinen Fall auszudehnen.

Die Gleichung 34) ist dieselbe, wie die von Herrn Clausius für die von ihm sogenannten „umkehrbaren Kreisprozesse" entwickelte. Nach unserer Ableitung der Gleichung 34) wären also umkehrbare Kreisprozesse solche, bei welchen die Zustandsgleichungen des Körpers durchweg dieselbe Form behalten.

§. 12. Zum Schlusse wollen wir die allgemeine Gleichung 25) oder 25a) auf einige specielle Fälle anwenden.

I. Als ersten dieser besonderen Fälle nehmen wir die Gewichtseinheit von einem Gase, welches das Mariotte-Gay-Lussac'sche Gesetz

$$p = \frac{R(a+t)}{v},$$

wo R eine bekannte Constante bezeichnet, erfüllt.

In der Gleichung 25a) wird dann:

$$F = \int \frac{\partial p}{\partial t} \partial v = \int \frac{R}{v} \partial v = R L v$$

mit L die natürlichen Logarithmen bezeichnet. Was das c_1 betrifft, so lässt sich aus den Principien der mechanischen Wärmetheorie ableiten, dass es für Gase, die das M.-G.-Gesetz befolgen, blos Function von t ist und von v unabhängig sein muss. Man erhält also aus 25a)

$$\int_0^{q'} \frac{dq}{a+t} = A R L \frac{v_2}{v_1} + \int_{t_1}^{t_2} \frac{c_1}{a+t} dt,$$

und wenn c_1 als absolut constant vorausgesetzt wird:

$$35)\qquad \int_0^{q'} \frac{dq}{a+t} = A R L \frac{v_2}{v_1} + c_1 L \frac{a+t_2}{a+t_1}.$$

Für einen Prozess, bei welchem dem Gase weder Wärme zugeführt, noch entzogen wird, bei dem also $dq = 0$ ist, geht die Gleichung 35) über in diese:

$$A R L \frac{v_2}{v_1} = - c_1 L \frac{a+t_2}{a+t_1}$$

oder:

$$\frac{v_1}{v_1} = \left(\frac{a+t_2}{a+t_1}\right)^{\left(-\frac{c_1}{AR}\right)}.$$

Nun ist für Gase, die das M.-G.-Gesetz befolgen,

$$AR = c - c_1$$

mit c, wie oben schon, die specifische Wärme bei constantem Druck bezeichnet. Setzen wir überdies noch das Verhältniss $\frac{c}{c_1}$ der beiden Wärmecapacitäten gleich k, so erhält man aus obiger Gleichung die bekannte:

$$\frac{v_2}{v_1} = \left(\frac{a+t_2}{a+t_1}\right)^{\left(-\frac{1}{k-1}\right)}.$$

II) Als zweiten besonderen Fall nehmen wir die Gewichtseinheit gesättigten Wasserdampfes oder besser, die Gewichtseinheit eines Wasser-

und Dampfgemisches, welches aus x Gewichtstheilen Dampf und folglich $1-x$ Gewichtstheilen Wasser, beide von der Temperatur t besteht. Für ein solches Gemisch gelten die Zustandsgleichungen

36) $$v=\omega x+\sigma \quad \text{und} \quad p=p(t).$$

Hierin bezeichnet v das specifische Volumen des Gemisches, ω die Differenz $s-\sigma$ der specifischen Volumen des gesättigten Dampfes und des Wassers bei der Temperatur t; ω, s und σ sind blos Functionen von t allein. Die Gleichung $p=p(t)$ soll die durch Regnault und Magnus so genau bestimmte Abhängigkeit zwischen dem Druck und der Temperatur des gesättigten Wasserdampfes andeuten; p ist gleichfalls nur Function von t.

Man erhält so in der Gleichung 25), wenn man in derselben die oben für x festgestellte Bedeutung beibehält:

$$F=\int\left(\frac{\partial v}{\partial x}\frac{\partial p}{\partial t}-\frac{\partial v}{\partial t}\frac{\partial p}{\partial x}\right)\partial x=\int\omega\frac{dp}{dt}\partial x=\omega x\frac{dp}{dt}.$$

Nun ergiebt sich aus den Sätzen der mechanischen Wärmetheorie für ω der Werth:

$$\omega=\frac{r}{A(a+t)\dfrac{dp}{dt}},$$

wo r die Wärmemenge bezeichnet, welche nothwendig ist, um die Gewichtseinheit Wasser von der Temperatur t in gesättigten Dampf von derselben Temperatur zu verwandeln. Nach Regnault ist bekanntlich

$$r=606{,}5-0{,}695\,t-0{,}00002\,t^2-0{,}0000003\,t^3,$$

also blos Function von t. Es folgt hieraus:

37) $$F=\frac{rx}{A(a+t)}.$$

Für die Wärmecapacitäten in der Gleichung 25) erhält man nach Entwickelungen, deren Ausführung uns hier zu weit führen würde:

$$c_1=rx\frac{\dfrac{d^2p}{dt^2}}{\dfrac{dp}{dt}}-A(a+t)\frac{dp}{dt}\frac{d\sigma}{dt}+\gamma$$

$$c_2\frac{\partial v}{\partial t}=x\frac{dv}{dt}-\frac{rx}{a+t}-rx\frac{\dfrac{d^2p}{dt^2}}{\dfrac{dp}{dt}}+A(a+t)\frac{dp}{dt}\frac{d\sigma}{dt},$$

unter γ die specifische Wärme des Wassers verstanden.

Aus den letzten Beziehungen folgt:

$$c_1+c_2\frac{\partial v}{\partial t}=x\frac{dr}{dt}-\frac{rx}{a+t}+\gamma$$

und daher

38) $$\frac{c_1+c_2\dfrac{\partial v}{\partial t}}{a+t}=x\frac{d}{dt}\left(\frac{r}{a+t}\right)+\frac{\gamma}{a+t}.$$

Setzt man nun die Werthe 37) und 38) in die Gleichung 25) ein, so folgt, da r und γ blos von t abhängen:

$$\int_0^{q'} \frac{dq}{a+t} = \frac{r_2 x_2}{a+t_2} - \frac{r_1 x_1}{a+t_1} - x_0\left(\frac{r_2}{a+t_2} - \frac{r_1}{a+t_1}\right) + x_0 \int_{t_1}^{t_2} \frac{d}{dt}\left(\frac{r}{a+t}\right) dt + \int_{t_1}^{t_2} \frac{\gamma}{a+t}\, dt,$$

oder kürzer

$$39) \qquad \int_0^{q'} \frac{dq}{a+t} = \frac{r_2 x_2}{a+t_2} - \frac{r_1 x_1}{a+t_1} + \int_{t_1}^{t_2} \frac{\gamma}{a+t}\, dt,$$

unter r_2, r_1 die den Temperaturen t_2 und t_1 entsprechenden Werthe von r verstanden.

Für einen Prozess, bei welchem dem Wasser- und Dampfgemisch weder Wärme mitgetheilt, noch entzogen wird, bei dem also $dq = 0$ ist, erhält man aus der Gleichung 39) die bekannte Relation:

$$40) \qquad \frac{r_2 x_2}{a+t_2} - \frac{r_1 x_1}{a+t_1} + \int_{t_1}^{t_2} \frac{\gamma}{a+t}\, dt = 0.$$

Fürth, im Januar 1865.

VII.

Brechung und Reflexion des Lichts durch eine Kugel.

Von Roeber,

Professor an der Gewerbeschule in Berlin.

Schweben der Wassertropfen in der Luft.

Da man den Widerstand der Luft gegen eine Kugel bei mittlerer Geschwindigkeit gleich dem senkrechten Widerstande gegen die Ebene des grössten Kreises und proportional der Dichtigkeit der Luft, sowie dem Quadrate der relativen Geschwindigkeit setzen kann, so ist derselbe in Pfunden:

$$\pi r^2 \alpha d v^2,$$

wo r den Kugelradius, α den Druck der Luft in Pfunden senkrecht gegen die Flächeneinheit bei der Einheit der Dichtigkeit und der Geschwindigkeit der Luft, d die Dichtigkeit der Luft und v die relative Geschwindigkeit derselben bezeichnet.

Wirkt dieser Widerstand der Schwere entgegengesetzt, so wird das Gewicht der Kugel aufgehoben, wenn

$$\pi r^2 \alpha d v^2 = \tfrac{4}{3}\pi r^3 p,$$

oder

$$v = \sqrt{\frac{4rp}{3\alpha d}},$$

wo p das Gewicht der Kubikeinheit der Kugel ist.

Nach den Erfahrungen kann man den Druck der gewöhnlichen atmosphärischen Luft bei 20 Fuss Geschwindigkeit gleich 1 Pfund auf den Quadratfuss annehmen. Darnach ist, die Dichtigkeit der gewöhnlichen Luft und den preussischen Fuss zu Einheiten angenommen, $\alpha = \frac{1}{400}$ Pfund, und man erhält für eine Wasserkugel in gewöhnlicher Luft, da $d = 1$ und $p = 66$ Pfund,

$$v = \sqrt{\frac{4r.66}{3.\frac{1}{400}}},$$

oder, wenn r in Linien gegeben ist,

$$v = \sqrt{\frac{4.\frac{r}{144}.66}{3.\frac{1}{400}}} = \tfrac{10}{3}\sqrt{22r}.$$

Ein mit dieser Geschwindigkeit aufsteigender Strom gewöhnlicher atmosphärischer Luft ist hinreichend, eine Wasserkugel schwebend zu erhalten. Ist die vertikale Geschwindigkeit der Luft Null, so fällt der Tropfen mit beschleunigter Geschwindigkeit, die sich dem Maximum v nähert, aber dasselbe nicht erreicht.

Für r gleich $1'''$; $0''',1$; $0''',01$; $0''',001$ ist v respective $15',63$; $4',944$; $1',563$; $0',4944$.

Da v, abgesehen von der geringen Aenderung der Schwere, constant bleibt, wenn $\frac{r}{d}$ constant ist, so gelten die vorstehenden Zahlenwerthe auch, wenn man z. B. die Dichtigkeit der Luft halb so gross und für den Radius den Durchmesser annimmt.

Ein Wassertropfen von $1'''$ Radius wird also in ruhiger Luft nicht mit einer grösseren Geschwindigkeit als 15,63 Fuss fallen können, und in einer Höhe, in welcher der Barometerstand nur $14''$ beträgt, wird ein Wassertropfen von $0''',001$ Durchmesser von einem aufsteigenden Luftstrom von $\frac{1}{2}$ Fuss Geschwindigkeit getragen werden, oder in ruhiger Luft herabfallend, nicht die Geschwindigkeit von $\frac{1}{2}$ Fuss in der Sekunde erreichen.

Intensität des an der Grenze zweier einfachen Mittel gebrochenen und reflektirten Lichts.

Es sei die Ebene der Zeichnung (Taf. II Fig. 3) die Einfallsebene des Strahls ba; cd und ef, parallel mit ab, seien die Durchschnitte zweier auf *der Einfallsebene* senkrechten Seitenflächen eines den Strahl ba umhüllenden rechtwinkligen Lichtprismas von so geringem Querschnitt, dass die Strahlen desselben als parallel und der innerhalb des Prismas befindliche Theil der Trennungsfläche, welcher die Einfallsebene in *ce* schneide, als eben angesehen werden kann. Der Einfallswinkel, gleich *ecs* und *cet*, werde durch α und der Brechungswinkel, gleich *ecw*, durch β bezeichnet.

Um die Vibrationsintensitäten der reflectirten Strahlen *ag*, *ch*, *ei* und der gebrochenen Strahlen *ak*, *cl*, *em* zu bestimmen, bedienen wir uns der Sätze: der Coexistenz der Schwingungen, der Erhaltung der lebendigen Kräfte und der Gleichheit der Bewegungen in beiden Mitteln an der Trennungsfläche.

Der in der Richtung *ba* einfallende Lichtstrahl kann betrachtet werden als aus zwei Lichtstrahlen bestehend, welche so polarisirt sind, dass die Schwingungen der Aethertheilchen des einen senkrecht gegen die Einfallsebene, und die des anderen in der Einfallsebene geschehen. Für unpolarisirtes Licht sind die Intensitäten beider Strahlen einander gleich. Jeder derselben pflanzt sich vermöge des Gesetzes der Coexistenz der Schwingungen unabhängig vom anderen fort und die Erfahrung lehrt, dass die Richtung der Polarisation (senkrecht gegen die Einfallsebene, oder in derselben) für jeden Strahl durch Reflexion oder Refraction nicht geändert wird.

Betrachten wir zunächst das in der Einfallsebene schwingende Licht, setzen die Vibrationsgeschwindigkeit des einfallenden, *aJ* gleich 1, des reflectirten, *au* gleich u_p, des gebrochenen, *av* gleich v_p, indem wir sie mit gleichen Vorzeichen behaften, wenn ihre Projectionen auf *ac* gleich gerichtet sind, so ergiebt der Satz der Gleichheit der Bewegungen in beiden Mitteln

für die Bewegung nach *ac*

1) $$(1 + u_p)\cos\alpha = v_p \cos\alpha,$$

und für die Bewegung senkrecht gegen *ac*

2) $$(1 - u_p)\sin\alpha = v_p \sin\alpha.$$

Eine dritte Gleichung folgt aus dem Satz der Erhaltung der lebendigen Kräfte.

Während das einfallende Licht um eine Länge, gleich *se* fortschreitet, pflanzt sich das reflectirte um eine Länge gleich *ct* und das gebrochene um eine Länge gleich *cw* fort und die Summe der lebendigen Kräfte der Aethertheilchen in einem Theile des einfallenden Lichtprismas, dessen Länge *se* proportional ist, wird in jedem Zeittheil übertragen auf Theile des reflectirten und gebrochenen Prismas, deren Längen *ct* und *cw* proportional sind. Da die drei Prismen gleiche, senkrecht gegen die Einfallsebene gerichtete Breite haben, so verhalten sich die Rauminhalte dieser Prismentheile zu einander wie $cs.sc : ct.te : cw.cw = \sin\alpha\cos\alpha : \sin\alpha\cos\alpha : \sin\beta\cos\beta = \sin 2\alpha : \sin 2\alpha : \sin 2\beta$. Sind nun D und D' die Dichtigkeiten des Aethers in beiden Mitteln, so giebt die Bedingung, dass die Summe der lebendigen Kräfte (die Summe der Producte der Massen in die Quadrate der Geschwindigkeiten) des einfallenden Lichtes gleich der Summe der übertragenen lebendigen Kräfte ist, $D \sin 2\alpha = u^2_p\, D \sin 2\alpha + v^2_p\, D^1 \sin 2\beta$, oder

3) $$D(1 - u^2_p) \sin 2\alpha = D^1 v^2_p \sin 2\beta.$$

Durch Multiplication der Gleichungen 1) und 2) aber erhält man

$$(1 - u^2_p) \sin 2\alpha = v^2_p \sin 2\beta,$$

woraus, in Verbindung mit 3), folgt:

$$D = D^1.$$

Die Gleichheit der Dichtigkeiten des Aethers in beiden Mitteln ist also eine Folge der vorstehenden Sätze und der Erfahrung, und kann nicht, wie von Fresnel und Neumann geschehen, als Gegenstand einer Voraussetzung angesehen werden. Die Nichtübereinstimmung der drei Gleichungen mit der von Fresnel angenommenen Ungleichheit der Dichtigkeiten ist wohl die Ursache, dass Fresnel die Gleichung 2) nicht benutzte.

Aus den Gleichungen 1) und 2) folgt:

$$2 = v_p \frac{\sin\alpha \cos\beta + \cos\alpha \sin\beta}{\sin\alpha \cos\alpha},$$

also

4) $$v_p = \frac{\sin 2\alpha}{\sin(\alpha + \beta)},$$

und ferner

$$2 u_p = v_p \frac{\sin\alpha \cos\beta - \cos\alpha \sin\beta}{\sin\alpha \cos\alpha},$$

oder

$$u_p = v_p \frac{\sin(\alpha - \beta)}{\sin 2\alpha},$$

mithin durch Substitution von v_p

5) $$u_p = \frac{\sin(\alpha - \beta)}{\sin(\alpha + \beta)}.$$

Für das senkrecht gegen die Einfallsebene schwingende Licht ist, wenn 1, u_q, v_q die Vibrationsgeschwindigkeiten des einfallenden reflectirten und gebrochenen Lichts bedeuten, und dieselben mit gleichen Vorzeichen genommen werden, wenn sie nach derselben Seite der Einfallsebene gerichtet sind, vermöge der Gleichheit der Bewegung in beiden Mitteln,

6) $$1 + u_q = v_q,$$

und vermöge des Satzes der Erhaltung der lebendigen Kräfte

7) $$(1 - u^2_q) \sin 2\alpha = v^2_q \sin 2\beta.$$

Aus diesen beiden Gleichungen folgt durch Division

8) $$1 - u_q = v_q \frac{\sin 2\beta}{\sin 2\alpha},$$

mithin durch Verbindung von 6) und 8)

$$2 = v_q \frac{\sin 2\alpha + \sin 2\beta}{\sin 2\alpha},$$

oder

9) $$v_q = \frac{\sin 2\alpha}{\sin(\alpha + \beta)\cos(\alpha - \beta)},$$

ferner

$$2 u_q = v_q \frac{\sin 2\alpha - \sin 2\beta}{\sin 2\alpha},$$

also

$$u_q = \frac{\sin 2\alpha - \sin 2\beta}{\sin 2\alpha + \sin 2\beta},$$

oder

10) $$u_q = \frac{tg(\alpha - \beta)}{tg(\alpha + \beta)}.$$

Vermittelst dieser Vibrationsgeschwindigkeit sind nun die Intensitäten zu bestimmen. Fresnel und Neumann setzen die Intensitäten in den drei Lichtsystemen proportional den lebendigen Kräften in den entsprechenden Theilen der Lichtprismen, also bei gleichen Dichtigkeiten, wenn 1, u, v die Vibrationsgeschwindigkeiten sind, proportional

$$\sin 2\alpha, \; u^2 \sin 2\alpha, \; v^2 \sin 2\beta.$$

Allerdings müssen diese Ausdrücke den Lichtmassen proportional sein, die in gleicher Zeit durch die ungleichen Querschnitte der drei Prismen hindurch gehen. Beziehen wir aber, wie in allen Fällen des gewöhnlichen Sprachgebrauchs, die Intensitäten auf die Lichtmassen, welche durch gleiche Querschnitte gehen, oder mit anderen Worten, setzen wir die Intensitäten proportional den Lichtmassen (Summen der lebendigen Kräfte) dividirt durch die Querschnitte, so erhalten wir, da die Querschnitte proportional sind, $\cos\alpha$, $\cos\alpha$, $\cos\beta$, für das Verhältniss der Intensitäten

$$\frac{\sin 2\alpha}{\cos\alpha} : \frac{\sin 2\alpha}{\cos\alpha} \cdot u^2 : \frac{\sin 2\beta}{\cos\beta} \cdot v^2,$$

oder

$$\sin\alpha : u^2 \sin\alpha : v^2 \sin\beta.$$

Die Richtigkeit dieser letzteren Ausdrücke ersieht man z. B., wenn das Licht aus dem zweiten Mittel wieder in das erste Mittel gebrochen wird. Offenbar muss in einem und demselben Mittel für Licht von derselben Farbe, da die Fortpflanzungsgeschwindigkeit dieselbe ist, die Intensität proportional dem Quadrate der Vibrationsgeschwindigkeit sein. Verhält sich nun bei der ersten Brechung die Vibrationsgeschwindigkeit des einfallenden Lichts zu der des gebrochenen wie $1 : v$ und bei der zweiten Brechung wie $1 : v_1$, so verhält sich die Vibrationsgeschwindigkeit des Lichts im ersten Mittel vor der Brechung zur Vibrationsgeschwindigkeit nach der zweiten Brechung wie $1 : vv_1$, und die Intensitäten verhalten sich zu einander wie $1 : v^2 v^2_1$. Nach unserer Bestimmung ist aber das Verhältniss der Intensitäten bei der ersten Brechung $1 : v^2 \frac{\sin\beta}{\sin\alpha}$, und bei der zweiten Brechung, wenn α_1 der Einfalls- und β_1 der Brechungswinkel ist, $1 : v^2_1 \frac{\sin\beta_1}{\sin\alpha_1}$, also das Verhältniss der Intensitäten vor der ersten und nach der zweiten Brechung $1 : v^2 v^2_1 \frac{\sin\beta \sin\beta_1}{\sin\alpha \sin\alpha_1}$, oder (da $\frac{\sin\alpha}{\sin\beta} = \frac{\sin\beta_1}{\sin\alpha_1} = n$, wenn n der Brechungsexponent ist) $1 : v^2 v^2_1$. Nach der Bestimmungsweise von Fresnel und Neumann würde man für dieses Verhältniss erhalten

$$1 : v^2 v^2_1 \frac{\sin 2\beta \sin 2\beta_1}{\sin 2\alpha \sin 2\alpha_1} = 1 : v^2 v^2_1 \frac{\cos\beta \cos\beta_1}{\cos\alpha \cos\alpha_1},$$

also nur dann $1 : v^2 v^2_1$, wenn $\alpha_1 = \beta_1$, mithin $\beta_1 = \alpha$, oder wenn der zweite Einfallswinkel gleich dem ersten Brechungswinkel ist, was z. B. stattfindet, wenn beide Trennungsflächen einander parallel sind.

Brennfläche der auf eine Kugel parallel auffallenden Strahlen.

Eine durch den Mittelpunkt der Kugel parallel dem einfallenden Licht gezogene Gerade werde die Axe und jede durch dieselbe gelegte Ebene eine Meridianebene der Kugel genannt.

Ein Strahl, dessen Einfallswinkel (Taf. II Fig. 4) α und dessen Brechungswinkel β ist, trifft in der durch seine Richtung gehenden Meridianebene die innere Seite der Kugelfläche immer unter dem Winkel β, und wird unter demselben Winkel reflectirt, bei seinem Austritt aus der Kugel aber unter dem Winkel α gebrochen. Der nach der Eintrittsstelle b des auffallenden Strahls ab gehende Radius macht daher mit der Axe cx den Winkel α, der Radius cd mit cx den Winkel $\alpha + \pi - 2\beta$ u. s. f., bis nach ν Reflexionen der nach der Austrittsstelle gezogene Radius cf mit cx den Winkel

11) $$\psi = (\nu + 1)(\pi - 2\beta) + \alpha$$

und der austretende Strahl mit cx den Winkel

12) $$\varphi = \psi + \alpha$$

oder

13) $$\varphi = (\nu + 1)(\pi - 2\beta) + 2\alpha$$

macht.

Da die Brennfläche der aus der Kugel austretenden Strahlen erhalten wird, wenn man um die Axe die Brennlinie der in einer Meridianebene austretenden Strahlen dreht, so handelt es sich nur darum, diese Brennlinie zu finden. Nehmen wir c zum Anfangspunkt der Coordinaten, cx zur

Abscissen- und cy zur Ordinatenaxe, so ist die Gleichung für die Richtungslinie des austretenden Strahls, da die Coordinaten von f gleich $r\cos\psi$ und $r\sin\psi$ sind,

14) $$y - r\sin\psi = tg\,\varphi\,(x - r\cos\psi),$$

und die Gleichung für den austretenden Strahl, wenn der Einfallswinkel $\alpha + d\alpha$ ist,

$$y - r\sin(\psi + d\psi) = tg\,(\varphi + d\varphi)\,[x - r\cos(\psi + d\psi)].$$

Diejenigen Werthe von x und y, welche beiden Gleichungen genügen, sind die Coordinaten des Brennpunkts für den Strahl, welcher unter dem Winkel α auffällt.

Subtrahirt man beide Gleichungen von einander, so erhält man

$$-r\cos\psi\,d\psi = d\,[tg\,\varphi\,(x - r\cos\psi)] = r\,tg\,\varphi\sin\psi\,d\psi + \frac{d\varphi}{\cos^2\varphi}\,(x - r\cos\psi),$$

also

$$x - r\cos\psi = -r\,(\cos\psi + tg\,\varphi\sin\psi)\cos^2\varphi\,.\,\frac{d\psi}{d\varphi}$$

$$= -r\,(\cos\psi\cos\varphi + \sin\varphi\sin\psi)\cos\varphi\,.\,\frac{d\psi}{d\varphi}$$

$$= -r\cos(\varphi - \psi)\cos\varphi\,.\,\frac{d\psi}{d\varphi}$$

oder, da $\varphi - \psi = \alpha$

15) $$x - r\cos\psi = -r\cos\alpha\,.\,\cos\varphi\,.\,\frac{d\psi}{d\varphi},$$

und durch Substitution in 14)

16) $$y - r\cos\psi = -r\cos\alpha\sin\varphi\,.\,\frac{d\psi}{d\varphi},$$

welche beiden Gleichungen in Verbindung mit 11), 13) und der Gleichung $\sin\alpha = n\sin\beta$, wo n der Brechungsexponent ist, die Gleichungen der Brennlinie sind.

Sucht man die Entfernung ε des dem Strahl zugehörigen Brennpunktes von der Austrittsstelle f, so ist, wenn ε in der Richtung des Strahls fg als positiv angenommen wird,

$$\varepsilon = (x - r\cos\psi)\cos\varphi + (y - r\sin\psi)\sin\varphi,$$

also

17) $$\varepsilon = -r\cos\alpha\,.\,\frac{d\psi}{d\varphi},$$

oder, wenn man $d\psi$ und $d\varphi$ vermittelst 11) und 13) durch $d\alpha$ und $d\beta$ ausdrückt

18) $$\varepsilon = -r\cos\alpha\,\frac{2(\nu + 1)\,d\beta - d\alpha}{2(\nu + 1)\,d\beta - 2\,d\alpha},$$

mithin, da aus

$$\sin\alpha = n\sin\beta$$

folgt,

$$\cos\alpha . d\alpha = n \cos\beta . d\beta$$

oder

$$d\beta = \frac{\cos\alpha}{n\cos\beta} \cdot d\alpha = \frac{\sin\beta\cos\alpha}{\sin\alpha\cos\beta} \cdot d\alpha$$

19) $$s = -r\cos\alpha \frac{2(\nu+1)\cos\alpha\sin\beta - \sin\alpha\cos\beta}{2[(\nu+1)\cos\alpha\sin\beta - \sin\alpha\cos\beta]}.$$

Wenn die Strahlen in der Axe auffallen, so ist $\alpha = 0$, und die Gleichung $\cos\alpha . d\alpha = n\cos\beta . d\beta$ giebt $d\alpha = n . d\beta$. Also ist die Brennweite centraler Strahlen

20) $$s = -r\frac{2(\nu+1) - n}{2(\nu+1-n)},$$

und wenn die Strahlen ohne Reflexion durchgehen

21) $$s = r\frac{2-n}{2(n-1)}.$$

Um die Aenderung von s mit α zu untersuchen, hat man aus 11) und 12)

$$\frac{d\varphi}{d\alpha} = \frac{d\psi}{d\alpha} + 1 = -2(\nu+1)\frac{d\beta}{d\alpha} + 2,$$

$$\frac{d^2\varphi}{d\alpha^2} = \frac{d^2\psi}{d\alpha^2} = -2(\nu+1)\frac{d^2\beta}{d\alpha^2}.$$

Es ist aber

$$\frac{d\beta}{d\alpha} = \frac{1}{n}\cdot\frac{\cos\alpha}{\cos\beta}$$

$$\frac{d^2\beta}{d\alpha^2} = \frac{1}{n}\cdot\frac{-\cos\beta\sin\alpha + \cos\alpha\sin\beta . \frac{d\beta}{d\alpha}}{\cos^2\beta}$$

$$= \frac{1}{n}\cdot\frac{-\cos\beta\sin\alpha + \frac{\cos^2\alpha\sin^2\beta}{\sin\alpha\cos\beta}}{\cos^2\beta}$$

$$= \frac{1}{n}\cdot\frac{-\cos^2\beta\sin^2\alpha + \cos^2\alpha\sin^2\beta}{\sin\alpha\cos^3\beta}$$

$$= -\frac{1}{n}\cdot\frac{\sin(\alpha+\beta)\sin(\alpha-\beta)}{\sin\alpha\cos^3\beta},$$

also

$$\frac{d^2\varphi}{d\alpha^2} = \frac{d^2\psi}{d\alpha^2} = \frac{2(\nu+1)}{n}\cdot\frac{\sin(\alpha+\beta)\sin(\alpha-\beta)}{\sin\alpha\cos^3\beta},$$

mithin, da α nicht grösser als 90^0, also $\alpha + \beta < 180^0$ ist,

22) $$\frac{d^2\varphi}{d\alpha^2} > 1; \quad \frac{d^2\psi}{d\alpha^2} > 1;$$

woraus folgt, dass $d\varphi$ und $d\psi$ mit α immer zunehmen.

Nun ist für centrale Strahlen, welche ohne Reflexion durchgehen $\nu = 0$; $\frac{d\beta}{d\alpha} = \frac{1}{n}$; $\frac{d\varphi}{d\alpha} = -\frac{2}{n} + 2$; $\frac{d\psi}{d\alpha} = -\frac{2}{n} + 1$, also, wenn $1 < n < 2$, wie es fast für alle Mittel der Fall ist, $\frac{d\varphi}{da} > 0$, $\frac{d\psi}{da} < 0$, mithin $\frac{d\psi}{d\varphi} < 0$, und $\varepsilon \left(= - \nu \cos\alpha \frac{d\psi}{d\varphi}\right)$ positiv. Der Brennpunkt liegt also in der Richtung der ausfahrenden Strahlen oder ausserhalb der Kugel. Wächst α von Null an, so wachsen vermöge 22) $d\psi$ und $d\varphi$, und der Werth von $d\psi$, welcher anfänglich negativ ist, geht durch Null und wird positiv, während das positive Vorzeichen von $d\varphi$ ungeändert bleibt. So lange $d\psi < 0$, nimmt ψ, welches für $\alpha = 0$ gleich π ist, ab, und die Strahlen, welche anfänglich in der Axe austraten, treten in einem sich erweiternden Kreise aus der Kugel. Wenn $d\psi = 0$, also ψ ein Minimum, wird dieser Kreis ein Maximum, und nimmt, wenn $d\psi > 0$, also ψ wieder zunimmt, eine rückgängige Bewegung an. Mit $d\psi$ nimmt zugleich die Brennweite ε, da $d\varphi$ zunimmt, in einem rascheren Verhältniss ab, und wird Null, wenn $d\psi = 0$, um für einen positiven Werth von $d\psi$ negativ zu werden. Wenn $\alpha = 90$, also $\cos\alpha = 0$, wird ε wieder Null. Die Brennfläche nähert sich also, von einem Punkte in der Axe ausgehend, dessen Entfernung von der Kugelfläche $\frac{2-n}{2(n-1)}$ ist, der Kugel, schneidet die Kugelfläche, wenn $d\psi = 0$, in der grössten Kreislinie, in welcher die Strahlen austreten, geht dann in die Kugel, und endigt in der Kugelfläche, wenn $\alpha = 90^0$. Da $d\varphi$ stets positiv ist, so nimmt φ mit a beständig zu.

Werden die Strahlen in der Kugel vor ihrem Austritt reflectirt, so sind $\frac{d\varphi}{d\alpha}\left(= -\frac{2(\nu+1)}{n} + 2\right)$ und $\frac{d\psi}{d\alpha}\left(= -\frac{2(\nu+1)}{n} + 1\right)$ negativ, also $\frac{d\psi}{d\varphi} > 0$ und daher $\varepsilon < 0$. Der Brennpunkt, oder das durch die ausfahrenden Strahlen erzeugte Bild des leuchtenden Punktes, liegt also auf der der Richtung dieser Strahlen entgegengesetzten Seite. Mit wachsendem α wird zuerst $d\varphi = 0$, dadurch $\varepsilon = -\infty$, und das Bild des leuchtenden Punktes wird in der Richtung, welche der Richtung des austretenden Strahls entgegengesetzt ist, unendlich entfernt, tritt dann bei fernerem Wachsthum von α, indem ε nach $+\infty$ überspringt, hinter das in der Richtung des austretenden Strahls befindliche Auge des Beobachters, von wo es sich wieder der Kugel nähert; wenn $d\psi = 0$, in die Kugelfläche fällt, und, da nun $d\varphi$ und $d\psi$ beide positiv werden, also ε einen negativen Werth annimmt, wieder auf der negativen Seite des austretenden Strahls erscheint, und endlich, wenn $\alpha = 90^0$, wieder in der Kugelfläche liegt. Wenn $d\psi = 0$, ist ψ ein Minimum. Also schneidet die Brennfläche die Kugelfläche allgemein da, wo der Kreis, in welchem die Strahlen austreten, eine rückgängige Bewegung annimmt. Ist $d\varphi = 0$, so sind die ausfahrenden Strahlen, weil das Bild unendlich entfernt ist, parallel, und es erscheint der Regenbogen.

Werden die Strahlen ohne Brechung von der äusseren Kugelfläche reflectirt, so ist $\psi = \alpha$ und $\varphi = 2\alpha$. Also sind die Gleichungen der Brennlinie, da $\frac{d\psi}{d\varphi} = \frac{d\alpha}{2\,d\alpha} = \frac{1}{2}$,

23) $$x - r\cos\alpha = -\frac{1}{2} r\cos\alpha \,.\, \cos 2\alpha,$$

24) $$y - v\cos\alpha = -\frac{1}{2} r\cos\alpha \,.\, \sin 2\alpha,$$

und die Brennweite ist

25) $$\varepsilon = -\frac{r}{2}\cos\alpha.$$

Das Bild liegt innerhalb der Kugel um weniger als $\frac{r}{2}$ von der Kugelfläche entfernt, und tritt für $\alpha = 90^0$ in die Kugelfläche. Die Brennlinie ist die durch Wälzung eines Kreises von dem Radius $\frac{r}{4}$ auf der äusseren Seite eines dem Meridian concentrischen Kreises von dem Radius $\frac{r}{2}$ erzeugte Epicycloide.

Will man ε durch Construction finden, so seien fg und hi (Taf. II Fig. 5) die den Winkel φ und $\varphi + d\varphi$ mit der Axe cx bildenden ausfahrenden Strahlen, also m der Brennpunkt für den Strahl fg, $\varepsilon = -fm$, $gmi = d\varphi$, $fh = r\,d\psi$. Macht man

$$fm = bm, \quad \text{oder} \quad mfb = \frac{\pi}{2},$$

so ist

$$hfb = \alpha,\ fb = fh\,.\cos\alpha = r\,.\,d\psi\,.\cos\alpha,\ fm = \frac{fb}{d\varphi} = r\cos\alpha\,.\,\frac{d\psi}{d\varphi},$$

also

$$\varepsilon = -r\cos\alpha\,.\,\frac{d\psi}{d\varphi}.$$

Intensität des von einer Kugel ausfahrenden Lichts, wenn die einfallenden Strahlen parallel sind.

Es seien $abdfg$ und $a_1 b_1 d_1 f_1 g_1$ (Taf. II Fig. 6) zwei in einer Meridianebene unter den Winkeln α und $\alpha + d\alpha$ einfallende Strahlen, welche, in den Richtungen fg und $f_1 g_1$ ausfahrend, mit der Axe cx die Winkel φ und $\varphi + d\varphi$ bilden. Dreht man die Meridianebene um die Axe cx, so begrenzen die von ab und $a_1 b_1$ beschriebenen Cylinderflächen einen Hohlcylinder, innerhalb dessen die Strahlen unter den Winkeln α bis $\alpha + d\alpha$ auffallen. Der Querschnitt des innern Cylinders ist $\pi r^2 \sin^2\alpha$, also der

Querschnitt des Hohlcylinders, oder derjenigen Fläche, welche von den Strahlen, deren Einfallswinkel α bis $\alpha + d\alpha$ betragen, senkrecht getroffen wird,

26) $$d\pi r^2 \sin^2\alpha = \pi r^2 \sin 2\alpha \,.\, d\alpha.$$

Zugleich treffen die zwischen f und f_1 unter den Winkeln φ bis $\varphi + d\varphi$ mit der Axe ausfahrenden Strahlen in der Entfernung $e = fg = f_1 g_1$ senkrecht auf diejenige Umdrehungsfläche, welche durch Umdrehung des Kreisbogens gg_1, dessen Mittelpunkt m der Brennpunkt der Strahlen, und dessen Radius $mg = fg - mf = e - \varepsilon$ ist, um die Axe erzeugt wird. Der Inhalt einer Umdrehungsfläche ist gleich der Länge der erzeugenden Linie multiplicirt mit dem Umfang des Kreises, welchen ihr Schwerpunkt beschreibt. Die Länge der Erzeugenden ist $gg_1 = r(e - \varepsilon)\, d\varphi$, und die Entfernung ihres Schwerpunktes von der Axe gleich $\pm e \sin\varphi$, wenn e so gross ist, dass man gegen $e \sin\varphi$ die Entfernung der Austrittsstelle f von der Axe oder überhaupt die Dimensionen der Kugel vernachlässigen kann. Also ist der Inhalt der Fläche, auf welche die ausfahrenden Strahlen in hinreichend grosser Entfernung e von der Kugel senkrecht treffen,

27) $$\pm 2\pi e(e - \varepsilon) \sin\varphi\, d\varphi,$$

wo das Vorzeichen so zu wählen ist, dass der Ausdruck positiv wird.

Wenn das Licht ungeschwächt von der Kugel reflectirt und gebrochen würde, so wäre das Verhältniss der Intensitäten des einfallenden und gebrochenen Lichts gleich dem umgekehrten Verhältniss der Flächeninhalte 26) und 27), und zwar für jede zwischen zwei beliebigen Meridianebenen eingeschlossene Lichtmasse. Bezeichnen wir daher durch μ den von α und, wenn polarisirtes Licht einfällt, auch von der Lage der Meridianebene abhängigen Theil des einfallenden Lichtes, welcher von der Kugel ausfährt, so ist, die Intensität des einfallenden Lichtes zur Einheit angenommen, die Intensität des ausfahrenden Lichts

$$i = \pm \mu \frac{\pi r^2 \sin 2\alpha\, d\alpha}{2\pi e(e - \varepsilon) \sin\varphi\, d\varphi},$$

oder

28) $$i = \pm \mu \frac{r^2 \sin 2\alpha\, d\alpha}{2e(e - \varepsilon) \sin\varphi\, d\varphi}.$$

Wenn $d\varphi$ nicht Null, also ε nicht unendlich ist, so kann man e immer so gross annehmen, dass ε gegen e verschwindet, und der Ausdruck reducirt sich auf

29) $$i = \pm \mu \frac{r^2}{e^2} \cdot \frac{\sin 2\alpha\, d\alpha}{2 \sin\varphi\, d\varphi}.$$

Die Intensität ist also für jede einzelne Richtung in hinreichend grosser Entfernung von der Kugel proportional dem Quadrat des Kugelradius und umgekehrt proportional dem Quadrat der Entfernung.

Um μ zu bestimmen, zerlege man das einfallende Licht für jede Meridianebene in solches, welches in der Ebene und in solches, welches senkrecht gegen dieselbe schwingt. Da das Licht wieder in das vorige Mittel übergeht, so ist μ für jede dieser beiden Lichtarten gleich dem Product der Intensität in den Quotienten des Quadrats der Vibrationsgeschwindigkeit des ausfahrenden Lichtes dividirt durch das Quadrat der Vibrationsgeschwindigkeit des einfallenden Lichts.

Schwingt das einfallende Licht in einer Ebene, welche mit einer festen Meridianebene den Winkel δ bildet, so verhalten sich die Componenten der Vibrationsgeschwindigkeiten, parallel und senkrecht in Bezug auf eine Meridianebene genommen, welche mit der festen Ebene den Winkel λ macht, zu einander wie $\cos(\lambda-\delta):\sin(\lambda-\delta)$, und das einfallende Licht zerlegt sich in die nach beiden Richtungen schwingenden Lichtarten von den Intensitäten $\cos^2(\lambda-\delta)$ und $\sin^2(\lambda-\delta)$.

Ist das einfallende Licht unpolarisirt, so kann dasselbe für jede Meridianebene betrachtet werden, als zur Hälfte parallel und zur Hälfte senkrecht gegen dieselbe schwingend.

Die Quotienten der Quadrate der Vibrationsgeschwindigkeiten ergeben sich unmittelbar aus den früheren Formeln.

Für das in der Einfallsebene schwingende Licht ist derselbe bei der ersten Brechung nach 4) $\frac{\sin^2 2\alpha}{\sin^2(\alpha+\beta)}$, bei jeder Reflexion in der Kugel nach 5), da der Einfallswinkel β und der entsprechende Ausfallswinkel α ist, $\frac{\sin^2(\beta-\alpha)}{\sin^2(\alpha+\beta)}=\frac{\sin^2(\alpha-\beta)}{\sin^2(\alpha+\beta)}$, bei der letzten Brechung aus der Kugel nach 4) $\frac{\sin^2 2\beta}{\sin^2(\alpha+\beta)}$. Also ist μ bei ν Reflexionen

$$30)\quad \mu_p=\cos^2(\lambda-\delta)\cdot\frac{\sin^2 2\alpha}{\sin^2(\alpha+\beta)}\cdot\left(\frac{\sin(\alpha-\beta)}{\sin(\alpha+\beta)}\right)^{2\nu}\cdot\frac{\sin^2 2\beta}{\sin^2(\alpha+\beta)}.$$

Für das senkrecht gegen die Einfallsebene schwingende Licht ist der Quotient bei der ersten Brechung nach 9) $\frac{\sin^2 2\alpha}{\sin^2(\alpha+\beta)\cos^2(\alpha-\beta)}$, bei jeder Reflexion nach 10) $\frac{tg^2(\alpha-\beta)}{tg^2(\alpha+\beta)}$ und bei der letzten Brechung nach 9) $\frac{\sin^2 2\beta}{\sin^2(\alpha+\beta)\cos^2(\alpha-\beta)}$; also

$$31)\quad \mu_p=\sin^2(\lambda-\beta)\frac{\sin^2 2\alpha}{\sin^2(\alpha+\beta)\cos^2(\alpha-\beta)}\cdot\left(\frac{tg(\alpha-\beta)}{tg(\alpha+\beta)}\right)^{2\nu}\cdot\frac{\sin^2 2\beta}{\sin^2(\alpha+\beta)\cos^2(\alpha-\beta)}.$$

Wenn das einfallende Licht, wie direktes Sonnenlicht, unpolarisirt ist, so ist nach der obigen Bemerkung $\cos^2(\lambda-\delta)=\sin^2(\lambda-\delta)=\frac{1}{2}$. Wählen wir diesen Fall, und setzen nach einander für μ_p und μ_q die so eben gefundenen Werthe, und für φ den Werth (13) in der Formel (29), so ergiebt sich die Intensität des ausfahrenden in der Meridianebene schwingenden Lichtes gleich

$$i_p = \pm \frac{1}{2} \cdot \frac{\sin^2 2\alpha}{\sin^2 (\alpha+\beta)} \left(\frac{\sin(\alpha-\beta)}{\sin(\alpha+\beta)}\right)^{2\nu} \cdot \frac{\sin^2 2\beta}{\sin^2(\alpha+\beta)}$$
$$\cdot \frac{\sin 2\alpha . d\alpha}{4 \sin[(\nu+1)2\beta - 2\alpha].[(\nu+1)d\beta - d\alpha]} \cdot \frac{r^2}{e^2},$$

und die Intensität des ausfahrenden senkrecht gegen die Meridianebene schwingenden Lichts gleich

$$i_q = \pm \frac{1}{2} \frac{\sin^2 2\alpha}{\sin^2(\alpha+\beta)\cos^2(\alpha-\beta)} \cdot \left(\frac{tg(\alpha-\beta)}{tg(\alpha+\beta)}\right)^{2\nu} \cdot \frac{\sin^2 2\beta}{\sin^2(\alpha+\beta)\cos^2(\alpha-\beta)}$$
$$\cdot \frac{\sin 2\alpha . d\alpha}{4 \sin[(\nu+1)2\beta - 2\alpha]\,[(\nu+1)d\beta - d\alpha]} \cdot \frac{r^2}{e^2},$$

oder, wenn wir berücksichtigen, dass $\frac{d\beta}{d\alpha} = \frac{\cos\alpha \sin\beta}{\sin\alpha \cos\beta}$,

32) $$i_p = \pm \frac{r^2}{e^2} \cdot \frac{\sin^3 2\alpha \sin^2 2\beta \sin^{2\nu}(\alpha-\beta) \sin\alpha \cos\beta}{8 \sin^4(\alpha+\beta) \sin^{2\nu}(\alpha+\beta) \sin 2[(\nu+1)\beta - \alpha][\nu+1)\cos\alpha \sin\beta - \sin\alpha\cos\beta]},$$

33) $$i_q = \pm \frac{r^2}{e^2} \cdot \frac{\sin^3 2\alpha \sin^2 2\beta\, tg^{2\nu}(\alpha-\beta) \sin\alpha \cos\beta}{8 \sin^4(\alpha+\beta) \cos^4(\alpha-\beta) tg^{2\nu}(\alpha+\beta) \sin 2[(\nu+1)\beta - \alpha][\nu+1)\cos\alpha \sin\beta - \sin\alpha\cos\beta]}.$$

Wird das Licht gebrochen, ohne eine Reflexion zu erleiden, so ist $\nu = 0$, also

34) $$i_p = \pm \frac{r^2}{e^2} \cdot \frac{\sin^3 2\alpha \sin^2 2\beta . \sin\alpha \sin\beta}{8 \sin^4(\alpha+\beta) \sin 2(\alpha-\beta) \sin(\alpha-\beta)}$$
$$= \pm \frac{r^2}{e^2} \frac{n \sin^3 2\alpha \sin^3 2\beta}{16 \sin^4(\alpha+\beta) \sin 2(\alpha-\beta) \sin(\alpha-\beta)},$$

35) $$i_q = \pm \frac{r^2}{e^2} \cdot \frac{\sin^3 2\alpha \sin^2 2\beta . \sin\alpha \sin\beta}{8 \sin^4(\alpha+\beta) \sin 2(\alpha-\beta) \sin(\alpha-\beta) \cos^4(\alpha-\beta)}$$
$$= \pm \frac{r^2}{e^2} \frac{n \sin^3 2\alpha \sin^3 2\beta}{16 \sin^4(\alpha+\beta) \sin 2(\alpha-\beta) \sin(\alpha-\beta) \cos^4(\alpha-\beta)},$$

mithin die Intensität des gesammten ausfahrenden Lichts

36) $$i_p + i_q = \pm \frac{r^2}{e^2} \cdot \frac{n \sin^3 2\alpha \sin^3 2\beta}{16 \sin^4(\alpha+\beta) \sin 2(\alpha-\beta) \sin(\alpha-\beta)} \left(1 + \frac{1}{\cos^4(\alpha-\beta)}\right),$$

und da $i_p : i_q = 1 : \frac{1}{\cos^4(\alpha-\beta)}$, also $i_p < i_q$, der Antheil desselben an unpolarisirtem Licht

37) $$2 i_p = \pm \frac{r^2}{e^2} \cdot \frac{n \sin^3 2\alpha \sin^3 2\beta}{8 \sin^4(\alpha+\beta) \sin 2(\alpha-\beta) \sin(\alpha-\beta)},$$

der Antheil an polarisirtem Licht, welches senkrecht gegen die Meridianebene schwingt,

$$38)\quad i_q - i_p = \pm \frac{r^2}{e^2} \cdot \frac{n \sin^2 2\alpha \sin^2 2\beta}{8 \sin^4(\alpha+\beta) \sin 2(\alpha-\beta) \sin(\alpha-\beta)} \cdot \left(\frac{1}{\cos^4(\alpha-\beta)} - 1\right).$$

Wenn das unpolarisirt einfallende Licht ohne Brechung von der Kugel reflectirt wird, so ist $\varphi = 2\alpha$ und für die eine Hälfte, welche als in der Meridianebene schwingend angesehen werden kann, der Quotient der Quadrate der Vibrationsgeschwindigkeiten nach 5) $\frac{\sin^2(\alpha-\beta)}{\sin^2(\alpha+\beta)}$, für die andere Hälfte, welche senkrecht gegen die Meridianebene schwingt, nach 10) $\frac{tg^2(\alpha-\beta)}{tg^2(\alpha+\beta)}$, also

$$39)\quad i_p = \frac{1}{2} \cdot \frac{\sin^2(\alpha-\beta)}{\sin^2(\alpha+\beta)} \cdot \frac{r^2}{e^2} \cdot \frac{\sin 2\alpha . d\alpha}{2 \sin 2\alpha . 2\, d\alpha} = \frac{r^2}{e^2} \cdot \frac{\sin^2(\alpha-\beta)}{8 \sin^2(\alpha+\beta)},$$

$$40)\quad i_q = \frac{1}{2} \cdot \frac{tg^2(\alpha-\beta)}{tg^2(\alpha+\beta)} \cdot \frac{r^2}{e^2} \cdot \frac{\sin 2\alpha . d\alpha}{2 \sin 2\alpha . 2\, d\alpha} = \frac{r^2}{e^2} \cdot \frac{tg^2(\alpha-\beta)}{8\, tg^2(\alpha+\beta)}.$$

Die Gesammtintensität des ausfahrenden reflectirten Lichts ist mithin

$$41)\quad i_p + i_q = \frac{r^2}{8e^2}\left(\frac{\sin^2(\alpha-\beta)}{\sin^2(\alpha+\beta)} + \frac{tg^2(\alpha-\beta)}{tg^2(\alpha+\beta)}\right) = \frac{r^2}{e^2} \cdot \frac{\sin^2(\alpha-\beta)}{8 \sin^2(\alpha+\beta)}\left(1 + \frac{\cos^2(\alpha+\beta)}{\cos^2(\alpha-\beta)}\right).$$

Da $\frac{\cos^2(\alpha+\beta)}{\cos^2(\alpha-\beta)} < 1$, weil α nicht grösser als 90^0 ist, so waltet das parallel der Meridianebene schwingende Licht vor, und es ist der Antheil des Gesammtlichtes an unpolarisirtem Licht

$$42)\quad 2\, i_q = \frac{r^2}{e^2} \cdot \frac{tg^2(\alpha-\beta)}{4\, tg^2(\alpha+\beta)},$$

der Antheil an polarisirtem, in der Meridianebene schwingenden Licht

$$43)\quad i_p - i_q = \frac{r^2}{8e^2} \cdot \frac{\sin^2(\alpha-\beta)}{\sin^2(\alpha+\beta)}\left(1 - \frac{\cos^2(\alpha-\beta)}{\cos^2(\alpha+\beta)}\right).$$

Regenbogen.

Aus der Formel für die Brennweite, $\varepsilon = -r \cos\alpha . \frac{d\psi}{d\varphi}$, folgt, dass ε zweimal sein Vorzeichen wechseln kann, wenn $d\varphi$, und wenn $d\psi$ durch Null geht. Wenn das Licht parallel einfällt und innerhalb der Kugel reflectirt wird, so ist für $\alpha = 0$ sowohl $d\varphi$ als $d\psi$, mithin auch ε negativ. Mit wachsendem α wird zuerst $d\varphi$ gleich Null, und ε springt von $-\infty$ nach $+\infty$. Der entsprechende Werth von α und demnach der von φ ist für verschiedene Farben verschieden. Es rückt also, wenn das einfallende Licht mehrfarbig ist, für jede einzelne Farbe das Bild in der durch $d\varphi = 0$ *bestimmten* Richtung in unendliche Entfernung, die ausfahrenden Strahlen werden dadurch parallel und bilden, mit grösserer Intensität in das Auge des Beobachters fallend, den Regenbogen. Die unendliche Entfernung des Regenbogenbildes ist der Grund, dass das Auge den Regenbogen auch bei grosser Nähe der erzeugenden Wassertropfen in möglichste Entfernung, an die Wolken, setzt. Für $d\varphi = 0$ ist φ ein Minimum. Wächst α, so geht φ durch die vorigen Werthe zurück, aber das Bild verschwindet, indem es hinter den Beobachter tritt, welcher nur das den kleineren Werthen von α entsprechende Bild sieht.

Bei fernerem Wachsen von α wird $d\psi$ Null, und ε geht von plus nach minus durch Null, während zugleich ψ ein Minimum wird. Die einer jeden Farbe zugehörige Brennfläche schneidet dann die Kugelfläche, indem sie in die Kugel hineintritt, und zwar ist der Durchschnitt ein für die verschiedenen Farben verschiedenes Maximum oder Minimum des Kreises, in welchem die Strahlen austreten.

Um den $d\psi = 0$ entsprechenden Werth von α zu berechnen, hat man, da $d\psi = -2(\nu+1)d\beta + d\alpha$,

$$2(\nu+1)\,d\beta = d\alpha,$$
$$\cos\alpha\, d\alpha = n\cos\beta\, d\beta,$$

$$2(\nu+1)\cos\alpha = n\cos\beta,$$
$$4(\nu+1)^2\cos^2\alpha = n^2\cos^2\beta,$$
$$\sin^2\alpha = n^2\sin^2\beta,$$

$$[4(\nu+1)^2-1]\cos^2\alpha + 1 = n^2,$$
$$4(\nu+1)^2 - [4(\nu+1)^2-1]\sin^2\alpha = n^2,$$

also

$$\text{44)}\qquad \cos\alpha = \sqrt{\frac{n^2-1}{4(\nu+1)^2-1}},$$

oder

$$\text{45)}\qquad \sin\alpha = \sqrt{\frac{4(\nu+1)^2-n^2}{4(\nu+1)^2-1}}.$$

Für den Regenbogen ist $d\varphi = -2(\nu+1)\,d\beta + 2d\alpha = 0$, also

$$(\nu+1)\,d\beta = d\alpha,$$
$$\cos\alpha . d\alpha = n\cos\beta . d\beta,$$

$$(\nu+1)\cos\alpha = n\cos\beta,$$
$$(\nu+1)^2\cos^2\alpha = n^2\cos^2\beta,$$
$$\sin^2\alpha = n^2\sin\beta,$$

$$[(\nu+1)^2-1]\cos^2\alpha + 1 = n^2,$$
$$(\nu+1)^2 - [(\nu-1)^2-1]\sin^2\alpha = n^2,$$

mithin

$$\text{46)}\qquad \cos\alpha = \sqrt{\frac{n^2-1}{(\nu+1)^2-1}}.$$

oder

$$47) \qquad sin\,\alpha = \sqrt{\frac{(\nu+1)^2 - n^2}{(\nu+1)^2 - 1}}.$$

Die Intensität des Regenbogenlichtes wird durch die allgemeinere Formel 28) $i = \pm\mu \frac{r^2 sin\,2\alpha . d\alpha}{2e(e-\varepsilon).sin\,\varphi.d\varphi}$, bestimmt, in welcher, da ε unendlich ist, nicht ε gegen e, sondern e gegen ε verschwindet. Setzt man $\varepsilon = -r\,cos\,\alpha \frac{d\psi}{d\varphi}$, so erhält man für die Intensität

$$48) \qquad \pm\mu \frac{r^2 sin\,2\alpha . d\alpha}{2e\left(e + r\,cos\,\alpha . \frac{d\psi}{d\varphi}\right) sin\,\varphi . d\varphi} = \pm\mu \frac{r^2 sin\,2\alpha . d\alpha}{2e(e.d\varphi + r\,cos\,\alpha . d\psi)\,sin\,\varphi},$$

mithin für die Intensität des Regenbogenlichtes, da $d\varphi = 0$, und $\varphi = \psi + \alpha$, also $d\psi = d\varphi - d\alpha = -d\alpha$,

$$\pm\mu \frac{r^2 sin\,2\alpha . d\alpha}{2er\,cos\,\alpha\,sin\,\varphi . d\alpha}$$

oder

$$49) \qquad \pm\mu . \frac{r}{e} . \frac{sin\,\alpha}{sin\,\varphi}.$$

Die Intensität des Regenbogens ist also proportional dem Radius der Kugel und umgekehrt proportional der Entfernung. Aus beiden Gründen werden Wolken, wenn sie aus Wassertropfen bestehen, für welche bei ihrer geringen Grösse und ihrer grossen Entfernung vom Auge der Quotient $\frac{r}{e}$ nur sehr klein sein kann, keinen sichtbaren Regenbogen bilden können. Die Nichtsichtbarkeit eines Regenbogens bei Wolken würde demnach nicht als Beweis für ihre Zusammensetzung aus Bläschen angesehen werden können.

Setzt man für μ und φ die früher gefundenen Werthe ein, so ergiebt sich für den νten Regenbogen die Intensität des in der Meridianebene schwingenden Lichts

$$50) \qquad i_p = \pm \frac{1}{2} . \frac{r}{e} . \frac{sin^2 2\alpha\,sin^2 2\beta}{sin^4(\alpha+\beta)} . \left(\frac{sin(\alpha-\beta)}{sin(\alpha+\beta)}\right)^{2\nu} . \frac{sin\,\alpha}{sin\,2[(\nu+1)\beta - \alpha]},$$

die Intensität des senkrecht gegen die Meridianebene schwingenden Lichts

$$51) \qquad i_q = \pm \frac{1}{2} . \frac{r}{e} . \frac{sin^2 2\alpha . sin^2 2\beta}{sin^4(\alpha+\beta)\,cos^4 2\beta} \left(\frac{tg(\alpha-\beta)}{tg(\alpha+\beta)}\right)^{2\nu} . \frac{sin\,\alpha}{sin\,2[(\nu+1)\beta - \alpha]},$$

also die Intensität des gesammten Regenbogenlichtes

$$52) \qquad i_p + i_q = \pm \frac{1}{2} . \frac{r}{e} . \frac{sin^2 2\alpha\,sin^2 2\beta\,sin^{2\nu}(\alpha-\beta)\,sin\,\alpha}{sin^{(2\nu+4)}(\alpha+\beta)\,sin\,2[(\nu+1)\beta - \alpha]} . \left(1 + \frac{cos^{2\nu}(\alpha+\beta)}{cos^{2\nu+4}(\alpha-\beta)}\right).$$

Berechnet man nach diesen Formeln für die ersten Regenbogen, indem man nach einander ν gleich 1, 2, 3 setzt, die Intensitäten des Lichts, dessen Brechungsexponent $\frac{4}{3}$ ist, so erhält man

	1. Regenbogen	2. Regenbogen	3. Regenbogen
α	59° 23′ 28″	71° 46′ 55″	76° 50′ 16″
β	40° 12′ 11″	42° 26′ 52″	46° 54′ 41″
φ	2π—42° 1′ 18″	3π—128° 58′ 22″	4π—221° 36′ 56″
i_p	$0{,}05637.\frac{r}{e}$	$0{,}02148.\frac{r}{e}$	$0{,}01251.\frac{r}{e}$
i_q	$0{,}02206.\frac{r}{c}$	$0{,}00229.\frac{r}{e}$	$0{,}00131.\frac{r}{e}$
i_p+i_q	$0{,}07843.\frac{r}{e}$	$0{,}02377.\frac{r}{e}$	$0{,}01382.\frac{r}{e}$
$2i_q$	$0{,}04412.\frac{r}{e}$	$0{,}00457.\frac{r}{e}$	$0{,}00262.\frac{r}{e}$
i_p-i_q	$0{,}03431.\frac{r}{e}$	$0{,}01917.\frac{r}{e}$	$0{,}01120.\frac{r}{e}$

Die Intensitäten des gesammten Regenbogenlichts verhalten sich daher für den Brechungsexponenten $\frac{4}{3}$ zu einander wie .

$$0{,}07843 . \frac{r}{e} : 0{,}0377 . \frac{r}{e} : 0{,}01382 . \frac{r}{e},$$

und das parallel der Meridianebene polarisirte ist das überwiegende.

Wir erlauben uns die Bemerkung, dass zur Veranschaulichung der im Eingange dieses Abschnitts erörterten Beziehungen eine mit Wasser gefüllte Glaskugel, z. B. eine möglichst grosse, dünne und regelmässige Schusterkugel, geeignet ist, auf welche man directes Sonnenlicht oder den angenäherten Lichtcylinder einfallen lässt, welchen man erhält, wenn man hinter eine zweite Kugel oder eine grosse Glaslinse in passender Entfernung eine hell brennende Lampe stellt. Auch möchte es Erwähnung verdienen, dass das durch einen solchen angenäherten Lichtcylinder auf grosse Entfernungen übertragbare intensive Licht sich zweckmässig zu Beobachtungen, zur Ablesung von Scalen, Beleuchtung von Schultafeln, Karten etc. anwenden lässt.

Farbe des von einer Kugel gebrochenen oder reflectirten Sonnenlichtes.

Wählt man in den Formeln 32), 33), 39), 40), für die verschiedenen Brechungsexponenten die Werthe von α so, dass der Werth von $\varphi=(\nu+1)(\pi-2\beta)+2\alpha$ ungeändert bleibt; so erhält man die Quotienten aus den Intensitäten der in gleicher, durch φ bestimmten Richtung ausfahrenden entsprechenden Farbenstrahlen dividirt durch ihre Intensitäten im einfallenden

Licht. Sind diese Intensitätsquotienten einander gleich, so ist die Farbe des ausfahrenden Lichts gleich der Farbe des einfallenden. In allen anderen Fällen giebt es kein exactes Mittel die gemischte Farbe zu berechnen, und wir müssen uns mit der Wahrscheinlichkeit begnügen, dass die Mischfarbe sich um so mehr einer bestimmten einfachen Farbe nähert, je mehr die Intensität dieser Farbe die der anderen Farben überwiegt.

Die von Newton gegebene empirische Regel ist nur als ein mathematischer Ausdruck dieser Wahrscheinlichkeit zu betrachten, in Uebereinstimmung gebracht mit den damaligen Erfahrungen, aber getrübt durch die Ansicht Newton's über die Beziehungen der Farben zu den Tönen. Wenn angegeben wird, dass diese Regel genügende Resultate liefere, so können dieselben doch keineswegs mit den Resultaten exacter Formeln verglichen werden, aber wohl dazu dienen, der Vorstellung gleichsam ein anschauliches Bild der allgemeinen Ergebnisse jener Wahrscheinlichkeit darzubieten.

Indess ist zu bemerken, dass die Regel einen, von Newton wohl nur zufällig übersehenen, innern Widerspruch enthält, welcher in mehrere Lehrbücher der Physik mit übergegangen ist.

Nach Newton soll man den Umfang eines Kreises entsprechend den 7 Farben so theilen, dass auf Roth, Grün und Violet 60° 45′ 34″, auf Orange und Indigo 34° 10′ 38″ und auf Gelb und Blau 54° 41′ 1″ kommen (Taf. II, Fig. 7). In den Schwerpunkten dieser Bogen werden die Intensitäten der entsprechenden Farben (offenbar die Quotienten der Intensitäten der einzelnen Farben, dividirt durch ihre Intensitäten im weissen Licht) als Gewichte angebracht. Fällt der Schwerpunkt sämmtlicher Gewichte in den Mittelpunkt des Kreises, so ist das einfallende Licht weiss. Liegt der gemeinschaftliche Schwerpunkt ausserhalb des Mittelpunkts, so zeigt der durch den Schwerpunkt gehende Radius auf der Peripherie die resultirende Farbe an.

Bringt man nun aber in den Schwerpunkten der einzelnen Bogen gleiche Intensitätscoefficienten an, für welche das resultirende Licht weiss ist, so fällt der Schwerpunkt der Gewichte bei der Ungleichheit der Bogen nicht in den Mittelpunkt, sondern, wie man durch Rechnung findet, um 0,079 des Radius ausserhalb desselben.

Die Regel wäre also dahin zu berichtigen, dass in dem Schwerpunkt jedes einzelnen Bogens das Product aus der Intensität der entsprechenden Farbe (für jede einzelne Farbe ihre Intensität im weissen Licht als Einheit angenommen) in die Länge des Bogens als Gewicht anzubringen sei. Bei gleichen Intensitäten der verschiedenen Farben sind dann die Gewichte proportional den Längen der Bogen, und der gemeinschaftliche Schwerpunkt fällt mit dem Schwerpunkt der gleichmässig belasteten Peripherie, also mit dem Mittelpunkt zusammen.

Fasst man so die Newton'sche Regel, so ist die Berechnung folgende.

Es werde der Mittelpunkt des Kreises zum Anfangspunkt der Coordinaten, die nach dem Anfangspunkt des Bogens für Roth gehende Gerade zur Abscissenaxe und die nach der Seite von Roth darauf senkrecht stehende Gerade zur Ordinatenaxe, der Radius des Kreises zur Einheit angenommen. Die Entfernung des Schwerpunkts eines Farbenbogens w vom

Mittelpunkt ist $\dfrac{2\,sin\,\dfrac{w}{2}}{w}$. Wird der Winkel, welchen der durch diesen Punkt gehende Radius mit der Abscissenaxe macht, δ genannt, so sind die Coordinaten desselben $x = \dfrac{2}{w} \cdot sin\,\dfrac{w}{2} \cdot cos\,\delta$ und $y = \dfrac{2}{w} \cdot sin\,\dfrac{w}{2}\,sin\,\delta$. Ist nun die Intensität der Farbe i, so ist das in dem Schwerpunkt anzubringende Gewicht iw, und man erhält für die Coordinaten des Schwerpunktes aller Gewichte

$$\xi = \frac{\Sigma\,\dfrac{2}{w}\,sin\,\dfrac{w}{2} \cdot cos\,\delta \cdot iw}{\Sigma iw}\;;\quad \eta = \frac{\Sigma\,\dfrac{2}{w}\,sin\,\dfrac{w}{2} \cdot sin\,\delta \cdot iw}{\Sigma iw}\;;$$

oder

53)
$$\xi = \frac{\Sigma 2i\,sin\,\dfrac{w}{2}\,cos\,\delta}{\Sigma iw}\;;\quad \eta = \frac{\Sigma 2i\,sin\,\dfrac{w}{2}\,sin\,\delta}{\Sigma iw}\;;$$

und der Farbenwinkel λ ergiebt sich, mit Berücksichtigung der Vorzeichen von ξ und η durch die Gleichung

54)
$$tg\,\lambda = \frac{\eta}{\xi} = \frac{\Sigma 2i\,sin\,\dfrac{w}{2}\,sin\,\delta}{\Sigma 2i\,sin\,\dfrac{w}{2}\,cos\,\delta}.$$

Setzt man in die Summenausdrücke die Newton'schen Werthe der Bogen ein, so ist, wenn i_1, i_2...i_7 die Intensitäten der 7 Hauptfarben sind
$$\Sigma iw = (i_1 + i_4 + i_7)\,arc\,60^0\,45'\,34'' + (i_2 + i_6)\,arc\,34^0\,10'\,38'' + (i_3 + i_5)\,arc\,54^0\,41'\,1'';$$
$$\Sigma\,2\,i\,sin\,\frac{w}{2}\,cos\,\delta = 2\,(i_1 + i_7)\,sin\,30^0\,22'\,47''\,cos\,30^0\,22'\,47'' + 2\,(i_2 + i_6)$$
$$sin\,17^0\,5'\,19''\,cos\,77^0\,50'\,53'' + 2\,(i_3 + i_7)\,sin\,27^0\,20'\,30\tfrac{1}{2}''\,cos\,122^0\,16'\,42\tfrac{1}{2}''$$
$$- i_4\,sin\,30^0\,22'\,47'';$$

$$\Sigma\,2\,i\,sin\,\frac{w}{2}\,sin\,\delta = 2\,(i_1 - i_7)\,sin\,30^0\,22'\,47''\,sin\,30^0\,22'\,47'' + 2\,(i_2 - i_6)$$
$$sin\,17^0\,5'\,19''\,sin\,77^0\,50'\,53'' + 2\,(i_3 - i_5)\,sin\,27^0\,20'\,30\tfrac{1}{2}''\,sin\,122^0\,16'\,42\tfrac{1}{2}''.$$

Es liegt nahe, nach diesen Principien auch den Effect der Farbe zu berechnen.

Betrachtet man nämlich das gemischte Licht als zusammengesetzt aus weissem und einfach farbigem Licht, so werden die Intensitäten dieser beiden Lichtarten den im Mittelpunkt und in der Peripherie angebrachten Gewichten proportional sein, in welche sich das im gemeinschaftlichen

Schwerpunkt vereinigte Gewicht zerlegen lässt. Es wird sich daher das gemischte Licht zu dem in ihm enthaltenen weissen und einfach farbigen Licht verhalten wie $\sin\lambda : \sin\lambda - \eta : \eta = \cos\lambda : \cos\lambda - \xi : \xi$. Der Farbeneffect, als Quotient der Intensität des einfachen Lichts dividirt durch die Intensität des gemischten Lichts betrachtet, wäre demnach

55) $$\frac{\eta}{\sin\lambda} = \frac{\xi}{\cos\lambda}.$$

Zerlegt man das weisse, dem Gewicht $\frac{\sin\lambda - \eta}{\sin\lambda}\Sigma iw$ proportionale, Licht wieder in die 7 Farben, so ist die Intensität einer jeden, und somit die Intensität des weissen Lichts selbst $\frac{1}{2\pi}\cdot\frac{\sin\lambda - \eta}{\sin\lambda}\Sigma iw$, und daher die Intensität des gemischten Lichts $\frac{1}{2\pi}\Sigma iw$, die Intensität des einfarbigen Lichts

$$\frac{1}{2\pi}\cdot\frac{\eta}{\sin\varphi}.\Sigma iw.$$

Wenden wir uns nun zu einigen Anwendungen für den Fall, dass das einfallende Licht directes Sonnenlicht oder überhaupt unpolarisirtes, parallel auffallendes, weisses Licht ist.

Nach 32) und 33) ist die Intensität centraler Strahlen, indem $\alpha = 0$, für jede der beiden Polarisationsrichtungen $\frac{1}{2}\cdot\frac{4n^4(n-1)^{2\nu}}{(n+1)^{2\nu+4}(\nu+1-n)^2}\cdot\frac{r^2}{e^2}$. Das central ausfahrende Licht ist also unpolarisirt und seine Intensität

56) $$\frac{4n^4(n-1)^{2\nu}}{(n+1)^{2\nu+4}(\nu+1-n)^2}\cdot\frac{r^2}{e^2}.$$

Geht das Licht central ohne Reflexion durch, so ist $\nu = 0$, also die Intensität

57) $$\frac{4n^4}{(n+1)^4(n-1)^2}\cdot\frac{r^2}{e^2},$$

und man erhält für $n = \frac{4}{3}$ den numerischen Werth $\frac{2304}{2401}\cdot\frac{r^2}{e^2}$.

Sucht man nun die Intensität des in der Kugel reflectirten Lichts, welches in derselben Richtung ausfährt, so ist zunächst $\nu = 2$, also die Intensität $\frac{4n^4(n-1)^4}{(n+1)^4(3-n)^2}$, was für $n = \frac{4}{3}$ giebt $4.\frac{36}{2401^2}\cdot\frac{r^2}{e^2}$. Es beträgt also das in der Kugel reflectirte Licht bei der geringsten Anzahl von Reflexionen, welche nothwendig sind, um mit dem ohne Reflexion central durchgehenden Licht in derselben Richtung auszufahren, nur $\frac{1}{153664}$ des letzteren, und man wird überhaupt bei der Bestimmung der Farbe des ausfahrenden Lichts das in der Kugel reflectirte unberücksichtigt lassen können.

Um die Intensitäten der mittleren Hauptfarben zu berechnen, haben wir, wenn $b, c, d \ldots$ die von Fraunhofer für Wasser angegebenen Brechungsexponenten sind, angenommen für die ungefähren Brechungsex

ponenten des

mittleren Roth $n_1 = \quad b \quad = 1{,}330956$

„ Orange $n_2 = \frac{c + 2d}{3} = 1{,}332955$

„ Gelb $n_3 = \frac{d + 2e}{3} = 1{,}335092$

„ Grün $n_4 = \quad f \quad = 1{,}337803$

„ Blau $n_5 = \frac{f + 2g}{3} = 1{,}340119$

„ Indigo $n_6 = \frac{2g + h}{3} = 1{,}342241$

„ Violet $n_7 = \frac{4h - g}{3} = 1{,}345103.$

Diese Werthe für n in 57) eingesetzt ergeben sich die Intensitäten der einzelnen Farben in dem central ohne Reflexion durchgehenden Licht (die Intensität jeder Farbe im einfallenden weissen Licht als Einheit vorausgesetzt) gleich

$$i_1 = 3{,}882 . \frac{r^2}{e^2}; \; i_2 = 3{,}845 . \frac{r^2}{e^2}; \; i_3 = 3{,}807 . \frac{r^2}{e^2}; \; i_4 = 3{,}760 . \frac{r^2}{e^2}; \; i_5 = 3{,}719 . \frac{r^2}{e^2};$$

$$i_6 = 3{,}683 . \frac{r^2}{e^2}; \; i_7 = 3{,}635 . \frac{r^2}{e^2}.$$

Wie sich auch allgemein hätte nachweisen lassen, nehmen die Intensitäten mit wachsendem Brechungsexponenten ab. Es walten also im Verhältniss zum weissen Licht in dem central ohne Brechung durchgehenden Licht die minder brechbaren Strahlen vor, und die der Mischfarbe entsprechende einfache Earbe muss im ersten Theil des Spectrums liegen. Berechnet man die Farbe nach der Newton'schen Regel, so ist der Farbenwinkel 90°41′37″, mithin um 4°11′30″ kleiner als der Winkel für die Grenze zwischen Orange und Grün, also die Mischfarbe Orange. Der Farbeneffect ist 0,01218.

Geht das Licht central durch m Kugeln von den Radien $r_1, r_2 \ldots . r_m$ und sind die Entfernungen der Kugeln von einander im Verhältniss zu ihren Radien so gross, dass für jede Kugel die einfallenden Strahlen als parallel angesehen werden können, so ist, wenn wir die Entfernungen der Kugeln von einander der Reihe nach durch $e_1, e_2 \ldots\ldots e_{m-1}$ und die Entfernung der letzten Kugel vom Auge durch e_m bezeichnen, die Intensität, mit welcher das Licht auf die zweite Kugel fällt $\frac{4n^4}{(n+1)^4(n-1)^2} . \frac{r_1^2}{e_1^2}$, die Intensität, mit welcher die zweite Kugel getroffen wird $\left(\frac{4n^4}{(n+1)^4(n-1)^2}\right)^2 . \frac{r_1^2 r_2^2}{e_1^2 e_2^2}$, und endlich die Intensität, mit welcher das Licht in das Auge trifft,

$$\left(\frac{4n^4}{(n+1)^4(n-1)^2}\right)^m . \frac{r_1^2 . r_2^2 \ldots r_m^2}{e_1^2 . e_2^2 \ldots e_m^2}. \tag{58}$$

Für 2, 10 und 100 Kugeln erhält man hiernach, wenn man respective die gemeinschaftlichen Factoren $\frac{r_1^2 r_2^2}{e_1^2 e_2^2}$; $100 . \frac{r_1^2 . r_2^2 \ldots r_{10}^2}{e_1^2 . e_2^2 \ldots e_{10}^2}$; $10^{56} . \frac{r_1^2 r_2^2 \ldots r_{100}^2}{e_1^2 e_2^2 \ldots e_{100}^2}$

weglässt,

	i_1	i_2	i_3	i_4	i_5	i_6	i_7
für 2 Kugeln	15,07	14,79	14,49	14,13	13,83	13,56	13,21
für 10 Kugeln	7769	7067	6292	5632	5061	4591	4025
für 100 Kugeln	8012	3108	1138	321	110	42	11

Subtrahirt man von den Intensitäten einer jeden Reihe den Antheil i_7, welcher weisses Licht giebt, so zeigt sich, dass die übrig bleibenden Antheile, durch welche die Farbe bestimmt wird, mit wachsendem n um so mehr abnehmen, je grösser die Anzahl der Kugeln ist, zugleich aber ihr Werth gegen i_7 mit der Anzahl der Kugeln unbegränzt zunimmt. Die Mischfarbe nähert sich also mit der Anzahl der Kugeln dem äussersten Roth, während der Farbeneffect sich der Eins, das heisst dem einer einfachen Farbe nähert. Die Newton'sche Regel ist indess zur Verfolgung des Ganges der Farbe in den extremen Fällen nicht geeignet, da nach ihr die gemischte Farbe nie unter das mittlere Roth kommen könnte. Bei 2 Kugeln giebt sie den Farbenwinkel $90^0\ 2'\ 27''$, bei 10 Kugeln $82^0\ 31'\ 38''$. Für den Farbeneffect erhält man resp. 0,02496 und 0,12077.

Um nicht centrales, unter dem Winkel $\varphi=(\nu+1)(\pi-2\beta)+2\alpha$ mit der Axe ausfahrendes Licht zu berechnen, müssen die zu φ gehörigen Einfallswinkel α der verschiedenen Farbenstrahlen bestimmt werden. Wird das Licht an der Kugeloberfläche reflectirt, so ist $\alpha=\frac{\varphi}{2}$. Für das ohne Reflexion gebrochene Licht ist $\varphi=\pi-2\beta+2\alpha$, oder, wenn man durch d den Winkel bezeichnet, welchen das ausfahrende Licht mit dem central durchgehenden macht, $d=\varphi-\pi=2\alpha-2\beta$, also $\beta=\alpha-\frac{d}{2}$, $\sin\beta=\sin\left(\alpha-\frac{d}{2}\right)$ oder $\sin\alpha=n\left(\sin\alpha\,.\cos\frac{d}{2}-\cos\alpha\,.\sin\frac{d}{2}\right)$, mithin

$$59)\qquad tg\,\alpha=\frac{n\,.\sin\frac{d}{2}}{n\,.\cos\frac{d}{2}-1},$$

und ebenso erhält man aus der Gleichung $\alpha=\beta+\frac{d}{2}$

$$60)\qquad tg\,\beta=\frac{\sin\frac{d}{2}}{n-\cos\frac{d}{2}}.$$

Wünscht man bequemere Formeln für gewöhnliche logarithmische Berechnungen, so ist, vermöge $\sin\alpha=n\sin\left(\alpha-\frac{d}{2}\right)$,

$$\sin\alpha:\sin\left(\alpha-\frac{d}{2}\right)=n:1,$$

$$\sin\alpha + \sin(\alpha - \frac{d}{2}) : \sin\alpha - \sin(\alpha - \frac{d}{2}) = n+1 : n-1,$$

$$2\sin(\alpha - \frac{d}{4})\cos\frac{d}{4} : 2\cos(\alpha - \frac{d}{4})\sin\frac{d}{4} = n+1 : n-1,$$

also

61) $$tg(\alpha - \frac{d}{4}) : tg\frac{d}{4} = n+1 : n-1,$$

und durch Einsetzung von $\alpha = \beta + \frac{d}{2}$,

62) $$tg(\beta + \frac{d}{4}) : tg\frac{d}{4} = n+1 : n-1.$$

Es sei nun das Licht zu berechnen, welches mit den ohne Reflexion durchgehenden Strahlen den Winkel $d = 20^0$ bildet.

Für das gebrochene Licht, welches nicht in der Kugel reflectirt wird, sind, wenn man die obigen ungefähren Brechungs-Exponenten annimmt, die Einfallswinkel der mittleren Farbenstrahlen

$\alpha_1 = 36^0 38' 30''$; $\alpha_2 = 36^0 30' 30''$; $\alpha_3 = 36^0 22' 10''$; $\alpha_4 = 36^0 11' 40''$; $\alpha_5 = 36^0 2' 40''$; $\alpha_6 = 35^0 54' 40''$; $\alpha_7 = 35^0 43' 40''$;

und der Brechungswinkel für jede Farbe ist $\beta = \alpha - 10^0$.

Nach 34) und 35) sind demnach die Intensitäten i_p und i_q der in der Meridianebene und senkrecht gegen dieselbe schwingenden Farbenstrahlen, wenn man den gemeinschaftlichen Factor $\frac{r^2}{e^2}$ weglässt,

63)
$$\begin{aligned}
i_{p_1} &= 0{,}9956; & i_{q_1} &= 1{,}0584;\\
i_{p_2} &= 0{,}9918; & i_{q_2} &= 1{,}0544;\\
i_{p_3} &= 0{,}9879; & i_{q_3} &= 1{,}0503;\\
i_{p_4} &= 0{,}9829; & i_{q_4} &= 1{,}0450;\\
i_{p_5} &= 0{,}9785; & i_{q_5} &= 1{,}0403;\\
i_{p_6} &= 0{,}9747; & i_{q_6} &= 1{,}0362;\\
i_{p_7} &= 0{,}9692; & i_{q_7} &= 1{,}0304.
\end{aligned}$$

Subtrahirt man, um das weisse Licht abzusondern, von den Gliedern der ersten Reihe i_{p_7} und von den Gliedern der zweiten Reihe i_{q_7}, so sieht man, dass die übrig bleibenden Intensitäten, welche die Farbe erzeugen, mit wachsendem n weniger abnehmen als bei centralem Licht und zugleich einen kleineren Theil des gesammten Lichts ausmachen. Die Mischfarbe rückt also, indem der Farbeneffect geringer wird, gegen die Mitte des Spectrums hin. Lässt man φ weiter wachsen, so wird für einen gewissen Werth desselben das ausfahrende Licht fast weiss, geht dann mit wachsendem Farbeneffect in den zweiten Theil des Spectrums über, und ist bei dem grössten Werth von φ, unter welchem nur die brechbarsten Strahlen, austreten, violet.

Da nach 34) und 35) für jede in derselben Richtung ausfahrende Farbe $\frac{i_p}{i_q} = \cos^4(\alpha - \beta) = \cos\frac{d}{2}$ constant ist, so sind die Mischfarben und Farbeneffecte der beiden auf einander senkrecht polarisirten Lichtmengen einander gleich. Nach der Newton'schen Formel ist für die obigen Intensitätswerthe der Earbenwinkel 92° 3′ 30″, der Farbeneffect 0,005.

Für das von der Kugeloberfläche unter 20° mit den central durchgehenden Strahlen reflectirte Licht ist $\varphi = 160^0$, also $\alpha = 80^0$, und man erhält nach 39) und 40), mit Weglassung des Factors $\frac{r^2}{e^2}$ folgende Intensitäten der mittleren Farben:

$$
\begin{aligned}
&i_{p_1} = 0,45575; \quad i_{q_1} = 0,23870\\
&i_{p_2} = 0,45609; \quad i_{q_2} = 0,23881\\
&i_{p_3} = 0,45828; \quad i_{q_3} = 0.23893\\
64)\qquad &i_{p_4} = 0,45991; \quad i_{q_4} = 0,23917\\
&i_{p_5} = 0,46028; \quad i_{q_5} = 0,23919\\
&i_{p_6} = 0,46255; \quad i_{q_6} = 0,23929\\
&i_{p_7} = 0,46424; \quad i_{q_7} = 0,23917.
\end{aligned}
$$

Da die Intensitäten mit wachsendem n zunehmen, so liegt die Mischfarbe im zweiten Theile des Spectrums. Der Farbeneffect ist geringer als bei dem nach derselben Richtung gebrochenen Licht. Die Newton'sche Regel giebt für den Farbenwinkel des in der Meridianebene schwingenden Lichts 271° 27′ 20″ und des senkrecht darauf polarisirten Lichts 269° 59′ 35″, der Farbeneffect des ersteren ist 0,00341, der des letzteren 0,00028; die gemischte Farbe ist demnach für beide Polarisations-Richtungen Indigo.

Addirt man die entsprechenden Intensitäten von 63) und 64) zu einander, so erhält man, wenn man das in der Kugel reflectirte Licht vernachlässigt, die Farbenintensitäten sämmtlichen in der Richtung $d = 20^0$ ausfahrenden Lichtes. Für beide Polarisationsrichtungen liegt die gemischte Farbe wieder im ersten Theile des Spectrums. Die Farbenwinkel sind in der früheren Ordnung 90° 5′ 20″ und 90° 3′ 40″, die Farbeneffecte 0,0045 und 0,0048.

Um allgemein die Farbe zu untersuchen, mit welcher weisses, unpolarisirtes Licht von der Oberfläche eines einfach brechenden Mittels zurückgeworfen wird, hat man die Aenderungen der Ausdrücke $\frac{1}{2}\frac{\sin^2(\alpha-\beta)}{\sin^2(\alpha+\beta)}$, und $\frac{1}{2}\frac{tg^2(\alpha-\beta)}{tg^2(\alpha+\beta)}$, welche den Intensitäten der senkrecht auf einander polarisirten Lichtstrahlen proportional sind, zu betrachten, wenn die Richtung der reflectirten Strahlen, mithin α, constant bleibt, aber β mit n sich ändert.

Aus $\sin\alpha = n \sin\beta$ erhält man, da $d\alpha = 0$,

$$0 = n\cos\beta\, d\beta + \sin\beta dn, \text{ oder } d\beta = -\frac{\sin\beta}{n\cos\beta}dn.$$

Es nimmt also β ab, wenn n zunimmt.

Das in der Einfallsebene schwingende Licht ändert sich im Verhältniss von $d\,\frac{1}{2}\frac{\sin^2(\alpha-\beta)}{\sin^2(\alpha+\beta)} = -\frac{\sin(\alpha-\beta)\sin 2\alpha}{\sin^3(\alpha+\beta)}d\beta = \frac{\sin(\alpha-\beta)\sin 2\alpha\sin\beta}{n\sin^3(\alpha+\beta)\cos\beta}dn.$

Die Intensität nimmt also für alle Werthe von α unter 90^0 mit n zu, und die Farbe des gemischten Lichtes liegt für alle Reflexionsrichtungen im zweiten Theile des Spectrums. Wenn $\alpha = 90^0$ also $\sin 2\alpha = 0$, ist, wie sich von selbst versteht, die Mischfarbe weiss.

Die entsprechende Aenderung des senkrecht gegen die Einfallsebene polarisirten Lichts ist:

$$d\,\frac{1}{2}\frac{tg^2(\alpha-\beta)}{tg^2(\alpha+\beta)} = -\frac{\sin(\alpha-\beta)\cos(\alpha+\beta)\sin 2\alpha.\sin 2\beta}{.\sin^3(\alpha+\beta)\cos^3(\alpha-\beta)}d\beta$$

$$= \frac{\sin(\alpha-\beta)\cos(\alpha+\beta)\sin 2\alpha\sin 2\beta\sin\beta}{n\sin^3(\alpha+\beta)\cos^3(\alpha+\beta)\cos\beta}dn.$$

Die Intensität nimmt also mit n zu, und die Mischfarbe liegt im zweiten Theile des Spectrums, so lange $\alpha + \beta < 90^0$ oder α kleiner als der Polarisationswinkel ist. Wenn $\alpha + \beta = 90^0$, also $\cos(\alpha + \beta) = 0$, ist die Mischfarbe weiss, aber die Intensität, weil $tg(\alpha + \beta) = \infty$, Null. Wird α grösser als der Polarisationswinkel, so geht die Mischfarbe in den ersten Theil des Spectrums bis $2\beta = 90^0$, wo sie wieder weiss wird; mit wachsendem α geht sie dann in den zweiten Theil des Spectrums zurück, und wird, wenn $\alpha = 90^0$, wieder weiss.

Mit Ausnahme des Intervalls von $\alpha + \beta = 90^0$ bis $2\beta = 90^0$ liegt also die Farbe des senkrecht gegen die Einfallsebene schwingenden Lichts im zweiten Theile des Spectrums. Innerhalb dieses Intervalls ist jedoch die Intensität und der Farbeneffect im Verhältniss zu ihren Werthen in dem in der Einfallsebene schwingenden Licht so gering, dass die aus der Vereinigung beider hervorgehenden Farbe in allen Richtungen im zweiten Theil des Spectrums liegt.

Grösse des von einer Kugelfläche reflectirten Sonnenbildes.

Verstehen wir unter der scheinbaren Grösse eines Gegenstandes den Theil einer um das Auge als Mittelpunkt mit dem Radius Eins beschriebenen Kugelfläche, welche von dem Gegenstand scheinbar gedeckt wird, so kann die ganze Sonnenfläche nur von einer Ebene gespiegelt werden, deren scheinbare Grösse mindestens der scheinbaren Grösse der Sonne gleich ist, und eine kleinere Ebene spiegelt nur einen Theil der scheinbaren Sonnenfläche, welcher dem scheinbaren Flächeninhalt der Ebene gleich ist. Nehmen wir an, dass von der Ebene alles auffallende Licht zurückgeworfen werde, so verhält sich, wenn sie nur einen Theil der Sonne reflectirt, die Intensität des reflectirten Bildes zur Lichtintensität der Sonne selbst wie die scheinbare Grösse der Ebene zur scheinbaren Grösse der Sonne. Denken wir uns nun den Theil der Kugelfläche, welcher nach einer gewissen Richtung ein Sonnenbild reflectirt, mit tangirenden, vollkommen spiegelnden Ebenen bedeckt, so spiegelt jede Ebene einen Theil der Sonnenscheibe, welcher dem Berührungspunkt entspricht, und die Intensität sämmtlicher Sonnenbilder verhält sich zur Intensität der Sonne wie die Summe der scheinbaren Flächeninhalte der spiegelnden Ebenen zum scheinbaren Flächeninhalt der Sonne. Wird die Anzahl der Ebenen unendlich, so fallen sie mit der Kugelfläche zusammen, und die Summe ihrer scheinbaren Flächeninhalte ist der scheinbare Flächeninhalt des von der Kugel reflectirten Sonnenbildes. Mithin verhält sich, unter der Voraussetzung, dass alles auffallende Licht reflectirt wird, die scheinbare Grösse des Sonnenbildes zur scheinbaren Grösse der Sonne wie die Intensität des Sonnenbildes zur Lichtintensität der Sonne selbst.

Die Intensität des reflectirten Lichts im Verhältniss zur Intensität des einfallenden ist nach 29), indem $\varphi = 2\alpha$, gleich $\mu \frac{r^2}{4e^2}$. Also ist die Intensität des Sonnenbildes im Verhältniss zur Lichtintensität der Sonne unter der Voraussetzung vollkommener Reflexion, bei welcher $\mu = 1$, $\frac{1}{4} \cdot \frac{r^2}{e^2}$; folglich ist, wenn ϱ den scheinbaren Sonnenradius bezeichnet, die scheinbare Grösse des Sonnenbildes

$$\frac{1}{4} \cdot \frac{r^2}{e^2} \cdot \varrho^2 \pi.$$

Wird die scheinbare Grösse des Sonnenbildes mit dem Quadrat der Entfernung e vom Auge multiplicirt, so erhält man die Projection desselben auf eine gegen die Richtung der reflectirten Strahlen senkrechte Ebene, welche demnach gleich ist

$$\frac{1}{4} r^2 \varrho^2 \pi.$$

Jedes Element dieser Projection macht mit dem zugehörigen Element der spiegelnden Kugeloberfläche einen Winkel, welcher gleich dem Einfallswinkel α des entsprechenden Strahls ist. Bezeichnet α^1 einen mittleren Werth des Einfallswinkels, so ist der Theil der Kugeloberfläche, welcher das Sonnenbild reflectirt

$$\frac{r^2 \varrho^2 \pi}{4 \cos \alpha_1}.$$

Das Sonnenbild selbst befindet sich auf dem von seinem scheinbaren Flächeninhalt gedeckten Theil derjenigen Fläche, welche durch Umdrehung der früher erwähnten Epicycloide um die Axe gebildet wird.

Die vorstehenden angenäherten Formeln, welche durch geometrische Betrachtungen für die verschiedenen Fälle verificirt werden können, gelten überhaupt für das Bild eines entfernten Gegenstandes, wenn man für

$\varphi^2\pi$ die scheinbare Grösse des Gegenstandes einsetzt, und zwar um so genauer, je kleiner dieselbe ist.

Sichtbarkeit eines leuchtenden Punktes.

Die Intensität des Sonnenbildes, welches von einer Kugel reflectirt wird, ist nach 41), wenn die Lichtintensität der Sonne zur Einheit angenommen wird, und man die aus den Zahlenwerthen 64) ersichtlichen geringen Aenderungen der Intensität mit der Farbe vernachlässigt,

$$\frac{1}{8} \cdot \frac{r^2}{e^2}\left(\frac{\sin^2(\alpha-\beta)}{\sin^2(\alpha+\beta)} + \frac{tg^2(\alpha-\beta)}{tg^2(\alpha+\beta)}\right).$$

Sucht man durch Beobachtung zwei zu einander gehörige Werthe von e und α, für welche das Sonnenbild verschwindet, so erhält man durch Einsetzen derselben in die Formel das Minimum der Lichtintensität, welche ein leuchtender Punkt besitzen muss, um dem Auge des Beobachters sichtbar zu sein.

Zur Ermittelung dieses Werthes wurde von dem Verfasser ein vorläufiger Versuch ohne Messinstrumente angestellt, dessen Resultat indess genau genug sein möchte, um mitgetheilt werden zu dürfen. Ein kugelförmiges Glas wurde in der Höhe des Auges im Freien vor einem schattigen Hintergrunde befestigt, und eines meiner Kinder, dessen Auge ziemlich scharf ist, entfernte sich rückwärts gehend in der Richtung der Sonne. Nach einigen Versuchen stellte sich wiederholt heraus, dass das Sonnenbild in der Entfernung von $200\frac{1}{2}$ Schritten (100 Schritte gleich 240 preussische Fuss) noch gesehen wurde, aber in der Entfernung von $201\frac{1}{2}$ Schritten verschwunden war. Die Sonne befand sich anscheinend in der durch Auge und Glas gehenden Verticalebene. Unmittelbar nach dem Versuch verhielt sich der Schatten eines Gegenstandes zu seiner Höhe wie 64 zu 25. Der Durchmesser der spiegelnden Kugelfläche war 22,7 Pariser Linien. Nimmt man hiernach die Entfernung, in welcher das Sonnenbild verschwindet, zu 201 Schritten an, so ergiebt sich $e = 201 \,.\, 139{,}13$ und $r = \frac{22{,}7}{2}$ Pariser Linien; $tg\,\varphi = tg\,2\alpha = \frac{25}{64}$, mithin $\alpha = 10^0 40'$ und, wenn der Brechungsexponent des Glases gleich 1,53 angenommen wird, $\beta = 6^0\,57'$.

Vernachlässigt man das an der Innenseite des Glases reflectirte Licht, so giebt die Einsetzung dieser Werthe in obige Formel für die Intensität des verschwindenden Sonnenbildes

0,000 000 000 314.

Es wird also ein leuchtender Punkt sichtbar oder unsichtbar sein, wenn sein Licht mehr oder weniger beträgt als 0,000000000314 des Lichts der Sonne, oder mit anderen Worten, das Sonnenlicht ist $\frac{1}{0,000\,000\,000\,314}$ = 3190 000 000 mal so intensiv als das Licht eines verschwindenden Punktes.

Die Sonne selbst würde verschwinden in ihrer $\sqrt{3190000000} = 565000$-fachen Entfernung. Da in dieser Entfernung ihr Durchmesser nur noch $\frac{32.60}{56500} = 0{,}034$ Secunden beträgt, so wird ein Fixstern von gleicher Leuchtkraft wie die Sonne, begünstigt durch die Abwesenheit des Tageslichts und den dunkeln Himmelsgrund, noch sichtbar sein, wenn sein Durchmesser gleich 0,034 oder $\frac{1}{30}$ Secunden ist.

Die Sichtbarkeit eines nicht selbst leuchtenden Körpers hängt von der Intensität des Lichtes ab, welches von ihm zurück geworfen wird. Da das directe Sonnenlicht intensiver ist als jedes andere gewöhnliche Licht, so wird eine Kugel in derjenigen Entfernung unsichtbar, in welcher ihr Sonnenbild verschwindet. Eine Kugel von einfach brechendem Mittel ist also unsichtbar, wenn

$$\frac{1}{8} \cdot \frac{r^2}{e^2}\left(\frac{\sin^2(\alpha-\beta)}{\sin^2(\alpha+\beta)} + \frac{tg^2(\alpha-\beta)}{tg^2(\alpha+\beta)}\right) = 0{,}000\,000\,000{,}314,$$

oder

$$e = 56500\, r \sqrt{\frac{1}{8}\left(\frac{\sin^2(\alpha-\beta)}{\sin^2(\alpha+\beta)} + \frac{tg^2(\alpha-\beta)}{tg^2(\alpha+\beta)}\right)}.$$

Für eine Glaskugel von dem Brechungsexponenten 1,53 erhält man, wenn $\alpha = 10^0, 40'$ $e = 5890\, r$. Sie verschwindet also, wenn ihr Durchmesser eine Linie beträgt, in der Entfernung von $\frac{5890}{2}$ Linien oder $20\frac{1}{2}$ Fuss.

Wenn $\alpha = 90^0$, oder die Kugel sich zwischen Auge und Sonne befindet, so ist die Intensität des Sonnenbildes ein Maximum, dessen Werth $\frac{1}{4} \cdot \frac{r^2}{e^2}$ zugleich für alle Richtungen die Intensität angiebt, wenn die Oberfläche alles Licht reflectirt. Eine Kugel, selbst wenn die Oberfläche vollkommen spiegelt, ist also in jeder Richtung für das Auge unsichtbar, wenn

$$\frac{1}{4} \cdot \frac{r^2}{e^2} = 0{,}000\,000\,000\,314,$$

oder

$$e = 28250\, r.$$

Ist der Durchmesser einer Kugel 1 Linie, so wird sie nicht gesehen, wenn ihre Entfernung 14125 Linien oder 98 Fuss beträgt.

Nachtrag. Während des Drucks der vorstehenden Arbeit erhalten wir durch No. 49 des Fechner'schen Centralblatts von 1853 Kenntniss von den Helligkeitsbestimmungen Seidel's. Nach diesen ist das Licht der Sonne 75000000000 mal so gross das Licht der Wega, übertrifft also, da nach Seidel der Sirius 5 mal so hell als die Wega ist, 15000000000 mal das Licht des Sirius. Kann man die Grenzen der Sichtbarkeit für einen leuchtenden Punkt in dem unvollkommenen Schatten unter Nadelbäumen und für einen Stern am Tageshimmel bei günstiger Atmosphäre einander gleich setzen, so würde nach den obigen Zahlen das zur Sichtbarkeit eines Sterns bei Tage erforderliche Minimum der Lichtintensität gleich der 5fachen Helligkeit des Sirius sein, und der oben abgeleitete Durchmesser eines noch sichtbaren Fixsterns würde sich auf diese Helligkeit beziehen. Ohne die aus unserem einzelnen Versuch folgenden Zahlenresultate als hinreichend festgestellt anzusehen, glauben wir doch auf die Anwendbarkeit der von Kugelflächen reflectirten Bilder zu photometrischen Bestimmungen aufmerksam machen zu können.

ROEBER.

Kleinere Mittheilungen.

X. Ueber einige allgemeine Integralformeln.

Bezeichnet $z = x + iy$ eine complexe Variabele, $f(z)$ eine Function, welche so lange eindeutig stetig und endlich bleibt, als x das Intervall 0 bis a, y das Intervall 0 bis b nicht überschreitet, und versteht man unter h eine reelle positive Constante, so wird der Quotient

$$\frac{f(z)}{h-z}$$

nur in dem einen Falle unendlich, wo $0 \leqq h \leqq a$ ist, wo mithin der durch die Abcisse $OF = h$ bestimmte Punkt F auf der Strecke $OA = a$ liegt (Taf. II Fig. 8). Unter dieser Voraussetzung betrachten wir das Integral

$$\int \frac{f(z)}{h-z}\, dz$$

und umgehen dabei den Punkt F mittelst eines aus dem Centrum F mit dem Radius $FM = r$ beschriebenen Halbkreises dergestalt, dass wir das eine Mal die gemischte Linie $OMPNAC$, das andere Mal die gebrochene Linie OBC als Integrationsweg nehmen. Zur Abkürzung bezeichnen wir den Werth des obigen Integrales, bezogen auf irgend einen Integrationsweg s, mit $J(s)$, und haben nun, weil nach dem Vorigen der Punkt F ausgeschlossen ist

$$J(OM) + J(MPN) + J(NA) + J(AC) = J(OB) + J(BC).$$

Linker Hand setzen wir im ersten und dritten Integrale x für z, im zweiten substituiren wir

$$z = h - r\cos\vartheta + ir\sin\vartheta = h - re^{-i\vartheta},$$

wo ϑ den Winkel MFP bezeichnet, im vierten Integrale nehmen wir $z = a + iy$; rechter Hand setzen wir im ersten Integrale $z = iy$, im zweiten $z = x + ib$, und erhalten nach diesen Bemerkungen

$$\int_0^{h-r} \frac{f(x)}{h-x}\, dx + i\int_0^{\pi} f(h - re^{-i\vartheta})\, d\vartheta + \int_{h+r}^{a} \frac{f(x)}{h-x}\, dx + i\int_0^{b} \frac{f(a+iy)}{h-a-iy}\, dy$$

$$= i\int_0^{b} \frac{f(iy)}{h-iy}\, dy + \int_0^{a} \frac{f(x+ib)}{h-x-ib}\, dx.$$

Durch Uebergang zur Grenze für verschwindende r folgt

$$i\pi f(h) + Lim \left\{ \int_0^{h-r} \frac{f(x)}{h-x} dx + \int_{h-r}^{a} \frac{f(x)}{h-x} dx \right\} + i \int_0^b \frac{f(a+iy)}{h-a-iy} dy$$

$$= i \int_0^b \frac{f(iy)}{h-iy} dy + \int_0^a \frac{f(x+ib)}{h-x-ib} dx,$$

und hier darf

$$Lim \left\{ \int_0^{h-r} \frac{f(x)}{h-x} dx + \int_{h-r}^{a} \frac{f(x)}{h-x} dx \right\} = \int_0^a \frac{f(x)}{h-x} dx$$

gesetzt werden, sobald man festhält, dass das Integral rechter Hand im vorliegenden Falle seinen (von Cauchy so genannten) Hauptwerth besitzt. Die vorletzte Gleichung vereinfacht sich sehr, wenn folgende Bedingungen erfüllt sind:

1) für $a = \infty$, $\quad Lim \int_0^\infty \frac{f(a+iy)}{h-a-iy} dy = 0,$

2) für $b = \infty$, $\quad Lim \int_0^\infty \frac{f(x+ib)}{h-x-ib} dx = 0;$

es bleibt nämlich für $a = \infty$ und $b = \infty$

3) $\quad i\pi f(h) + \int_0^\infty \frac{f(x)}{h-x} dx = i \int_0^\infty \frac{f(iy)}{h-iy} dy.$

Dieselben Betrachtungen lassen sich auf das Integral

$$\int \frac{f(z)}{h+z} dz$$

anwenden und gestalten sich noch einfacher, weil die unter dem Integralzeichen stehende Function innerhalb des Rechtecks $OACB$ endlich bleibt, also kein Unendlichkeitspunkt F vorkommt; man erhält

4) $\quad \int_0^\infty \frac{f(x)}{h+x} dx = i \int_0^\infty \frac{f(iy)}{h+iy} dy.$

Um noch die reellen und imaginären Theile der Gleichungen 3) und 4) zu trennen, setzen wir für den Augenblick

$$\frac{f(iy)+f(-iy)}{2} = U, \quad \frac{f(iy)-f(-iy)}{2i} = V,$$

mithin

$$f(iy) = U + iV,$$

ferner

$$\frac{1}{h-iy}=\frac{h+iy}{h^2+y^2},\quad \frac{1}{h+iy}=\frac{h-iy}{h^2+y^2},$$

und gelangen damit zu folgenden vier Gleichungen:

$$\int_0^\infty \frac{hU-yV}{h^2+y^2}\,dy=\pi f(h),$$

$$\int_0^\infty \frac{hV+yU}{h^2+y^2}\,dy=-\int_0^\infty \frac{f(x)}{h-x}\,dx;$$

$$\int_0^\infty \frac{hU+yV}{h^2+y^2}\,dy=0,$$

$$\int_0^\infty \frac{hV-yU}{h^2+y^2}\,dy=-\int_0^\infty \frac{f(x)}{h+x}\,dx.$$

Vermöge der Werthe von U und V liefern die erste und dritte Gleichung, durch Addition und Subtraction verbunden,

$$5)\qquad \int_0^\infty \frac{h}{h^2+y^2}\cdot\frac{f(iy)+f(-iy)}{2}\,dy=+\frac{\pi}{2}f(h),$$

$$6)\qquad \int_0^\infty \frac{y}{h^2+y^2}\cdot\frac{f(iy)-f(-iy)}{2i}\,dy=-\frac{\pi}{2}f(h);$$

und ebenso erhält man aus der zweiten und vierten Gleichung

$$7)\quad \int_0^\infty \frac{y}{h^2+y^2}\cdot\frac{f(iy)+f(-iy)}{2}\,dy=-\tfrac{1}{2}\left[\int_0^\infty \frac{f(x)}{h-x}\,dx-\int_0^\infty \frac{f(x)}{h+x}\,dx\right],$$

$$8)\quad \int_0^\infty \frac{h}{h^2+y^2}\cdot\frac{f(iy)-f(-iy)}{2i}\,dy=-\tfrac{1}{2}\left[\int_0^\infty \frac{f(x)}{h-x}\,dx+\int_0^\infty \frac{f(x)}{h+x}\,dx\right].$$

Die Formeln 5) und 6) sind längst bekannt; No. 7) und 8) bilden hierzu die Pendants und scheinen bisher unbemerkt geblieben zu sein.

Nimmt man $f(z)=e^{-z}$, so sind die Bedingungen der Eindeutigkeit, Endlichkeit und Stetigkeit von $f(z)$ nebst den Bedingungen in 1) und 2) erfüllt; es ist daher

$$\int_0^\infty \frac{y\cos y}{h^2+y^2}\,dy=\tfrac{1}{2}\left\{-\int_0^\infty \frac{e^{-x}}{h-x}\,dx+\int_0^\infty \frac{e^{-x}}{h+x}\,dx\right\},$$

$$\int_0^\infty \frac{h\sin y}{h^2+y^2}\,dy=\tfrac{1}{2}\left\{-\int_0^\infty \frac{e^{-x}}{h-x}\,dx-\int_0^\infty \frac{e^{-x}}{h+x}\,dx\right\}$$

oder nach sehr bekannten Eigenschaften des Integrallogarithmus

$$\int_0^\infty \frac{y\cos y}{h^2+y^2}\,dy = -\tfrac{1}{2}\left[e^{-h} li(e^{+h}) + e^{+h} li(e^{-h})\right],$$

$$\int_0^\infty \frac{h\sin y}{h^2+y^2}\,dy = +\tfrac{1}{2}\left[e^{-h} li(e^{+h}) - e^{+h} li(e^{-h})\right].$$

Es sind dies dieselben Formeln, welche der Verfasser bereits vor 20 Jahren mittelst des Fourier'schen Satzes entwickelt hat. (Grunert's Archiv, Theil V, S. 204.)

Schlömilch.

XI. Note über die Integration der Gleichung

$$1)\qquad \frac{\partial^n y}{\partial x^n} = x^m y + A_1 + A_2 x + A_3 x^2 + \dots + A_m x^{m-1},$$

in welcher m und n ganze positive Zahlen, und $A_1, A_2, A_3 \dots A_m$ beliebige constante Zahlen bezeichnen. Von Prof. Simon Spitzer.

Kummer hat im 19. Bande von Crelle's Journal gezeigt, wie die Gleichung

$$2)\qquad \frac{\partial^n y}{\partial x^n} = x^m y,$$

in welcher m und n ganze positive Zahlen bezeichnen, sich mittelst bestimmter Integrale integriren lässt. Nach der Methode von Kummer erscheint nämlich y in Form eines $m$fachen Integrales, in welchem $m+n$ willkührliche Constante eintreten, zwischen denen m Bedingungsgleichungen stattfinden.

So ist z. B. nach Kummer das Integrale der Gleichung

$$3)\qquad \frac{\partial^n y}{\partial x^n} = x y$$

$$4)\qquad y = \int_0^\infty e^{-\frac{u^{n+1}}{n+1}} \left(C_1 e^{\lambda_1 ux} + C_2 e^{\lambda_2 ux} + \dots + C_{n+1} e^{\lambda_{n+1} ux}\right) du,$$

vorausgesetzt, das $\lambda_1, \lambda_2 \dots \lambda_{n+1}$ Wurzeln der Gleichung

$$5)\qquad \lambda^{n+1} = 1$$

sind, und dass zwischen den Constanten $C_1\, C_2 \dots C_{n+1}$ die Bedingungsgleichung

$$6)\qquad C_1 \lambda_1^n + C_2 \lambda_2^n + \dots + C_{n+1} \lambda_{n+1}^n = 0$$

stattfindet. — So ist ferner das Integrale der Gleichung:

$$7)\qquad \frac{\partial^n y}{\partial x^n} = x^2 y$$

$$8)\quad y = \int_0^\infty\!\!\int_0^\infty e^{-\frac{u^{n+2}+v^{n+2}}{n+2}}\, v \left(C_1 e^{\lambda_1 uvx} + C_2 e^{\lambda_2 uvx} + \dots + C_{n+2} e^{\lambda_{n+2} uvx}\right) du\,dv,$$

vorausgesetzt, *dass* $\lambda_1 \lambda_2 \dots \lambda_{n+2}$ Wurzeln der Gleichung

9) $$\lambda^{n+2} = 1$$

sind, und dass zwischen den Constanten $C_1, C_2 \ldots C_{n+2}$ die zwei Bedingungsgleichungen:

10) $$\begin{aligned} C_1 \lambda_1^n + C_2 \lambda_2^n + \ldots + C_{n+2} \lambda_{n+2}^n &= 0 \\ C_1 \lambda_1^{n+1} + C_2 \lambda_2^{n+1} + \ldots + C_{n+2} \lambda_{n+2}^{n+1} &= 0 \end{aligned}$$

stattfinden. — Auf ganz gleiche Weise ist das Integrale der Gleichung:

11) $$\frac{\partial^n y}{\partial x^n} = x^3 y$$

12) $$y = \int_0^\infty \int_0^\infty \int_0^\infty e^{-\frac{u^{n+3} + v^{n+3} + w^{n+3}}{n+3}} v w^2 (C_1 e^{\lambda_1 uvwx} + C_2 e^{\lambda_2 uvwx} + \ldots + C_{n+3} e^{\lambda_{n+3} uvwx})\, du\, dv\, dw,$$

vorausgesetzt, dass $\lambda_1, \lambda_2 \ldots \lambda_{n+3}$ Wurzeln der Gleichung

13) $$\lambda^{n+3} = 1$$

sind, und dass zwischen den Constanten $C_1 C_2 \ldots C_{n+3}$ die 3 Bedingungsgleichungen:

14) $$\begin{aligned} C_1 \lambda_1^n + C_2 \lambda_2^n + \ldots + C_{n+3} \lambda_{n+3}^n &= 0 \\ C_1 \lambda_1^{n+1} + C_2 \lambda_2^{n+1} + \ldots + C_{n+3} \lambda_{n+3}^{n+1} &= 0 \\ C_1 \lambda_1^{n+2} + C_2 \lambda_2^{n+2} + \ldots + C_{n+3} \lambda_{n+3}^{n+2} &= 0 \end{aligned}$$

stattfinden etc. etc.

Ich will nun im Folgenden zeigen, dass

4) $$y = \int_0^\infty e^{-\frac{u^{n+1}}{n+1}} (C_1 e^{\lambda_1 ux} + C_2 e^{\lambda_2 ux} + \ldots + C_{n+1} e^{\lambda_{n+1} ux})\, du$$

das vollständige Integrale der Differentialgleichung

15) $$\frac{\partial^n y}{\partial x^n} = xy + A_1$$

ist, falls der rechte Theil der Gleichung 6) statt Null gleich einer bestimmten Constante ist; ferner, dass

8) $$y = \int_0^\infty \int_0^\infty e^{-\frac{u^{n+2} + v^{n+2}}{n+2}} v (C_1 e^{\lambda_1 uvx} + C_2 e^{\lambda_2 uvx} + \ldots + C_{n+2} e^{\lambda_{n+2} uvx})\, du\, dv$$

das vollständige Integrale der Gleichung

16) $$\frac{\partial^n y}{\partial x^n} = x^2 y + A_1 + A_2 x$$

ist, falls die rechten Theile der beiden Gleichungen 10) statt Nullen, bestimmten Constanten gleich sind; eben so, dass

12) $$y = \int_0^\infty \int_0^\infty \int_0^\infty e^{-\frac{u^{n+3} + v^{n+3} + w^{n+3}}{n+3}} v w^2 (C_1 e^{\lambda_1 uvwx} + C_2 e^{\lambda_2 uvwx} + \ldots + C_{n+3} e^{\lambda_{n+3} uvwx})\, du\, dv\, dw$$

das vollständige Integrale der Gleichung

17) $$\frac{\partial^n y}{\partial x^n} = x^3 y + A_1 + A_2 x + A_3 x^2$$

ist, falls die rechten Theile der 3 Gleichungen 14) statt Nullen bestimmte Constanten sind, etc. etc.

Der Beweis der so eben ausgesprochenen Sätze ist einfach. Ist nämlich erstens:

4) $$y = \int_0^\infty e^{-\frac{u^{n+1}}{n+1}} (C_1 e^{\lambda_1 ux} + C_2 e^{\lambda_2 ux} + \ldots + C_{n+1} e^{\lambda_{n+1} ux})\, du,$$

so ist:

18) $$\frac{\partial^n y}{\partial x^n} = \int_0^\infty e^{-\frac{u^{n+1}}{n+1}} u^n (C_1 \lambda_1^n e^{\lambda_1 ux} + C_2 \lambda_2^n e^{\lambda_2 ux} + \ldots + C_{n+1} \lambda_{n+1}^n e^{\lambda_{n+1} ux})\, du,$$

oder anders geschrieben:

19) $$\frac{\partial^n y}{\partial x^n} =$$

$$- \int_0^\infty (C_1 \lambda_1^n e^{\lambda_1 ux} + C_2 \lambda_2^n e^{\lambda_2 ux} + \ldots + C_{n+1} \lambda_{n+1}^n e^{\lambda_{n+1} ux}) \frac{d}{du}\left[e^{-\frac{u^{n+1}}{n+1}}\right] du,$$

und hieraus folgt, wenn man den rechten Theil dieser Gleichung mittelst der Methode des theilweisen Integrirens behandelt, und die Gleichung

5) $$\lambda^{n+1} = 1$$

berücksichtigt:

20) $$\frac{\partial^n y}{\partial x^n} = (C_1 \lambda_1^n + C_2 \lambda_2^n + \ldots + C_{n+1} \lambda_{n+1}^n)$$
$$+ x \int_0^\infty e^{-\frac{u^{n+1}}{n+1}} (C_1 e^{\lambda_1 ux} + C_2 e^{\lambda_2 ux} + \ldots + C_{n+1} e^{\lambda_{n+1} ux})\, du.$$

Setzt man nun

21) $$C_1 \lambda_1^n + C_2 \lambda_2^n + \ldots + C_{n+1} \lambda_{n+1}^n = A_1$$

und zieht man in Betracht die Gleichung 4), so erhält man

15) $$\frac{\partial^n y}{\partial x^n} = A_1 + x y,$$

was zu beweisen war. — Dieser Satz rührt von **Jacobi** her, siehe Crelle's Journal 10. Band.

Ich komme nun zum 2ten Satze. Ist nämlich:

8) $$y = \int_0^\infty \int_0^\infty e^{-\frac{u^{n+2} + v^{n+2}}{n+2}} v (C_1 e^{\lambda_1 uvx} + C_2 e^{\lambda_2 uvx} + \ldots + C_{n+2} e^{\lambda_{n+2} uvx})\, du\, dv,$$

so ist

$$22)\quad \frac{\partial^n y}{\partial x^n}=\int_0^\infty\int_0^\infty e^{-\frac{u^{n+2}+v^{n+2}}{n+2}} u^n v^{n+1}(C_1\lambda_1^n e^{\lambda_1 uvx}+C_2\lambda_2^n e^{\lambda_2 uvx}+\dots$$
$$C_{n+2}+\lambda_{n+2}^n e^{\lambda_{n+2}uvx})\,du\,dv,$$

oder anders geschrieben:

$$23)\quad \frac{\partial^n y}{\partial x^n}=-\int_0^\infty\int_0^\infty u^n e^{-\frac{u^{n+2}}{n+2}}(C_1\lambda_1^n e^{\lambda_1 uvx}+C_2\lambda_2^n e^{\lambda_2 uvx}+\dots$$
$$+C_{n+2}\lambda_{n+2}^n e^{\lambda_{n+2}uvx})\,du.\frac{\partial\left[e^{-\frac{v^{n+2}}{n+2}}\right]}{\partial v}dv.$$

Behandelt man den 2ten Theil dieser Gleichung mittelst der Methode des theilweisen Integrirens, so erhält man:

$$24)\quad \frac{\partial^n y}{\partial x^n}=(C_1\lambda_1^n+C_2\lambda_2^n+\dots+C_{n+2}\lambda_{n+2}^n)\int_0^\infty u_n e^{-\frac{u^{n+2}}{n+2}}du$$
$$+x\int_0^\infty\int_0^\infty e^{-\frac{u^{n+2}+v^{n+2}}{n+2}}u^{n+1}(C_1\lambda_1^{n+1}e^{\lambda_1 uvx}+C_2\lambda_2^{n+1}e^{\lambda_2 uvx}+\dots$$
$$+C_{n+2}\lambda_{n+2}^{n+1}e^{\lambda_{n+2}uvx})\,du\,dv.$$

Diese Gleichung lässt sich auch so schreiben:

$$25)\quad \frac{\partial^n y}{\partial x^n}=(C_1\lambda_1^n+C_2\lambda_2^n+\dots+C_{n+2}\lambda_{n+2}^n)\int_0^\infty u^n e^{-\frac{u^{n+2}}{n+2}}du$$
$$-x\int_0^\infty\int_0^\infty e^{-\frac{v^{n+2}}{n+2}}(C_1\lambda_1^{n+1}e^{\lambda_1 uvx}+C_2\lambda_2^{n+1}e^{\lambda_2 uvx}+\dots$$
$$+C_{n+2}\lambda_{n+2}^{n+1}e^{\lambda_{n+2}uvx})\,dv.\frac{\partial\left[e^{-\frac{u^{n+2}}{n+1}}\right]}{\partial u}du,$$

und giebt ebenfalls mittelst der Methode des theilweisen Integrirens behandelt und unter Berücksichtigung der Gleichung

$$9)\quad \lambda^{n+2}=1$$

$$26)\quad \frac{\partial^n y}{\partial x^n}=(C_1\lambda_1^n+C_2\lambda_2^n+\dots+C_{n+2}\lambda_{n+2}^n\int_0^\infty u^n e^{-\frac{u^{n+2}}{n+2}}du$$
$$+(C_1\lambda_1^{n+1}+C_2\lambda_2^{n+1}+\dots+C_{n+2}\lambda_{n+2}^{n+1})\,x\int_0^\infty e^{-\frac{v^{n+2}}{n+2}}dv$$
$$+x^2\int_0^\infty\int_0^\infty e^{-\frac{u^{n+2}+v^{n+2}}{n+2}}v(C_1e^{\lambda_1 uvx}+C_2e^{\lambda_2 uvx}+\dots+C_{n+2}e^{\lambda_{n+2}uvx})\,du\,dv,$$

oder vermöge der Gleichung 8)

16) $$\frac{\partial^n y}{\partial x^n} = A_1 + A_2 x + x^2 y,$$

vorausgesetzt, dass zwischen den $n+2$ Constanten $C_1 C_2 \dots C_{n+2}$ die 2 Bedingungen:

27) $$(C_1 \lambda_1^n + C_2 \lambda_2^n + \dots + C_{n+2} \lambda_{n+2}^n) \int_0^\infty u^n e^{-\frac{u^{n+2}}{n+2}} du = A_1$$
$$(C_1 \lambda_1^{n+1} + C_2 \lambda_2^{n+1} + \dots + C_{n+2} \lambda_{n+2}^{n+1}) \int_0^\infty e^{-\frac{v^{n+2}}{n+2}} dv = A_2$$

festgestellt werden.

Ich komme nun zum nächsten Satze. Ist nämlich:

12) $$y = \int_0^\infty\int_0^\infty\int_0^\infty e^{-\frac{u^{n+3}+v^{n+3}+w^{n+3}}{n+3}} v w^2 (C_1 e^{\lambda_1 uvwx} + C_2 e^{\lambda_2 uvwx} + \dots + C_{n+3} e^{\lambda_{n+3} uvwx}) \, du\, dv\, dw,$$

so ist

28) $$\frac{\partial^n y}{\partial x^n} = \int_0^\infty\int_0^\infty\int_0^\infty e^{-\frac{u^{n+3}+v^{n+3}+w^{n+3}}{n+3}} u^n v^{n+1} w^{n+2} (C_1 \lambda_1^n e^{\lambda_1 uvwx} + C_2 \lambda_2^n e^{\lambda_2 uvwx} + \dots + C_{n+3} \lambda_{n+3}^n e^{\lambda_{n+3} uvwx}) \, du\, dv\, dw,$$

oder anders geschrieben:

29) $$\frac{\partial^n y}{\partial x^n} = -\int_0^\infty\int_0^\infty\int_0^\infty e^{-\frac{u^{n+3}+v^{n+3}}{n+3}} u^n v^{n+1} (C_1 \lambda_1^n e^{\lambda_1 uvwx} + C_2 \lambda_2^n e^{\lambda_2 uvwx} + \dots + C_{n+3} \lambda_{n+3}^n e^{\lambda_{n+3} uvwx}) \, du\, dv . \frac{\partial\left[e^{-\frac{w^{n+3}}{n+3}}\right]}{\partial w} du,$$

und hieraus folgt:

30) $$\frac{\partial^n y}{\partial x^n} = (C_1 \lambda_1^n + C_2 \lambda_2^n + \dots + C_{n+3} \lambda_{n+3}^n) \int_0^\infty\int_0^\infty e^{-\frac{u^{n+3}+v^{n+3}}{n+3}} u^n v^{n+1} du\, dv$$
$$+ x \int_0^\infty\int_0^\infty\int_0^\infty e^{-\frac{u^{n+3}+v^{n+3}+w^{n+3}}{n+3}} u^{n+1} v^{n+2} (C_1 \lambda_1^{n+1} e^{\lambda_1 uvwx} + C_2 \lambda_2^{n+1} e^{\lambda_2 uvwx} + \dots + C_{n+3} \lambda_{n+3}^{n+1} e^{\lambda_{n+3} uvwx}) \, du\, dv\, dw.$$

Diese Gleichung kann nun auf folgende Weise geschrieben werden:

31) $$\frac{\partial^n y}{\partial x^n} = (C_1 \lambda_1^n + C_2 \lambda_2^n + \dots + C_{n+3} \lambda_{n+3}^n) \int_0^\infty\int_0^\infty e^{-\frac{u^{n+3}+v^{n+3}}{n+3}} u^n v^{n+1} du\, dv -$$
$$- x \int_0^\infty\int_0^\infty\int_0^\infty e^{-\frac{u^{n+3}+w^{n+3}}{n+3}} u^{n+1} (C_1 \lambda_1^{n+1} e^{\lambda_1 uvwx} + C_2 \lambda_2^{n+1} e^{\lambda_2 uvwx} + \dots + C_{n+3} \lambda_{n+3}^{n+1} e^{\lambda_{n+3} uvwx}) \, du\, dw . \frac{\partial\left[e^{-\frac{v^{n+3}}{n+3}}\right]}{\partial v} dv,$$

und hieraus folgt:

32)
$$\frac{\partial^n y}{\partial x^n}=(C_1\lambda_1^n+C_2\lambda_2^n+\ldots+C_{n+3}\lambda_{n+3}^n)\int_0^\infty\!\!\int_0^\infty e^{-\frac{u^{n+3}+v^{n+3}}{n+3}}u^n v^{n+1}\,du\,dv$$
$$+(C_1\lambda_1^{n+1}+C_2\lambda_2^{n+1}+\ldots+C_{n+3}\lambda_{n+3}^{n+1})\,x\int_0^\infty\!\!\int_0^\infty e^{-\frac{u^{n+3}+w^{n+3}}{n+3}}u^{n+1}\,du\,dw$$
$$+x^2\int_0^\infty\!\!\int_0^\infty\!\!\int_0^\infty e^{-\frac{u^{n+3}+v^{n+3}+w^{n+3}}{n+3}}u^{n+2}w(C_1\lambda_1^{n+2}e^{\lambda_1 uvwx}+C_2\lambda_2^{n+2}e^{\lambda_2 uvwx}+$$
$$\ldots+C_{n+3}\lambda_{n+3}^{n+2}e^{\lambda_{n+3}uvwx})\,du\,dv\,dw.$$

Schreibt man diese Gleichung auf folgende Weise:

33)
$$\frac{\partial^n y}{\partial x^n}=(C_1\lambda_1^n+C_2\lambda_2^n+\ldots+C_{n+3}\lambda_{n+3}^n)\int_0^\infty\!\!\int_0^\infty e^{-\frac{u^{n+3}+v^{n+3}}{n+3}}u^n v^{n+1}\,du\,dv$$
$$+(C_1\lambda_1^{n+1}+C_2\lambda_2^{n+1}+\ldots+C_{n+3}\lambda_{n+3}^{n+1})\,x\int_0^\infty\!\!\int_0^\infty e^{-\frac{u^{n+3}+w^{n+3}}{n+3}}u^{n+1}\,du\,dw$$
$$-x^2\int_0^\infty\!\!\int_0^\infty\!\!\int_0^\infty e^{-\frac{v^{n+3}+w^{n+3}}{n+3}}w\,(C_1\lambda_1^{n+2}e^{\lambda_1 uvwx}+C_2\lambda_2^{n+2}e^{\lambda_2 uvwx}+\ldots$$
$$+C_{n+3}\lambda_{n+3}^{n+2}e^{\lambda_{n+3}uvwx})\,dv\,dw.\frac{d\left[e^{-\frac{u^{n+3}}{n+3}}\right]}{du}\,du,$$

so hat man durch Anwendung der Methode des theilweisen Integrirens, und unter Berücksichtigung der Gleichung

13) $$\lambda^{n+3}=1$$

$$\frac{\partial^n y}{\partial x^n}=(C_1\lambda_1^n+C_2\lambda_2^n+\ldots+C_{n+3}\lambda_{n+3}^n)\int_0^\infty\!\!\int_0^\infty e^{-\frac{u^{n+3}+v^{n+3}}{n+3}}u^n v^{n+1}\,du\,dv$$
$$+(C_1\lambda_1^{n+1}+C_2\lambda_2^{n+1}+\ldots+C_{n+3}\lambda_{n+3}^{n+1})x\int_0^\infty\!\!\int_0^\infty e^{-\frac{u^{n+3}+w^{n+3}}{n+3}}u^{n+1}\,du\,dw$$

34)
$$+(C_1\lambda_1^{n+2}+C_2\lambda_2^{n+2}+\ldots+C_{n+3}\lambda_{n+3}^{n+2})\,x^2\int_0^\infty\!\!\int_0^\infty e^{-\frac{v^{n+3}+w^{n+3}}{n+3}}w\,dv\,dw$$
$$+x^3\int_0^\infty\!\!\int_0^\infty\!\!\int_0^\infty e^{-\frac{u^{n+3}+v^{n+3}+w^{n+3}}{n+3}}v\,w^2(C_1e^{\lambda_1 uvwx}+C_2e^{\lambda_2 uvwx}+\ldots$$
$$+C_{n+3}e^{\lambda_{n+3}uvwx})\,du\,dv\,dw,$$

oder aber, wenn man die Gleichung 12) in Betracht zieht

17) $$\frac{\partial^n y}{\partial x^n}=A_1+A_2x+A_3x^2+x^3y$$

vorausgesetzt, dass zwischen den $n+3$ willkührlichen Constanten die 3 Bedingungen:

$$(C_1\lambda_1^n+C_2\lambda_2^n+\ldots+C_{n+3}\lambda_{n+3}^n)\int_0^\infty\int_0^\infty e^{-\frac{u^{n+3}+v^{n+3}}{n+3}}u^n v^{n+1}\,du\,dv=A_1$$

$$35)\quad (C_1\lambda_1^{n+1}+C_2\lambda_2^{n+1}+\ldots+C_{n+3}\lambda_{n+3}^{n+1})\int_0^\infty\int_0^\infty e^{-\frac{u^{n+3}+w^{n+3}}{n+3}}u^{n+1}\,du\,dw=A_2$$

$$(C_1\lambda_1^{n+2}+C_2\lambda_2^{n+2}+\ldots+C_{n+3}\lambda_{n+3}^{n+2})\int_0^\infty\int_0^\infty e^{-\frac{v^{n+3}+w^{n+3}}{n+3}}w\,dv\,dw=A_3$$

festgestellt werden.

Aus dem so eben Mitgetheilten sieht man, dass die Differential-Gleichung

$$1)\quad \frac{\partial^n y}{\partial x^n}=x^m y+A_1+A_2 x+A_3 x^2+\ldots+A_m x^{m-1}$$

folgendes Integrale hat:

$$36)\quad y=\int_0^\infty\int_0^\infty\int_0^\infty\ldots e^{-\frac{\alpha_1^{m+n}+\alpha_2^{m+n}+\ldots+\alpha_m^{m+n}}{m+n}}\alpha_2\alpha_3^2\alpha_4^3\ldots\alpha_m^{m+1}$$
$$(C_1 e^{\lambda_1\alpha_1\alpha_2\alpha_3\ldots\alpha_m x}+C_2 e^{\lambda_2\alpha_1\alpha_2\alpha_3\ldots\alpha_m x}+C_{m+n}e^{\lambda_{m+n}\alpha_1\alpha_2\alpha_3\ldots\alpha_m x})$$
$$d\alpha_1\,d\alpha_2\,d\alpha_3\ldots d\alpha_m,$$

in welchem $\lambda_1\lambda_2\lambda_3\ldots\lambda_{m+n}$ die $m+n$ Wurzeln der Gleichung

$$37)\quad \lambda^{m+n}=1$$

sind, und $C_1 C_2 C_3\ldots C_{m+n}$ Constanten bedeuten, zwischen denen folgende m Bedingungsgleichungen stattfinden:

$$38)\quad \begin{cases} C_1\lambda_1^n+C_2\lambda_2^n+\ldots\ldots\ldots\ldots+C_{n+m}\lambda_{n+m}^n=\mu_1 A_1\\ C_1\lambda_1^{n+1}+C_2\lambda_2^{n+1}+\ldots\ldots\ldots+C_{n+m}\lambda_{n+m}^{n+1}=\mu_2 A_2\\ \ldots\ldots\ldots\ldots\ldots\ldots\ldots\ldots\\ C_1\lambda_1^{m+n-1}+C_2\lambda_2^{m+n-1}\ldots+C_{n+m}\lambda_{n+m}^{m+n-1}=\mu_m A_m, \end{cases}$$

wo $\mu_1,\mu_2,\mu_3\ldots\mu_m$ bestimmte, von n allein abhängige Grössen sind.

Differenzirt man die Gleichung 1), so erhält man:

$$39)\quad \frac{\partial^{n+1}y}{\partial x^{n+1}}=\frac{\partial(x^m y)}{\partial x}+A_2+2A_3 x+3A_4 x^2+\ldots+(m-1)A_m x^{m-2},$$

und dieser Gleichung genügt offenbar auch der in 36) stehende Werth von y, nur finden zwischen den $m+n$ Constanten $C_1, C_2, C_3\ldots C_{m+n}$ folgende $m-1$ Bedingungsgleichungen statt:

$$40)\quad \begin{cases} C_1\lambda_1^{n+1}+C_2\lambda_2^{n+1}+\ldots\ldots\ldots+C_{n+m}\lambda_{m+n}^{n+1}=\mu_2 A_2\\ C_1\lambda_1^{n+2}+C_2\lambda_2^{n+2}+\ldots\ldots\ldots+C_{n+m}\lambda_{m+n}^{n+2}=\mu_3 A_3\\ \ldots\ldots\ldots\ldots\ldots\ldots\ldots\ldots\\ C_1\lambda_1^{m+n-1}C_2\lambda_2^{m+n-1}+\ldots+C_{n+m}\lambda_{m+n}^{m+n-1}=\mu_m A_m, \end{cases}$$

da die **erste** der in 38) stehenden Gleichungen etwas ausdrückt, was von selbst verständlich ist, nämlich, dass die Summe $C_1\lambda_1^n+C_2\lambda_2^n+\ldots+C_{m+n}\lambda_{m+n}^n$ der willkührlichen Grösse $\mu_1 A_1$ gleich ist.

Differenzirt man die Gleichung 39), so erhält:

$$41)\qquad \frac{\partial^{n+2}y}{\partial x^{n+2}}=\frac{\partial^2(x^m y)}{\partial x^2}+1.2\,A_3+2.3\,A_4\,x+3.4\,A_5\,x^2+\ldots$$
$$+(m-2)(m-1)\,A^m\,x^{m-3},$$

und dieser Gleichung genügt wieder das in 36) stehende y, nur finden zwischen den in y vorkommenden $m+n$ Constanten $C_1, C_2, C_3\ldots C_{m+3}$ folgende $m-2$ Bedingungsgleichungen statt:

$$42)\qquad \begin{array}{l} C_1\lambda_1^{n+2}+C_2\lambda_2^{n+2}+\ldots\ldots\ldots\ldots+C_{m+n}\lambda_{m+n}^{n+2}=\mu_3 A_3 \\ C_1\lambda_1^{n+3}+C^2\lambda_2^{n+3}+\ldots\ldots\ldots\ldots+C_{m+n}\lambda_{m+n}^{n+3}=\mu_4 A_4 \\ \ldots\ldots\ldots\ldots\ldots\ldots\ldots\ldots \\ C_1\lambda_1^{m+n-1}+C_2\lambda_2^{m+n-1}+\ldots+C_{m+n}\lambda_{m+n}^{m+n-1}=\mu_m A_m \end{array}$$

etc. Es ist demnach sehr leicht, nicht nur die Gleichung

$$2)\qquad \frac{\partial^n y}{\partial x^n}=x^m y$$

zu integriren, sondern auch folgende andern:

$$43)\qquad \frac{\partial^{n+1}y}{\partial x^{n+1}}=\frac{\partial(x^m y)}{\partial x}\;;\;\frac{\partial^{n+2}y}{\partial x^{n+2}}=\frac{\partial^2(x^m y)}{\partial x^2}\;;\;\ldots\;\frac{\partial^{m+n}y}{\partial x^{m+n}}=\frac{\partial^m(x^m y)}{\partial x^m}.$$

Setzt man in die Differentialgleichung:

$$1)\qquad \frac{\partial^n y}{\partial x^n}=x^m y+A_1+A_2 x+A_3 x^2+\ldots+A^m x^{m+1}$$

statt y eine neue Variable z, mittelst der Substitution:

$$44)\qquad y=x^{n-1}z,$$

so erhält man:

$$45)\qquad \frac{\partial^n(x^{n-1}z)}{\partial x^n}=x^{m+n-1}z+A_1+A_2 x+A_3 x^2+\ldots+A_m x^{m-1},$$

und wird diese Gleichung beiderseits mit $(-1)^n x^{n+1}$ multiplicirt, so erhält man:

$$46)\qquad (-1)^n x^{n+1}\frac{\partial^n(x^{n-1}z)}{\partial x^n}=(-1)^n x^{m+2n}z+(-1)^n(A_1 x^{n+1}+A_2 x^{n+2}$$
$$+A_3 x^{n+3}+\ldots+A_m x^{m+n}).$$

Setzt man hierein

$$47)\qquad x=\frac{1}{\xi}$$

und beachtet zugleich folgende durch Induction leicht zu beweisende Formel:

$$48)\qquad \frac{\partial^n z}{\partial \xi^n}=(-1)^n x^{n+1}\frac{\partial^n(x^{n-1}z)}{\partial x^n},$$

so erhält man:

$$49)\quad \frac{\partial^n z}{\partial \xi^n}=(-1)^n\cdot\frac{z}{\xi^{m+2n}}+(-1)^n\left[\frac{A_1}{\xi^{n+1}}+\frac{A_2}{\xi^{n+2}}+\frac{A_3}{\xi^{n+3}}+\ldots+\frac{A_m}{\xi^{m+n}}\right],$$

und diese Gleichung giebt, von Brüchen befreiet:

$$50)\quad \xi^{m+2n}\frac{\partial^n z}{\partial \xi^n}=(-1)^n z+(-1)^n[A_1\xi^{m+n-1}+A_2\xi^{m+n-2}+A_3\xi^{m+n-3}+\ldots + A_m\xi^n].$$

Es lassen sich demnach nicht nur Gleichungen der Form 1), sondern auch Gleichungen der Form 50) stets vollständig integriren.

Ich komme nun zu Gleichungen folgender Form:

$$51)\quad x^m\frac{\partial^n y}{\partial x^n}=y+A_1+A_2x+A_3x^2+\ldots+A_rx^{r-1},$$

welche, falls $m \gtreqless n$ ist, leicht zu integriren sind, wenn nur das Integrale der Gleichung

$$52)\quad x^m\frac{d^n\varphi(x)}{\partial x^n}=\varphi(x)$$

bekannt ist. Ich behaupte nämlich, dass das Integrale der Gleichung 51) folgende Gestalt habe:

$$53)\quad y=\varphi(x)+C_1+C_2x+C_3x^2+\ldots+C_rx^{r-1}.$$

Substituirt man dieses y in die Gleichung 51), so erhält man, gleich die Gleichung 52) berücksichtigend:

$$54)\quad x^m\frac{\partial^n}{\partial x^n}(C_1+C_2x+C_3x^2+\ldots+C_rx^{r-1})=(A_1+C_1)+(A_2+C_2)x + (A_3+C_3)x^2+\ldots+(A_r+C_r)x^{r-1},$$

was durch gehörige Wahl von $C_1C_2C_3\ldots C_r$ leicht zu identificiren ist.

So ist z. B. das Integrale der Gleichung

$$x\frac{\partial^3 y}{\partial x^3}=y+A_1+A_2x+A_3x^2+A_4x^3+A_5x^4$$

folgendes:

$$y=\varphi(x)-A_1-6A_4-(A_2+24A_5)x-A_3x^2-A_4x^3-A_4x^4,$$

unter $\varphi(x)$ das vollständige Integrale der Gleichung

$$x\frac{\partial^3\varphi(x)}{\partial x^3}=\varphi(x)$$

verstanden.

XII. Zur Bestimmung des Krümmungshalbmessers räumlicher Curven.

Der betreffende Abschnitt in Schlömilch's Compendium der höhern Analysis (2. Aufl.) gab mir die Anregung zu der folgenden Entwickelung. — Durch 2 nächst auf einander folgenden Tangenten einer räumlichen Curve ist eine Ebene bestimmt, die Krümmungsebene (Osculationsebene). Die Tangente im Punkte x, y, z hat die Gleichungen:

$$\frac{u-x}{dx}=\frac{v-y}{dy}=\frac{w-z}{dz},$$

wenn u, v, w die laufenden Coordinaten vorstellen. Die Gleichung einer Ebene, welche diesen Punkt enthält, ist:

$$A(u-x)+B(v-y)+C(w-z)=0.$$

Die Bedingung, dass jene Tangente in dieser Ebene liegen soll, giebt die Gleichung:

1) $$A\,dx + B\,dy + C\,dz = 0.$$

Wenn nun auch die Tangente im Punkte x_1, y_1, z_1 in jener Ebene liegt, so hat man:

2) $$A\,dx_1 + B\,dy_1 + C\,dz_1 = 0.$$

Setzt man $x_1 = x + \Delta x$, $y_1 = y + \Delta y$, $z_1 = z + \Delta z$, so kann man die Gleichungen 1) und 2) in der allgemeinen Form $\varphi(x,y,z)$ und $\varphi(x+\Delta x, y+\Delta y, z+\Delta z)$ darstellen; und es ergiebt sich nun, dass $\varphi(x+\Delta x, y+\Delta y, z+\Delta z) = \Delta\varphi(x,y,z)$. (Vergl. Schlömilch a. a. O. §. 26, I.)

Statt der Gleichung 2) erhält man hiernach, wenn man zur Grenze übergeht, um die einander zunächst liegenden Tangenten zu erhalten,

3) $$d(A\,dx + B\,dy + C\,dz) = 0,$$
$$\text{d. h. } A\,d^2x + B\,d^2y + C\,d^2z = 0.$$

Aus 1) und 3) erhält man: $\frac{A}{C} = \frac{dy\,d^2z - dz\,d^2y}{dx\,d^2y - dy\,d^2x}$ und $\frac{B}{C} = \frac{dz\,d^2x - dx\,d^2z}{dx\,d^2y - dy\,d^2x}$, und somit als Gleichung der Krümmungsebene:

4) $$(u-x)(dy\,d^2z - dz\,d^2y) + (v-y)(dz\,d^2x - dx\,d^2z) + (w-z)(dx\,d^2y - dy\,d^2x) = 0.$$

Der Durchschnittspunkt zweier nächst auf einander folgenden Normalen in dieser Ebene ist der Krümmungsmittelpunkt. Diese Normalen sind die Durchsnittslinien zweier nächst auf einander folgenden Normalebenen mit der Krümmungsebene. Die Normalebene im Punkt x, y, z hat die Gleichung: $(u-x)\,dx + (v-y)\,dy + (w-z)\,dz = 0$,
und im Punkte x_1, y_1, z_1: $(u-x_1)\,dx_1 + (v-y_1)\,dy_1 + (w-z_1)\,dz_1 = 0$.
Setzt man nun wieder $x_1 = x + \Delta x$ u. s. f. und geht zur Grenze über, so erhält man durch eine ähnliche Betrachtung, wie oben, als Gleichung der dem Punkt x, y, z nächsten Normalebene:

$$(u-x)\,d^2x + (v-y)\,d^2y + (w-z)\,d^2z = ds^2.$$

Bezeichnet man die Coefficienten der Gleichung 4) durch X, Y, Z, so ergiebt sich der Krümmungsmittelpunkt für den Punkt x, y, z als Durchschnittspunkt der 3 Ebenen:

$$(u-x)\,dx + (v-y)\,dy + (w-z)\,dz = 0,$$
$$(u-x)\,d^2x + (v-y)\,d^2y + (w-z)\,d^2z = ds^2,$$
$$(u-x)\,X + (v-y)\,Y + (w-z)\,Z = 0,$$

und man erhält, indem man

$$\begin{vmatrix} dx, & dy, & dz \\ d^2x, & d^2y, & d^2z \\ X, & Y, & Z \end{vmatrix} = D$$

setzt:

$$(u-x)\,D = ds^2 \begin{vmatrix} dy, & dz \\ Y, & Z \end{vmatrix}, \quad (v-y)\,D = ds^2 \begin{vmatrix} dx, & dz \\ X, & Z \end{vmatrix}, \quad (w-z)\,D = ds^2 \begin{vmatrix} dx, & dy \\ X, & Y \end{vmatrix}.$$

Nun ist

5) $$\varrho^2 = (u-x)^2 + (v-y)^2 + (w-z)^2$$
$$= \frac{ds^4}{D^2}\left\{\begin{vmatrix} dy, dz \\ Y, Z \end{vmatrix}^2 + \begin{vmatrix} dx, dz \\ X, Z \end{vmatrix}^2 + \begin{vmatrix} dx, dy \\ X, Y \end{vmatrix}^2\right\},$$

und

$$D^2 = \begin{vmatrix} dx^2+dy^2+dz^2, & dx\,d^2x+dy\,d^2y+dz\,d^2z, & X\,dx+Y\,dy+Z\,dz \\ dx\,d^2x+dy\,d^2y+dz\,d^2z, & (d^2x)^2+(d^2y)^2+(d^2z)^2, & X\,d^2x+Y\,d^2y+Z\,d^2z \\ X\,dx+Y\,dy+Z\,dz, & X\,d^2x+Y\,d^2y+Z\,d^2z, & X^2+Y^2+Z^2 \end{vmatrix}.$$

In dieser Determinante ist nun: $dx^2+dy^2+dz^2 = ds^2$, $dx\,d^2x+dy\,d^2y+dz\,d^2z = ds\,d^2s$, $X\,dx+Y\,dy+Z\,dz=0$, $X\,d^2x+Y\,d^2y+Z\,d^2z=0$, also

$$D^2 = \begin{vmatrix} ds^2, & ds\,d^2s, & 0 \\ ds\,d^2s, & (d^2x)^2+(d^2y)^2+(d^2z)^2, & 0 \\ 0, & 0, & X^2+Y^2+Z^2 \end{vmatrix}$$
$$= (X^2+Y^2+Z^2)\,ds^2\,[(d^2x)^2+(d^2y)^2+(d^2z)^2-(d^2s)^2].$$

Der Coefficient von $\frac{ds^4}{D^2}$ in der Gleichung 5) wird:

$$\begin{vmatrix} dy^2+dz^2, & Ydy+Zdz \\ Ydy+Zdz, & Y^2+Z^2 \end{vmatrix} + \begin{vmatrix} dx^2+dz^2, & Xdx+Zdz \\ Xdx+Zdz, & X^2+Z^2 \end{vmatrix} + \begin{vmatrix} dx^2+dy^2, & Xdx+Ydy \\ Xdx+Ydy, & X^2+Y^2 \end{vmatrix} =$$
$$\begin{vmatrix} dx^2+dy^2+dz^2, & Xdx+Ydy+Zdz \\ Xdx+Ydy+Zdz, & X^2+Y^2+Z^2 \end{vmatrix} = \begin{vmatrix} ds^2, & 0 \\ 0, & X^2+Y^2+Z^2 \end{vmatrix} =$$
$$ds^2(X^2+Y^2+Z^2).$$

Demnach:

$$\varrho^2 = \frac{ds^4}{(d^2x)^2+(d^2y)^2+(d^2z)^2-d^2s)^2} \text{ und: } \varrho = \frac{ds^2}{\sqrt{(d^2x)^2+(d^2y)^2+d^2z)^2-(d^2s)^2}}.$$

Dr. Bammert.

XIII. Ueber Inflexionscurven.

Die Inflexionsdeterminante einer Curve stellt, wenn man sie mit Null identificirt, diejenige Linie vor, auf welcher die Wendepunkte jener Curven liegen. Wir wollen diese Linie Inflexionscurve heissen. Wenn es nun auch nicht immer praktisch ist, die Wendepunkte einer Curve als Durchschnittspunkte mit der Inflexionscurve zu bestimmen, so wird es doch nicht ohne Interesse sein, an einigen Beispielen das Verhalten der Inflexionscurve zu der ursprünglichen Curve zu untersuchen.

Für die Curve $x^3 - 3ax^2 + c^2y = 0$,
oder in homogener Form: $x^3 - 3ax^2z + c^2yz^2 = 0$
wird die Inflexionsdeterminante:

$$\begin{vmatrix} 6(x-az), & 0, & -6ax \\ 0, & 0, & 4c^2z \\ -6ax, & 4c^2z, & 4c^2y \end{vmatrix}.$$

Setzt man nun wieder $z=1$, so bekommt man als Gleichung der Inflexionscurve: $$(x-a)8c^4=0,$$
also eine gerade Linie, parallel der Ordinatenaxe, welche die gegebene

Curve nur in Einem Punkte schneidet, nämlich in dem Punkte $x=a$, $y=\frac{2a^3}{c^2}$.

Für die Curve

$$x^3+(3x-a)y^2-ax^2=0,$$

oder

$$x^3-ax^2z+3xy^2-ay^2z=0$$

erhält man die Inflexionsdeterminante:

$$\begin{vmatrix} 6x-2az, & 6y, & -2ax \\ 6y, & 6x+2az, & 2ay \\ -2ax, & 2ay, & 0 \end{vmatrix},$$

und daher für die Inflexionscurve, wenn man $z=1$ setzt, die Gleichung:

$$3x^3+ax^2+9xy^2-ay^2=0.$$

Diese Curve geht, wie die gegebene, durch den Ursprung, und wird, wie sie, durch die Abscissenaxe in 2 congruente Hälften getheilt. Der Ursprung ist auch für die Inflexionscurve ein Doppelpunkt, und sie hat hier mit der gegebenen Curve gemeinschaftliche Tangenten, deren eine mit der Abscissenaxe einen Winkel von 45° bildet, während die andere auf ihr senkrecht steht. Die Inflexionskurve ist auf der negativen Seite der Abscissenaxe geschlossen, und schneidet diese Axe für $x=-\frac{1}{3}a$; auf der positiven Seite hat sie zwei unendliche Aeste, welche im Punkte $x=\frac{1}{9}a$ eine gemeinschaftliche Asymptote haben. Die Inflexionscurve trifft also mit der gegebenen sonst nirgends als im Ursprung zusammen. Der aufwärts gehende Ast der Inflexionscurve berührt in diesem Punkt den abwärts gehenden der gegebenen Curve und umgekehrt. Die gegebene Curve hat also auf jedem Ast zwei zusammenfallende Wendepunkte, so dass demnach keine Inflexion stattfindet. —

Es sei die Curve

$$x^4-a^2x^2+a^3y=0$$

in Bezug auf die Wendepunkte zu untersuchen. In homogener Form wird ihre Gleichung:

$$x^4-a^2x^2z^2+a^3yz^3=0,$$

und ihre Inflexionsdeterminante ist:

$$\begin{vmatrix} 12x^2-2a^2z^2, & 0, & -4a^2xz \\ 0, & 0, & 3a^3z^2 \\ -4a^2xz, & 3a^3z^2, & -2ax^2+6a^3yz \end{vmatrix}.$$

Setzt man $z=1$, und identificirt die Determinante mit Null, so hat man die Gleichung:

$$3a^2(6x^2-a^2)=0,$$

welche zwei gerade Linien, parallel zur Abscissenaxe, vorstellt. Die Durchschnittspunkte dieser Geraden mit der Curve sind: $x=\pm\frac{a}{\sqrt{6}}$ und $y=\frac{5}{36}a$. —

Für die Lemniscate:

$$(y^2+x^2)^2+2a^2(y^2-x^2)=0$$

erhält man als Inflexionscurve:

$$\begin{vmatrix} y^2+3x^2-a^2, & 2xy, & -2a^2x \\ 2xy, & 3y^2+x^2+a^2, & 2a^2y \\ -2a^2x, & 2a^2y, & a^2(y^2-x^2) \end{vmatrix}=0.$$

Durch Entwickelung erhält man:

$$(y^2-x^2)\{(y^2+x^2)^2+a^4\}-2a^2(x^4+6x^2y^2+y^4)=0.$$

Für $y=0$ erhält man $x^2(x^4+2a^2x^2+a^4)=0.$

Die Abscissenaxe schneidet die Kurve in 6 Punkten; 2 derselben fallen im Ursprung zusammen, die 4 übrigen sind imaginär. — Für $x=0$ hat man

$$y^2(y^4-2a^2y^2+a^4)=0.$$

Auch die Ordinatenaxe schneidet die Curve in 6 Punkten; 2 derselben fallen in den Ursprung; die andern sind gegeben durch $y=\pm a$. — Zwei Zweige der Curve schneiden sich im Ursprunge; sie geben die Wendepunkte der Lemniscate daselbst. — Für die weitere Untersuchung setzen wir $x=\varrho\cos\varphi$, und $y=\varrho\sin\varphi$; alsdann erhält man:

$$(\sin\varphi^2-\cos\varphi^2)(\varrho^4+a^4)-2a^2\varrho(^2\sin\varphi^4+6\sin\varphi^2\cos\varphi^2+\cos\varphi^4)=0.$$

Mit Rücksicht darauf, dass

$$\sin\varphi^4+6\sin\varphi^2\cos\varphi^2+\cos\varphi^4=(\sin\varphi^2+\cos\varphi^2)^2+4\sin\varphi^2\cos\varphi^2,$$

erhalten wir die Gleichung:

$$\varrho^4+\frac{2a^2(1+\sin 2\varphi^2)}{\cos 2\varphi}\varrho^2+a^4=0,$$

also:

$$\varrho^2=-\frac{a^2(1+\sin 2\varphi^2)}{\cos 2\varphi}\pm a^2\sqrt{\frac{(1+\sin 2\varphi^2)^2}{\cos 2\varphi^2}-1}.$$

Die Wurzel in diesem Ausdruck ist reell; wir dürfen, um reelle Werthe für ϱ zu erhalten, nur das obere Zeichen nehmen; also:

$$\varrho=\pm\sqrt{-\frac{a^2(1+\sin 2\varphi^2)}{\cos 2\varphi}+a^2\sqrt{\frac{(1+\sin 2\varphi^2)^2}{\cos 2\varphi^2}-1}}.$$

So lange nun $\cos 2\varphi$ positiv bleibt, ist $\frac{a^2(1+\sin 2\varphi^2)}{\cos 2\varphi}$ negativ, und da $\frac{a^2(1+\sin 2\varphi^2)}{\cos 2\varphi}>a^2\sqrt{\frac{(1+\sin 2\varphi^2)^2}{\cos 2\varphi^2}-1}$, sind dann die Wurzeln imaginär. Wir erhalten also von $2\varphi=0$ bis $2\varphi=\frac{\pi}{2}$ d. h. von $\varphi=0$ bis $\varphi=\frac{\pi}{4}$ keine reellen Punkte der Kurve. Für $\varphi=\frac{\pi}{4}$ wird $\varrho=\pm\frac{1}{0}$, schneidet also die Kurve im Unendlichen. Für $\varphi=\frac{\pi}{2}$ wird $\varrho=\pm a$, und für $\varphi=\frac{3}{4}\pi$ ist ϱ wieder unendlich. Die beiden Radienvectoren, welche die Kurve im Unendlichen schneiden, stehen auf einander senkrecht. Dass die Kurve von $\varphi=\frac{\pi}{4}$ bis $\varphi=\frac{\pi}{2}$ fällt, von da bis $\varphi=\frac{3}{4}\pi$ wieder steigt, wird bestätigt durch das Zeichen von $\frac{d\varrho}{d\varphi}$.

Es ist nämlich

$$\frac{d\varrho}{d\varphi} = \frac{a^2}{\varrho} \cdot \left\{ \frac{4 \sin 2\varphi \cos 2\varphi^2 (1 + \sin 2\varphi^2) + 2 \sin 2\varphi (1 + \sin 2\varphi^2)^2}{\cdot \cos 2\varphi^3 \sqrt{\frac{(1 + \sin 2\varphi^2)^2}{\cos 2\varphi^2} - 1}} - \frac{4 \sin 2\varphi \cos 2\varphi^2 + 2 \sin 2\varphi (1 + \sin 2\varphi^2)}{\cos 2\varphi^2} \right.$$

Nehmen wir den Zweig auf der positiven Seite der Ordinatenaxe, also ϱ positiv, so hängt das Zeichen von $\frac{d\varrho}{d\varphi}$ vom Ausdruck in der Klammer ab. Von $\varphi = \frac{\pi}{4}$ bis $\varphi = \frac{\pi}{2}$ ist $\cos 2\varphi$ negativ, während $\sin 2\varphi$ positiv ist. Jener Ausdruck ist hiernach negativ, also fällt die Curve von $\varphi = \frac{\pi}{4}$ bis $\varphi = \frac{\pi}{2}$. Für $\varphi = \frac{\pi}{2}$ wird $\frac{d\varrho}{d\varphi} = 0$, woraus sich ergiebt, dass die Tangente im Punkte $(0, +a)$ der Abscissenaxe parallel geht. Wenn $\varphi > \frac{\pi}{2}$ wird, so wird auch $\sin 2\varphi$ negativ, und man sieht, dass dann jener Ausdruck in der Klammer positiv wird; die Curve also von hier an wieder steigt. —

Für diejenigen Punkte unserer Curve, welche auf dem Radiusvector mit dem Richtungswinkel $\varphi = \frac{\pi}{4}$ liegen, muss $x = y$, also in der ursprünglichen Gleichung $y^2 - x^2 = 0$ sein. — Die Inflexionskurve der Lemniscate wird demnach durch eine gleichseitige Hyperbel mit ihren Asymptoten dargestellt; letztere geben die Wendepunkte. Dass die Lemniscate von jenen Asymptoten nur im Ursprung getroffen wird, ergiebt sich leicht aus ihrer Gleichung,

$$\varrho = \pm a \sqrt{2 \cos 2\varphi},$$

woraus erhellt, dass sie zwischen $\varphi = -\frac{\pi}{4}$ und $\varphi = +\frac{\pi}{4}$ liegt. —

Ehingen. Dr. BAMMERT.

VIII.

Ueber Functionen complexer Grössen.

Von Dr. G. Roch,
Docent an der Universität zu Halle.

(Schluss zu No. VII, Jahrg. 8, S. 183.)

§. 13.

Die Betrachtungen von §. 5—12 sind im Wesentlichen unter Voraussetzung eindeutiger Functionen angestellt worden, oder wenigstens sind mehrdeutige Functionen nun innerhalb solcher Gebiete der unabhängig Veränderlichen z betrachtet worden, innerhalb deren sie sich wie eindeutige verhielten. Mehrdeutige Functionen können nur im Wesentlichen auf zwei verschiedene Arten ähnlichen Betrachtungen zugänglich gemacht werden.

Einmal kann man die symmetrischen Functionen der Werthe bilden, welche die Function annimmt; ein wichtiges Beispiel für diese Methode werden wir in der Entwicklung des Abel'schen Additionstheorems kennen lernen. Ein ganz ähnliches Princip bringt Riemann in Anwendung bei seiner Untersuchung über die hypergeometrische Reihe.

Eine zweite, ungleich interessantere Methode, die allerdings nur auf algebraische und aus ihnen hergeleitete Functionen anwendbar scheint, besteht darin, mehrdeutige Functionen von $z=x+yi$ als abhängig zu betrachten von dem Punkte nicht einer Ebene, sondern einer complicirter gestalteten Fläche.

Dies Verfahren soll zunächst durch einige Beispiele erläutert werden.

Eine rationale Function, also etwa $w=\frac{z-a}{z-b}$, hat in jedem Punkte der z Ebene, oder der sie ersetzenden geschlossenen Fläche (siehe §. 6) einen Werth.

Eine Function, wie $w=\sqrt{\frac{1-z}{1+z}}$ hingegen hat für jedes z zwei gleichgrosse, entgegengesetzte Werthe; für $z=1$ sind dieselben gleich gross, nämlich 0; auch für $z=-1$ können wir sie als gleich gross, nämlich ∞ ansehen; auch brauchen wir ja nur $\frac{1}{w}=\sqrt{\frac{1+z}{1-z}}$ zu betrachten, welches eine ganz ähnliche Function wie w ist, um einzusehen, dass der Punkt -1 für w dieselbe Rolle spielt, wie $+1$; diese beiden Punkte nennen wir die Verzweigungspunkte von w (siehe §. 4); schreiben wir

$$w=\frac{1}{\sqrt{1+z}}\sqrt{1-z},$$

so ist $\sqrt{1+z}$ in der Nähe von $z=1$ eindeutig; in der That können wir $\sqrt{1+z}=\sqrt{2-(1-z)}$ schreiben und für kleine $1-z$ nach Potenzen von $(1-z)$ entwickeln. $\sqrt{1-z}$ aber ist in der Nähe von $z=1$ nicht eindeutig, sondern wird sich so verhalten, wie $\sqrt{z}$ für $z=0$; im §. 4 sahen wir, dass $\sqrt{z}$, um $z=0$ stetig fortgesetzt, in den Werth $-\sqrt{z}$ übergeht; also wird überhaupt w, um $z=1$ herum stetig fortgesetzt, seinen zweiten möglichen Werth erlangen, sobald z wieder den Anfangswerth erhält. Aehnlich bei $z=-1$.

Denken wir uns jetzt zwei übereinander liegende ebene Blätter (Taf. III, Fig. 1), dieselben längs einer von -1 bis $+1$ gehenden Linie zerschnitten und die oberen und unteren Ränder übers Kreuz mit einander verklebt; so kann w als eindeutige Function des Ortes in dieser Fläche betrachtet werden. Eine Linie, die von A im oberen Blatte ausgeht, führt in der Figur nicht nach A zurück, sondern nach A_1 im unteren Blatt, entsprechend dem, dass w nicht denselben Werth erlangt, wenn z (in A_1) denselben Werth hat, wie Anfangs in A; erst nach einem zweiten Umgange führt die Linie wieder nach A und nach einem zweiten Umgange wird auch w wieder den Anfangswerth erlangt haben. Ebenso bei Umgängen um $z=-1$. Jede andere, nicht um diese Punkte gehende Linie C führt in den Anfangspunkt B schon nach einem Umgange zurück.

Auch eine Linie, die um beide Verzweigungspunkte herum geht, welche also, als Begrenzung des aussen liegenden Theiles eines Blattes gedacht, ebenfalls gar keinen solchen Punkt in sich enthält, führt zu demselben Anfangspunkte zurück und w wird, auf solcher Linie stetig fortgesetzt, schon nach einem Umgange wieder denselben Werth erlangen. In der That kann man einen solchen Umgang von C (Taf. III, Fig. 2) in einen über D, E nach C und dann von C über E und F nach C zurück zerlegen; der erste Umgang (um -1) führt w in $-w$, der zweite wieder in $+w$ über.

Von der so erhaltenen Fläche sagen wir, sie stellt die Verzweigungsart von $\sqrt{\frac{1-z}{1+z}}$ dar, und bezeichnen sie der Kürze wegen mit T.

Für die Function $\sqrt{z}$ würden $z=0$ und $z=\infty$ die Verzweigungspunkte sein.

Eine complicirtere Function wäre

$$w=\sqrt{z.\overline{1-z}.\overline{1-k^2 z}};$$

die Fläche T würde hier 4 Verzweigungspunkte haben, nämlich 0, 1, $\frac{1}{k^2}$ und ∞; sie würde aus 2 Blättern bestehen, die man etwa, wie Taf. III, Fig 3 zeigt, zusammenhängend denken kann. Wir sehen, dass die Verzweigung eintreten kann, sobald zwei Werthe von w einander gleich werden. Dürfen wir die im Anfang §. 4 gemachte Voraussetzung festhalten, dass die Function einen Differentialquotienten hat, so wird auch nur dann Verzweigung eintreten können, wenn 2 Werthe von w gleich sind. Indess braucht dies nicht immer zu sein. Ist z. B. $k=1$, so wird im letzten Beispiele $w=\sqrt{z}.(1-z)$ und für $z=1$ sind die beiden Werthe von w gleich, ohne dass Verzweigung stattfindet. Offenbar sind hier zwei Verzweigungspunkte $\left(z=1,\ z=\frac{1}{k^2}\right)$ sich aufhebend zusammengefallen; dies wird stets der Fall sein, wenn sich zwei Verzweigungspunkte zwischen denselben beiden Blättern einer Fläche vereinigen.

Setzt sich aber in $z=a$ das Blatt 1 in 2, in b das Blatt 2 in 3 fort, und es fallen nun a und b auf einander, so erhält man einen Punkt, in welchem sich 1, 2, 3 in einander fortsetzen, so dass man aus 1 nach einander nach 2, 3 und 1 zurück gelangt. Ebenso können mehr Verzweigungspunkte zusammenfallen und man erkennt, dass ein solcher, in welchem n Blätter sich ineinander fortsetzen, als Produkt des Zusammenfallens von $n-1$ einfachen Verzweigungspunkten resp. zwischen den Blättern $1, 2; 2, 3 \ldots; n-1, n$ betrachtet werden kann.

Bleiben wir beim Beispiel der Punkte a, b stehen. — Der erste Umgang von A nach A zurück führt aus 1 nach 2, der zweite aus 2 nach 3 und der dritte aus 3 nach 1, da man jede solche Curve in die zwei, in der Taf. III, Fig. 4 angedeuteten zerlegen kann.*)

§. 14.
Modification einiger früheren Sätze.

Vermöge dieser Flächen kann man einige der früheren Sätze sofort allgemein ausdrücken und das Naturgemässe dieser Betrachtungsweise erkennen.

In einem Verzweigungspunkte $z=a$, in welchem zwei Blätter in einander übergehen, ist w nicht eindeutig von $z-a$ abhängig, da, wenn $z-a$

*) Aus dem Entwickelten folgt: wenn zwei der Werthe von w gleich gross werden, so kann Verzweigung eintreten. Indess ist es auch möglich, dass trotzdem w eindeutig bleibt.

denselben Werth wieder erlangt, w einen andern Werth erhält. **Dagegen** wird $\sqrt{z-a}$ erst nach zwei Umläufen um $z=a$ den ursprünglichen Werth erlangen, also w eindeutige Function sein von $\sqrt{z-a}$. Nimmt man also $z=a$ als Ausgangspunkt, so wird man w, falls a nicht ∞ ist, als eindeutige, stetige, endliche Funtion von $\sqrt{z-a}$ nach Potenzen von $(z-a)^{\frac{1}{2}}$ entwickeln könnnen.

Eine bemerkenswerthe Allgemeinheit erlangt das Theorem über das Verschwinden von Integralen, welche über geschlossene Curven ausgedehnt werden. Betrachten wir z. B. $\int\frac{dz}{\sqrt{1-z^2}}$; die Function $\sqrt{1-z^2}$ ist in -1 und $+1$ verzweigt. Daher wird (siehe §. 5) das über eine geschlossen um -1 und $+1$ verlaufende Curve ausgedehnte Integral von Null verschieden sein können; in der That ist es (je nach der Umlaufsrichtung) $\pm 2\pi$. Eine solche Curve aber bildet nicht die Begrenzung eines Theiles der Fläche, innerhalb dessen das unbestimmte Integral $\int\frac{dz}{\sqrt{1-z^2}}$ endlich bliebe. Denn vermöge des Zusammenhanges der beiden Blätter von T längs -1 bis $+1$ hängt an dem inneren (endlichen) Theile des oberen Blattes, welcher in Fig. 2 von dieser Curve begrenzt ist, das ganze unendliche untere Blatt und für $z+\infty$ wird das Integral mit $i\int\frac{dz}{z}$ identisch, also logarithmisch unendlich. Man erkennt in der That, dass die Bedingung, welche Ende des §. 8 für das Verschwinden von $\int f(z)\,dz$ gegeben worden ist (durch Betrachtung von $\int d\lg u$) von der Ein- oder Mehrdeutigkeit von fz unabhängig ist. Es ist gar nicht nöthig, das unbestimmte Integral u in finiter Form zu haben, sondern es genügt, wie dies Beispiel zeigt, die Betrachtung der Potenzen von z in der Entwicklung von $f(z)$, um über die Endlichkeit des Integrales u zu entscheiden.

Aber, das Integral $\int fz\,dz$ kann auch noch aus anderen Gründen von Null verschieden sein. Untersuchen wir z. B. $\int\frac{dz}{\sqrt{z\,.\,1-z\,.\,1-k^2z}}$. Dasselbe bleibt für jeden Werth von z endlich, dennoch ist das, in Fig. 3 über (a) ausgedehnte Integral von Null verschieden, in der Bezeichnung der Theorie der elliptischen Functionen gleich $\pm 4K$.

Dies erklärt sich durch die Betrachtungen des §. 5 von selbst. Die den x oder y Richtungen parallelen oder überhaupt irgend welche im Innern von C gezogenen Linien verbleiben auch hier nicht im anfänglichen (oberen) Blatte. So führt z. B. (b) von der inneren Seite von (a) durch das untere Blatt wieder zu dem gegenüberliegenden Punkte der äusseren Seite von (a) und die Entwicklung des §. 5 würde hier nur aussagen, dass das längs der inneren Seite genommene Integral ebenso gross ist, wie das längs der äusseren Seite genommene. Hier bildet die Linie (a) überhaupt nicht die

Begrenzung eines Theiles von T, schneidet gar kein, weder endliches noch unendliches Stück von T aus.

Die Betrachtung solcher Curven werden wir sofort weiter führen; wir sehen, wie das Theorem über die bestimmten Integrale jetzt folgende Fassung annimmt:

> Ein Integral ist, über eine geschlossene Curve ausgedehnt, Null, wenn diese Curve für sich allein genommen die ganze Begrenzung eines Theiles der Fläche T bildet, innerhalb dessen die unbestimmte Integralfunction endlich bleibt.

Das letzte Criterium kann man durch einfache Betrachtungen ersetzen über die Ordnung des unendlichen Werdens der integrirten Function. Ist h eine überall endliche Function, so wird, wenn $\int fy\,dz = 0$, in Folge unseres Satzes auch $\int h.f(z)\,dz = 0$ sein müssen.

Unsere Folgerung aus dem Taylor'schen Theorem, dass überall endliche Functionen constant sind, wird hier nicht Statt haben, da wegen des Vorhandenseins der Verzweigungspunkte die Taylor'sche Reihe nicht bis ins Unendliche convergirt, selbst wenn die zu entwickelnde Function endlich bleibt. Die nach Potenzen z. B. von $\sqrt{z-a}$ fortschreitende Reihe wird nur innerhalb eines um den Verzweigungspunkt $z=a$ concentrischen Kreis convergiren, der alle übrigen Verzweigungspunkte ausschliesst. Die Bestimmung mehrdeutiger Functionen durch ihre Eigenschaften muss vielmehr durch Betrachtungen analog denen des §. 11 geschehen.

Hierbei wird zunächst u als Integral der Gleichung $\frac{d^2 u}{dx^2} + \frac{d^2 u}{dy^2} = 0$ und dann v als bestimmtes Integral

$$\int\left(\frac{du}{dx}dy - \frac{du}{dy}dx\right)$$

bestimmt. Dies letzte Integral kann nach dem eben Angegebenen, über geschlossene Curven ausgedehnt, von Null verschieden sein, oder was dasselbe ist, für dieselbe obere Grenze verschiedene Werthe haben, je nach dem Integrationswege, und zwar wird die Möglichkeit solcher Verschiedenheiten von der Gestalt der Fläche T, durch die Möglichkeit solcher Curven wie (a) in Fig. 3, bedingt sein.

Wenn also auch $w = u + vi$ endlich bleibt, so hat man doch die Eindeutigkeit von v nicht in der Gewalt, wenigstens so lange nicht, als Curven existiren, welche für sich allein nicht einen Theil der Fläche T vollständig begrenzen. Zur Betrachtung dieser Curven gehen wir nunmehr über.

§. 15.
Mehrfach zusammenhängende Flächen und ihre Zerlegung durch Querschnitte.

Die Möglichkeit von Curven, welche für sich nicht einen Theil der Fläche vollständig begrenzen, ist auch bei ebenen Flächen vorhanden. Betrachtet man z. B. den Verlauf von $\frac{1}{z}$, damit die Function innerhalb der Fläche endlich sei, in einer um $z=0$ gehenden Ringfläche (Taf. III, Fig. 4), so wird die Curve a für sich nicht, sondern nur mit der innern oder äussern Begrenzungslinie zusammen einen Flächentheil vollständig begrenzen. Das Wesen solcher Curven liegt darin, dass eine von der einen oder von der andern Seite von (a) ausgehende Linie q' oder q'' noch zu Begrenzungstheilen führt (in (a), Fig. 3, ist dieser andre Begrenzungstheil die entgegengesetzte Seite der Linie (a); oder auch ein aus T herausgestochener Punkt, welcher dann als die Begrenzung der Fläche angesehen werden kann.

Zieht man in Fig. 4 irgend eine andre geschlossene Curve, so bildet diese entweder für sich eine vollständige Begrenzung (wenn sie nicht um die innere Durchbrechung der Fläche herum geht), oder sicher mit a zusammen. Wir ziehen eine Curve b der letzteren Art. Das zwischen a und b liegende Stück (a, b) liegt entweder auf der Seite von a, von der q' ausgeht, oder auf der Seite von q''; da aber eines der q (in der Fig. 5: q') von a nach einer ausserhalb (ab) liegenden Begrenzung von T geht, so muss dies q die Linie b treffen, da es die Linie a kein zweites Mal trifft. Die Linie b kann a vollständig ersetzen; a bildet mit jedem c einen Flächentheil (a, c), z. B. einen Theil (b, a); je nachdem dies auf derselben oder entgegengesetzten Seite von a liegt, begrenzt b mit c einen Flächentheil $(b, c) = (a, c) \mp (a, b)$. Wir zerschneiden nun die Fläche T längs q'' und q', oder längs einer beliebigen von einem Begrenzungspunkte von T bis zu einem andern gehenden Linie q; die so zerschnittene Fläche nennen wir T'; die Linien a und b verlaufen nicht im Innern von T', sind nicht mehr als geschlossen zu betrachten. Da nach dem Vorigen q j e d e Linie a oder b trifft, welche für sich nicht allein die vollständige Begrenzung eines Theiles von T bildet, so giebt es keine im Innern von T' laufende geschlossene Linie mehr, die nicht eine vollständige Begrenzung eines Theiles von T' wäre. Durch Ziehen eines Querschnittes q ist demnach die Möglichkeit von Curven wie a oder b verschwunden. Dieser Querschnitt zerlegt T nicht in getrennte Stücke; wir nennen T deshalb doppelt zusammenhängend, T' aber einfach zusammenhängend.

Es kann nun auch gezeigt werden, dass jeder solcher Querschnitt wiederum denselben Effect haben muss, wie q.

Ziehen wir einen beliebigen Querschnitt q, der die Fläche nicht zerstückt, so muss eine Linie innerhalb der Fläche gezogen werden können, welche von der einen Seite von q zu der entgegengesetzten führt und im Innern verläuft, denn sonst hingen die Flächen zu beiden Seiten von q nicht zusammen. Diese Linie würde in der unzerlegten Fläche keine vollständige Begrenzung bilden, da zu beiden Seiten derselben noch Begrenzungstheile liegen, eben die durch den Querschnitt mit einander verknüpften; wir können diese Linie als Linie a benutzen und nun die vorigen Argumente anwenden, um zu zeigen, dass in der zerschnittenen Fläche keine Linie mehr existirt, wie a oder b.

Unsere ursprüngliche Fläche hatte die Eigenschaft, dass eine Curve (a) existirte, welche nicht für sich allein, aber mit jeder andern geschlossenen Curve einen Theil der Fläche vollständig begrenzt. Solche Flächen nennen wir doppelt zusammenhängend; sie haben die Eigenschaft, durch jeden sie nicht zerstückelnden Querschnitt die Möglichkeit von Curven wie a zu verlieren, oder einfach zusammenhängend zu sein. Da in solchen jede geschlossene Curve eine vollständige Begrenzung bildet, so muss auch, als Grenzfall der im Innern zu ziehenden Curven, die Begrenzung der ganzen Fläche T' aus einem Stücke bestehen, wenn T selbst nicht aus getrennten liegenden Stücken besteht. Ganz Aehnliches lässt sich für complicirtere Flächen entwickeln, in denen mehrere, n, Curven a gezogen werden können, so dass sie nicht unter einander, aber mit jeder $n+1^{\text{ten}}$ geschlossenen Curve einen Theil der Fläche begrenzen. Solche Flächen heissen $n+1$ fach zusammenhängend.

Zunächst kann man zeigen, dass diese Anzahl n bei andrer Anordnung und Lage der Curven keine grössere, mithin auch keine kleinere sein kann; um dies zu zeigen, ersetzen wir successiv die Curven $a_1 \ldots a_n$ durch andre.

Begrenzt b mit allen oder einigen der $a_1 \ldots a_n$ zusammen einen Theil der Fläche vollständig, ebenso c, so kann b stets wenigstens eines der a ersetzen. Das von b und $a_1 \ldots a_m$ begrenzte Flächenstück sei durch $(b, a_1 \ldots a_m)$ bezeichnet; man hat dann analog wie bei einem a_1 nur jetzt mehrere mögliche Fälle, da entweder z. B. (b, a_1) oder $(b, a_1, a_2) \ldots$ oder $(b, a_1 \ldots a_n)$ ein Flächentheil ist; c brauche alle $a_1 \ldots a_n$, um einen Flächentheil vollständig zu begrenzen. Man hat dann eine Gleichung von einer der Formen:

$$(b, a_1) \pm (c, a_1 \ldots a_n) = (c, b, a_2 \ldots a_n)$$
$$(b, a_1, a_2) \pm (c, a_1 \ldots a_n) = (c, b, a_3 \ldots a_n)$$
$$\cdot \quad \cdot \quad \cdot$$
$$(b, a_1 \ldots a_n) \pm (c, a_1 \ldots a_n) = (c, b),$$

da entweder in der Summe oder in der Differenz der (links stehenden) Flächen die gemeinsamen Begrenzungslinien (resp. a_1, oder $a_1, a_2 \ldots$ oder $a_1 \ldots a_n$) nicht mehr als Begrenzungslinien vorhanden sind. Auf alle Fälle kann man also wenigstens eine der Curven $a_1 \ldots a_n$ durch die willkürlich neue b ersetzen, z. B. a_1, so dass jetzt jede neue Linie c mit $b, a_2 \ldots a_n$ oder einigen dieser Linien a einen Theil der Fläche vollständig begrenzen muss, sowie vorher mit $a_1, a_2 \ldots a_n$ oder einigen derselben.

Man kann so weiter alle a durch neue (geschlossene) Curven b ersetzen; diese Betrachtung beweist, dass jedes System von n Curven b, welche unter sich noch keine vollständige Begrenzung bilden, mit jeder neuen Curve c eine bilden müssen; es giebt sicher nicht mehr als je n anderer Curven b, welche $a_1 \ldots a_n$ zu ersetzen vermögen, mithin auch nicht weniger, denn man kann rückwärts die b durch a ersetzen.

Durch einen Querschnitt kann immer eine dieser Curven als im Innern verlaufend unmöglich gemacht werden. Da $a_1 \ldots a_n$ keine vollständige Begrenzung für sich bilden, so liegen zu beiden Seiten, etwa von a_n, noch Begrenzungstheile von T; man kann daher von einem Punkte von a aus q' und q'' nach diesen beiden Begrenzungstheilen ziehen; q' und q'' zusammen geben einen Querschnitt q, in Folge dessen a_n nicht mehr im Innern der (zerschnittenen) Fläche verläuft, q treffe keine der Curven $a_1 \ldots a_{n-1}$. Jede geschlossene Curve, die mit a_n und keinen der übrigen oder einigen der $a_1 \ldots a_{n-1}$ oder allen eine vollständige Begrenzung eines Theiles der Fläche T bildet, muss dann, wie in Fig. 5, von q zerschnitten werden, so dass nur solche Curven auch in der zerschnittenen Fläche geschlossen verlaufen, welche nicht a_n nöthig haben, sondern mit $a_1 \ldots a_{n-1}$ schon eine vollständige Begrenzung bilden. Man sieht, wie jetzt n auf $n-1$ herabgebracht ist.

Es lässt sich nun zeigen, gerade so wie bei $n=1$, dass jeder nicht zerstückelnde Querschnitt dasselbe leisten muss; denn man kann dann immer eine Curve ziehen, welche im Innern verlaufend, beide Seiten des Querschnittes verbindet und diese Curve kann eine der $a_1 \ldots a_n$ ersetzen.

Durch jeden nicht zerstückelnden Querschnitt wird also der Zusammenhang der Fläche um 1 erniedrigt und durch n Querschnitte wird die $n+1$fach zusammenhängende Fläche einfach zusammenhängend, ihre Begrenzung besteht dann aus einer geschlossenen Curve.

In Fig. 3 z. B. bilden die Querschnitte (a) und (b) zusammen die geschlossene Curve von Taf. III, Fig. 6 (von 1 nach 2, 3, 4, 1).

Die beiden Seiten jedes Querschnittes werden entgegengesetzt, also so durchlaufen, dass das begrenzte Flächenstück immer auf derselben Seite (in Fig. 6 auf der linken) der Begrenzung liegt.

Ist die ursprünglich gegebene Fläche T, wie in Fig. 3, geschlossen, und (a) eine der geschlossenen Curven, die keinen Theil der Fläche vollständig begrenzen, so muss eine geschlossene Curve existiren, welche beide Seiten von (a) mit einander verbindet; denn die ganze Begrenzung von T kann man aus einem aus T herausgestochenen Punkte bestehend denken und nach diesm müssen sich von beiden Seiten von (a) aus Linien q' und q'' ziehen lassen, welche zusammen eine geschlossene Linie (b) geben. Diese Linie ist nun wieder eine, die keinen Theil von T vollständig begrenzt, denn (a) verbindet beide Seiten von (b); man erkennt hieraus, dass bei geschlossenen Flächen das Vorhandensein einer Linie (a) immer das einer zweiten (b) bedingt, oder dass die Anzahl der Querschnitte, durch welche T einfach zusammenhängend wird, immer eine gerade ist. Wir bezeichnen diese Zahl mit $2p$.

§. 16.

Weitere Sätze für mehrfach zusammenhängende Flächen.

In §. 13 haben wir schon Beispiele kennen gelernt, welcher Art die

Flächen T sind, innerhalb deren wir eine algebraische Function s von z eindeutig denken. Sei

$$a_0 s^n + a_1 s^{n-1} + \dots + a_{n-1} s + a_n = 0$$

eine algebraische Gleichung, $a_0 \dots a_n$ ganze rationale Functionen von z vom m^{ten} Grade, durch $F\binom{n\ \ m}{s,\ z} = 0$ bezeichnen wir abgekürzt diese Gleichung. Dann hat s für jeden Werth von z n Werthe, die Fläche T muss daher aus n Blättern bestehen. Für gewisse Werthe von z können mehrere der s gleich gross werden, so dass daselbst Verzweigung eintreten kann; die Anzahl der Verzweigungspunkte, in denen sich, wie in den Beispielen des §. 13, 2 Werthe von s oder 2 Blätter von T gegenseitig in einander fortsetzen, sei w. Nach §. 13 sehen wir einen $n$fachen Verzweigungspunkt (in welchem $n+1$ Blätter zusammenhängen) als n einfache an, die auf einander gefallen sind. Die Anzahl w solcher einfachen Verzweigungspunkte steht mit der Anzahl n der Blätter und mit p in einem interessanten Zusammenhange, der auf folgende Weise gefunden werden kann. Diesen Beweis hat Riemann in seinen Vorlesungen gegeben.

Eine einfach zusammenhängende Fläche zerfällt durch $m-1$ Querschnitte in m getrennte Stücke; eine $q$fach zusammenhängende Fläche wird durch $q-1$ Querschnitte einfach zusammenhängend und kann daher durch $m+q-2$ Querschnitte in m getrennte, einzeln betrachtet, einfach zusammenhängende Stücke zerlegt werden.

Wird aus einer geschlossenen Fläche ein Punkt ausgeschieden, so besteht die Begrenzung aus dieser einen unendlich kleinen geschlossenen Curve. Scheidet man noch einen Punkt aus, so ist ein Querschnitt, der beide Punkte verbindet, nöthig, um die Begrenzung zu einer geschlossenen Curve zu machen; der Zusammenhang der ursprünglichen Fläche T wird durch Ausscheiden zweier Punkte um 1 erhöht, durch Ausscheidung von n Punkten in ähnlicher Weise um $n-1$.

Aus unsrer aus n Blättern bestehenden Fläche nun scheiden wir n Punkte aus, in jedem Blatte einen; seien z. B. A, A_1 zwei solche Punkte in Blättern, die z. B. in a und b (Taf. III, Fig. 7) in einander verzweigt sind, also längs ab gegenseitig in einander übergehen.

Wir ziehen nun folgende Querschnitte: von A über c nach A_1, von A über d nach A_1 und so in allen Blättern, so lange noch Verzweigungspunkte nicht von einem Querschnitt umgeben sind. Offenbar haben wir dann w Querschnitte; durch dieselben sind die n Blätter vollständig von einander abgetrennt; z. B. in Fig. 7 ist der unendliche schraffirte Theil des oberen Blattes nur mit der Spitze cA_1d im unteren vereinigt, abgetrennt vom innern, endlichen Theile des oberen Blattes, der längs $adcb$ mit dem ganzen unendlichen untern Blatte zusammenhängt. Die Begrenzung jedes solchen Blattes, z. B. des oberen, besteht aus geschlossenen Linien $AbcA_1dA$, die sämmtlich A gemeinschaftlich haben, mithin sich alle nach einander in einem Zuge machen lassen; die n Theile sind also einzeln einfach zusammenhängend. Die w Querschnitte haben also die (nach Ausscheidung der n Punkte A, A_1 . .) $2p+n$ fach zusammenhängende Fläche in n getrennte Stücke zerlegt, so dass

a) $$w=2p+2n-2.$$

Aus dieser Gleichung sehen wir, dass in Fig. 3 z. B. die zwei Querschnitte (a, b) genügen, um T einfach zusammenhängend zu machen, denn dort ist $n=2$, $w=4$, also $p=1$.

Ein weiterer Zusammenhang zwischen w, p, m, n findet sich durch Betrachtung der Gleichung $F(s, z)=0$. Diese Formel soll jedoch später entwickelt werden, nachdem eine Regel gegeben worden ist für die Bestimmung der Anzahl der gemeinsamen Wurzeln zweier Gleichungen.

§. 17.

Anzahl des Null- und unendlich Werdens algebraischer Functionen und Anwendungen.

Die Fläche T sei durch ihre $2p$ Querschnitte zerlegt und alsdann mit T' bezeichnet.

Die ursprüngliche algebraische Function von s und z, die zur Bildung dieser Fläche Veranlassung gab, ist in T eindeutig und stetig; sie hat also zu beiden Seiten der Querschnitte gleiche Werthe. Dasselbe gilt offenbar für jede Function von z, welche rational durch s und z ausdrückbar ist; es sei ζ eine solche Function. Dann ist

$$\int d\, lg\, \zeta = \int \frac{d\zeta}{dz} \frac{dz}{\zeta}$$

durch die ganze Begrenzung von T' ausgedehnt Null, denn zu beiden Seiten jedes Querschnittes, und aus diesen Seiten besteht die Begrenzung, ist ζ also auch $\frac{d\zeta}{dz}$ gleich gross, während dz entgegengesetzte Werthe hat, da beide Seiten entgegengesetzt durchlaufen werden. Dieses Integral ist gleich der Summe der Integrale um die Punkte herum erstreckt, in denen $lg\,\zeta=\infty$, also $\zeta=0$ oder $=\infty$ ist.

Sei in einem Punkte der Fläche T, in welchem $z=a$, welcher kein Verzweigungspunkt ist, so beschaffen, dass

$$\zeta\,.\,(z-a)^n$$

endlich und von Null verschieden für $z=a$; dann heisst ζ unendlich n^{ter} Ordnung in diesem Punkte; dann ist $\int d\, lg\, \zeta$ um diesen Punkt herum gleich $-m2\pi i$ (siehe §. 8). Ist dagegen der Punkt, in welchem $lg\,\zeta$ unendlich ist, ein solcher, in welchem etwa zwei Blätter zusammenhängen, so geht die um ihn verlaufende geschlossene Linie, wie Fig. 1 zeigt, zweimal herum und das Verfahren des §. 8 wird als Werth des Integrals $-2m.2\pi i$ ergeben; in einem $n-1$ fachen Verzweigungspunkte wird

$$-nm\,.\,2\pi i$$

als Werth des Integrales entstehen; nennen wir nun in einem solchen Punkte $(z-a)$ unendlich klein n^{ter} Ordnung $\left(\frac{1}{z-a}\right.$ unendlich gross n^{ter} oder unendlich klein $-n^{\text{ter}}$ Ordnung), so sehen wir, lässt sich der Satz über das Verschwinden des obigen Integrales auch hier wie in §. 8 so ausdrücken:

Jede algebraische, wie s verzweigte Function ζ von z wird in T ebenso oft unendlich gross als unendlich klein 1. Ordnung. Da $\zeta-c$ verzweigt ist, wie ζ, so wird $\zeta-c=0$ ebenso oft, oder ζ erlangt jeden Werth c geich oft.

Hieraus lässt sich die Anzahl der gemeinsamen Wurzeln zweier Gleichungen

$$F(s,z)=0, \quad f(s,z)=0$$

finden. Die eine benutzt man, um den Charakter der Fläche T nach ihr zu bestimmen; in $f(s,z)$ zählt man die Anzahl des unendlich Werdens und hat so die Anzahl der (s,z), für welche $f=0$ wird innerhalb T, d. h. für Werthenpaare s,z, die der Gleichung $F=0$ genügen. Als Anwendung hiervon soll die Bestimmung der Anzahl der Verzweigungspunkte bei gegebener Gleichung $F(s,z)=0$ vorgeführt werden.

In jedem Verzweigungspunkte müssen zwei Werthe von s einander gleich werden, neben $F=0$ muss also noch

$$\frac{\partial F(s,z)}{\partial s}=0$$

bestehen.

Aber nicht immer braucht bei Geltung der letzten Gleichung auch Verzweigung Statt zu finden. Seien nämlich $s=\gamma$, $z=\delta$ zwei Werthe, für welche $F=0$, so ist in der Nähe dieser Werthenpaare

$$F(s,z)=F(\gamma,\delta)+(s-\gamma)\frac{\partial F}{\partial s}+(z-\delta)\frac{\partial F}{\partial z}$$

$$+\tfrac{1}{2}\left[(s-\gamma)^2\frac{\partial^2 F}{\partial s^2}+2(s-\gamma)(z-\delta)\frac{\partial^2 F}{\partial s\partial z}+(z-\delta)^2\frac{\partial^2 F}{\partial z^2}\right]+\ldots,$$

rechts in $\frac{\partial F}{\partial s}\ldots\frac{\partial^2 F}{\partial z^2}$ die Werthe $z=\delta$, $s=\gamma$ eingesetzt. Sobald nun $\frac{\partial F}{\partial s}=0$, $\frac{\partial F}{\partial s}\gtrless=0$, $\frac{\partial^2 F}{\partial s^2}\gtrless=0$, so ergiebt sich für $\frac{(s-\gamma)^2}{z-\delta}$ ein endliches Verhältniss; die Glieder mit $\frac{\partial^2 F}{\partial s\,\partial z}$, $\frac{\partial^2 F}{\partial z^2}$ können vernachlässigt werden und man erhält

$$(s-\gamma)^2=-2(z-\delta)\frac{\frac{\partial F}{\partial y}}{\frac{\partial^2 F}{\partial s^2}},$$

also für $s-\gamma$ die zwei entgegengesetzten Werthe, die sich um $z=\delta$ in einander fortsetzen. Dann ist in $s=\gamma$, $z=\delta$ ein einfacher Verzweigungspunkt. Wenn $\frac{\partial^2 F}{\partial s^2}=0$ wäre, so müssten höhere Potenzen von $(s-\gamma)$ berücksichtigt werden; es würde complicirtere Verzweigung stattfinden; davon sehen wir jetzt ab.

Wäre $\frac{\partial F}{\partial z}=0$, so bliebe zur Bestimmung des Verhältnisses $\frac{s-\gamma}{z-\delta}$ die Gleichung

$$0=\frac{\partial^2 F}{\partial s^2}(s-\gamma)^2+2\frac{\partial^2 F}{\partial s\,\partial z}(s-\gamma)(z-\delta)+\frac{\partial^2 F}{\partial z^2}(z-\delta)^2;$$

sobald hierin

$$\left(\frac{\partial^2 F}{\partial s\,\partial z}\right)^2-\frac{\partial^2 F}{\partial s^2}\frac{\partial^2 F}{\partial z^2}\gtrless 0,$$

sind die beiden Werthe $\frac{s-\gamma}{z-\delta}$ für $s=\gamma$, $z=\delta$ von einander verschieden; die beiden Werthe von s können sich alsdann nicht in einander fortsetzen. Es entspricht dies dem Falle zweier sich aufhebend zusammengefallener Verzweigungspunkte.

In einem einfachen Verzweigungspunkte ist also

$$\frac{\partial F}{\partial s}=\frac{\partial^2 F}{\partial s^2}(s-\gamma)+\frac{\partial^2 F}{\partial s\,\partial z}(z-\delta)+\ldots$$

unendlich klein 1. Ordnung (wie $(s-\gamma)$ oder $\sqrt{z-\delta}$); für ein Werthensystem der zuletzt discutirten Art, für welches $\frac{\partial F}{\partial s}=0$, $\frac{\partial F}{\partial z}=0$, $\left(\frac{\partial^2 F}{\partial s\,\partial z}\right)^2-\frac{\partial^2 F}{\partial s^2}\frac{\partial^2 F}{\partial z^2}\gtrless 0$, ist $\frac{\partial F}{\partial s}$ unendlich klein 1. Ordnung in den zwei Punkten, die diesem (γ,δ) entsprechen. Auf verwickeltere Fälle, mehrfache Verzweigungen und mehrfache Aufhebungen, nehmen wir nicht Rücksicht; es gäbe w einfache Verzweigungspunkte, r Werthenpaare (γ,δ) der zuletzt erwähnten Art; dann zeigt das Vorige: $\frac{\partial F}{\partial s}$ ist $=w+2r$ mal Null erster Ordnung innerhalb T.

Es ist leicht anzugeben, wie oft $\frac{\partial F}{\partial s}$ unendlich 1. Ordnung ist.

Seien $s_1, s_2 \ldots s_n$ die n Werthe der algebraischen Function s von z für einen Werth von z. Dann ist identisch, wenn σ eine unbestimmte Grösse bedeutet:

$$(\sigma-s_1)\ldots(\sigma-s_n)=\sigma^n+\frac{a_1}{a_0}\sigma^{n-1}+\ldots+\frac{a_{m1}}{a_0}\sigma+\frac{a_n}{a_0}.$$

Hieraus erkennt man, dass, sobald eine der Wurzeln, $s_1\ldots s_n$ etwa für $z=a$ unendlich erster Ordnung ist, $z=a$ eine Wurzel von $a_0=0$ sein muss; denn für eines der $s_1\ldots s_n=\infty$ wird die linke Seite der letzten Gleichung unendlich und die rechte daher auch; da σ unbestimmt ist, muss bei endlichem z $a_0=0$ sein. Die Wurzeln von $a_0=0$ ergeben also die endlichen Werthe von z, für welche $s=\infty$ ist. Nun ist

$$\frac{\partial F}{\partial s}=a_0 n s^{n-1}+a_1(n-1)s^{n-2}+\ldots+a_{n-1};$$

da $a_0 s$ endlich ist, wenn $s=\infty$ und der Allgemeinheit wegen vorausgesetzt wird, dass die Wurzeln von $a_0=0$ nicht mit Verzweigungswerthen zusammenfallen, so wird $\frac{\partial F}{\partial s}$ von $n-2^{\text{ter}}$ Ordnung unendlich, wenn z endlich, s unendlich; dies geschieht (im Allgemeinen) bei m Werthen von z, oder vielmehr in m Punkten der Fläche. Ferner wird $\frac{\partial F}{\partial s}$ unendlich m^{ter} Ordnung in den n Werthen von s, die zu $z=\infty$ gehören; im Ganzen wird daher $\frac{\partial F}{\partial s}$ unendlich erster Ordnung in $m(n-2)+nm=2m(n-1)$. In eben so vielen Punkten wird $\frac{\partial F}{\partial s}$ Null; die Anzahl der gemeinsamen Wurzeln von $F(s,z)=0$, $\frac{\partial F}{\partial s}=0$, ist also

$$b) \qquad w+2r=2m(n-1).$$

Diese Gleichung wird anders, wenn in $F(s,z)$ $a_0=Const$ ist, also s und z nur gleichzeitig unendlich werden und ist überhaupt sehr vielen Ausnahmen unterworfen. Wir verfolgen dies hier nicht weiter. Die Richtigkeit der Gleichung (b) vorausgesetzt, kann man vermöge (a) (§. 16) auch die folgende Gleichung hinschreiben:

$$p=(n-1)(m-1)-r.$$

Diese Formel für p ist symmetrisch nach n und m. Dies ist auch nothwendig, da offenbar sowohl die r Werthenpaare (die gemeinsamen Wurzeln von $F=0$, $\frac{\partial F}{\partial s}=0$, $\frac{\partial F}{\partial z}=0$) ungeändert bleiben, wenn man s als Veränderliche, z als Function nimmt, und auch die Zahl p dann noch dieselbe sein muss.

§. 18.
Bestimmung der Functionen.

In dem Bisherigen haben wir Mittel, die Gestalt der Fläche T, bei gegebener algebraischer Gleichung zu untersuchen, vor Allem die Zahl p zu bestimmen.

Wir nehmen jetzt die Fläche T als gegeben an und bestimmen innerhalb derselben Functionen vermöge des in §§. 11 und 12 auseinandergesetzten Dirichlet'schen Principes. Die dortigen Betrachtungen können ohne Weiteres auf den jetzigen Fall übertragen werden; jetzt bezeichnet dT das Element nicht mehr eines Gebietes der z Ebene, sondern unserer Fläche; dieselbe besteht aber aus Blättern, welche die z Ebene (oder xy Ebene, wenn $z=x+yi$) parallel überdecken, und so kann auch jetzt dT durch $dx\,dy$ ersetzt werden.

Auch jetzt können wir die Function von x und y bestimmen, welche $\Omega(\alpha)$ zum Minimum macht und finden dafür

$$\frac{\partial^2 \alpha}{\partial x^2}+\frac{\partial^2 \alpha}{\partial y^2}=0,$$

sowie die Bedingung des Verschwindens der Begrenzungsintegrale.

Es muss hier jedoch auf einen Punkt noch besonders eingegangen werden.

Bleiben wir bei dem Falle des §. 11, der Bestimmung überall endlicher Functionen stehen.

In §. 11 folgt, da α eindeutig ist, aus der Endlichkeit von α die von $\frac{\partial \alpha}{\partial x}, \frac{\partial \alpha}{\partial y}$ (siehe §. 5, pag. 25), sobald α der reelle Theil einer Function von $x+yi$ ist. Da α zu einer solchen specialisirt werden soll, so darf von vorn herein also auch, ohne dass der Allgemeinheit Abbruch geschieht, ein endliches $\Omega\alpha$ vorausgesetzt werden.

Jetzt aber kann $\frac{\partial \alpha}{\partial x}, \frac{\partial \alpha}{\partial y}$ unendlich sein, sei auch α endlich; aber: wird α der reelle Theil einer Function $\alpha+\beta i$ von $x+yi$, so ist

$$\frac{\partial \alpha}{\partial x}=\frac{\partial \beta}{\partial y}, \quad -\frac{\partial \alpha}{\partial y}=\frac{\partial \beta}{\partial x}$$

und $\Omega(\alpha)$ wird dann zu:

$$\iint\left(\frac{\partial \alpha}{\partial x}\frac{\partial \beta}{\partial y}-\frac{\partial \alpha}{\partial y}\frac{\partial \beta}{\partial x}\right)dx\,dy=\iint d\alpha\, d\beta$$

und muss also endlich sein, wenn α und β endlich bleiben. Auch jetzt dürfen hiernach immer endliche $\Omega(\alpha)$ vorausgesetzt werden, da für die zu bestimmende Function jedenfalls Ω endlich ist.

Aus der letzten Formel folgt aber noch etwas Anderes.

Das Dirichlet'sche Princip bestimmt die Function α, welche unter gegebenen Querschnittsbedingungen $\Omega(\alpha)$ zum Minimum macht. Hierbei wird also Ω endlich vorausgesetzt (wie nach dem Vorigen gestattet ist); es muss aber noch gezeigt werden, dass auch jedes α, welches $\Omega(\alpha)$ endlich lässt und zum Minimum macht, reeller Theil einer überall endlichen Function von $x+yi$ ist; denn der Satz des §. 12 sagt aus, dass wir bei der Bestimmung einer Function von z über die Unendlichkeiten willkürlich verfügen können und würde demnach falsch sein, wenn schon bei dem $\Omega(\alpha)$ in §. 11 unendliche Functionen bestimmt werden könnten.

In der That zeigt die letzte Formel, dass $\Omega(\alpha)$ unendlich, sobald α oder β unendlich werden.

Die in §. 11 (sei T eine zEbene oder eine der bisher behandelten Flächen) bestimmten Functionen sind demnach überall endlich und durch Angabe ihrer reellen Theile an den einfachen Begrenzungslinien, und der reellen Theile der Periodicitätsmoduln an den Querschnitten bestimmt. Die

Functionen α, welche in §. 11 bestimmt werden, können keine Unendlichkeiten haben, da sonst $\Omega(\alpha)$ unendlich werden müsste.

Ebenso können die Betrachtungen des §. 12 über die Bestimmung von Functionen, welche unendlich werden können, sofort auf unsere Flächen T übertragen werden.

Offenbar ist hier $\Omega(\alpha)$ endlich, sobald $\alpha+\beta i$ Function von $x+yi$; wir dürfen also auch von vorn herein Ω endlich voraussetzen. Ferner muss auch $\Omega(\alpha+\lambda)$ (siehe Formel a des §. 12) endlich sein, nachdem eben vorhin Discutirten, sobald λ reeller Theil einer Function von $x+yi$ ist, welche immer endlich bleibt. Daraus folgt, dass unter den Functionen $\alpha+\lambda$, welche Ω zum Minimum machen, nur solche sein können, deren λ endlich sind, die also die für $\alpha+\beta i$ gegebenen Unstetigkeiten und keine anderen haben können.

Wir fassen hier besonders solche Functionen ins Auge, welche durch Integration aus algebraischen, wie T verzweigten Functionen entstehen; dieselben können zu beiden Seiten der Querschnitte, da ihre Differentiale beiderseits gleich sind, nur um Constante verschieden sein, die wir als Periodicitätsmoduln bezeichnen; die ganze Begrenzung von T' besteht aus den $2p$ Querschnitten. Aus §. 12 geht hervor: Diese Integrale sind, als Function ihrer oberen Grenze betrachtet, bestimmt durch Angabe der reellen Theile der $2p$ Periodicitätsmoduln und durch Angabe der Functionen, von denen sie sich da, wo sie unendlich werden, nur um Endliches unterscheiden.

Z. B. in dem Falle der Fig. 3, für welchen $p=1$, ist

$$C\int\frac{dz}{\sqrt{z.1-z.1-k^2z}}=w$$

das einzige endlich bleibende Integral einer wie T verzweigten algebraischen Function.

Da (b) die beiden Seiten von (a) mit einander verbindet, so giebt das durch (b) erstreckte Integral an, um wie viel w zu beiden Seiten von (a) von einander verschieden ist; (b) aber läuft um die Verzweigungspunkte $1, \frac{1}{k^2}$ und dieser Modul also gleich $2\int_1^{\frac{1}{k^2}} dw$. Ebenso ist der andere Periodicitätsmodul zu bestimen. Der Betrag beider ist daher:

$$2\,C\int_0^1\frac{dz}{\sqrt{1.1-z.1-k^2z}}=4CK$$

und

$$2\,C\int_1^{\frac{1}{k^2}}\frac{dz}{\sqrt{1.1-z.1-k^2z}}=4CK'\,i;$$

die complexe Constante C kann so bestimmt werden, dass die reellen Theile von $4KC$ und $4K'Ci$ beliebig werden. Ueberhaupt, für irgend ein p, können, dies ist der Inhalt von §. 4 der Riemann'schen Abhandlung, p endlich bleibende Integrale angenommen werden, aus denen linear jedes andere endlich bleibende Integral zusammengesetzt ist.

Bezüglich weiterer Entwickelungen hierüber verweise ich auf Riemann's Abhandlung, §§. 5, 8, 9, 10 etc., und gebe hier aus dem 1. Theile dieser Abhandlung nun den Beweis des Additionstheorems.

§. 19.

Das Abel'sche Additionstheorem.

Es sei ζ eine rationale Function von s und z, also algebraische wie T verzweigte Function von z, die in m Punkten der Fläche T unendlich 1. Ordnung werde. Sie erlangt dann (§. 17) jeden Werth ebenso oft; es seien $s_1, z_1 \ldots s_m, z_m$ die Werthe von s und z in m so zusammengehörigen Punkten. Es sei nun w ein überall endliches Integral, welches in diesen m Punkten die Werthe $w' \ldots w^m$ habe; w ist von der Form

$$w = \int f(s,z)\,dz = \int \frac{dw}{dz}\,dz$$

$f(s,z)$ eine rationale Function von s und z darstellend. Wir können w auch schreiben:

$$w = \int \frac{dw}{dz} \cdot \frac{dz}{d\zeta}\,d\zeta$$

oder,

$$w = \int \frac{\frac{dw}{dz}}{\frac{d\zeta}{dz}}\,d\zeta,$$

worin nun der Factor von $d\zeta$, da $\frac{dw}{dz}$ und $\frac{d\zeta}{dz}$ rational durch s und z ausdrückbar sind, eine rationale Function $f_1(s,z)$ von s und z ist, die für jeden der m Punkte $s_1 z_1 \ldots s_m z_m$ einen bestimmten Werth annimmt. Wir können schreiben:

$$w' = \int^{\zeta} f_1(s,z)\,d\zeta \ldots \; w_1^m = \int^{\zeta} f_1(s_m, z_m)\,d\zeta,$$

zu jedem ζ gehören diese m Werthe von w, oder $\frac{dw}{d\zeta}$. Letzeres ist also $m$deutige Function von ζ; die Summe dieser m Werthe

$$f_1(s_1, z_1) + \ldots + f_1(s_m, z_m)$$

ist eine eindeutige Function von ζ, denn sie hat für jedes ζ nur einen bestimmten Werth; ihr Integral (nach ζ) ist der Voraussetzung nach, die wir für w gemacht haben, immer endlich, mithin

$$w' + \ldots w^m = Const$$

$$\frac{dw'}{d\zeta} + \ldots + \frac{dw^m}{d\zeta} = 0$$

nach §. 8 (pag. 190).

Als Beispiel will ich die elliptischen Functionen nehmen.

Die algebraische Function s sei von z durch die Gleichung abhängig

$$F(s,z) = s^2(1-z)(1-k^2 z) - z = 0.$$

Dann ist s verzweigt, wie T in Fig. 3; setzen wir

$$w = \frac{1}{2}\int_0^z \frac{dz}{\sqrt{z.1-z.1-k^2 z}},$$

so ist

$$\sqrt{z} = sin\, am\, w,\quad \sqrt{1-z} = cos\, am\, w,\quad \sqrt{1-k^2 z} = \Delta\, am\, w.$$

In T erlangt s, welches wir selbst für ζ nehmen, jeden Werth zweimal, in z_1 und z_2. Die Gleichung $F=0$ lässt sich schreiben

$$k^2 s^2 z^2 + z(as^2 + b) + s^2 = 0,$$

wobei es auf den Factor von z gar nicht ankommt; es ergiebt sich hieraus

$$z_1 . z_2 = \frac{1}{k^2},\ \text{oder}$$

$$sin\, am\, w'\, sin\, am\, w'' = \frac{1}{k}.$$

Zwischen w' und w'' besteht die Gleichung: $w' + w'' = Const$; zur Bestimmung der Constanten setzen wir $s = \infty$, welches $z_1 = 1$, $z_2 = \frac{1}{k^2}$ giebt

$$w' + w'' = \int_0^1 dw + \int_0^{\frac{1}{k^2}} dw = 2K + K'i,$$

$$w'' = 2K + K'i - w'.$$

Speciell folgt für $z_1 = 0$, $z_2 = \infty$: $w(\infty) \equiv 2K + K'i$. Siehe den Schluss v. §. 22. Da $sin\, am(2K - u) = sin\, am(u)$, so erhalten wir durch diese Entwickelungen die bekannte Formel:

$$sin\, am(w' + K'i) = \frac{1}{K\, sin\, am\, w'}.$$

Ebenso leicht ist es, indem man von den Gleichungsformen

$$s^2(1-z)z - (1-k^2 z) = 0$$

oder

$$s^2(1-k^2 z)z - (1-z) = 0$$

ausgeht, die Formen anzugeben, in die $sin\, am\, u$ übergeht, wenn sich u um $K, K + K'i$ ändert.

Das Abel'sche Theorem ist ein Beispiel der Methode, mehrdeutige Functionen durch Betrachtung der symmetrischen Verbindungen ihrer Ausdrücke zu untersuchen.

§. 20.
Die ϑFunction.

Behufs der weiteren Entwickelung gehe ich nur auf die elliptischen Integrale ein, und verweise bezüglich der allgemeinen Untersuchung auf Riemann's Abhandlung.

Als ϑ - Reihe bezeichnen wir

$$\vartheta(v) = \sum_{-\infty}^{\infty}{}_n e^{a n^2 + 2nv} = \sum_{-\infty}^{\infty}{}_n q^{n^2} \cdot e^{2nv};$$

$$a = lg q.$$

Diese Function hat, wie man leicht verificirt, folgende Eigenschaften

$$\vartheta(v + \pi i) = \vartheta(v)$$

$$\vartheta(v + a) = e^{-2v - a}\vartheta(v),$$

und durch diese beiden Gleichungen ist sie auch bis auf einen constanten Factor bestimmt, sobald man noch die Bedingung hinzufügt, dass $\vartheta(v)$ endlich sein soll für endliche Werthe von v; vermöge der Bedingung $\vartheta(v+\pi i) = \vartheta(v)$ ist die ϑFunction eindeutig, von e^{2v} abhängig; und ist sie für endliche von Null verschiedene e^{2v} endlich, so muss sich $\vartheta(v)$ nach Potenzen von e^{2v} entwickeln lassen:

$$\vartheta(v) = A_0 + A_1 e^{2v} + A_2 e^{4v} + \ldots + A_{-1} e^{-2v} + A_{-2} e^{4v} + \ldots$$

Die A bestimmen sich vermöge $\vartheta(v+a) = e^{-2v-a}\vartheta(v)$ alle aus A_0.

Diese Entwickelung ist genau, sobald die Reihe wirklich convergirt; es muss hier als bekannt angesehen werden, dass diese Convergenz stattfindet, sobald der reelle Theil von a negativ, oder $q < 1$ ist.

In diese ϑFunction substituiren wir für v ein immer endlich bleibendes elliptisches Integral, welches wir so bestimmen, dass der eine Periodicitätsmodul desselben $\underline{+}\,\pi i$ ist; den andern Periodicitätsmodul bezeichnen wir mit a. In Fig. 3 bezeichnen wir die innern Seiten von (a) und (b) als die positiven; die Moduln von

$$u = \frac{1}{2}\int \frac{dz}{\sqrt{z.1-z.1-k^2 z}}$$

sind dann:

$$-2\int_0^1 \frac{du}{dz} dz = -2K; \quad 2\int_1^{\frac{1}{k^2}} \frac{du}{dz} dz = 2K' i;$$

setzen wir

$$v = \frac{\pi i}{2K} u,$$

so sind $-\pi i$ und $-\pi \frac{K'}{K}$ die Moduln von v am Querschnitt (b) und (a); da K' und K reell und positiv sind, so darf

$$a = -\pi \frac{K'}{K}$$

in die ϑ-Reihe eingesetzt werden;

$$\vartheta(v) = \Sigma e^{-\pi\frac{K'}{K}n^2+2nv}, \quad v = \frac{\pi i}{4K}\int^z \frac{dz}{\sqrt{z.\overline{1-z}.\overline{1-k^2z}}}$$

ist nun eine Function von z, oder vielmehr (wegen der Quadratwurzel in dv) eine Function des Ortes in der Fläche T, welcher die obere Grenze des Integrales v bestimmt.

Es kann ϑ als Function von v, oder auch des Ortes in der Fläche T betrachtet werden. Beides kommt auf dasselbe hinaus und man kann sich auch leicht eine Vorstellung von dem Gebiete der Werthe verschaffen, welche v innerhalb T erlangt; v ist eine complexe Grösse, Function von $z = x + yi$ und das Gebiet der v muss (siehe §. 3) dem der z in den kleinsten Theilen ähnlich sein; dazu gehört zunächst, dass die Begrenzung des einen Gebietes auch der Begrenzung des andern entspricht. Zu beiden Seiten der Querschnitte (a) und (b) von T ist u um $2K, 2K'i$ verschieden; diesen beiden Querschnitten entsprechen demnach im Gebiete des u 2 Paare paralleler Linien, die zusammen ein Parallelogramm (mit im Allgemeinen krummlinigen Seiten) begrenzen; die Gestalt der Seiten hängt von der Gestalt der Querschnitte, die Lage eines der Eckpunkte (durch den die 3 andern bestimmt sind) von der Wahl des Punktes ab, in dem sich in Fig. 3 die Querschnitte treffen. Einem positiven Durchlaufen dieser Querschnitte (nach Fig. 6) entspricht ein Durchlaufen dieses Parallelogrammes immer in derselben Umlaufsrichtung; da hierbei die begrenzten Flächenstücke des uGebietes, wie die Fläche T, immer auf derselben Seite der Begrenzung liegen bleiben müssen, und u keine unendlichen Werthe erlangt, so enthält unser Parallelogramm alle Werthe von u, die möglich sind; jedem Punkte von T entspricht einer des Parallelogrammes und umgekehrt.

Da das Gebiet der u nicht aus mehreren übereinanderliegenden Blättern besteht, so ist die obere Grenze des Integrales u eine eindeutige Function des Werthes u.

$\vartheta(v)$ wird in T, oder im Gebiete des für $u = \frac{2K}{\pi i}v$ construirten Parallelogrammes nie unendlich; es kann 0 werden und dann ist $lg\,\vartheta$ unendlich. Nach §. 17 finden wir die Anzahl der Punkte, in denen $\vartheta(v)$ Null 1. Ordnung wird, durch Ermittelung des Begrenzungsintegrales

$$\int d\,lg\,\vartheta(v).$$

Dehnen wir dasselbe über das Parallelogram aus; längs zweier parallelen Seiten ist $\vartheta(v)$ in je zwei Punkten gleich gross, mithin auch $\frac{d\vartheta}{dv}$, während dv in beiden Punkten entgegengesetzte Werthe hat; das Integral von diesem Seitenpaare herrührend (welches dem Querschnitt (b) entspricht) ist demnach 0; an den anderen Seitenpaaren ist der Betrag des Integrales gleich

$$\int [d\,lg\,\underset{+}{\vartheta}(v) - lg\,\underset{-}{\vartheta}(v)],$$

durch die untergesetzten Zeichen + und — den Werth von ϑ auf positiver oder negativer Seite von (b) verstanden, dies Integral positiv durch die positive Seite des Querschnittes erstreckt.

Nun ist die Differenz der $lg\,\vartheta$ nach den Eigenschaften der ϑ Function gleich $-2v-Const$; die positive Seite von (a) geht von der negativen zur positiven des (b) (vergl. Fig. 3 und 5), daher

$$\int d\,lg\,\vartheta = -2\int dv = 2\pi i.$$

Daraus folgt, dass ϑ in einem Punkte im Innern 0^1 wird; und zwar gilt dies für $\vartheta(v-c)$, wenn c irgend eine Constante. Ist $\vartheta(r)=0$, so ist auch

$$\vartheta(r+m\pi i+na)=0,$$

m und n ganze Zahlen; solche Werthe der Argumente nennen wir congruent und bezeichnen $\qquad v \equiv v+m\pi i+na.$

$\vartheta(v-c)$ wird für einen Werth von $v-c$ Null und alle ihm congruenten; spätere Betrachtungen werden uns zeigen, dass $\vartheta(r)=0$, wenn

$$r \equiv \frac{\pi i}{2}+\frac{a}{2}.$$

Die Werthe von v in den 4 Verzweigungspunkten $0,\ 1,\ \frac{1}{k^2},\ \infty$, sind nach §.19:

$$v(0)=0;\quad v(1)=\frac{\pi i}{2};\quad v\left(\frac{1}{k^2}\right)=\frac{\pi i}{2}+\frac{a}{2};\quad v(\infty)\equiv \pi i+\frac{a}{2}.$$

§. 21.
Die elliptischen Functionen.

Die jetzt entwickelten Eigenschaften der ϑ Function genügen, dieselbe zur Lösung des Umkehrungsproblems der elliptischen Integrale zu benutzen. Betrachten wir den Quotienten:

$$\frac{\vartheta(u-c)}{\vartheta(u-e)}.$$

Derselbe hat zu beiden Seiten des Querschnittes (b) dieselben Werthe, da beide ϑ Functionen dieselben Werthe haben; dagegen ist am Querschnitte (a), an dessen beiden Seiten sich v um $a=lg\,q=-\pi\frac{K'}{K}$ unterscheidet:

$$\underset{+}{\frac{\vartheta(v-c)}{\vartheta(v-e)}} = e^{2(c-e)}\underset{-}{\frac{\vartheta(v-c)}{\vartheta(v-e)}}.$$

Man kann nun $c-e=\frac{\pi i}{2}$ machen, so ist

$$\frac{\vartheta(v-c)}{\vartheta\left(v+\frac{\pi i}{2}-c\right)}$$

eine Function des Ortes in der Fläche T, welche beiderseits an (b) gleiche, an (a) entgegengesetzte Werthe hat. Macht man $c=0$, so wird

$$\frac{\vartheta(v)}{\vartheta\left(v+\frac{\pi i}{2}\right)}$$

unendlich, wenn $z=\infty$; denn dann ist $v=\pi i+\frac{a}{2}$ und $\vartheta\left(v+\frac{\pi i}{2}\right)=0$; ferner ist $\vartheta(v)=0$, wenn $z=\frac{1}{k^2}$, da dann $v=\frac{\pi i}{2}+\frac{a}{2}$. Das Quadrat unseres Quotienten hat zu beiden Seiten aller Querschnitte dieselben Werthe, und wird 0^2, wenn $z=\frac{1}{k^2}$; es wird ∞^2, wenn $z=\infty$, stimmt also mit $(1-k^2z)$ in allen Eigenschaften überein. Denn dieser Ausdruck wird mit genanntem Quadrate gleichzeitig 0 und ∞ zweiter Ordnung, da $z=\frac{1}{k^2}$ und $z=\infty$ Verzweigungspunkte von T sind. Das Verhältniss beider Grössen ist mithin überall endlich, beiderseits an den Querschnitten gleich, also constant. Man hat also

$$\frac{\vartheta(v)}{\vartheta\left(v+\frac{\pi i}{2}\right)}=A\sqrt{1-k^2z}.$$

Dies findet auch auf folgende Weise eine Bestätigung: $\sqrt{1-k^2z}$, stetig durch (b) fortgesetzt, geht ins Entgegengesetzte über, da (b) um $z=\frac{1}{k^2}$ herumgeht; diese Eigenschaft hat auch der Quotient der ϑ Functionen. Durch (a) fortgesetzt, geht $\sqrt{1-k^2z}$ nach einem Umgange in denselben Werth über, wie wir dies von den ϑ Functionen wissen.

$\vartheta(v-c)$ hat in jedem Punkte von T einen Werth; wir können daher durch den Quotienten von ϑ Functionen algebraische Functionen von z ausdrücken, die in T eindeutig bestimmbar sind, ohne wie T verzweigt zu sein. Wir haben in $\sqrt{1-k^2z}$ ein solches Beispiel; diese Function wird eindeutige Function des Ortes in T, wenn man ihm zu beiden Seiten von (a) entgegengesetzte Werthe beilegt. Die Entwickelung zeigt, wie diese Factoren $+1$ oder -1, um welche sich die Werthe eines Quotienten

$$\frac{\vartheta(v-c)}{\vartheta(v-e)}$$

zu beiden Seiten der Querschnitte unterscheiden, von der Differenz $c-e$ bestimmt werden.

Wir können noch andere solche Quotienten bilden. Offenbar ist $\sqrt{z}$ ähnliche Function des Ortes in T, wie $\sqrt{1-k^2z}$; $\sqrt{z}$ aber hat zu beiden Seiten von (a) gleich grosse, zu beiden Seiten von (b) entgegengesetzte Werthe, da (a) um $z=0$ herumläuft, (b) keinen Verzweigungspunkt von $\sqrt{z}$ in sich enthält. Da $\sqrt{z}$ unendlich wird mit $\sqrt{1-k^2z}$, so müssen wir dieselbe ϑ Function in den Nenner nehmen:

$$\frac{\vartheta(v-c)}{\vartheta\left(v+\frac{\pi i}{2}\right)}e^{-v}$$

geht offenbar ins Negative über, wenn v in $v+\pi i$ übergeht; an (a) erlangt der Ausdruck den Factor

$$e^{2c-\pi i-a},$$

welcher $+1$ ist, sobald:

$$c=\frac{\pi i}{2}+\frac{a}{2}.$$

Hiernach ist zu erwarten, dass

$$\frac{\vartheta\left(v-\frac{\pi i}{2}-\frac{a}{2}\right)e^{-v}}{\vartheta\left(v+\frac{\pi i}{2}\right)}=A\sqrt{z};$$

dies wird dadurch bestätigt, dass die ϑFunction des Zählers für $v=0$, d. h. $z=0$ verschwindet.

Aehnlich kann $\sqrt{1-z}$ gebildet werden. Es genügt, das Resultat anzugeben:

$$A\sqrt{1-z}=\frac{\vartheta\left(v-\frac{a}{2}\right)e^{-v}}{\vartheta\left(v+\frac{\pi i}{2}\right)}.$$

Es ist noch nöthig, die constanten Factoren zu bestimmen. Ich will dies nur in

$$A\sqrt{z}=\frac{\vartheta\left(v-\frac{\pi i}{2}-\frac{a}{2}\right)e^{-v}}{\vartheta\left(v+\frac{\pi i}{2}\right)}$$

ausführen. Setzen wir $z=1$, so folgt:

$$A=\frac{\vartheta\left(\frac{a}{2}\right)e^{-\frac{\pi i}{2}}}{\vartheta(v)}.$$

Setzen wir $z=\frac{1}{k^2}$, so kommt:

$$\frac{A}{k}=\frac{\vartheta(v)e^{-\left(\frac{\pi i}{2}+\frac{a}{2}\right)}}{\vartheta\left(\frac{a}{2}\right)},$$

und durch Multiplication

$$A^2=-ke^{-\frac{a}{2}}.$$

Diese Ausdrücke können eleganter geschrieben werden, indem man die $\vartheta(v-c)$ mit den Exponentialfactoren vereinigen kann zu allgemeineren Reihen. Z. B. werde zu

$$\vartheta\left(v-\frac{\pi i}{2}-\frac{a}{2}\right)e^{-v}=\sum_{-\infty}^{\infty}{}_n\, e^{n^2a+2n\left(v-\frac{\pi i}{2}-\frac{a}{2}\right)-v}$$

der constante Factor

$$e^{\frac{a}{4}+\frac{\pi i}{2}}$$

hinzugefügt, so entsteht die Reihe

$$\sum_{-\infty}^{\infty}{}_n\, e^{\left(n-\frac{1}{2}\right)^2 a+2\left(n-\frac{1}{2}\right)\left(v-\frac{\pi i}{2}\right)},$$

die wir nach **Riemann** als $\vartheta\binom{1}{1}(v)$ bezeichnen. Es ist die ϑ_1-Reihe **Jacobi's** (bis auf einen Factor $e^{\frac{\pi i}{2}}$). Während unsere erste ϑ-Reihe die Eigenschaft hat,

$$\vartheta(-v)=\vartheta(v),$$

ist hier

$$\vartheta\binom{1}{1}(-v)=-\vartheta\binom{1}{1}(v).$$

Man erkennt dies sofort, indem man n mit $-n$ vertauscht, dann muss die Reihe für $\vartheta\binom{1}{1}(v)$ denselben Werth geben, und es zeigt sich, dass man denselben Effect erhält, indem man v in $-v$ verwandelt und mit $e^{\pi i}=-1$ multiplicirt. Aehnlich kann man die zwei anderen ϑ-Reihen umformen:

$$\vartheta\left(v+\frac{\pi i}{2}\right)=\Sigma e^{n^2a+2n\left(v+\frac{\pi i}{2}\right)}=\vartheta\binom{0}{1}(v),$$

$$e^{-v}e^{\frac{a}{4}}\vartheta\left(v-\frac{a}{2}\right)=\Sigma e^{\left(n-\frac{1}{2}\right)^2a+2\left(n-\frac{1}{2}\right)v}=\vartheta\binom{0}{1}(v).$$

Diese Reihen sind, wie $\vartheta(v)$, gerade Functionen von v. Hierdurch ist zugleich bewiesen, dass

$$\vartheta\left(\frac{\pi i}{2}+\frac{a}{2}\right)=0;$$

denn $\vartheta\binom{1}{1}(v)=e^{-v}\vartheta\left(v-\frac{\pi i}{2}-\frac{a}{2}\right)$ ist ungerade, also gleich Null, wenn $v=0$.

In diesen Entwickelungen ist die Bezeichnung der Querschnitte den **Riemann'schen** entgegengesetzt; wir können aber auch das Argument $v=Cu$ der ϑ Function so bestimmen, dass der Modul von v an (a) gleich πi ist; er wird dann in (b) gleich $-\pi\frac{K}{K'}$, nach **Jacobi'scher** Bezeichnung gleich lgq' und wir können so zu der einen **Jacobi'schen** Transformation der ϑ Functionen gelangen.

Noch andere Transformationen werden dadurch erlangt, dass man die Querschnitte anders, als in Fig. 3, legt, sondern etwa, so wie die Taf. III, Fig 8 und 9 zeigen.

Man kann C so bestimmen (in $v=Cu$), dass

$$2\int_0^{\frac{1}{k^2}}dv=\pm\pi i,\quad 2\int_1^{\infty}dv=\pm\pi i,$$

den Fig. 8 und 9 resp. entsprechend. In beiden Fällen kann man dann auch die Moduln an dem andern Querschnitte πi machen und erhält so die 6 Transformationen, die Rosenhain in seiner gekrönten Abhandlung über die 4fach periodischen Functionen mit erwähnt.

Die Ausführung dieser Rechnung würde hier zu weitläufig sein.

§. 22.

Den Schluss möge eine Betrachtung bilden, die sich dem Gedanken anschliesst, den Riemann in §. 20 seiner Abhandlung ausführt.

Wir haben bis jetzt nur die endlich bleibenden Integrale, die Integrale erster Gattung betrachtet. Es giebt aber auch Integrale 2. und 3. Gattung, welche in Punkten von T unendlich 1. Ordnung oder logarithmisch unendlich werden.

Es bezeichne u ein endlich bleibendes Integral und zwar habe dasselbe an den Querschnitten (a) und (b) die Periodicitätsmodul a und b; v sei ein Integral, welches in Punkten $s_1 z_1$, $s_2 z_2$ etc. unendlich werde wie $\frac{A'}{z-z_1}$, $\frac{A''}{z-z_2}\ldots$; der Einfachheit wegen setzen wir voraus, diese Punkte seien keine Verzweigungspunkte und liegen im Endlichen.

Betrachten wir das durch die ganze Begrenzung von T' ausgedehnte Integral:

$$\int u\frac{dv}{dz}\,dz.$$

Die Querschnitte mögen liegen, wie Fig. 6 zeigt. Die Periodicitätsmoduln von v seien an (a) und (b) resp. A, B. Unser Integral ist identisch mit

$$\int (\underset{+}{u}-\underset{-}{u})\frac{dv}{dz}\,dz.$$

durch die positiven Seiten der Querschnitte positiv erstreckt. Nun ist an (a): $\underset{+}{u}-\underset{-}{u}=a$; (a) führt von $(-b)$ zu $(+b)$ also: $\int\frac{dv}{dz}dz=B$.

An (b) ist: $\underset{+}{u}-\underset{-}{u}=b$, $\int\frac{dv}{dz}dz=-A$, mithin der Betrag des ganzen Integrales gleich $aB-bA$. Dasselbe ist auch gleich der Summe der um alle Punkte $z_1, z_2\ldots$ genommenen Integrale. In der Nähe von $z=z_1$ schreiben wir:

$$u=u(z_1)+\left(\frac{du}{dz}\right)_{z=z_1}(z-z_1);\quad dv=-\frac{A'}{(z-z_1)^2}dz,$$

ähnlich in z_2 etc.; dies ergiebt

$$aB-bA=-\left(A'\frac{du}{dz}+A''\frac{du}{dz}+\ldots\right)2\pi i.$$

Ist

$$u=\tfrac{1}{2}\int\frac{dz}{\sqrt{z.1-z.1-k^2z}},$$

so ist

$$a = 2\int_1^{\frac{1}{k^2}} \frac{du}{dz} dz = 2K'i; \quad b = -2\int_0^1 \frac{du}{dz} dz = -2K$$

$$A = 2\int_1^{\frac{1}{k^2}} \frac{dv}{dz} dz; \quad B = -2\int_0^1 \frac{dv}{dz} dz,$$

$\frac{du}{dz} = \frac{1}{2} \frac{1}{\sqrt{z_1 . 1 - z_1 . 1 - k^2 z_1}}$ etc., mithin:

$$K'iB + KA = -\frac{1}{2}\left(\frac{A'}{\sqrt{z_1 . 1 - z_1 . 1 - k^2 z_1}} + \frac{A''}{\sqrt{z_2 . 1 - z_2 . 1 - k^2 z_2}} + \dots\right).$$

Dies ist die Gleichung, welche den einen Periodicitätsmodul des nicht endlich bleibenden Integrals v von der Lage der Punkte abhängig macht, wo $v = \infty$.

Es giebt noch Integrale 3. Gattung, welche in gewissen Punkten logarithmisch unendlich werden. Die Logarithmen algebraischer, wie T verzweigter Functionen sind specielle Fälle solcher Integrale, nämlich solche, bei denen die Periodicitätsmoduln sämmtlich gleich Null gemacht werden können. Sei ζ rational durch s und z ausgedrückt, in m Punkten von T unendlich 1. Ordnung, also auch in m Punkten Null 1. Ordnung; wird jeder Querschnitt um ebensoviel Null, als Unendlichkeitspunkte herumgeführt, so sind die Periodicitätsmoduln von $lg\,\zeta$ Null, da $lg\,\zeta$ um diese Punkte herum um $2\pi i$ resp. ab- oder zunimmt. Betrachten wir

$$\int u\, d\, lg\,\zeta$$

durch die ganze Begrenzung von T erstreckt; dasselbe ist Null, wie man durch dasselbe Verfahren findet, welches bei $\int u\, dv$ in Anwendung gebracht wurde. Das Integral ist aber auch gleich der Summe der Integrale um die Unendlichkeitspunkte von $lg\,\zeta$ herum erstreckt. Seien nun

$$U' \,..\, U^{(m)}; \quad u' \dots u^{(m)}$$

die Werthe von u in den m Punkten, wo $\zeta = \infty^1$, und in den m Punkten, wo $\zeta = 0^1$, so giebt dies

$$(U' + \,..\, + U^{(m)} - u' - \,..\, - u^{(m)})\, 2\pi i = 0,$$

die Summe; da $\zeta - c$ mit ζ gleichzeitig unendlich aber in den m Punkten Null wird, wo ζ den Werth c erlangt, so liegt hierin ein neuer Beweis für das Abel'sche Additionstheorem, auf elliptische Integrale angewendet.

Haben die Querschnite eine solche Lage, dass $lg\,\zeta$ Periodicitätsmoduln hat, die dann nothwendig Vielfache $2\pi i$ sind, so erhalten wir, das Congruenzzeichen im Sinne des §. 20 verstanden,

$$U' + \,..\, + U^{(m)} \equiv u' + \,..\, + u^{(m)}.$$

Sind $u' \,..\, u^{(m)}$ die Werthe von u in m Punkten, wo ζ irgend einen

Werth c erlangt, so ändert sich also der Werth der Summe $u' + \ldots + u^{(m)}$ sprungweise, sobald einige dieser Punkte bei Aenderung von c die Querschnitte überschreiten.

IX.

Beiträge zur Geschichte der Fortschritte in der elektrischen Telegraphie.

Von Dr. Eduard Zetzsche.

IV. Die Doppeltelegraphie.

(Erste Abtheilung).

Zu den für die Wissenschaft interessantesten Partien der Telegraphie gehört unstreitig die Doppeltelegraphie, worunter man die gleichzeitige Beförderung zweier Telegramme auf einem und demselben Drahte versteht; der zur Lösung dieser Aufgabe aufgewandte Scharfsinn aber macht diese Partie zugleich zu einer der lehrreichsten. Da zwei Telegramme auf demselben Drahte gleichzeitig entweder in derselben Richtung oder in entgegengesetzten Richungen befördert werden können, so ist die Doppeltelegraphie in zwei verschiedenen Weisen denkbar, und man bezeichnet sie, um kurz sein zu können, als telegraphisches Doppelsprechen, wenn die beiden Telegramme auf demselben Drahte gleichzeitig nach derselben Richtung hin befördert werden, dagegen als telegraphisches Gegensprechen, wenn die Beförderung der beiden Telegramme nach entgegengesetzten Richtungen hin erfolgt.

Bei dem telegraphischen Gegensprechen scheint es zunächst nöthig, dass man an den beiden Enden der Drahtleitung elektrische Batterien von gleicher Stärke derart aufstellt, dass sie mit demselben Pole mit der Drahtleitung verbunden sind, ihre Ströme also den Draht in entgegengesetzter Richtung durchlaufen; da nun aber hierbei unausbleiblich häufig beide Batterien zugleich geschlossen sein werden, und ihre Ströme sich in diesem Falle im Drahte aufheben müssten, so hielt man lange Zeit das Gegensprechen für unmöglich. Das unbehinderte Durcheinandergehen der Lichtwellen und der Schallwellen jedoch und die vielseitige Uebereinstimmung zwischen Elektricität, Licht und Schall, besonders aber die Thatsache, dass in einer Telegraphenstation mit mehreren einmündenden Leitungen doch eine einzige, allen Leitungen gemeinschaftliche Erdleitung ausreicht, um alle auf den verschiedenen Leitungen einlangende Ströme zur Erde (und nach ihrem Ausgangspunkte zurück) zu führen, was eine Vermischung oder Verschmelzung der Ströme auszuschliessen schien, führte den damaligen österreichischen Telegraphendirector Dr. Gintl zu der Annahme, dass mehrere elektrische Ströme in einem Drahte vorhanden sein könnten, ohne sich gegenseitig zu vernichten oder zu stören, womit zugleich auch eine Möglichkeit des Gegensprechens gegeben gewesen wäre. Diese Annahme, welche Dr. Gintl durch mehrere Versuche zu beweisen suchte (vergl. u. A. Sitzungsberichte der kaiserl. Akademie der Wissenschaften zu Wien, Bd. 14 S. 401 und daraus in Zeitschrift des österreichischen Ingenieur-Vereins, 1855, S. 136 und in Zeitschrift des deutsch-österreichischen Telegraphen-Vereins, II. Jahrg., S. 202; ferner: Zeitschrift für Mathematik und Physik, I. Jahrg., S. 101; ferner Dingler, polytechnisches Journal, Bd. 138, S. 30), wurde von verschiedenen Seiten heftig bekämpft, wobei man sich besonders auf das Ausbleiben der chemischen Wirkung in zwei in denselben Schliessungskreis entgegengesetzt eingeschalteten Batterien und auf das Ausbleiben der Erwärmung im gemeinschaftlichen Schliessungsdrahte stützte (vergl. u. A. Poggendorff, Annalen der Physik und Chemie, Bd. 98, S. 99 und daraus in Zeitschrift des Telegraphen-Vereins II, S. 169; ferner Poggendorff, Annalen 98, S. 121 und *Annales télégraphiques*, 1861, S. 145 ff.). Für die Telegraphie ist es von wenig Belang, ob jene Annahme berechtigt ist oder nicht, denn für diese (und wohl auch sonst) liegt der Hauptton bei der ganzen Streitfrage nicht darauf, was in der eigentlichen, gemeinschaftlichen Leitung geschieht, sondern vielmehr darauf, wie sich in den vorhandenen Nebenleitungen oder Nebenschliessungen der Batterien die Vorgänge und besonders die Stromstärken herausstellen; und es lassen sich daher auch die Erscheinungen bei der Doppeltelegraphie ebensowohl erklären, wenn man die Möglichkeit des gleichzeitigen Vorhandenseins mehrerer Ströme in demselben Drahte zugesteht, als wenn man dieselbe abläugnet, und die Möglichkeit der Doppeltelegraphie fällt und steht demnach um so weniger zugleich mit jener Annahme, als eben beim Doppeltelegraphiren die Vorgänge in der eigentlichen Drahtleitung kaum von einiger Wichtigkeit sind, während vielmehr das Gelingen wesentlich durch die Einrichtung der die telegraphischen Zeichen vermittelnden Apparate bedingt und von den Vorgängen in diesen abhängig ist.

Wenn nun aber trotzdem und trotz vieler im Grossen angestellter und gut gelungener Versuche die Doppeltelegraphie sich bis jetzt noch nicht eine bleibende Anwendung in dem Betrieb auf den jetzt so ausgedehnten und zum Theil fast mit Telegrammen überladenen Telegraphenlinien zu erringen und zu behaupten vermochte,*) so ist der Grund hiervon vornehm-

*) In Deutschland wird meines Wissens das Gegensprechen höchstens gelegentlich zum Collationiren (d. h. zum gleichzeitigen Zurückgeben behufs der Controle)

lich darin zu finden, dass die Doppeltelegraphie dem eigentlichen Betriebe durchaus nicht so grosse Vortheile und Erleichterungen zu gewähren vermag, als man zu glauben geneigt ist. Zunächst ist es nämlich geradezu unmöglich, auf einem Drahte mit Doppeltelegraphie so viel Telegramme zu befördern, als man auf zwei Drähten bei einfacher Telegraphie in der nämlichen Zeit zu befördern vermag; denn es geht bei der Doppeltelegraphie bei Beginn und während der Correspondenz durch Rufen und Einstellen der Apparate um so mehr Zeit ungenützt verloren, je grösser die Schwankungen in dem Widerstande der Leitung in Folge ungünstiger Witterung und dergl. sind, je häufiger ein Wechsel zwischen den mit einander correspondirenden Stationen eintritt und je weniger Gewandheit und Ueberblick die Beamten in Handhabung der Apparate haben, je öfter namentlich Zwischenbemerkungen, Berichtigungen u. s. w. nothwendig werden, wobei es besonders schwer in's Gewicht fällt, dass der empfangende Beamte keinen Taster zur Verfügung hat, um seinen Correspondenten zu unterbrechen und eine Wiederholung oder Berichtigung zu veranlassen, dass er dies vielmehr nur kann, indem er zugleich das gleichzeitig von seiner eigenen Station abgehende Telegramm unterbricht. Ja, aus diesem Grunde darf man sich einen durchgreifenden Vortheil von der Anwendung der Doppeltelegraphie erst dann versprechen, wenn das Gegensprechen und das Doppelsprechen beliebig mit einander verbunden werden können. Was ferner den Kostenpunkt anlangt, so ist bei der Doppeltelegraphie der Aufwand für die Beamten, da man für jedes Telegramm doch stets einen aufnehmenden und einen gebenden Beamten haben muss, nicht nur nicht kleiner,

---

langer Telegramme benutzt, und zwar werden dabei die Apparate so eingeschaltet, dass sie das Telegramm ohne Zuthun eines Beamten selbsthätig zurückgeben. Viel günstiger lautet eine Mittheilung über das Gegensprechen in Holland (in *Annales télégr.* 1863, S. 271), wo es seit 7 Jahren täglich von früh bis Abend auf einem Drahte zwischen Amsterdam und Rotterdam mit vollständigem Erfolg angewendet wird. Bis 1861 waren daselbst besonders construirte Apparate von S i e m e n s & H a l s k e in Gebrauch, seitdem der Druckapparat von D i g n e y, welcher noch weit besser arbeitet. An dem Draht Amsterdam - Brüssel benutzt man ein express von D i g n e y f r è r e s nach den Angaben des holländischen Ingenieurs W e n k e b a c h construirtes äusserst empfindliches Relais mit 4 Spulen, die so angeordnet sind, dass ihre Armatur die Form eines Kreuzes hat. Die Gruppirung der Batterie-Elemente erfordert besondere Aufmerksamkeit und ist von grosser Wichtigkeit. Zunächst braucht der Strom nicht viel kräftiger zu sein, als bei einfacher Telegraphie, doch erleichtert es die Regulirung der Relais und der Rheostaten, wenn der Strom kräftiger auf der Empfangsstation ankommt. Zweitens und hauptsächlich muss man auf den Widerstand der verwendeten Elemente Acht haben, weil mit dessen Grösse die Differenz der Stromstärken bei den verschiedenen, beim Gegensprechen auftretenden Stromläufen wächst. Bisweilen muss man sogar die übrigens sehr wichtige Constanz der Batterien zu Gunsten eines geringen Widerstandes opfern. Man befördert bei dem Gegensprechen 5 Telegramme in derselben Zeit, in der man bei einfachem Telegraphiren nur 3 befördert.

sondern er wird verhältnissmässig sogar etwas grösser, als bei einfacher Telegraphie auf zwei Drähten, weil mehr Zeit ungenützt verloren geht. Dadurch und durch die höheren Anschaffungs- und Reparaturkosten der meist künstlicheren oder selbst zahlreicheren Apparate werden die Ersparnisse aus dem Wegfalle eines Leitungsdrahtes wenigstens zum Theil wieder aufgezehrt. Endlich ist nicht zu übersehen, dass bei Anwendung der Doppeltelegraphie jede Störung oder Unterbrechung einer Leitung auf den regelmässigen Betrieb fast eben so störend einwirkt, wie bei einfacher Telegraphie die Störung und Unterbrechung zweier Leitungen.

Die Einschaltung der Apparate zur Doppeltelegraphie setzt nicht die Anwendung einer bestimmten Gattung von Empfangsapparaten voraus, lässt sich vielmehr in der Regel ganz leicht auf verschiedene Gattungen derselben anwenden. Wenn daher im Nachfolgenden vorwiegend von der Einschaltung zur Doppeltelegraphie bei Benutzung des so ungemein verbreiteten Morse'schen Drucktelegraphen die Rede sein wird, so schliesst dies die Anwendung anderer Empfangsapparate, besonders der Nadeltelegraphen, der chemischen Telegraphen, der Zeiger- oder Typendrucktelegraphen (vergl. z. B. in Betreff des Typendrucktelegraphen von Hughes Zeitschrift für Mathematik und Physik V, S. 399 oder polytechnisches Centralblatt 1864, S. 1018) keineswegs aus. Wenn die zur Erklärung der Einschaltungsweisen von mir gegebenen Skizzen von den in den Originalquellen befindlichen Abbildungen vielfach abzuweichen scheinen, so ist doch im Wesentlichen keine Abweichung vorhanden, und ich hoffte durch eine möglichst gleichmässige Skizzirung, besonders aber durch möglichst einfache und durchsichtige Skizzen, das Erfassen des Wesentlichen und eine Vergleichung der einzelnen Methoden nur um so leichter zu machen.

Bevor ich an die ausführlichere Beschreibung der einzelnen Einschaltungsweisen für die Doppeltelegraphie gehe, scheint es gut, einen Blick auf den Grundgedanken und die Grunderfordernisse der Doppeltelegraphie überhaupt und der verschiedenen Einschaltungsweisen insbesondere zu werfen. Während bei der einfachen Telegraphie die Einschaltung so gewählt zu werden pflegt, dass beim Fortgeben eines Zeichens, also beim Niederdrücken des Tasters einer Station der zugehörige Empfangsapparat dieser Station aus der Leitung ausgeschaltet ist, damit auf ihm nicht unnöthiger Weise die fortgehenden Zeichen mit erscheinen und zu Störungen oder Irrthümern Anlass geben, reicht es bei der Doppeltelegraphie nicht aus, den Empfangsapparat ununterbrochen in der Leitung eingeschaltet zu lassen, sondern es ist ganz wesentlich und unerlässlich dahin zu wirken, dass dennoch auf dem Empfangsapparate jeder Station nur die einlangenden, nicht auch die von der Station fortgegebenen Zeichen erscheinen, damit nicht beide sich vermengen. Eine eigenthümliche, wie wohl kaum zur eigentlichen Doppeltelegraphie zu rechnende Weise, zwei Telegramme gleichzeitig auf demselben Drahte zu befördern, besteht darin, dass man die zwischen den Zeichen des einen Telegrammes nothwendigen Zwischenräume, in denen bei einfacher Telegraphie (beim Telegraphiren mit Arbeitsstrom) kein Strom die Leitung durchläuft, dazu benutzt, um in ihnen die Zeichen des zweiten Telegrammes durch die Leitung zu senden. Vorschläge der Art wurden zuerst 1851 und seitdem wiederholt gemacht; weiter unten sollen sie ausführlicher besprochen werden. Bei der eigentlichen Doppeltelegraphie sind die Ströme für dasselbe Telegramm nicht an gewisse Zeiten oder Pausen in dem andern gebunden, sondern sie können zu jeder Zeit gegeben werden, es können also auch Ströme beider Telegramme zusammentreffen. Die erste Lösung des Gegensprechens stammt von Gintl, Juli 1853;*) das Erscheinen der von einer Station ausgehenden Zeichen auf dem Empfangsapparate dieser Station ist durch Anwendung einer Ausgleichungsbatterie verhütet. Aehnliche Lösungen gaben Nystrom (December 1855) und zur Nedden (Januar 1855). Eine Unterdrückung der eigenen Zeichen durch Zweigströme der Linienbatterie versuchten Frischen (März 1854), Siemens & Halske (Herbst 1854), Stark (1855); desgl. Edlund (März 1854) und Maron (1863). Denselben Zweck suchten Kohl (1862) mittelst zweier Relais, Schreder (1860) durch Mitwirkung einer Feder und Frischen (1863) durch Anwendung zweier Telegraphirbatterien zu erreichen. Auch die Aufgabe des Doppelsprechens wurde zuerst von Gintl gelöst, welcher die Beschreibung seiner Methode den 19. Juli 1855 in der Wiener Akademie der Wissenschaften versiegelt niederlegte (Zeitschrift des Telegraphen-Vereins II, 219; III, 55), doch ist über dieselbe weiter nichts bekannt geworden. Noch in demselben Jahre folgten Stark und Siemens, welche 3 Ströme von verschiedener Stärke, aber gleicher Richtung anwendeten. Im October 1855 übergab Dr. Bernstein in Berlin der Redaction der Zeitschrift des Telegraphen-Vereins die

*) Eine kurze Notiz in der 2. Ausgabe von Moigno's *traité de télégraphie electrique* über ähnliche, schon im Jahre 1847 angestellte Versuche von Gounelle & Brequet ist vom Abbé Moigno selbst später als irrig bezeichnet worden (vergl. Zeitschrift des Telegraphen-Vereins II, S. 82). Auch die im polytechnischen Centralblatte 1846, S. 505 aus *Comptes rendus* XXII, 744 erwähnte Doppeltelegraphie gehört nicht hierher, denn es ist daselbst die Rede von einer Beförderung mehrerer Telegramme auf mehreren Drähten. Dasselbe gilt von dem Vorschlage von Professor Glösener in Lüttich, *Comptes rendus* XXVI, 367, und von dem Vorschlage des Italieners Zantedeschi, *Annales télégraphiques* 1861, S. 145. Wie nahe man übrigens schon früher der Erfindung des Gegensprechens war, zeigt Siemens in Poggendorff, Annalen 99, S. 311. Aehnlich verhält sich's mit folgender Stelle aus der Beschreibung eines Patentes, welches Edward Highton den 7. Februar 1850 nahm: *means of emploiing electricity of different degrees of tension and of different periods of duration are also shown, so that two kinds of electric apparatus may be connected to one line-wire and one only worked, as disired. By this means one of the wires usually employed was rendered unnecessary.* Vergl. Edw. Higthon, *the electric telegraph*, S. 95 (London *1852*).

Beschreibung einer Methode des Doppelsprechens und ging im Januar 1856 vom Gebrauch gleichgerichteter Ströme zu Strömen entgegengesetzter Richtung über, anfangs mit Benutzung magnetischer Relaisanker, später ohne solche; nachdem es ihm gelungen, die trägen Punkte zu beseitigen, welche bei diesem Probleme beim Stromwechsel, beim Uebergange des Mechanismus der Relaiskerne in den entgegengesetzten etc. einzutreten pflegen, stellte er mit einem nach seiner Methode construirten Apparatsysteme am 10. März 1856 auf der Berliner Centralstation Versuche an, die günstig ausfielen; sein Apparat gestattet ohne Weiteres vom Doppelsprechen zum Gegensprechen überzugehen (Zeitschrift des Telegraphen Vereins II, 219; III, 56). Ebenfalls Ströme von entgegengesetzter Richtung wandten an: Bosscha (October 1855), Kramer (Februar 1856), Schreder (1860). So wohl zum Gegensprechen als zum Doppelsprechen eignen sich die Apparate von Maron (1863) und Schaak (1863). Besonders mannigfaltig sind die Einrichtung und Einschaltung der Empfangsapparate bei den verschiedenen Methoden und diese geben daher oft erst charakteristische Unterschiede der einzelnen Methoden.

I. Das telegraphische Gegensprechen.

Bei dem Gegensprechen sind die beiden mit einander verkehrenden Stationen in völlig gleicher Lage und die Einschaltung beider ist daher einander höchst ähnlich. Es treten hier zunächst drei verschiedene Bedingungen hervor, unter denen die Stromläufe und die Wirkung der Ströme auf die Apparate zu betrachten sind; es wird nämlich entweder kein Zeichen, oder blos ein Zeichen, oder zwei Zeichen zugleich gegeben. In Wirklichkeit muss sich aber die Untersuchung der Stromläufe auf 6 verschiedene Fälle erstrecken, indem sich an jedem Taster 3 verschiedene Lagen oder Stellungen unterscheiden lassen, welche wegen ihres Einflusses auf die Stromläufe für die Berurtheilung der Stromwirkungen von Wichtigkeit sind. Der metallene Tasterhebel wird nämlich, wenn mit ihm ein Zeichen gegeben werden soll, von einer bestimmten Ruhelage (in der die Axe des Hebels mit dem Ruhecontacte 3 in leitender Verbindung steht) in die Arbeitslage (in welcher die Axe 2 des Hebels mit dem Amboss oder Arbeitscontact 1 leitend verbunden ist) übergeführt und hierbei liegt er eine Zeit lang weder auf dem einen, noch auf dem andern Contacte auf; bezeichnen wir diese letztere Stellung des Tasters als Schweben, so sind unter Ausschluss der Wiederholungen folgende 6 Fälle zu unterscheiden:

1. beide Taster ruhen,
2. „ „ schweben,
3. „ „ arbeiten,
4. der eine Taster ruht, der andere schwebt,
5. „ „ „ „ „ „ arbeitet,
6. „ „ „ schwebt, „ „ „

Dem in einer Station anlangenden Strome müssen also im Allgemeinen 3 verschiedene Wege offen stehen, je nachdem der Taster dieser Station ruht, schwebt oder arbeitet, und auf allen 3 Wegen muss er durch das Relais oder den sonstigen Empfangsapparat hindurchgehen und auf ihm das einlangende Zeichen erscheinen lassen. Es ergiebt sich daraus, dass die Einschaltung der Apparate meist etwas verwickelt werden wird. Einfacher freilich gestaltet sie sich, wenn man die Erscheinungen bei schwebendem Taster ausser Rechnung lässt, was wegen des nicht augenblicklichen Auftretens und Verschwindens des Elektromagnetismus allenfalls erlaubt ist, wenn man die Zeit des Schwebens durch rasches Spielen oder noch besser durch Anwendung besonderer Taster mit federnden Contacten (wie sie Maron, Schaack, Schreder, Nystrom, zur Nedden construirten) möglichst abkürzt; sonst aber läuft man bei einer solchen Einschaltung Gefahr, dass die einlangenden Zeichen durch das Spiel des eigenen Tasters zerrissen und namentlich Striche in Punkte aufgelöst werden, überhaupt verworrene Schrift entsteht.

1. Gegensprecher von Gintl; mit Ausgleichungsbatterie und doppelten Windungen im Relais.

Als der k. k. österreichische Telegraphendirector Dr. Wilhelm Gintl sich nach den oben erwähnten Versuchen davon überzeugt hielt, dass 2 elektrische Ströme in entgegengesetzter Richtung durch denselben Leitungsdraht gleichzeitig und ungehindert fortpflanzen können, suchte er die gewonnene Ueberzeugung zur Auffindung einer Einrichtung der Apparate zum Gegensprechen zu verwerthen, wobei er sein Augenmerk zunächst auf eine entsprechende Abänderung des Morse'schen Drucktelegraphen richtete. Nachdem Dr. Gintl bereits in der Sitzung vom 9. Juni 1853 der mathematisch-physikalischen Klasse der k. Akademie der Wissenschaften zu Wien eine Mittheilung über diesen Gegenstand gemacht hatte (Zeitschrift des Telegraphen-Vereins I, 304), stellte er mit dem gleich zu beschreibenden Apparate im Juli 1853 auf der österreichischen Staats-Telegraphenlinie zwischen Wien und Prag Versuche an (Zeitschr. d. Tel.-Ver. II, 28 u. 84; polytechn. Centralbl. 1853, S. 1473 und daraus in Dingler's Journal 131, S. 191), welche auch ziemlich befriedigend ausfielen. Das Relais wurde dabei gegen den abgehenden Strom der Linien- oder Telegraphirbatterie *B* (Fig. 1) dadurch unempfindlich gemacht, dass mit diesem Strome zugleich ein Strom der Ausgleichungsbatterie *A*, aber

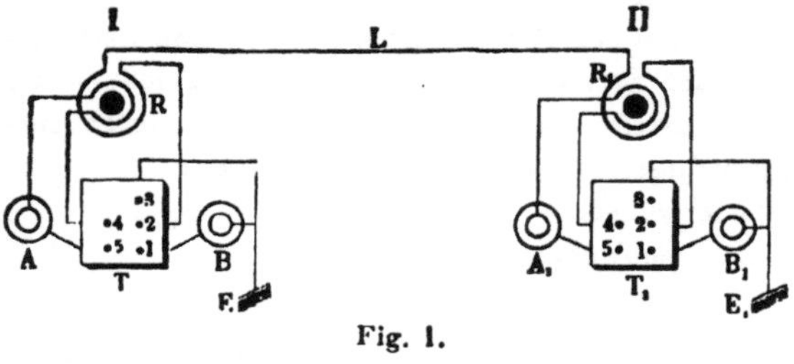

Fig. 1.

in entgegengesetzter Richtung durch das Relais gesendet wird. Jedes Relais *R* besitzt zu dem Zwecke zwei von einander unabhängige Drahtumwickelungen, von denen die innere wie gewöhnlich mit der Linienbatterie und Linienleitung verbunden ist, die darüber gewickelte, aus stärkerem Drahte bestehende, dagegen in den Kreis der Ausgleichungsbatterie so eingeschaltet ist, dass die Ströme beider Batterien beim gleichzeitigen Schlusse derselben in gleicher Stärke, aber in entgegengesetztem Sinne den Kern des Elektromagnetes des Relais umkreisen, eine genau entgegengesetzte magnetisirende Wirkung auf denselben ausüben, sich also in ihren Wirkungen aufheben. Um die Linien und Ausgleichungsbatterie stets gleichzeitig zu schliessen und zu öffnen, wird ein Doppeltaster angewandt, bestehend aus zwei gewöhnlichen neben einander befindlichen, aber von einander isolirten Hebeln, welche durch einen isolirenden Knopf gleichzeitig niedergedrückt werden, wofür Dr. Gintl später besser einen aus 2 von einander isolirten Theilen bestehenden Hebel wählte (Zeitschr. d. Tel.-Ver. II, 26). In Bezug auf Fig. 1 genügt es hervorzuheben, dass bei ruhendem Taster Punkt 2 und 3 mit einander leitend verbunden, Punkt 1, 4, 5 isolirt sind; bei schwebendem Taster ist keiner der 5 Punkte mit dem andern leitend verbunden; bei arbeitendem Taster endlich ist blos 3 isolirt, während 1 mit 2 und 4 mit 5 in leitender Verbindung stehen. So lange nun beide Taster ruhen, ist keine der 4 Batterien geschlossen, also nirgends ein Strom vorhanden. Wird dagegen auf einer Station z. B. I der Doppeltaster *T* niedergedrückt, so wird die Linien- und die Ausgleichungsbatterie gleichzeitig geschlossen; der Strom der Linienbatterie *B* geht durch 1 und 2 und durch die inneren Windungen des Relais, in II durch 3 und 2 des Tasters zur Erde und nach I zurück; da aber in I gleichzeitig der Strom der Ausgleichungsbatterie in entgegengesetzter Richtung durch die äussere Umwindung des Relais geleitet wird, so entsteht in diesem Relais kein Magnetismus und der Relaishebel bleibt in Ruhe; auf der Station II dagegen findet der ankommende Strom im Relais keine solche Ausgleichung und setzt letzteres in gewöhnlicher Weise in Thätigkeit. Wird nun auch in Station II der Doppeltaster niedergedrückt, so gleichen sich, nach Gintl's Ansicht, auch hier im Relais der Strom der Linien- und der Ausgleichungsbatterie aus, und es bleibt nur der von I herkommende Strom wirksam, in I dagegen, wo zeither das Relais durch das Tasterdrücken daselbst nicht bewegt wurde, wirkt jetzt allein der von II herkommende Linienstrom und es erscheinen somit in I und II gleichzeitig Zeichen. Es ist hierbei ganz gleich, welche Pole der Linienbatterie an die Leitung eingeschaltet werden, wenn nur der Strom der Ausgleichungsbatterie dem der zugehörigen Linienbatterie gleich, aber entgegengerichtet ist. In dem Falle, wo die Telegraphirbatterien auf beiden Stationen mit entgegengesetzten Polen an die Taster geführt sind, ist die vorstehende Erklärung die einzige zulässige, indem die gleich gerichteten Linienströme sich summiren. Sind dagegen beide Batterien mit dem nämlichen Pole an den Taster geführt, so kann man die Erklärung auch noch anders geben. Stellt man nämlich das Vorhandensein zweier entgegengesetzter Ströme in der Leitung in Abrede, so hat man in der Leitung, wenn beide Taster niedergedrückt sind, gar keinen Strom als vorhanden anzunehmen, und dann bringen die Ströme der beiden Ausgleichungsbatterien auf den beiden Relais die Zeichen hervor. Hält man dabei in I den Taster niedergedrückt (giebt einen Strich) und spielt währenddem mit dem Taster in II (giebt Punkte), so erscheinen die Punkte durch die Ausgleichungsbatterie in II, das Erscheinen des Striches aber bewirkt abwechselnd der Telegraphirstrom von II und der Ausgleichungsstrom von I.

Weil nun aber der Linienstrom häufig Veränderungen unterliegt und weil die Ausgleichungsbatterie wegen des geringeren Widerstandes schneller an Stärke abnimmt, als die Linienbatterie, so wird die Ausgleichung der Stromwirkungen im Relais nie auf die Dauer vollständig erfolgen und dies leicht zu Störungen beim Gegensprechen Anlass geben oder eine häufige Regulirung der Stromstärke der Ausgleichungsbatterie nöthig machen. Dieser Umstand veranlasste den Dr. Gintl den elektrochemischen Schreibapparat hierbei anzuwenden, mit welchem auch in der That ein günstigerer Erfolg erzielt wurde, weil die Erfahrung gelehrt hat, dass auch bei ziemlich verschiedener Stromstärke der Linien- und der Ausgleichungsbatterie dennoch deren Ströme bei ihrem gleichzeitigen Durchgange durch den feuchten, chemisch-präparirten Papierstreifen sich bei entgegengesetzter Richtung rücksichtlich der chemischen Wirkungen sich aufheben. Bei Anwendung des chemischen Schreibapparates fällt natürlich, wie Fig. 2 zeigt, das Relais mit seinen 2 Windungen ganz weg und die Ausgleichung tritt betreffenden Falles in dem Papierstreifen p selbst ein. Eine ausführlichere Beschreibung der Einrichtung für den chemischen Apparat und der Vorgänge an diesem findet sich in der Zeitschrift des österreichischen Ingenieur-Vereins 1855, S. 142 aus dem 14. Bde. der Sitzungsberichte der k. Akademie, ferner in der Zeitschr. des Tel.-Ver. II, 25 und auch in der Zeitschr. f. Mathem. u. Phys. I, S. 103. Die Batterien der beiden Stationen können auch hierbei mit gleichen oder mit entgegengesetzten Polen an den Taster geführt werden (Zeitschr. d. österr. Ing.-Ver. 1856, S. 251). Doch muss man bei der Einschaltung seine Aufmerksamkeit darauf richten, dass die Zeichen auf der obern Seite des Papierstreifens erscheinen. Zur bessern Regulirung der Stärke der Ausgleichungsbatterie schaltete Gintl in deren Stromkreis noch einen Rheostat von sehr zweckmässiger Einrichtung (Zeitschr. d. Tel.-Ver. II, 27) ein, welcher zugleich den ankommenden Strom nöthigen sollte, seinen Weg durch den Papierstreifen zu nehmen, und deshalb muss durch den Rheostat ein Widerstand eingeschaltet werden, welcher merklich grösser ist, als der des Papierstreifens.

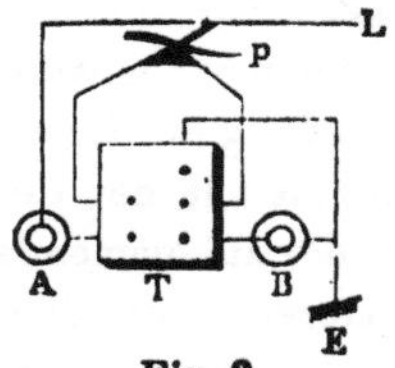

Fig. 2.

Da der elektrochemische Schreibapparat kein hörbares Zeichen giebt, so muss durch eine Weckvorrichtung der Beginn des Telegraphirens angezeigt werden; dazu dient eine in den Kreis des Linienstroms eingeschaltete, während des Telegraphirens selbst aber auszuschaltende Bussole, deren Nadel den Kreis einer Localbatterie schliesst, worauf der Strom derselben einen elektromagnetischen Wecker durchläuft.

Mit dem chemischen Apparate stellte Gintl am 15. October 1854 auf der Linie zwischen Wien und Linz Gegensprechversuche an und dabei wurde ein Telegramm von mehr als 80 Worten anstandslos von Linz nach Wien telegraphirt (Zeitschr. d. Tel.-Ver. II, 29).

Die vorstehend besprochenen Einschaltungsweisen leiden an dem grossen Uebelstande, dass, während der eine Taster schwebt, der Strom der andern Station gänzlich unterbrochen wird, wodurch anlangende Striche zerrissen und in Punkte aufgelöst werden können. Zur Beseitigung dieses Uebelstandes schlug Gintl (Zeitschr. d. Tel.-Ver. II, 136) für den chemischen Schreibapparat vor, die beiden Punkte 1 und 2 des Tasters leitend mit einander zu verbinden, wodurch dem ankommenden Strome auch bei schwebendem Taster bereits der Weg durch die Telegraphirbatterie *B* geöffnet wird. Freilich wird dadurch zugleich bei ruhendem Taster ein kurzer Schluss der zugehörigen Telegraphirbatterie *B* herbeigeführt, weshalb die Batterie ausgeschaltet werden muss, sobald man aufhört zu telegraphiren; ausserdem wird bei ruhendem Taster natürlich auch ein schwacher Zweigstrom in die Leitung entsendet. Dieselbe Einschaltung des Tasters kann auch beim Gegensprechen mit dem Morse Anwendung finden.

Endlich überzeugte sich Gintl durch Versuche, dass man die Ausgleichungsbatterien bei Anwendung des chemischen Schreibapparates ohne jede andere Aenderung der Einschaltung ganz weglassen könne (Zeitschr. d. Tel.-Ver. II, 137), wenn man nur den Widerstand des Rheostaten so regelt, dass beim eigenen Zeichengeben der Hauptheil des Linienstromes durch den Rheostat in die Leitung und nur ein so schwacher Theilstrom durch den Empfangsapparat geht, dass er auf dem Papierstreifen kein wahrnehmbares Zeichen hervorzubringen vermag, welches jedoch alsobald zum Vorschein kommt, wenn der von der andern Station kommende elektrische Strom einen gleichen Theil zu jenem Theilstrome liefert, so dass die Summe beider Theilströme ein Zeichen auf dem Papierstreifen erzeugt, welches dem von der andern Station gegebenen Zeichen entspricht.

Eine Erläuterung der Vorgänge beim chemischen Apparate nach Massgabe des von Kirchhof auf den vorliegenden Fall angewendeten Ohm'schen Gesetzes findet sich in Dub, Anwendung des Elektromagnetismus (Berlin 1863) S. 462 aus Poggendorff's Annalen 98, S. 122.

2. Gegensprecher von Nystrom; mit Ausgleichungsbatterie und 1 Relais mit einfacher Umwindung.

Der Telegraphenstations-Director C. A. Nystrom in Oerebro in Schweden beschrieb*) im December 1855 (Dingler's Journal 138, S. 409) einen dem Gintl'schen ähnlichen, aber im Relais nur eine einfache Windung enthaltenden Gegensprecher, bei welchem die Einschaltung nach Fig. 3 erfolgt. Auch hier findet der ankommende Strom auf der Empfangsstation keinen Weg zur Erde, während der Taster dieser Station schwebt. Nystrom gab daher dem Taster eine besondere, aus Fig. 4 ersichtliche Einrichtung, um diesen Uebelstand zu beseitigen. Wird der Tasterhebel niedergedrückt, so drückt er das kürzere Ende des um *c* drehbaren Hebels auf den Contact *d*, während die Berührung am längeren Arme dieses Hebels bei *a* aufgehoben wird; dadurch wird die Linienbatterie *B* geschlossen und sendet ihren Strom über *d* und *c* nach *m*, durch das Relais *R* und von *n* in die Linie. Gleichzeitig wird aber auch die Ausgleichungsbatterie *A* geschlossen, indem sich der durch das Einsetzstück *i* isolirte Stift *e* an die durch 2 Stellschrauben regulirte Feder *f* anlegt; auch diese Batterie sendet ihren Strom durch das Relais, aber in entgegengesetztem Sinne. Um die magnetisirende Wirkung beider auszugleichen, ist der Widerstand *W* in den Kreis der Ausgleichungsbatterie eingeschaltet; dieser Widerstand soll zugleich bewirken, dass bei niedergedrücktem Taster der ankommende Strom nicht seinen Weg durch *W* und *A* nach *m* nimmt und so das Relais umgeht. Die Vorgänge bei diesem Gegensprecher sind ganz ähnlich wie bei dem Gintl'schen; desgleichen die Mängel.

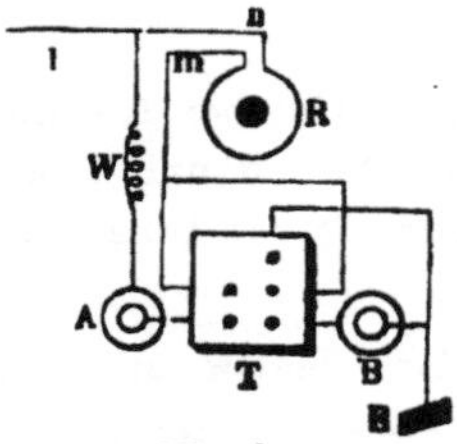

Fig. 3.

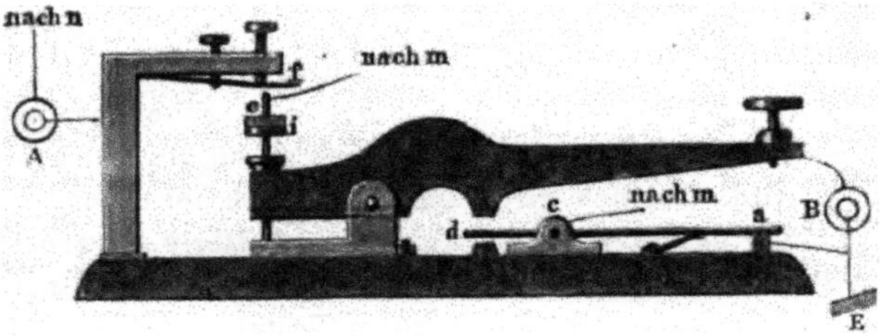

Fig. 4.

3. Gegensprecher von zur Nedden; mit Zweigströmen und 1 Relais mit einfachen Windungen.

In einem bereits im Januar 1855 niedergeschriebenen und im 19. Hefte

*) Nystrom theilt zugleich mit, dass in Schweden ausser Professor Edlund auch die Herren Telegraphencommissair Rhen und Telegraphenaccessist Näsman in Upsala eine Einrichtung zum Gegensprechen ersonnen und ein Patent darauf genommen hätten.

des **Dingler**'schen Journals vom Jahre 1855 veröffentlichten Artikel giebt Dr. **zur Nedden** auf S. 34 eine Einschaltungsweise für Morseapparate an, welche mit der von Dr. **Gintl** in einer vom Mai 1855 datirten Mittheilung (Zeitschr. d. Tel.-Ver. II, 137) als für den chemischen Schreibapparat zulässig bezeichneten Einschaltung (ohne Ausgleichungsbatterie) dem Wesen nach nahe zusammenfällt. Wird bei dieser Einschaltung (Fig. 5) der Widerstand *W* grösser, als der Widerstand der Luftleitung *L* gewählt, so wird, wenn blos eine Station spricht, von dem Strom der Telegraphirbatterie auf der gebenden Station nur ein schwacher Theilstrom durch das Relais gehen, und dessen Wirkung kann hier durch eine entsprechend gespannte Feder aufgehoben werden; der stärkere Zweigstrom geht durch die Luftleitung nach der Empfangsstation und daselbst bei ruhendem Taster durch das Relais; wenn dagegen der Taster der Empfangsstation schwebt, so wird der stärkere Zweigstrom durch das Relais der gebenden Station und nur der schwächere in die Luftleitung *L* gehen, und es würde zwar nichts schaden, wenn in Folge dessen das Relais der gebenden Station bereits anspräche, wohl aber, wenn dabei das Relais der Empfangsstation aussetzt, was zu befürchten ist und was den Vortheil aufheben würde, dass bei schwebendem Taster dem ankommenden Strome noch ein Weg zur Erde bleibt. Sind beide Taster niedergedrückt, so heben sich die Zweigströme beider Batterien in *L* auf und die Zweigströme durch *W* und *R* müssen auf beiden Stationen die Relais ansprechen lassen, wenn die in Rede stehende Einschaltung zum Gegensprechen geeignet sein soll. Die von einer Station ausgehenden Zeichen, z. B. ein langer Strich, würden dabei auf der andern Station, wenn letztere gleichzeitig spricht, abwechselnd von dem ankommenden Strome der ersten und von dem Zweigstrome der zweiten Station hervorgebracht werden, was aber keinen Nachtheil bringt, da beide Ströme das Relais in gleichem Sinne durchlaufen.

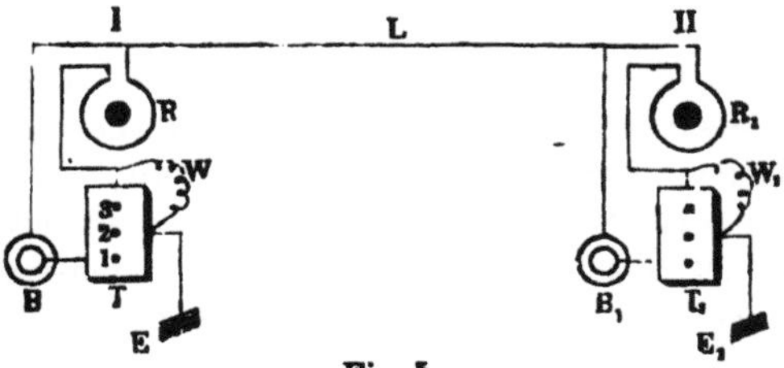

Fig. 5.

Ebendaselbst S. 36—39 bespricht **zur Nedden** noch eine andere, in Fig. 6 skizzirte Anordnung, bei welcher 2 (hufeisenförmige) Elektromagnete auf zwei Anker am Relaishebel wirken, welche zu beiden Seiten der Ankeraxe in gleichen Abständen von dieser angebracht sind; an dem einen dieser Elektromagnete wird in gewissen Fällen nur der eine Schenkel vom Strome durchkreist.

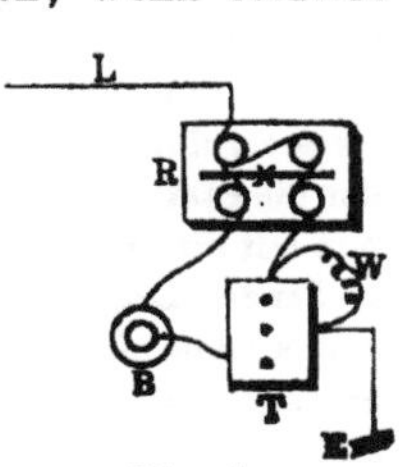

Fig. 6.

4. Gegensprecher von Frischen und Siemens-Halke; mit Zweigströmen bei gleichen Windungszahlen. Abänderung desselben von Stark.

Durch die ersten Versuche des Dr. Gintl auf der Linie Wien-Prag wurde der damalige Telegraphen-Ingenieur C. Frischen in Hannover zu Versuchen über denselben Gegenstand veranlasst und fand im März 1854 einen Gegensprecher, dessen Brauchbarkeit er am 26. Mai 1854 auf der Linie zwischen Hannover und Göttingen nachwies (Zeitschr. d. Tel.-Ver. II, 85); andere Versuche, welche Frischen, nachdem er seine Erfindung an Newall & Gordon in London verkauft hatte (polytechn. Centralbl. 1855, S. 567, aus der Zeitschrift des Architekten- und Ingenieur-Vereins für Hannover 1855, S. 142), mit diesem Gegensprecher im Januar 1855 in Sunderland in England anstellte, waren eben so befriedigend. Ebenso wurden Werner Siemens und Halske in Berlin durch die späteren Versuche Gintl's auf der Linie Wien-Linz zur Aufsuchung einer Gegensprech-Vorrichtung angeregt, und im November 1854 war ihr Apparat im Zimmer in Thätigkeit*) (Zeitschr. d. Tel.-Ver. II, 85; Poggendorff's Annalen 98, S. 125). Sowohl Frischen, als Siemens & Halske wendeten keine Ausgleichungsbatterie an, sondern suchten die Ausgleichung des abgehenden Stromes im eigenen Relais durch einen Zweig dieses Stromes selbst zu erreichen. Dem Wesen nach waren die Methoden beider übereinstimmend und nur in weniger wesentlichen Punkten von einander abweichend, weshalb diese 3 Herren bald ihre Interessen in dieser Angelegenheit verschmolzen. Die Einschaltung sieht etwas anders aus, je nachdem man ein gewöhnliches Relais mit besonderem, unmagnetischen Anker benutzt oder das Relais von Siemens & Halske, bei welchem die Kerne des Elektromagnetes mit flügelförmigen Ansätzen versehen sind, und der eine Kern

*) Dagegen theilt Werner Siemens in Poggendorff's Annalen 98, S. 115 mit, dass er sich bereits im Jahre 1849 in Gemeinschaft mit Halske mit der Lösung der Aufgabe beschäftigt habe, durch telegraphische Leiter eine die Zahl der Drähte übersteigende Zahl gleichzeitiger Telegramme zu befördern. Sie gingen dabei von folgenden Betrachtungen aus: Wenn man das Ende jedes Leitungsdrahtes mit dem Ende aller übrigen Drähte durch ein telegraphisches Instrument mit zugehöriger Batterie verbindet, so kann man $\frac{1}{2}n\ (n-1)$ solcher Telegraphenapparate auf jeder Seite der die Stationen I und II verbindenden n Leitungsdrähte aufstellen. Schaltet man nun mit einem der eingeschalteten Apparate die zugehörige Batterie zwischen die betreffenden Drähte ein, so werden alle vorhandenen Leitungsdrähte und Apparate von einem mehr oder weniger starken Strome durchlaufen. Die Aufgabe war nun, durch passend gewählte Widerstände, locale Nebenschliessungen und zweckmässige Construction der Apparate den durch den homologen Apparat der andern Station gehenden Strom möglichst stark und wirksam, die durch die andern Apparate laufenden Ströme dagegen entweder sehr schwach zu machen oder ihre Wirkung ganz oder doch grösstentheils zu compensiren. Siemens & Halske nahmen zwar den 23. October 1849 in England ein Patent, überzeugten sich aber bald von der Schwierigkeit der Lösung bei einer grössern Zahl von Drähten.

mit seinen Ansätzen den Ankerhebel bildet (vergl. Zeitschr. f. Mathem. u. Phys. VI, S. 380).

A. Bei Anwendung eines gewöhnlichen Relais erfolgt die Einschaltung nach Fig. 7. Die beiden um die Relaisschenkel geführten Drahtumwickelungen bestehen aus gleich starkem Draht, enthalten gleich viel Windungen und sind an dem einen Ende unter einander und mit der Axe 2 des Tasterhebels verbunden, während das zweite Ende der einen Umwickelung mit der Luftleitung, das zweite Ende der andern durch einen Rheostat *W* mit der Erdleitung *E* in leitender Verbindung steht; der Ruhepunkt 3 des Tasters *T* ist mit der Erde, der Arbeitscontact 1 auf beiden Stationen mit demselben Batteriepol in Verbindung gesetzt, während beiderseits derselbe zweite Pol der Batterie mit der Erde verbunden ist. Der Widerstand *W* ist so gewählt, dass der Strom in der *W* enthaltenden Local-Zweigleitung einen eben so grossen Widerstand findet, als in der die Luftleitung und die äussere Umwickelung des Relais der andern Station enthaltenden andern Zweigleitung. So lange nun beide Taster ruhen oder schweben, ist in der Leitung und den beiden Stationen nirgends ein Strom vorhanden. Wird ein Taster auf den Arbeitscontact niedergedrückt, während der Taster der andern Station ruht, so theilt sich wegen der vorausgesetzten Gleichheit der Widerstände in den beiden Zweigleitungen der abgehende Strom auf der gebenden Station in zwei gleichstarke Zweigströme, deren jeder eine Umwickelung des Relais der gebenden Station durchläuft, aber in entgegengesetzter Richtung, weshalb dieses Relais kein Zeichen giebt; auf der Empfangsstation dagegen geht der Strom zum allergrössten Theile blos durch die äusseren Relaiswindungen und durch den Taster zur Erde, weshalb hier auf dem Relais das Zeichen erscheint. Wird nun aber auf der zweiten Station der Taster ebenfalls niedergedrückt, so kommt er zunächst zum Schweben und dadurch muss der Strom auf der zweiten Station jetzt auch die inneren Windungen des Relais und den Widerstand *W* durchlaufen, um zur Erde zu gelangen; die jetzt vorhandenen beiden Zweigströme sind wegen der Verschiedenheit der Widerstände in ihren Leitungen offenbar nicht mehr gleich, sondern der die Luftleitung durchströmende der kleinere, weshalb auf der gebenden Station im Relais der Localzweigstrom den andern überwiegt und das Relais bereits anspricht, sofern die Relaisfeder nicht zu stark gespannt ist; auf der Empfangsstation dagegen erscheint wieder das Zeichen, weil der Strom im Relais zwar jetzt schwächer ist, als bei ruhendem Taster, dafür aber beide

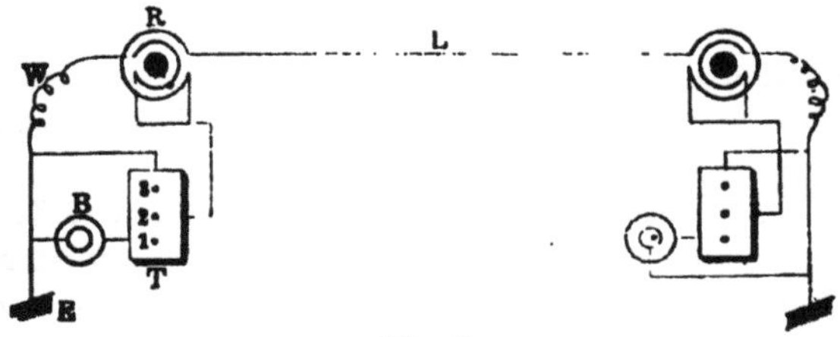

Fig. 7.

Windungen in derselben Richtung durchläuft. Wenn endlich beide Taster zugleich arbeiten, so erscheinen auf beiden Stationen die Zeichen, hervorgebracht durch die localen Zweigströme in den inneren Umwickelungen des Relais. Fig. 36 auf Taf. VII des 1. Jahrg. d. Zeitschr. f. Mathem. u. Phys. zeigt die Einschaltung für den Fall, wo diese Methode zum Collationiren angewendet werden soll.

Bei dieser Methode (sagt Frischen in der Zeitschr. d. Tel.-Ver. IX, S. 250) haben die Nebenschliessungen der Luftleitung keinen Einfluss, wenigstens in keinem höheren Grade als bei einfacher Telegraphie. Nur unter dem Einflusse der raschen Veränderlichkeit in der Grösse der Nebenschliessungen der Leitungen haben unsere Methoden mit allen übrigen gemeinsam zu leiden, und zwar ist dieser Einfluss grösser als beim einfachen Apparat. Durch die Veränderlichkeit der Nebenschliessungen wird der Widerstand in der Leitung verändert, und es findet mithin in den beiden Relaisumwickelungen keine vollständige Ausgleichung mehr statt und es muss zur Erreichung derselben der Widerstand in der Nebenleitung entsprechend geändert werden. Tritt die Veränderung der Nebenschliessung wiederholt und rasch nacheinander ein, so wird dadurch nicht allein die Handhabung des Gegensprechers erschwert, sondern auch dessen Sicherheit beeinträchtigt, und es wird der Gegensprecher auf Linien, deren Nebenschliessungen z. B. durch Witterungswechsel etc. sehr stark verändert werden, nie mit Vortheil anzuwenden sein. Da indessen kleinere Differenzen sich in keiner Leitung vermeiden lassen, so wird es sich empfehlen, die Relais unter Bezugnahme für den abgehenden Strom nicht zu empfindlich zu wählen, denn da jede geringe Veränderung des Widerstandes in der Hauptleitung eine entsprechende Veränderung des abgehenden Stromes in jeder Relaisumwickelung zur Folge hat, so wächst der störende Einfluss mit der Anzahl der Windungen, die in der Hauptleitung liegen, und es erhellt daraus, dass das Stark'sche modificirte Relais (siehe 4., C.) auch in dieser Beziehung nicht zu empfehlen ist. Der störende Einfluss der Veränderlichkeit der Nebenschliessungen — geringe Schwankungen innerhalb gewisser Grenzen ausser Acht gelassen — äussert sich beim Gegensprechen in der Weise, dass, wenn die Relaisbewegungen beim einfachen Arbeiten exact sind, dieses nicht mehr der Fall ist, wenn die empfangende Station auch gleichzeitig Strom absendet, und so entsteht beim Gegensprechen leicht verworrene Schrift. Eine Relaisregulirung kann nur in beschränktem Maasse dem Uebelstande abhelfen und nur eine stetige entsprechende Aenderung des künstlichen Widerstandes in der Nebenleitung kann von Erfolg sein. Dass eine solche stete Widerstandsregulirung nicht stattfinden kann und darf, ist einleuchtend und würde der Anwendung des Gegensprechers durchaus nicht entsprechen, wie denn auch vielfach dadurch der Gegensprecher als „unpraktisch“ sich gezeigt haben wird.

In der Zeitschrift des österreichischen Ingenieur-Vereins 1858, S. 221

(aus *Annales télégraph.* 1855) ist ein dem Wesen nach gleicher Gegensprecher mit etwas anderer Einschaltung besprochen: Die Luftleitung ist nach der Tasteraxe geführt und gleichzeitig mit dem localen Zweigkreis verbunden; der Ruhecontact des Tasters und der zweite Batteriepol stehen mit dem Vereinigungspunkte beider Windungen, die Erdleitung mit der (äusseren) Windung für den Linienstrom in Verbindung. Die Batterien der beiden Stationen werden entweder mit gleichnamigen oder mit entgegengesetzten Polen an den Taster geführt.

Wartmann hat 1856 im Märzhefte des *Arch. des sciences physiqu. de Genève* drei verschiedene Anordnungen beschrieben, von denen die erste mit der von Gintl, die zweite mit der eben beschriebenen von Frischen und die dritte sich von dieser nur dadurch unterscheidet, dass (wie bei der von Edlund) die Verbindung des Taster-Ruhecontactes mit der Erde weggelassen ist. Vergl. Poggendorff's Annalen 98, S. 183 und *Annal. télégr.* 1861, S.145; desgl. Glösener, *traité des appl. de l'électr.* Paris & Liége 1861, S.184.

B. Der Kern des bei dem andern Siemens-Halke'schen Gegensprecher benutzten Relais ist nicht hufeisenförmig, sondern er besteht aus zwei einzelnen, in den beiden Multiplicationsrollen steckenden Eisenstäben, welche über die Rollen vorstehen und mit flügelförmigen eisernen Ansätzen versehen sind; letztere Ansätze bilden Verlängerungen der durch den Strom entwickelten Elektromagnetpole; der eine Kern liegt fest, der andere ist um seine Axe drehbar; läuft nun der Strom so um die Kerne, dass in beiden Kernen nach derselben Seite hin entgegengesetzte Pole entstehen oder umkreist der Strom blos einen Kern, so ziehen sich die beiden Flügel an, und die Localbatterie für den Schreibapparat wird geschlossen; entstehen dagegen in den Kernen nach gleicher Seite hin gleichnamige Pole, so stossen diese sich ab, und die Localbatterie bleibt offen. Die Einschaltungsweise ist aus Fig. 8 ersichtlich; die beiden Enden der Relaisumwickelung sind einerseits mit der Luftleitung *L* und andererseits durch den

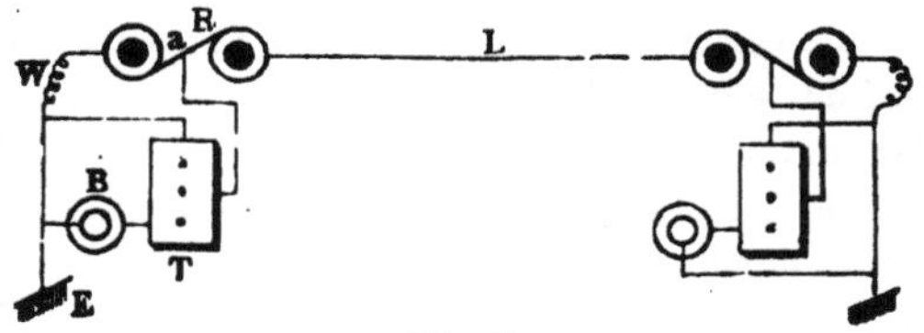

Fig. 8.

Rheostat *W*, dessen Widerstand dem in der Luftleitung möglichst gleich zu wählen ist, mit der Erde verbunden; bei *a*, wo der Draht von der einen Rolle des Elektromagnetes zur andern geht, zweigt sich ein Draht nach der Axe des Tasters ab, während der Ruhecontact des Tasters mit der Erde verbunden und die Batterie wie gewöhnlich eingeschaltet ist. So lange beide Taster ruhen oder schweben, kreist kein Strom in der Leitung und den Apparaten. Wird ein Taster auf den Arbeitscontact niedergedrückt, so durchläuft der Strom auf der gebenden Station beide Rollen des Relais, da er sich von *a* aus nach *L* und nach *W* verzweigt; die Rollen sind nun aber so gewickelt, dass im vorliegenden Falle die gleichnamigen Pole der beiden Kerne nach derselben Seite hin liegen, also das Relais der gebenden Station nicht anspricht. Auf der Empfangsstation dagegen läuft der aus *L* ankommende Stromzweig entweder vorwiegend blos durch die eine Rolle des Relais (durch die andere geht nur ein sehr geringer Theil), sofern dort der Taster ruht, oder durch beide Rollen in demselben Sinne, wenn der Taster schwebt; im ersteren Falle wird blos ein Kern magnetisch, im anderen beide Kerne und zwar so, dass die nach der nämlichen Seite hin liegenden Pole entgegengesetzt sind, in beiden Fällen spricht also das Relais der Empfangsstation an, im zweiten Falle wieder auf einen schwächeren Strom, der aber dafür durch beide Rollen geht und beide Kerne magnetisirt. Sind endlich beide Taster gleichzeitig auf den Arbeitscontact niedergedrückt, so ist, wenn die Batterien beider Stationen mit demselben Pole an den Taster geführt sind, in der Leitung gar kein Strom vorhanden und beide Relais sprechen in Folge des Magnetismus an, welcher durch den in dem Localzweigkreise vorhandenen Zweigstrom geweckt ist.

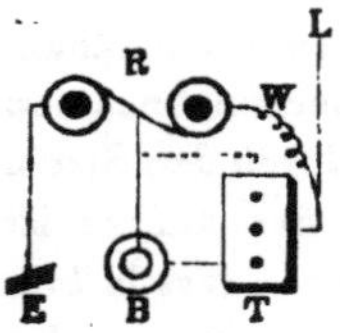

Fig. 9.

Eine andere, ebenfalls mit Erfolg angewendete Einschaltung zeigt Fig. 9; bei derselben ist der Widerstand *W* zwischen Relais und Luftleitung eingeschaltet, die Batterie zwischen dem Arbeitscontact des Tasters und der Mitte der Relaiswindungen. Vergl. Zeitschr. d. Tel.-Ver. II, 87.

Als Nachtheil der eben beschriebenen Methode führt Frischen (Zeitschr. d. Tel.-Ver. IX, 247 u. 251) an, dass sowohl im Momente des Gegensprechens, als auch, wenn die Batterie nur einer Station thätig ist, das empfangende Relais nur mit einem Schenkel arbeitet, wenngleich man diesen Uebelstand durch zweckentsprechende Relais vermindern kann. Ferner findet trotz der beim abgehenden Strome auf der eigenen Station sich bildenden gleichstarken und gleichnamigen Magnetpole am Relais, doch eine geringe Influenz auf den Anker statt, welche mit der Stärke der angewandten Leitungsbatterie wächst, und es findet demnach stets eine nactheilige, wenn auch nur geringe Beeinflussung der eigenen Apparate durch den abgehenden Strom statt. Ist der ankommende Strom z. B. wegen starker Nebenschliessungen nur schwach, so kann derselbe im Momente, wo zugleich der abgesandte Strom das Relais umkreist, nur einen geringen Einfluss auf die Stärken - Differenz der Magnetpole haben, da ohnehin der abgehende Strom wegen der Nebenschliessung und des dadurch entstehenden geringeren Widerstandes in der Leitung, das eigene Relais kräftiger magnetisirt. Trotz dieser Nachtheile eignet sich diese Gegensprechmethode doch recht gut zum praktischen Gebrauch, setzt allerdings eine besser isolirte Leitung voraus, als die vorhergehende Methode mit doppelter Umwickelung des Relais.

Zur grösseren Sicherheit wenden die Erfinder (Zeitschr. d. Tel. - Ver.

II, 87) eine doppelte Relaisumwickelung nach dem Schema Fig. 10 an; dabei umkreist der aus der Leitung *L* kommende Strom auf seinem Wege zur Erde *E* jeden der beiden Kerne zweimal immer in derselben Richtung; der vom Taster *T* kommende, fortgehende Strom dagegen theilt sich bei *a* in zwei Zweige, welche ebenfalls, aber in entgegengesetzten Richtungen, beide Kerne umkreisen, sich also in ihrer magnetisirenden Wirkung gegenseitig aufheben, so dass in den Kernen, sofern die Zweigströme gleich sind, gar kein Magnetismus entsteht. Diese Einschaltungsweise ist auch bei dem gewöhnlichen Relais anwendbar und der obigen ganz ähnlich.

Fig. 10.

C. Während bei den vorstehend beschriebenen Gegensprechern die Zeichen auf dem Relais der Station nicht erscheinen, weil der Strom dieser Station in zwei gleichen Zweigströmen in gleich vielen Windungen, aber in entgegengesetzten Richtungen die Elektromagnetkerne umkreist, schlug der Vorstand des k. k. Telegraphen-Centralamtes zu Wien, Dr. J. B. Stark, vor (Zeitschr. d. Tel.-Ver. II, 169 ff.), dem localen, vorwiegend blos zur Ausgleichung vorhandenen Stromkreis im Relais nur eine geringe Anzahl Windungen zu geben, die mit der Luftleitung verbundenen Windungen dagegen so zahlreich zu machen, wie bei einem gewöhnlichen Relais. Soll dann aber noch eine Ausgleichung zwischen den beiden Zweigströmen möglich sein, so muss die Stärke des ersteren um so viel mal grösser sein, um wie viel mal seine Windungszahl kleiner gemacht worden ist; daraus folgt, dass auch der Widerstand *W* eben so viel mal kleiner sein muss, als der Widerstand der Leitung in dem andern Zweigstromkreis. Dabei wird hier der in die Luftleitung *L* entsendete Zweigstrom zwar schwächer, bei Anwendung gleicher Drahtlänge im Relais geht er aber durch mehr Windungen und deshalb ist seine magnetisirende Wirkung dennoch grösser. Dabei ist aber auch die Gesammtabnutzung der Batterien bedeutend grösser, und mit der mehr oder weniger raschen Abnutzung der Batterie steht zugleich deren Constanz in engem Zusammenhange. Mit solchen Apparaten wurden 1855 auf der 72 Meilen langen Linie Wien-Passau-München befriedigende Versuche angestellt (Zeitschr. d. Tel.-Ver. II, 178); in München waren dabei 48 Zink-Kohlen-Elemente und in Wien 12 Daniell'sche Batterien zu 12 Elementen in Anwendung. Auch wurde zwischen München und Triest mit Translation in Wien befriedigend telegraphirt.

Der Unterschied dieser Abänderung gegen die Anordnung von Frischen und Siemens-Halke wird um so kleiner, je kleiner der Widerstand der Luftleitung, je kürzer also diese Luftleitung ist (vergl. Zeitschr. d. Tel.-Ver. IX, 249).

In der Zeitschrift des Telegraphen-Vereins (II, 296) und in Poggendorff's Annalen (98, S. 127) theilen Siemens & Halske mit, dass sie ihre ersten Versuche in dem Sinne der von Stark vorgeschlagenen Verbesserung ihrer Einschaltung angestellt, auch diese Abänderung von ihrer gewöhnlichen Construction in ihrem Patent ausdrücklich mit aufgenommen hätten. Auch weist Siemens (Poggendorff's Annalen 99, S. 312) auf den Nachtheil der Verzögerung der Entwickelung des Stromes (durch den entwickelten Gegenstrom) in der dicken Spirale dünnen Drahtes gegenüber den wenigen Windungen der Ausgleichungsrolle.

5. Gegensprecher von Edlund; mit Zweigströmen bei ungleichen Windungszahlen.

Professor Dr. E. Edlund in Stockholm war bereits im März 1854 darauf bedacht, Apparate zum Doppeltelegraphiren nach seiner Methode verfertigen zu lassen. Sobald zwei solche Apparate fertig geworden waren, stellte er mit denselben einige vorläufige Versuche an, und da diese ein günstiges Resultat lieferten, wurde am Ende des Monats August die erste Gegensprecheinrichtung auf der Linie zwischen Stockholm und Upsala ausgeführt. Im Anfang des Januar 1855 wurden Apparate zur Doppelcorrespondenz zwischen Stockholm und Gothenburg aufgestellt (Zeitschr. d. Tel.-Ver. III, 129 u. Poggend. Annalen 98, S. 632). Die erste Beschreibung seiner Methode gab Edlund in *Oefversigt af kongl. Vetenskaps-Akademiens Förhandlingar, Arg. XII*, No. 6 vom 13. Juni 1855 und darauf in der Zeitschr. d. Tel.-Ver. III, S. 121.

Der von jeder Station gegebene Strom wird ebenfalls in zwei Zweigen in entgegengesetzten Richtungen um den Elektromagnet des Relais dieser Station herumgeführt, aber nicht blos die Widerstände, sondern auch die Windungen des localen Zweiges, welche minder zahlreich sind, als die Windungen des anderen Zweiges, können durch beliebige Ein- oder Ausschaltung mittels eines besonderen Rheostats vermehrt oder vermindert werden, um eine genügende Ausgleichung der Wirkung beider Zweigströme zu erreichen. Die Batterien beider Stationen können mit demselben oder mit entgegengesetzten Polen an den Amboss des Tasters geführt werden. Uebrigens unterscheidet sich die Einschaltungsweise von jener in Fig. 7 im Wesentlichen nur dadurch, dass die Verbindung zwischen dem Ruhecontact des Tasters und der Erde weggelassen ist; dadurch ist aber der ankommende Strom sowohl bei ruhendem als bei schwebendem Taster genöthigt, beide Windungen des Relais zu durchlaufen; obgleich dies einerseits als Vorzug geltend gemacht werden kann, so muss doch auch eben deshalb stets der in die Luftleitung gehende Theilstrom schwächer sein und durch mehr Windungen geführt werden, als der locale Zweigstrom, und es ist daher auch gegen diese Einschaltungsweise genau dasselbe einzuwenden, was gegen die von Stark gesagt wurde. Ausserdem ist der Uebelstand nicht zu übersehen, dass, wenn nicht alle Windungen des localen Zweigstroms für diesen benutzt werden, *die nichtbenutzten in sich* geschlossene Drahtumwickelungen um den Elektromagnet bilden, welche durch ihre dämpfende Wirkung den Elektromagnet träge machen.

6. Gegensprecher von Maron; mit Zweigströmen in 1 Relais mit einfachen Windungen.

In dem Parallelogramm von Wheatstone, Fig. 11, zeigt sich an einem in der Diagonale *pq* eingeschalteten Galvanometer *G* keine Spur von Nadelausschlag, sobald die Widerstände in den Parallelogrammseiten einander proportional sind, d. h. sobald $a : b = c : d$; die Grösse der Widerstände in der Diagonale *pq* und in dem übrigen Stromkreise *rBs* ist dabei ganz ohne Einfluss. Vergl. auch Dub, Anwendung des Elektromagnetismus, S. 70; Poggend. Annal. 104, S. 460.

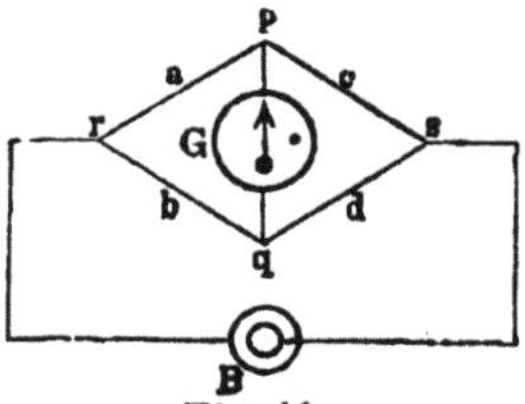

Fig. 11.

Hiervon machte der königl. preussische Telegraphen-Inspector Maron zum Gegensprechen und zum Doppelsprechen Gebrauch (Zeitschr. d. Tel.-Ver. X, 1 und 125). Zum Gegensprechen wird nach Anleitung von Fig. 12 in die Diagonale *pq* ein Relais *R* von gewöhnlicher Construction mit einfacher Umwickelung des Elektromagnetes eingeschaltet. Bei *a* und *b* befinden sich constante Widerstände, deren Grösse gleich näher bestimmt werden wird. Beide Stationen haben eine ganz übereinstimmende Einschaltung. So lange keine Station spricht, sind die Linienbatterien beider Stationen kurz geschlossen und die dabei in die Leitung gehenden sehr schwachen Zweigströme werden die Relais nicht zum Ansprechen bringen. Maron hat diese Einschaltung gewählt, damit beim Niederdrücken eines Tasters die Leitung nie unterbrochen wird. Eine Unterbrechung ist indess eigentlich gar nicht zu befürchten, da dem ankommenden Strome auch bei schwebendem Taster immer noch der Weg durch den Rheostat *W* bliebe; dadurch würde zwar die Stärke des Stromes in der Luftleitung *L* abnehmen, allein derselbe würde dafür dann fast ganz durch das Relais der Empfangsstation gehen; die späteren Versuche (Zeitschr. d. Tel.-Ver. X, 128, woselbst auch eine Einschaltung mit Translation gegeben ist) haben auch bestätigt, dass die Batterien mit dem zweiten Pole eben so gut an den Amboss des Tasters geführt werden können, wie an die Axe desselben. Um aber bei der in Fig. 12 gezeichneten Einschaltung die Batterien ausschalten zu können, während nicht telegraphirt wird, befindet sich zwischen *B* und *n* ein Ausschalter. Wird der Taster der einen Station niedergedrückt, so theilt sich der Strom der Batterie *B* in *r* über *a* und *b* nach *p* und *q*; ist nun der Widerstand des

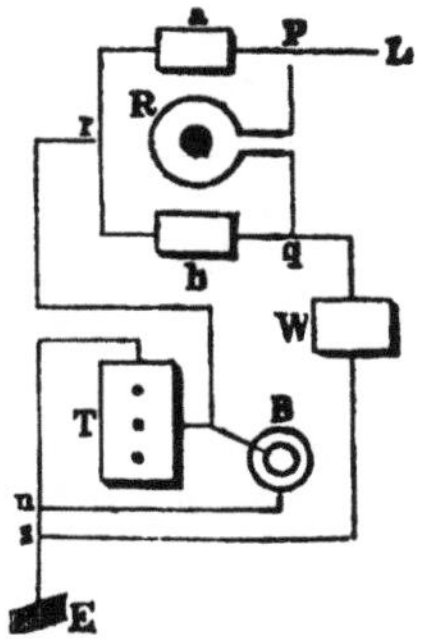

Fig. 12.

Rheostates W so regulirt, dass er sich zum Widerstande L der Luftleitung (durch die Empfangsstation bis nach s) verhält, wie b zu a, also $W : L = b : a$, so geht durch das Relais der gebenden Station kein Strom; auf der Empfangsstation dagegen theilt sich der in der Luftleitung L ankommende Strom bei p, der eine Theil geht über a und r, der andere durch R und b über r (zum Theil auch durch W) zur Erde. Damit nun der zweite Theil mindestens die Hälfte des ganzen ankommenden Stromes betrage, muss $R + b = a$ sein; wählt man nun $b = R$, so wird $a = 2R = 2b$, und deshalb auch $W = \frac{1}{2}L$. Werden in beiden Stationen die Taster zugleich niedergedrückt, so ist bei gleich starken Batterien in der Hauptleitung L wieder kein Strom vorhanden, und die beiden Relais sprechen auf die durch W hindurchgehenden Zweigströme an; wegen der Verzweigung bei r ist der durch R gehende Theilstrom sehr schwach ($\frac{1}{3}$, da $R + a = 3b$). Auch wenn blos 1 Taster spricht, geht $\frac{2}{3}$ vom ganzen Strome in die Zweigleitung durch W und nur $\frac{1}{3}$ in die Luftleitung L, und von letzterem Theilstrome geht wiederum fast nur die Hälfte durch das Relais der Empfangsstation. Diese starke Abnutzung der Batterien ist ein Uebelstand dieser Methode, welche übrigens weniger als andere Methoden von der Veränderlichkeit der Widerstände auf der Linie zu leiden hat.

Bei den verschiedenen Versuchen mit diesem Stromlaufe wurden Relais mit Winkelhebel benutzt; sie hatten etwa 10 Meilen Widerstand; es wurden dann in b 10 Meilen, in a etwa 20 Meilen eingeschaltet. Je kleiner unter sonst gleichen Verhältnissen der Widerstand des in pq eingeschalteten Relais ist, desto kleiner können die constanten Widerstände a und b gemacht werden, die eine unvermeidliche Vermehrung der Gesammtwiderstände bilden. Die sogenannten Nottebohm'schen Relais arbeiten sehr gut und haben meist nur 5,5 bis 6 Meilen Widerstand. Schaltet man ein solches Relais in pq ein, so könnte der constante Widerstand in a auf 12, in b auf 6 Meilen vermindert werden. Behufs der Regulirung des Widerstandes im Rheostat W wird in der Diagonale pq noch ein möglichst empfindliches, doch mit einfacher Umwickelung versehenes Galvanometer eingeschaltet, dann aber mittelst eines Stöpsel-Ausschalters ausgeschaltet, da es ohne wesentlichen Nutzen den Widerstand für den ankommenden Strom zwischen p und q vermehrt. Erforderlichen Falls lässt man ein gewöhnliches Galvanoskop von etwa $\frac{1}{2}$ Meile Widerstand irgendwo zwischen p u. q eingeschaltet, um den ankommenden Strom in gewohnter Weise beobachten zu können.

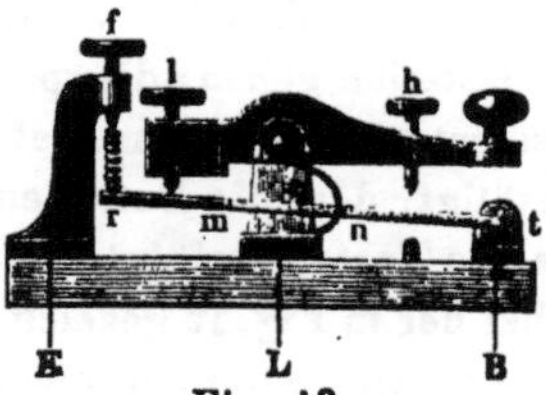

Fig. 13.

Will man den Nachtheil vermeiden, welcher mit der in Fig 12 gezeichneten Einschaltung der Batterien verknüpft ist, so könnte man Taster verwenden, wie sie in Fig. 13 skizzirt sind: In dem Hebel rt ist das Stück rm gegen nt durch ein Zwischenstück mn aus Elfenbein oder Horngummi isolirt; wenn die Abreissfeder *fr* entsprechend gespannt ist, wird die Contactschraube *l* beim Niederdrücken des Tasters erst dann den Hebel *rl* verlassen, und dadurch die Verbindung zwischen *L* und *E* aufheben, wenn bereits durch die Contactschraube *h* die Verbindung zwischen *L* und *B* hergestellt ist, und ebenso umgekehrt beim Loslassen des Tasterhebels. Bei Anwendung solcher Taster kann vielleicht auch eine gemeinschaftliche Linienbatterie für mehrere Linien und Apparate verwendet werden; denn wenn auch beim Niederdrücken oder Loslassen des Tasterhebels jedesmal die Batterie momentan kurz geschlossen wird, so findet dieser kurze Schluss und die dadurch herbeigeführte Unterbrechung des von den anderen Apparaten in die Leitungen entsandten Stromes doch nur einen unendlich kleinen Zeitraum hindurch statt, während dessen die Relais der Empfangsstationen in Folge der Coercitivkraft des Eisens die einmal angezogenen Anker muthmasslich festhalten werden. Unzweifelhaft kann man dagegen für mehrere Leitungen eine gemeinschaftliche Linienbatterie anwenden, wenn man, wie oben angedeutet wurde, die zweiten Batteriepole nicht an die Axe, sondern an den Amboss der Taster führt.

7 und 8. Die Gegensprecher von Schaack und von Bosscha.

Der königl. preuss. Telegraphen-Secretair F. Schaack hat (Zeitschr. d. Tel.-Ver. X, 5) eine Apparatzusammenstellung mit 4 Relais angegeben, welche als Gegensprecher und als Doppelsprecher zugleich dienen kann. Ebenso lässt sich der Doppelsprecher von Bosscha als Gegensprecher anwenden. Ihre Beschreibung folgt später nach Besprechung des Doppelsprechens unter III, A, 1 und 3.

9. Gegensprecher von Schaack; mit 1 Morse mit Doppelwindungen, nur theilweise mit Zweigströmen.

Um eine bessere Ausnutzung der Linienbatterie zu erzielen, schlug der königl. preuss. Telegraphen-Secretair und Calculator F. Schaack 1863 in der Zeitschr. d. Tel.-Ver. (X, 249) die in Fig. 14 skizzirte Einschaltung vor. Es sind dabei die Morse-Schreibapparate

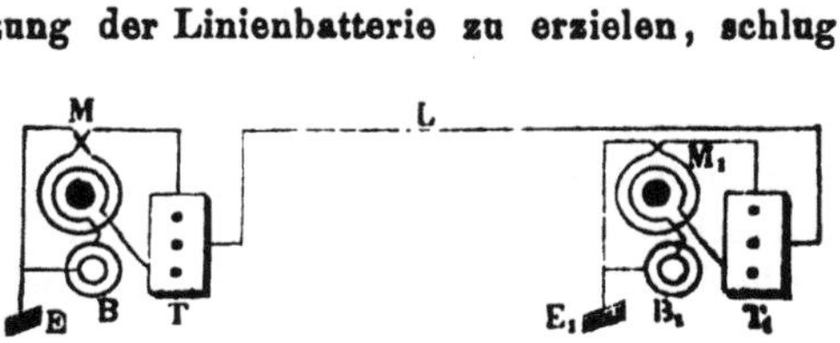

Fig. 14.

M und M_1 (ohne Relais) unmittelbar in die Linie eingeschaltet. Diese Morse haben eine Doppelspirale, von der die eine Umwickelung mit dem einen Ende an den Ruhecontact, die zweite an den Amboss des Tasters geführt ist, während die andern Enden beider mit der Erde *E* in Verbindung stehen. Von den beiden Umwickelungen hat die äussere, mit dem Ruhecontact des Tasters verbundene, nur einen so grossen Widerstand, dass der von der andern Station anlangende Strom den Schreibhebel des Schreibapparates bei geeigneter Spannung der Schreibhebelfeder anzieht, also ein Zeichen geben kann. Die andere innere Umwickelung hat einen geringern Widerstand (Schaack wählte die Widerstände im Verhältniss 4 : 3). Beide Umwickelungen sind gleichzeitig und in gleicher Richtung um die Kerne des Elektromagnetes gewunden; aber auch die Zahl der Windungen in der äussern und innern Umwickelung ist verschieden (Schaack wählte sie im Verhältniss 5 : 4). Die Batterien beider Stationen sind mit ungleichnamigen Polen an den Taster geführt. Der Hebel des Tasters (Fig. 15) ist mit federnden Contacten versehen, welche sich beim Spiel auf die aus den Contactkegeln vorstehenden Platinstiftchen 1 und 3 auflegen; sowohl die Contactfedern, als auch die Hubhöhe des Hebels ist durch 4 in dem Hebelkörper versenkte Stellschrauben regulirbar; dabei muss die Spannung der Federn so gewählt werden, dass bei horizontaler Lage des Hebels beide Federn auf ihren Platinstiftchen aufliegen, beim Spiel des Hebels aber abwechselnd die eine und die andere ihren Contactstift verlässt. So lange nun keine Station spricht, ist kein Strom vorhanden. Wird blos ein Taster niedergedrückt, so kommt er zunächst in die Lage, wo beide Federn auf den Contactstiften aufliegen; dabei geht der Strom ganz durch die innere Umwickelung mit weniger Windungen, theilt sich am Taster, und der bei weitem stärkere Zweigstrom geht in entgegengesetzter Richtung durch die äussere Umwickelung mit mehr Windungen; in dem Schreibapparate der gebenden Station können sich also beide Ströme ausgleichen;*) in dem Schreibapparate der empfangenden Station geht der schwächere Zweigstrom nur durch die äussere Umwickelung und bringt hier voraussichtlich noch kein Zeichen hervor. Wird darauf der Taster noch weiter niedergedrückt, so geht der ganze Strom auf der gebenden Station durch die minder zahlreichen inneren Windungen, auf der Empfangsstation durch die zahlreicheren äusseren; die magnetisirenden, auf beiden Stationen wirkenden Kräfte verhalten sich nach den gewählten Verhältnissen wie 4 : 5, daher darf auf erstere der Schreibapparat (auf der gebenden Station) nicht ansprechen, wohl aber auf letztere (auf der Empfangsstation). Spielt man mit beiden Tastern zugleich, so treten noch folgende Erscheinungen auf: Liegen beide Taster mit der Feder blos auf dem Arbeitscontacte auf, so durchläuft ein durch das Zusammenwirken beider Batterien fast verdoppelter Strom durch beide innere Windungen und beide Schreibapparate sprechen an; Zweigströme sind hierbei nicht vorhanden. Liegen dagegen bei beiden Tastern beide Federn auf den Contactstiften, so ver-

Fig. 15.

*) Aendert sich während dieser Tasterstellung der Widerstand in der Linie, so ändert sich die Stärke des ganzen Stromes und seines Theilstromes gleichzeitig und dadurch kann möglicher Weise die Veränderlichkeit des Linienwiderstandes in geringerem Grade störend auf das Gegensprechen einwirken.

stärken sich in der Luftleitung und den beiden inneren Spiralen die Ströme beider Batterien, während gleichzeitig auch in beiden äusseren Spiralen Zweigstöme vorhanden sind; je nach der Stärke dieser Ströme werden beide Schreibapparate ansprechen oder nicht, was übrigens ganz gleichgiltig ist, da beide Stationen eben in Thätigkeit übergehen oder dieselbe unterbrechen. Liegt endlich der eine Taster mit beiden Federn auf den Contactstiften, der andere nur mit der Feder auf dem Arbeitscontacte, so wird der Strom im Schreibapparat der letzteren Station voraussichtlich so stark, dass dieser Schreibapparat anspricht, was weiter nicht stört; im Schreibapparat der ersten Station dagegen wird (wenigstens bei den gewählten Verhältnissen, vergl. auch Zeitschr. d. Tel.-Ver. X, 252) der Ueberschuss in den äusseren Windungen so gering, dass der Schreibapparat (besonders wenn diese Tasterstellung von längerer Dauer ist) loslassen und aussetzen wird, wodurch möglicher Weise Striche in Punkte aufgelöst werden können.

10. Gegensprecher von Schreder; mit 1 polarisirten Relais mit Hilfsfeder, ohne Zweigströme.

Um das Erscheinen der abgesendeten Zeichen auf dem Relais der absendenden Station zu verhüten, schlug Dr. Eduard Schreder in Wien 1860 (Zeitschr. d. Tel.-Ver. VII, 260) die Mitbenutzung einer am Taster angebrachten, auf das zu benutzende polarisirte (d. h. mit einem permanentmagnetischen Anker versehene) Relais wirkenden Hilfsfeder vor. Die auf beiden Stationen gleiche Einschaltung zeigt Fig. 16. Das zum Empfangen der Zeichen bestimmte Relais in einem Kästchen *N* ist dem sonst in Oesterreich gebräuchlichen Bain-schen Indicator nachgebildet; seine beiden halbkreisförmigen, permanenten Stahlmagnete *b* stehen vertical, sind an dem metallenen Hebel *a* befestigt und mit diesem um die horizontale Axe *C* drehbar, jedoch nur innerhalb der beiden Contactpunkte *m* und *n*; am hintern Ende des Hebels *a* sind zwei Spiralfedern *p* und *f* angebracht, von denen *p* für gewöhnlich den Hebel an den Contactpunkt *n* andrückt. Das eine Ende der Elektromagnetspulen ist mit der Luftleitung *L*, das andere mit der Axe 2 des

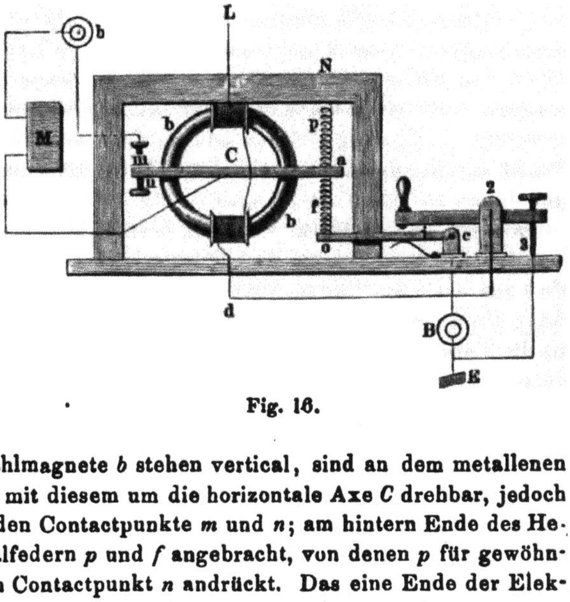

Fig. 16.

Tasters verbunden, welcher in Fig. 16 um 90 Grad verwendet gezeichnet ist, da er in Wirklichkeit mit der Seitenwand des Kästchens *N* parallel liegt. Der Ruhecontactpunkt 3 des Tasters und der Zinkpol der Linienbatterie *B* sind mit der Erde *E* verbunden, der Kupferpol dieser Batterie dagegen mit dem um *c* drehbaren Hebel *cio*, welcher den Arbeitscontact des Tasters bildet, und an welchem innerhalb des Kästchens *N* die Spiralfeder *f* befestigt ist. Die Axe *C* des Relaishebels *a* ist durch die Multiplicationsrollen des Schreibapparates *M* hindurch mit dem Kupferpol der Localbatterie *b* und deren Zinkpol mit der Contactschraube *m* leitend verbunden.

So lange nun kein Zeichen zu telegraphiren, also kein Taster niedergedrückt ist, circulirt kein Strom und kein Schreibapparat spricht an. Wenn blos eine Station ein Zeichen giebt, dann drückt sie ihren Taster *cio* nieder und der Linienstrom geht von *B* über *c*, *i*, 2 und *d* durch die Elektromagnetrollen in die Luftleitung; die Einschaltung des Relais ist aber so gewählt, dass der Hebel *a* durch den jetzt das Relais durchlaufenden Strom nur um so fester an *n* angedrückt wird, so dass er selbst durch die beim Niederdrücken des Hebels *cio* etwas angespannte Spiralfeder *f* nicht von *n* losgerissen wird; daher wird auf der gebenden Station die Localbatterie nicht geschlossen und es erscheint auf dieser Station das gegebene Zeichen nicht; auf der Empfangsstation dagegen erscheint das Zeichen, denn hier tritt der von der gebenden Station in die Leitung *L* gesendete Strom aus dieser in die Rollen des Relais, durchläuft sie aber in entgegengesetzter Richtung wie auf der gebenden Station, und geht dann über *d*, 2 und 3 des nicht niedergedrückten Tasters zur Erde *E*; in der Empfangsstation legt also der Strom den Hebel *a* an den Contactpunkt *m*, schliesst dadurch die Localbatterie *b* und das Zeichen erscheint auf dem Schreibapparat. Wenn beide Stationen gleichzeitig Zeichen geben, dann sind in beiden Stationen die Taster niedergedrückt und beide Linienbatterien senden gleichstarke Ströme in entgegengesetzten Richtungen in die Leitung, daher heben sich diese Ströme auf und es bleibt auf jeder Station blos die Federwirkung übrig, legt den Relaishebel *a* an die Contactschraube *m*, schliesst die Localbatterie *b* und auf jeder Station erscheint das von der andern gegebene Zeichen. Auch wenn die Linienbatterien beider Stationen mit ungleichnamigen Polen an die Taster geführt werden, lässt sich diese Einschaltung gebrauchen, doch ist auch bei ihr die Linie gänzlich unterbrochen, während der Tasterhebel den Contact 3 verlassen und den Hebel *cio* noch nicht erreicht hat; man müsste also den Contact 3 federnd machen, so dass er den Tasterhebel erst verlässt, wenn dieser den Hebel *cio* schon berührt, denn der dann dabei eintretende momentane kurze Schluss der Linienbatterie ist ohne Bedeutung. Auch schlug Schreder zur Beseitigung dieses Uebelstandes einen eigenthümlichen Taster vor, dessen Beschreibung später bei Besprechung des Schreder'schen Doppelsprechers folgen wird.

11. Der Gegensprecher von Frischen; mit 1 polarisirten Relais und doppelten Telegraphirbatterien.

Um dem störenden Einfluss der Veränderlichkeit der Nebenschliessungen in der Luftleitung auf den Gang der Apparate (siehe oben 4., A) mit Erfolg zu begegnen, schlug der königl. hannoversche Telegraphen-Inspector C. Frischen am 17. Januar 1863 (vergl. Zeitschr. d. Tel.-Ver. IX, 251) die Anwendung von magnetisirten Relais und Doppelbatterien vor. Die Einschaltung erfolgt dann nach Fig. 17. Mit jedem Contacte der beiden Taster ist eine Batterie verbunden; die Batterien derselben Station sind mit entgegengesetzten, die sich entsprechenden Batterien beider Stationen dagegen mit gleichnamigen Polen zur Erde geführt. Jede Batterie sendet durch ihr eigenes Relais 2 Zweigströme von entgegengesetzter Richtung. Es seien nun die Widerstände entsprechend abgeglichen und dann die Relais, wenn kein Strom vorhanden ist, so eingestellt, dass ihre magnetisirten Anker oder Zungen *ns* bei der Bewegung mit der Hand sowohl am Localbatteriecontact, als auch am Ruhecontacte liegen bleiben. Wenn kein Zeichen gegeben wird, liegen die Anker beider Relais durch die Wirkung der localen Zweigströme von K und K_1 am Ruhecontacte. Wird der Taster T in Station I niedergedrückt, so wird der Strom der Batterie Z den Anker von R am Ruhecontact liegen lassen, den Anker von R_1 aber gegen den Batteriecontact drücken, während beim Loslassen des Tasters T der Strom der Batterie K_1 auf den magnetisirten Anker in R_1 einen entgegengesetzten Einfluss ausüben und ihn an den Ruhecontact andrücken wird. Ganz derselbe Vorgang findet in Bezug auf den Taster T_1 und das Relais R statt. Werden beide Taster zugleich gedrückt, so sind die Erscheinungen folgende: ist zunächst T_1 niedergedrückt, so liegt R am Arbeits-, R_1 am Ruhecontact; geht nun T zum Schweben über, so bleibt R am Arbeitscontact, da in ihm der Strom von Z_1 jetzt beide Windungen durchläuft, R_1 dagegen geht voraussichtlich bereits ebenfalls an den Arbeitscontact, da in ihm wegen des vermehrten Widerstandes in I der Strom von Z_1 in den inneren Windungen zu überwiegen beginnt; kommt endlich T auf den Arbeitscontact an, so bleiben beide Relais an dem Arbeitscontacte liegen. Es ergiebt sich nun leicht aus einer weiteren Betrachtung, dass Veränderungen des Widerstandes in der Leitung ohne Einfluss auf den sicheren Gang dieses Gegensprechers sein müssen, so lange nicht die Widerstandsungleichheit so gross wird, dass dadurch die Differenz der Einwirkung des abgehenden Stromes in den entgegengesetzten Umwindun-

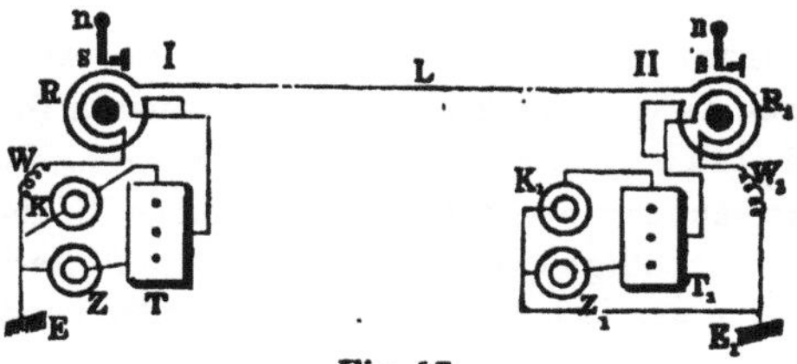

Fig. 17.

gen des Relais grösser wird, als die Einwirkung durch den ankommenden Strom.

Wenngleich diese Gegensprechmethode in der eben beschriebenen Weise vollkommen brauchbar ist und bei ihr auch gemeinschaftliche Linienbatterien für mehrere Linien benutzt merden können, da ja der eine Batteriepol mit der Erde verbunden ist, so kann doch die stete Wirkung der Batterien K und K_1 in der Ruhe als ein Uebelstand bezeichnet werden. Man kann denselben beseitigen, indem man durch einen einfachen Kurbel- oder Stöpsel-Ausschalter diese beiden Batterien ausschaltet und dafür den Ruhecontact des Tasters mit der Erde verbindet. Noch bequemer erreicht man diesen Zweck durch den drehbaren Submarinetaster von Siemens & Halske (Schellen, der elektromagn. Telegraph, 3. Aufl., S. 290; Dub, Anwendung des Elektromagnetismus, S. 407), der selbstthätig vor Anfang und Beendigung des Gebrauches die Batterie ein- oder ausschaltet und zugleich die Erdverbindung aufhebt oder herstellt. Bei Uebertragungen kann man selbstthätige Aus- und Einschalter für die zweite Batterie anwenden. Macht man von einer Ausschaltung der zweiten Batterie Gebrauch, so ist im Zustande der Ruhe gar kein Strom vorhanden, und es entbehren deshalb die Relaisanker jeder richtenden Kraft und können leicht gegen den Batteriecontact sich lehnen und dadurch den Schluss des Schreibapparates herbeiführen. Um dieses zu umgehen, müssen die Relaisanker durch eine leichte Feder oder durch einseitige Anziehung des magnetischen Ankers gegen den Ruhecontact gedrückt und die zweiten Batterien dem entsprechend verkleinert werden.

(Fortsetzung im nächsten Heft.)

Kleinere Mittheilungen.

XIV. Integration der Differential-Gleichung

1) $$x y^{(n)} + a y^{(n-1)} = b x y,$$

in welcher a eine positive, und b eine beliebige ganze Zahl bedeutet. Von Prof. SIMON SPITZER.

Das Integral der Gleichung 1) ist, nach der Laplace'schen Methode bestimmt, von folgender Form:

2) $$y = C_1 \int_0^{\lambda_1} e^{ux} (u^n - b)^{\frac{a}{n} - 1} du + C_2 \int_0^{\lambda_2} e^{ux} (u^n - b)^{\frac{a}{n} - 1} du + \ldots$$

$$+ C_n \int_0^{\lambda_n} e^{ux} (u^n - b)^{\frac{a}{n} - 1} du,$$

vorausgesetzt, dass $\lambda_1\ \lambda_2 \ldots \lambda_n$ die n Wurzeln der Gleichung

3) $$\lambda^n = b$$

sind, $C_1, C_2 \ldots C_n$ willkürliche Constanten bedeuten, zwischen welchen die Gleichung:

4) $$C_1 + C_2 + \ldots . + C_n + 0$$

stattfindet. Man kann obiges y auch so darstellen:

5) $$y = \int_0^1 (1 - u^n)^{\frac{a}{n} - 1} (C_1 \lambda_1 e^{\lambda_1 ux} + C_2 \lambda_2 e^{\lambda_2 ux} + \ldots + C_n \lambda_n e^{\lambda_n ux}) du,$$

und sich, wenn man will, auch durch directe Substitution von der Richtigkeit dieses Integrales überzeugen.

In dem speciellen Falle, wo $\frac{a}{n}$ eine ganze positive Zahl ist, lässt sich die Integration leicht wirklich durchführen, denn man erhält, wenn man von folgender bekannten Formel Gebrauch macht:

6) $$\int e^{ux} \varphi(u) du = e^{ux} \left[\frac{\varphi(u)}{x} - \frac{\varphi'(u)}{x^2} + \frac{\varphi''(u)}{x^3} - \ldots \right],$$

unter Zuhilfenahme der Gleichung 4) für y folgenden Ausdruck:

$$
7)\quad \begin{aligned} y = &\; C_1 e^{\lambda_1 x}\left[\frac{\varphi(\lambda_1)}{x} - \frac{\varphi'(\lambda_1)}{x^2} + \frac{\varphi''(\lambda_1)}{x^3} - \dots\right] \\ &+ C_2 e^{\lambda_2 x}\left[\frac{\varphi(\lambda_2)}{x} - \frac{\varphi'(\lambda_2)}{x^2} + \frac{\varphi''(\lambda_2)}{x^3} - \dots\right] \\ &+ \dots\dots\dots \\ &+ C_n e^{\lambda_n x}\left[\frac{\varphi(\lambda_n)}{x} - \frac{\varphi'(\lambda_n)}{x^2} + \frac{\varphi''(\lambda_n)}{x^3} - \dots\right], \end{aligned}
$$

in welchem

$$
8)\quad \varphi(u) = (u^n - b)^{\frac{a}{n} - 1}
$$

ist, und in welchem, weil $\varphi(u)$ als ganze algebraische Function von u vorausgesetzt ist, die in den eckigen Klammern stehenden Polynome abbrechen, somit von endlicher Gestalt sind. Es lässt sich leicht darthun, dass der in 7) aufgestellte Werth von y der vorgelegten Differentialgleichung genügt, selbst wenn die in 4) stehende Gleichung nicht stattfindet, und dass somit der Ausdruck 7) das vollständige Integral der Gleichung 1) ist.

Das in 5) aufgestellte y ist nicht das vollständige Integral der vorgelegten Gleichung. Die Gleichung 1) ist nämlich von der n^{ten} Ordnung, ihr Integral muss somit n willkürliche Constante enthalten. Das in 5) stehende y hat aber blos $n-1$ willkürliche Constante, weil zwischen den n Grössen $C_1, C_2 \dots C_n$ die Gleichung 4) stattfindet; es muss daher dieses y noch durch ein particuläres Integral completirt werden.

In dem speziellen Falle, wo a eine ganze positive Zahl ist, ist es mir gelungen, das vollständige Integral der vorgelegten Differentialgleichung aufzustellen. — Bevor ich dies zeige, will ich darthun, dass die 2 Differential-Gleichungen:

$$
1)\quad x\,y^{(n)} + a\,y^{(n-1)} - b\,x\,y = 0,
$$

$$
9)\quad x\,z^{(n)} + (a+n)\,z^{(n-1)} - b\,x\,z = 0
$$

Integrale haben, die in folgendem Zusammenhange stehen:

$$
10)\quad z = y^{(n)} - b\,y.
$$

Denn setzt man das so eben aufgestellte z in die Gleichung 9), so erhält man identisch

$$
11)\quad \begin{aligned} & x\,z^{(n)} + (a+n)\,z^{(n-1)} - b\,x\,z \\ = & \frac{d^n}{dx^n}\left(x y^{(n)} + a y^{(n-1)} - b x y\right) - b\left(x y^{(n)} + a y^{(n-1)} - b x y\right), \end{aligned}
$$

folglich ist die Gleichung 9) für den in 10) stehenden Werth von z erfüllt, wenn die Gleichung 1) stattfindet, was zu beweisen war. Es genügt demnach die Integration der Gleichung 1) zu zeigen für Werthe von a, die gleich $1, 2, 3, \dots n-1$ sind, und dies soll nun geschehen.

Ich setze voraus, dass das Integral der Gleichung

$$
12)\quad x\,\varphi^{(n+1)}(x) = b\,\varphi(x)
$$

bekannt ist und behaupte dann, dass das y, welches der Gleichung 1) in dem Falle genügt, wo a eine ganze positive Zahl ist, folgende Form habe:

13) $$y = \int_0^\infty e^{-\frac{u^n}{n}} \varphi^{(a+1)}(ux)\, du.$$

Um sich von der Richtigkeit dieses Ausdruckes zu überzeugen, substituire man dasselbe in 1); hierdurch gelangt man zu folgender Gleichung:

14) $$\int_0^\infty e^{-\frac{u^n}{n}} [x u^n \varphi^{(a+n+1)}(ux) + a u^{n-1} \varphi^{(a+n)}(ux) - b x \varphi^{(a+1)}(ux)]\, du = 0.$$

Durch $a$maliges Differenziren der Gleichung 12) erhält man aber:

15) $$x \varphi^{(a+n+1)}(x) + a \varphi^{(a+n)}(x) = b \varphi^{(a)}(x),$$

und wenn man hier x durch ux ersetzt:

16) $$ux \varphi^{(a+n+1)}(ux) + a \varphi^{(a+n)}(ux) = b \varphi^{(a)}(ux).$$

Setzt man den, sich hieraus ergebenden Werth von $ux \varphi^{(a+n+1)}(ux)$ in die Gleichung 14), so erhält man:

17) $$\int_0^\infty e^{-\frac{u^n}{n}} [b u^{n-1} \varphi^{(a)}(ux) - b x \varphi^{(a+1)}(ux)]\, du = 0.$$

Nun ist

18) $$\int e^{-\frac{u^n}{n}} [b u^{n-1} \varphi^{(a)}(ux) - b x \varphi^{(a+1)}(ux)]\, du = -b e^{-\frac{u^n}{n}} \varphi^{(a)}(ux),$$

folglich erhält man, die Integration zwischen den Grenzen 0 und ∞ durchführend, Null zum Resultate, wenn der Ausdruck:

$$e^{-\frac{u^n}{n}} \varphi^{(a)}(ux)$$

Null ist, sowohl für $u = 0$, als auch für $u = \infty$.

Die Gleichung 12) läst sich integriren, sowohl in geschlossener Form, als auch mittelst unendlicher Reihen. Hat man das Integral der Gleichung 12) auf irgend eine Weise bestimmt, so enthält selbes $n+1$ willkürliche Constante. Differenzirt man sodann dieses gefundene vollständige Integral $a$mal (unter a eine ganze Zahl verstanden, die kleiner als n ist) und setzt hierein $x=0$, so führt $\varphi^{(a)}(0)=0$ auf eine Bedingungsgleichung zwischen den $n+1$ willkürlichen im Integrale der Gleichung 12) auftretenden Constanten. Das in 13) angeführte y ist daher das vollständige Integral der vorgelegten Differential-Gleichung, wenn zwischen den $n+1$ willkürlichen Constanten, die in dieses y eintreten, die Bedingungsgleichung $\varphi^{(a)}(0)=0$ aufgestellt wird.

XV. Ueber die mittlere Dichtigkeit der Erde. Vom Baurath Dr. Hermann Scheffler.

Der von Maskelyne und Hutton am Berge Sheballion in England ausgeführte Versuch, die mittlere Dichtigkeit der Erde aus der Ablenkung des Bleilothes in der Nähe von Gebirgen zu bestimmen, hat das Resultat 4,7 ergeben, welches durch eine ähnliche Messung am Mont-Cenis nahezu bestätigt sein soll.

Die Beobachtungen an der Drehwage haben dagegen erheblich grössere Werthe geliefert. Cavendish fand 5,48, Reich mit einem höheren Grade von Zuverlässigkeit 5,44 und Baily bei Anwendung grosser Sorgfalt 5,68.

Das von Bessel vorgeschlagene Verfahren, durch Pendelschwingungen die Intensitätsvermehrung zu bestimmen, welche die Schwere durch einen unmittelbar unter dem Pendel liegenden massenhaften Berg erleidet, scheint noch nicht praktisch ausgeführt zu sein.

Von diesen drei Methoden hat unstreitig die Messung mittelst der Drehwage die meiste Anwartschaft auf Genauigkeit, da sie mit genau bestimmbaren Massen und Entfernungen operirt, gegen welche Vortheile die durch mechanische Hilfsmittel besiegbare Schwierigkeit der Herstellung eines hinreichend empfindlichen Apparates in den Hintergrund tritt. Ausserdem ist dieses Verfahren vorzugsweise dazu geeignet, das Newton'sche Gravitationsgesetz an irdischen Körpern zu bestätigen, indem dasselbe die Schwächung der Anziehungskraft im Quadrate der Entfernung, sowie auch die Verstärkung dieser Kraft im directen Verhältnisse der Dichtigkeit des anziehenden Köpers anschaulich machen kann.

Gleichwohl scheint eine Ausbildung der Methoden, bei welcher die Dichtigkeit der Erde unmittelbar mit einem grösseren Theile des Erdkörpers verglichen wird, zur Controle wünschenswerth, und dieses Bedürfniss steigert sich durch die Erheblichkeit der Differenz, welche zwischen den oben angeführten Resultaten obwaltet.

Bei den von Maskelyne und Hutton ausgeführten und bei dem von Bessel vorgeschlagenen Verfahren möchte die Ausmessung des Berges und die Bestimmung seines Schwerpunktes, alsdann die Geringfügigkeit der Wirkung, welche derselbe auf den Beobachtungsapparat nach dem den Experimenten zu Grunde liegenden Principe ausübt, ferner in dem einen Falle die genaue Bestimmung der Verticalen und in dem anderen Falle die Experimentirung auf einem hohen Berge, endlich aber die Ausschliessung oder gehörige Mitberücksichtigung benachbarter Gebirge oder unterirdischer Massen von ungewöhnlicher Dichtigkeit die hauptsächlichsten Hindernisse darbieten.

Wenngleich das nachstehende Verfahren nicht von allen diesen Mängeln frei ist, ja in gewisser Hinsicht sogar die Besorgniss einer grösseren Differenz erwecken mag, so steht ihm doch in anderer Hinsicht die Leichtigkeit der Ausführung und die stärkere Wirkung des mit der Gesammterde verglichenen Körpers als Empfehlung zur Seite.

Dieses Verfahren geht nämlich von dem Gedanken aus, die Anziehung einer unmittelbar unter der Erdoberfläche liegenden concentrischen Schale im Vergleich zur Gesammtanziehung der Erde und hieraus die mittlere Dichtigkeit der Erde im Verhältnisse zur mittleren Dichtigkeit jener concentrischen Schicht zu bestimmen, was durch Pendelversuche in folgender Weise geschehen kann.

Es sei R der Radius der in Kugelform, aus homogenen concentrischen Schichten zusammengesetzt und ruhend gedachten Erde, D die mittlere Dichtigkeit derselben, g die Wirkung der Schwere an der Oberfläche (31,2649 preussische Fuss oder 9,81259 Meter für Berlin), ferner h die Stärke einer concentrischen Schicht, von dem Beobachtungsorte an der Oberfläche vertical abwärts gemessen, d die mittlere Dichtigkeit dieser Schicht, g' die Wirkung der Schwere in der Tiefe h unter der Oberfläche.

Alsdann ist die Masse der ganzen Erde $=\frac{4}{3}\pi R^3 D$, die Masse der concentrischen Schicht $=\frac{4}{3}\pi h(3R^2-3Rh+h^2)d$, also die Masse des unter dieser Schicht liegenden Kernes, dessen Radius $R-h$ ist,

$$=\tfrac{4}{3}\pi[R^3 D-h(3R^2-3Rh+h^2)d].$$

Die Schwerkraft g' in der Tiefe h verhält sich also zur Schwerkraft g an der Oberfläche wie $\frac{R^3 D-h(3R^2-3Rh+h^2)d}{(R-h)^2}$ zu $\frac{R^3 D}{R^2}=RD$, oder es ist

$$1)\quad \frac{g'}{g}=\frac{R^3 D-h(3R^2-3Rh+h^2)d}{R(R-h)^2 D}=\frac{R^2}{(R-h)^2}-\frac{h(3R^2-3Rh+h^2)}{R(R-h)^2}\,\frac{d}{D}.$$

Umgekehrt folgt hieraus

$$2)\quad \frac{D}{d}=\frac{h(3R^2-3Rh+h^2)}{R\left[R^2-\frac{g'}{g}(R-h)^2\right]}=\frac{hg(3R^2-3Rh+h^2)}{R[gR^2-g'(R-h)^2]}.$$

Sind also g und g' beobachtet, so ergiebt die Formel 2) das Verhältniss der mittleren Dichtigkeit der Erde zur mittleren Dichtigkeit der oberen Rinde.

Man erkennt leicht, dass man in diesen Formeln für g und g' auch die der Oberfläche und der Tiefe h entsprechenden Längen des Secundenpendels l und l' setzen kann.

Um den absoluten Werth der mittleren Dichtigkeit D der Erde berechnen zu können, muss man die Dichtigkeit d der oberen Schicht von der Dicke h kennen. Die letztere wird sich immer nur näherungsweise aus geographischer Untersuchung angeben lassen.

Im Uebrigen leuchtet ein, dass wenn auch die Schwierigkeit der Bestimmung dieser letzteren Dichtigkeit d der vorstehenden Formel immer nur den Character einer Näherungs- und Controleformel verleihet, diese Formel doch mit einem weit grösseren Grade von Genauigkeit dazu gebraucht werden kann, um das Verhältniss zu bestimmen, in welchem die

Dichtigkeit der concentrischen Schichten der Erdrinde von oben nach unten variirt, was für gewisse Zwecke ein besonderes Interesse haben dürfte.

Um die Kraft der obigen Formel 2) einigermassen beurtheilen zu können, wollen wir annehmen, die Dichtigkeit der obern Schicht von der Stärke h sei $d = 2{,}7$, während die der ganzen Erde $D = 5{,}68$ gesetzt wird. Nimmt man den Radius der Erde $R = 859{,}5$ Meilen an, und wendet die Formel auf eine Erdschicht von der Dicke $h = 0{,}1$ Meilen an, so ergiebt sich aus der Gleichung 1)

$$\frac{g'}{g} = \frac{l'}{l} = 1{,}0000668.$$

Wäre aber die Erde ein Körper von gleichförmiger Dichtigkeit, also $d = D$, so erhielt man

$$\frac{g'}{g} = \frac{l'}{l} = 0{,}9998836.$$

Während also unter der Voraussetzung einer gleichförmigen Dichtigkeit die Schwere beim Hinabsteigen unter die Oberfläche der Erde abnehmen, und zwar in der Tiefe von $\frac{1}{10}$ Meile um $0{,}0001164 = \frac{1}{8591}$ abnehmen müsste, nimmt sie in Folge der ungleichförmigen Dichtigkeit in den oberen Schichten zu, und zwar in der Tiefe von $\frac{1}{10}$ Meile etwa um $0{,}0000668 = \frac{1}{14967}$, ein Resultat, auf welches bisher noch nicht aufmerksam gemacht zu sein scheint.

Die Differenz zwischen jener Abnahme der Schwere, wie sie stattfinden müsste, wenn die Dichtigkeit der Erdrinde von $\frac{1}{10}$ Meile Stärke zu gleich die Dichtigkeit des übrigen Erdkernes wäre, und der in Wirklichkeit stattfindenden Zunahme der Schwere beträgt $0{,}0001832 = \frac{1}{5459}$. Diese Differenz ist gross genug, um sich in der in vielen Bergwerken zugänglichen Tiefe von $\frac{1}{10}$ Meilen $= 2284$ Pariser Fuss bemerkbar zu machen.

Bei der Ausführung eines solchen Experimentes wird man weder direct durch Fall- oder Druckversuche die Schwerkraft g' in der Tiefe h, noch auch durch Pendelversuche die Länge l' des Secundenpendels in dieser Tiefe ermitteln; vielmehr wird man am einfachsten den Gang irgend eines beliebigen Pendels an der Oberfläche mit dem Gange desselben Pendels in der Tiefe h vergleichen und hieraus das Verhältniss $\frac{g'}{g}$ bestimmen. Macht nämlich irgend ein Pendel von der Länge l in einer gewissen Zeit an der Oberfläche n Schwingungen, dagegen in der Tiefe h (bei ganz gleicher Länge, also in gleicher Temperatur) n' Schwingungen, so hat man, da respective $\pi\sqrt{\frac{l}{g}}$ und $\pi\sqrt{\frac{l}{g'}}$ die Schwingungsdauer in jenen beiden Zuständen ausdrückt,

$$\frac{n'}{n} = \sqrt{\frac{g'}{g}} \quad \text{oder} \quad \frac{g'}{g} = \left(\frac{n'}{n}\right)^2.$$

Für die wirkliche Zunahme der Schwere in der Tiefe von $\frac{1}{10}$ Meile ist nahezu $\frac{g'}{g} = 1,0000668$ also $\frac{n'}{n} = 1,0000334$. Dies entspricht bei einem Pendel, dessen Länge $\frac{1}{4}$ des Secundenpendels, also für Berlin $\frac{1}{4} . 994,2239 = 248,556$ Millimeter ist, welches also in der Secunde 2, oder in der Stunde 7200 Schwingungen macht, der Zunahme von 1 Schwingung auf 29940, also der Zunahme von 1 Schwingung in der Zeit von 4 Stunden 9 Minuten 30 Secunden.

Diese Differenz ist zwar gering; man muss aber erwägen, dass nicht die Gleichheit der Schwingungen oder der Werth 1 die Grenze ist, welchem sich das Verhältniss $\frac{g'}{g}$ in der Tiefe h nähert, je mehr die gesuchte mittlere Dichtigkeit D der gegebenen Dichtigkeit der Rinde gleich kommt, dass man vielmehr für die Gleichheit $D = d$ den Werth $\frac{g'}{g} = 0,9998836$, also $\frac{n'}{n} = 0,9999418$ haben würde, was einer Verminderung der Schwingungen um Eine in der Zeit von 2 Stunden 23 Minuten 11 Secunden entspricht.

Hiernach würde zwischen dem factischen und dem letzteren hypothetischen Zustande ein Unterschied bestehen, welcher in dem Werthe von $\frac{g'}{g}$ die Differenz 0,0001832, also in dem Werthe von $\frac{n'}{n}$ die Differenz 0,0000916 ausmacht, eine Differenz, welcher der Betrag von 1 Schwingung in der Zeit von 1 Stunde 30 Minuten $58\frac{1}{2}$ Secunden entspricht.

Nahezu in directem Verhältnisse mit der Tiefe h wachsen alle vorstehenden Differenzen, so dass, wenn es möglich wäre, in einer Tiefe von 1 Meile unter der Erdoberfläche zu experimentiren, jene Differenzen das 10fache der obigen Beträge annehmen, wodurch sie zu sehr erheblichen Beobachtungsgrössen werden würden.

Braunschweig, den 21. Februar 1856.

XVI. Einige Bemerkungen zur Abhandlung des Prof. Dr. Krönig in Poggendorff's Annalen der Physik und Chemie Bd. 123, S. 299 ff.: „Condensation der Luftarten". Von K. Robida.

Es ist Aufgabe der Physik, die Kräftezahl, welche sie zu ihren Erklärungen postulirt, auf ein Minimum zu reduziren. Um zur Lösung dieser Aufgabe etwas beizutragen, habe ich im Jahre 1860 meine „Grundzüge einer naturgemässen Atomistik" veröffentlicht und die Erklärung der Erscheinungen im Gebiete der Physik aus der materiellen Anziehung beispielweise versucht. Dr. Subic hat auf analytischem Wege der materiellen Anziehung als der alleinigen Kraft in der unorganischen Natur Eingang zu verschaffen sich bestrebt. Gegen letztere Arbeit erhebt Dr. Krönig, welcher S. 302 den Physikern bei Einführung der Kräfte Parteilichkeit vorwirft, haltlose Einwendungen, welche zu widerlegen ich dem Dr. Subic überlasse, wenn er es für angemessen hält. Der Zweck meines gegenwärtigen Aufsatzes ist nur eine kurze Beleuchtung der auffallendsten Behauptungen des Dr. Krönig in oben genannter Abhandlung, welche mit anerkannt richtigen Sätzen der Physik im Widerpruch stehen.

Auf S. 301 erklärt Krönig das Gleichgewicht eines auf einem Tische ruhenden Körpers aus der gleichzeitigen Einwirkung der Schwere und einer vom Tische auf den Körper geübten abstossenden Kraft. — Wenn aber derselbe Körper an einer Schnur in Ruhe hängt, woher kommt etwa jene als nothwendig supponirte abstossende Kraft, welche den Körper hindert, dem Zuge der Schwerkraft zu folgen? Statt der abstossenden Kraft des Krönig nennen alle Physiker als Ursache dieser Erscheinung die Cohäsion oder die materielle Anziehung der Tischtheilchen im ersten Falle, der Schnurtheilchen im zweiten Falle. — Zur Unterstützung seiner Behauptung einer allgemein herrschenden abstossenden Kraft sagt Krönig weiter: „Wenn der Tisch nicht auf jeden Körper, der ihm hinreichend nahe kommt, eine Abstossung ausübte, was sollte denn diesen Körper verhindern, in den Raum einzudringen, in welchem sich der Tisch bereits befindet? Nichts anderes als eine derartige von dem Tische ausgehende Abstossungskraft.“ Diese Schlussfolgerung hält Krönig für „so einfach und klar, dass es eine einfachere und klarere kaum geben kann“.

Nach S. 307 kann Dr. Krönig „mit dem besten Willen nicht verstehen, wenn man sagt, dass die Molecule eines festen Körpers sich gegenseitig anziehen und dass eben auf dieser Anziehung das Wesen des festen Aggregatzustandes beruht.“ Denn „warum soll dieses Molecul, wenn es sich auf der Oberfläche des Körpers befindet, der Anziehung nicht Folge leisten?“ Dieses Räthsel mit seiner Lösung scheint mir dem nachstehenden analog zu sein: Warum geht eine Eisenkugel von 1 Schuh Durchmesser nicht durch das Mauerloch von 1 Quadratzoll, wenn man die Kugel an einem Seile durchzuziehen noch so sehr sich bemüht? Freilich wird Krönig die Abstossung der Mauer als Ursache des Nichtdurchganges der Kugel bezeichnen. Er möchte mir aber zugleich sagen, warum diese in ihrer Wirkung so stark auftretende Kraft erst bei unmittelbarer Berührung zu wirken anfangen soll? warum ferner bei dem bekannten Versuch von Cavendish die Kugeln einander angezogen, nicht abgestossen haben? Dieser Versuch, sowie jene Versuche von Bouguer und Maskelyne über Ablenkung des Bleilothes durch die Bergmasse beweisen auf eine handgreifliche Art die Anziehung der Materie auch im Abstande, sobald gegen diesen die Masse nicht verschwindend klein wird. Wenn also materielle, in entsprechender Entfernung befindliche Theilchen sich anziehen, wie kann man die Anziehung der Molekel eines und desselben Körpers in Zweifel ziehen? Oder weiss vielleicht Dr. Krönig eine einfachere Erklärung des festen Aggregatzustandes zu geben? Sind ihm etwa Versuche bekannt, welche die Abstossung der Materie im Abstande ausser Zweifel setzen?

Aus der Voraussetzung, dass die Molekel eines dilatirten Körpers, sobald die dilatirende Kraft zu wirken aufhört, durch die gegenseitige Anziehung zurückgetrieben werden, ist Krönig's Folgerung, dass die Molekel eines zusammengedrückten Körpers, sobald die Zusammendrückung aufhört, durch die gegenseitige Abstossung von einander sich entfernen, wenigstens übereilt. Bevor man nämlich eine zweite Molecularkraft annimmt, muss man versuchen, beide Erscheinungen aus einer und derselben Kraft zu erklären, was auch möglich ist. Denn die Einwirkung der äusseren dilatirenden oder zusammendrückenden Kraft erstreckt sich entweder bis zu den innersten Körpermolekeln, oder sie erschöpft sich an dem Widerstande der oberflächlichen. Im ersten Falle ist die Einwirkung der äusseren Kraft auf das innerste Molekel entweder genau so gross, wie auf die äussersten, und der Körper behält die ihm aufgedrungene Gestalt und Grösse bei, wenn auch die äussere Kraft zu wirken aufgehört hat; oder die Einwirkung der äusseren Kraft ist auf das innerste Molekel relativ am kleinsten, daher stellt dieses Molekel beim Aufhören der äusseren Einwirkung durch die ihm nun eigene anziehende Molecularkraft das Gleichgewicht zwischen allen Körpermolekeln wieder her und das ursprüngliche Volumen und die Dichte des Körpers haben sich mehr oder weniger geändert. Im zweiten Falle müssen alle Körpermolekel unter dem Einflusse der ungeänderten molecularen Anziehung des innersten Molekels ihre ursprüngliche relative Lage nach Aufhören der äusseren Einwirkung genau wieder einnehmen. Diese Erklärung des zweiten Falles scheint mir von der gewöhnlichen: weil der Körper elastisch ist, oder mit anderen Worten: die Theilchen des Körpers nehmen beim Aufhören der äusseren Einwirkung ihre ursprüngliche Lage wieder ein, weil sie sie einnehmen — den Vorzug zu verdienen. Dass im Schwerpunkte eines Molekels nur eine einzige Kraft, nicht die anziehende und abstossende zugleich, angreifen und in jeder durch diesen Punkt gedachten Geraden wirken muss, folgt aus dem Gesetze der Mechanik: Wenn zwei Kräfte in einem Punkte angreifen und in derselben Geraden, aber in entgegengesetztem Sinne wirken, so ist ihre Resultirende die Differenz der Componenten im Sinne der grösseren Kraft. Geradezu absurd ist es aber, was man bei Molekeln tropfbarer Flüssigkeiten anzunehmen pflegt, dass in einer bestimmten Distanz vom Molekelcentrum die anziehende, in einer anderen Distanz die abstossende Molecularkraft die vorherrschende sei. Unserer Bequemlichkeit zulieb verschwendet die Natur keine Kräfte. Die moleculare Anziehung luftförmiger Körper ist wegen der geringen Masse und wegen des grossen Radius luftförmiger Molekel allerdings eine sehr schwache und wird durch die moleculare Anziehung tropfbar flüssiger oder fester Körper, in deren Nähe sich die luftförmigen befinden, leicht überwunden. Deshalb entfernen sich die luftförmigen Molekel von einander und durch diese Erscheinung irre geführt, schliessen wir: Die luftförmigen Molekel stossen einander ab. Dass den luftförmigen Körpern die moleculare Anziehung wesentlich eigen ist, ergiebt sich aus ihrem Uebergange in den tropfbar flüssigen oder festen Zustand, sobald ihr Molekelradius hinreichend verkleinert worden ist. Oder ist es vielleicht naturgemässer, anzunehmen, dass durch Anwendung von Druck und Temperaturerniedrigung den Gasen zugleich die moleculare Anziehung gegeben wird? Man könnte zur Bekämpfung dieser Ansicht das Vorhandensein der hohen Erdatmosphäre anführen. Allein ich betrachte jedes Theilchen dieser Atmosphäre als eine Masse, welche von ihrer Fliehkraft und von der Anziehung der Himmelskörper in der einen Richtung und von der Schwerkraft in entgegengesetzter Richtung getrieben wird.

Dr. Krönig verbindet mit dem Worte Hinderniss einen ganz anderen Begriff, als die mir bekannten Physikwerke, sonst könnte er S. 308 nicht behaupten: „Wenn also ein Molecul oder ein Körper, unter der Einwirkung von zwei gleichen und entgegengesetzten Componenten in Ruhe bleibt, so braucht man nur die eine der beiden Componenten für ein Hinderniss zu erklären, dann verbleibt das Molecul oder der Körper unter der Einwirkung einer einzigen Kraft in Ruhe." Aber wie kann man doch einem Physiker zumuthen, dass, wenn er behauptet: Die abgeschossene Kanonenkugel ist durch den Erdwall an der Weiterbewegung gehindert worden, er damit meine: Die Kanonenkugel ist durch die alleinige Pulverkraft zur Ruhe gekommen? — Auch nennen gelehrte Physiker Hindernisse geradezu Kräfte. So z. B. liest man in Baumgartner's Naturlehre, 8. Aufl., S. 249: Die Tendenz zur Bewegung ruft hindernde Kräfte hervor — und in Ettingshausen's Physik, 2. Aufl., S. 136: Hindernisse, welche gewissermaassen mit verzögernden Kräften verglichen werden können.

Nach diesen und ähnlichen Prämissen kommt Krönig zur Verwerfung des auf S. 301 bereits ausgesprochenen Dalton'schen Gesetzes, weil es auf der Voraussetzung, „dass heterogene Gasatome sich gegenseitig nicht abstossen", beruht, und er wundert sich S. 309, wie es möglich gewesen, „dass die Ansicht, in den von einer Luftart eingenommenen Raum könnte eine zweite Luftart ungehindert eindringen, sich so allgemeinen Eingang verschafft hat?" (Was etwa das Wort ungehindert bedeutet?) Meines Wissens ist aber die Ansicht der Physiker über Mischung der Gase folgende: Wenn zwei Gase sich in demselben Gefässe befinden, so lagern sie sich anfänglich wie tropfbare Flüssigkeiten nach ihren specifischen Gewichten, und ein Gas setzt der Ausbreitung des andern ein mechanisches Hinderniss entgegen, und die Zeit der vollkommenen Mischung dauert um so länger, je dichter die Gase sind. Daraus folgt nach meiner Ansicht, dass sich sowohl die Theilchen desselben Gases als auch jene heterogener Gase anziehen, ferner folgt daraus die Unrichtigkeit des Krönig'schen Schlusses: „Wenn die Atome einer Luftart die einer andern Luftart nicht abstossen, so muss sich die erste Luftart in den von der zweiten eingenommenen Raum ebenso schnell wie in einen luftleeren Raum ergiessen und natürlich die zweite Luftart in den Raum der ersten." Wäre es nicht consequenter, zu sagen: Wenn die Atome einer Luftart die einer andern Luftart abstossen, so kann die erste Luftart in den Raum der zweiten ebenso wenig eindringen, wie die Belagerer in den Raum einer Festung, wenn sie von der Besatzung zurückgestossen werden. Die Einnahme der Festung wird erst gelingen, wenn die Besatzung entweder gar nicht mehr abstösst, oder wenn die Abstossung der Belagerer stärker ist, als die Abstossung der Besatzung. Woher weiss aber Krönig, dass die moleculare Abstossung des einen Gases stärker ist, als die des andern, wenn vor der Mischung beide Gase gleiche Expansivkraft haben? Ferner möchte ich fragen, worin das Wesen der Expansivkraft eines Gases besteht? Nach meiner Definition ist die Expansivkraft eines Gases seine moleculare Anziehung, dividirt durch das Produkt aus dem Molekelradius und der Dichte des Gases. Auf die Einheit des Molekelradius bezogen, ist die Expansivkraft eines jeden Gases nach dieser Definition beim normalen Atmosphärendrucke gleich 23,328 Anziehungen.

Auf S. 310 meint Krönig, dass, weil der Druck, welchen das Gasgemenge auf die Gefässwände übt, grösser ist als der Druck, welchen ein Gemengtheil in diesem Gefässe üben würde, „auch die Gefässwände, wie es sich von selbst versteht, auf das von ihnen umschlossene Gasgemenge einen grösseren Druck ausüben." Darauf folgt die Begründung dieser Meinung: „Damit dieser Erfolg eintreten könne, hat jedenfalls auch eine Ausdehnung der inneren Gefässwände und eine Vergröserung des von denselben umgebenen Raumes stattgefunden." Also dieser Erfolg, d. i. der grössere Druck der Gefässwände auf das eingeschlossene Gas ist Folge der Ausdehnung der Gefässwände? Meint denn Krönig im Ernst, dass je weiter sich die Molekel eines Körpers von einander entfernen, sie sich um so stärker gegenseitig anziehen? oder was speciell dasselbe ist: dass die Kautschukblase um so stärker wird, je mehr Luft man in dieselbe eintreibt? Wenn aber die Wände der Kautschukblase mit wachsendem inneren Luftdrucke schwächer werden, woher haben sie denn die Kraft, auf das eingeschlossene stärker drückende Gas einen stärkeren Gegendruck auszuüben, als sie ihn auf den schwächeren Gasdruck übten? Diese confusen Behauptungen rühren offenbar von der Verwechslung der Begriffe: Druck und Widerstand gegen den Druck. Nur der vorhandene Widerstand kann soweit in Anspruch genommen werden, als es die Cohäsion der Molekel gestattet, ohne diese Cohäsion aufzuheben; aber die Fähigkeit zum Widerstande wird durch den verstärkten Gasdruck nicht gesteigert. Würde mit dem Drucke der Widerstand proportional wachsen, so hätten wir keine Dampfkesselexplosionen.

Auf derselben Seite erklärt Dr. Krönig die Verdunstung des Wassers im lufterfüllten Raume: „Kann man sich hiernach darüber wundern, wenn bei dem eben besprochenen Versuche die in dem Gefässe enthaltene Luft eine Raumverminderung erleidet, sobald die Gefässwände einen stärkern Druck auf sie ausüben? Ist es ferner auffallend, dass in den durch Compression der Luft frei gewordenen Raum ein anderer Körper, der Wasserdampf nämlich, eindringen kann?" In dieser Auschauungsweise des Krönig liegt der Sinn: Die Luft hat einen Druck auf die Gefässwände versucht. Weil aber diese zum Wiederstande sich anschickten, so ist die Luft zurückgewichen und hat ein kleineres Volumen eingenommen. Von dem frei gewordenen Raume nahm der Wasserdunst Besitz. Diese naturwüchsige Anschauungsweise erklärt aber keineswegs die Mischung des Wasserdunstes mit Luft.

Der Satz auf S. 322: „In einem oben offenen Gefässe kann die Luft nach unten hin keine andere Pressung, als die ihres Gewichtes ausüben, welche von ihrer Elasticität ganz unabhängig ist," involvirt die falsche Behauptung, dass die Elasticität eines Gases von seiner Dichte unabhängig ist.

Mit den angeführten und ähnlichen Sätzen glaubt Krönig einige Irrthümer der Physik berichtigt, die Unhaltbarkeit der Dalton'schen Theorie erwiesen und die nöthigen Fundamente zu seiner Theorie gelegt zu haben. Ich kann zwar die Dalton'sche Theorie nicht als eine fehlerfreie empfehlen, verwerfe aber auch jede andere, welche auf der Annahme einer materiellen Abstossung fusst. Die praktischen Resultate beider Theorien sind übereinstimmend und richtig, aus welcher Richtigkeit man aber auf die Richtigkeit der Theorie nicht schliessen darf, was eben diese Uebereinstimmung beweiset.

Klagenfurt, am 1. Januar 1865.

XVII. Ueber die näherungsweise Berechnung der Permutationszahlen.

Bei Vorträgen über Wahrscheinlichkeitsrechnung und die Methode der kleinsten Quadrate (nach der Hagen'schen Begründungsweise) ist es sehr wünschenswerth, für die bekannte Stirling'sche Näherungsformel

$$l(1.2.3\ldots n) = \tfrac{1}{2}l(2\pi) + (n+\tfrac{1}{2})\,l n - n$$

einen Beweis zn haben, der nicht von weiter greifenden Theorien abhängt, sondern nur die Kenntniss der gewöhnlichsten analytischen Lehren voraussetzt. Vielleicht erfüllt die nachstehende Ableitung diese Bedingungen, da sie im Wesentlichen auf einfachen geometrischen Betrachtungen beruht.

a. In rechtwinkligen Coordinaten sei

$$y=\frac{1}{1+x}$$

die Gleichung einer gleichseitigen Hyperbel (Taf. III, Fig. 10); die über der Abscisse $OA=1$ stehende Fläche $OACB$ besitzt dann den Inhalt

$$\int_0^1 \frac{1}{1+x}\,dx=l2.$$

Theilt man OA in n gleiche Theile, legt durch jeden Theilpunkt eine Ordinate und construirt zu allen entstehenden Flächenstreifen die eingeschriebenen Rechtecke, so geben letztere zusammen eine kleinere Fläche als $OACB$, also ist

$$\frac{1}{n}\cdot\frac{1}{1+\frac{1}{n}}+\frac{1}{n}\cdot\frac{1}{1+\frac{2}{n}}+\ldots+\frac{1}{n}\cdot\frac{1}{1+\frac{n}{n}}<l2,$$

oder

$$\frac{1}{n+1}+\frac{1}{n+2}+\ldots+\frac{1}{n+n}<l2.$$

Durch beiderseitige Addition von $\frac{1}{n}-\frac{1}{n+n}=\frac{1}{2n}$ folgt noch

1) $$\frac{1}{n}+\frac{1}{n+1}+\frac{1}{n+2}+\ldots+\frac{1}{2n-1}<l2+\frac{1}{2n}.$$

b. Es sei ferner

$$z=l(1+x)$$

die Gleichung einer logarithmischen Linie (Taf. III, Fig. 11); die über der Abscisse $OA=1$ stehende Fläche OAB hat dann zum Inhalte:

$$\int_0^1 l(1+x)\,dx=2l2-1.$$

Auch diese Fläche zerlegen wir in n Streifen von gleichen Grundlinien und betrachten zunächst einen solchen Streifen $MNQP$ (Taf. III, Fig. 12), bei welchem $OM=\frac{k}{n}$, also

$$MP=l\left(1+\frac{k}{n}\right),\quad NQ=l\left(1+\frac{k+1}{n}\right)$$

sein möge. Die in P an die Curve gelegte Tangente PT bildet mit der x-Axe einen Winkel SPT, welcher aus der allgemeinen Formel

$$tan\,\tau=\frac{dz}{dx}=\frac{1}{1+x}$$

durch Substitution von $x=\frac{k}{n}$ gefunden wird. Das umschriebene Trapez $PMNT$ hat demnach die Fläche

$$\frac{1}{n}l\left(1+\frac{k}{n}\right)+\frac{1}{2n}\cdot\frac{1}{n+k}$$

und diese ist, wegen der concaven Krümmung der Curve, grösser als die Fläche *PMNQ*. Wendet man diese Bemerkung auf alle Streifen an, so erhält man durch Addition der für $k=0, 1, 2, \ldots n-1$ entstehenden Ungleichungen.

$$\frac{1}{n}\left[l(1)+l\left(1+\frac{1}{n}\right)+l\left(1+\frac{2}{n}\right)+\ldots+l\left(1+\frac{n-1}{n}\right)\right]$$
$$+\frac{1}{2n}\left[\frac{1}{n}+\frac{1}{n+1}+\frac{1}{n+2}+\ldots+\frac{1}{2n-1}\right]>2l2-1.$$

Zufolge der Formel 1) kann man dafür die stärkere Ungleichung setzen

$$\frac{1}{n}\left[l\left(1+\frac{1}{n}\right)+l\left(1+\frac{2}{n}\right)+\ldots+l\left(1+\frac{n-1}{n}\right)\right]$$
$$+\frac{1}{2n}\left[l2+\frac{1}{2n}\right]>2l2-1,$$

oder

$$l\left(1+\frac{1}{n}\right)+l\left(1+\frac{2}{n}\right)+\ldots+l\left(1+\frac{n-1}{n}\right)>(2n-\tfrac{1}{2})l2-n-\frac{1}{4n}.$$

Addirt man beiderseits $l2=l\left(1+\frac{n}{n}\right)$ und setzt zur Abkürzung

2) $$S_n=l\left(1+\frac{1}{n}\right)+l\left(1+\frac{2}{n}\right)+\ldots+l\left(1+\frac{n}{n}\right),$$

so hat man

3) $$S_n>(2n+\tfrac{1}{2})l2-n-\frac{1}{4n}.$$

Andererseits beträgt die Fläche des eingeschriebenen Trapezes *PMNQ*, d. i.

$$\frac{1}{2n}\left[l\left(1+\frac{k}{n}\right)+l\left(1+\frac{k+1}{n}\right)\right],$$

weniger als die Fläche des gleichnamigen Streifens, und daraus folgt für die Summe aller derartigen Trapeze:

$$\frac{1}{n}\left[\tfrac{1}{2}l(1)+l\left(1+\frac{1}{n}\right)+\ldots+l\left(1+\frac{n-1}{n}\right)+\tfrac{1}{2}l\left(1+\frac{n}{n}\right)\right]<2l2-1.$$

Durch Multiplication mit n und beiderseitige Addition von

$$\tfrac{1}{2}l\left(1+\frac{n}{n}\right)=\tfrac{1}{2}l2$$

erhält man noch

4) $$S_n<(2n+\tfrac{1}{2})l2-n.$$

c. Bezeichnet x einen Bogen des ersten Quadranten, so ist

$$\sin^{2n-1}x>\sin^{2n}x>\sin^{2n+1}x,$$

mithin aus bekannten analytischen oder geometrischen Gründen

$$\int_0^{\frac{1}{2}\pi}\sin^{2n-1}x\,dx>\int_0^{\frac{1}{2}\pi}\sin^{2n}x\,dx>\int_0^{\frac{1}{2}\pi}\sin^{2n+1}x\,dx,$$

d. i.

$$\frac{2.4.6\ldots(2n-2)}{3.5.7\ldots(2n-1)} > \frac{1.3.5\ldots(2n-1)}{2.4.6\ldots(2n)}\cdot\frac{\pi}{2} > \frac{2.4.6\ldots(2n)}{3.5.7\ldots(2n+1)}.$$

Der erste Theil dieser Ungleichung giebt

$$\frac{2^2.4^2.6^2\ldots(2n-2)^2 2n}{3^2.5^2.7^2\ldots\ldots(2n-1)^2} > \frac{\pi}{2},$$

oder, wenn beiderseits der Factor $2n$ zugesetzt und die Wurzel gezogen wird

$$5)\qquad \frac{2.4.6\ldots.(2n)}{3.5.7\ldots(2n-1)} > \sqrt{n\pi}.$$

Der zweite Theil der vorigen Ungleichung liefert

$$(2n+1)\frac{\pi}{2} > \frac{2^2.4^2.6^2\ldots(2n)^2}{3^2.5^2.7^2\ldots(2n-1)^2},$$

oder

$$6)\qquad \frac{2.4.6\ldots.(2n)}{3.5.7\ldots(2n-1)} < \sqrt{(n+\tfrac{1}{2})\pi}.$$

Bezeichnet man die Permutationszahl $1.2.3\ldots m$ mit P_m, so hat man weiter

$$\frac{2.4.6\ldots.(2n)}{3.5.7\ldots(2n-1)} = \frac{2^2.4^2.6^2\ldots.(2n)^2}{2.3.4.5\ldots(2n-1)(2n)} = \frac{2^{2n}(P_n)^2}{P_{2n}}$$

$$= 2^{2n}P_n\cdot\frac{P_n}{P_{n+1}}\cdot\frac{P_{n+1}}{P_{n+2}}\cdot\frac{P_{n+2}}{P_{n+3}}\ldots\ldots\frac{P_{2n-1}}{P_{2n}}$$

$$= 2^{2n}P_n\cdot\frac{1}{n+1}\cdot\frac{1}{n+2}\cdot\frac{1}{n+3}\ldots\ldots\frac{1}{2n},$$

und daher lassen sich die Ungleichungen 5) und 6) folgendermassen darstellen

$$P_n > \frac{(n+1)(n+2)(n+3)\ldots(2n)}{2^{2n}}\sqrt{n\pi},$$

$$P_n < \frac{(n+1)(n+2)(n+3)\ldots(2n)}{2^{2n}}\sqrt{(n+\tfrac{1}{2})\pi},$$

oder auch

$$P_n > \sqrt{n\pi}\;\frac{n^n}{2^{2n}}\left(1+\frac{1}{n}\right)\left(1+\frac{2}{n}\right)\ldots\left(1+\frac{n}{n}\right)$$

$$P_n < \sqrt{(n+\tfrac{1}{2})\pi}\;\frac{n^n}{2^{2n}}\left(1+\frac{1}{n}\right)\left(1+\frac{2}{n}\right)\ldots\left(1+\frac{n}{n}\right).$$

Vermöge der Bedeutung von S_n ergiebt sich hieraus

$$lP_n > \tfrac{1}{2}l\pi + \tfrac{1}{2}ln + nln - 2nl2 + S_n,$$

$$lP_n < \tfrac{1}{2}l\pi + \tfrac{1}{2}l(n+\tfrac{1}{2}) + nln - 2nl2 + S_n:$$

Diese Ungleichungen werden stärker, wenn man in der ersten für S_n den kleineren Werth aus No. 3), in der zweiten den grösseren Werth aus No. 4) substituirt. Man erhält so für den ersten Fall

$$lP_n > \tfrac{1}{2}l(2\pi) + (n+\tfrac{1}{2})ln - n - \frac{1}{4n},$$

und für den zweiten

$$lP_n < \tfrac{1}{2}l(2\pi) + (n+\tfrac{1}{2})ln - n + \tfrac{1}{2}l\left(1+\frac{1}{2n}\right),$$

oder, weil bei echt gebrochenen β immer $l(1+\beta) < \beta$ ist,

$$lP_n < \tfrac{1}{2}l(2\pi) + (n+\tfrac{1}{2})ln - n + \frac{1}{4n}.$$

Aus den entwickelten Ungleichungen folgt noch die Gleichung

$$l(1.2.3\ldots n) = \tfrac{1}{2}l(2\pi) + (n+\tfrac{1}{2})ln - n + \frac{\varepsilon}{\gamma},$$

worin ε einen zwischen $-\frac{1}{4}$ und $+\frac{1}{4}$ liegenden Bruch bezeichnet. Multiplicirt man mit dem Modulus der Brigg'schen Logarithmen, so gelangt man zu der Näherungsformel

$$log(1.2.3\ldots n) = \tfrac{1}{2}log(2\pi) + (n+\tfrac{1}{2})log\,n - 0{,}43429448.n,$$

bei welcher der absolute Werth des begangenen Fehlers weniger beträgt als

$$\frac{0{,}4343.\varepsilon}{n} < \frac{11}{100n}.$$

Da die genannte Formel überhaupt nur für grosse n in Anspruch genommen wird, so ist dieser Genauigkeitsgrad für die Anfangs erwähnten Zwecke vollkommen ausreichend.

Schlömilch.

XVIII. Ueber Interferenz des weissen Lichtes bei grossen Gangunterschieden.

Senkrecht zur Axe geschnittene Quarzplatten erscheinen im Polarisations-Apparate gefärbt. Die Färbung hängt ab von der Dicke der Platte und der Stellung des Analyseurs. Je dicker die Platte, desto weisslicher ihre Farbe, desto geringer der Farbenwechsel bei Drehung des Analyseurs. Eine Platte von 30 Millimeter Dicke zeigt nur mehr zwei schwache Farbentöne: röthlich und bläulichgrün. Eine 45 Millimeter dicke Platte erscheint bei allen Stellungen des Analyseurs vollkommen weiss. Die Ursache der Färbung ist die, dass alle Farben, deren Polarisations-Ebenen die Plattte um 90° oder ungerade Vielfache von 90° gegen den Hauptschnitt des Analyseurs dreht, von diesem ausgelöscht werden. Das aus dem Analyseur kommende Licht, prismatisch zerlegt, giebt ein Spectrum, in dem an Stelle der gelöschten Farben dunkle Streifen sich befinden. Die 30 Millimeter dicke Platte erzeugt fünf, die 45 Millim. dicke neun solcher Streifen. Diese stehen, wie eine frühere Untersuchung gelehrt hat, im Spectrum eines Glasprisma gleich weit von einander ab und verschieben sich parallel zu einander, wenn der Analyseur gedreht wird. Daraus ergiebt sich folgende Eigenthümlichkeit unseres Vermögens der Farbenempfindung:

Wird in einem weissen Lichte ein Farbenbündel ausgelöscht, so erscheint uns der Rest gefärbt. Werden mehrere Bündel, welche im Spectrum eines Glasprisma gleich weit von einander abstehen, ausgelöscht, so erscheint der Rest gefärbt, aber um so weisslicher, je grösser die Anzahl der gelöschten Bündel ist. Eine parallele Verschiebung der Bündel im Spectrum ändert die Farbe, jedoch um so weniger, je grösser die Anzahl dieser Bündel ist. Erreicht oder übersteigt diese die Zahl neun, so erscheint der Rest des Lichtes weiss und bleibt weiss bei jeder parallelen Verschiebung der Bündel.

Diese Eigenthümlichkeit des Empfindungsvermögens stimmt gut mit der Hypothese, nach welcher Young und Helmholtz die Farbenempfindung erklären. Nach dieser giebt es drei Arten von Nervenfasern, roth-, grün- und violettempfindende. Eine gleichmässige Erregung aller giebt die Empfindung weiss, eine stärkere Erregung der einen als der anderen die Empfindung einer Farbe. Wird nun aus weissem Lichte eine grössere Anzahl gleichmässig im Spectrum vertheilter Farben gelöscht, so erfährt jede der drei Faserarten nahe denselben Verlust an Erregung und die Bedingung zum Entstehen der Empfindung weiss ist nicht aufgehoben.

Diese Eigenschaft des Empfindungsvermögens macht sich überall geltend, wo wir Interferenz-Erscheinungen im weissen Lichte beobachten. Sie ist die Ursache, warum gewöhnlich nur Interferenzen solcher Strahlen, die geringe Gangunterschiede besitzen, sichtbar werden. Ist der Gangunterschied zweier weisser Strahlen so gross, dass er für eine grössere Zahl von Farben ein ungerades Vielfache ihrer halben Wellenlängen wird, so werden alle diese Farben durch die Interferenz der beiden Strahlen gelöscht und der Rest erscheint wieder weiss, sobald die Anzahl dieser Farben eine gewisse Grösse übersteigt.

Dass bei den gewöhnlichen Interferenz-Versuchen nur wenige farbige Ringe oder Streifen auftreten, könnte auch in der Unregelmässigkeit der in einem Strahle auf einander folgenden Lichtschwingungen begründet sein. Dass dies nicht der Fall, beweisen die Versuche mit dem homogenen Licht der Natriumflamme. Das Newton'sche Glas zeigt sich bei dieser Beleuchtung ganz mit Ringen bedeckt. Fizeau hat deren bis 50 tausend nachgewiesen. Giebt man eine Kalkspathplatte in die Turmalinzange oder zwischen zwei Nicole und sieht gegen diese Flamme, so erscheint das ganze Gesichtsfeld mit Ringen bedeckt und kann man durch Drehen der Platte noch neue Ringe ins Gesichtsfeld bringen. Parallel zur Axe geschliffene Quarzplatten von 30 und mehr Millimeter Dicke zeigten im Polarisations-Apparat bei homogener Beleuchtung Interferenz-Streifen, welche im unvollkommenen Parallelismus der Flächen oder der einfallenden Strahlen ihren Grund haben. Im weissen Lichte erscheint eine ⅛ Millimeter dicke Platte schon farblos.

Interferenz weisser Strahlen von grösseren Gangunterschieden hat zuerst Wrede nachgewiesen. Die Lichtlinie an einem gebogenen Glimmerblatt, durch das Prisma betrachtet, liefert ein Spectrum mit dunklen Streifen, die durch Interferenz des an der Vorder- und Hinterfläche des Blattes reflectirten Lichtes entstehen. Ein solches Spectrum erhielten Fizeau und Foucault, als sie das von den Fresnel'schen Spiegeln reflectirte Licht und solches, welches durch parallel zur Axe geschnittene Kalkspath- und Quarzplatten in einem Polarisations-Apparate ging, durch das Prisma zerlegten. Man kann in den Polarisations-Apparat auch eine senkrecht zur Axe geschnittene Kalkspathplatte geben. Dreht man diese, so rücken vom violetten Ende aus schwarze Streifen in das Spectrum; sie folgen in immer engeren Zwischenräumen auf einander, je weiter die Platte gedreht wird.

Die Interferenz des von dünnen Plättchen reflectirten Lichtes kann am einfachsten auf folgende Weise nachgewiesen werden. Man verwende das Glimmer- oder Glasplättchen als Heliostaten, der Sonnenlicht auf die Spalte des Spectral-Apparates schickt. Man kann so dickere Plättchen nehmen und erhält eine einfache und genau berechenbare Erscheinung. Sind solche Linien wegen zu geringer Breite des Spectrums nicht sichtbar, so verrathen sie sich oft dadurch, dass gewisse Fraunhofer'sche Linien, die mit solchen Interferenzlinien zusammenfallen, dunkler erscheinen.

Die Interferenz des Lichtes, welches direct durch ein Plättchen geht und jenes, welches nach einmaligen Hin- und Hergange im Plättchen aus diesem tritt, kann man nachweisen, wenn man die Spalte des Spectral-Apparates mit dem Plättchen bedeckt. Ist das Plättchen planparallel, kann man es auch zwischen Fernrohr und Spalte anbringen. Man sieht gerade Interferenzlinien im Spectrum. Eine merkwürdige Erscheinung wurde am grossen Spectral-Apparat beobachtet, als das Blättchen zwischen Auge und Ocular gebracht wurde. Es zeigte sich im Spectrum ein System heller und dunkler Ringe, deren gemeinsames Centrum sich an der gegen das Violett gekehrten Seite des Gesichtsfeldes befand. Die Ringe sind um so feiner, je grösseren Radien sie angehören und ändern sich beim Neigen des Plättchens.

Die dunklen Streifen, welche durch die verschiedenen Interferenzfälle im Spectrum erzeugt werden, sind in diesem nicht immer in derselben Weise vertheilt; es entsteht die Frage, bei welcher Vertheilungsweise die geringste Anzahl gelöschter Farben im weissen Lichte die Eigenschaft, uns weiss zu erscheinen, nicht aufhebt. Es zeigt sich diesem Zwecke günstiger eine Vertheilung, bei welcher die ausgelöschten Farben gegen das violette Ende des prismatischen Spectrums hin mehr auseinander rücken. Daraus kann geschlossen werden, dass sich die drei Arten von Nervenfasern in gleiche

Felder eines Spectrums theilen, welches vom prismatischen in der Weise abweicht, dass es sich dem Beugungsspectrum nähert.

(Wiener Akademie.) Prof. Stefan.

XIX. Elektromagnetismus.

Dr. Mourel hat der Pariser Akademie der Wissenschaften (Cosmos 1865, Januar, S. 76) in der Sitzung vom 16. Januar 1865 eine Mittheilung gemacht, die sich auf eine ganz unerwartete Erscheinung bezieht.

Wenn man einen Eisenkern durch Umwickelung mit nicht übersponnenem Kupferdraht zum Elektromagneten macht, so erhält man in manchen Fällen beim Durchleiten eines Stromes einen ebenso starken oder noch stärkeren Magnetismus, als wenn man denselben Draht im übersponnenen Zustande zu demselben Zwecke verwendet. Die Fälle, in denen der Versuch günstig ausfällt, sind:

1. wenn der Elektromagnet mit langem und feinen Kupferdraht umwickelt wird. So verhielten sich zwei Elektromagneten ganz gleich, von denen der eine durch 27000 Umwindungen von Kupferdraht No. 33 (nicht übersponnen) und der andere von ebensoviel übersponnenen Windungen gebildet worden war, während bei Anwendung von starkem Kupferdraht von 3^{mm} Durchmesser die Wirkung beim Elektromagneten ohne isolirenden Ueberzug beinahe verschwand, wenn die Windungen stark gegen einander gepresst worden waren;
2. wenn die Elemente der Batterie, die man anwendet, so verbunden sind, dass der Strom in der Batterie durch einen grossen Querschnitt gehen muss, also nicht so, dass in der Kette grosser innerer Widerstand vorhanden ist. Elemente, die nach Quantität verbunden waren, gaben beim Elektromagneten mit nicht übersponnenem Draht gegen den mit übersponnenem Draht Verstärkung des Magnetismus, während die nach Intensität verbundenen Elemente bei demselben Versuche Schwächung des Elecktromagnetismus gaben.

Dr. Mourel hat später (Cosm. 1865, S. 132) der Akademie der Wissenschaften ein Resumé über seine bis dahin angestellten Versuche über die Magnetismusspiralen mit nicht isolirtem Drahte gegeben, aus dem Folgendes hervorgeht:

Der Erfinder der Magnetisirungsspiralen mit nicht übersponnenem Drahte ist vollkommener Laie in der Physik, er ist als Nachfolger von einem Fabrikanten telegraphischer Lautewerke wahrscheinlich auf die Idee gekommen, statt des theuren übersponnenen Drahtes einmal gewöhnlichen Draht zu den Magnetisirungsspiralen zu nehmen und hatte, um den Erfolg zu zeigen, die oben erwähnten 2 Spiralen mit 27000 Umwindungen hergestellt, eine mit gewöhnlichem, die andere mit übersponnenem Drahte. Die Drähte, die von gleichem Durchmesser und gleicher Länge waren, besassen aber, wie sich nachträglich herausgestellt hat, verschiedenes Leitungsvermögen, indem der umsponnene Draht bleihaltig war und folglich mehr Widerstand hatte. Weitere Experimente haben aber dennoch Folgendes ergeben:

1. Wenn die Drähte zweier Spiralen, übersponnen und nicht übersponnen, gleiches Leitungsvermögen, Länge und Durchmesser haben, so bleibt für Ströme von geringer Spannung der Widerstand gleich gross, die Zweigströme welche in diesem Falle zur Entstehung kommen, werden durch den Strom selbst zerstört (Gesetz von Ampère), worunter wahrscheinlich zu verstehen ist, dass die sich abzweigenden Ströme nach dem Ampère'schen Gesetz vom Hauptstrome wieder angezogen werden müssen.
2. Wenn bei schwachen Strömen beide Magnetisirungsspiralen gleich gut isoliren, so liefern sie auch, wenn die Ströme gleiche Stärke haben, Elektromagneten von gleicher Stärke. Immer erreichen die Spiralen mit übersponnenem Draht grössere Wirkung, wenn der äussere Theil der Schliessung ausser der Spirale widerstehend wird (lange Leitung von der Batterie bis zur Spirale).
3. Jede Disposition der Säule, welche die Spannung des Stromes vermehrt, wirkt zu Gunsten der Elektromagneten mit übersponnenem Draht, daher eignen sich die Spiralen mit nicht übersponnenem Draht nicht zu telegraphischen Apparaten, die von der Linienbatterie activirt werden sollen, sondern nur zu den mit der Localbatterie verbundenen oder zu Lautewerken.

Dr. Kahl.

X.

IV. Die Entwickelung des Rechnens mit Columnen.

Von

Professor FRIEDLEIN zu Ansbach.

Wem die Abhandlung von Chasles in den *Compt. rend. T. XVI*, 1843, S. 1393—1420 bekannt ist, dem könnte es genügend erscheinen, auf dieselbe zu verweisen und nur an die Resultate derselben anzuknüpfen. Ich wünschte dieses thun zu können, aber ein Umstand macht es unthunlich. Chasles hat nämlich alle Werke über das Rechnen mit Columnen, die ihm handschriftlich vorlagen, zusammengefasst und die Summe ihres Inhaltes mitgetheilt. Dadurch sind die Unterschiede der einzelnen Werke verwischt worden, und, weil so die Entwickelung, welche jenes Rechnen gehabt hat, nicht erkennbar ist, sind auch Zeitbestimmungen daraus nicht möglich. Das Vorhandensein solcher Unterschiede und eine naturgemässe Entwickelung nachzuweisen ist daher die nächste Aufgabe des folgenden Aufsatzes, und auf Grund desselben sollen dann auch die möglichen Zeitbestimmungen versucht werden.

Die Abhandlungen und Fragmente solcher, die mir dazu zu Gebote standen, sind folgende, die ich zugleich mit einem Buchstaben bezeichnen will, um kürzere Verweisungen zu gewinnen:

1. Gerbert, *de numcrorum divisione* (G_1).*)

---

*) Martin spricht in seinen *Recherches nouvelles .etc.* in der *Révue archéologique* 1857, S. 520—521 auf Grund der Angaben von Chasles von der Möglichkeit, dass im *Cod. St. Emmer. G. LXXIII* 2 verschiedene Werke Gerbert's vorliegen. Nach der Einsichtsnahme dieses *Codex* kann ich mittheilen, dass jene Spur von einem zweiten Werke dort nicht vorhanden ist. Die von Chasles erwähnte Beischrift aus dem 16. Jahrhundert: *Gerberti abacus, hoc est algarismus sive ἀλφαριθμός ad Otonem imp. Principium non adest* steht auf Fol. 96^a, wohin sie durch ein Versehen kam, weil sie F. 97^a stehen sollte. Auf F. 96^a steht nämlich gleichfalls ein blosses Fragment, das mit den Worten beginnt *compositae aureae divisionis* und auf der andern Seite mit *divide asses per divisorem* endet, worauf noch 10 Zeilen freige-

2. Die Anhänge in der sogenannten Geometrie des **Boethius** nach dem Erlanger Ms. 288 (B_1).
3. Ein Fragment aus dem *cod. Bern.* 299, *saec. X* (F_1).*)
4. Das Werk des **Bernelinus****) nach dem ehemaligen *cod. St. Emmer. G. LXXIII*, jetzigen *cod. lat. monac.* 14689, *saec. XI — XII*, F. 49^a — 64^a (B_2).
5. Eine Anleitung zur Division, die mit den Worten beginnt: *Cum passione contraria*, aus demselben *Codex* F. 64^a — 68^a (A_1).
6. Das Werk des **Gerland****) nach demselben *Codex* F. 99^a — 105^a (G_2).
7. Das Werk *de disciplina numerorum abaci*, eben dort F. 105^a bis 117^b, das mit den Worten beginnt: *Doctori et patri theosopho J. G. filius ejus* (A_2).
8. Die Bruchstücke von Regeln der Division, eben dort F. 96^{a-b} (F_2).
9. Die Abhandlung in demselben *Codex* F. 117^a — 121^b, die mit den Worten beginnt: *Abacus vocatur mensa geometricalis* (A_3).
10. Die Abhandlung in demselben *Codex* F. 121^b — 127^a, die mit den Worten beginnt: *Alligas me oneri, cui succumbunt humeri.* Ein *commentariolus* zu **Gerbert's** Regeln über die Division (A_4).
11. Die *regulae Herigeri in abacum* eben dort F. 98^{a-b} (H).
12. Die Regeln der Division im *cod. lat. monac.* 14836 (ehemals K_1 6) *saec. XI* (2. Hälfte) F. 6^b — 10^b (A_5).
13. Die *regulae domni Oddonis super abacum* bei M. **Gerbert**, *Script. eccl. de mus. T. I*, S. 296 — 302 aus einem *Codex* des XIII. Jahrhunderts (O).
14. Der Anonymus bei **Chasles**, *compt. rend.* 1843, S. 237 — 246, aus einem *Codex* des XII. — XIII. Jahrhunderts (ca. 1200) (A_6).

Aus diesen Werken will ich nun zusammenstellen:

1. die Angaben über die Abacustafel,
. den Gebrauch der Worte *digitus* und *articulus*,
3. die Regeln der Multiplication,

---

lassen sind. Die Abhandlung **Gerbert's** aber beginnt F. 97^a mit *c milia. Si centenum per decenum milleuum* und reicht bis F. 98^a, wo nach den letzten Worten *extremos digitos* von derselben Hand weiter geschrieben steht: *Caesaris ottonis studio geometres. Expliciunt lectiones Gerberti super abacum.* Es kann also kein Zweifel sein, dass die auf F. 96^a stehende Beischrift **verschrieben** ist, und nur **ein** Werk **Gerbert's** in diesem *Codex* und zwar das bekannte zum Theil enthalten ist.

*) Ich verdanke die Mittheilung desselben Herrn Prof. **Christ** in München, dem sein Freund Dr. **Usener** es zustellte.

) Im *Codex* selbst ist der Name nicht genannt und ich konnte auf denselben nur nach den Angaben von **Cantor u. A. schliessen.

4. die Regeln der Division,
5. die Regeln über das Rechnen mit den Minutien.

1. Die Angaben über die Abacustafel.

G_1 enthält hierüber nichts. Dafür wissen wir durch Richer (*Pertz monum. Germ. hist. III*, 618), dass Gerbert eine Ledertafel anfertigen liess, diese der Länge nach in 27 Theile (*partes*) eintheilte, dort die 9 Zeichen, die alle Zahlen darstellen können, anbrachte (*disposuit*) und mit 1000 nach diesen Zeichen gestalteten Characteren aus Horn die Rechnungen in den 27 Theilen ausführte. Aus den Regeln ist nur der Name *sedes* für die Plätze der Zahlen zu bemerken.

B_1 enthält ein Bild der Tafel, das in meinem Schriftchen über Gerbert auf Taf. III abgebildet ist. Dieses zeigt 13 verticale und 6 horizontale Gerade, so dass in 6 Reihen je 12 Fächer gebildet sind. In der obersten Reihe stehen in den ersten 10 Fächern von der Rechten zur Linken die Namen *Igin* bis *Sipos*, in der 2. Reihe, deren 12 Fächer mit Bögen überspannt sind, stehen in den ersten 10 Fächern die Gobarziffern mit dem Zeichen (⌓). Die Zahlen der folgenden 4 Reihen sind mit den römischen Ziffern geschrieben, und zwar enthält die erste die Zeichen I, X, C u. s. w. bis $\overline{\text{C}}\overline{\text{M}}\overline{\text{I}}$ (10^{11}).

B_2 beschreibt die Tafel als eine sorgfältig polirte, die von den Geometern (*ab geometricis*) mit bläulichem Staub (*glaucus pulvis*) bestreut werde, um die geometrischen Figuren darauf zu zeichnen. Für die Rechnung wird sie in 30 Columnen (*lineae*) abgetheilt, von denen die 3 ersten zur Rechten für die *unciae*, *scripuli* und *calci*, die übrigen 27 für die ganzen Zahlen bestimmt sind. Diese letzteren sind von 3 zu 3 mit Kreisbögen (*circulus*) überspannt, und unter diesen die erste zur Rechten für sich, die andern beiden zusammen durch kleinere Bögen. Bezeichnet sind die Columnen mit den römischen Ziffern I, X u. s. w. bis C.M.M.M.M.M.M.M.M.$\bar{\text{I}}$ (10^{26}). Die Charactere der Ziffern sind die Gobarziffern und die griechischen Buchstaben, für die Minutien die römischen Minutienzeichen. Zur Division werden durch horizontale Linien 4 *tramites* hergestellt.

A_1 setzt eine ähnliche Tafel voraus, nur wird, so scheint es, dieselbe Columne für die *unciae* und für die *scripuli* benützt; vielleicht aber nur dann, wenn blos mit den einen oder blos mit den anderen gerechnet werden soll.

Bei G_2 finden sich 15 *arcus*, d. h. je mit einem Bogen überspannte Columnen, die oben unter dem Bogen und über einem Strich von der Rechten zur Linken mit I, X, C bis $\overline{\text{C}}\overline{\text{M}}\overline{\text{M}}\overline{\text{M}}\overline{\text{M}}$ (10^{14}) bezeichnet sind. Als *figurae*, die Andere *characteres* nennen, sind die 9 Gobarziffern und 24 römische Minutienzeichen mit ihren Namen von Zelentis bis Chalcus angegeben.

Im Ms. sind nur immer so viele *arcus* hergestellt, als die Rechnung bedarf. Die Minutien sind in dieselben Bögen, wie die ganzen Zahlen, eingetragen.

A_2 erwähnt von der *tabula geometricalis* die *arcus*, ohne deren Zahl zu bestimmen, dazu 2 *lineae per medios arcus*, die oberen für die Multiplicatoren und Divisoren, die unteren für die Multiplicanden und Dividenden. Mit Ausnahme der Minutien seien die *characteres* die ersten 9 griechischen Buchstaben. Nach diesen aber werden die 9 Gobarziffern angegeben. Statt mit den Minutienzeichen wird mit der Anzahl der Minutien, also mit ganzen Zahlen gerechnet und nur dem Resultat die Benennung der Minutie gegeben.

A_3 bezeichnet den Abacus als *geometricalis mensa*, bei der ein *geometricalis radius*,*) wie ein Rohr, angewendet werde. Der ganze Abacus wird in 27 *incisiones* getheilt, 9 *characteres* werden in besonderen Zeichen und in bestimmten Zwischenräumen (*intervalla*), welche die *sedes* der Zahlen heissen, beim Operiren angewendet.

Bei *O* ist die *distinctio arcuum* bis auf 12 angegeben, von denen je 3 durch einen grösseren Bogen überspannt sind, unter dem der *singularis*, *decenus*, *centenus* durch besondere Bögen überspannt sind. Die *figurae* sind die Gobarziffern.

Nach A_5 sind zur Division durch horizontale Linien 4 *tramites* hergestellt, die Columnen heissen *lineae*.

A_6 nennt die Columnen (*spacia*) *arcus*, die weiter als *singularis*, *decenus* u. s. w. nach den eingeschriebenen Zahlen unterschieden werden, giebt ferner die 9 Gobarziffern sammt den Namen *Igin* etc. (ohne *Sipos*) an, bedient sich aber der letzteren im Texte nicht. Mit *abacus* wird nicht allein die Tafel oder die durch Zeichnung hergestellte Figur derselben bezeichnet, sondern auch die Kunst, mit ihr umzugehen. Der Anfang lautet nämlich: *Ars ista vocatur abacus: hoc nomen vero arabicum est et sonat mensa, hac affinitate rerum, quia utrumque de asseribus solet fieri.* Im

---

*) Ich glaube am besten hier eine Notiz anzufügen über den Ausdruck *geometricalis radius*. Chasles, *compt. rend. XVI*, 1843, S. 1410—1412, versteht darunter den Stift, dessen man sich auf der Staubtafel zum Rechnen bediente. Verbindet man aber die Worte aus A_3 (F. 117a): *Est praeterea in hoc disciplina quidam geometricalis radius, qui instar calami in Ezechiele templum domini mensurantis ad votum geometricorum in coeli terraque dimensione modo inclinatur, modo erigatur* mit der Stelle in Gerbert's Brief an Constantin: *Habes ergo (talium diligens investigator) viam rationis, brevem quidem verbis, sed prolixam sententiis et ad collectionem intervallorum et distributionem in actualibus geometrici radii secundum inclinationem et erectionem et in speculationibus et actualibus simul dimensionis coeli et terrae plena fide comparatam* und endlich mit den Capp. 40—42 im Propheten Hesekiel, in denen die Messungen des Tempels mit der Messruthe enthalten sind, so ist wohl kein Zweifel mehr, dass der *geometricalis radius*, wie es auch sein Name besagt, der messenden Geometrie und Astronomie diente und mit dem Rechnen nichts zu schaffen hatte.

Folgenden aber heisst es: *Si quis vero, quomodo fiat abacus, ignorat, his sequentibus auditis certus efficiatur. Disponuntur quaedam spacia, XII vel plura lateraliter, quae spacia arcus nominantur. Et in primo arcu scribitur unitas etc.*

Aus dem Vorstehenden ergiebt sich nun, dass die Einen von dem Abacus auch in seiner Eigenschaft als *mensa geometricalis* reden zu müssen glaubten, Andere gebrauchen das Wort als bekannte Bezeichnung für die Tafel zum Rechnen, ja selbst vom Rechnen damit. Nimmt man hierzu die Stelle aus B_1: *Sed jam tempus est ad geometricalis mensae traditionem .... venire* und *Pythagorici .... descripserunt sibi quandum formulum, quam ob honorem sui praeceptoris mensam Pythagoream nominabant ....: a posterioribus appellabatur abacus*, so ist klar, dass es eine Zeit muss gegeben haben, in der die mit Staub bedeckte Tafel, der Abacus, vorzugsweise zum Studium und Unterricht in der Geometrie diente.*) Welche Zeit dieses war, ist leicht zu ermitteln. So lange man sich der *calculi* bediente, konnten auf jeder Tafel die nöthigen Linien gezogen und die Rechnungen ausgeführt werden, man bedurfte dazu einer besonderen Tafel nicht. Da nun das Werk des Victorius *calculus* betitelt ist, in den Briefen Alcuin's der Ausdruck *calculator* und *calculatio* die gewöhnlichen für den Rechner und das Rechnen sind, und auch Abbo (Christ, Sitzungsber. der Akad. zu München 1863, S. 145) noch den Ausdruck *calculator* gebraucht, der auch den Ausdruck *abacus* anwendet, so ist mit grosser Wahrscheinlichkeit anzunehmen, dass vom 5. Jahrhundert und wohl von noch früherer Zeit an bis zum 10. die Abacustafel vorwiegend zu geo-

*) Ich habe auch in dem Schriftchen über Gerbert S. 28 über die Aenderung des Namens *mensa Pythagorea* in die Benennung *abacus* gehandelt und dort *mensa* als Ausdruck für eine veranschaulichende Uebersicht erklärt. Diese Auffassung, für welche z. B. auch die Ueberschrift einer Art von Einmaleins mit Ausdehnung auf die Zehner und Hunderter in Beda's Werken (Basel 1563 I, col. 103 bis 109): *Mensa Pythagorica sive Abacus numerandi* ein Beleg ist, lässt sich vollkommen mit dem obigen Resultat vereinen, wornach der Ausdruck *mensa geometricalis* vom vorzugsweisen Gebrauch der Abacustafel für die Geometrie herrührt. Dieselbe Staubtafel, auf welche man die geometrischen Figuren zeichnete, diente auch zum Anschreiben der Zahlengruppirungen, welche die theoretische Arithmetik nöthig hatte. In so fern war die *mensa geometricalis* zugleich eine *mensa Pythagorea* oder *Pythagorica* für eine Zeit, die all ihr Wissen über Zahlen von Pythagoras herleitete. Ein solches Anschreiben von Zahlen ist aber noch kein Rechnen. Dass man auch dieses selbst, das eigentliche Operiren auf der Staubtafel, vornahm, das ist die Neuerung, die ich ungefähr in das 10. Jahrhundert setzen zu müssen glaube. Wie alt der Ausdruck *mensa Pythagorea* für solche Tabellen ist, wie sie der *Calculus* des Victorius enthielt, weiss ich nicht mit Bestimmtheit anzugeben; da aber nach dem III. Aufsatz (oben S. 308—312) der Verfasser des Abschnittes über die *figura minutiarum* bei Boethius dem 9. Jahrhundert näher gerückt ist, so wird wohl dieselbe Zeit auch für die Entstehung des fraglichen Ausdruckes anzunehmen sein.

metrischen Arbeiten benützt wurde und mit dem Namen *abacus* als Rechentafel die metallenen Tafeln mit den beweglichen Knöpfchen bezeichnet wurden. Nach dem 10. Jahrhundert ergiebt sich die Auffassung von *abacus* als Rechentafel aus den davon gebildeten Worten *abacista* für Rechner und *abacizare* für rechnen. Belege dafür giebt Chasles, *compt. rend. XVI*, 1843, S. 1417—1419. Man beachte aber, dass keiner aus einer Zeit vor dem 11. Jahrhundert stammt.*)

Daraus folgt erstens, dass die Verwendung der Staubtafel zum Rechnen um das 10. Jahrhundert etwas Neues gewesen sein muss; denn nur so lässt sich verstehen, warum einerseits der Name *calculator* angewendet und andererseits der Abacus auch *mensa geometricalis* genannt wird; zweitens, dass Werke, in denen der letztere Ausdruck gebraucht oder angedeutet wird, dem Beginn der Verwendung der Staubtafel zum Rechnen näher stehen müssen als jene, welche diese Verwendung als bekannt voraussetzen. Nach diesem Kennzeichen ergiebt sich sofort G_2, in welchem angegeben ist, *quicquid ab abacistis excerpere potui*, als eine spätere Arbeit als B_2, in welchem von der *tabula*, *in qua describunt etiam geometricales figuras* die Rede ist. Es ist aber bekannt, dass Gerland später als Bernelinus lebte und ich will damit nur einen Beleg für die Verlässigkeit des Kennzeichens geben. Es versteht sich jedoch, dass hier nur die Stellen in Betracht kommen, in welchen Angaben von der Abacustafel selbst oder deren Beschreibung gegeben ist, nicht solche, in denen *abacus* oder *tabula geometricalis* überhaupt gebraucht ist. So darf A_2, weil darin der Abacus auch *tabula geometricalis* genannt wird, nicht desshalb auch in eine frühere Zeit gesetzt werden; denn diese Benennung steht dort nur als eine bekannte Bezeichnung des *abacus*, die deswegen nicht in Abnahme gekommen war, weil der Abacus auch nach der Benützung zur Rechnung, doch fort und fort auch für die Geometrie benützt wurde. Wendet man aber mit dieser Einschränkung das angegebene Kennzeichen auf A_3 und O an, dann wird man erkennen, dass A_3 der früheren Zeit, O aber einer späteren angehört, also nicht dem Anfange des 10. Jahrhunderts, in welchem Odo von Clüny lebte.

Mit diesem Ergebniss ganz übereinstimmend erscheint der Name *arcus* für die Columnen nicht in den älteren Werken. G_1 bezeichnet die Columnen nach den Ueberschriften z. B. *millenus habebit articulos in millenis, digitos in centenis* und spricht von *sedes dividendorum*.

---

*) In Gerbert's Geometrie finde ich den Ausdruck *abacista* (Pez, thes. III, P. II, col. 30) gebraucht; damit wäre ein Beleg für dieses Wort aus dem 10. Jahrhundert gefunden, was mit dem Obigen noch immer in Einklang steht; denn im 10. Jahrhundert scheint dieses Wort aufgekommen zu sein. Es ist aber überdies noch die Frage, ob alles, was als Geometrie Gerbert's gilt, wirklich von diesem stammt, und ob nicht Zuthaten seiner Schüler auszuscheiden sind.

Bei B_1 heisst es: *binarium sub linea X inscripta ponentes XX constituerunt*, während auf der Tafel selbst die Bögen zu sehen sind.

B_2 theilt die *tabula* in 30 *lineas*, die zu je drei mit *circuli* überspannt sind, unter welchen ein *circulus* die Columnen der Einer, ein zweiter die der Zehner und Hunderter überspannt. A_1 spricht von *denarius limes*. A_3 theilt den Abacus durch 27 *incisiones* und nennt die *intervalla* derselben *sedes*; A_4, A_5 und H sagen *linea*.

G_2, A_2, H, O dagegen nennen die Columnen *arcus*. Der Ausdruck *arcus Pythagorae*, den Leonardo in der Vorrede seines *Liber Abbaci* gebraucht, wäre also im 10. Jahrhundert noch nicht möglich gewesen, in welchem es *linea* würde geheissen haben.

Ein Mittel, die vorliegenden Werke der Zeit nach von einander zu unterscheiden, könnte man auch darin sehen, dass in dem einen die Herstellung der Tafel ausführlicher und vollständiger angegeben wird als in den anderen, die nur das für den Gebrauch Nöthige erwähnen, allein dies hängt zu sehr von dem Zweck der einzelnen Arbeiten und der Art der Leser, für die sie bestimmt waren, ab, als dass man der umständlicheren Darstellung nothwendig ein höheres Alter vor der einfacheren zugestehen müsste. Ein Umstand ist aber noch hervorzuheben, der ein Beleg dafür sein kann, dass die Gobarziffern auf dem Abacus etwas Neues gewesen sind. Es is dieses das Anschreiben derselben oben in den Columnen. Chasles, *compt. rend. XVI*, S. 1399, giebt dafür einen doppelten Grund an:

1. zeigten sie, dass die Tafel zur Rechten beginnt und zur Linken endet,
2. zeigten sie einfach zugleich an, die wievielste Columne jede ist.

Allein Ersteres ging doch aus den Ueberschriften I, X, C u. s. w. deutlich genug hervor und für das Zweite war viel besser durch die Bögen und die Zusammenfassung von je dreien derselben gesorgt, wozu noch kommt, dass die Ziffern doch nur für die ersten 9 Columnen ausreichten und nicht abzusehen ist, warum die zehnte, elfte u. s. w. keine Bezeichnung erhielten, vielmehr in der zehnten das Zeichen von *Sipos* erscheint.

Viel wahrscheinlicher ist dieses Anschreiben nur eine Unterstützung für das Gedächtniss gewesen, damit der Werth der neuen, noch ungewohnten Zeichen besser vor Augen blieb. Es scheint ein solches Anschreiben auch nur stattgefunden zu haben, wenn man die Tafel sammt den auf ihr verwendeten Zeichen in Uebersicht darstellen wollte. Bei förmlichen Rechnungen wenigstens wird dieses Anschreiben nicht erwähnt und die in den mir zugänglichen *Codices* enthaltenen Darstellungen solcher Rechenexempel enthalten gleichfalls nur die Ueberschriften I, X, C u. s. w. Andererseits aber bietet mir dieser Umstand und das, was ich sonst in Handschriften bisher habe finden können, noch keinen Anlass, eine einfache und eine vollständige Form des Abacus zu unterscheiden, wie Chasles a. a. O. S. 1398. Die römischen Zeichen der Minutien, die mit römischen Zeichen geschriebenen Hälften und Viertel u. s. w. von I, X, C u. s. w., die sich auf einigen Abbildungen des Abacus finden — der *cod. lat. monac.* 23511, *zz.* 511, F. 40ᵃ enthält diese Beigaben nicht — müssen als Zuthaten der Abschreiber oder der Besitzer der Handschriften, welche den freien Platz nach ihrem Geschmack verwendeten, desshalb betrachtet werden, weil in den vorhandenen Texten jede Andeutung darüber fehlt, obwohl die Gelegenheit dazu vorhanden ist, und weil eine Verwendung der Hälften, Viertel u. s. w. wohl beim Rechnen auf Linien, aber nicht bei dem mit Columnen stattfindet.

2. Der Gebrauch der Worte *digitus* und *articulus*.

Von den Ausdrücken *digiti* und *articuli* findet sich zwar bei G_1 keine Erklärung, aber von einziffrigen und zweiziffrigen Producten und Summen werden sie als Bezeichnung der Einer und Zehner gebraucht, welcher Potenz von 10 diese Producte und Summen auch angehören. Bemerkenswerth ist die Ausdrucksweise: *Si multiplicaveris singularem numerum per singularem, dabis unicuique digito singularem et omni articulo decem.* Denn es ergiebt sich daraus erstens: dass man den *digitus* von *singularis*, den *articulus* von *decem* unterschied, und erstere für die Zahl (Ziffer), letztere zur Bezeichnung der Classe (Potenz von 10), der sie angehörte, verwendete. Dieser Unterschied wurde auch äusserlich in den Zeichen ausgeführt, indem für die Zahlen, mit denen zu rechnen war, die Gobarziffern,*) für die Bezeichnung der Classe die römischen Zahlzeichen gebraucht wurden.

Zweitens ergiebt sich, dass die Bezeichnung der Classe beim Multipliciren erst nachfolgte, also, wenn überhaupt Columnen gezogen wurden, dieses sowie die Bezeichnung derselben erst nachträglich geschah. Anders musste es beim Dividiren sein, bei welchem die Plätze der Classen schon durch den Dividenden bestimmt waren, daher heisst es auch dort z. B. *millenus habebit articulos in millenis.* Dass aber Gerbert Ziffern mit der Ueberschrift der Classe in römischen Zahlzeichen gebrauchte, dafür ist sein Brief an Remigius der ausreichendste Beleg, den ich S. 37—40 meines Schriftchens über Gerbert besprochen habe.**)

---

*) Chasles, *compt. rend. XVI*, S. 1399, Note 2, giebt an, die römischen Ziffern auch in den Columnen gefunden zu haben und citirt dazu das Ms. 38 de Scaliger und G. LXXIII de Ratisbonne. In letzterem aber konnte ich nur die *apices* des Boethius angewendet finden.

**) Da ich an der erwähnten Stelle den Brief nicht völlig zu erklären vermochte, jetzt aber seinen Sinn ermittelt zu haben glaube, so will ich hier eine Uebersetzung desselben geben:

„An den Mönch Remigius in Trier. Gut saht Ihr ein, wie 1 eine Primzahl ist. Denn ein Mal Eins ist Eins. Aber deswegen ist nicht jede Zahl eine Primzahl, die multiplicirt sich gleich bleibt. Denn ein Mal 4 ist 4, aber deswegen ist 4 noch keine Primzahl, sondern hat vielmehr 2 zum Maass. Denn 2 Mal 2 ist 4. Der

In B_1 wird von *digiti* und *articuli* folgende Erklärung gegeben: *Digitos vero, quoscunque infra primum limitem, id est omnes, quos ab unitate usque ad denariam summam numeramus, veteres appellare censuerunt. Articuli autem omnes a deceno in ordine positi et in infinitum progressi nuncupantur.* Im Text ist von keinem *dare singularem* die Rede, sondern gleich im Anfang der Gebrauchsanweisung für die Gobarziffern heisst es: *Scire autem oportet ..., cui paginulae digiti et cui articuli sint adjungendi* und demgemäss heisst es: *singularis multiplicator deceni digitos in decenis, articulos in centenis .... habebit.* Hervorzuheben ist, dass in den Regeln als *digiti* stets nur die Einer, als *articuli* die Zehner von ein- und zweiziffrigen Producten und Summen erscheinen und zwar die *digiti* ebensogut von jeder Classe oder Potenz von 10 gebraucht, wie die *articuli.*

F_1 enthält in den ersten Regeln die Redewendung *dabis X, C* u. s. w.; gegen den Schluss heisst es: *hic (singularis) in se digitos, in secundo (deceno) habebit articulos,* zuletzt aber steht wieder *dabis.* Da der Schluss mit demselben wieder beginnt, wie der Anfang, nur in etwas anderem Ausdruck, so liegen vielleicht in diesem Fragment Bruchstücke von zwei verschiedenen Arbeiten vor. Es ist aber, wie sich weiter unten zeigen wird, die Ordnung des Ganzen keine sonderlich grosse.

B_2 zeigt die Schule Gerbert's; es werden die fraglichen Ausdrücke gebraucht, wie bei G_1, nur heisst es: *Si singularis decenum multiplicaverit, dabit unicuique digito decem etc.*

Bei G_2 ist die Ausdrucksweise folgende: *Singularis arcus quemcunque (arcum) multiplicat, in eodem (arcu) pone digitum in ulteriore articulum.* Hierbei sind die *arcus* nothwendig als zuerst hergestellt zu denken, wie sie auch im Text vorher angegeben sind.

A_2 enthält dieselbe Redeweise, wie G_2, aber dazu noch folgende Erklärungen: *Digitus est minor numerus*, 1 .... 9, *articulus maior numerus*, 10, 20 *etc. ab artando dictus. Artat enim et concludit minorem numerum in se.* Dass hier ein missglückter Versuch vorliegt, sich den Namen *articulus* zu erklären, ist deutlich; die Arbeit selbst könnte daher der Zeit fern zu liegen scheinen, in welcher dieser Name seinen Ursprung erhalten hat. Es ist aber wahrscheinlicher, dass nur Unbekanntschaft mit der Fingerrechnung die verfehlte Erklärung herbeigeführt hat.

In A_3 ist die Ausdrucksweise für die Multiplication mit einem Einer: *Singularis, quemcunque multiplicat, in eodem digitos ponit et in ulteriori articulum,* für die mit Zehnern ebenso, aber im Folgenden wird diese noch genauer in folgender Weise ausgedrückt: *primo simpliciter decenum multiplicatorem quasi singularem denominabis ... deinde vero ... dabis digitis X et arti-*

Schriftzug (*litera*) ferner, den Ihr unter dem Zeichen (*figura*) X angebracht fandet, bedeutet 10 Einheiten, die in 6 und 4 getheilt das Verhältniss des Anderthalben (*sesqui alteram proportionem*) geben. Dasselbe lässt sich auch an 3 und 2 ersehen, wo die Einheit der Unterschied ist."

culis C. Es steht somit A_3 in der Mitte zwischen G_1 und B_2 einerseits und G_2 und A_2 andererseits. Dazu findet sich dort noch folgende Erklärung: *Digiti appellantur minores numeri ex qualibet multiplicatione concreti. Quos ideo digitos puto dici, quia, sicut digiti corporales a brevioribus junctis incipientes in longioribus extenduntur, sic et hi numerales a finita unitatis quantitate inchoantes in infinitum extenduntur. Articuli nuncupantur maiores numeri similiter ex multiplicatione aliqua producti, dicti, quod ipsos minores inter se artent, id est concludant.* Entweder Quelle für die Erklärungen bei A_2 oder doch aus derselben Quelle wie diese.

A_4 stammt aus Gerbert's Schule, ist aber ohne Klarheit geschrieben; der Mangel derselben zeigt sich auch in dem Ausdruck: *articulus articulorum, qui et maximus divisorum.* Es ist damit für die Rechnung nichts gewonnen, im Gegentheil die Auffassung des Zehners als *digitus* gegenüber dem Hunderter alterirt.

Bei O steht die Erklärung: *quidquid infra X est, digitus vocatur. Quod vero ad X vel ad majores numeros pervenit, ut est XX. XXX. XL, in hac arte articulus appellatur.* Weiter unten heisst es: *Hoc autem memoriter tene, quia singularis arcus, quem arcum multiplicat, in eodem multiplicationem ponit, decenus in secundo etc.* Es geht also diese Schrift offenbar noch über G_2 und A_2 hinaus.

A_6 erklärt nicht nur in einfacher Weise: *Digiti sunt omnes usque ad X, decem vero articulus est et quicunque denario vel pluribus denariis additis numeri surgunt*, sondern fügt noch eine Bemerkung bei, die eine klare Auffassung der Sache beweist. Es heisst nämlich im Folgenden: *Et notandum est, quod, sicut omnes usque ad decem digiti ad ipsum decem sunt, sic X et celeri articuli usque ad [C digiti ad ipsum C] sunt, centum vero et celeri usque ad mille sunt digiti ad ipsum mille, et sic de qualibet inferiori unitate usque ad proximam superiorem unitatem.* Dazu kommt noch eine Erklärung der Namen *digiti* und *articuli*, welche völlig die richtige zu sein scheint. *Numeri vero de unitate usque ad decem digiti vocantur eo, quod numeri illi per flexuras vel extensiones digitorum notantur. .... Et quia toti digiti ad hos numeros flectuntur vel eriguntur, ut dictum est, ideo numeri per eos denotati digiti vocantur. Decem vero et quicunque denario vel denariis additis numeri surgunt, articuli vocantur eo, quod digitorum articulis solent notari.* Die Ausdrucksweise bei der Multiplication ist: *singularis arcus, quemcunque multiplicat, in eodem pone digitum, in ulteriore articulum.* Darnach findet sich also bei A_6 dasselbe wie bei G_2 und A_2, aber dazu noch Erklärungen, die ein richtigeres Verständniss und eine klarere Uebersicht bekunden.

Aus dem Angegebenen ergiebt sich, dass die Ausdrücke *digiti* und *articuli* bei dem Rechnen mit Columnen so angewendet wurden, dass sie von den beim Rechnen auswendig gebildeten ein- oder zweiziffrigen Producten und Summen die Einer und Zehner bezeichneten. Die Ausdrucksweisen, mit denen sie angewendet wurden, lassen vermuthen, dass die

Columnen, anfangs wenigstens beim Multipliciren, erst beim Rechnen gebildet wurden, eine Vermuthung, die durch die oben gemachte Bemerkung über das erst spätere Auftreten des Namens *arcus* bekräftigt wird. Die Erklärungen, welche von jenen Ausdrücken gegeben werden, zeigen, dass man Zahlbegriffe darunter verstand; der Grund aber, warum Zahlbegriffe mit solchen Namen belegt werden konnten, scheint in gewisser Zeit oder wenigstens bei gewissen Leuten nicht bekannt gewesen zu sein; es hätten sonst so seltsame Ableitungen nicht gegeben werden können, wie sie von A_2 und A_2 oben angegeben wurden. Wer von der Fingerrechnung etwas wusste, konnte nicht zweifelhaft sein, dass jene Ausdrücke von dieser herrührten; nur das Wie? war noch fraglich. Hätte ich die Stelle in A_6 früher kennen gelernt, so hätte ich vielleicht die richtige Antwort darin sofort erkannt. Da dieses nicht der Fall war, so kam ich erst nach fortgesetztem Suchen zur Erkenntniss des Richtigen, wie es mir durch die Stelle in A_6 in erwünschter Weise bestätigt wurde. Die grössere Mühe lohnte sich aber dadurch, dass ich nicht allein das thatsächliche Verhältniss, sondern auch das Entstehen desselben kennen lernte.

Ich suchte nämlich beide Ausdrücke in den Werken über die Fingerrechnung, fand aber in keinem derselben diese Ausdrücke als Zahlbegriffe. Der griechische Text des Nicolaus Smyrnaeus, der lateinische des Beda, der persische des 'Ali Jezdi (siehe Rödiger im Jahresbericht der deutschen morgenländischen Gesellschaft 1845, S. 111—129) zeigen auf das Bestimmteste, dass das selbstständige Fingerrechnen die Ausdrücke *digitus* und *articulus* im Sinn von Fingerzahl und Gliedzahl nicht kannte, sondern damit die drei letzten Finger der Hand meinte, welche die Einer darstellten, und die Glieder des Daumens und Zeigefingers, welche die Zehner darstellten. Dies ist der Grund, warum entsprechende griechische Ausdrücke für *digitus* und *articulus* als Zahlausdrücke fehlen, während δάκτυλος und ἄρθρον von einem Finger der Hand und einem Glied des Daumens und Zeigefingers gebraucht wurden. Unter diesen Umständen wusste ich, da ich den Daumen und Zeigefinger zu den *digiti* mitrechnete und die *articuli* auch von den Gliedern der andern Finger gebraucht dachte, keine mir genügende Erklärung für das Auftreten dieser Worte als Zahlbegriffe, bis ich das *Scholion* des Noviomagus fand, das ich in dem Schriftchen über Gerbert S. 23 mittheilte. Nach diesem nennen die Arithmetiker *digitum omnem numerum infra decenum* und *articulos* die Zahlen, *qui in decem aequalis partes dividi possunt.* Erstere werden durch die Finger der Hand, Daumen und Zeigefinger eingerechnet, ausgedrückt, letztere durch die Glieder der Finger. Noviomagus ist sich bewusst, dass er damit eine andere Art der Fingerrechnung angiebt, als die der Alten, die sich bei Beda findet; die Sicherheit und Klarheit, mit der er von der Sache spricht, bestimmten mich anzunehmen, dass der Ursprung der *digiti* und *articuli* als Zahlbegriffe wirklich der sei, den er angiebt. Jetzt finde ich, dass derselbe durch das Fingerrechnen seiner Zeit bestimmt, aus einer späteren Weise ableitet, was, wovon er keine Kunde gehabt zu haben scheint, schon vor derselben vorhanden war.

Das Fingerrechnen des 16. Jahrhunderts, in welchem Noviomagus (eigentlich Joh. Bronkhorst, geboren zu Nimwegen um 1494, gestorben zu Köln 1570) lebte, reicht wenigstens über das 13. Jahrhundert nicht hinaus. Der *computus per figuram manuum secundum magistrorum abbaci usum antiquitus sapientissime inventum*, den Leonardo von Pisa in seinem 1202 erschienenen *Liber Abbaci* (Ausgabe von Boncompagni, S. 5) anführt, ist ganz der des Beda. Da nun die Ausdrücke *digiti* und *articuli* als Zahlbegriffe aus dem 10. Jahrhundert durch Gerbert's Schrift *de num. div.* nachgewiesen sind, so müssen sie auch aus der alten Fingerrechnung erklärbar sein und es war eine Stelle im Commentar des Abbo, welche mir zuerst diesen Nachweis möglich machte. Es heisst (Christ, a. a. O., S. 146): *singulares reflexis sinistrae manus digitis, deceni attribuuntur ipsius articulis.* Dass unter letzteren die Glieder des *index* und *pollex* verstanden sind, lehrt die weiter unten folgende Stelle: *Decenorum pollex et index sunt indices se invicem articulatim aut amplexantes aut supcrimplentes.* Danach ist für Abbo *digitus* und Einer, *articulus* und Zehner noch nicht so identisch, dass er nur Zahlbegriffe in ihnen sieht; es sind die *digiti* und *articuli* der Hand, welche Einer und Zehner darstellen. Die Art, wie sie die Zahlen darstellen, ist dieselbe, welche alle Zeugnisse als die im Alterthum gebräuchliche angeben. Die angeführten Worte zeigen aber zugleich, wie der Ausdruck *articuli* für die Zehner, die doch mit dem Daumen und Zeigefinger hergestellt wurden, hat gebräuchlich werden können. Die Einer wurden durch ganze Finger ausgedrückt, die Zehner aber durch die Glieder des Daumens und Zeigefingers; so kam es, dass man jene *digiti*, diese aber *articuli* nannte. Dieselbe Stelle giebt auch für den Uebergang den besten Beleg; denn es heisst weiter unten: *sexies senos XXXVI esse invenies, ubi sunt tres articuli et sex digiti*, was ebenso viel heisst als *ubi sunt tres deceni et sex singulares.* Die spätere Zeit würde gesagt haben: *ubi est ternarius articulus et senarius digitus.* Dieses Ergebniss hat nunmehr seine Bestätigung durch die Stelle in A_6 erhalten und ich zweifle nicht, dass der wahre Sachverhalt dadurch nun aufgefunden ist.

Ist aber nun ersichtlich, wie jene Ausdrücke zu Zahlbegriffen wurden, so fragt es sich weiter um den Anlass zu einer solchen Aenderung. Alle Umstände vereinigen sich hierüber darin, dass das Rechnen mit Columnen dieser Anlass gewesen ist. Denn in diesem spielen die ein- und zweiziffrigen Producte und Summen eine hauptsächliche Rolle und es liegt für dasselbe eine grosse Vereinfachung der Regeln darin, für die Ziffern dieser Producte und Summen dieselben Namen anzuwenden, welcher Potenz von 10 sie auch in der That angehören. Das Rechnen auf Linien hingegen bedurfte dieser Producte und Summen nicht und es konnte daher das Fingerrechnen Jahrhunderte lang neben demselben bestehen, ohne dass seine Ausdrücke eine Veränderung in ihrer Bedeutung erfuhren. Als man aber anfing, die Multiplication der Einer unter sich für die Rechnung mit Columnen zu benützen, da führte die Abkürzung des Ausdruckes darauf, die durch die *digiti* und *articuli* ausgedrückten Zahlen selbst *digiti* und *articuli* zu nennen. Die Stelle im Commentar Abbo's ist nun gerade dadurch bedeutend, dass sie den Uebergang in der Ausdrucksweise noch erkennen lässt.

Es folgt daraus von selbst, dass die Zeit des Abbo, d. h. das 10. Jahrhundert, dem ersten Aufkommen des Rechnens mit Columnen nicht fern sein kann, und es stimmt ganz zu dem oben gefundenen Resultat, dass in der Stelle bei Abbo die Redeweise gebraucht ist: *Si multiplicaveris decenum per decenum dabis unicuique digito C et omni articulo mille.* Dies ist die Redeweise in den bisher nachweisbar ältesten Werken über das Rechnen mit Columnen, und es wird nun auch klar, warum es *dabis* heisst. Für sich bedeutete ja der Finger nur den Einer, die Glieder des Daumens und des Zeigefingers nur die Zehner, zum Gebrauch bei der Rechnung mit Columnen musste ihnen also der weitere Werth gegeben werden, was, wie sich oben ergab, wahrscheinlich dadurch geschah, dass man die Zahlclasse, der die Zeichen angehörten, mit den römischen Zahlzeichen darüber schrieb.

Der Anfang des 10. Jahrhunderts, höchstens noch das Ende des 9., muss also die Zeit gewesen sein, in welcher das Rechnen mit Columnen aufkam; denn aus der Mitte des 10. Jahrhunderts oder bald nach derselben liegen in dem Commentar des Abbo und dem Brief Gerbert's an seinen Freund Constantin die unzweideutigsten Belege vor, dass frühere Anschauungen mit neu auftretenden zu kämpfen hatten. Ich verweise wegen des zweitgenannten Beleges auf den III. Aufsatz, IX. Jahrg., S. 310, an welcher Stelle ich nachwies, dass, wie die Ausdrücke *digitus* und *articulus*, so auch der Ausdruck *minutum* eine veränderte Bedeutung erhielt. Für letzteres erinnere ich noch an die Stelle bei B_1: *singularis vel, ut alii volunt, minutum*, auf die ich auch in dem Schriftchen über Gerbert, S. 58, aufmerksam machte. Sie zeigt nämlich, wie mir scheint, deutlich genug, dass der Verfasser des Anhanges in der Geometrie des Boethius, der Zeit nicht fern sein kann, in welcher *minutum* die neue Bedeutung erhielt und zwar, dass er nach der Einführung der Aenderung anzusetzen ist, also wahrscheinlich dem Ende des 10. oder Anfang des 11. Jahrhunderts angehört.

Aber nicht blos für den Anfang der Rechnung mit Columnen ergaben sich Anhaltspunkte, sondern es fanden sich auch solche Merkmale, die auf eine Reihenfolge der vorliegenden Werke darüber einen Schluss zulassen. Wenn es nämlich richtig ist:

1. dass die Benennung ***mensa geometricalis*** **früher ist als der Gebrauch des Wortes *abacus* im Sinne von Rechentafel mit Columnen (nicht mit Linien!),**
2. **dass die Columnen früher *lineae*, später *arcus* hiessen,**
3. **dass *digiti* und *articuli* früher als Stellungen der Finger der Hand und ihrer Glieder die Einer und Zehner ausdrückten, später als förmliche Zahlbegriffe in die Regeln für das Rechnen Aufnahme fanden und später erst als diese Zahlbegriffe einfach und ausreichend definirt wurden,**
4. **dass es einer früheren Zeit angehört, zu sagen: *dabis unicuique digito singularem et omni articulo decem* und *singularis multiplicator deceni digitos in decenis, articulos in centenis habebit*, einer späteren: *Singularis, quemcunque multiplicat, in eodem digitos ponit et in ulteriore articulum* und *Singularis arcus, quemcunque (arcum) multiplicat, in eodem (arcu) pone digitum, in ulteriore articulum,***

wenn also diese 4 Sätze richtig sind, wie es aus dem Vorstehenden hervorgeht, dann müssen die besprochenen Werke der Zeit nach in folgender Weise einander gefolgt sein:

$$\begin{array}{cccccc} G_1, & & B_2, & & G_2, & O, \\ & F_1, & A_4, & A_3, & A_2, & A_6, \\ & & B_1. & & & \end{array}$$

Was untereinander steht, ist deswegen noch nicht als gleichzeitig anzusehen, es reichen nur die bis jetzt aufgefundenen Merkmale noch nicht hin, zu bestimmen, welches Werk früher oder später anzusetzen ist. Aus gleichem Grunde ist A_1 und A_5 hier weggelassen.

3. Die Regeln der Multiplication.

G_1 giebt nur die Bestimmung der Potenzen von 10, welche als Bezeichnung des vollständigen Werthes den Ziffern der Producte zuzutheilen sind, die man erhält, wenn multiplicirt wird

ein Einer	mit einem Einer	u. s. w. bis Einer	mit Hunderttausenden,
„ Zehner	„ „ Zehner	„ „ Zehner	„ „
„ Hunderter	„ „ Hunderter	„ „ Hunderter	„

u. s. w. bis

ein Hunterttausender mit einem Hunderttausender.

Die Herstellung des Gesammtproductes bei Multiplication mit mehrziffrigen Zahlen scheint als bekannt vorausgesetzt. Wie sie geschah, ist in den Regeln über die Bestimmung des Quotienten bei Divisionen angedeutet; denn es ist dort von *collectio* und *colligere* die Rede, Ausdrücke, welche bei dem Rechnen auf Linien in eigentlichster Bedeutung gebraucht sind,*)

*) So heisst es in dem *algorithmus linealis*, der auf der Erlanger Universitätsbibliothek unter Med. III, 522 zu finden ist: *Est ergo additio duorum vel plurium numerorum in unum collectio.*

und von daher allbekannt sein mussten. Deswegen hatte auch Gerbert nicht nöthig, vom Addiren und Subtrahiren besonders zu reden. Diese Operationen entsprachen beim Rechnen mit Columnen völlig denen beim Rechnen auf Linien. Dieser Umstand ist wohl zu beachten; denn, da es natürlich ist, bei einem neuen Verfahren zunächst das mitzutheilen, was neu ist, und dann erst, was ungeändert bleiben konnte oder nur geringer Aenderung zur nöthigen Anpassung bedurfte, aufzunehmen, so liegt darin eine Andeutung, dass Gerbert's Werk nicht einer Zeit angehören kann, in der das Rechnen mit Columnen schon eine altbekannte Sache war, sondern einer Zeit, in der es als etwas Neues in das bis dahin geübte Rechnen auf Linien eingriff.

Nach B_1 wird die *forma* oder *formula* mit den *lineae*, *paginae*, *paginulae unitate*, *X*, *C etc. inscriptae*, d. h. die Zeichnung der Columnen mit ihren Ueberschriften vorausgesetzt. Dann werden ähnliche Regeln, wie bei G_1 angegeben, nämlich für

einen Einer mit einem Zehner bis Einer mit Hunderttausenden,*)
„ Zehner „ „ „ „ „ „ „ *)
u. s. w. bis für
einen Hunderttausender mit einem Hunderttausender.

Die Ausdrucksweise ist aber keine gleichmässige, sondern der Verfasser wechselt mit *habebit*, *subtendet*, *habere dinoscetur*, *habere deprehenditur*, *supponet*.

F_1 giebt dieselben Regeln wie G_1, aber in folgender Unordnung und mit Schreibfehlern; 1, 10 u. s. w. der Kürze wegen für die Worte Einer, Zehner u. s. w. gesetzt:

1.10,	10.10,	100 .100,	1000 .1000,
	10.100,	100 .1000,	
1.100,	1 .1000,	100000.100000,	10000.10000,
	10.1000,	10000 .100000,	1000 .10000,
		1000 .100000,	100 .10000,
		100 .100000,	10 .10000,
		10 .100000,	
		1 .100000.	

Darauf wird angedeutet, der *primus* d. h. Einer habe 26**) *species*, der *secundus* d. h. Zehner 25, der *tertius* d. h. Hunderter 23 u. s. w. bis der *quartus decimus* d. h. 10^{13} habe 1 *species*, und aufs Neue kommen die Angaben

*) Die Angabe für einen Einer mit einem Zehntausender fehlt und könnte durch ein Schreibversehen ausgefallen erscheinen, da sie aber 2 Mal fehlt und in den folgenden 3 Regeln nach der mit den Hunderttausenden kommt, auch die Regel für Einer mit Einer fehlt, so dürfte eher ein Beweis der Ungeschicklichkeit des Verfassers vorliegen.

**) Wenn nicht XXVI verschrieben ist statt XXVII; es kommt aber XXVI 2 Mal vor und müsste also 2 Mal verschrieben sein.

für 1 . 1, 1 . 10, womit das Fragment abbricht. Was für *species* gemeint sind, ist unschwer zu erkennen. Der Verfasser hat eine Columnentafel mit 27 Columnen vor Augen. Will man nun für alle dabei möglichen Fälle besondere Regeln geben, so erhält man

für	$1 \ . 1$	bis	$1 \ . 10^{26}$	27	Species,	
„	$1 \ . 10$	„	$1 \ . 10^{26}$	26	„	
„	$10 \ . 10$	„	$10 \ . 10^{25}$	25	„	
„	$10^2 \ . 10^2$	„	$10^2 \ . 10^{24}$	23	„	u. s. w. bis
„	$10^{13} \ . 10^{13}$	„		. 1	„	

Da Gerbert's Abacus 27 Columnen enthielt, so stammt das Fragment wahrscheinlich aus seiner Schule, ja man könnte denken, dass es ein Stück seiner vermutheten ersten Arbeit über das Rechnen mit Columnen ist, wenn nicht die Unordnung zeigte, dass es das Excerpt oder Notat oder die Uebungsarbeit eines Anfängers und nicht eines Lehrers ist.

B_2 giebt von dem Abacus 30 Columnen an, 27 für die ganzen Zahlen, 3 für die Minutien, ferner ist das Einmaleins mit römischen Ziffern und den lateinischen Zahladverbien in folgender Form vorangestellt:

semel I *I*			
bis *II* *IIII*			
bis *III* *VI*	*ter III* *VIIII*		

u. s. w. bis

bis *VIIII* *XVIII*	*ter VIIII* *XXVII*		*novies VIIII* *LXXXI*

Die Regeln selbst verleugnen die Schule Gerbert's nicht; die als Beispiel beschriebene Multiplication hatte danach folgendes Aussehen:

C	*X*	*I*
	1	2
	1	2
	2	4
1	2	

Als *figurae, quibus caracteres pernotantur,* sind die Gobarziffern und daneben die entsprechenden griechischen Buchstaben angegeben.

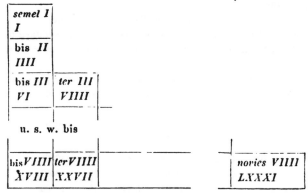

G_2 enthält das Tableau von 15 *arcus,* aber nur mit den Ueberschriften in römischen Zahlzeichen, also gleichsam den Kopf der Abacustafel. In den Columnen selbst werden die Gobarziffern angewendet und diese *mit den* Namen *Igin, Andras* u. s. w. ausgesprochen. Der Multiplicator wird als *fundamentum multiplicationis* oben angeschrieben, der Multiplicand unten, das Product, *quod surgit de multiplicatione aliqua*, in der Mitte. Danach hat die als Beispiel angegebene Multiplication von 4 . 6, die jetzigen Ziffern statt der älteren Gobarziffern gesetzt, folgendes Aussehen:

X	*I*
	6
2	4
	4

Für diese Multiplication heisst die *regula singularis*: *Singularis arcus quemcunque multiplicat, in eodem pone digitum, in ulteriore articulum.* Also statt der früheren vielen *species* nur eine einzige allgemeine *regula*. Das Resultat 24 soll nun weiter mit 6 multiplicirt werden; dazu ist ausdrücklich angegeben, dass man 24 an die Stelle von 4 herabziehen muss (*trahes eos* (24) *in inferiorem partem sui arcus arbante expulso*). So kann nur sprechen, wer mit beweglichen Marken zu operiren geübt wurde, wie Gerbert es mit seinen Marken aus Horn auf der Tafel aus Leder gethan hat.

Ferner wird die *regula deceni* angegeben: *Decenus quemcunque multiplicat arcum, in secundo ab eo pone digitum, in ulteriore articulum.* Also dieselbe Allgemeinheit, wie bei der *regula singularis*. Bemerkenswerth ist, dass darauf das Product von 24 . 6 zuerst in folgender Gestalt angegeben wird:

C	*X*	*I*
1	22	4

also mit 2 Zweiern in der 2. Columne, was doch jede Idee von Positionswerth ausschliesst. Dann wird gesagt, dass man statt der 2 Zweier auch 4 setzen kann.

Endlich werden die weiteren Regeln bis für *centies mille millenus* kurz mitgetheilt ohne weitere Beispiele.

Der Fortschritt von den umständlicheren Regeln Gerbert's zu den vereinfachten Gerland's ist ebenso unverkennbar, als er ein natürlicher ist, während es als unnatürlich und unbegreiflich erscheinen muss, wenn das Verfahren Gerbert's im 10. Jahrhundert um nichts anders sein soll, als das des Boethius gegen Ende des 5. oder im Anfang des 6. Jahrhunderts.

A_2 nennt die Gobarziffern *caracteres novem graecas literas pro numeris continentes*, wie es scheint, ein Versuch, diese Ziffern aus den griechischen Buchstaben zu erklären. Oben ist die ähnliche Angabe erwähnt worden, nach der *articulus* von *artare* abzuleiten ist. Wer nicht wusste, oder nicht glaubte, dass *digitus* und *articulus* vom Fingerrechnen stammen, der mochte auch nicht wissen, aus welcher Quelle die Gobarziffern stammen, oder, wenn er es erfahren hatte, es doch nicht glauben, sondern an seinen eigenen Phantasien mehr Gefallen finden. Dieser Mangel an geschichtlichem Wissen hindert nicht, den Verfasser als einen Mann von klarem Verstande zu denken; denn es finden sich bei ihm allgemeinere und bündigere Regeln als bei den Uebrigen. Nachdem er von der *geometricalis tabula* in Bezug auf die äussere Form angegeben, dass man 2 Linien *per medios arcus*, also wagerecht durch die Columnen zieht und auf der oberen Multiplicator und Divisor, auf der unteren Multiplicand und Dividend anschreibt, giebt er für die Multiplication nur die eine Regel: *Quoto loco multiplicator quisque distabit a primo arcu abaci, toto loco digitum seponet ab eo, quem multiplicabit, et articulum in ulteriori.* Diese Regel ist in demselben Maasse die Vereinfachung der bei Gerland, wie diese die Vereinfachung der bei Gerbert, und man kann sagen, dass hiermit die möglichste Vereinfachung erreicht ist, die ohne Anwendung von Stellenwerth zu erreichen war. Das angeführte Beispiel 24 . 14 kann nach der Beschreibung, in der alle Zahlen mit römischen Ziffern geschrieben sind, folgende Gestalt gehabt haben:

C	*X*	*I*
	1	4
	2	4
2	**1**	6
	8	
	4	
1	3	
3		

4 . 4 = 16   4 . 2 = 8
1 . 4 = 4   1 . 2 = 2
Summe 336, denn 1 + 8 + 4 = 13
1 + 2 = 3.

Die fett gedruckten Ziffern wurden wohl im Verlauf der Rechnung getilgt.

Bei A_3 lauten die Regeln der Multiplication ähnlich wie bei G_2, aber ohne das Wort *arcus*: *Singularis quemcunque multiplicat, in eodem digitos ponit et in ulteriori articulum.* Eben solche Regeln sind für *decenus* u. s. w. bis *centies mille millenus* gegeben, sogleich aber bei jeder auch die entsprechende Regel für die Division. Für die Praxis werden hierauf noch folgende Bemerkungen gemacht: *Notandum, quod in omni multiplicatione numerorum primo quidem constituendi sunt digiti in singularibus et articuli in decenis, postmodum vero secundum certam regulam certis distribuendi intervallis.* Für die Multiplication mit einem Zehner heisst es: *primo simpliciter decenum multiplicatorem quasi singularem denominabis dicendo semel, non decies* (bei 1), *bis, non vicies* (bei 2 u. s. w.); *deinde vero secundum praefatae regulam sententiae dabis digitis X et articulis C.*

Die 3 Beispiele 3 . 20, 2 . 50, 1 . 30 wurden nach der Beschreibung in folgender Weise gerechnet:

X	I	
2		*multiplicator*
	3	*multiplicandus*
	6	
6		

C	X	I
	2	
		5
	1	
1		

C	X	I
	3	
		4
	1	2
1	2	

Das Product wurde zuerst angeschrieben, wie es lautete, und dann vorgerückt. Bemerkt wird noch, dass 2 . 30, 2 . 50, 3 . 40 dasselbe Resultat giebt.

Unzweifelhaft ergiebt sich diese Arbeit als eine frühere als G_2 und A_2; denn sie lässt den Uebergang erkennen, wie es von den Regeln Gerbert's zu denen Gerland's gekommen ist.

Bei *O* lauten die Multiplicationsregeln: *Quidquid multiplicare volueris, sine summa et fundamento facere non poteris. — Summa vocatur, quod in summitate arcuum, fundamentum autem, quidquid inferius disponitur. Et quod ex utroque numero procedit multiplicato, inter duas lineas ponitur. — Hoc autem memoriter tene, quia singularis arcus, quem arcum multiplicat, in eodem multiplicationem ponit, decenus in secundo, centenus in tertio, millenus in quarto, decenus millenus in quinto: sic de ceteris.*

Für die Multiplication mehrziffriger Zahlen heisst die Regel: *Quidquid multiplicare habes, quotquot in summa vel in fundamento ponis, a singulari incipiens omnes per ordinem multiplicare ne neglexeris. Facta autem multiplicatione si ex adunatione characterum articulus, id est major numerus succreverit, quotiens numerus denarius X continetur, hac regula transscendit: quotiens ex collectione characterum oritur articulus, in eodem non remanebit. Perspectaque quantitate characterum juxta situm arcuum, qui ex superiori vel [et?] inferiori numero, id est ex summa vel [et?] fundamento oriatur, facile comprehenditur.*

Die Regeln für die Multiplication mit *singularis arcus*, *decenus* u. s. w. könnten einer früheren Zeit, als die in A_2 anzugehören scheinen, wenn nicht an Stelle von *digiti* und *articuli* der Ausdruck *multiplicatio* gesetzt wäre. Dieser Ausdruck geht aber, möchte ich sagen, über das Rechnen mit Columnen hinaus; denn er setzt den Gedanken voraus, dass, wenn man die Stelle der ersten Ziffer eines Theilproductes kennt, die Stelle der anderen mitgefunden ist, ein Gedanke, dem nur die Kenntniss der Null noch fehlt, um das Anschreiben der Ziffern mit Stellenwerth zu erfassen. Dem Stellenwerth der *arcus* ist der Verfasser ohnehin ganz nahe gekommen, indem er von einer *quantitas characterum juxta situm arcuum*, also von einem Werthe der Ziffern nach der Stelle der Bögen spricht. Es sind diese Ausdrücke gleichsam Vorboten der nahenden Positionsarithmetik, für die ich wohl im 12. Jahrhundert, nimmermehr aber im Anfang des 10. einen Platz weiss.

Ein deutliches Anzeichen des späteren Ursprunges ist ferner der Ausdruck *summa* für den oben stehenden und *fundamentum* für den unten stehenden Factor. Bei Gerland heisst der oben stehende Multiplicator *fundamentum multiplicationis*, weil er der Multiplication gleichsam zu Grunde liegt. Der Name ist also ein natürlicher und sachgemässer. Hier ist die Sache bereits ganz äusserlich gefasst, und die unten stehende Zahl *fundamentum* genannt, wie der Grund eines Baues, die oben stehende *summa*, gleichsam der Giebel. Endlich ist die ausdrückliche Erwähnung der mehrziffrigen Factoren und der Addition (*adunatio*, *collectio*) der Theilproducte ein verlässiges Anzeichen der späteren Zeit des Rechnens mit Columnen. Was sich damals, als dieses Rechnen dem auf Linien noch näher war, von selbst verstand, und desshalb unerwähnt blieb, musste nachher besonders angegeben werden, weil die Voraussetzung des anderen Verfahrens nicht mehr möglich war. Immer noch ist aber die Addition ein Anhängsel der Multiplication und erst die Positionsarithmetik macht sie zur völlig selbstständigen Operation, mit der die späteren Lehrbücher den Anfang machen.

Bei A_6 werden 4 Arten der Multiplication genannt, die einfache, zusammengesetzte, continuirliche und unterbrochene, aber es wird ausdrücklich bemerkt, dass im Wesen die Multiplication ein Ganzes ist*) und es wird daher auch nur ein Beispiel gegeben. Die Multiplicatoren werden unten angeschrieben, die Multiplicanden oben, die *summa, quae inde excrescit*, in der Mitte. In das Beispiel sind die *regulae* von der Multiplication mit *singularis arcus* und mit *decenus arcus* gerade so eingefügt, wie bei G_2, dann sind die für *centenus*, *millenus*, *decies millenus* kurz angegeben, aber zum Schluss heisst es: *et ut plane et breviter dicatur: quoto loco quilibet arcus distat a singulari, toto loco removetur digitus ab eo, quem multiplicat, et semper in ulteriore ponitur articulus*: also so allgemein, wie bei A_2. Die mehrziffrigen Multiplicanden werden in so weit erwähnt, als die Erklärung der Arten der Multiplication die Anzahl der Multiplicanden für beliebig erklärt. Dazu kommt weiter die Anleitung zum *purgare arcus*, d. h. *pro multis caracteribus unum solum ponere*. Die Anweisung dazu ist umständlicher als bei O, so dass kein Zweifel sein kann, dass diese Arbeit zwischen A_2 und O zu setzen ist.

Es ist also die Erwartung, bei dem Rechnen mit Columnen eine naturgemässe Entwickelung zu finden, die ein Früher oder Später für die einzelnen Werke aus ihnen selbst bestimmen lässt, durch die nun besprochenen Regeln über die Multiplication nicht getäuscht worden. G_1, F_1, B_2, B_1 zeigen die grösste

*) *Sed quia nulla maior difficultas est in composita quam in simplici aut (in) intermissa quam in continua, redeuntes ad ipsum totum, ad multiplicationem scilicet, diversitatem regularum illius, a singulari arcu incipientes ostendamus, aliquos multiplicatores* (im Beispiel *die zweiziffrige Zahl 23*) *summamque multiplicandam* (4000) *ponentes.*

Vereinzelung in den Regeln, gebrauchen Ausdrücke, welche eine lange Gewöhnung an Columnen nicht wahrscheinlich machen, und setzen die Addition in der Weise des Rechnens auf Linien voraus. A_3 zeigt den Uebergang zu den vereinfachten Regeln bei G_2, welche nicht mehr die einzelnen Fälle für die Multiplicationen mit *singularis*, *decenus* angeben, sondern sie in eine einzige *regula singularis*, *deceni* zusammenfassen. A_2 weist die nochmalige Vereinfachung und Zusammenfassung aller Regeln in eine einzige nach, worauf A_6 und O auch die mehrziffrigen Factoren berühren und die Addition als Anhang zur Multiplication angeben und zwar O bereits so, dass Anklänge an die Positionsarithmetik sich unterscheiden lassen. Es ergiebt sich darnach bisher folgende Reihenfolge der besprochenen Werke:

$$G_1, \quad B_2, \quad G_2,$$
$$F_1, \quad B_1, \quad A_3, \quad A_2, \quad A_6, \quad O.$$

4. Die Regeln der Division.

Was hier über bei G_1 und B_1 sich findet, ist im II. Aufsatz (IX. Jahrg., S. 145 bis 171) vollständig angegeben. Es zeigte sich dort bei G_1 eine Unterscheidung der Division nach der Beschaffenheit des Divisors und des Dividenden, ohne dass den einzelnen Arten besondere Namen gegeben sind. Die einfachste Art des wiederholten Subtrahirens ist dem Verfahren auf Linien gleich; daran reiht sich die Division mit der Differenz des Divisors zu 10 und Addition der sich ergebenden Einzelproducte; endlich die Division durch Bildung der nächst grössten Vielfachen des Divisors und Subtraction der Einzelproducte. Als besondere Ausdrücke sind hervorzuheben: *secundare* für das Versetzen in die nächst niedere Stelle, *denominatio a toto et a partibus* für das Multipliciren mit der ganzen höchsten Ziffer des Dividenden oder einem Theile derselben, *minutum* für die mit einem Hunderter verbundenen Einer des Divisors. Zu erwähnen ist endlich die Bildung des Quotienten unter der Form der Bestimmung, *quot divisores sint in quolibet dividendo.*

Vom Verfasser von B_1 fand sich, dass er das bei Gerbert wenn auch kurz doch ausreichend beschriebene Verfahren als bekannt voraussetzt, da er es nur andeutet und auch dabei ein Mal die Hauptsache weglässt. Macht nun schon dies nicht den Eindruck, dass man die Arbeit eines bedeutenden Mannes wie Boethius vor sich hat, so wird man noch mehr darüber zweifelhaft, wenn auf die Frage, *quid sint divisores*, die Antwort gegeben wird: *Divisores autem majorum semper minores constituuntur numeri.* Uebersetzt man auch in günstigster Weise für den Verfasser: „Es werden immer kleinere Zahlen als Divisoren in grössere angesetzt“, so ist dieses doch in solcher Allgemeinheit unrichtig, abgesehen davon, dass es keine Definition von Divisor ist. Von den Ausdrücken ist zu bemerken, dass es statt *divisio* auch *participatio* heisst, und dass der Ausdruck *minutum* für *singularis* den Zusatz *velut alii volunt* bei sich hat. Cantor findet (S. 274 und 298) in denominatio die Bedeutung „Quotient“; dass es in der dafür citirten Stelle nichts anderes als den Nennwerth von einem Theile des Dividenden bedeutet und in welchem Sinne, ist im II. Aufsatz (insbesondere S. 167 und 152, 146 und 163) dargethan; hier will ich noch bemerken, dass der ächte Boethius ganz anders sich ausdrückt; *de arith.* 1, 10 heisst es von der Division eines *numerus pariter impar* durch seine Factoren: *Semper, si denominatio* (d. h. der Divisor, Nenner!) *fuerit par, quantitas partis* (d. h. der Quotient!) *erit impar, et si fuerit denominatio impar, quantilas erit par.**)

Bei B_2 finden sich die Worte Gerbert's zum grössten Theile wieder, aber, während von der Division durch wiederholtes Subtrahiren nur gesprochen und kein Beispiel gegeben wird, zeigt das Folgende eine einfachere Eintheilung der Division mit erläuternden Beispielen zu jeder Art derselben. Es werden nämlich 4 Arten unterschieden (bei Gerbert 6!), die sich, wie es zum Theil die im Ms. vorkommenden Rubriken auch aussprechen, bezeichnen lassen

1) als *divisio simplex cum differentia,*
2) „ „ „ *sine* „
3) „ „ *composita cum* „
4) „ „ „ *sine* „

Es wird am zweckmässigsten sein, für jede Art eines der beschriebenen Beispiele zu geben, damit Jedem die Vergleichung mit dem Verfahren Gerbert's selbst möglich ist.

1. Art. 668 : 6.

Im 3. *trames* steht der Dividend nochmals, damit er unten für die *denominatio* wegenommen werden kann.

	C	*X*	*I*	
primus			6	Divisor.
trames			4	Differenz.
secundus	6	6	8	Dividend.
tertius	6	6	8	
	2	4		
		8		
	1	8		
		4		
	1	2		
		4		
		6		
		2	4	
			8	
		2		
			8	
			2	Rest.
quartus		6	6	Denominationen.
		2	2	
		1	2	
		1	1	
		1	1	
	1	1		

$6 \,.\, 4 = 24 \quad 2 \,.\, 4 = 8 \quad 6 + 4 + 8 = 18 \quad 1 \,.\, 4 = 4$

$4 + 8 = 12 \quad 1 \,.\, 4 = 4 \quad 4 + 2 = 6$

$6 \,.\, 4 = 24 \quad 2 \,.\, 4 = 8 \quad 8 + 4 + 8 = 20 \quad 2 \,.\, 4 = 8$

$8 - 6 = 2.$

Dann folgt: *copulare denominationes, ut earum quantitate concludamus divisorem dividendos dividere.*

$6 + 2 + 2 + 1 = 11$

$6 + 2 + 1 + 1 + 1 = 11.$

*) Bernelinus noch sagt: *Dico autem denominationem numerum a quolibet denominatum, ut* bis IIII · VIII. *Denominatio binarius, divisor quaternarius, dividendus vero octonarius. Also* 2 ist nicht *denominatio*, weil 4 in 8 2 mal, sondern weil 2 mal 4 8.

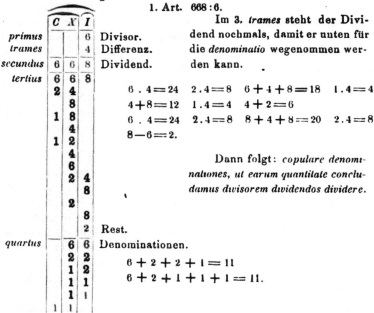

2. Art. 888 : 5.

C	X	I	
5	5	5	Divisor,
8	8	8	Dividend.
8	8	8	
3	3	3	Rest.
1	6	6	Denominationen.
	1	1	
	7	7	

Der Divisor wird vorgerückt und dann wieder zurück.

5 in 8 1 mal bleibt 3
5 „ 30 6 „
5 „ 8 1 „ „ 3
5 „ 30 6 „
5 „ 8 1 „ „ 3
6 + 1 = 7 6 + 1 = 7.

3. Art. 6121 : 344.

$\bar{I}$	C	X	I
	3	4	4
		5	6
6	1	2	1
6	1	2	1
2	5	6	
		3	
	2	5	
	1	6	
	9		
	1	1	2
	1		3
	2	7	
		1	5
			2
			7

Der 4. Theil ist zu nehmen, weil, die Differenzen zum Divisor addirt, aus 3 4 wird.
4 in 6 1 mal, bleibt 2,
1.6 = 6 1.5 = 5,
4 in 20 5 mal,
5.6 = 30 5.5 = 25,
5 + 3 + 6 + 2 = 16 1 + 2 + 5 + 1 = 9,
4 in 9 2 mal, bleibt 1,
2.6 = 12 2.5 = 10,
2 + 1 = 3 1 + 6 = 7 1 + 1 = 2,

2 + 5 = 7.

4. Art. 908046 : 9604.

$\bar{C}$	$\bar{X}$	$\bar{I}$	C	X	I
		9	6		4
	9	6		4	
9		8		4	6
9		8		4	6
	9	6			
	3				
	2	9	6	4	
	4	3	6	8	6
		4			
		1	6		
			5	8	4
		5	2	7	
				9	4

9 in 90 zwar 10 mal, aber wegen der übrigen Divisoren nur 9 mal.
9.9 = 81
90 — 81 = 9 9.6 = 54 90 — 54 = 36 (!)
9.4 = 36. Dieses lässt sich **entweder** von 600 **oder** von 3000 abziehen (von der Columne der Zehner an gerechnet!) 3000—36 = 2964 (!) Durch Addition des Vorhandenen ergiebt sich als weiterer Dividend 43686
9 in 40 4 mal, bleibt 4 4.6 = 24
40 — 24 = 16 4.4 = 16 600 — 16 = 584.
Die Addition des Vorhandenen ergiebt 5270.

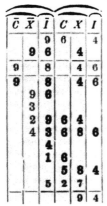

Man sieht, die äussere Ordnung hat durch das Herstellen der *tramites* zugenommen; eine natürliche Folge solchen Bestrebens schon durch die äussere Form das Operiren zu unterstützen, ist das sonst überflüssige Ziehen doppelter Bögen über die Columnen und das wiederholte Anschreiben des Divisors (*transmutatio divisoris*) für das jedesmalige Dividiren in den Dividenden. Dass es noch zu keiner sichern Klarheit gekommen ist, zeigen die Stellen des Werkes, an denen Bernelinus die Sache zu erklären sucht. Ein Beispiel wird genügen. Bernelinus wirft die Frage auf: *qua vi per se numerum maiorem ipse divisor trahat ad denominationem* d. h. was den Divisor ermächtige, den grösseren Dividenden zur Angabe der Zahl, mit der der Divisor zu multipliciren ist, herbeizuziehen. Die Antwort lautet: *Quocunque modo fit multiplicatio, semper habet augmentum quantitatis ipsa denominatio. In divisione vero redit augmentum quantitatis ad diminutionem denominationis secundum superius partim* (?) *dictam divisoris differentiae demonstrationem* d. h. die Vergrösserung bei der Multiplication rührt von der *denominatio* her, bei der Division muss sie also im Einklang mit dem Divisor wieder zur kleineren *denominatio* zurückkehren. Klar wird man eine solche Antwort nicht nennen können, der Verfasser ist auch ehrlich genug, an einer anderen Stelle über die *denominatio a toto et a partibus* das *paulo obscurius dictum* einzugestehen.

In Verbindung mit der Unklarheit steht die Umständlichkeit, die an den Verfasser der Anhänge bei Boethius erinnert. So heisst es: *Nunc autem ad eam, quam promisimus (divisionem simplicem sine differentia) .... propere veniamus:* die Rede kommt aber darauf, dass diese als eine *domina*, jene *cum differentia* als eine *famula* erscheine; dann heisst es: *Sed antequam ad eam veniamus, quaedam praemittenda aestimo*, und in der That wird noch mehr über 2 andere Punkte gehandelt.

Bei alledem ist ein Fortschritt gegen Gerbert's Regeln unverkennbar; so wird, was mit der Verminderung der Arten der Division von 6 auf 4 zusammenhängt, die Theilung eines Hunderters oder Tausenders nicht mehr angewendet. Ferner wird eine eigene *regula de aequandis numeris* gegeben, in der That eine Subtraction durch Addition der dekadischen Ergänzung.

$\bar{C}$	$\bar{X}$	$\bar{I}$	C	X	I	
5		7		4	1	Divisor.
9	8	6		2	2	Dividend.
1				1		
4	7	8	9	8	1	Unterschied.
3	9	2	9	5	9	Differenz.

Die Differenz wird beim Einer von 10 bei den anderen, auch bei jeder leeren Stelle (*intercapedo*), von 9 genommen, in die letzte Columne wird aber die um 1 verringerte Differenz zwischen der letzten Zahl des Divisors und der des Dividenden gesetzt. Durch Addition der Differenz mit dem Dividenden mit Ausnahme der letzten Zahl desselben erhält man den gesuchten Unterschied.

Zwischen dem Schluss des III. Buches des Bernelinus und dem Anfang des IV. steht eine unklare Bemerkung, dass die Zahlen *diverso modo* dividirt werden, und dann die Summation der Reihe der natürlichen Zahlen bei geradem letzten Glied ($2n$) nach der Formel $n.(2n+1)$, *medius per sequentem*, und bei ungeradem letzten Glied ($2n+1$) nach der Formel $(2n+1).\frac{2n+2}{2}$, *numerus per majorem partem*. Es scheint mir aber sehr fraglich, ob diese Stellen von Bernelinus herrühren. Doch vermag ich nicht, hierüber Näheres anzugeben.

Von G_2 ist leider ein grosser Theil der Regeln über die Division in dem von mir benützten Ms. nicht vorhanden, wovon der Schreiber desselben nicht die mindeste Ahnung zeigt. Doch reicht das Vorhandene hin, um die Art des Ganzen zu erkennen. Die Eintheilung ist folgende: *Divisio alia simplex, alia composita. Et composita quidem duas continet species conjunctam scilicet ac interruptam.* Da, wie das Folgende zeigt, die *divisio cum differentiis* ganz unerwähnt bleibt, so sind anscheinend statt der 2 Arten bei Bernelinus 3 behandelt, in der That aber sind doch nur 2 besprochen. Denn es heisst: *Sequitur de conjuncta et interrupta, quarum qui utriusvis disciplinam agnoverit, alterius per illam habebit scientiam. Quare data diffinitione utriusque alteri supersediebimus.* Zur einfachen Division wird bemerkt, dass, wenn der Divisor grösser ist, als der Dividend, ohne Brüche nicht dividirt werden kann — der Verfasser von B_1 dachte an solches nicht! Für die Bildung des Quotienten lauten die Regeln: *Singularis cuiuscunque divisor subponet sibi denominationem. Denominationem accipe id, quod aufertur arcubus dividendis* (d. h. die Anzahl der Divisoren, die hinweggenommen werden). *Decenus denominationem secundabit a se* u. s. w. bis *nonus* (*eorum, qui centenum millenum sequuntur*) *quintadecimabit.*

Das Verfahren selbst veranschaulichen folgende Tableaux, die zum Theil auch mit den Gobarziffern in den Columnen, im Codex stehen.

C	X	I	
		3	Divisor.
1	2		Dividend.

C	X	I	
	3		Vorsetzung des Divisors an die 2.
1	2		Stelle, und nicht an die 3, weil $3>1$.

C	X	I	3 in 10 3 mal, bleibt 1.
	3		*igin pone juxta andram.*
1	12		
	3		Denomination.

C	X	I	
	3		
	3		Summe von 1 und 2.
	3		

C	X	I	
	3		3 in 3 1 mal, bleibt nichts. $1+3=4$.
	4		Resultat: XL.

Ist die Erkenntniss des gleichen Wesens zweier von Andern als verschieden behandelten Arten ein Fortschritt, so wird man in dem Vorstehenden einen solchen gegenüber von Gerbert anerkennen müssen.

Bei A_2 scheint die Eintheilung der Division eine frühere Zeit, als die von G_2, anzudeuten. Es heisst: *Divisio alia aurea, alia ferrea, alia inter-*

missa. Intermissa vero alia cum differentia alia sine differentia et si quas alias humana investigabit industria. Aber gleich das Nächstfolgende belehrt, dass hier keine ernstgemeinte Eintheilung, sondern nur eine flüchtige Erwähnung einiger bekannten Arten vorliegt. Sofort wird nämlich von einer *divisio aurea simplex* gehandelt und die Regel für die an den Rand der *geometricalis tabula* zu schreibenden *denominationes* in einfachster Allgemeinheit gegeben: *Divisor quotocunque loco a primo arcu statutus fuerit in prima sua positione, toto loco denominationem ponet ab eo, ubi steterit in divisione.* Weiter heisst es: *Compositae vero aureae eadem paene regula est.* Die Abweichung wird ebenso klar als bündig gegeben: *Primi autem divisoris denominatione utuntur reliqui divisores. Postquam vero primus divisor nil amplius capere potuerit in subiecto, descendet cum ceteris divisoribus in inferiori loco.* Von der 3. Art wird angegeben: *Intermissa vero eodem modo fit, quo et composita.* Könne man auch ein anderes Verfahren einschlagen, so sei dieses doch mühevoll und die angegebene Regel reiche aus. In ähnlicher Weise wird von der *ferrea simplex*, *composita* und *intermissa* kurz und bündig gehandelt, so dass klar ist, dass der Verfasser nur 2 Arten der Division unterscheidet, die *aurea* ohne Differenzen und die *ferrea* mit Differenzen. Von letzterer scheint er besonders deswegen zu sprechen, weil sie, für den Unkundigen *cruda* und *gravis*, auch dem Kundigen beschwerlich ist. Er selbst ist derselben mächtig, was sich auch dadurch kundgiebt, dass er für ganze Zahlen allein kein Beispiel giebt, sondern diese mit den Brüchen verbindet, was für die damalige Zeit als das Schwierigere angesehen werden muss. Wie von den Multiplicationsregeln dieser Schrift lässt sich auch von diesen Regeln über die Division behaupten, dass damit das Rechnen mit Columnen für sich seinen Höhepunkt erreicht hat.

Das Fragment F_2 enthält in klaren, kurzen Andeutungen über die *composita divisio sine differentiis*, *composita cum differentiis* und *simplex cum differentia* dasselbe, was bei A_2 sich findet und scheint ein willkürlich geordneter Auszug daraus zu sein. Es ist ein ähnliches Verhältniss, wie zwischen F_1 und G_1.

Bei A_3 finden sich über die Division nur verworrene Regeln, wobei mitten darin von der Multiplication mit *par* und *impar* die Rede ist. Erwähnt sind *compositae divisiones*, *divisio cum differentia* und der Verfasser kennt bei mehrgliedrigen Divisoren die Ausfüllung der leeren Columnen (*interruptiones*) mit 9. Es berechtigt also nichts zu der Annahme, dass A_2 der Zeit nach vor A_3 fallen könnte.

A_4 macht aus dem, was Gerbert angiebt, zum Theil ganz mit den Worten desselben, 4 Divisionen. *Prima est divisio, quae fit per simplicem divisorem in simplici dividendo in una eademque linea juge sortitum. — Secunda est divisio, quae fit per simplicem divisorem, sed in minori semper quam dividendus linea sortitum. Denominatio a toto.* Ein solcher Divisor *sibi differentiam vendicat unam ad X supplementum.* Letzterer Ausdruck ist zu bemerken;

es tritt nämlich hier der Begriff der Ergänzung auf, den Cantor bei Gerbert schon finden wollte. Es ist aber nur eine andere Form des Ausdruckes und bei A_4 steht die einfache Erklärung: *Differentia est numerus, quo differt divisor a denario.* Mehr in diesem Worte *Differentia* zu sehen, war durch nichts gefordert. — *Tertiae divisionis ratio in duobus continuatim compositis cadit. Denominatio a partibus.* — *Quartae divisionis ratio continue in pluribus cadit acompositis. Denominationem a partibus considerabis et hoc ad minuta componenda.* — Es ist also allerdings ein Versuch der Vereinfachung gemacht, aber es fehlt durchgehends an Klarheit und zwar in noch viel höherem Grade als bei B_2, so dass A_4 vor diesem anzusetzen ist, was auch daraus folgt, dass bei A_4 noch von *dissipatus centenus* die Rede ist, wovon B_2 bereits abgekommen ist.

Was bei H angegeben ist, gehört ganz derselben Schule an, wie A_4; den Standpunkt characterisirt auch die Bemerkung, dass beständig *maior per minorem* dividirt werde, wie sie von B_1 anzugeben war. Es muss also Herigerus mit A_4 in dieselbe Zeit fallen und dabei dem B_1 nahe sein. Cantor erwähnt S. 332 bald nach Fulbert von Chartres, dem Schüler Gerbert's, dessen Name vielleicht mit der Reinschrift des Manuscriptes C (der Geometrie des Boethius) in Verbindung zu setzen sei, auch Heriger von Lobbes bei Lüttich, so dass sich hier eine ähnliche Nähe von H und B_1 zeigt, wie ich sie eben angegeben habe.

A_5 schliesst sich in mehreren Punkten an B_2 an. Es werden unterschieden:

1. *simplex divisio cum differentia,*
2. *composita „ „ differentiis,*
3. *simplex „ sine differentia,*
4. *composita „ „ differentiis.*

Es werden *tramites* hergestellt und die leeren Columnen heissen, wie bei B_2, *intercapedines.* In beiden Werken wird vom Vorrücken und Zurückrücken des Divisors gehandelt, und eine Erklärung bezüglich der *denominatio a partibus* gegeben, während aber die Angabe bei B_2 nach den eigenen Worten *paulo obscurius dictum* ist, wird hier einfacher und sachgemässer gesagt: *si maximus divisor unitatis caractere insignitus fuerit, quum ipso illi mentis intuitu alia unitas supervenit, secundam dividendi partem ad denominationem requirit, si binarius, tertiam etc.*, womit man folgende Stelle bei A_6 vergleiche: *unitas de inferiori divisore ad superiorem illum mediis interpositis non sensibiliter sed intelligibiliter transit.* Ist schon dadurch eine spätere Zeit für A_5 angedeutet, so wird diese unzweifelhaft erstens durch den Wortlaut des Schlusses des 1. Abschnittes: *His rite peractis, quotquot aggregatis denominationibus inveneris, tot vicibus* (so oft mal!) *divisoris quantitatem dividendis inesse certo certius noveris:* zweitens durch die Forderung, bei der Division ohne Differenz zu ermitteln, *quociens divisor in dividendis sit.* In beiden zeigt sich der Uebergang zu der Frageform, die bei O und A_6

sich findet und wie ein Anklang an die Positionsarithmetik erscheint. Man denke an das Dividiren bei dem Rechnen auf Linien, bei dem verfahren wird, als handelte es sich gar nicht darum, zu wissen, wie oft mal die eine Zahl in der anderen enthalten ist, und man wird nicht umhin können, in den Regeln Gerbert's (IX. Jahrg., S. 162), welche die Bildung des Quotienten wie im Anhang behandeln, in denen des Bernelinus, welche bei den einzelnen Fällen die Plätze der *denominationes* angeben, aber noch reden vom *copulare denominationes, ut earum quantitate concludamus divisorem dividendos dividere* und endlich in den oben angeführten Ausdrücken drei auf einander folgende Stufen in der Entwickelung der Division zu sehen. Der Zusammenhang mit dem Früheren ist bei A_5 überdies noch angedeutet durch den Ausdruck *divisorem maximum dividendo comparabis*, welcher Ausdruck ebenso in Gerbert's Regeln (IX. Jahrg., S. 158) sich findet.

Bei O sind die Angaben über die Division höchst dürftig. Es werden 3 Arten unterschieden, *simplex*, *composita*, *interrupta*, in der That ist aber, wie bei G_2, nur eine angewendet, nämlich die ohne Differenzen. Die Divisoren werden zum Dividiren vorgerückt und dann wird zu beachten gefordert, *ubi accipere debeant* d. h. in welche Zahl zu dividiren ist. Dieses geschieht in der Frageform: *Quaternarius* 4 *quotiens est in senario* 6? *Semel et remanent duo. Quod adverbialiter pronuntiasti, denominationem esse intelligas et unitatem accipias.* Die Denominationes heissen auch *partes divisae*, ihre Stelle wird allgemein durch die Regel bestimmt: *per quot arcus recedunt* (*divisores*) *a singulari, per tot denominationes retro ponunt.* Hätte der Verfasser sich mehr Mühe geben wollen, dann würden mehr Anhaltspunkte zur Beurtheilung seines Werkes vorhanden sein; seine Ansicht aber ist: *Quae omnia magis unicae vocis alloquio quam scripta advertuntur.* Aber es ist schon die einzige Frageform beim Dividiren hinreichend, um die spätere Zeit der Abfassung deutlich zu machen. Sie ist es ja, die bei der Positionsarithmetik, weil mehr und mehr der Quotient bei dem Dividiren hervortritt, eine vorzügliche Rolle spielt. Dass letztere im Anfang des 12. Jahrhunderts bereits im christlichen Abendland bekannt war, beweist der *liber algorismi* des Johannes Hispalensis, der circa 1125 anzusetzen ist. Dass O von dieser Zeit um fast 2 Jahrhunderte entfernt sein sollte, finde ich unglaublich; es stimmt vielmehr alles dafür, diese Arbeit in das 12. Jahrhundert oder dessen Nähe zu setzen.

Bei A_6 wird die Division in ähnlicher Weise behandelt, wie bei A_2, aber die Eintheilung ist eine klarere; denn es werden zuerst die beiden Hauptarten *divisio sine differentia* und *divisio cum differentia* angegeben, dann wird jede in *simplex* und *composita* abgetheilt und letztere wieder in *continua* und *intermissa*. Die Stelle der *denominationes* wird in ebenso einfacher Allgemeinheit angegeben, wie bei A_2: *Quoto loco arcus quilibet a singulari discesserit, toto loco retro ponetur denominatio sui divisoris, quocunque translatus fuerit.* Als ein Anzeichen einer späteren Zeit aber ist die Frageform anzusehen, mit der die Division ausgeführt wird. Nachdem nämlich angegeben ist, wohin der Divisor zu stellen ist, heisst es weiter: *Nunc restat quaerere, quociens est binarius in X. Possemus dicere, quinquies. sed quia nihil de summa remaneret, quod inferiores divisores possent capere, dicemus quater et remanent II°.* Bemerkenswerth ist die Art, wie 8 von 2000 abgezogen wird: *modo possemus VIII auferre a XX* [vielmehr: *II*]*) *milibus, quilibet enim quartus arcus superior cuilibet quarto inferiori millenus est, et positis residuis bene procederemus ad finem divisionis. sed faciamus compendiosius et ponamus singulos novenarios in vacuis campis et dempta unitate ab illo binario, qui superius remansit, superponamus eam novenario inferiori et tunc illud VIII, qui de binario multiplicato per denominationem supra sumptam excrevit, a denario auferamus et remanebunt II, et transferentur et unitas supra posita novenario abicietur.* Die Form dazu ist folgende:

2
1
0 0
2

Man sollte glauben, dass zu sagen: „8 von 2000 bleibt 1992" und dieses anzuschreiben *compendiosius* gewesen wäre; und in der Auffassung des Zehntausenders als eines Tausenders gegenüber dem Zehner liegt eine Aufmerksamkeit auf die Reihenfolge der *campi*, die vielleicht der Einwirkung der aufkommenden Positionsarithmetik zuzuschreiben ist. Dass aber dennoch die mehr mechanische Form der Subtraction vorgezogen wurde, statt 2 1 9 9 zu schreiben und 8 von 10 abzuziehen, zeigt, dass A_6 noch vor O zu setzen ist. Dies könnte man auch aus dem Vorkommen der Worte *aurea* und *ferrea divisio* und ähnlicher Ausdrücke schliessen, wenn O nicht um so viel weniger sorgfältig geschrieben wäre als A_6.

In der Hauptsache also bringt die Vergleichung der Regeln der Division kein anderes Ergebniss, als die der Regeln der Multiplication. Wiederum hat sich eine natürliche Entwickelung des Rechnens mit Columnen gezeigt, ein Fortschreiten bis zu einem Höhepunkte, nach welchem die Einwirkung eines Neuen nicht ohne Spuren geblieben ist. Die Aufeinanderfolge der Werke scheint danach folgende zu sein:

G_1, H, A_4, B_2, A_5,
B_1, A_3, G_2, A_2, F_2, A_6, O.

5. Die Regeln über das Rechnen mit den Minutien.

G_1 enthält von den Minutien nichts, rührt aber das 12. und 13. Kapitel der Gerbert zugeschriebenen Geometrie wirklich von diesem her, dann kannte und übte er auch das Rechnen mit den Minutien; denn es heisst dort: *neque enim sagacem geometrem minutiandi sollertiam decet ignorare* und weiter mit den Minutienzeichen des Victorius und Beda: 6⅛ ... *regulariter, quod*

*) Der *binarius* steht allerdings in der Columne der Zehntausender, aber 8 in der der Zehner; deshalb gilt der Zehntausender nur als Tausender, wie der Zusatz es rechtfertigt.

abacistae facillimum est, in se duco et $40\frac{1}{12}\frac{1}{36}$ *tetragonum invenio.* Näheres ist jedoch nicht angegeben.

Bei B_1 ist ein ganzer Abschnitt *de minutiis* vorhanden. Von der *figura minutiarum*, die der Verfasser von dem Architas gelernt hat, ist im III. Aufsatz (IX. Jahrg. S. 306—314) nachgewiesen, dass ihr Ursprung höchst wahrscheinlich in das Ende des 9. oder den Anfang des 10. Jahrhunderts zu setzen ist. Hier ist nun anzugeben, was der Verfasser selbst daraus macht. Ich habe dieses bereits in meinem Schriftchen über Gerbert S. 19—21 auseinandergesetzt. Die Zuthat des Verfassers ist das wiederholte Anschreiben der Buchstaben *angulariter* und die Beifügung der römischen Zahlzeichen, wie seine eigenen Worte sagen, zu dem Zweck: *ut si quando aliquis vel C vel* $\bar{I}$ *diminutionem vel* $\bar{\bar{X}}$ *vel* $\bar{C}$ *momentorum vel minutorum vel punctorum et deinceps proferre juberetur, sine ullius obstaculi impeditione ediceret.* Ich glaubte früher *diminutionem* in *denominationem* umändern zu müssen, habe aber unterdessen in dem Werke des Bernelinus den Ausdruck *diminutio* für „Kleinheit, kleine Summe" gefunden, was auch hier ganz gut passt, so dass eine Aenderung überflüssig ist. Was mit solchen Vorkehrungen gewonnen wird, ist nicht abzusehen, das aber, glaube ich, ist klar zu sehen, dass hier ein missglückter Versuch vorliegt, die Minutien in die Rechnung auf dem Abacus mit Columnen mit hineinzuziehen. Dazu fehlt es aber dem Verfasser an Vorgängern, und so bringt er es nur zu einem, noch dazu ungeschickten, Anschreiben und vermag diesem nur noch die Reductionszahlen der angegebenen Minutien beizufügen, von denen ich die für *punctus* und *minutum* in gleicher Weise noch nirgends finden konnte.*) Sollten sie vom Verfasser zum Theil ersonnen sein? Die Stellen, die ich

---

*) Im *cod. lat. monac.* 14836 finden sich F. 77[b]—78[a] folgende Angaben: *Hora habet punctos V, minuta X, partes XV, momenta XL, ostenta LX.* Ebenso ist *punctus* u. s. w. durch die folgenden Minutien ausgedrückt, die Brüche mit Worten. *Quadraginta septem athomi untiam constituunt, untiae XII faciunt momentum, momenta vero X congerunt punctum, puncta IIII horam implent, quae ex X minutis constat. Horae XXIIII diem cum nocte procreant. Ostentum habet athomos CCCLXXVI.* Ebendort steht F. 139[a]—143[b], was in der Ausgabe der *Gromatici veteres* von Lachmann Ps. I, S. 371,6—376, 5 sich findet. Dort heisst es S. 374,6—7. 9—13: *Libra dicitur, quicquid per duodenarii numeri perfectionem adimpletur. — Libra esse potest aequinoctialis dies sine sua nocte, qui constat XII horis, hora constat ex V punctis, X minutis, XV partibus, XL momentis, LX ostentis, hora autem diei secundum solis cursum V punctos habet, iuxta lunam IIII.* In B_1 aber ist gesagt: *Siliquam igitur vicesimam quartam partem solidi vel quadrantis designare proposuerunt. Puncto vero XXVIII*[am] (*XLVIII*[am]) *quadrantis partem significari sanxerunt. In puncto autem duo minuta et dimidium et in minuto IIII momenta esse asseruerunt.* — Die *puncta*, *minuta*, *momenta*, die im 1. und 3. Abschnitt mit *hora, partes, ostenta*, im 2. mit *hora, untia, athomi* in Verbindung gebracht sind, also allein für Zeitbestimmungen dienen, sind bei B_1 mit *quadrans* verbunden und so zur allgemeinen Bruchbezeichnung beigezogen.

im III. Aufsatz (S. 310—311) aus Alcuin's Briefen mittheilte, geben dieser Vermuthung eher Nahrung, als dass sie dieselbe entkräften.

Bei B_2 ist vor allem darauf aufmerksam zu machen, dass das 4. Buch *de unciis et minutiis* mit einem förmlichen Vorwort beginnt, in welchem ein Freund, ohne weitere Bezeichnung desselben, angeredet wird: *carius et desiderabilius ignota requiro et nota complector, quae tecum tractare desidero.* Dazu folgt, wie bereits oben erwähnt wurde, dieses 4. Buch nicht unmittelbar auf das 3., sondern Fremdartiges ist dazwischen eingeschoben, so dass also dieses 4. Buch jedenfalls ursprünglich ein selbstständiges Werk gewesen ist, das später dem verwandten Werk über das Rechnen auf dem Abacus beigesellt wurde. An einen anderen Verfasser als Bernelinus zu denken, ist zunächst kein Grund gegeben. Die Art, wie die Rechnung mit den Minutien durchgeführt wird, stimmt zu dem, was im Anfang des 1. Buches über die Einrichtung der Abacustafel gesagt ist und zu den Angaben im 2. und 3. Buche im Ganzen so, dass ein Zweifel an der Aechtheit dadurch nicht erregt wird.

Weiter ist zu beachten, dass der Verfasser sagt, dass er nach dem Werk des Victorius gearbeitet hat, und so findet sich denn auch zuerst im Wesen dasselbe, was Christ in den Sitzungsberichten der Akademie zu München 1863, S. 132—134 angiebt, nur noch mit Beifügung von *dragma, obolus, cerates, calcus*, ferner Ausführungen dessen, was im Commentar des Abbo (Christ, S. 137 und 139) als bei Victorius stehend angedeutet wird; wovon im III. Aufsatz bereits gehandelt wurde.

Nach diesen Entlehnungen aus dem Werk des Victorius ist im Codex von späterer Hand ein 5. Buch angedeutet, aber ganz gegen den Text, der nicht die mindeste Andeutung enthält, dass ein neues Buch beginnt, während solches bei den andern Büchern sich findet. Was aber folgt, ist die Verwendung der Minutienzeichen bei dem Rechnen mit Columnen; rechts an der Columne der Einer sind dazu noch 3 Columnen für die *unciae, scripuli, calci* hergestellt. Das Beispiel für die Multiplication, $12\frac{10}{12} \cdot 2\frac{1}{3}$, ist nicht bis zu Ende durchgeführt, von der Division ist aber ein Beispiel ($300 : 20\frac{1}{2}\,\frac{1}{576}$), obwohl etwas verwirrt und lückenhaft, doch so angegeben, dass sich folgende Darstellung davon geben lässt.

Zur Erleichterung des Druckes wende ich folgende Zeichen an: *c* = *calcus* = $\frac{1}{2304}$, *o* = *obolus* = $\frac{1}{576}$, *s* = *scripulus* = $\frac{1}{288}$, *e* = *emisecla* = $\frac{1}{144}$, *dr* = *dragma* = $\frac{1}{96}$, *sex* = *sextula* = $\frac{1}{72}$, *si* = *sicilicus* = $\frac{1}{48}$, *d* = *duella* = $\frac{1}{36}$, *se* = *semuncia* = $\frac{1}{24}$, *u* = *uncia* = $\frac{1}{12}$, *qa* = *quadrans* = $\frac{3}{12}$, *qi* = *quincunx* = $\frac{5}{12}$, *sem* = *semis* = $\frac{1}{2}$, *de* = *deunx* = $\frac{11}{12}$.

1. Art, nach der Weise der *divisio simplex* mit Bildung der Differenz auch von der letzten Ziffer des Divisors; *denominatio a toto.*

	C	X	I	u.	s.	c
Divisor.		2		*sem.*		o.
Differenz.		7	9	*qi.*	*se.d.dr.*	o.
1. Dividend.	3					
	3	2	1	*u.u.*	*s.*	o.
	2	1	7	*qa.*	*se.d.s.*	
2. "	2	3	8	*qi.*	*se.d.e.*	o.
3. "	1	9	7	*qi.*	*se.d.s.*	o.
4. "	1	7	6	*de.*	*se.d.s.*	
5. "	1	5	6	*qi.*	*se.d.*	o.
6. "	1	3	5	*de.*	*se.d.*	
7. "	1	1	5	*qi.*	*se.si.s.*	o.
8. "		9	4	*de.*	*se.si.s.*	
Rest.		1	2	*de.*	*se.sex.s.*	
Denominatio.			3			
			2			
			1			
			1			
			1			
			1			
			1			
			4			
		1	4			

1. Denominatio 3. 3.*o.* ==*s.o.*
3.*se.* =*u.se.* 3.*d.* —*u.*
3.*dr.* =*d.s.* 3.*qi.* =1.*qa.*
3.9 =27 3.7 =21.

Durch Addition erhält man den 2. Dividenden. Daraus ergiebt sich als 2. Denominatio 2. Mit dieser wird wie im Vorstehenden multiplicirt und dann werden die Ergebnisse addirt. Ebenso wird gerechnet bis zum 8. Dividenden, dann heisst es: *sublatis differentiis confer* (diesen Dividenden) *ipsis divisoribus.* 4 mal.
Rest 12 u. d. ü.
Summe der Denominationen 14.

2. Art, nach der Weise der *divisio composita* mit Bildung der Differenz nur bis zur vorletzten Ziffer des Divisors; *denominatio a partibus.*

	C	X	I	u.	s.	c.
Divisor.		2		*sem.*		o.
Differenz.			9	*qi.*	*se.d.dr.*	o.
1. Dividend.	3					
2. "		9	4	*de.*	*se.si.s.*	
3. "		3	3	*qi.*	*se.sex.s.*	o.
Rest.		1	2	*de.*	*se.sex.s.*	
Denominatio.		1	3			
			1			
		1	4			

Vom Dividend ist der 3. Theil zu nehmen. 3 in 300 100 mal, secundirt = 10. Damit werden die Differenzen multiplicirt und die Ergebnisse addirt, wodurch man den 2. Dividenden erhält. 3 in 90 30 mal, secundirt = 3. Herstellung des 3. Dividenden. 3 in 30 10 mal, secundirt = 1. Herstellung des 4. Dividenden, d. h. des Restes, weil er kleiner ist als der Divisor.

Die Durchführung ein und desselben Beispiels als *divisio simplex* und als *divisio composita* zeigt allerdings eine etwas grössere Klarheit, als die oben besprochenen Regeln über die Division, es geht aber nicht über das Maass hinaus, in dem das Werk des Bernelinus sich über die Arbeit Gerbert's überhaupt erhebt, und ist überdies mehr Sache der Praxis als der Theorie, in welcher Bernelinus schwächer gewesen zu sein scheint.

Es liegt aber hier ein gelungener Versuch vor, mit Minutien auf dem Abacus mit Columnen zu rechnen, freilich schwerfällig und umständlich genug.

A_1 handelt allein von der Division mit Minutien, weil „*de multiplicatione in libris plurimis tractatur habunde*“. Der Gang der Behandlung ist ähnlich wie bei Bernelinus; den Anfang bildet eine in seltsame Sprache gekleidete Auseinandersetzung über die Einheit (III. Aufsatz, S. 319); dann folgt die Angabe der Producte der *unciae in se et invicem* für die *minus capaces* mit den 2 dieselben ersetzenden Regeln (III. Aufsatz, S. 318—319); nach einer Rechtfertigung des Verfahrens, nach welchem die übrigen *minutiae* früher vorkommen, als von ihnen selbst gehandelt wird, und zwar mit Berufung auf den Satz des Boethius: *nullam rem nisi ab his, in quibus substantiam habeat, posse demonstrari*, ferner nach der ausdrücklichen Angabe, dass mit Willen die *minutiae* von den *unciae* unterschieden werden, folgt die Angabe der *minutiae* von *semunciae* bis *calcus* ausgedrückt als Theile der *uncia*. Dabei wird auf die *prima paginula huius libri* verwiesen, wie auch noch später an einer 2. Stelle, wonach vor dieser Abhandlung eine Tabelle der *unciae* und *minutiae*, ausgedrückt durch *scripuli*, sich muss befunden haben.*) Hierauf werden die *minutiae in se et invicem* wieder für die *minus periti* angegeben, für die *periciores* aber ebenso die zwei sie ersetzenden Regeln.

Man sieht also, die Herrschaft des *Calculus* des Victorius ist noch nicht ganz gebrochen, aber man fängt bereits an, solche Tabellen den *minus capaces* und *periti* zuzuweisen. Für die Division, die bei Victorius nur in Zerlegungen besteht, wird der Abacus mit Columnen zu Hilfe genommen. Ehe daher der Verfasser von dieser spricht, schickt er die Warnung voraus: *Jubeo autem et volo, operis quispiam non instet labori, ni peritia divisionis et multiplicationis in abaco succinctus accesserit.* Es ist aber die Division mit Differenzen, die er anwendet, weshalb zuerst die Differenzen für *deunx* bis *calcus* angegeben werden, die aber in der Handschrift wohl durch Schuld des Schreibers nicht alle vorhanden sind. Die Ausrechnung geschieht in derselben Weise, wie in B_2 bei der *divisio composita*, nur reicht, so scheint es wenigstens, eine einzige Columne für die *unciae* und *minuciae* aus. Danach scheint A_1 später als B_2 anzusetzen zu sein.

---

*) Dies wird bestätigt durch den *cod. lat. monac.* 14836, der auf F. 112ª—118ª das Nämliche enthält, was *cod. l. m.* 14689 auf F. 64ª—67ª. Auf F. 112ª steht aber, auf dem Rande zwar, jedoch von gleicher Hand wie das Uebrige, neben der Zeile

Uncia in unciam fit dimidia sextula	*XXIIII*
Sescuncia etc.	*XXXVI*
Sextas etc	*XLVIII*

und ebenso für *quadrans LXXII*, *triens XCVI*, *quincunx CXX*, *semis CXLIIII*, *septunx CLXVIII*, *bisse CXCII*, *dodras CCXVI*, *dextas CCXL*, *deunx CCLXIIII*, *us CCLXXXVIII*, dann unter einem rothen Strich: *Sem. XII*, *Duel. VIII*, *Sicil. VI*, *Sext. IIII*, Drag. III, *Dim. s. II*, *Scrp. I*, *Obol. M (media pars?)*, *Cerat. Q* (*quarta?*), Calcus O (*octava?*).

Bei G_2 finden sich im 4. *tractatus* nur mehr die Angaben der Theile des *as* und der *uncia*, dann wird sogleich ein Beispiel der *divisio conjuncta* gegeben, nach welchem sich der Leser die *divisio interrupta* bilden solle. Es wird aber dazu für die Minutien keine besondere Columne hergestellt, sondern die Minutienzeichen werden wie die Gobarziffern in die Columnen der Einer und Zehner eingetragen; ausdrücklich heisst es von einer *denominatio: pone* (*unciam*) *iuxta celentim in singulari arcu.* Das Beispiel ist, 100 *marcae* unter 11 *institores* zu vertheilen. Es wird dazu zuerst 100 mit 11 dividirt und die Denominatio 9 angeschrieben, dann wird das übrige eine Ganze in 12 *unciae* aufgelöst und dieses 12 so in die Columnen eingetragen, dass das Zeichen für 1 Unze bei den Zehnern, das für 2 bei den Einern steht; so kann also wieder wie bei ganzen Zahlen dividirt werden; die übrig bleibende *uncia* wird ebenso in 12 *emisseclae* aufgelöst, die eine *emissecla* in 12 *siliquae.* Launig heisst es dann am Schluss: *siliqua vero, quae remanet, indivisibilis est inter XI, detur igitur pro anima parentum, aut si vis probare, utrum bene diviseris, relinquatur, ubi jacet.*

Hier bedarf es wohl kaum noch der Hinweisung, wie die Benützung der Minutienzeichen eine rein äusserliche Sache geworden ist, in der That aber mit ganzen Zahlen gerechnet wird. Die Hauptlast der Minutien ist damit abgeschüttelt, wenn auch ihre Zeichen noch beibehalten wurden.

A_2 giebt zuerst die Minutien von *as* bis *calcus* an mit der Reducirung auf *scripuli*. dann wird die Aufgabe, wie viele *oboli, cerates, calci* auf ein *as* gehen, durch Multiplication der betreffenden Reductionszahlen gelöst, ebenso die Aufgabe, der wievielste Theil eine Minutie vom *as* ist, durch Division und zwar eine förmliche Division auf dem Abacus. Daran reiht sich die Lösung der Aufgabe, denselben Theil einer Minutie zu finden, der sie selbst von *as* ist, also Lösung der Aufgabe:

$$as : minutia = minutia : x.$$

Darauf stellt dann der Verfasser die Producte der *uncia in se* zusammen und lehrt noch die Auffindung beliebiger Theile der *unciae*. Er leistet also dasselbe, was Bernelinus und Victorius angeben, aber so, dass man einen Weg sieht, die Resultate durch einfache Rechnung zu finden, und also dem Gedächtniss nicht mehr die Last, sie festzuhalten, aufbürden muss. Von den Beispielen, die am Schluss gegeben werden, will ich das letzte mittheilen, weil es am deutlichsten zeigt, wie man auch der Zeichen der Minutien los zu werden wusste.

	$\bar{C}$	$\bar{X}$	$\bar{I}$	C	X	I
Divisor.					1	2
Differenz.						8
Dividend.	1	4	4			
		5	6	4	8	
		1		1	6	
		6		1	4	
		2	4	2	8	
			8	1	2	
		1	2		4	8
			4	8	1	6
			1	6	1	4
			1	4	2	8
			2	8	1	2
			1	2		
Denominatio.			7	6	6	6
			3	2	2	2
			1	1	1	1

Da die letzte Ziffer des Divisors 1 ist, so ist mit 2 zu dividiren.

2 in 14 7 mal.	7.8=56,	4+6=10, 1+5=6
2 „ 6 3 „	3.8=24	
2 „ 2 1 „	1.8= 8,	8+4=12
2 „ 12 6 „	6.8=48	
2 „ 4 2 „	2.8=16,	6+8=14, 1+1=2
2 „ 2 1 „	1.8= 8,	8+4=12
2 „ 12 6 „	6.8=48	
2 „ 4 2 „	2.8=16,	6+8=14, 1+1=2
2 „ 2 1 „	1.8= 8,	8+4=12
2 „ 12 6 „	6.8=48	
2 „ 4 2 „	2.8=16,	6+8=14, 1+1=2
2 „ 2 1 „	1.8= 8,	8+4=12.

Da 2 in 1 nicht mehr geht, so wird zu den Brüchen übergegangen, obwohl 12 in 12 1 mal enthalten ist. Denn es heisst unten: *Hanc autem absque minutiis consumassem, si voluissem; .... sed nolui, ut, quomodo huius divisionis minutiae dividi debeant, assignarem.*

Mit Differenzen wird daher weiter gerechnet:

12 *ass.*	= 24 *semiss.*	Quotient 1 *semiss.*	Rest 12 *semiss.*
12 *semiss.*	= 24 *quadr.*	„ 1 *quadr.*	„ 12 *quadr.*
12 *qu.*	= 36 *unc.*	„ 2 *unc.*	„ 12 *unc.*
12 *unc.*	= 24 *semunc.*	„ 1 *sem.*	„ 12 *sem.*
12 *semunc.*	= 24 *sicil.*	„ 1 *sic.*	„ 12 *sic.*
12 *sic.*	= 24 *dr.*	„ 1 *dr.*	„ 12 *dr.*
12 *dr.*	= 36 *scrip.*	„ 2 *scrip.*	„ 12 *scrip.*
12 *scrip.*	= 24 *obol.*	„ 1 *obol.*	„ 12 *obol.*
12 *obol.*	= 24 *ceral.*	„ 1 *ceral.*	„ 12 *ceral.*
12 *ceral.*	= 24 *calc.*	„ 1 *calc.*	„ 12 *calc.*

12 in 12 1 mal, also Quotient nochmals 1 *calcus.*

Nachdem nun gezeigt ist, wie von B_2 die Minutien zur Rechnung mit Columnen beigezogen wurden, in A_1 eine Vereinfachung des Verfahrens eintrat, in G_2 nur mehr die Zeichen figuriren, in A_2 auch diese verschwinden, so fehlt nur noch ein Beleg, dass man die Sache überhaupt fallen liess und auch die Namen nicht mehr anwendete.

Diesen giebt endlich O mit den Worten: *Quia haec vocabula minutiarum moderni non frequentant, paullatim notitia eorum fere periit.* Was der Verfasser selbst noch von den Minutien und der Rechnung mit ihnen angiebt, liefert dazu den vollständigsten Beweis. Sein Wissen ist ein bunt zusammengerafftes. Schon der Anfang zeugt davon: *Omnis unitas I integrum apud antiquos as vel libra vocatur.* Denkt man, dass Isidorus die Quelle für den Verfasser ist, wie das Folgende es vermuthen lässt, so begreift man, warum von *antiqui* gesprochen wird; es hätte der Verfasser aber jüngere Schriften finden können, in denen die Einheit *as* heisst, die aber freilich noch nichts von *1 integrum, integritates, integrae partes* (!) wissen, Ausdrücke, die erst dann auftreten, als die *minutiae* den *fractiones* weichen müssen. Die Namen der Minutien leitet derselbe theils *a graecis*, theils *ab effectu* her. Wie stark sein Wissen hierin ist, zeigen die Worte: *dextans, dodrans et bisse graecam etymologiam habere videntur.* Bei *Sescuntia* schwankt er zwischen *graeca* und *latina compositio.* Von *sicilicus* weiss er, dass er *apud Graecos et Ebraeos siclus vel sichel* heisst (nach Isidor). Man sieht, das *notitia eorum fere periit* passt auf das, was der Verfasser sagt. Er kommt hierauf *ad positionem earum in abaco.* Statt Regeln wird ein Beispiel gegeben, 1001 : 1000. Nachdem als Quotient 1 und als Rest 1 gefunden ist, wird in folgender Weise ein neuer Tausender als Dividend hergestellt: 1 *as* = 12 *unciae*, 1 zu den Zehnern, *sextans* (ζ) zu den Einern; 1 *uncia* = 24 *scripuli*, 2 zu den Hundertern, 4 zu den Zehnern; 1 *scripulus* = 6 *siliquae*, 2 . 6 = 12, 1 zu den Tausendern, 2 zu den Hundertern.

	$\bar{I}$	*C*	*X*	*I*	
				1	*as.*
			1	ζ	*unciae.*
		2	4		*scripuli.*
	1	2			*siliquae.*
Quotient.				1	*siliqua.*
			4	8	*scripuli.*
			o	*o*	*calci.*
			z		”

Wieder dividirt, 1 in 1 1 mal. Hierauf wird angefangen, den übrigen *sextans* weiter zu benützen. 1 *sextans* = 48 *scripuli*, 8 *scripuli* = 64 *calci*, *obolus* (*o*) und *cerates* (*z*) statt 6 zu den Zehnern, *obolus* (*o*) statt 4 zu den Einern; *et facta est divisio!*

Freilich sagt nun der Verfasser selbst, dass die *suspicio* entstehen könnte, mit den übrigen Resten möchte sich doch noch ein Tausender bilden lassen; er weist daher noch nach, dass dieses nicht der Fall ist, aber nur *causa exercendi ingenium.* Dass etwas übrig bliebe, ergehe eben nach dem Sprichwort: *nihil est omni parte beatum.* Den Schluss bildet die Tabelle: *As habet duos semisses* bis *MMCCCIV calculos* und das Umgekehrte *Semisse secunda pars assis* bis *calculus est bis millesima trecentesima* [*quarta*] *pars assis.*

Eine solche Arbeit mag für ein Werk des 10. Jahrhunderts halten, wer es vermag; ich kann mir nur eine Abfassungszeit denken, in der das Rechnen mit Minutien aufgehört hatte, praktisch geübt zu werden, weil es durch die veränderte Methode überflüssig geworden war, und nur, wer frühere Werke las, noch Anlass hatte, sich mit demselben zu beschäftigen. Deshalb denke ich mir die Aufeinanderfolge der besprochenen Werke in folgender Weise: B_1, B_2, A_1, G_2, A_2, O.

Jede der 5 Richtungen also, nach denen ich die mir zu Gebote stehenden Werke über das Rechnen mit Columnen prüfte, hat, ohne dass es ein besonderes Suchen oder kühner Deutungen bedurfte, eine natürliche sachmässe Entwickelung desselben erkennen lassen. Auf Grund derselben st sich die Zeit der Abfassung der einzelnen Werke relativ bestimmen, eine Relation, die durch Zusammenfassen der einzelnen Ergebnisse der 5 Untersuchungen, in folgender Weise darstellbar ist:

$$\begin{array}{l} G_1, \quad H, A_4, B_2, \quad A_5, \\ F_1, B_1 \quad A_1, A_3, G_2, \quad A_2, F_2, A_6, O. \end{array}$$

G_1, H, A_4, B_2, A_5 sind deshalb in eine Reihe gestellt, weil sie eine Abhängigkeit von einander deutlich erkennen lassen; bei der 2. Reihe findet ein gleiches Verhältniss nicht statt, aber die vorkommenden Aehnlichkeiten reichen nicht aus, weitere Sonderungen vorzunehmen.

Ist nun die naturgemässe Entwickelung des Rechnens mit Columnen nicht ein blosses Phantom, sondern habe ich den wirklichen Sachverhalt dadurch erkannt, dann ist für die Anhänge in der dem Boethius zugeschriebenen Geometrie und für die dem Odo von Clüny beigelegten *regulae super abacum* die Zeit ihrer Abfassung relativ wenigstens bestimmt. Erstere sind nach Gerbert's Werk anzusetzen und also dem Boethius abzusprechen, letztere gehören mindestens in das 12. Jahrhundert und haben den Abt von Clüny nicht zum Verfasser.

Die vorstehende Untersuchung stellt Gerbert's Schrift *de num. div.* als das älteste uns erhaltene Document über das Rechnen mit Columnen dar, aber nicht mehr in derselben Weise, wie in dem Schriftchen über Gerbert, S. 52—58, kann ich Gerbert als den Urheber der Multiplication und Division mit Columnen für die abendländischen Christen bezeichnen. Die Möglichkeit nämlich, die ich dort in der 25. Anmerkung andeutete, hat eine Wahrscheinlichkeit, die der Gewissheit nahe kommt, dadurch erhalten, dass Gerbert in seinen Briefen eine Schrift *de num. div.* von einem Joseph erwähnt, worauf ich durch Gerhardt's, erst später mir bekannt gewordenes Programm, Salzwedel 1853, S. 23, aufmerksam gemacht wurde.

In den *Epistolae Gerberti in Hist. franc. script. op. ac stud. Andreae du Chesne, Lut. Par.* 1636 heisst es S. 792 im 17. Brief an den Abt Geraldus: *De multiplicatione et divisione numerorum libellum a Joseph Hispano editum Abbas Guarnerius penes vos reliquit, eius exemplar in commune rogamus* und S. 794 im 25. Brief an den Bischof Bonifilius: *De multiplicatione et divisione numerorum Joseph sapiens sententias quasdam edidit, eas pater meus Adalbero Remorum Archiepiscopus vestro studio habere cupit.* Hiermit ist offenbar eine lateinisch geschriebene Anweisung über das Multipliciren und Dividiren bezeichnet, die an den Stätten Frankreichs gelesen wurde, an denen man Sinn für Wissenschaft hatte. Würde ein glücklicher Fund diese Schrift wieder ans Licht ziehen, so würde wohl über das Verhältniss von Gerbert's Schrift zu den Anhängen an der Geometrie des Boethius vollständige Klarheit gewonnen werden. So viel ist aber nun gewiss, dass man nach dem Nachweis einer solchen Schrift vor Gerbert's Schrift, keinen Anlass mehr hat, bei Gerbert zwei Schriften über den Abacus anzunehmen; es ist dann möglich, dass er die Tafel aus Leder mit den *apices* aus Horn blos zur praktischen Einübung der in dieser Schrift enthaltenen Sätze (*sententiae*) einführte. Damit bin ich aber weit von der Ansicht entfernt, die Cantor, S. 325, ausspricht: „Ich meine, Gerbert lehrte durchaus Nichts, was nicht lange vor ihm schon gelehrt worden wäre, aber er lehrte es, wie es noch nie gelehrt worden war". Von „lange vor ihm" kann keine Rede sein. Die oben angeführten Stellen zeigen, dass das Buch des Joseph damals ein gesuchtes Buch war, sein Inhalt also nicht ein längstbekannter sein konnte. Freilich ist das „wie" einer der Gründe, warum Gerbert als ein solcher Heros der Wissenschaft den späteren Zeiten erschien, aber das „was" ist doch die Hauptsache dabei. Nicht in so zweideutiger Weise war Gerbert ein Gelehrter, wie Cantor, S. 328—329, die Sache darstellt: „Zweitens ... darf man nicht vergessen, dass nach meiner Darstellung Gerbert nicht etwa als Knabe zu Hatto von Vich gelangte, sondern als junger Mann, der die Wissenschaft bereits besass, die er zu Haus sich erwerben konnte. Damals kannte er also die Rechenmethode des Abacus und er zeigte sich, möchte ich sagen, erst recht als Gelehrter dadurch, dass er nicht einsah, welch enormer Unterschied stattfindet zwischen dem bei Benützung der gezeichneten Rechentafel doch immer noch dem Sinne nach instrumentalen Rechnen einerseits und dem Zifferrechnen mit Hilfe der Null andererseits, dass er deshalb nichts neues in den arabischen Methoden erkannte und in der alten Gewohnheit befangen blieb." Sein geistiger Blick fand vielmehr in den Sätzen des Büchleins des Joseph, ungeachtet er von der Null nichts wusste, die Vorzüge der Anwendung von Ziffern statt einzelner Rechensteine, und er wusste durch die Erfindung von Ziffermarken und der in 27 Theile abgetheilten Tafel aus Leder die in Worten schwer darstellbaren, in Joseph's Büchlein gewiss nicht klarer als in Gerbert's Schrift selbst gegebenen Regeln praktisch leicht erkennbar zu machen. Auf Grund dieser Leistung, die nicht durch einen Wilhelm von Malmesbury überliefert ist, dessen Glaubwürdigkeit in Abrede gestellt werden kann, dessen Worte vom Abacus und den Regeln über denselben aber mehr Wahrheit enthalten, als ihnen geglaubt wird, sondern die von dem verlässigen Richerus (Pertz, *monum. Germ hist.* III, 618) bezeugt ist, auf Grund dieser Leistung nenne ich auch jetzt noch Gerbert den Urheber des Rechnens mit Columnen. Meine frühere Ansicht freilich, nach welcher dieses Rechnen in Indien seinen Ursprung hatte und vom 7. Jahrhundert an bei den Arabern sich verbreitete, ist unhaltbar geworden. Woepcke's*) sorgfältige Untersuchungen belehrten mich, dass die Gobarrechnung im Wesen identisch ist mit der indischen Arith-

*) Leider ist derselbe, ein Mann von seltener Freundlichkeit, am 25. März v. J. zu Paris gestorben.

metik und Spuren vom Rechnen mit Columnen bei den Arabern nicht zu finden sind. Dagegen fand ich in den vorstehenden Untersuchungen eine andere Spur, die als richtig sich zu bewähren scheint. Ich habe oben darauf hingewiesen, dass der Wortlaut von Gerbert's Regeln gar nicht nöthigt, die Bildung der Columnen vor dem Anschreiben der Rechnung vorzunehmen, dass er vielmehr vermuthen lässt, dass man die Columnen nach Bedürfniss bildete, und dann erst mit den Ueberschriften versah. *Sedes, lineae, paginae* sind die frühesten Bezeichnungen der Columnen, und Gerbert gebraucht überdies vorzugsweise die Ausdrücke *in decenis*, *in centenis* u. ä. Danach ist die Annahme nicht in der Luft schwebend, dass in der Zeit unmittelbar vor Gerbert auf dem Abacus bei der Anwendung der Gobarziffern, nicht in Gallien, sondern in Nordafrika und Spanien, Linien nur gezogen wurden, um die Plätze der Ziffern besser auseinander zu halten, ähnlich wie heut zu Tage die Schüler sich Linien zwischen die Ziffern ziehen, wenn bei grösseren Multiplicationen und Additionen die Stellung derselben unter einander nicht deutlich genug ist, und wie in den Rechnungsbüchern noch jetzt z. B. Fl., Xr, Pf. durch Linien getrennt werden. Solche Linien mussten um so mehr von dem gezogen werden, der die Null nicht kannte, oder den blossen Punkt dafür nicht für ausreichend hielt. Darin liegt der Keim zur Columnenrechnung und dies scheint nicht von Gerbert herzurühren, sondern der Zeit vor ihm anzugehören.

Dadurch aber, dass Gerbert die in 27 Theile abgetheilte Tafel aus Leder anwendete, fixirte er die Columnen und gab die Veranlassung, dieselben vor der Rechnung sich zu zeichnen;*) so wurde er der Urheber der äusseren Form des Rechnens mit Columnen und da mit diesen erst das Rechnen mit den Ziffern ohne Null brauchbarer, weil sicherer, und von Vortheil gegenüber dem Rechnen auf Linien wurde, so ist nicht zu viel gesagt, wenn man Gerbert den Urheber des Rechnens mit Columnen nennt. Den Keim dazu fand er in der Schrift des Joseph, er aber hat ihm zuerst eine verlässige Gestalt gegeben, an der durch zwei Jahrhunderte Gelehrte festgehalten haben. Die Linien, die Gerbert gezogen hatte, wurden später oben durch Bögen verbunden und damit kam das Wort *arcus* als Bezeichnung für die Columnen auf, wie sich oben gezeigt hat.

Wie kam es aber, dass man nicht *arcus Gerberti*, sondern *arcus Pythagorae* daraus machte? Und steht, was wir von der Rechenkunst der Araber aus jener Zeit wissen, mit dem, was vor Gerbert vorhanden gewesen sein soll, im Einklang?

---

*) Ob Gerbert auch zuerst das Darüberschreiben von I, X, C u. s. w. lehrte, oder ob dieses schon in der Schrift des Spaniers Joseph angewendet war, vermag ich nicht zu entscheiden, soviel aber erhellt aus dem Briefe an Remigius, dass diese Sache damals noch neu war; denn Remigius verstand die von Gerbert gebrauchte Form noch nicht.

Ich will auf die zweite Frage zuerst antworten. Als ich in Woepcke's Schrift *Sur l'introduction etc.* die dort mitgetheilten Abschnitte aus der Uebersetzung des Werkes des Alkhârizmî kennen lernte, fiel mir die Verwendung der Worte *differentia* und *mansio* zur Bezeichnung der Stelle einer Ziffer auf, so dass ich auf den Gedanken kam, es könnte Alkhârizmî selbst Linien gezogen haben. Seitdem habe ich den Text, den Boncompagni 1857 in Rom herausgab, mir verschaffen können, und fand allerdings dafür keine Angabe, wohl aber blieb die Aehnlichkeit im Gebrauch des Wortes *differentia* und *mansio* mit dem Gebrauch der Worte *singularis, deceni* u. s. w. bei Gerbert, und des Ausdruckes *arcus* bei den Späteren. Es ist die Rede S. 3 von *prima differentia unitatum, in qua duplicatur et triplicatur quicquid est inter unum etc. IX.*, ebenso von der *secunda differentia decenorum.* Von der Vereinigung der Ziffern heisst es S. 5: *Cum collecti fuerint in aliqua differentiarum .X. vel plus, erigantur ad superiorem differentiam et fiat de unoquoque .X. in superiori differentia unum.* Das Anschreiben *per IX literas* wird S. 11 mit folgenden Worten angegeben: *Posuimus duo milia tercentos .XXVI. per indas literas in IIII^{or} differentiis: fueruntque in prima differentia, quae est in dextera, .VI. et in secunda duo, qui sunt .XX. et in tercia tres, qui sunt tercenti et in quarta duo, qui sunt duo milia.* Alkhârizmî hätte nicht anders sich ausdrücken können, wenn er unter *differentia* und *mansio* nicht die blosse Stelle einer Ziffer, sondern Columnen für die Einer, Zehner u. s. w. verstanden hätte. Sein Werk, welches das Rechnen mit Columnen weit übertrifft, ist im christlichen Abendland erst im Beginn des 12. Jahrhunderts bekannt geworden, es hat also, obwohl er selbst circa 800 lebte, keine Wirkung auf die christlichen Gelehrten des 10. Jahrhunderts gehabt; aber es ergiebt sich doch aus den angegebenen Worten, in welcher Weise damals bei dem praktischen Rechnen geredet wurde, und was also die Abendländer aus dem Verkehr mit den Arabern zunächst entnehmen konnten: eine Benützung von 9 Ziffern in bestimmten Stellen. Ob die Anwendung der Null dabei übersehen wurde, oder ob auch bei den Arabern Striche die Ziffern beim Rechnen in der nöthigen Ordnung erhielten, überhaupt Einzelheiten des Uebergangs der indischen Rechnung nach Europa anzugeben, hiesse blosse Vermuthungen an einander reihen. Die bisher vorliegenden Anhaltspunkte sind dazu noch nicht ausreichend. Möge es ähnlichen Bemühungen, wie die Woepcke's, gelingen, auch hierüber Klarheit zu verschaffen!

Zu den noch aufzuklärenden Punkten gehören die Namen der Ziffern, deren Ableitung aus dem Griechischen, so scharfsinnig sie ist, doch noch viel zu künstlich ist, um als wahr gelten zu können. Die Auffindung des Namens *igin* in einigen Sprachen der Berbern (siehe Woepcke, *Journ. Asiat.* 1863, S. 53—54 in der Note, und Pott, die quinare und vigesimale Zählmethode, S. 111—113) giebt der Hoffnung Raum, dass die Auffindung der übrigen Namen, wahrscheinlich auf spanischem Boden, noch gelingen wird. Nur ein Ausdruck scheint aus dem Griechischen zu stammen; nämlich der Ausdruck *sipos*, wie man bisher annahm, für die Null. So viel ich weiss, ist zur Erklärung desselben der Umstand, dass in dem Zeichen desselben ein Dreieck oder α in den Kreis eingezeichnet erscheint, noch nicht beigezogen worden. Mir ist der Gedanke gekommen, dass dieses *sipos* gleichsam der Repräsentant der Marken sein könnte, welche Einige mit den Zeichen der griechischen Buchstaben anwendeten, so dass also *sipos* nur das Bild eines ψῆφος mit dem Gepräge α wäre. Die Verwendung der Buchstaben ist bei B_1 ausdrücklich bezeugt, und es wäre zugleich klar, warum neben den Gobarziffern auch die griechischen Buchstaben als die gebrauchten 9 Zeichen angegeben sind.

Einen andern Grund für die Bezeichnung der griechischen Buchstaben kann man in der Angabe der arabischen Schriftsteller finden, die ich im III. Aufsatz (S. 319—330) mitgetheilt habe. Es begegnet dort derselbe Titel: *de numerorum divisione*, den Gerbert's Werk führt, und zwar als Titel griechischer Werke, so dass eine ganz natürliche Brücke von den Griechen zu den Arabern hergestellt scheint, nach welcher mit Berücksichtigung des Werkes des Spaniers Joseph ein Weg für das elementare Rechnen aus Afrika über Spanien nach Gallien gebahnt ist. Wäre die Brücke aus Angaben verlässiger griechischer Schriftsteller aufzubauen, dann könnte man zu weiteren Schlüssen sich berechtigt glauben. Da aber arabische Quellen bisher allein von solchen Werken reden, so wage ich nur daran anzuknüpfen, dass sie davon reden.

Damit komme ich nämlich zu einer Antwort auf die Frage, wie die Columnen *arcus Pythagorae* haben genannt werden können. In den eben erwähnten Stellen wird dem Pythagoras ein Buch über die Arithmetik und Musik beigelegt und ein Buch Tafeln. Woepke gab im *Journ. Asiat.* 1863, S. 58—59 eine Stelle aus einem arabischen Ms., in welcher den Pythagoreern die Aufstellung von 6 Ordnungen der Zahlen beigelegt wird. Es geht daraus hervor, dass bei den Arabern Pythagoras und die Pythagoreer als Schriftsteller über die Arithmetik gelten und es also ganz erklärlich ist, dass es Werke bei ihnen gab, welche das elementare Rechnen als von Pythagoras ausgehend bezeichneten; waren doch Griechen die Lehrmeister der Araber in den Wissenschaften. Wenn dieselbe Tradition also auch im Abendland auftaucht, nachdem es besonders in Spanien mit der arabischen Wissenschaft, wenn auch noch so oberflächlich bekannt wurde, so liegt darin nichts unnatürliches, vielmehr ist es das Wahrscheinlichste, dass dasjenige, was von Pythagoras und den Pythagoreern im 10. Jahrhundert und den folgenden von lateinischen Schriftstellern berichtet wird, aus der arabischen Tradition entsprungen ist, natürlich mit Abrechnung dessen, was die eigene Phantasie der Abendländer dazu ersann. Wie leicht man es sich damals mit geschichtlichen Notizen machte, und wie Einer dem Andern nachschrieb, ist bekannt. Bedenkt man also, wie schwierig Gerbert's Werk für die damalige Zeit war, und dass sein Name nicht einmal seiner eigenen Schrift gewahrt blieb, so ist es leicht begreiflich, warum man sich an die Berichte über Pythagoras hielt und das Rechnen mit Columnen nach ihm benannte.

Wenn also Cantor S. 329 sagt, dass Nichts übrig bleibe, als den griechisch-römischen Ursprung des Abacus anzuerkennen, so gebe ich dieses nur zu von dem Abacus mit Linien; das Rechnen mit Columnen vermag ich nur bis Gerbert zurück zu verfolgen, und über ihn hinaus nur in so weit, als zu dem, was er glücklich gestaltete, der Keim in seiner Zeit bereits vorhanden war. Cantor folgt der Tradition, ich halte mich an die bisher vorliegenden Werke und Stellen aus denselben über die Sache selbst. Beides kann täuschen; ich glaube aber mit letzterem sicherer zu gehen.

XI.

Beiträge zur Geschichte der Fortschritte in der elektrischen Telegraphie.

Von Dr. EDUARD ZETZSCHE.

IV. Die Doppeltelegraphie.

(Zweite Abtheilung).

(Fortsetzung zu No. IX, Jahrg. X, S. 194.)

12. Gegensprecher von zur Nedden; mit 2 Relais ohne Zweigströme.

Gleichzeitig mit der bereits unter 3. erwähnten Methode des Gegensprechens gab Dr. zur Nedden (Dingler's Journal 138, S. 35 und 39) noch eine zweite in Fig. 18 skizzirte Methode an, bei welcher auf jeder Station 2 Relais mit einfacher Umwickelung in Anwendung kommen. Jedes der beiden Relais ist in der sonst üblichen Weise mit der Localbatterie und dem Schreibapparate in Verbindung gesetzt, so dass der Schreibapparat ein Zeichen niederschreibt, mag das eine oder das andere, oder auch beide Relais zugleich ansprechen. Die Relais R' und R'_1 haben Windungen aus Draht

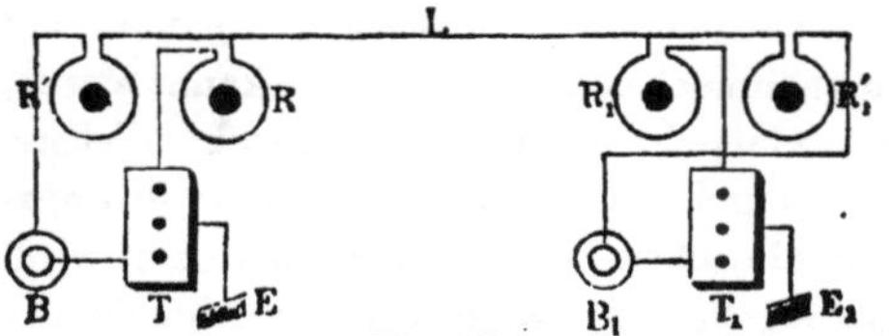

Fig. 18.

von $n$mal so grossem Querschnitte, wie die Relais R und R_1. Die Linienbatterien sind auf beiden Stationen mit entgegengesetzten Polen an den Taster geführt. Das Spiel der Apparate ist Folgendes: So lange kein Zeichen gegeben wird, ist kein Strom vorhanden. Wird ein Taster, z. B. T, auf den Arbeitscontact niedergedrückt, so geht der Strom seiner Batterie B durch sein Relais R', dasselbe spricht aber nicht an, weil die Feder am Relaishebel so stark gespannt ist, dass der Hebel unter der Einwirkung des Stromes von blos einer Batterie sich nicht bewegt; auf der Empfangsstation dagegen geht der Strom durch R_1, dieses spricht an, und der Schreibapparat schreibt. Sind beide Taster niedergedrückt, so sind blos die beiden Relais R' und R'_1 in den Stromkreis eingeschaltet und beide sprechen an, weil die Ströme beider Batterien sich jetzt zu einem doppelt so starken Strome summiren. Bleibt nun der eine Taster T niedergedrückt und der andere T_1 verlässt den Arbeitscontact, so ist, während T_1 schwebt, die Linie unterbrochen und deshalb setzen beide Schreibapparate aus, sofern nicht das Schweben nur so kurze Zeit dauert, dass trotz dieser Unterbrechung, und obgleich der Strom, welcher R' durchläuft, wenn T_1 den Ruhecontact erreicht hat, nur die einfache Stärke hat, die Relaisanker in R' und R'_1 beide haften bleiben.*) Dieser Uebelstand, welcher schon in ähnlicher Weise bei der Gintl'schen Einschaltung vorhanden war, lässt sich durch Hinzufügung der Zweigstromkreise mit W und W_1 nach Fig. 5 keineswegs beseitigen; obwohl man bei Wahl einer anderen Einschaltung des Schreibapparates solche Zweigstromkreise anwenden kann, so würde doch dann immer noch der Uebelstand bleiben, dass die den Schreibapparat in Gang setzende Localbatterie abwechselnd durch R und R' geschlossen wird, wodurch ebenfalls ein Absetzen oder Zerreissen in der Schrift des Schreibapparates herbeigeführt werden könnte. Um die bei der Tasterbewegung auftretenden Pausen, in welchen die Leitung ganz unterbrochen ist, zu verkürzen, schlägt zur Nedden einen Taster mit federnden Contacten vor; bei diesem wird eine mit der Erde verbundene, federnde Metallschiene, welche sich für gewöhnlich an die vorstehenden Zapfen einer durch das Relais R mit der Luftleitung L in Verbindung stehenden (also den Ruhecontact des Tasters vertretenden) durchbrochenen Platte anlegt, beim Niederdrücken des Tasterhebels durch einen mit einer Spiralfeder verbundenen, durch jene Platte hindurchgreifenden Stempel von den Zapfen entfernt und auf die mit der Batterie verbundene Contactschraube aufgelegt.

Zur besseren Regulirung der Stromstärken behufs der Erzielung einer dauernden gleichmässigen Ausgleichung der Ströme im eigenen Relais giebt zur Nedden (Dingler's Journal 138, S. 107) eine Idee zur Construction eines Selbstregulators.

*) Im letzterem Falle wäre freilich zu befürchten, dass der Anker in R' zu lange angezogen bleibt.

Die vorstehend beschriebene Einschaltungsweise stimmt, bis auf die unwesentliche Vertauschung der Luft- und Erdleitung, mit der dritten der drei Methoden von W. Kohl überein (Zeitschr. d. Tel.-Ver. IX, 77), welche besonders aushilfsweise Benutzung finden sollten, nämlich beim Schadhaftwerden der einen von zwei parallel laufenden Drahtleitungen. Die Erfindung dieser von Kohl angegebenen Einschaltungsweise nimmt der königl. hannoversche Telegraphen-Inspector C. Frischen (Zeitschr. d. Tel.-Ver. IX, 242) für sich in Anspruch, da sie ihm bereits im März 1855 patentirt sei. Ausserdem begegnet man derselben Einschaltungsweise noch einmal und zwar in der Zeitschr. d. Tel.-Ver. X, 248, woselbst sie der königl. preussische Telegraphen-Secretair F. Schaack vorschlägt, mit federnden Contacten an den Relaishebeln und mit der Bemerkung, es sei gut, wenn die beiden Relais R und R_1 polarisirte seien.

13. Gegensprecher von Kohl; mit 1 oder 2 Translationsrelais.

Nicht mehr Erfolg als von der eben beschriebenen Methode hat man sich von den beiden anderen von dem k. k. österreichischen Obertelegraphist Wilhelm Kohl 1862 aufgefundenen und in der Zeitschr. d. Tel.-Ver. (IX, 77) beschriebenen Methoden zu versprechen.

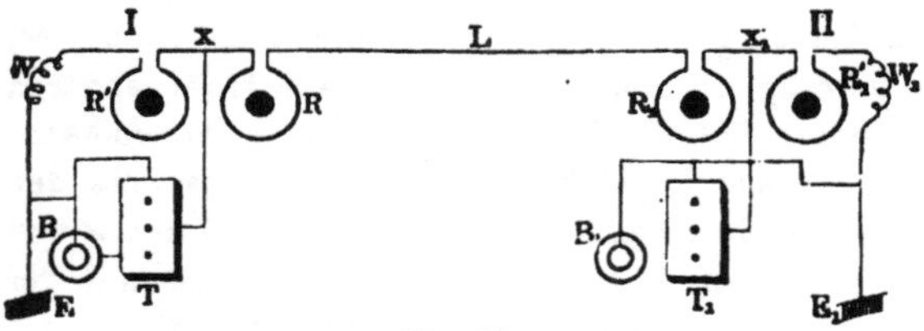

Fig. 19.

A. Bei der ersten sind ebenfalls zwei Relais in Anwendung und nach Fig. 19 eingeschaltet; es hat zwar der ankommende Strom in allen drei Lagen des Tasters auf der Empfangsstation einen Weg zur Erde, allein dessen ungeachtet steht ein Zerreissen der Zeichen auf dem Schreibapparate zu befürchten. Die angewendeten Relais sind Translations- oder Doppelcontactrelais (vergl. Zeitschr. f. Mathem. u. Phys. VI, 386); ihre Verbindung mit dem Schreibapparate M ist aus der leicht verständlichen Skizze Fig. 20 ersichtlich; der Strom der Localbatterie b durchläuft die Elektromagnetrollen des Schreibapparates M nur, wenn das eine Relais in Ruhe bleibt und gleichzeitig das andere anspricht, und nur in diesem Falle schreibt der Schreibapparat ein Zeichen; so lange dagegen beide Relaishebel an ihrem Ruhecontact, oder beide an ihrem Arbeitscontact, oder an keinem von beiden liegen, ist die Localbatterie b nicht geschlossen. Ist kein Taster niedergedrückt, so schreibt auch kein Schreibapparat, denn kein Relais spricht an. Ist blos der Taster T niedergedrückt, so verzweigt sich der Strom von

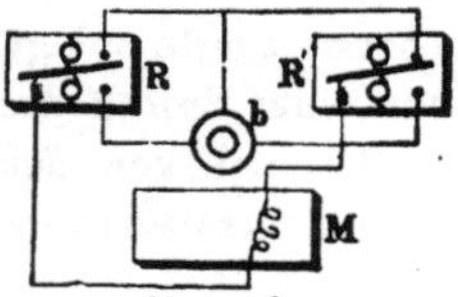

Fig. 20.

B durch *R'* und *W* einerseits und durch *R* und *L* andererseits; es sprechen daher auf der gebenden Station beide Relais an und der Schreibapparat schreibt nicht; auf der Empfangsstation dagegen geht der Strom (fast ausschliessend) blos durch R_1, dieses spricht an und der Schreibapparat schreibt. Sind beide Taster zugleich niedergedrückt, so ist, falls die beiden gleichmässig eingeschalteten Batterien beider Stationen gleich kräftig sind, in *R*, *L* und R_1 kein (bei mangelhafter Isolirung der Leitung ein schwacher) Strom vorhanden, *R'* und R'_1 dagegen werden von Zweigströmen durchlaufen, beide sprechen an und beide Schreibapparate schreiben. Ist blos *T* niedergedrückt und T_1 schwebt, so werden zwar wieder alle vier Relais von Strömen durchlaufen, aber es ist fraglich, ob der durch *R*, R_1 und R'_1 gehende Zweigstrom kräftig genug ist, diese Relais ansprechen zu lassen oder nicht; ob *R* anspricht, ist zwar für das Gelingen des Gegensprechens ohne besonderen Belang, degegen möchte man wünschen, dass auf der andern Station blos R_1 oder blos R'_1 anspräche, damit der Schreibapparat nicht aussetzt; indessen auch wenn blos R_1 oder R'_1 anspricht, kann besonders bei langsamem Spiel der Schreibapparat aussetzen, da er während der Tasterbewegung von der Schliessung durch R_1 zu der Schliessung durch R'_1 übergeht oder umgekehrt.

B. Ebenso misslich steht es um die andere Einschaltungsweise (Fig. 21), bei welcher nur ein Translatorrelais und ein Doppeltaster in Anwendung kommt, und bei welcher die den Schreibapparat in Bewegung setzende Localbatterie zugleich eine ähnliche Rolle spielt, wie bei dem Schreder'schen Gegensprecher die Hilfsfeder. Für gewöhnlich liegt der Relaishebel *h* an dem obern Contact *o* an, geht aber ein Strom durch das Relais *R*, so legt sich *h* an den untern Contact *u*; im ersten Falle ist der Kreis der Localbatterie *b* nur geschlossen und kann diese ihren Schreibapparat nur ansprechen lassen, wenn gleichzeitig der Taster *T* derselben Station niedergedrückt ist, im letzteren nur, wenn dieser Taster ruht. Wird also blos ein Taster niedergedrückt, so durchläuft der Strom zwar die Relais beider Stationen und beide sprechen auch an, allein nur auf der Empfangsstation schreibt der Schreibapparat. Werden beide Taster gleichzeitig niedergedrückt, so ist bei Anwendung gleicher Batterien (und guter Isolirung) gar kein Strom in der Leitung, beide Relais bleiben in Ruhe und beide Schreibapparate schreiben, da eben beide Taster niedergedrückt sind. Beim Schweben eines Tasters ist wieder die Linie gänzlich unterbrochen, und ausserdem wechselt die Schliessungsweise jedes Schreibapparates beim Spielen des Tasters der andern Station.

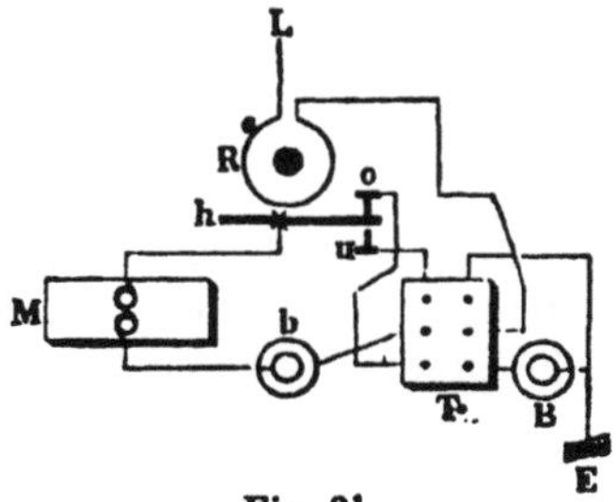

Fig. 21.

Bei Aufsuchung seiner Methoden hatte sich Kohl die Aufgabe gestellt, zu untersuchen, ob sich bei eingetretener Störung auf der einen von zwei parallelen Linien eine Einrichtung treffen lässt, um beide Leitungen der Doppellinie nebst den dazu gehörigen Apparaten und Beamten nach erfolgter Ausschaltung der Fehlerstelle so zu verbinden und zu beschäftigen, dass möglichst eben so geleistet wird, als wenn gar keine Störung vorhanden wäre; interessant ist die in der Zeitschr. d. Tel.-Ver. (IX, 80 ff.) gegebene Anwendung der vorstehenden Methoden für diesen Zweck.

14. Einige andere Methoden des Gegensprechens mit 2 Relais.

Eine nähere Betrachtung der zuletzt beschriebenen Methoden des Gegensprechens führte mich Anfang 1863 auf einige andere, zum Theil wenigstens etwas vortheilhaftere Methoden.

Ausser den von Kohl und zur Nedden benutzten Einschaltungen des Schreibapparates sind nämlich noch verschiedene andere anwendbar. Eine derselben, welche im Nachfolgenden vorwiegend angewendet werden soll, ist in Fig. 22 skizzirt. Die beiden gewöhnlichen (nicht Translator-) Relais R und R' sind mit dem Schreibapparat M und den beiden gleichen Localbatterien b_1 und b_2 so verbunden, dass der Schreibapparat schreiben muss, so bald nur ein Relais R oder R' anspricht; dagegen schreibt der Schreibapparat nicht, so lange kein oder beide Relais ansprechen, denn im ersteren Falle sind beide Batterien offen, im letzteren beide kurz (oder durch M in entgegengesetztem Sinne) geschlossen.

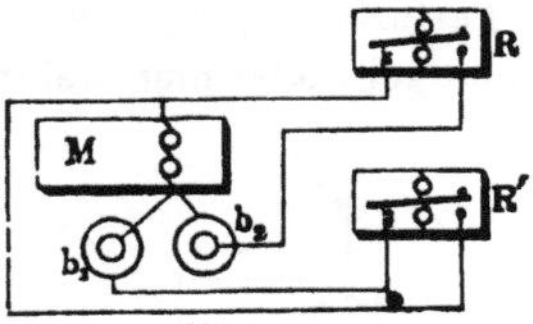

Fig. 22.

Eine andere Einschaltung des Schreibapparates zeigt Fig. 23; es sind dabei 2 Translatorrelais R und R' derart mit dem Schreibapparate M verbunden, dass letzterer nur schreibt, wenn beide Relais zugleich und wenn keins anspricht; wenn dagegen nur ein Relais anspricht und während der Bewegung des Relaishebels ist die den Schreibapparat schliessende Localbatterie b offen.

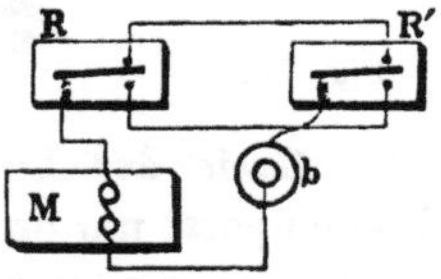

Fig. 23.

Fasst man die Zeitdauer ins Auge, während welcher der Strom der Localbatterie bei der einen Methode von Kohl und der von zur Nedden bei jedem Niederdrücken des eigenen Tasters unterbrochen wird, so findet man, dass sie aus zwei Theilen besteht; der Localstrom wird nämlich unterbrochen, sobald der Taster den Ruhecontact verlässt, und wird erst wieder hergestellt, wenn der Taster den Arbeitscontact erreicht hat und darauf durch den nun wieder hergestellten Linienstrom der Hebel des andern Relais angezogen worden ist. Die Zeit der Unterbrechung besteht also aus der Zeit, die zur Tasterbewegung, und aus der Zeit, die zur Bewegung des Relaishebels nöthig ist.

A. Von der Tasterbewegung lässt sich unter Benutzung der in Fig. 22 dargestellten Einschaltung des Schreibapparates die Zeitdauer jener Unterbrechung leicht unabhängig machen. So z. B. bei der ersten Methode von Kohl (Fig. 19), wenn man die Leitung nach dem zweiten Relais *R'* nicht von *x* abzweigt, sondern von dem Punkte, wo die Luftleitung in das Relais *R* eintritt; allein dann wird die Ausgleichung in *R* noch schwieriger zu erreichen sein. Eher dürfte u. A. die in Fig. 24 skizzirte Einschaltung zum Ziel führen. Bei ihr ist die Batterie so eingeschaltet, wie es Dr. Gintl (Zeitschr. d. Tel.-Ver. II, 136) 1855 für den chemischen Schreibapparat vorschlug, und es findet der ankommende Strom in allen Stellungen des Tasterhebels auf der Empfangsstation einen Weg zur Erde, und zwar geht er ganz durch das Relais *R* und wegen des Widerstandes *W* zum bei weitem grössten Theile entweder über den Ruhecontact 3 des Tasters *T* oder durch die Linienbatterie *B*, daher spricht bei ruhendem Taster nur *R* an und der Schreibapparat schreibt. Auf der gebenden Station dagegen sendet die Batterie *B* ihren Strom von *x* aus durch beide Relais *R* und *R'* und der Schreibapparat schreibt nicht. Werden die Taster beider Stationen zugleich niedergedrückt, so gleichen sich (bei genügender Isolirung der Luftleitung) die Ströme der beiden Linienbatterien auf dem Relais *R* jeder Station aus und beide Schreibapparate schreiben. Während der Tasterhebel auf der Empfangsstation bewegt wird, ändert sich die Stärke des Linienstroms nur wenig. Durch federnde Contacte am Relaishebel kann man die Unterbrechung des Localstromes während des Wechsels der denselben schliessenden Relais *R* und *R'* verkürzen. Will man die starke Abnutzung der Linienbatterien durch den kurzen Schluss bei ruhendem Taster vermindern, so bringt man zwischen *B* und *y* einen Umschalter an, durch welchen für die Zeit, wo nicht oder nur einfach gesprochen wird, *B* ganz ausgeschaltet oder auf den Arbeitscontact des Tasters *T* eingeschaltet und gleichzeitig das Relais anders eingeschaltet wird.

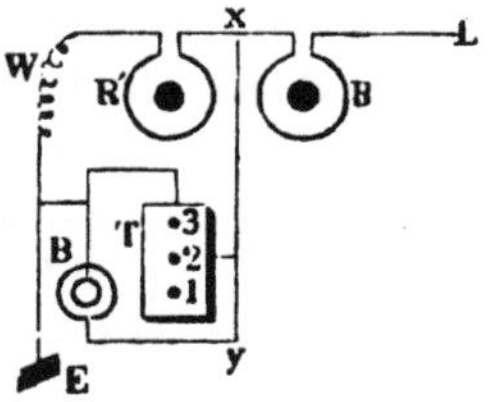

Fig. 24.

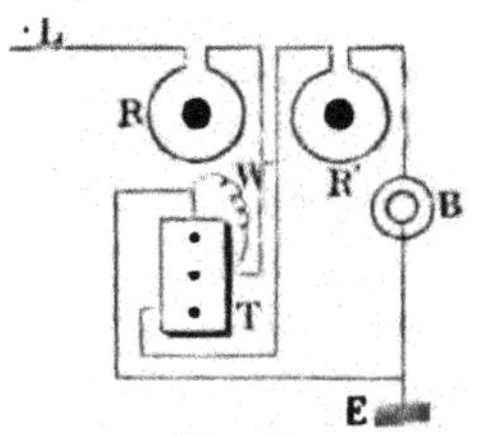

Fig. 25.

B. Eine noch andere, ähnliche und daher leicht zu verstehende Einschaltung zeigt Fig. 25. Luft- und Erdleitung lassen sich auch mit einander vertauschen. Der Schreibapparat ist nach Fig. 22 eingeschaltet.

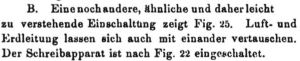

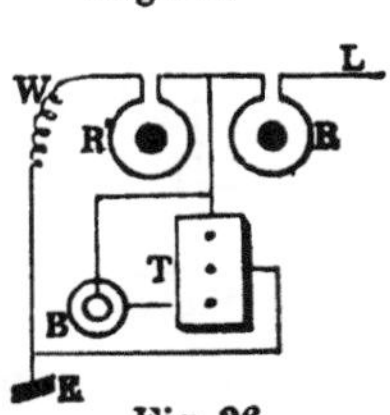

Fig. 26.

C. Auch bei der Einschaltung nach Fig. 26 (welche Fig. 19 äusserlich sehr ähnlich ist) ist der Schreibapparat nach Fig. 22 einzuschalten. Der abgehende Strom durchläuft, mag der Taster der Empfangsstation ruhen oder schweben, auf der gebenden Station stets *R* und *R'*, beide sprechen an und deshalb schreibt der Schreibapparat nicht. Auf der Empfangsstation dagegen geht der ankommende Strom bei ruhendem Taster wegen des Widerstandes *W* fast ganz durch *R*, dieses spricht an und der Schreibapparat schreibt; bei schwebendem Taster dagegen geht der Strom zwar durch *R* und *R'*, allein die Feder an *R'* ist so stark gespannt, dass nur *R* ansprechen kann, und der Schreibapparat schreibt wieder. Liegen endlich beide Taster auf dem Arbeitscontacte, so gleichen sich die Ströme der beiden gleich starken und mit demselben Pole an den Taster geführten Linienbatterien in den Relais *R* aus, die Relais *R'* beider Stationen sprechen auf die sie durchlaufenden Zweigströme an, und beide Schreibapparate schreiben.

D. Wollte man aber die Unterbrechung des Localstromes während der Tasterbewegung auf der Empfangsstation ganz beseitigen, so müsste man die Einschaltung (Fig. 27 oder 28) so wählen, dass die ankommenden Zeichen stets auf demselben Relais, z. B. *R*, erscheinen. Die Ausgleichung muss dann in *R'* erfolgen, und wird schwieriger zu erreichen sein. In Fig. 27 sind die Batterien beider Stationen mit demselben Pole an den Taster geführt und die Schreibapparate nach Fig. 22 eingeschaltet. Wenn keine Station spricht, so bleiben alle 4 Relais in Ruhe. Hat blos eine Station den Taster niedergedrückt, so geht der ganze Strom in dieser Station durch das Relais *R'* und Theilströme durch das Relais *R* und durch die Luftleitung *L*; auf der gebenden Station werden daher beide Relais ansprechen und der Schreibapparat nicht schreiben; auf der Empfangsstation dagegen kann der aus *L* kommende Strom seinen Weg nur durch das Relais *R* nehmen, dieses wird ansprechen und der Schreibapparat schreiben; dabei ist aber der auf der Empfangsstation durch *R* gehende Strom schwächer, wenn daselbst der Taster schwebt, als wenn er ruht. Wenn endlich beide Stationen zugleich sprechen, so ist in der Luftleitung gar kein Strom und nur die Zweigströme durchlaufen auf jeder Station *R* und *R'* zugleich. Diese Zweigströme sind nun zwar um so schwächer, je grösser der Widerstand *W* im Vergleich mit dem Widerstande der Luftleitung ist; um aber nicht in *R* zu verschiedene Stromstärken zu erhalten und um das Verhältniss zwischen den in *R* zur Wirkung kommenden und den überhaupt von den Linienbatterien gelieferten Strömen günstiger zu gestalten, wird man lieber *W* nicht zu gross, dafür aber *R'* weniger empfindlich machen, z. B. die Multiplicationsrollen in *R'* nur aus wenig Windungen bestehen lassen, oder vielleicht gar in einer entsprechenden Nebenschliessung an *R'* einen Theil des Stromes die Rollen von *R'* umgehen lassen.

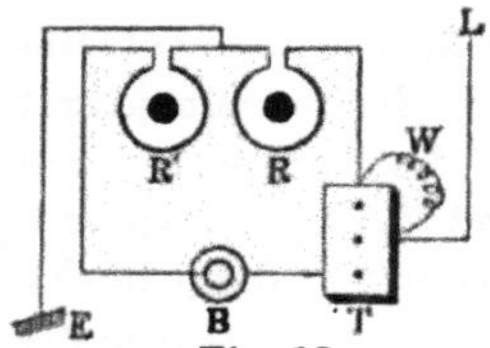

Fig. 27.

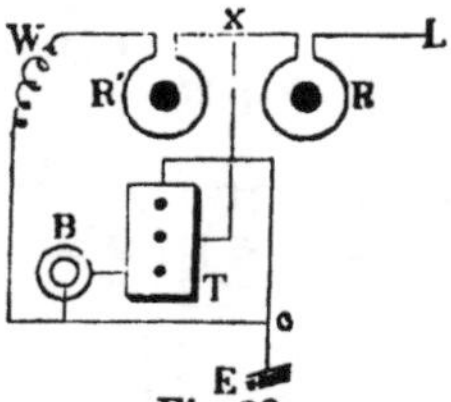

Fig. 28.

E. In Fig. 28 ist zwar wieder die Einschaltung des Schreibapparates nach Fig. 22 vorausgesetzt, allein die Linienbatterien beider Stationen sind (im Gegensatz zu der Einschaltung in Fig. 19) mit entgegengesetzten Polen an den Taster geführt. Wenn keine Station spricht, sind die beiden Linienbatterien nicht geschlossen. Wenn blos eine Station ihren Taster niedergedrückt hat, so durchlaufen auf der gebenden Station zwei Zweigströme die Relais *R* und *R'*, beide sprechen an und der Schreibapparat schreibt nicht; auf der Empfangsstation aber geht der ankommende Zweigstrom bei ruhendem Taster fast nur durch *R*, dieses spricht an und der Schreibapparat schreibt, bei schwebendem Taster dagegen geht ein schwächerer Strom durch *R* und *R'* zugleich, ersteres muss ansprechen, letzteres durch stärkere Federspannung am Relaishebel in Ruhe bleiben, damit der Schreibapparat schreibt. Wenn endlich beide Taster zugleich niedergedrückt sind, so erhält man in den Relais *R* beider Stationen zwei gleich gerichtete, in den Relais *R'* aber zwei entgegengesetzt gerichtete Zweigströme, und zwar müsste die Differenz der beiden letzteren so klein sein, dass die Relais *R'* nicht ansprechen und deshalb dann beide Schreibapparate schreiben; dies wird sich um so eher erreichen lassen, je kleiner der Widerstand von *a* bis *c* durch *W* gegen den Widerstand von *a* bis *s* durch *B* ist.

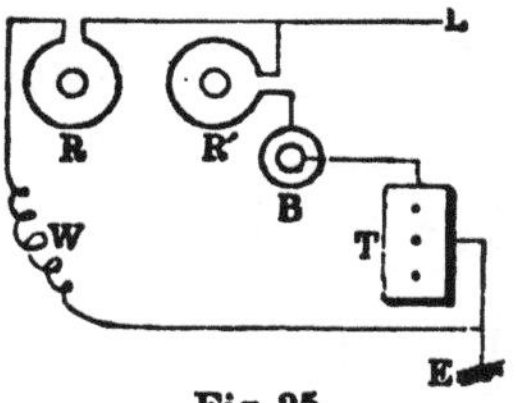

Fig. 25.

F. Wählt man die Einschaltung des Schreibapparates nach Fig. 23, so kann man für das Telegraphiren mit Ruhestrom die Apparate nach Fig. 29 einschalten. Wird dabei kein Taster niedergedrückt, so sind beide Linienbatterien geschlossen, da aber die Batterien mit gleichnamigen Polen an die Taster geführt sind, so ist in der Leitung *L* zwar kein Strom vorhanden, aber alle Relais werden von Strömen durchlaufen, allein die Relais *R'* haben so starke Federspannung, dass sie nicht ansprechen, also die Schreibapparate beider Stationen in Ruhe bleiben. Ist ein Taster niedergedrückt, so ist seine Linienbatterie ausgeschaltet, der Strom der andern Station geht dann auf der sprechenden Station nur durch *R*, dieses spricht an und der Schreibapparat schreibt wieder nicht, auf der andern Station aber geht jetzt ein stärkerer Strom durch *R'* und verzweigt sich dann nach *R* und nach *L*, es sprechen daher hier beide Relais an und der Schreibapparat schreibt. Werden beide Taster gleichzeitig niedergedrückt, so sind die Batterien beider Stationen ausgeschalten, kein Relais spricht an und beide Schreibapparate schreiben. Die Ausschaltung jeder Batterie tritt hierbei sofort ein, wenn ihr Taster den Ruhecontact verlässt.

15. Drei Gegensprecher mit 1 Relais und Ausgleichung zwischen dem ganzen Strome und einem Theilstrome.

Bezüglich der unter 14. besprochenen Methoden drängt sich die Frage auf, ob sich nicht die bei ihnen verwendeten 2 Relais mit einfacher Umwickelung in 1 Relais mit doppelter Umwickelung vereinigen lassen. Bei näherer Untersuchung zeigt sich, dass dies beim Telegraphiren mit Ruhestrom und der Einschaltung nach Fig. 29 nicht geht, wenn man nicht den Schreibapparat so einschaltet, dass er schreibt, wenn der Relaishebel am Ruhecontact liegt, und dass, wenn die eine Station den Taster niederdrückt, der von der fremden Station kommende durch W gehende Strom das Relais der ersten Station noch ansprechen lässt, während auf jener fremden Station doch die Ausgleichung zwischen dem dort durch W_1 gehenden Theilstrome und dem ganzen Strome so vollkommen ist, dass dort der Relaishebel an den Ruhecontact zurückgeht. Die aus Fig. 28 und Fig. 26 sich ergebenden Einschaltungen stimmen wesentlich mit der Einschaltung Fig. 7 von Frischen überein; auch Fig. 27 unterscheidet sich von letzterer nur rücksichtlich der Einschaltung der Batterie am Taster. Aus Fig. 25 und 27 aber erscheinen die zwei in Fig. 30 und 31 skizzirten Einschaltungen, welche mit der aus Fig. 20 sich ergebenden die Eigenthümlichkeit gemeinschaftlich haben, dass der fortgehende Strom im eigenen Relais sich mit dem einen seiner Theilströme ausgleichen muss, wobei eine Veränderlichkeit des Widerstandes der Luftleitung möglicher Weise minder störend auf das Gegensprechen einwirken kann, als wenn die Ausgleichung zwischen den 2 Zweigströmen erfolgen muss.

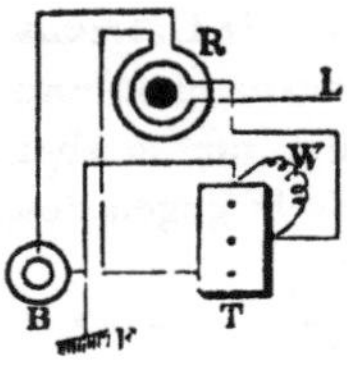

Fig. 30.

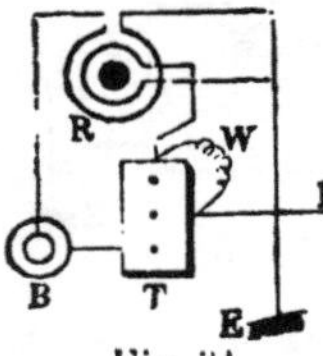

Fig. 31.

Bei der Einschaltung nach Fig. 30 seien die Batterien beider Stationen mit gleichnamigen Polen an den Taster geführt und es mögen die innern Windungen $\frac{9}{4}$ mal so zahlreich sein, als die äusseren. Der Widerstand W sei dem Widerstande der Luftleitung gleich und der Widerstand der Batterie werde vernachlässigt. So lange kein Taster niedergedrückt ist, sind beide Batterien offen. Ist ein Taster niedergedrückt, so bleibt, jenachdem der Taster der andern Station ruht oder schwebt, auf der gebenden Station im Relais die magnetisirende Kraft $1 - \frac{9}{4} \cdot \frac{1}{2} = -\frac{1}{8}$ oder $\frac{3}{4} - \frac{9}{4} \cdot \frac{1}{4} = +\frac{3}{16}$, auf der Empfangsstation dagegen $\frac{9}{4} \cdot \frac{1}{2} = \frac{9}{8}$ oder $\frac{9}{4} \cdot \frac{1}{4} = \frac{9}{16}$; bei entsprechender Federspannung wird in beiden Fällen das Relais der gebenden Station nicht ansprechen, das Relais der Empfangsstation dagegen den Schreibapparat schreiben lassen. Werden beide Taster niedergedrückt, so ist bei genügender Isolirung in der Luftleitung gar kein Strom, aber auf beiden Stationen wird die äussere Umwickelung und der Widerstand W durch einen Strom $\frac{1}{2}$ durchlaufen und dessen magnetisirende Kraft ist ebenfalls $= \frac{1}{2}$, weshalb beide Relais ansprechen. Lässt der eine Taster los, so sinkt während seines Schwebens die magnetisirende Kraft in dem Relais seiner Station von $\frac{1}{2}$ auf $\frac{9}{16}$, auf der andern von $\frac{1}{2}$ auf $\frac{3}{16}$ herab, es wird daher ersteres Relais seinen Anker angezogen erhalten, *letzteres loslassen.*

Aehnlich sind die Erscheinungen, wenn man bei der Einschaltung nach Fig. 31 die Zahl der innern Windungen $\frac{15}{8}$mal so gross macht, als die Zahl der äussern Windungen. Ist blos ein Taster niedergedrückt, so ist bei ruhendem zweiten Taster die magnetisirende Kraft im Relais der gebenden Station $1 - \frac{15}{8} \cdot \frac{1}{2} = \frac{1}{16}$, auf der Empfangsstation $\frac{15}{8} \cdot \frac{1}{2} = \frac{15}{16}$; während der andere Taster schwebt, ist die magnetisirende Kraft auf der gebenden Station $\frac{3}{4} - \frac{15}{8} \cdot \frac{1}{2} = \frac{3}{16}$, auf der Empfangsstation dagegen $\frac{15}{8} \cdot \frac{1}{4} = \frac{15}{32}$; in beiden Fällen soll das Relais der erstern Station in Ruhe bleiben, das der letztern ansprechen. Sind beide Taster niedergedrückt, so ist wieder in beiden Relais ein Strom von der halben Stärke und der magnetisirenden Kraft $\frac{1}{2}$ vorhanden und auf diesen müssen beide Relais ansprechen.

16. Gegensprecher ohne Zweigströme und ohne Ausgleichungsbatterien.

Die in 9. besprochene und in Fig. 14 skizzirte Einschaltung von Schaack veranlasste mich Anfang November vorigen Jahres, zu untersuchen, ob sich nicht eine Einschaltung angeben liesse, bei welcher die Batterien vollständig ausgenutzt und kein Theil des von ihnen gelieferten Stromes, sei es in einem Zweigstromkreise, oder sei es im Schliessungskreise einer Ausgleichungsbatterie, für das Telegraphiren verloren ginge, vielmehr der ganze Batteriestrom durch die Luftleitung nach der andern Station entsendet würde. Bei einer Einschaltung nach Fig. 32 dürfte dies erreichbar sein. Die Relais R und R_1 haben gewöhnliche Anker aus weichem Eisen; die innere, einerseits mit der Luftleitung, andrerseits mit der Axe des Tasterhebels verbundene Lage der doppelten Umwickelung der Elektromagnetkerne des Relais hat doppelt so viel Windungen, als die äussere Lage, welche einerseits mit der Erde, andrerseits mit dem einen Batteriepol verbunden ist. Die Telegraphirbatterien beider Stationen sind mit entgegengesetzten Polen an den Arbeitscontact des Tasters geführt. So lange kein Taster niedergedrückt ist, also beide ruhen oder schweben, ist keine Batterie geschlossen und kein Relais spricht an. Ist blos ein Taster niedergedrückt, z. B. T, so ist dessen Batterie geschlossen und ihr Strom durchläuft beide Windungen von R (aber in entgegengesetzter Richtung), die Luftleitung L und die innern Windungen von R_1; auf der Empfangsstation wird daher das Relais R_1 ansprechen, während auf der gebenden Station nur die Hälfte der magnetisirenden Kraft des Stromes in R wirksam bleibt und die Abreisfeder dieses Relais so stark gespannt sein muss, dass es auf diese Kraft nicht anspricht. Sind beide Taster gleichzeitig niedergedrückt, so ist eine Batterie und eine äussere Relaisumwickelung eingeschaltet, der Widerstand also nicht viel grösser, als wenn blos ein

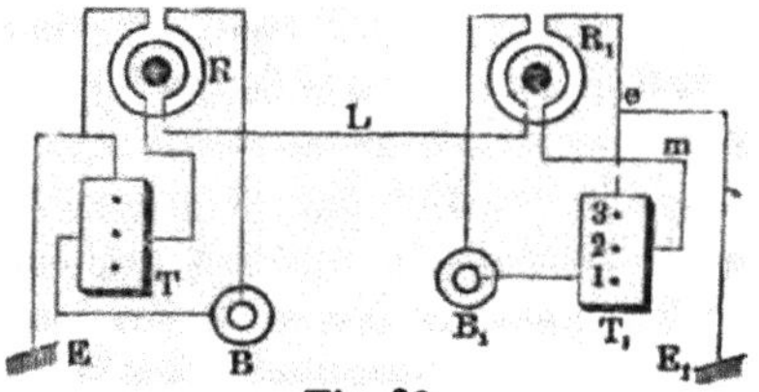

Fig. 32.

Taster niedergedrückt ist, und deshalb ist jetzt der Strom fast doppelt so stark als vorher, die magnetisirende Kraft in beide Relais ist ebenfalls fast verdoppelt und beide Relais sprechen an. Wenn endlich blos ein Taster niedergedrückt ist und der andere schwebt, so ist keine Batterie geschlossen, da die Leitung unterbrochen ist; um nun ein Zerreissen der Zeichen, ein Auflösen der Striche in Punkte zu verhüten, muss die Zeit des Schwebens möglichst verkürzt werden; man kann dem Taster federnde Contacte geben, oder etwa auch dem Taster eine Einrichtung geben, wie Fig. 33 zeigt. Die Einschaltung des Tasters deuten die Buchstaben *m* und *e* in Fig. 32 und 33 an. Dabei ist der mit dem Arbeitscontacte versehene Arm des Tasterhebels *ab* kürzer, als der andere Arm, welcher bei *b* eine Stellschraube zur Regulirung des Hubes und einen ebenfalls stellbaren Stift *c* trägt; letzterer hebt beim Niederdrücken des Tasters den durch eine Feder *f* auf den Contact bei *d* aufgedrückten Hebel *de* zur rechten Zeit schnell von diesem Contacte los. Bei dieser Anordnung genügt ein kleines Niedergehen des Tasters bei *a*, um bei *d* den Hebel *de* merklich abzuheben. Jedenfalls aber muss dieses Abheben dem Auftreffen des Tasterhebels auf dem Arbeitscontacte ein wenig vorausgehen, damit ein kurzer Schluss der Batterie durch die äussere Windungslage verhütet werde, weil dieser das eigene Relais ansprechen lassen würde. Sind beide Taster niedergedrückt und wird dann der eine losgelassen, so verschwindet der Strom in dem Relais der andern Station nicht ganz, sondern er wird nur schwächer; der Hebel dieses Relais wird deshalb um so leichter haften bleiben, anstatt in die Ruhelage zurückzugehen, je mehr von dem Strome unterwegs durch Ableitungen verloren gegangen ist und je mehr die Windungen in der äussern Lage denen in der innern Lage an Zahl gleich kommen. Je zahlreicher aber umgekehrt die Windungen der äussern Lage im Verhältniss zu denen der innern Lage kommen, desto näher rücken sich wieder die Stromstärken, auf welche das Relais beim Niederdrücken eines Tasters ansprechen soll oder nicht. Wenn nun auch im Ganzen bei dieser Einschaltung eine Veränderlichkeit der Widerstände in der Luftleitung um so weniger störend auf das Gegensprechen einwirken kann, weil stets der ganze Strom der Batterie die Linien durchläuft und deshalb auch bei gleich kräftigen Batterien stärkere Ströme auf der Empfangsstation ankommen, als bei anderen Einschaltungen zum Gegensprechen, so wird doch diese Einschaltung nur anwendbar sein, wenn die absolute Grösse des Stromverlustes durch die Ableitungen oder Nebenschliessungen auf der Leitung eine gewisse Grenze nicht überschreiten.

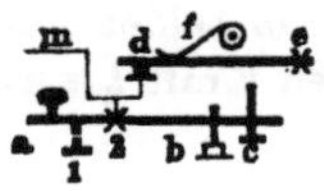

Fig. 33.

Obwohl nun der in Fig. 33 skizzirte Taster die Gefahr des Zerreissens wesentlich vermindert, so beseitigt er sie doch nicht vollständig. Dieselbe lässt sich aber völlig beseitigen, wenn man den Taster so einzuschalten versucht, dass die Telegraphirbatterie kurz geschlossen ist, so lange der Taster ruht. Der Taster T muss dann einen doppelten Ruhecontact 3 und 4 erhalten, während der Arbeitscontact 1 des gewöhnlichen Tasters nicht gebraucht wird. So lange der um die Axe 2 drehbare Tasterhebel auf den beiden Contacten 3 und 4 aufliegt, ist die Telegraphirbatterie B über 2 und 4 kurz geschlossen und deshalb tritt während dieser Zeit nur ein unmerklich schwacher Strom von B in die Telegraphenleitung. Wird dagegen der Taster niedergedrückt und dadurch der kurze Schluss beseitigt, und zu gleicher Zeit auch die Verbindung zwischen 3 und 4 aufgehoben, so sendet die Batterie B ihren Strom zunächst durch die inneren Windungen des wiederum mit einer doppelten Umwickelung versehenen Relais R in die Leitung der Empfangsstation, durch die Erde nach der telegraphirenden Station zurück und hier nun noch in der entgegengesetzten Richtung durch die nur halb so viele Windungen enthaltende äussere Umwickelung des Relais zu dem anderen Batteriepol zurück. Es ist durchaus nothwendig, dass beim Niederdrücken des Tasters entweder die Verbindungen zwischen 2, 3 und 4 des Tasters ganz gleichzeitig abgebrochen werden, oder dass doch zuerst 3 ausser Verbindung mit 4 und 2 kommt und zwar gleichzeitig, weil sonst eine Zeit lang der Strom blos durch die innere oder blos durch die äussere Umwickelung des Relais der eigenen Station gehen würde und die nach der anderen Station gegebenen Zeichen auf dem eigenen Relais erscheinen lassen könnte. Dagegen schadet es nichts, wenn 4 und 2 auch noch eine kurze Zeit hindurch in Berührung bleiben, nachdem 3 schon ausser Verbindung mit 4 und 2 gebracht ist; dadurch wird nämlich nur der kurze Schluss etwas später beseitigt, und so der Strom auch etwas später in die Leitung gesendet.

Daraus geht hervor, dass man den Taster auf zwei verschiedene Weisen einrichten kann. Entweder man bringt an 3 und 4 Contactfedern an, die sich nicht berühren, deren Spiel durch Stellschrauben regulirt wird, und auf welche sich der durch eine entsprechend gespannte Feder in seiner Ruhelage erhaltene metallene Tasterhebel zugleich auflegt, um sie unter sich und mit der Tasteraxe zu verbinden. Oder man bringt blos an 4 eine Contactfeder an, welche durch den metallenen Tasterhebel auf den Contact 3 niedergedrückt wird und dabei mit 2 und 3 zugleich in leitende Verbindung tritt; auch hier giebt man der Contactfeder durch eine Stellschraube eine sehr kurze Bewegung, so dass sie dem beim Telegraphiren aufgehenden Arm des Tasterhebels nur ein sehr kleines Stück folgen kann. In der übrigen Einrichtung und Ausrüstung der beiden Stationen ist nichts geändert. Die Batterien sind wieder mit entgegengesetzten Polen an die Taster geführt, und zwar mit dem einen Pole an die Tasteraxen, mit dem anderen, zugleich mit dem einen Ende der äusseren Umwickelung des Relais verbundenen Pole an Punkt 4. Das andere Ende der äusseren Umwickelung ist wieder mit 3 und der Erde verbunden, die beiden Enden der inneren Umwickelung wieder mit der Tasteraxe 2 und mit der Luftleitung. Eine Skizze dieser Einschaltung gab ich im polytechn. Centralbl. (1865, S. 418).

V. Die Doppeltelegraphie.

(Zweite Abtheilung.)

II. Das Doppelsprechen.

Für das Doppelsprechen stellen sich die Bedingungen etwas anders, als für das Gegensprechen. Zwar sind auch beim Doppelsprechen in beiden Stationen 2 vollständige Apparatsysteme vorhanden, 2 Empfangsapparate und 2 Zeichengeber, allein die Vertheilung derselben unter die beiden telegraphirenden Stationen ist beim Doppelsprechen eine andere, als beim Gegensprechen. Während bei letzterem auf jeder Station ein Empfangsapparat und ein Zeichengeber aufgestellt ist; müssen beim Doppelsprechen die beiden Zeichengeber auf der einen Station (der gebenden oder sprechenden) und die beiden Empfangsapparate auf der zweiten (der empfangenden) Station aufgestellt werden. Deshalb sind auch die zu betrachtenden und zu untersuchenden Hauptfälle der Stromlauf und Stromwirkungen während des Doppelsprechens etwas anders, als beim Gegensprechen. Es ist nämlich bei ersterem nicht genug, dass 2 Zeichen zugleich durch die Leitung gehen oder doch auf der Empfangsstation auf 2 verschiedenen Apparaten zum Vorschein kommen können, sondern es muss auch jedes mit demselben Taster gegebene Zeichen stets auf demselben Empfangsapparate erscheinen. Die zunächst hervortretenden Fälle sind also: es wird

1. kein Zeichen,
2. blos ein Zeichen des ersten Telegramms,
3. „ „ „ „ zweiten „
4. ein Zeichen des ersten und des zweiten Telegramms zugleich

gegeben, und in diesen 4 Fällen müssen die elektrischen Ströme sowohl auf der sprechenden Station, als auch und ganz besonders auf der Empfangsstation wesentlich von einander verschiedene Erscheinungen und Wirkungen hervorbringen. Auch hierbei darf beim Schweben des einen Tasters die Linie nicht für einen inzwischen von dem andern Taster zu sendenden Strom unterbrochen sein, oder auf der Empfangsstation ein Wechsel in den Schliessungsapparaten oder den Schliessungsweisen des Localstroms eintreten, da sonst die Schrift leicht zerrissen werden kann. Zum Hervorbringen der nöthigen drei verschiedenen Stromwirkungen reichen Ströme von blos verschiedener Richtung, aber gleicher Stärke nicht aus; denn sendet der erste Taster einen Strom $+S$ in die Leitung und der zweite Taster einen Strom $-S$, so wird beim gleichzeitigen Niederdrücken beider Taster gar kein Strom in der Leitung vorhanden sein und sich dabei demnach die nämliche Wirkung ergeben, als wenn gar kein Taster niedergedrückt wäre. Man muss daher beim Doppelsprechen Ströme von verschiedener Stärke anwenden, dieselben können aber entweder gleiche oder verschiedene Richtung haben. Versuche, zwei verschiedene Elektricitäten beim Doppelsprechen zu benutzen, wurden zwar gemacht, liessen aber keine befriedigende Lösung hoffen. So versuchten Siemens & Halske (siehe unten) eine gleichzeitige Verwendung von Inductionsströmen und galvanischen Strömen. In den *Annales télégraphiques* (1861, S. 145) ferner findet sich ein Vorschlag zur Benutzung des verschiedenen Verhaltens der galvanischen Elektricität und der Elektricität von hoher Spannung, nämlich des mit Glück bei den Blitzableitern für die Telegraphen verwertheten Unterschiedes, dass Elektricität von hoher Spannung zwischen Spitzen auf merkliche Entfernung überspringt, während die galvanische dies nicht thut. Dieser Vorschlag ging dahin, einen dicken Leitungsdraht an beiden Enden in einen feinen Draht von grossem Widerstande enden zu lassen, und in diesen Draht eine Batterie und einen Empfangsapparat einzuschalten; würde man nun dem dicken Drahte 2 Spitzen gegenüberstellen, von denen die eine (auf der Empfangsstation) mit der Erde, die andere (auf der gebenden Station) mit einer Elektricitätsquelle von hoher Spannung z. B. mit einer Leydener Flasche oder einer Ruhmkorff'schen Maschine verbunden ist, so würde man aus den Spitzen Funken erhalten und aus diesen ein Alphabet zusammenstellen können, ohne die auf den gewöhnlichen Apparaten mit galvanischer Elektricität geführte Correspondenz zu stören.

Weit grösser und charakteristischer, als der Unterschied rücksichtlich der beim Doppelsprechen verwendeten Ströme, ist die Verschiedenheit, welche die einzelnen Methoden des Doppelsprechens in Bezug auf die Empfangsapparate zeigen. Um diese Verschiedenheiten scharf hervortreten zu lassen, folgt eine eingehendere Beschreibung der einzelnen Methoden und zwar zunächst der blos für das Doppelsprechen angegebenen Einschaltungen, während die für das Doppel- und Gegensprechen zugleich anwendbaren Einrichtungen später (unter IV) beschrieben werden sollen.

1. Doppelsprecher von Stark.

Dr. J. B. Stark, Vorstand des k. k. Telegraphen-Centralamtes in Wien, theilte den 15. September 1855 der Redaction der Zeitschrift des deutsch-österr. Telegraphen-Vereins brieflich eine Lösung der Aufgabe des Doppelsprechens mit, und dem darauf eingesandten, vom 31. October 1855 datirten (in der Zeitschr. d. Tel.-Ver. II, S. 220 ff. abgedruckten) Aufsatze ist Folgendes entnommen:

A. Die auf der Empfangstation hervorzubringenden 3 verschiedenen Wirkungen beim Niederdrücken des ersten, des zweiten oder beider Taster werden durch Ströme von gleicher Richtung, aber von verschiedener Stärke hervorgebracht. Um die 3 verschieden starken Ströme in die Leitung senden zu können, giebt Dr. Stark dem einen Taster eine etwas veränderte Einrichtung; er bringt nämlich an dem Taster T_2 noch eine Vorrichtung an, durch welche eine bei der Ruhelage des Hebels bestehende

Verbindung zwischen den Klammern 4 und 5 dieses Tasters (Fig. 34) beim Niederdrücken des Hebels aufgehoben und dafür eine Verbindung zwischen den Klammern 4 und 6 hergestellt wird. Es kann zu diesem Zwecke am Hebel ein Schraubenstift mit einem isolirenden Ansatze angebracht sein, der in der Ruhelage des Hebels eine an der unteren Fläche des Tasterbretts befestigte Feder *f*, welche übergreifend an dem Metallstreifen *m* anliegt, berührt, ohne auf sie zu drücken, beim Niederdrücken des Hebels aber die Feder *f* von dem Metallstreifen *m* weg und an das darunter liegende Metallstück *m'* andrückt, und so die leitende Verbindung zwischen 4 und 5 aufhebt und zwischen 4 und 6 herstellt. Denkt man sich nun drei Zink-Kupfer-Elemente *a*, *b*, *c* auf die gewöhnliche Weise mit einander verbunden, ausserdem aber noch das Kupfer von *a* mit der Klemme 1 des Tasters T_1, das Zink von *a* mit der Klemme 5 am Taster T_2, das Kupfer von *b* mit der Klemme 1 von T_2 und endlich das Zink von *c* mit 6 in Verbindung, so ist das Zink von *a*, so lange, als der Hebel des Tasters T_2 nicht niedergedrückt wird, mit der Erde in leitender Verbindung, und der Taster T_1 giebt niedergedrückt den Strom des Elementes *a* in die Leitung *L*. Da hingegen beim Niederdrücken des Tasters T_2 das Zink von *c* über *m'* und *f* mit der Erdplatte in Verbindung tritt und die Verbindung zwischen *a* und der Erde aufgehoben wird, so giebt der Taster T_2 allein den Strom der Elemente *b* und *c*, welcher durch den auf dem Ruhecontact liegenden Theil des Hebels von T_1 in die Leitung geht. Werden endlich beide Taster gleichzeitig niedergedrückt, so giebt der Taster T_1 den Strom aller 3 Elemente, da jetzt von der Klemme 2 in T_2 kein Strom austreten kann und da das Zink von *a* nicht mehr mit der Erde in Verbindung steht, weil die Berührung zwischen *f* und *m* in T_2 nicht mehr statt hat. Ein von der andern Station etwa ankommender Strom kann, während beide Taster ruhen, aus *L* über 2 und 3 in T_1 und T_2 durch ein Relais *R* nach der Erde *E* seinen Weg nehmen.

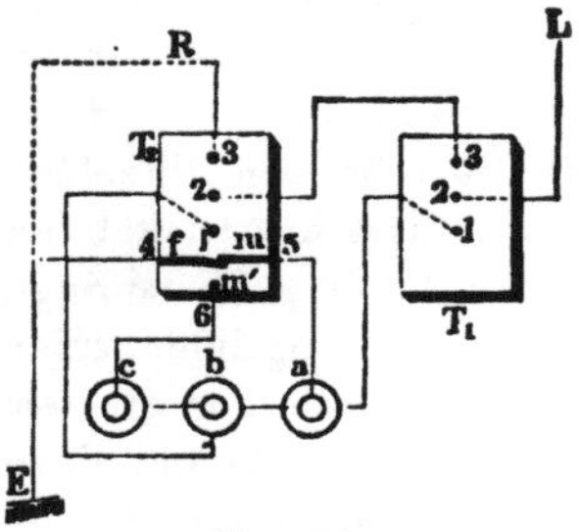

Fig. 34.

Man wird auf solche Weise durch die Anwendung entsprechender Elementgruppen für beide Taster in den gedachten 3 Fällen Ströme erhalten können, die durch ihre verschiedene Stärke S_1, S_2, S_3 auf die Apparate der Empfangsstation verschieden einzuwirken im Stande sind, und man wird diese Apparate nur so zu wählen und einzurichten haben, dass der eine Morse-Schreibapparat M_1 nur die auf dem Taster T_1, der andere M_2 dagegen nur die auf dem Taster T_2 gegebenen Zeichen aufschreibt. Dazu werden ausser den 2 Schreibapparaten noch 3 Relais, und zwar 1 mit einfacher Umwickelung und 2 mit Doppelwindungen verwendet. Da nämlich beim alleinigen Niederdrücken des Tasters T_2 ein Strom von der Stärke S_2, und wenn derselbe mit T_1 gleichzeitig niedergedrückt wird, ein Strom von der Stärke S_3 durch die Leitung geht, so darf man nur das zu M_2 (oder T_2) gehörige Relais R_2 der Empfangsstation so stellen oder seine Feder so spannen, dass sein Hebel von den Stromstärken S_2 und S_3, nicht aber von S_1 bewegt wird und die Localbatterie schliesst. Der mit R_2 verbundene Morse M_2 wird dann jedes auf T_2 gegebene Zeichen aufschreiben, während die auf T_1 allein gegebenen Zeichen auf ihm nicht erscheinen.

Damit nun auch der zweite Morse M_1 nur die auf T_1 gegebenen Zeichen schreibe oder mittelbar durch die Stromstärken S_1 und S_3, nicht aber durch S_2 in Thätigkeit gesetzt werde, kann man mit demselben zwei Relais R_1 und R_3 in Verbindung setzen, die, wie beim Telegraphiren mit Ruhestrom, in derjenigen Lage des Relaishebels, wo derselbe nicht angezogen ist, sondern die obere Contactschraube berührt, die Localbatterie schliessen, und welche über der gewöhnlichen Multiplication eine Lage Windungen aus etwas stärkerem Drahte besitzen. Lässt man nun durch die äussern Windungen des Relais R_1 einen constanten Strom gehen, der auf die Eisenkerne eine gleiche, aber bezüglich der Pole entgegengesetzte Wirkung wie der Strom von der Stärke S_1 ausübt, so wird die constante Anziehung des Hebels, so oft der Taster T_1 allein niedergedrückt ist, aufgehoben, folglich der Hebel sich an die obere Contactschraube anlegen, die Localbatterie schliessen und der Morse M_1 giebt Schrift; durch die überwiegende Wirkung von S_2 und S_3 dagegen bleibt der Hebel von R_1 angezogen*) und schliesst die Localbatterie nicht, sofern T_2 allein oder T_1 und T_2 zugleich niedergedrück werden. Durch die äussern Windungen des Relais R_3 endlich geht ein constanter Strom, dessen magnetische Wirkung auf die Kerne jener von S_3 gleich und entgegengesetzt ist; werden also T_1 und T_2 gleichzeitig niedergedrückt, so werden die Hebel von R_1 und R_2 angezogen, der Hebel von R_3 dagegen geht an den Ruhecontact, schliesst die Localbatterie und setzt den Schreibapparat M_1 in Gang. Dieser Schreibapparat wird sonach nur bei den Stromstärken S_1 oder S_3 durch die Relais R_1 oder R_3 in Bewegung gesetzt, nicht aber bei der Stromstärke S_2; er schreibt also blos die mit T_1 gegebenen Zeichen auf.

B. Derselbe Zweck dürfte sich auch auf folgende Weise erreichen lassen: Man schalte in die Leitung **zwei Relais** R_1 und R_2 hintereinander ein, von denen aber nur R_1 **eine zweite Multiplication** hat. Die beiden Relais sind so eingestellt, dass R_2 auf die Stromstärken S_2 und S_3, nicht aber auf S_1 anspricht, während der Hebel von R_1 auch durch S_1 angezogen wird. Ferner steht R_1 mit R_2 so in Verbindung, dass, wenn der Hebel des Letzteren angezogen ist, ein localer Strom durch die äussere Multiplication von R_1 geht und zwar von solcher Stärke, dass er die Wirkung von S_2 auch auf das Relais R_1 aufhebt. Zufolge dieser Anordnung wird daher die Stromstärke

*) Doch sind dabei die Pole des Elektromagnets gerade die entgegengesetzten als bei der Wirkung der Ausgleichungsbatterie, und bei der Umkehrung der Pole könnte das Relais möglicher Weise seinen Anker momentan loslassen. Vergl. Zeitschr. d. Tel.-Ver. III, S. 6.

S_1 das Relais R_1 und den damit verbundenen Morse M_1 in Thätigkeit setzen, hingegen R_2 nicht; S_2 wird eine Anziehung des Hebels von R_2 und M_2 bewirken, während die Wirkung auf R_1 durch den gleichzeitig geschlossenen Localstrom aufgehoben wird. S_3 endlich wird auf R_2 und mit der Differenz $S_3 - S_2$ auch auf R_1 einwirken. Es wird somit M_2 die mit dem Taster T_2, M_1 die mit dem Taster T_1 auf der andern Station gegebenen Zeichen aufschreiben.

Nach diesen Methoden wird es aber nicht nur möglich, dass eine Station I gleichzeitig 2 Telegramme nach einer zweiten Station II giebt, sondern es kann auch die Station I gleichzeitig 2 Telegramme auf demselben Drahte an 2 verschiedene, in derselben Richtung liegende Stationen II und III mit oder ohne Translation (Zeitschr. d. Tel.-Ver. II, S. 223) befördern, ja man braucht dazu nicht einmal stets auf beiden Stationen sämmtliche erwähnte Relais (vergl. C.). Es lässt sich endlich auch die Anordnung in der Station II so treffen, dass die Stationen I und II gleichzeitig Telegramme nach III geben können; ein Schema, wonach die Anordnung in II in diesem Falle getroffen werden kann, giebt Dr. Stark in der Zeitschr. d. Tel.-Ver. (II, S. 224); dabei ist nämlich in II ein Schreibapparat M_1 aufgestellt, welcher die von I in II einlangenden Zeichen durch Translation nach III weiter giebt, also die Stelle von T_1 in II vertritt, während das von II selbst zu gebende Telegramm mittelst eines Tasters T_2 gegeben wird, welcher mit M_1 in ähnlicher Weise verbunden ist, wie in Fig. 34 T_2 mit T_1.

C. Es ist nicht schwer zu sehen, dass bei den beiden vorstehend beschriebenen Methoden ein Zerreissen der Schrift auf M_1 zu befürchten steht; denn die Schliessungsweise der Localbatterie für diesen Schreibapparat wechselt bei der ersteren Methode, so oft T_2 gleichzeitig niedergedrückt oder losgelassen wird; bei der zweiten Methode aber kann R_1 auf S_2 eine kurze Zeit hindurch mit ansprechen und M_1 schreiben lassen, so lange nämlich, als der Relaishebel in R_2 aus der Ruhelage sich zum Arbeitscontact bewegt. Ausserdem tritt eine kurze Unterbrechung der Leitung im Taster T_2 ein, während die Feder f sich von m nach m' bewegt. Bei weiteren, im Februar 1856 angestellten Versuchen mit diesen beiden Einschaltungsweisen stellten sich denn auch dieselben als umständlich und nicht zuverlässig genug heraus; bei fortgesetzter Beschäftigung mit diesem Gegenstande fand Dr. Stark gegen Ende des Februar eine vervollkommnete und vereinfachte Methode, welche im Maihefte des Jahrgangs 1856 der Sitzungsberichte der mathemat.-naturwissenschaftl. Klasse der kaiserlichen Akademie der Wissenschaften (Bd. 20, S. 531) abgedruckt ist. Man kann nach dieser Methode nicht nur gleichzeitig von einer Station 2 verschiedene Telegramme an ein und dieselbe zweite Station oder an zwei verschiedene in derselben Richtung gelegene Stationen geben, sondern es können auch zwei verschiedene Stationen mit einer dritten vor ihnen liegenden gleichzeitig correspondiren, ja es dürfte sich ermöglichen lassen, dass zwei Stationen gleichzeitig vier Telegramme mit einander wechseln. Dem Principe nach würde auch eine dreifache gleichzeitige Correspondenz in derselben Richtung möglich sein. Wenn man jedoch bedenkt, dass bei drei Tastern bezüglich des Zusammentreffens der gegebenen Zeichen sieben verschiedene Fälle vorkommen können, sonach auch sieben verschiedene Stromstärken in Anwendung kommen müssten, so leuchtet ein, dass die Sache, so weit getrieben, nicht praktisch anwendbar sein könne.

Die beiden Taster T_1 und T_2, mittelst deren die Telegramme gegeben werden, sind wieder so eingerichtet und mit den Elementengruppen der Linienbatterie verbunden, dass, wenn sie einzeln niedergedrückt werden, Ströme von der Stärke S_1 oder S_2, dagegen ein Strom von der Stärke S_3 in die Leitung geht, wenn T_1 und T_2 gleichzeitig geschlossen werden. Die Ströme unterscheiden sich nicht durch ihre Richtung, sondern blos durch ihre Stärken. Man könnte sich zweier gewöhnlicher Taster bedienen, um drei Ströme von verschiedener Stärke in die Leitung zu senden; denn man brauchte nur die Axe des Tasters T_1 mit der Luftleitung, den Arbeitscontact mit dem positiven, den Ruhecontact mit dem negativen Pole der ersten Batterieabtheilung und letzteren zugleich mit der Axe von T_2 zu verbinden, den Arbeitscontact von T_2 aber mit dem positiven Pole der zweiten Batterieabtheilung und endlich den Ruhecontact von T_2 mit dem negativen Pole der zweiten Abtheilung und mit der Erde zu verbinden. Allein dabei würde beim Schweben des einen der beiden Tasterhebels die Leitung unterbrochen und mithin auch ein durch den andern Taster abgesendeter Strom abgebrochen, wodurch in der Schrift Lücken entstehen. Besser noch als bei der in Fig. 34 angegebenen Einrichtung erfüllt der Taster seinen Zweck, wenn man ausser der Feder f noch eine zweite (silberne) Feder f_1 anbringt, und diese beim Niederdrücken des Tasters durch eine am Tasterhebel angebrachte Stellschraube auf einen mit dem Punkte m leitend verbundenen metallenen Stift aufdrücken lässt, welcher mit seinem untern isolirten Ende auf der Feder f ruht und diese in demselben Augenblicke, wo f_1 sich auf den Stift auflegt, von m losdrückt. Der Taster T_1 braucht blos diese Einrichtung, T_2 dagegen noch die eines gewöhnlichen Tasters. Die Einschaltung der beiden Taster zeigt Fig. 35. Das Kupfer der Batterieabtheilung a ist mit der Feder f_1 von T_1, das Zink derselben mit der Feder f von T_2, das Kupfer von b mit dem

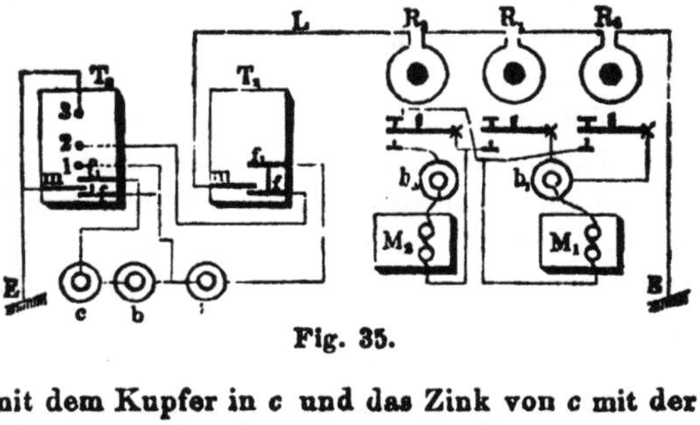

Fig. 35.

Amboss 1, das Zink von b mit dem Kupfer in c und das Zink von c mit der Feder f_1 von T_2 durch Metalldrähte verbunden; ferner ist die Tasteraxe von T_2 mit der Feder f in T_1, der Ruhecontact 3 und der Punkt m in T_2 unter sich und mit der Erdleitung E in Verbindung gesetzt, während an den Punkt m in T_1 die Luftleitung L eingeführt ist. Wird nun der Hebel von T_1 niedergedrückt, so tritt durch die zwischen m und f_1 hergestellte Verbindung ein der Elementengruppe a entsprechender Strom S_1 in die Leitung aus, denn das Zink von a ist über f und m in T_2 mit der Erde in Verbindung, mag T_2 ruhen oder schweben. Wird der Taster T_2 allein niedergedrückt, so tritt das Kupfer von b durch die hergestellte Verbindung zwischen der Axe 2 und dem Arbeitscontact 1 in T_2 über f und m in T_1 (mag T_1 ruhen oder schweben) mit der Luftleitung in Verbindung, während durch die an m (dessen Verbindung mit f aufgehoben ist) angedrückte Silberfeder f_1 in T_2 das Zink von c mit der Erde in Verbindung tritt. Es geht sonach der den Elementen $b + c$ entsprechende Strom S_2 in die Leitung. Werden endlich beide Tasterhebel gleichzeitig niedergedrückt, so liefern sämmtliche Elemente $a + b + c$ den Strom S_3, indem das Kupfer von a über f_1 und m in T_1 mit der Luftleitung L und das Zink von c über f_1 und m in T_2 mit der Erde in Verbindung treten, während die Federn f in beiden Tastern von m losgedrückt und die an sie geführten Drähte isolirt sind.

Der von der andern Station etwa ankommende Strom nimmt, wenn beide Tasterhebel in der Ruhelage sind, seinen Weg von m und f in T_1, Axe 2 und Ruhecontact 3 in T_2 seinen Weg zur Erde; es kann demnach auch während der Correspondenz, nämlich in den Momenten, wo keiner der beiden Taster niedergedrückt ist, ein ankommender Strom durch ein zwischen dem Ruhecontact in T_2 und der Erdplatte E eingeschaltetes Relais gehen, ohne dass dasselbe von dem von der eigenen Station abgesendeten Strome mit durchlaufen wird.

Auf der Empfangsstation sind 3 Relais R_1, R_2 und R_3 (Fig. 35) hinter einander in die Leitung eingeschaltet. Zwei derselben, R_1 und R_3, sind der Art, wie sie bei dem Morse-Apparate gewöhnlich im Gebrauch sind, das dritte, R_2, aber ein sogenanntes Translator- oder Doppelcontact-Relais. Diese 3 Relais werden so regulirt, dass der Anker von R_1 durch die Wirkung eines jeden der 3 Ströme S_1, S_2 und S_3 angezogen wird, während der von R_2 durch S_2 und S_3 aber nicht durch S_1 und endlich der von R_3 nur durch S_3 in Bewegung gesetzt wird, was sich bei entsprechenden Stromdifferenzen leicht durch die gehörige Spannung der Federn und Stellung der Contactschrauben erreichen lässt. Der Schreibapparat M_2 ist mit R_2 und der Localbatterie b_2 wie gewöhnlich in Verbindung und schreibt, so oft R_2 anspricht d. h. sein Hebel sich auf die untere Contactschraube auflegt; ebenso M_1 mit R_3 und b_1; R_1 ist gleichfalls mit M_1 und b_1 verbunden, jedoch derartig, dass der Hebel und der Ständer der obern Contactschraube von R_2 Theile dieser Localkette bilden und diese demnach nur dann durch den Hebel von R_1 geschlossen werden kann, wenn gleichzeitig der Anker von R_2 nicht angezogen ist, mithin der Hebel dieses Relais an der obern

Contactschraube anliegt. Wird nun der Taster T_1 allein niedergedrückt, so wird durch den Strom S_1 der Hebel von R_1 allein angezogen, der Hebel von R_2 bleibt in der Ruhelage, die Localbatterie b_1 wird geschlossen und M_1 in Thätigkeit gesetzt; es werden somit die von T_1 gegebenen Zeichen unter Vermittelung von R_1 auf M_1 allein niedergeschrieben. Wird T_2 allein niedergedrückt und der Strom S_2 durch die Leitung gesendet, so werden die Hebel von R_1 und R_2 angezogen; da aber nach Aufhebung des Contactes zwischen dem Relaishebel in R_2 und dessen oberer Contactschraube der Stromkreis von b_1 unterbrochen ist, obgleich in R_1 der Hebel angezogen ist, so kann nur R_2 die Localbatterie b_2 schliessen und nur M_2 schreibt die auf T_2 gegebenen Zeichen nieder. Werden endlich beide Tasterhebel gleichzeitig niedergedrückt, so werden durch den Strom S_3 in der Leitung alle 3 Relaishebel angezogen, durch R_2 und R_3 beide Localbatterien b_2 und b_1 geschlossen und M_2 und M_1 schreiben gleichzeitig das von T_2 und T_1 gleichzeitig gegebene Zeichen.

Die auf T_1 gegebenen Zeichen werden sonach von M_1 entweder durch Vermittelung von R_1 oder R_3 aufgezeichnet, je nachdem T_1 allein, oder gleichzeitig mit T_2 niedergedrückt wird; ja es kann selbst ein langes, auf T_1 gegebenes Zeichen zum Theil durch R_1, zum andern Theil von R_3 hervorgebracht werden. Deshalb müssen aber die Hebel der Relais R_2 und R_3 eine möglichst kleine Bewegung von Contact zu Contact erhalten, damit nicht etwa der Schreibapparat M_1 beim Uebergange von der Schliessung durch R_1 zur Schliessung durch R_3, oder umgekehrt, absetzt.

Bei Versuchen, welche Dr. Stark mit dieser Einschaltungsweise auf der Linie Triest-Wien anstellte, wurden sowohl von Gratz gleichzeitig nach Wien, wie auch von Triest und Gratz nach Wien zwei verschiedene Telegramme auf demselben Drahte gegeben. Triest und Gratz gaben Depeschen von mehr als 150 Worten, die beide in Wien vollständig gelesen wurden, obgleich in Gratz zur Uebertragung nur ein gewöhnlicher Morse verwendet wurde.

Soll eine Station I an zwei verschiedene Stationen II und III derselben Linie zwei verschiedene Telegramme geben, so braucht nur die eine der beiden letzteren, z. B. II, die angegebene Einrichtung, während die andere, III, nur einen gewöhnlichen einfachen Apparat nöthig hat. Diese letztere Station darf nur die Spannfeder an ihrem Relais so stark spannen, dass der Hebel durch den Strom S_1 nicht angezogen wird, worauf das Relais nur die mit T_2 gegebenen Zeichen wiedergeben wird, weshalb das für die Station III bestimmte Telegramm auf dem Taster T_2 gegeben werden muss. Station II kann dabei natürlich beide Telegramme aufnehmen.

2. Doppelsprecher von Siemens & Halske.

Nach der Veröffentlichung der beiden ersten Methoden des Dr. Stark in der Zeitschrift des deutsch-österreichischen Telegraphen-Vereins (II,

S. 220) machten Siemens & Halske in Berlin in derselben Zeitschrift (II, S. 296) die vom 21. Januar 1856 datirte Mittheilung, „dass sie schon zu Anfang des Jahres 1855 über das Doppelsprechen Versuche angestellt hätten und dabei von der von Dr. Stark mitgetheilten Idee ausgegangen, jedoch zu der Ueberzeugung gelangt wären, dass sich auf diesem Wege kein praktisch brauchbares Resultat erreichen lasse. Wenn sie auch die Publicirung unterlassen hätten, so hätten sie doch auch aus ihren Versuchen kein Geheimniss gemacht und u. A. im August 1855 auch Herrn Professor Pouillet in Paris davon Mittheilung gemacht." Eine Beschreibung ihrer Methoden liessen sie kurz darauf in Poggendorff's Annalen (Bd. 98, S. 128) folgen. Sie benutzen ebenfalls Ströme von gleicher Richtung und zwar zwei Batterien von verschiedener Stärke, welche, je nachdem der erste, zweite oder beide Taster niedergedrückt wird, die Ströme S_1, S_2 oder S_3 in die Leitung senden.

A. Bei der ersten Einschaltungsweise werden auf der Empfangsstation nur 2 Relais verwendet und es stimmt deren Einrichtung und Einschaltung ganz mit der 2. Einschaltungsweise von Stark (vergl. 1, B) überein, nur benutzten Siemens & Halske die Localbatterie für die beiden Schreibapparate unter Mitwirkung eines Rheostats zugleich als Ausgleichungsbatterie für das Relais R_1, während Stark dazu eine besondere Batterie anwendete. Das Resultat der Versuche mit dieser Methode war ungünstig, hauptsächlich weil die Wirkung des Relais R_2 zu träge ist, wenn die Ausgleichungsspirale durch die Localbatterie geschlossen ist.

B. Eine zweite Einschaltungsweise unterscheidet sich von der eben erwähnten nur dadurch, dass derjenige Draht, welcher nach der zur Ausgleichung dienenden äusseren Multiplication des Relais R_1 führt, von dem andern Batteriepole abgezweigt ist, nämlich von demjenigen, welcher mit den Axen der beiden Relaishebel verbunden ist. In Folge dessen ist aber diese äussere Multiplication, wie Fig. 36 zeigt, stets von einem Strome s der Localbatterie b durchlaufen und zwar in demselben Sinne, in welchem die Linienströme S_1, S_2 und S_3 die inneren Windungen des Relais R_1 durchlaufen. Dieser Strom s nimmt nun seinen Weg zwar auch durch den Schreibapparat M_2, ist aber, weil ein entsprechender Widerstand W eingeschaltet ist, so schwach, dass er weder M_2 noch R_1 ansprechen lässt. Wenn aber in der Leitung noch der Strom S_1 vorhanden ist, so summirt sich dessen Wirkung zu der des Localstromes s und beide vereinigt bringen R_1 zum Ansprechen und schliessen dadurch die Localbatterie b durch den Schreibapparat M_1 und dieser schreibt. Wird dagegen durch einen vom Taster T_2 in die Leitung gesendeten Strom S_2 der Anker des Relais R_2 auf den Arbeitscon-

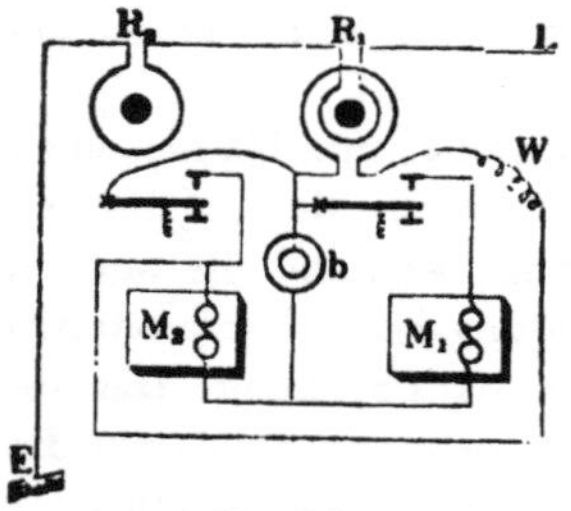

Fig. 36.

tact gelegt, so ist die Localbatterie b durch M_2 hindurch kurz geschlossen und der Strom durch die Ausgleichungswindungen in R_1 wird dadurch so schwach, dass der Anker des Relais R_1 abfällt, obgleich die innern Windungen dieses Relais noch von S_2 durchlaufen werden;*) es schreibt demnach durch S_2 nur M_2. Geht endlich ein Strom $S_3 = S_1 + S_2$ durch die Leitung, so werden die Anker beider Relais angezogen, die Localbatterie durch beide Schreibapparate geschlossen und M_1 und M_2 schreiben zugleich.

C. Um die unzuverlässige Neutralisation des Stromes S_2 im Relais R_1 zu umgehen, fügen Siemens & Halske ein drittes Relais R_3 hinzu, das erst auf S_3 anspricht. Bei der ersten der dafür gegebenen Einschaltungen (Fig. 37) hat der Schreibapparat M_1 eine doppelte Umwickelung des Elektromagnetes; die eine dieser Umwickelungen durchläuft der von S_1, S_2 oder S_3 durch R_1 geschlossene Localstrom, während die andere, in deren Stromkreis der Ankerhebel von R_3 mit enthalten ist, beim Ansprechen des Relais R_2 nur dann für den Strom der Localbatterie b geschlossen wird, wenn der Ankerhebel von R_3 in seiner (in Fig. 37 gezeichneten) Ruhelage ist, also wenn R_2 auf S_2 anspricht, nicht aber, wenn R_2 auf S_3 anspricht, denn dann ist ja gleichzeitig mit R_2 auch der Hebel von R_3 angezogen; im ersteren Falle schreibt daher M_1 das von T_2 mit der Stromstärke S_2 gegebene Zeichen nicht mit, da sich die beiden, seinen Elektromagnet in entgegengesetzter Richtung umkreisenden Zweigströme der Localbatterie in ihrer Wirkung auf den Elektromagnet aufheben; im zweiten Falle aber geben M_1 und M_2 zugleich das von T_1 und T_2 zugleich mit der Stromstärke S_3 gegebene Zeichen wieder.

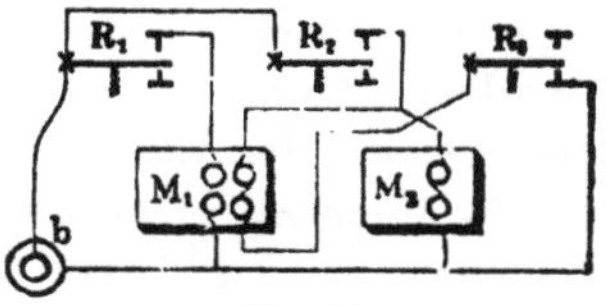

Fig. 37.

D. Bei einer anderen Einschaltung mit 3 Relais hat der Elektromagnet des Relais R_1 eine doppelte Umwickelung; beide Lagen derselben sind entgegengesetzt gewickelt und der Vereinigungspunkt beider ist, wie Fig. 38 zeigt, nach dem Ruhecontact des Hebels im Relais R_2 geführt,

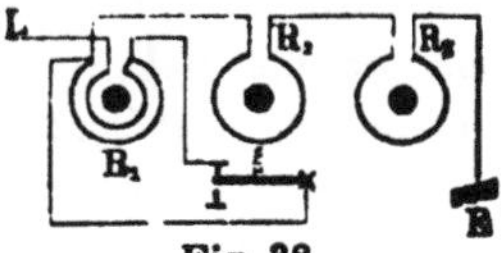

Fig. 38.

*) Dazu ist erforderlich, dass $s + S_1$ merklich grösser ist als S_2 oder s merklich grösser als $S_2 - S_1$; sonst bleibt der Anker haften. — Wollte man R_1 so einrichten, dass sein Ankerhebel nur in der Ruhelage den Localstrom schliesst, so könnte man die Einschaltung so wählen, dass s für gewöhnlich den Anker von R_1 angezogen erhält, S_1 den Anker abfallen macht und M_1 durch R_1 schliesst, während S_2 und S_3 den Anker von R_1 wieder anziehen, aber S_3 die Localbatterie ausser durch M_2 auch durch M_1 schliesst und zwar unter Mitwirkung des jetzt angezogenen Hebels von R_2, welcher sich etwa durch die Wirkung von S_3 schwach durchbiegen (vergl. den Doppelsprecher von Wartmann II, 5) und so einen anderweitigen Schluss der Localbatterie bewirken könnte. Sicherer wäre aber wohl die Anwendung eines dritten, nur auf S_3 ansprechenden Relais.

während die Axe dieses Hebels mit dem nach R_2 zu liegenden Ende der Umwickelung von R_1 oder mit der Umwickelung des Relais R_2 leitend verbunden ist. Wenn nun blos ein Strom S_1 von T_1 gegeben die Leitung L durchkreist, so geht dieser blos durch die eine Windungslage in R_1 und dann sofort durch den Hebel des Relais R_2 und durch die Multiplicationsrollen in R_2 und R_3 zur Erde E; R_2 und R_3 sprechen nicht an, daher wird nur der Schreibapparat M_1 durch R_1 geschlossen. Sendet dagegen T_2 einen Strom S_2 in die Leitung, so wird auch der Anker in R_2 angezogen und der Strom S_2 muss dann in R_1 (das aber möglicher Weise vorher momentan seinen Anker anzieht) beide Windungen durchlaufen, daher bleibt der von demselben Strome in entgegengesetzter Richtung umströmte Kern von R_1 unmagnetisch, der Anker wird nicht angezogen und M_1 schreibt nicht, wohl aber M_2 durch R_2. Genau denselben Weg nimmt ein durch gleichzeitiges Niederdrücken der Taster T_1 und T_2 in die Leitung gesendeter Strom S_3, auf welchen jedoch R_2 und R_3 zugleich ansprechen, wobei R_2 die Localbatterie durch den Schreibapparat M_2 und R_3 durch M_1 schliesst und somit M_1 und M_2 zugleich schreiben.

Siemens & Halske machten auch den Versuch (Poggendorff's Annalen 98, S. 132), ob sich eine mehrfache gleichzeitige Benutzung desselben Drahtes dadurch erzielen lasse, dass man das eine Telegramm mittelst sehr schnell aufeinanderfolgender Ströme von gleicher Stärke und Dauer aber abwechselnder Richtung (z. B. mittelst Inductionsströme), das andere aber durch einen schwachen constanten Strom befördert; sie halten aber, weil die Anwendung zu starker Ströme im Allgemeinen unzweckmässig ist und so schnell wechselnde Ströme wegen der auftretenden Ladungserscheinungen nicht auf grosse Entfernungen fortgepflanzt werden können, diese Methode eben so wenig für eine praktische Anwendung geeignet, obwohl erstere Ströme den Kern eines Elektromagnetes nicht magnetisiren, während sie ein elektrodynamisches Relais (z. B. ein Weber'sches Elektrodynamometer mit Contactvorrichtung) in Thätigkeit setzen, und obwohl dagegen der schwache constante Strom den Elektromagnet, nicht aber das stärkere Ströme bedürfende Elektrodynamometer zur Wirkung kommen lässt. Endlich haben Siemens & Halske auch versucht (Zeitschr. des Tel.-Ver. III, S. 55), die Abstossung gleich stark magnetisirter drehbarer Magnete, welche bei beträchtlicher Ungleichkeit der Ströme in Anziehung übergeht, bei dem leichtesten Relais zu benutzen, haben indess hiermit weniger gute Resultate erzielt, wie bei andern Stromcombinationen, bei Anwendung von 3 Relais.

3. Doppelsprecher von Kramer.

Um Unterbrechungen der Leitung während des Schwebens des einen Tasterhebels gänzlich zu verhüten, wendete der Oberlehrer Dr. Aug. Kramer in Berlin bei seinen, am 13. Februar 1866 der Redaction der Zeitschrift des deutsch-österreichischen Telegraphen-Vereins übergebenen Methoden (diese Zeitschr. III, S. 56) die in Fig. 39 skizzirte Einschaltung des Tasters an, welche übrigens, wie an der betreffenden Stelle erwähnt wurde, Dr. Gintl im Mai 1855 (Zeitschr. d. Tel.-Ver. II, S. 136) schon für die eine Methode des Gegensprechens mit dem chemischen Schreibapparat in Vorschlag gebracht hatte. Es ist bei dieser Einschaltung der Ruhecontact des Tasters mit der Luftleitung L und dem einen Batteriepole, die Tasteraxe mit der Erdleitung E und dem andern Batteriepole verbunden; es ist demnach die Telegraphirbatterie B kurz geschlossen, so lange der Taster ruht, dagegen sendet sie ihren Strom in die Leitung, sobald sich der Taster vom Ruhecontact entfernt hat. Man erlangt dabei zugleich den Vortheil, dass die zwei Telegraphisten bei dieser Anordnung nicht auf derselben Station befindlich sein, auch die beiden Telegramme nicht unbedingt nach derselben Richtung gegeben werden müssen, sondern unter Voraussetzung einer vollständigen Isolirung der Leitung würden von vielen in demselben Stromkreise befindlichen Stationen (von denen aber jede mit sämmtlichen Apparaten versehen sein muss) immer zwei gleichzeitig sprechen und alle Stationen ohne Ausnahme gleichzeitig beide Nachrichten aufnehmen können, so dass das Gegensprechen auf demselben Drahte als ein besonderer Fall der vorliegenden Lösung des Doppelsprechens erscheint. Wollte man also von der Kramer'schen Einschaltung zum Gegensprechen Gebrauch machen, so müsste wenigstens eine der beiden Stationen mit allen zum Doppelsprechen nöthigen Apparaten ausgerüstet sein, und ausserdem würden auch in ihr nicht blos die von der andern Station ankommenden Zeichen zum Vorschein kommen, sondern auch die eigenen, von ihr ausgehenden.

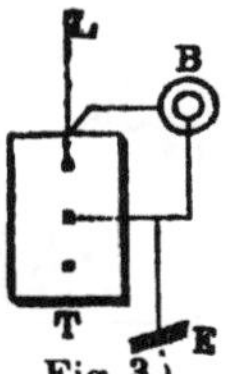

Fig. 39.

A. Bei der ersten seiner beiden Doppelsprechmethoden wendet Kramer ebenfalls 3 gleichgerichtete Ströme von verschiedener Stärke $S_1 < S_2 < S_3$ an und auf der empfangenden Station 3 Relais, von denen R_1 auf alle 3 Stromstärken, R_2 nur auf die Stromstärken S_2 und S_3, R_3 endlich blos auf $S_3 = S_1 + S_2$ anspricht, bei Verminderung der Stromstärke aber seinen Anker sogleich wieder loslässt.

B. Bei der andern Methode werden entgegengesetzt gerichtete Ströme benutzt und die Einschaltung der Batterien so gewählt, dass der Taster T_1 einen Strom $-S$, der Taster T_2 einen Strom $+2S$, also beide Taster zusammen einen Strom $+S$ in die Leitung senden. Auf der Empfangsstation läuft der Strom nach einander um die Elektromagnete der drei Relais R_1, R_2 und R_3. Die Anker von R_1 und R_3 sind magnetisch, entweder selbst Stahlmagnete, oder durch kräftige, in der Nähe passend angebrachte Stahlmagnetpole magnetisch erhaltene Eisenstäbchen; das polarisirte Relais R_1 spricht nur auf negative, R_3 nur auf positive Ströme von jeder Stärke an; R_2 ist ein Relais mit unmagnetischem Anker und spricht nur auf $2S$ an. Die Schreibapparate M_1 und M_2 sind in die Kreise zweier Localbatterien b_1 und b_2 eingeschaltet, wie es Fig. 40 zeigt; so lange kein Strom durch die Relais geht, ist die Batterie b_1 über die in der Ruhelage befindlichen Relaishebel a_1 und a_3 kurz geschlossen, sendet also nur einen so schwachen Zweigstrom über a_2 durch M_1, dass dieser Schreibapparat nicht ansprechen kann. Sendet T_1 den Strom $-S$ in die Leitung, so spricht R_1 an, die Batterie b_1 kommt aus dem kurzen Schluss und sendet nun ihren Strom durch M_1, so dass dieser das auf T_1 gegebene Zeichen niederschreibt. Sendet T_2 den Strom $+2S$ durch die Leitung, so werden in R_2 und R_3 die Hebel a_2 und a_3 angezogen, durch a_3 die Batterie b_2 geschlossen, weshalb M_2 schreibt, dagegen durch a_2 und a_3 sowohl der kurze Schluss der Batterie b_1, als auch der Schluss dieser Batterie durch M_1 überhaupt beseitigt, und M_1 kann nicht schreiben. Werden endlich T_1 und T_2 gleichzeitig niedergedrückt, so ist nur ein Strom $+S$ in der Leitung, und nur in R_3 wird der Hebel a_3 angezogen, dadurch wird aber b_2 durch M_2 und b_1 durch M_1 hindurch geschlossen und jetzt schreiben beide Schreibapparate.

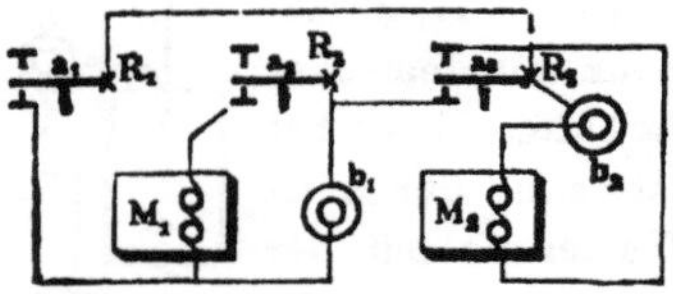

Fig. 40.

Wird T_2 bleibend niedergedrückt, während T_1 telegraphirt, so wechselt die Stromstärke zwischen $+2S$ und $+S$; bei $+2S$ halten R_2 und R_3 zugleich ihre Anker angezogen, bei $+S$ hält ihn nur R_3 noch fest, während R_2 ihn loslässt, folglich bewegt sich blos a_2 hin und her; der Schreibapparat M_2 hält den Schreibhebel ununterbrochen angezogen und erzeugt einen zusammenhängenden Strich; in M_1 dagegen wird der Hebel abwechselnd angezogen und losgelassen, und dieser Schreibapparat schreibt die auf T_1 gegebene Nachricht. Wenn umgekehrt T_1 bleibend niedergedrückt wird und T_2 spricht, so wechselt die Stromstärke zwischen $+S$ und $-S$, der Hebel a_2 bleibt gänzlich in Ruhe, erhält also den Schluss der Localbatterie ununterbrochen, wogegen a_1 und a_3 sich abwechselnd bewegen. Bei $+S$ ist a_3 angezogen und schliesst dadurch b_2 durch M_2, während es gleichzeitig den kurzen Schluss von b_1 beseitigt, weshalb M_1 und M_2 zugleich schreiben. Wenn nun die Stromstärke $+S$ durch Null in $-S$ umsetzt, so wird a_1 angezogen, a_3 losgelassen, wobei der kurze Schluss von b_1 auch nicht einen Augenblick hergestellt wird, also M_1 ununterbrochen den Schreibhebel angezogen erhält und in dem zu schreibenden Striche nicht absetzt. Aehnlich ist es, wenn $-S$ wieder in $+S$ umschlägt.

4. Doppelsprecher von Duncker.

Ueber den Doppelsprecher von Duncker findet sich in den *Annales télégraphiques* (1861, S. 145) eine kurze aus Du Moncel's *revue des applications de l'électricité pour* 1857 *et* 1858 entnommene Notiz. Derselbe ist dem Stark'schen ähnlich: Zwischen den 2 Schenkeln eines Elektromagnetes bewegen sich Hämmer, welche die Localbatterie schliessen, wenn sie von einem der Schenkel angezogen werden; die Hämmer werden durch verschieden starke Kräfte zurückgehalten, so dass der Erste sich nur unter der Wirkung eines Stromes S, der zweite durch $2S$, der dritte durch $3S$ u. s. w. bewegen kann; damit jeder Hammer sich nur bei seiner Stromstärke, nicht aber auch bei stärkeren Strömen bewege, hat Duncker ein sehr verwickeltes Stromtheilungssystem erdacht, mittelst dessen jeder Hammer, wenn er angezogen ist, auf alle vorhergehenden Hämmer wirkt und sie hindert, den Strom der Localbatterie zu schliessen.

5. Doppelsprecher von Wartmann.

In den *Archives des sciences physiques et naturelles, décembre* 1860 (vergl. *Annales télégraphiques*, 1861, S. 161) giebt Wartmann eine allgemeine Lösung nach dem Princip von Stark. Zu n Depeschen braucht die Station I n Taster; der erste sendet einen Strom S_1, der zweite einen Strom $S_2 > S_1$, z. B. $S_2 = 2S_1$, der dritte einen Strom $S_3 > S_2$, z. B. $S_3 = 4S_1$ u. s. w. in die Leitung. Sind 2 Taster zugleich niedergedrückt, so verstärken sich ihre Ströme. Zur Aufnahme von n Telegrammen braucht die Station II soviel Relais, als es Combinationen der Taster giebt, also $2^n - 1$; der Strom durchläuft alle Relais zugleich und diese wirken auf n Zeichenempfänger (Schreibapparate). Für $n = 2$ giebt Fig. 41 die Anordnung. Am Ende von T_1 sind

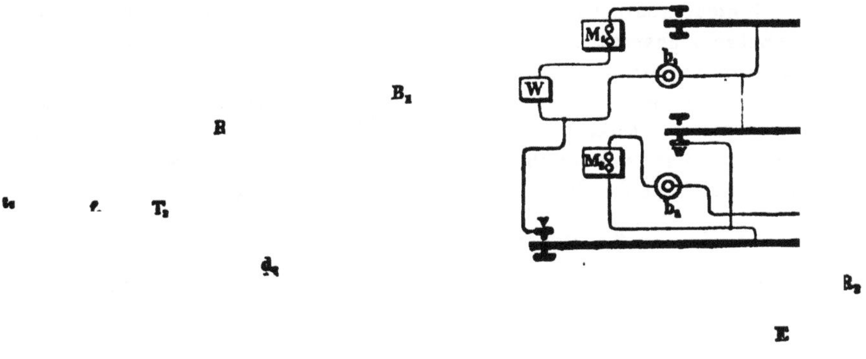

Fig. 41.

zwei Stellschrauben a_1 und c_1, und zwar ist a_1 doppelt so weit von der Drehaxe f_1 entfernt, als der Griff t_1; in seiner Ruhelage drückt der Tasterhebel die Feder g_1 auf den Amboss d_1 nieder; beim Niederdrücken des Griffs begleitet g_1 die Stellschraube c_1, bis g_1 an das Knöpfchen p_1 anstösst, in dem Momente, in welchem der Hebel seine grösste Geschwindigkeit hat; gleich darauf hebt die Schraube a_1 die Feder k_1; da die Enden der Stellschrauben a_1 und c_1 nahezu eben so weit von einander entfernt eingestellt sind, wie die Knöpfchen i_1 und p_1 zwischen den Federn g_1 und k_1, so wird der Strom bei der Tasterbewegung nur eine höchst kurze Zeit unterbrochen; damit auf dem Rückwege des Tasterhebels dasselbe eintrete, muss die Spannfeder x_1 entsprechend gespannt sein. Der Taster T_2 ist ganz ähnlich eingerichtet, nur ist p_2 eine Stellschraube, welche in dem Falle, wenn beide Batterien in Thätigkeit sind, gebraucht wird. Die Federn k_1, k_2, g_1 und g_2 und die Knöpfchen i_1, i_2, p_1 und p_2 sind an verticalen Metallwänden angebracht und gegen diese isolirt. Sind beide Taster in Ruhe, so kann ein aus der Leitung L ankommender Strom durch das Relais R zur Erde E gelangen. Ist blos T_1 niedergedrückt, so geht der Strom von B_1, ist blos T_2 niedergedrückt, so geht der Strom B_2 in die Leitung, sind aber T_1 und T_2 gleichzeitig niedergedrückt, so verstärken sich die Ströme von B_1 und B_2 in der Leitung. Dabei hat B_2 doppelt so viel Elemente als B_1 und man erhält daher in den genannten 3 Fällen die Stromstärken S_1, $S_2 = 2 S_1$ und $S_3 = 3 S_1$. In der Empfangsstation durchläuft der Strom stets 3 Relais R_1, R_2 und R_3, von denen R_3 erst auf S_3, R_2 auch auf S_2 und R_1 auf alle 3 Stromstärken anspricht. Giebt blos T_1 ein Zeichen, so spricht blos R_1 an und schliesst die Localbatterie b_1, worauf der Schreibapparat M_1 das Zeichen niederschreibt. Auf den durch T_2 in die Leitung gesendeten Strom S_2 sprechen zwar R_1 und R_2 an, aber blos die Localbatterie b_2 wird durch M_2 hindurch unter Vermittelung der Feder m geschlossen, während b_1 kurz geschlossen ist, da sich der Hebel von R_2 gleichzeitig an die Stellschraube v gelegt hat und der Hebel von R_3 noch an der Schraube w anliegt. Sind endlich T_1 und T_2 zugleich niedergedrückt, so sprechen alle 3 Relais an und jetzt schreiben beide Schreibapparate, da beide Localbatterien nur durch die zu ihnen gehörigen Schreibapparate geschlossen sind.

Wartmann giebt noch eine andere Anordnung mit blos 2 Relais; dabei ist der eine Ankerhebel so biegsam, dass er durch die Wirkung eines stärkeren Stromes sich durchbiegt und auf eine Schraube auflegt, welche er bei der Anziehung durch einen schwächeren Strom nicht erreicht.

6. Doppelsprecher von Schreder.

Gleichzeitig mit seinem Gegensprecher schlug Dr. Eduard Schreder in Wien auch einen Doppelsprecher vor unter Anwendung von 2 Strömen von entgegengesetzter Richtung und verschiedener Stärke. Auf der gebenden Station verbindet Schreder die beiden gewöhnlichen Morsetaster T_1 und T_2 nach Fig. 42 so, dass die Axe 2 des Tasters T_1 mit der Luftleitung L, die des Tasters T_2 mit der Erde E verbunden ist. Der Arbeitscontact 1 des ersten Tasters ist mit dem Ruhecontact 3 des Tasters T_2 leitend verbunden, und zwar ist in diese Verbindung die aus 2 gleichen Hälften B_1 und B_2 bestehende Linienbatterie als ein Ganzes einge-

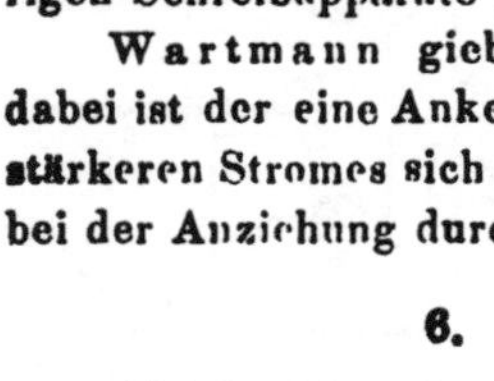

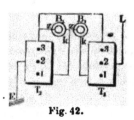

Fig. 42.

schaltet; ausserdem ist der Ruhecontact 3 des Tasters T_1 mit dem Ruhecontacte 3 des Tasters T_2, also auch mit dem Zinkpole *z* der Linienbatteriehälfte B_2 in leitender Verbindung, und endlich ist ein Leitungsdraht von dem Arbeitscontacte 1 des Tasters T_2 nach dem Verbindungsdrahte zwischen dem Kupferpol *k* der Batteriehälfte B_2 und dem Zinkpol *z* der Batteriehälfte B_1 geführt. Wird nun auf jedem der beiden Taster ein Telegramm abtelegraphirt, so kommen 4 verschiedene Fälle vor, und in diesen wird entweder gar kein Strom, oder ein einfacher positiver, oder ein einfacher negativer, oder endlich ein doppelter positiver Strom in die Leitung gegeben. Ist nämlich kein Taster niedergedrückt, so ist weder eine Batteriehälfte, noch die ganze Batterie geschlossen, und es wird daher auch kein Strom in die Leitung gesendet. Wird nur auf T_1 ein Zeichen gegeben, ist also dieser Taster allein niedergedrückt, so ist die ganze Batterie $B_1 + B_2$ geschlossen und dieselbe sendet einen positiven Strom in die Leitung, der aber doppelt so kräftig ist, als wenn blos B_1 oder B_2 geschlossen sind; dieser Strom läuft vom Kupferpole *k* der Batteriehälfte B_1 über 1 und 2 des Tasters T_1 durch *L* nach der Empfangsstation, dort in die Erde und von *E* aus über 2 und 1 des Tasters T_2 nach dem Zinkpole *z* der Batteriehälfte B_2. Ist blos ein Zeichen des zweiten Telegrammes zu geben, so ist nur T_2 niedergedrückt, dadurch die Batteriehälfte B_2 geschlossen, und dieselbe sendet ihren Strom in entgegengesetzter Richtung in die Leitung *L*, denn dieser negative Strom nimmt seinen Weg vom Zinkpole *z* der Hälfte B_2 über 3 und 2 des Tasters T_1 durch *L* nach der Empfangsstation und kehrt aus *E* über 2 und 1 des Tasters T_2 zum Kupferpole *k* in B_2 zurück. Sind endlich beide Taster zugleich niedergedrückt, um zwei Zeichen zu telegraphiren, so ist nur die Batteriehälfte B_1 geschlossen; dieselbe sendet einen positiven Strom vom Kupferpole *k* über 1 und 2 des Tasters T_1 in die Leitung *L* und nach der Empfangsstation, woselbst er zur Erde geht und aus *E* über 2 und 1 des Tasters T_2 nach dem Zinkpole *z* der Batterie B_1 zurückkehrt.

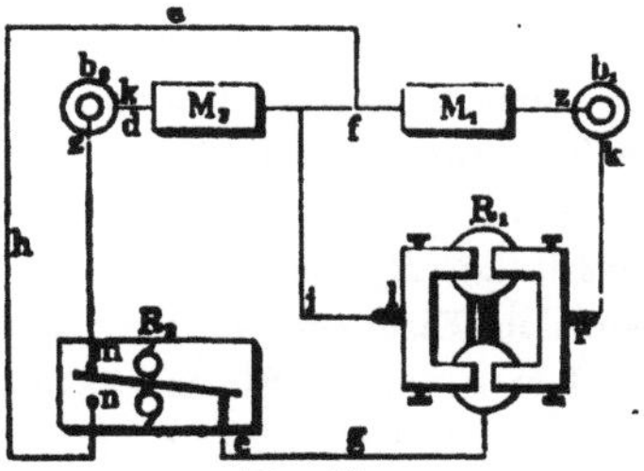

Fig. 43.

Auf der Empfangsstation stellt Schreder dem entsprechend auch 3 verschiedene Empfangsapparate auf, von denen der eine nur auf negative, der andere auf alle positiven und der dritte nur auf die doppeltstarken positiven Ströme anspricht. Der letztere Apparat ist ein gewöhnliches Translationsrelais R_2 (Fig. 43), dessen Contacte *m* und *n* sind, während der Punkt *c* beständig mit dem Relaishebel leitend verbunden ist; für gewöhnlich liegt der Relaishebel an dem Contactpunkte *m* und legt sich nur dann an *n* an, wenn der doppeltstarke Strom die Leitung durchläuft. Die beiden erstern

Apparate sind in ein (Störer'sches) Doppelrelais R_1 vereinigt, welches 2 Relaishebel r und l hat, von denen l nur auf negative, r dagegen nur auf positive Ströme, aber bei jeder Stromstärke, anspricht; die Multiplicationsrollen dieses Relais sind in der Zeichnung der Einfachheit halber weggelassen. Die weitere Einrichtung der Empfangsstation ist leicht zu übersehen: M_1 und M_2 sind die beiden Morse-Schreibapparate, b_1 und b_2 zwei Localbatterien, von denen der Kupferpol k der ersten mit dem Relaishebel r, der Zinkpol z aber mit dem einen Ende der Multiplicationsrollen des Schreibapparates M_1 verbunden sind, während das andere Ende dieser Rollen durch den Draht f mit dem ersten Ende der Rollen in M_2 und das zweite Ende der letztern mit dem Kupferpole der Localbatterie b_2 in Verbindung steht, deren Zinkpol endlich mit dem Contactpunkte m des Relais R_2 verbunden ist; der Contactpunkt n dieses Relais steht ferner mit dem Drahte f zwischen M_1 und M_2 in leitender Verbindung, der Relaishebel dagegen über c durch den Draht g mit den Kernen des Relais R_1 und endlich der Relaishebel l in R_1 ebenfalls mit dem Drahte f zwischen M_1 und M_2. Das Relais R_1 ist also so eingeschaltet, dass der Localstrom stets durch die Kerne seines Elektromagnets und durch den Draht g läuft; der Linienstrom hingegen umkreist stets die Kerne der beiden Relais R_1 und R_2 zugleich. Die Feder des Relais R_2 ist stärker gespannt, als die Feder an R_1; damit aber bei eintretenden Veränderungen der Stromstärke, welche eine Aenderung in der Spannung der Relaisfedern nöthig machen, das Verhältniss der zur Anziehung der Relaishebel erforderlichen Kräfte unverändert bleibe, ist die Feder des Translationsrelais R_2 und eine Feder des Störer'schen Relais R_1 an ein und derselben Schraubenmutter zu befestigen, welche nun je nach der Stärke des Stromes höher oder niedriger gestellt wird.

Die vier verschiedenen Fälle der Zeichengebung bringen nun auf der Empfangsstation folgende verschiedene Wirkungen hervor: Wird kein Zeichen gegeben, ist also kein Strom in der Leitung, so spricht auch weder R_1 noch R_2 an, es ist demnach auch weder b_1 noch b_2 geschlossen und kein Schreibapparat schreibt. Wird T_1 allein niedergedrückt und dadurch ein doppelter positiver Strom in die Linie gesendet, so legt dieser den Hebel des Relais R_2 von m nach n und ausserdem wird der Hebel r des Relais R_1 auf den Eisenkern herabgezogen; damit ist blos die Localbatterie b_1 geschlossen und ihr Strom geht von k über r und g nach c, durch den Relaishebel nach n und über h und f durch M_1 nach dem Zinkpol z in b_1 zurück; das Zeichen von T_1 erscheint also blos auf dem Schreibapparate M_1. Ist dagegen blos T_2 niedergedrückt, so wird durch den dabei gegebenen einfachen negativen Strom blos der Hebel l des Relais R_1 auf die Eisenkerne gelegt, während der Hebel von R_2 an m liegen bleibt; jetzt ist demnach blos die Localbatterie b_2 geschlossen, deren Strom seinen Weg von k durch M_2 über f und l nach g nimmt und über c und m nach z in b_2 zurückgelangt; das von T_2 gegebene Zeichen erscheint somit auch blos auf M_2. Sind endlich beide Taster zugleich niedergedrückt, so tritt ein einfacher positiver Strom in die Leitung und legt den Hebel r des Relais R_1 auf die Kerne, während der Hebel in R_2 an m liegen bleibt; dadurch sind aber beide Localbatterien geschlossen, sie bilden ein Ganzes und ihr Strom läuft von k in b_1 durch r und g nach c, über m nach z und k in b_2, durch M_2, f und M_1 nach z in b_1; es sprechen also jetzt beide Schreibapparate an und verzeichnen das auf T_1 und T_2 zugleich gegebene Zeichen auf den Papierstreifen; da beide Localbatterien geschlossen sind, so ist der Localstrom kräftig genug, beide Schreibapparate zu bewegen.

Auch diese Einschaltung leidet aber an dem bereits beim Gegensprecher von Schreder gerügten Fehler, dass die Linie vollständig unterbrochen ist, so lange der eine oder der andere Taster schwebt, und es können dadurch Punkte ausbleiben oder wenigstens Striche in Punkte aufgelöst werden. Auch in dem Relaissystem der Empfangsstation findet eine ähnliche Unterbrechung des Localstromes statt, während sich der Hebel des Relais R_2 von m nach n und umgekehrt bewegt, wodurch ebenfalls die Schrift der Schreibapparate gestört und verwirrt werden kann. Um ersteren Uebelstand zu beseitigen, gab Schreder später (Zeitschr. d. Tel.-Ver. VIII, S. 85) dem Taster folgende Einrichtung: Der gewöhnliche Morsetaster ist, wie Fig. 44 zeigt, mit dem Hebel abc verbunden. Weil dieser zwischen den Ständern des Tasters hindurchgeht, so wird der längere

Fig. 44.

Hebelarm des Tasters durch zwei zu beiden Seiten desselben befindliche Federn f, welche durch einen Querstift mit einander verbunden sind, gehoben. Der Hebel abc hat seinen Drehpunkt bei c und besteht aus den leitenden Enden a und b und einem nichtleitenden Mittelstücke d. Das Ende a wird durch die Feder F nach aufwärts gedrückt, welche Feder mit der in Fig. 44 nicht sichtbaren zum Contactpunkte 3 gehörenden Klemmschraube in Verbindung steht. Die Klemmschraube des Arbeitscontactes 1 ist mit der Axe c des Hebels leitend verbunden. Die Feder F drückt daher im Anfange der abwärts gehenden Bewegung des längeren Hebelarmes des Tasters den Hebel abc nach aufwärts und es wird deshalb der Contact bei 3 erst dann unterbrochen, wenn der längere Hebelarm des Tasters den ihm entgegen kommenden Theil b des Hebels abc erreicht hat, weil jetzt dieser Hebel durch den Taster niedergedrückt wird und somit a sich von der Contactschraube entfernt. Ebenso bleibt beim Loslassen des Tasters das leitende Ende b des Hebels abc so lange mit dem längern Arm des Tasters in Berührung, bis das Ende a die Contactschraube 3 erreicht und nun der Hebel abc durch den kürzern Arm des Tasters abwärts gedrückt wird. In beiden Fällen findet aber einen Augenblick hindurch ein kurzer Schluss der Batterie statt, nämlich wenn die Contacte 1 und 3 zugleich den Hebel *abc* berühren, und während dieser Zeit wird der Linienstrom erheblich geschwächt.

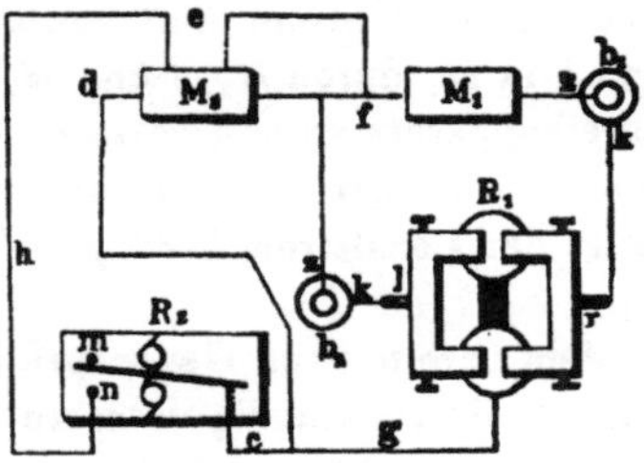

Fig. 45.

Auch eine andere, in Fig. 45 skizzirte Apparateinschaltung gab Schreder (Zeitschr. d. Tel.-Ver. VIII, S. 86): Das Translationsrelais R_2 ist dabei durch ein einfaches ersetzt, die Kerne des Schreibapparates M_2 aber mit einer doppelten Umwickelung versehen; das eine Ende der einen Umwickelung ist von *d* (vergl. Fig. 43) ausgehend nicht mit der Localbatterie b_2 und mit *m*, sondern unmittelbar mit der Axe *c* des Relais R_2 verbunden, das andere Ende genau so, wie es auch Fig. 43 zeigt, mit *f*; der von *f* nach *n* führende Draht *h* ist bei *e* zerschnitten und die erhaltenen beiden Enden mit den beiden Enden der zweiten Umwickelung von M_2 vereinigt, doch so, dass ein von *g* nach *c* kommender Strom in beiden Umwickelungen die Kerne von M_2 in entgegengesetzten Richtungen umkreiset; endlich wird die Localbatterie b_2 *) bei *i* mit dem Kupferpole *k* nach *l* hin eingeschaltet, mit dem Zinkpole *z* nach *f* hin. Wird nun der Anker *r* allein durch den beim Niederdrücken beider Taster in die Linie gesendeten einfachen positiven Strom angezogen, so ist b_1 über *r*, *g*, *c*, *d*, M_2, M_1 geschlossen und beide Schreibapparate schreiben. Ist blos T_1 niedergedrückt und der doppelte positive Strom in der Leitung, so ist ausser *r* auch der Hebel in R_1 angezogen und der Strom von b_1 geht über *r* und *g* nach *c*, theilt sich hier nach *d* und nach *h*, umkreist also in zwei entgegengesetzt gerichteten Zweigströmen die Kerne von M_2 und dieser Schreibapparat schreibt nicht; bei *f* vereinigen sich beide Zweigströme und gehen durch M_1, auf welchem deshalb das Zeichen erscheint. Sendet endlich T_2 allein einen einfachen negativen Strom durch die Leitung, so wird blos der Anker *l* angezogen, dadurch b_2 geschlossen und deren Strom läuft über *l*, *g*, *c*, *d* und M_2, das Zeichen wird demnach blos von M_2 aufgezeichnet. — Obwohl bei dieser Einschaltung der Localstrom bei der Bewegung des Relaishebels in R_2 nicht unterbrochen wird, ist dennoch ein Zerreissen der Zeichen auf M_2 zu befürchten, da dieser Schreibapparat abwechselnd durch den Strom der Batterien b_1 und b_2 beim Anziehen der Anker *r* oder *l* in Thätigkeit gesetzt wird.

7. Doppelsprecher mit 2 gewöhnlichen Schreibapparaten und 3 unpolarisirten Relais.

Wenn man 2 Batterien von ungleicher Stromstärke mit 2 Tastern T_1

---

*) Einfacher und deshalb besser und zugleich billiger ist es offenbar, b_1 und b_2 zu vereinigen und in den von den Eisenkernen in R_1 nach *c* führenden Draht *g* einzuschalten.

und T_2 (etwa nach dem Schema Fig. 39) so einschaltet, dass sie einen gleichgerichteten Strom in die Linie senden, so erhält man in der Linie einen Strom von der Stärke S_1, S_2 oder S_3, je nachdem blos T_1, oder blos T_2, oder T_1 und T_2 gleichzeitig niedergedrückt wird, und es sei dabei $S_1 < S_2 < S_3$. Um diese 3 verschieden starken Ströme zum Doppelsprechen zu verwerthen, kann man auf der Empfangsstation 3 gewöhnliche unpolarisirte Relais R_1, R_2 und R_3 aufstellen, von denen R_1 auf alle 3 Stromstärken, R_2 auf S_2 und S_3, R_3 endlich nur auf S_3 anspricht. Man kann aber diese 3 Relais auch mit 2 gewöhnlichen Schreibapparaten M_1 und M_2 (vergl. dagegen die Einschaltung von Siemens & Halske II, 2. C. und von Stark II, 1. C.) in einer Weise verbinden, welche sich der bei der einfachen Telegraphie gebräuchlichen Apparateinschaltung noch näher anschliesst, als die in Fig. 41 skizzirte Einschaltung von Wartmann (vergl. II, 5.). Es lässt sich diese Einschaltung daher bequem aushilfsweise auf Linien mit einer doppelten Drahtleitung bei Beschädigung der einen Leitung zur besseren Ausnutzung der unbeschädigten durch Doppelsprechen anwenden, sofern nur die Stationen mit einem Reserverelais versehen sind.

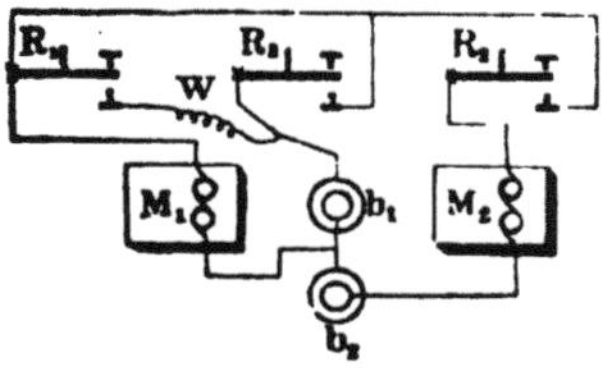

Fig. 46.

Wählt man nämlich die Einschaltung nach Fig. 46, so wird, wenn der von T_1 in die Leitung gesendete Strom S_1 blos R_1 ansprechen lässt, nur die Localbatterie b_1 geschlossen und nur der Schreibapparat M_1 schreibt das Zeichen nieder. Sendet dagegen T_2 den Strom S_2 in die Linie, so sprechen R_1 und R_2 an, b_1 und b_2 werden geschlossen und M_1 und M_2 werden von Strömen durchlaufen; bieten aber der Rheostat W und die beiden Schreibapparate M_1 und M_2 unter sich gleich grosse Widerstände, so theilt sich der durch W gegangene Strom von b_1 an der Axe des Relaishebels in R_1 in 2 Zweige, von denen der eine durch M_1, der andere durch M_2 geht, der Strom von b_2 dagegen theilt sich in 2 Zweigströme, deren erster durch M_1 und deren zweiter durch b_1 und W nach der Axe des Hebels in R_1 gelangt, worauf beide vereinigt durch M_2 gehen und zwar in derselben Richtung, wie der Zweigstrom von b_1, während die durch M_1 gehenden beiden Zweigströme nicht nur entgegengesetzte Richtung, sondern wegen der bezüglich des Schreibapparates M_1 ganz übereinstimmenden Einschaltung von b_1 und b_2 auch gleiche Stärke haben, weshalb M_1 seinen Anker nicht anzieht und nur M_2 das von T_2 gegebene Zeichen aufzeichnet. Sind endlich T_1 und T_2 gleichzeitig niedergedrückt, so sprechen auf die Stromstärke S_3 alle 3 Relais an und schliessen beide Batterien b_1 und b_2 und beide liefern jetzt stärkere Ströme, da der Anker von R_3 einen kürzeren Schluss hergestellt hat; wegen der Widerstände W und M_1 geht der Strom von b_2 fast ganz durch die Anker der Relais R_3 und R_2 und durch

M_2, der Strom von b_1 dagegen theilt sich vom Anker des Relais R_3 (oder auch R_1) aus wieder in 2 Zweige von fast gleicher Stärke, der eine derselben durchläuft M_2 in der nämlichen Richtung wie der Strom von b_1 und M_2 wird schreiben, aber auch M_1 wird das von T_1 und T_2 zugleich gegebene Zeichen niederschreiben, denn in M_1 muss der von b_1 herrührende kräftige Zweigstrom den sehr schwachen von b_2 merklich übertreffen.

(Schluss im nächsten Heft.)

Kleinere Mittheilungen.

XX. Methode, eine Potenz mit rational gebrochenem Exponenten in einen Kettenbruch zu verwandeln, dessen Partialbrüche Stammbrüche sind.
Von Dr. L. Matthiessen in Jever.

Die Form $z^{\frac{p}{q}}$ lässt sich immer durch einen Kettenbruch von der Form

$$a + \frac{1}{b + \frac{1}{c + \ldots}}$$

darstellen. Da die gegebene Zahlform auch die Form $\sqrt[q]{z^p}$ oder $\sqrt[q]{x}$ annimmt, so kommt es nur darauf an, an einigen Beispielen die Verwandlung einer beliebigen Wurzel zu zeigen. Die Näherungswerthe mögen bezeichnet werden mit

$$\frac{A}{A_1},\quad \frac{B}{B_1},\quad \frac{C}{C_1},\quad \frac{D}{D_1},$$

$$\text{und } \sqrt[q]{x} = a + \frac{1}{b_1},\quad b_1 = b + \frac{1}{c_1},\quad c_1 = c + \frac{1}{c_1},\ \text{u. s. w.},$$

$$\text{dann ist } b = \frac{1}{A_1\sqrt[q]{x} - A},\qquad c_1 = \frac{A_1\sqrt[q]{x} - A}{B - B_1\sqrt[q]{x}},\qquad d_1 = \frac{B - B_1\sqrt[q]{x}}{C_1\sqrt[q]{x} - C},$$

$$e = \frac{C_1\sqrt[q]{x} - C}{D - D_1\sqrt[q]{x}}.$$

Beispiel: $x = \sqrt[2]{47}$ (cf. Heis Aufgabensammlung § 87, 5; Wiegand Algebra § 47.)

$$\sqrt{47} = a_1 = 6+\frac{\sqrt{47}-6}{1}\ \left(\frac{1}{b_1}\right)\ \frac{6}{1} = \frac{A}{A_1},$$

$$b_1=\frac{1}{1.\sqrt{47}-6} = \frac{\sqrt{47}+6}{11} = 1+\frac{\sqrt{47}-5}{11}\ \left(\frac{1}{c_1}\right)\ \frac{7}{1} = \frac{B}{B_1},$$

$$c_1=\frac{1.\sqrt{47}-6}{7-1.\sqrt{47}} = \frac{\sqrt{47}+5}{2} = 5+\frac{\sqrt{47}-5}{2}\ \left(\frac{1}{d_1}\right)\ \frac{41}{6} = \frac{C}{C_1},$$

$$d_1=\frac{7-1.\sqrt{47}}{6\sqrt{47}-41} = \frac{\sqrt{47}+5}{11} = 1+\frac{\sqrt{47}-6}{11}\ \left(\frac{1}{e_1}\right)\ \frac{48}{7} = \frac{D}{D_1},$$

$$c_1=\frac{6\sqrt{47}-41}{48-7\sqrt{47}} = \frac{\sqrt{47}+6}{1} = 12+\frac{\sqrt{47}-6}{1}\ \left(\frac{1}{f_1}\right)\ \frac{617}{90} = \frac{E}{E_1}\ \text{etc.}$$

Auf dieselbe Art lässt sich auch ohne viele Schwierigkeiten die Cubicwurzel, oder eine höhere Wurzel ausziehen.

Beispiel:

$$x=\sqrt[3]{31} = a_1 = 3+\frac{\sqrt[3]{31}-3}{1}\ \left(\frac{1}{b_1}\right)\ \frac{3}{1} = \frac{A}{A_1},$$

$$b_1=\frac{1}{\sqrt[3]{31}-3} = \frac{\sqrt[3]{31^2}+3\sqrt[3]{31}+9}{4} = 7+\frac{\sqrt[3]{31^2}+3\sqrt[3]{31}-19}{4}\left(\frac{1}{c_1}\right)\frac{22}{7} = \frac{B}{B_1},$$

$$c_1=\frac{\sqrt[3]{31}-3}{22-7\sqrt[3]{31}} = \frac{7.\sqrt[3]{31^2}+22\sqrt[3]{31}+67}{15}$$

$$= 13+\frac{7\sqrt[3]{31^2}+22\sqrt[3]{31}-128}{15}\left(\frac{1}{d_1}\right)\frac{289}{92} = \frac{C}{C_1},$$

$$d_1=\frac{22-7\sqrt[3]{31}}{92\sqrt[3]{31}-289} = \frac{92\sqrt[3]{31^2}+289\sqrt[3]{31}+774}{1759}$$

$$= 1+\frac{92\sqrt[3]{31^2}+289\sqrt[3]{31}-985}{1759}\left(\frac{1}{e_1}\right)\frac{311}{99} = \frac{D}{D_1},$$

$$e_1=\frac{92\sqrt[3]{31}-289}{311-99\sqrt[3]{31}} = \frac{99\sqrt[3]{31^2}+311\sqrt[3]{31}+93}{962}$$

$$= 2+\frac{99\sqrt[3]{31^2}+311\sqrt[3]{31}-1831}{962}\left(\frac{1}{f_1}\right)\frac{911}{290} = \frac{E}{E_1},$$

$$f_1=\frac{311-99\sqrt[3]{31}}{290\sqrt[3]{31}-911} = \frac{290\sqrt[3]{31^2}+911\sqrt[3]{31}+2531}{969}$$

$$= 8+\frac{290\sqrt[3]{31^2}+911\sqrt[3]{31}-5221}{969}\left(\frac{1}{g_1}\right)\frac{7599}{2419} = \frac{F}{F_1}.$$

$$x=\sqrt[3]{31}=3,14138074$$

Drittes Beispiel: $x=\sqrt[4]{19}=a_1=2+\frac{\sqrt[4]{19}-2}{1}\left(\frac{1}{b_1}\right)\frac{2}{1}=\frac{A}{A_1}$,

$$b_1=\frac{1}{\sqrt[4]{19}-2}=\frac{\sqrt[4]{19^3}+2\sqrt[4]{19^2}+4\sqrt[4]{19}+8}{3}$$

$$=11+\frac{\sqrt[4]{19^3}+2\sqrt[4]{19^2}+4\sqrt[4]{19}-25}{3}\left(\frac{1}{c_1}\right)\frac{23}{11}=\frac{B}{B_1},$$

$$c_1=\frac{\sqrt[4]{19}-2}{23-11\sqrt[4]{19}}=\frac{11\sqrt[4]{19^3}+11.23.\sqrt[4]{19^2}+23^2\sqrt[4]{19}+955}{1662}$$

$$=2+\frac{11^2\sqrt[4]{19^3}+11.23\sqrt[4]{19^2}+23^2\sqrt[4]{19}-2369}{1662}\left(\frac{1}{d_1}\right)\frac{48}{23}=\frac{C}{C_1},$$

$$d_1=\frac{23-11\sqrt[4]{19}}{23\sqrt[4]{19}-48}=\frac{23^2\sqrt[4]{19^3}+23.48\sqrt[4]{19^2}+48^2\sqrt[4]{19}+713}{8563}$$

$$=1+\frac{23^2\sqrt[4]{19^3}+23.48.\sqrt[4]{19^2}+48^2\sqrt[4]{19}-7850}{8563}\left(\frac{1}{e_1}\right)\frac{71}{34}\frac{D}{D_1}.$$

Jever. Dr. Matthiessen.

XXI. Ueber die Ausdrücke elliptischer Integrale 2. und 3. Gattung durch ϑ-Functionen.

Die von Jacobi gegebenen Formeln, *Fund. nov.* pag. 146, No. 4 etc., lassen sich mit grosser Schnelligkeit vermöge der Riemann'schen Principien entwickeln.

Offenbar kann man durch lineare Ausdrücke:

$$A_1\, lg\,\vartheta(u-a_1)+A_2\, lg\,\vartheta(u-a_2)+\ldots$$

Functionen von u erhalten, die, wenn

$$u=\int_0^x\frac{dx}{\sqrt{1-x^2.\overline{1-k^2x^2}}}=\frac{1}{2}\int_0^z\frac{dz}{\sqrt{z\,\overline{1-z}.\overline{1-k^2z}}}$$

ist, in der Fläche T in bestimmten Punkten logarithmisch unendlich werden. Am Querschnitte (a) haben die $lg\,\vartheta(u-a)$ Periodicitätsmoduln gleich 0, oder ganzen Vielfachen von $2\pi i$. Am Querschnitt (b) ist

$$lg.\underset{+}{\vartheta}(u-a)=-2u+Const+\underset{-}{\vartheta}(u-a).$$

Ist daher $\Sigma A=0$, so wird $\Sigma A\, lg\,\vartheta(u-a)$ auch an (b) die Eigenschaft der wie

T verzweigten algebraischen Integrale haben, an beiden Seiten desselben um Constante verschieden zu sein. Man kann also logarithmisch unendliche Integrale, d. h. Integrale 3. Gattung, durch $lg\,\Theta$ ausdrücken.

Ausdrücke für Integrale 2. Gattung werden sich daraus von selbst ergeben.

Untersuchen wir

$$\Pi(u,a)=\frac{k^2}{2}\sin am\, a.\cos am\, a.\Delta\, am\, a\int_0^z \frac{z\,dz}{(1-k^2\sin^2 am\, a.z)\sqrt{z.(1-z)(1-k^2z)}}.$$

Dies wird logarithmisch unendlich, wenn

$$z=\sin^2 am\, u=\frac{1}{k^2\sin^2 am\, a}, \text{ oder } u=\pm(a+K'i).$$

Dann ist, wenn wir die ältere Jacobi'sche Function $\Theta(u)$ einführen:

$$\Theta(u-a)=0, \text{ wenn } u=\ \ a+K'i,$$
$$\Theta(u+a)=0, \text{ wenn } u=-(a+K'i).$$

In der Nähe dieses Werthes $z=\dfrac{1}{k^2\sin^2 am\, a}$ hat das Integral die Form:

$$\frac{k^2}{2}\frac{\sin am\, a.\cos am\, a.\Delta\, am\, a.\sin^2 am\,(a+K'i)}{\sin am\,(a+K'i)\cos am\,(a+K'i)\,\Delta\, am\,(a+K'i)}\int^z \frac{dz}{1-k^2\sin^2 am\, a.z},$$

oder, nach Benutzung der bekannten Formeln:

$$\sin am\,(a+K'i)=\frac{1}{k\sin am\, a} \text{ etc.}$$

heben sich die Factoren und es bleibt

$$-\tfrac{1}{2}\int^z \frac{dz}{\dfrac{1}{k^2\sin^2 am\, a}-z}=\tfrac{1}{2}lg\left(\frac{1}{k^2\sin^2 am\, a}-z\right)+C\ldots$$

Daraus folgt, dass

$$\Pi(u,a)-\tfrac{1}{2}[lg\,\Theta(u-a)-lg\,\Theta(u+a)]$$

sowohl für $u=a+K'i$, als auch für $u=-a-K'i$ (welches dem negativen Vorzeichen der Quadratwurzel in Π entsprechend gedacht wird) endlich bleibt. Diese Grösse muss daher ein endlich bleibendes Integral sein, oder man hat

$$\Pi(u,a)-\tfrac{1}{2}[lg\,\Theta(u-a)-lg\,\Theta(u+a)]=C.u.$$

Für unendlich kleine u oder z ist $\dfrac{\Pi(u,a)}{u}=0$, dafür kleine $z\pi$ die Form hat:

$$Const\int\sqrt{z}.dz=Const.\sqrt{z^3},$$

und $\left(\dfrac{u}{\sqrt{z}}\right)=1$ für $u=0$. Für kleine u ist

$$lg\,\Theta(u-a)-lg\,\Theta(u+a)=lg\,\Theta(a-u)-lg\,\Theta(a+u)=-2\frac{d\,lg\,\Theta(a)}{da}.u.$$

Daraus ergiebt sich

$$C=\frac{\Theta'(a)}{\Theta(a)}, \text{ also}$$

1) $$\Pi(u,a) - \frac{\Theta'(a)}{\Theta(a)}u = \tfrac{1}{2}[lg\,\Theta(u-a) - lg\,\Theta(u+a)].$$

Ferner können wir, um ein Integral 2. Gattung zu erhalten, die Unendlichkeitspunkte zusammenfallen lassen; machen wir a sehr klein, gleich δ, so ist:

$$\Theta'(\delta) = \delta . \Theta''(0), \text{ da } \Theta'(0) = 0.$$

Da nämlich $\Theta(u) = \Theta(-u)$, muss $\Theta'(u) = -\Theta'(-u)$, also $\Theta'(0) = 0$ sein. Dann finden wir:

2) $$\frac{k^2}{2}\int_0^z \frac{z\,dz}{\sqrt{z.1-z.1-k^2z}} - \frac{\Theta''(0)}{\Theta(0)}u + \frac{\Theta'(u)}{\Theta(u)} = 0,$$

und hier ist

$$\int \frac{z\,dz}{\sqrt{z.1-z.1-k^2z}}$$

ein Integral 2. Gattung, welches für $z = \infty$ selbst ∞^1 ist. Wir wissen, dass $\frac{\Theta'(u)}{\Theta(u)}$ am Querschnitt (a) den Periodicitätsmodul Null hat. Legen wir die Querschnitte, wie die Taf. IV, Fig. 1 zeigt, so kann man dies so ausdrücken.

Sei $\frac{\Theta''(0)}{\Theta(0)} = C$, so muss

$$\tfrac{1}{2}\int_0^1 \frac{C\,dz}{\sqrt{z.1-z.1-k^2z}} - \frac{k^2}{2}\int_0^1 \frac{z\,dz}{\sqrt{z.1-z.1-k^2z}} = 0$$

sein. Diese Querschnittsführung entspricht in der That der jetzt angewandten Bezeichnung; ist $u = \frac{2Kv}{\pi}$, so ist

$$\Theta(u) = \sum_{-\infty}^{\infty} q^{n^2} . e^{2n\left(v+\frac{\pi}{2}\right)i}$$

und dies ist Null für $u = K'i$, oder $v = -\frac{i}{2}\,lg q$.

Die letzte Integralgleichung giebt dann eine Bestimmung von C, nämlich wenn

$$\tfrac{1}{2}\int_0^z \frac{(1-k^2z)\,dz}{\sqrt{z.1-z.1-k^2z}} = E(z),$$

und $E(1) = E^1$ gesetzt wird:

$$C\,K - K + E^1 = 0,\quad C = \left(1 - \frac{E^1}{K}\right),$$

3) $$\frac{\Theta''(v)}{\Theta(v)} = 1 - \frac{E^1}{K}$$

und daraus:

4) $$\frac{\Theta'(u)}{\Theta(u)}=\left(1-\frac{E^1}{K}\right)u-\frac{k^2}{2}\int_0^z\frac{z\,dz}{\sqrt{z.1-z.1-k^2z}}.$$

Die rechte Seite dieser Gleichung bezeichnet Jacobi in den *Fund.* pag. 133 durch $Z(u)$, und man erhält so für dieses Integral 2. Gattung

5) $$Z(u)=\frac{\Theta'(u)}{\Theta(u)}.$$

In einer späteren Notiz werde ich hieran die Bestimmung von $\dot{\Theta}(0)$ anschliessen.

Halle. Dr. Roch.

XXII. Ueber die biquadratischen Gleichungen.

Substituirt man in der Gleichung

1) $$x^4+Ax^3+Bx^2+Cx+D=0$$

2) $$x=q\zeta+r,$$

so erhält sie die Form:

3) $$\zeta^4+\alpha\zeta^3+\beta\zeta^2+\gamma\zeta+\delta=0,$$

wo

4) $$\begin{cases}\alpha=\dfrac{4r+A}{q}\\ \beta=\dfrac{6r^2+3Ar+B}{q^2}\\ \gamma=\dfrac{4r^3+3Ar^2+2Br+C}{q^3}\\ \delta=\dfrac{r^4+Ar^3+Br^2+Cr+D}{q^4}.\end{cases}$$

Soll nun die Gleichung 3) reciprok werden, so muss $\gamma=\alpha$, oder auch $\gamma=-\alpha$ und $\delta=1$ sein, woraus sich für beide Fälle, ob man nämlich $\gamma=+\alpha$, oder $\gamma=-\alpha$ annimmt:

5) $$q=\sqrt[4]{r^4+Ar^3+Br^2+Cr+D}$$

u. 6) $$(A^3-4AB+8C)r^3+(A^2B+2AC-4B^2+16D)r^2$$
$$+(A^2C+8AD-4BC)r+(A^2D-C^2)=0$$

ergiebt. Somit ist auch umgekehrt zu schliessen, dass aus 5) und 6) solche Werthe für q und r sich ergeben können, für welche entweder $\gamma=\alpha$ oder $\gamma=-\alpha$ folgt.

Da der zweite Fall in der That auch vorkömmt, wie das beigefügte Beispiel beweist, so reicht es nicht hin, blos α aus der ersten der Formeln 4) zu berechnen, sondern es ist jedesmal nothwendig, aus der dritten dieser Formeln wenigstens das Zeichen von γ zu bestimmen.

Beispiel:

Ist $$x^4+x^3-24x^2-4x+80=0$$

die aufzulösende Gleichung, so ist die Hilfsgleichung dritten Grades:

$$65r^3-1056r^2+252r+64=0,$$

deren Wurzeln sind:

$$r_1 = 16, \quad r_2 = 0.4, \quad r_3 = -\frac{2}{13}.$$

Wählt man den Werth $r_1 = 16$, so geben die Formeln 5) und 4) allerdings $q = 6\sqrt{7}$ und $\alpha = +\gamma = \frac{65}{6\sqrt{7}}$ u. s. w.; mittelst des Werthes $r_2 = 0.4$ jedoch erhält man:

$$q = 1.2\sqrt{6} \text{ und } \alpha = -\gamma = \frac{13}{6\sqrt{6}},$$

daher ist die reciproke Gleichung:

$$\zeta^4 + \frac{13}{6\sqrt{6}}\zeta^3 - \frac{91}{36}\zeta^2 - \frac{13}{6\sqrt{6}}\zeta + 1 = 0,$$

welche durch die Substitution

$$\zeta - \frac{1}{\zeta} = \tau$$

zu einer quadratischen wird u. s. w.

Hätte man hier ohne weiteres $\alpha = \frac{13}{6\sqrt{6}}$ berechnet und $= +\gamma$ gesetzt, so wäre allerdings auch eine reciproke Gleichung zum Vorschein gekommen, die aber falsche Werthe für x gegeben hätte.

Prag. M. Pokorny,
Lehrer am Neustädter Gymnasium.

XXIII. Ueber die Curven 3. Grades, welche durch die zwei imaginären unendlich entfernten Kreispunkte gehen. Von F. E. Eckardt, stud. math. in Leipzig.

Plücker hat zuerst darauf aufmerksam gemacht, dass alle Kreise durch zwei feste unendlich entfernte imaginäre Punkte gehen. Diese Punkte und die nach ihnen hingehenden geraden Linien besitzen sehr interessante Eigenschaften*) und sind auch bei der Betrachtung höherer Curven, besonders in der Theorie der Brennpunkte, von grosser Wichtigkeit. Die geraden Linien, welche das Centrum eines Kreises mit diesen Punkten verbinden, sind Asymptoten desselben, woraus sich sofort ergiebt, dass diese Punkte auf den beiden durch die Gleichung

$$x^2 + y^2 = 0$$

ausgedrückten geraden Linien liegen.

Durch die fraglichen Punkte aber werden nicht allein Kreise, sondern auch unzählig viele Arten von Curven höherer Grade gehen, die dann wahrscheinlich, hierdurch wieder von vielen anderen ausgezeichnet, ganz

*) Vergl. Salmon's Analyt. Geometrie der Kegelschnitte; deutsch von Dr. Fiedler, §. 40, 405 etc.

besondere Eigenschaften vor diesen voraus haben werden. Dabei aber leuchtet sofort ein, dass analog, wie eine algebraische Gleichung, wenn sie eine complexe Wurzel besitzt, auch durch die dieser conjugirte erfüllt wird, auch eine algebraische Curve, welche durch einen der imaginären Kreispunkte geht, auch den andern enthält. Die Curven dritten Grades nun, welche durch diese beiden Punkte gehen, näher zu untersuchen, wird die Aufgabe der folgenden Abhandlung sein. Ob einige oder alle in ihr gefundenen Sätze etwa bereits bekannt sind, konnte ich nicht entscheiden, da mir in dieser Hinsicht sämmtliche Unterlagen fehlten.

I.

Es ist zunächst sehr leicht, die allgemeine Gleichung der zu betrachtenden Curven, welche wir einfach Curven 3. Grades mit Kreisasymptoten nennen wollen, zu finden. Denn, da bei einer Curve, deren Asymptoten den beiden geraden Linien

$$y-m_1x=0 \text{ und } y-m_2x=0$$

parallel sind, die Summe der Glieder, welche in der Gleichung der Curve die Variablen in der höchsten Potenz enthalten, durch das Product

$$(y-m_1x)(y-m_2x)$$

theilbar sein muss, so wird in dem zu betrachtenden Falle, wo

$$m_1=i,\ m_2=-i;$$

also $$(y-m_1x)(y-m_2x)=x^2+y^2,$$

die allgemeine Gleichung der Curve:

1) $$(x^2+y^2)(Ax+By)+Cx^2+Dxy+Ey^2+Fx+Gy+H=0.$$

Aus dieser Gleichung ergiebt sich sofort, dass die Curve eine reelle Asymptote hat, und dass diese der geraden Linie

$$Ax+By=0$$

parallel ist.

Die Gleichung der Curve kann man auf eine symbolische Form bringen, aus welcher sich dann ein sehr interessanter Satz ergiebt. Bedeute S eine Form von x und y, welche gleich Null gesetzt, die Gleichung eines Kreises giebt, und bedeuten ebenso α, β, γ gerade Linien, z. B.

$$S=x^2+y^2-2Ax-2By+C.$$
$$\alpha=x\cos\varphi+y\sin\varphi-p$$
etc.;

ist endlich k eine Constante, so kann man die Gleichung 1) auf unendlich viele Weisen auf die Form bringen:

2) $$\alpha S+k\beta\gamma=0.$$

Nun aber ist S das Quadrat der vom Punkte (xy) an den Kreis $S=0$ gelegten Tangente*) und ebenso z. B. α der Abstand desselben Punktes von der geraden Linie $\alpha=0$; es folgt somit der Satz:

---

*) Vergl. Analyt. Geometrie der Kegelschnitte, §. 118.

Der Ort eines Punktes, für welchen das Product aus dem Quadrate der von ihm aus an einen festen Kreis gelegten Tangente in seinen Abstand von einer festen geraden Linie in constantem Verhältniss steht zu dem Producte seiner Abstände von zwei andern festen geraden Linien, ist eine Curve 3. Grades mit Kreisasymptoten.

Aber die Gleichung 2) lehrt weiter, dass die Curve geht:

1) durch die Schnittpunkte des Kreises $S=0$ mit den geraden Linien $\beta=0$ und $\gamma=0$,

2) durch die Schnittpunkte der geraden Linie $\alpha=0$ mit $\beta=0$ und $\gamma=0$.

Ausserdem ist die Linie $\alpha=0$ eine Parallellinie zu der reellen Asymptote der Curve. Eine einfache Betrachtung dieser Verhältnisse führt zu dem interessanten Satz:

Wenn man durch zwei feste Punkte einer Curve 3. Grades mit Kreisasymptoten Kreise legt, so schneidet jeder derselben die Curve noch in zwei Punkten, deren Verbindungslinie dieselbe in einem festen Punkte trifft. Eine durch diesen parallel zur reellen Asymptote gezogene gerade Linie trifft mit der Verbindungslinie jener zwei festen Punkte wiederum in der Curve zusammen.

Es ist klar, dass man mit Hilfe dieses Satzes sofort die Richtung der Asymptote finden kann. Einige specielle Fälle desselben werden später an passenden Stellen ihren Platz finden.

II.

Die beiden imaginären Asymptoten der Curven schneiden sich in einem reellen Punkte, dessen Aufsuchung nützlich ist. Es seien (α, β) die Coordinaten desselben, dann wird

$$y-\beta=i(x-\alpha)$$

die Gleichung der einen Asymptote sein. Zur Auffindung von α und β führt nun folgende Betrachtung.

Wenn man

$$y=\beta+i(x-\alpha)$$

in die Gleichung 1) der Curve substituirt, so muss, soll diese Gerade wirklich Asymptote sein, eine Gleichung für x hervorgehen, in welcher nicht allein das mit x^3, sondern auch das mit x^2 beladene Glied wegfällt. Im Allgemeinen aber verschwindet dies nicht; durch seine Gleichsetzung mit Null erhält man also eine Bedingungsgleichung, welche α und β erfüllen müssen. Dieselbe zerfällt aber sofort in zwei andere, da der reelle und imaginäre Theil, jeder für sich, verschwinden muss, und aus diesen kann man dann α und β bestimmen. Die Ausführung dieser Operationen führt leicht zu folgenden Gleichungen:

$$2A\alpha - 2B\beta + C - E = 0,$$
$$2B\alpha + 2A\beta + D \quad = 0$$

und aus ihnen ergiebt sich:

3) $$\alpha = \frac{A(E-C) - BD}{2(A^2+B^2)}, \quad \beta = \frac{B(C-E) - AD}{2(A^2+B^2)}.$$

Der durch diese Coordinaten bestimmte Punkt, der reelle Schnittpunkt der beiden imaginären Asymptoten, möge das **Centrum** der Curve heissen.

Eine bedeutende Vereinfachung der Gleichung 1) tritt ein, wenn man dies Centrum zum Coordinatenursprung wählt. Dies kann man stets, da α und β nie unendlich werden können. Damit aber $\alpha = 0$ und $\beta = 0$ werde, muss offenbar sein

4) $$\begin{cases} C = E \\ D = 0. \end{cases}$$

Die Gleichung der Curve erlangt dadurch die Form

5) $$(x^2+y^2)(Ax+By+C) + Dx + Ey + F = 0,$$

und man erkennt hier sofort, dass

$$Ax + By + C = 0$$

die Gleichung der reellen Asymptote der Curve und

$$Dx + Ey + F = 0$$

die Gleichung der geraden Linie ist, welche die 3 Punkte verbindet, in welchen die Curve von ihren Asymptoten geschnitten wird.

Aus der Gleichung 5) ergeben sich eine Reihe von Sätzen.

Der Ort eines Punktes, für welchen das Quadrat seines Abstandes von einem festen Punkt multiplicirt mit seinem Abstand von einer festen geraden Linie in constantem Verhältniss steht zu seinem Abstand von einer andern festen Geraden, ist eine Curve 3. Grades mit Kreisasymptoten, welche jenen festen Punkt zum Centrum und die erste feste gerade Linie zur Asymptote hat; ferner:

Beschreibt man um das Centrum einer Curve 3. Grades mit Kreisasymptoten einen Kreis, so schneidet dieser die Curve in zwei Punkten, deren Verbindungslinie der reellen Asymptote in der Curve begegnet.

Man erkennt in diesem Satze leicht nur einen speciellen Fall des zweiten Satzes in §. 1, indem hier die dort erwähnten zwei festen Punkte die imaginären Kreispunkte sind.

III.

Unter den Punkten der Curve giebt es auch eine Anzahl, deren Tangenten zu der reellen Asymptote parallel laufen. Wir wollen sie mit dem Namen „Scheitel" bezeichnen.

Es sei die Curve so gelegt, dass ein Scheitel Coordinatenanfang wird und seine Tangente in die Y-Axe fällt. Dann ist in der allgemeinen Gleichung 1) zu setzen $B=0,\ G=0,\ H=0$
und die Gleichung der Curve wird dadurch einfacher:

6) $$A(x^2+y^2)x+Cx^2+Dxy+Ey^2+Fx=0,$$

oder, wenn man sie durch Polarcoordinaten r und φ ausdrückt:

$$r^2+r\frac{C\cos^2\varphi+D\cos\varphi\sin\varphi+E\sin^2\varphi}{A\cos\varphi}+\frac{F}{A}=0.$$

Sind somit r_1 und r_2 die zu einer bestimmten Anomalie φ gehörigen Radienvectoren, so ist

$$r_1 r_2=\frac{F}{A},$$

welches Resultat den Satz ausdrückt:

> Legt man durch einen Scheitel einer Curve 3. Grades mit Kreisasymptoten gerade Linien, so ist das Product der Abschnitte, welche die Curve auf jeder derselben bildet, constant,

oder auch einfacher:

> Die Curve ist in Bezug auf irgend einen ihrer Scheitel ihre eigene inverse Curve.

Wenn man den 2. Satz in §. 1 auf den besondern Fall anwendet, wo die Verbindungslinie der beiden festen Punkte durch einen Scheitel geht, so ergiebt sich der folgende:

> Legt man durch zwei Punkte einer Curve 3. Grades mit Kreisasymptoten, deren Verbindungslinie durch einen Scheitel derselben geht, einen Kreis, so schneidet dieser die Curve noch in zwei Punkten, deren Verbindungslinie wieder durch den Scheitel geht,

von welchem Satze schliesslich der vorige nur ein anderer Ausdruck ist.

IV.

Wenn die reelle Asymptote in die Y Axe fällt, und ausserdem (a, b) die Coordinaten des Centrums sind, so hat die Gleichung der Curve folgende Form:

$$[(x-a)^2+(y-b)^2]x+\alpha x+\beta y+\gamma=0,$$

und wenn ausserdem der Coordinatenanfang in den Punkt gelegt wird, wo die Curve ihre Asymptote schneidet (er möge in der Folge einfach mit S bezeichnet werden), noch etwas einfacher, da dann $\gamma=0$:

$$[(x-a)^2+(y-b)^2]x+\alpha x+\beta y=0,$$

oder $$(x-a)^2+(y-b)^2+\alpha+\beta\frac{y}{x}=0.$$

Für die zwei Punkte der Curve, welche auf einer durch den Coordinatenursprung liegenden geraden Linie liegen, ist $\frac{y}{x}$ dasselbe, folglich auch dieser Gleichung zufolge der Werth

$$(x-a)^2+(y-b)^2,$$

die das Quadrat ihres Abstandes vom Centrum, was geometrisch interpretirt, folgenden Satz giebt:

Jede gerade Linie durch den Punkt S schneidet die Curve in zwei Punkten, die vom Centrum der Curve gleichweit abstehen.

Es ist dies offenbar die Umkehr des zweiten Satzes in §. 2. Aus ihm folgen eine Reihe anderer, wie:

Wenn man durch den Punkt S gerade Linien zieht, und in der Mitte des Stückes, welches die Curve auf jeder von ihnen abschneidet, Perpendikel errichtet, so convergiren diese sämmtlich im Centrum der Curve.

Der Mittelpunkt des Stückes, welches die Curve auf jeder durch den Punkt S gehenden geraden Linie abschneidet, beschreibt einen Kreis, welcher durch S und das Centrum der Curve geht.

Die Normalen aller der Punkte, deren Tangenten durch den Punkt S gehen, convergiren im Centrum der Curve.

Der vorletzte Satz nimmt eine besonders einfache Gestalt an, wenn S im Unendlichen liegt, also die Curve eine Inflexionsasymptote hat. Derselbe lautet dann:

Bei einer Curve 3. Grades mit Kreisasymptoten und einer reellen Inflexionsasymptote halbirt das Perpendikel, das man vom Centrum aus auf die letztere fällt, alle zu ihr parallellaufenden Sehnen.

V.

Der schon mehrfach berührte zweite Satz in §. 1 ist von besonderer Wichtigkeit noch dadurch, weil er lehrt, sowohl die Tangente, als auch der Krümmungshalbmesser eines jeden Punktes für die betrachtete Classe von Curven zu finden.

Zunächst ist klar, dass man mit Hilfe desselben die Aufgabe lösen kann:

Gegeben sind 3 Punkte in einer Curve 3. Grades mit Kreisasymptoten, man soll den 4. Punkt finden, in welchem die durch jene drei Punkte gelegte Kreislinie der Curve nochmals begegnet.

Die Construction wäre einfach:

Man ziehe AB, welches die Curve nochmals in D schneide, und verbinde den Punkt E, in welchem die Curve von einer Parallelen durch D zur reellen Asymptote getroffen wird, mit C; die Linie CE schneidet dann die Curve in dem gesuchten Punkt.

Man kann nun weiter die Aufgabe lösen:

Es soll durch einen Punkt A in dem Umfange einer Curve 3. Grades mit Kreisasymptoten ein Kreis gelegt werden, welcher diese zugleich in einem Punkte B berührt.

Man braucht dann nur den Punkt zu finden, in welchem der gesuchte Kreis die Curve nochmals trifft; die Construction bleibt wie vorher, nur dass man C mit B zusammenfallen lässt.

Hierdurch aber wird man weiter zur Construction der Tangente im Punkte B geleitet, denn die Tangente der Curve ist identisch mit der eines sie berührenden Kreises. Man hat daher, weil der Punkt A ganz willkürlich ist, diesen so zu wählen, dass die Construction die einfachste wird. Man gelangt so zu folgendem leicht zu beweisenden Weg:

Um in dem Punkte A die Tangente zu legen, ziehe man durch ihn eine parallele Linie zur Asymptote und verbinde ihn mit dem Punkte S, wo die Curve ihrer Asymptote begegnet. Die erste Linie schneide die Curve in B, die letztere in C. Man errichte nun noch in den Mittelpunkten von AB und AC Perpendikel, und verbinde deren Schnittpunkt mit A; die erhaltene Linie ist die Normale von A, und die Tangente steht senkrecht darauf.

Man kann nun den Satz noch weiter anwenden und den Punkt P suchen, wo die Curve von dem Krümmungskreise des Punktes A geschnitten wird, um mit dessen Hilfe den letzteren zu construiren. Dies aber wird leicht auf folgende Weise ausgeführt:

Man lege in A die Tangente, welche die Curve in B schneiden möge, und verbinde den Punkt C, wo eine Parallele durch B zur Asymptote die Curve trifft, mit A. Die Linie AC schneidet dann die Curve in dem gesuchten Punkt P, und man hat nur in der Mitte von AP ein Perpendikel zu errichten, um in dessen Schnittpunkt mit der Normale in A den Krümmungsmittelpunkt zu A zu finden.

Nur für die Scheitel führt diese Construction nicht zum Ziel, weil die Krümmungskreise für dieselben mit der Curve vier Punkte gemein haben.

VI.

Im 0. Bande dieser Zeitschrift, S. 34, habe ich folgenden Satz bewiesen:

> Die Summe der Cotangenten der Winkel, welche eine gerade Linie mit den n Asymptoten einer Curve n. Grades bildet, ist genau so gross, als die Summe der Cotangenten der Winkel, welche sie mit den n Tangenten einschliesst, die in den Punkten, wo sie die Curve trifft, an diese gelegt werden können.

Dieser Satz liefert, auf Curven 3. Grades mit Kreisasymptoten angewandt, interessante Folgerungen.

Bekanntlich bildet jede gerade Linie $y=mx+n$ mit den Linien

$$y=\pm ix+\alpha$$

Winkel, deren Tangenten sind:

$$\pm i.$$

In der allgemeinen Gleichung, die obiger Satz auf Curven 3. Grades angewandt giebt, wenn l die schneidende Sehne, a_1, a_2, a_3 die 3 Asymptoten, A_1, A_2, A_3 die 3 Tangenten sind, nämlich:

$$cot(la_1)+cot(la_2)+cot(la_3)=cot(lA_1)+cot(lA_2)+cot(lA_3),$$

wird dadurch

$$cot(la_1)+cot(la_2)=0,$$

so dass, wenn a die reelle Asymptote ist, übrig bleibt

$$cot(la)=cot(lA_1)+cot(lA_2)+cot(lA_3),$$

woraus der Satz folgt:

> Die Summe der Cotangenten der Winkel, unter welchen eine Curve 3. Grades mit Kreisasymptoten durch eine Sehne geschnitten wird, ist gleich der Cotangente des Winkels, welchen die letztere mit der reellen Asymptote bildet.

Ein besonders interessanter Satz folgt hieraus in dem Falle, dass die Sehne durch einen Scheitel der Curve geht, worauf dann die eine Tangente A_3, nämlich die des Scheitels, zur Asymptote parallel, und daher

$$\angle la=\angle lA_3$$

ist. Dann aber ist

$$\angle lA_1=\angle lA_2,$$

d. h.: Jede Sehne durch einen Scheitel einer Curve 3. Grades mit Kreisasymptoten schneidet diese noch in zwei Punkten, und zwar unter gleichen Winkeln.

Dieser Satz ist eine unmittelbare Folge des früher gefundenen, dass die Curve ihre eigene inverse ist, da er eine ganz allgemeine Eigenschaft inverser Linien ist.

VII.

Unter den specielleren Classen von Curven, welche in der allgemeineren der Curven 3. Grades mit Kreisasymptoten enthalten sind, ist besonders die wichtig, welche die Curven mit einem Doppelpunkt (Knoten, Spitze oder isolirter Punkt) umfasst, besonders auch deshalb, weil zu ihr eine grosse Anzahl bekannter Linien gehört, wie die Cissoide, die Focalcurve des geraden Kegels (vergl. z. B. Fleischer, Programm der Fürstenschule zu Grimma 1851), die von Booth im *Quarterly Journal*, Bd. III betrachtete Curve u. s. w.

Sämmtliche Curven dieser Classe haben, wenn ihr Doppelpunkt zum Coordinatenursprung gewählt wird, die allgemeine Gleichung

$$(x^2+y^2)(Ax+By)+Cx^2+Dxy+Ey^2=0$$

und, wenn die reelle Asymptote zur YAxe gewählt wird,

$$(x^2+y^2)x+\alpha x^2+\beta xy+\gamma y^2=0.$$

Durch Verwandelung der Parallelcoordinaten in Polarcoordinaten r und φ geht obige Gleichung in die Polargleichung über:

$$r=-\left(\alpha\cos\varphi+\beta\sin\varphi+\gamma\frac{\sin^2\varphi}{\cos\varphi}\right)=(\gamma-\alpha)\cos\varphi-\beta\sin\varphi-\frac{\gamma}{\cos\varphi}.$$

Aber es ist $-\frac{\gamma}{\cos\varphi}$, wie leicht zu erweisen, der Radiusvector der Asymptote; der erste Theil dagegen der eines Kreises, welcher durch den Doppelpunkt geht. Offenbar folgt aus dieser Betrachtung eine sehr einfache Construction der Curve; denn man braucht nur für jede Amplitude den Radiusvector des Kreises

$$r=(\alpha-\gamma)\cos\varphi+\beta\sin\varphi$$

von dem der Asymptote abzuziehen, oder was noch einfacher ist, man braucht nur auf jeder durch den Doppelpunkt gehenden geraden Linie von diesem aus das Stück abzutragen, welches zwischen jenem Kreis und der Asymptote der Curve liegt, um einen Punkt der Curve zu erhalten.

Die Tangenten des Doppelpunktes gehen durch die Punkte, wo die Asymptote den Kreis schneidet; jener ist daher ein Knoten, eine Spitze oder ein isolirter Punkt, je nachdem die Asymptote den fraglichen Kreis schneidet, berührt oder ausserhalb desselben liegt. In dem Falle, wo sie ein Durchmesser dieses Kreises ist, hat der Doppelpunkt zwei senkrechte Tangenten.

Der Punkt, wo die Curve ihr Asymptote trifft, liegt dort, wo die Tangente des Kreises im Doppelpunkt dieser begegnet. Ist daher die Asymptote senkrecht zu dem Durchmesser des Doppelpunktes, so ist dieselbe eine Inflexionsasymptote.

Die oben gegebene Construction ist eine Verallgemeinerung der für die Cissoide gebräuchlichen, welche übrigens nichts anderes ist, als die Curve 3. Grades mit Kreisasymptoten, einer reellen Inflexionsasymptote und einer Spitze.

Die folgenden zwei Sätze über Curven 3. Grades mit Kreisasymptoten und Doppelpunkt werden nicht uninteressant sein:

> Der Doppelpunkt, das Centrum und der Punkt, wo die Curve ihre Asymptote trifft, bilden ein rechtwinkliges Dreieck.
>
> Wenn sich ein rechtwinkliges Dreieck so dreht, dass sein Scheitel in dem Doppelpunkt, seine beiden anderen Ecken aber in der Curve liegen, so beschreibt der Mittelpunkt seiner Hypotenuse eine gerade Linie.

Was den ersten Satz anbetrifft, so ist dieser eine einfache Folge des 3. Satzes in §. 4; der zweite lässt sich leicht beweisen.

Denn ist φ die Anomalie der einen Ecke, so ist $90^0+\varphi$ die der andern, und sind r und r_1 die zugehörigen Radien, x und x_1 die zugehörigen Abscissen, so ist

$$x = r\cos\varphi \qquad = \alpha\cos^2\varphi + \beta\sin\varphi\cos\varphi + \gamma\sin^2\varphi$$
$$x_1 = r_1\cos(90^0+\varphi) = \alpha\sin^2\varphi - \beta\sin\varphi\cos\varphi + \gamma\cos^2\varphi,$$

also

$$x + x_1 = \alpha + \gamma,$$

d. i. constant.

Hieran reihen sich noch verschiedene interessante Sätze.

Eine leichte Rechnung giebt als Gleichung der Fusspunktslinie der Parabel

$$y^2 = 2px$$

in Bezug auf den Pol (f, g), sobald dieser dann zum Anfangspunkte eines Polarcoordinatensystems gewählt worden ist:*)

$$r = f\cos\varphi - g\sin\varphi + \frac{p}{2}\,\frac{\sin^2\varphi}{\cos\varphi}.$$

Dies ist aber zugleich die allgemeine Gleichung einer Curve 3. Grades mit Kreisasymptoten und einem Doppelpunkt, sobald dieser zum Pole des Coordinatensystems gewählt wird, denn man braucht in der Gleichung, wie sie früher aufgestellt worden ist, nur $\alpha = -f$, $\beta - g$, $\gamma = -\frac{p}{2}$ zu setzen, um die vorliegende Gleichung zu erhalten.

Es ergiebt sich daher der Satz:

> Die Fusspunktslinie einer Parabel für einen beliebigen Pol ist eine Curve dritten Grades mit Kreisasymptoten, welche in jenem Pole einen Doppelpunkt besitzt,

und auch umgekehrt:

> Wenn eine Curve 3. Grades mit Kreisasymptoten einen Doppelpunkt besitzt, so ist ihre negative erste Derivirte**) in Bezug auf diesen eine Parabel.

Schliesslich sei bemerkt, dass die Quadratur der Curven mit Doppelpunkt nur auf die gewöhnlichen trigonometrischen und logarithmischen Functionen führt, diejenige aber der allgemeineren Classe, der Curven 3. Grades mit Kreisasymptoten überhaupt, auch noch die Anwendung elliptischer Integrale nöthig macht, mit Hilfe dieser aber sich vollständig ausführen lässt. Die Rectification führt bei den Curven mit Doppelpunkt auf elliptische Integrale und nur in speciellen Fällen, wie bei den Curven mit

---

*) Vergl. z. B. Drobisch, Ueber die Fusspunktslinien, insbesondere der Kegelschnitte, Bd. 3 dieser Zeitschrift.

**) Ueber derivirte Linien siehe z. B. W. Roberts, *Liouvilles Journal X* und Hirst, *Quarterly Journal II.*

einer Inflexionsasymptote, reduciren sich dieselben auf logarithmische und Kreisfunctionen.

XXIV. Ueber eine Beziehung der Seiten und Diagonalen eines Kreisvierecks zu den Wurzeln einer biquadratischen Gleichung und ihrer Resolvente. Von Dr. L. MATTHIESSEN in Jever.

Sind $x_0\, x_,\, x_{,,}\, x_{,,,}$ die Wurzeln der biquadratischen Gleichung

$$x^4 - a x^3 + b x^2 - c x + d = 0,$$

und bezeichnen $x_0\, x_,\, x_{,,}\, x_{,,,}$ zugleich die Seiten, sowie $y_0\, y_,\, y_{,,}$ die drei Diagonalen eines Kreisvierecks, so ist bekanntlich

$$x_0 x_, + x_{,,} x_{,,,} = y_0 y_,;\quad x_0 x_{,,} + x_, x_{,,,} = y_0 y_{,,};\quad x_0 x_{,,,} + x_, x_{,,} = y_, y_{,,}.$$

Mit Anwendung der Lehrsätze über symmetrische Functionen findet man, dass $y_0\, y_,\, y_{,,}$ die drei positiven Wurzeln der Gleichung

$$y^6 - \left[\frac{(ac-4d)^2}{a^2 d - 4bd + c^2} - 2b\right] y^4 + (b^2 - 2ac + 8d) y^2 - (a^2 d - 4bd + c^2) = 0$$

sind. Es ist diese Gleichung also eine Resolvente der gegebenen biquadratischen Gleichung, und es geht daraus hervor, dass man nicht allein die Fläche des Kreisvierecks, die Radien der um- und eingeschriebenen Kreise, sondern auch die Diagonalen unmittelbar durch die Coefficienten a, b, c, d auszudrücken im Stande ist, ohne dass die Gleichung aufgelöst wird. Aus der Resolvente folgt, dass das Parallelepipedon aus den drei Diagonalen sich durch die Gleichung

$$y_0 y_, y_{,,} = \sqrt{a^2 d - 4bd + c^2}$$

ausdrücken lässt. Da ferner

$$16 F^2 = (a - 2x_0)(a - 2x_,)(a - 2x_{,,})(a - 2x_{,,,}) = -a^4 + 4a^2 b - 8ac + 16d$$

ist, so ist der Flächeninhalt des Vierecks

$$F = \tfrac{1}{4}\sqrt{-a^4 + 4a^2 b - 8ac + 16d},$$

also des Radius des umschriebenen Kreises nach dem Satze von Gerhard

$$R = \sqrt{\frac{a^2 d - 4bd + c^2}{-a^4 + 4a^2 b - 8ac + 16d}}.$$

Die Summe der Rechtecke aus den drei Diagonalen ist

$$y_0 y_, + y_0 y_{,,} + y_, y_{,,} = b.$$

Aus der Resolvente folgt

$$\frac{(ac-4d)^2}{y_0^2 y_,^2 y_{,,}^2} - 2(y_0 y_, + y_0 y_{,,} + y_, y_{,,}) = y_0^2 + y_,^2 + y_{,,}^2,$$

und hieraus weiter

$$\frac{ac - 4d}{y_0 y_, y_{,,}} = y_0 + y_, + y_{,,},$$

und

$$y_0 + y_, + y_{,,} = \frac{ac - 4d}{\sqrt{a^2 d - 4bd + c^2}}.$$

Die Gleichung für den Flächeninhalt F nimmt demgemäss folgende Form an

$$16 F^2 = -a^2(a^2 - 4b) - 8 y_0 y_, y_{,,}(y_0 + y_, + y_{,,})$$

oder

$$16 F^2 = -a^4 + 4(y_0 y_, + y_0 y_{,,} + y_, y_{,,}) a^2 - 8 y_0 y_, y_{,,}(y_0 + y_, + y_{,,}).$$

wo u den Umfang bedeutet. Der Flächeninhalt f eines Dreiecks hat einen ähnlichen Ausdruck, nämlich

$$16f^2 = -u^4 + 4(x_0 x_, + x_0 x_{,,} + x_, x_{,,})u^2 - 8x_0 x_, x_{,,}(x_0 + x_, + x_{,,}).$$

Aus dem Vorhergehenden folgt weiter, dass die Gleichung der drei Diagonalen ist

$$y^3 - \frac{ac-4d}{\sqrt{a^2d-4bd+c^2}}y^2 + by - \sqrt{a^2d-4bd+c^2} = 0.$$

Setzt man $y = \frac{\eta}{\sqrt{a^2d-4bd+c^2}}$, so erhält man eine cubische Gleichung mit rationalen Coefficienten, nämlich

$$\eta^3 - (ac-4d)\eta^2 + b(a^2d-4bd+c^2)\eta - (a^2d-4bd+c^2)^2 = 0.$$

Diese Gleichung ist zugleich die Gleichung der Wurzelproducte von

$$z^3 - bz^2 + (ac-4d)z - (a^2d-4bd+c^2) = 0,$$

welche von mir bereits im 8. Bande dieser Zeitschrift, pag. 141, als eine Resolvente der biquadratischen Gleichungen aufgestellt worden ist.

XXV. Satz über ein stets mit derselben Seitenzahl schliessendes Polygon auf einer Fläche 2. Grades.

Man nehme auf der Durchschnittscurve zweier Flächen 2. Grades A und B einen Punkt O an. Setzt man voraus, dass wenigstens die eine der beiden Flächen, und zwar A, reell geradlinig sei (einschaliges Hyperboloid), so kann man der Durchschnittscurve ein windschiefes Polygon einschreiben, dessen erste Ecke in O liegt, während seine Seiten abwechselnd einer der beiden Schaaren von Geraden der Fläche A angehören.

Dann findet Folgendes Statt:

Entweder das Polygon schliesst nicht. Dann schliesst es nie, man mag die erste Ecke O auf der Durchschnittscurve annehmen, wo man will.

Oder das Polygon schliesst mit einer gewissen (geraden) Anzahl von Seiten. Dann schliesst es stets mit derselben Zahl, man mag die erste Ecke O annehmen, wo man will.

Als speciellster Fall des Satzes kann Folgendes gelten:

Beschreibt man in einen Kreis ein Polygon, dessen Seiten abwechselnd zwei festen Geraden parallel laufen, so schliesst dasselbe entweder nie, oder stets mit derselben Seitenzahl, welche nur abhängt von dem Winkel, den die beiden festen Geraden mit einander machen.

Berlin. Dr. Theodor Berner.

XXVI. Bemerkung über die Fusspunktscurve einer Ellipse oder Hyperbel.

Die Fusspunktscurven der Ellipse oder Hyperbel können in dem Falle, dass ihr Pol im Mittelpunkte liegt, auf sehr einfache Weise construirt werden. Sie ergeben sich nämlich, wenn man folgende Ortsbestimmung ausführt:

Durch einen Punkt O ausserhalb der Peripherie eines Kreises werden gerade Linien OMN gezogen und auf diesen stets das Stück MN, welches innerhalb des Kreises fällt, von O aus abgetragen. Man soll den Ort des anderen Endpunktes P finden.

Sei C das Centrum des festen Kreises, r sein Radius, $OC = a$, endlich $MN = OP = \varrho$, $\angle POC = \varphi$; dann ist

$$\varrho = 2\sqrt{r^2 - l^2 \sin^2\varphi} = 2r\sqrt{1 - \frac{l^2}{r^2}\sin^2\varphi}.$$

Aber die Polargleichung der Fusspunktscurve eines Centralkegelschnittes ist

$$\varrho = a\sqrt{1 - e^2 \sin^2\varphi},$$

wo e die Excentricität des Kegelschnittes; und um diese mit jener Gleichung identisch zu machen, braucht man nur zu setzen

$$r = \frac{a}{2}; \quad \frac{l}{r} = e.$$

Man sieht leicht, wie sich aus diesen Betrachtungen eine sehr einfache Construction ergiebt, sowie dass die fragliche Curve, wenn O ausserhalb des Kreises liegt, die Fusspunktscurve einer Hyperbel, und wenn O innerhalb liegt, diejenige einer Ellipse wird.

Leipzig. F. E. Eckardt, stud. math.

XXVII. Eine neue Thermosäule, von S. Marcus.

Der Erfinder äussert sich über die Wirkungen derselben, wie folgt:

1. Die elektromotorische Kraft eines der neuen Thermo-Elemente ist gleich $\frac{1}{25}$ der elektromotorischen Kraft eines Bunsen'schen Zinkkohlenelementes und dessen innerer Widerstand gleich 0.4 eines Meters Normaldrahtes.

2. Sechs solcher Elemente genügen schon, angesäuertes Wasser zu zersetzen.

3. Eine Batterie von 125 Elementen entwickelte in einer Minute 25 Kubikcentimeter Knallgas, wobei überdies die Wasserzersetzung unter ungünstigen Verhältnissen stattfand, indem der innere Widerstand der Säule weit grösser als der des eingeschalteten Voltameters war.

4. Ein Platindraht von $\frac{1}{2}$ Millimeter Dicke, in den Schliessungsbogen derselben Kette geschaltet, schmilzt.

5. Dreissig Elemente erzeugen einen Elektromagneten von 150 Pfd. Tragkraft.

6. Die Stromerzeugung geschieht durch Erwärmung nur einer der

Contactseiten der Elemente, und durch Abkühlung der zweiten Contactseite mittelst Wassers von gewöhnlicher Temperatur.

Zur Herstellung der in Rede stehenden Batterie ist einerseits die Gewinnung zweier zu einem Thermo-Element sich eignender Elektricitätserreger, andererseits aber eine derartige Anordnung der einzelnen Elemente, der Wärme- und Abkühlungsvorrichtungen nothwendig, um einen möglichst günstigen Effect zu erzielen. Ersteres bildet den physikalischen, letzteres den constructiven Theil des Problems.

Bei der Lösung der ersten Aufgabe war Herr Marcus bestrebt, folgende Punkte zu erreichen:

a) solche Thermo-Elemente zu benutzen, die in der thermoelektrischen Reihe möglichst weit von einander liegen, dann solche, die

b) grosse Temperaturdifferenzen zulassen, so dass dies ohne Zuhilfenahme von Eis erreicht wird, was nur geschehen kann, wenn die Stäbe möglichst hohe Schmelzpunkte besitzen;

c) sollten die Materialien, aus denen die Stäbe angefertigt werden, nicht kostspielig und letztere leicht darstellbar sein, und endlich

d) sollte auch der zu den Elementen verwendete Isolator hohen Temperaturen widerstehen können und genügende Festigkeit und Elasticität besitzen.

Da weder die bisher gebräuchlichen Ketten aus Wismuth und Antimon, noch irgend eine Combination der übrigen einfachen Metalle diesen Bedingungen entsprechen, so benutzte Herr Marcus die Thatsache, dass Legirungen in der thermoelektrischen Reihe nicht zwischen jenen Metallen stehen, aus denen sie zusammengesetzt sind, und wurde hierdurch zu folgenden Legirungen geführt, welche den oben angegebenen Bedingungen vollkommen entsprechen.

Für das positive Metall:

10 Gewichtstheile Kupfer,
6 „ Zink,
6 „ Nickel;

ein Zusatz von 1 Theil Kobalt erhöht die elektromotorische Kraft.

Für das negative Metall:

12 Gewichtstheile Antimon,
5 „ Zink,
1 „ Wismuth;

durch öfteres Umschmelzen wird die elektromotorische Kraft der Legirung erhöht;

oder:

Argentan unter dem Namen Alpacca aus der Triestinghofer Metallwaarenfabrik mit dem eben bezeichneten negativen Metall in Verbindung;

oder:

eine Legirung aus 65 Gewichtstheilen Kupfer
und 31 „ Zink
als positives Metall, und
12 Gewichtstheile Antimon
5 „ Zink
als negatives Metall.

Beide Stäbe werden nicht aneinander gelöthet, sondern mit Schrauben verbunden.

Das positivelektrische Metall schmilzt bei circa 1200° C., das negative bei circa 600°.

Da bei diesem Elemente nur die Erwärmung des positiven Metalls auf die Elektricitätsentwickelung von Einfluss ist, so ist die Einrichtung getroffen, dass nur dieses erwärmt wird, während das negative Metall, welches mit jenem im Contact steht, die Wärme nur mitgetheilt erhält. Durch diese Anordnung wird es möglich, Temperaturen über 600 Grad anwenden zu können und in Folge dessen grössere Temperaturdifferenzen zu erzielen.

Ein interessanter Beleg für die hierbei stattfindende Umwandlung der Wärme in Elektricität ist der, dass das Wasser, welches zur Abkühlung der zweiten Contactstelle des Elementes dient, sich sehr langsam erwärmt, so lange die Kette geschlossen bleibt, dass sie aber ziemlich schnell erfolgt, wenn dieselbe geöffnet wird.

Die in Rede stehende Thermosäule wurde mit Rücksicht auf die Anwendung einer Gasflamme construirt. Die einzelnen Elemente bestehen aus Stäben von ungleichen Dimensionen; der positivelektrische Metallstab ist 7″ lang, 7‴ breit und ½‴ dick, der negativelektrische Metallstab ist 6″ lang, 7‴ breit und 6‴ dick. 32 solcher Elemente verschraubte ich in der Weise mit einander, dass alle positiven Stäbe auf der einen und alle negativen auf der andern Seite sich befinden und so die Form eines Gitters bilden. Die Säule besteht nun aus zwei solchen Gitterwänden, welche dachförmig aneinander geschraubt und durch eine Eisenstange verstärkt sind. Als Isolator zwischen der Eisenstange und den Elementen wird Glimmer benutzt. Ausserdem wurden die Elemente, namentlich dort, wo sie mit dem Kühlwasser in Berührung kommen, mit Wasserglas bestrichen.

Zur Abkühlung der unteren Contactseiten der Elemente dient ein thönernes mit Wasser angefülltes Gefäss.

Die ganze Säule hat eine Länge von 2 Fuss, eine Breite von 6″ und eine Höhe von 6″.

Herr Marcus theilt ferner mit, dass er eben einen Ofen ausgeführt habe, welcher für 768 Elemente berechnet ist. Dieselben repräsentiren eine Bunsen'sche Zinkkohlenkette von 30 Elementen und consumiren per Tag 240 Pfd. Kohle (2 fl. 40 kr.). Schliesslich bemerkt Redner, dass, wenngleich er nicht der Meinung sei, mit dieser Säule schon das von ihm angestrebte Ziel erreicht zu haben, er doch glaube, dass dieselbe den Weg bezeichne, der weiter zu verfolgen sei, um der Elektricität in der Praxis jenen dominirenden Rang zu erringen, welcher ihr ihrer wunderbaren Eigenschaften wegen unstreitig zukommt. (Berichte der Wiener Akademie.)

XXVIII. Beseitigung des Getöns der Telegraphenleitungen.

Zu der in Heft 1, S. 88 unter derselben Ueberschrift gemachten Mittheilung fügen wir noch hinzu: In der Zeitschrift des deutsch-österreichischen Telegraphen-Vereins 1864, Heft 6—8, wird dieselbe Angelegenheit besprochen, und es werden dort im Ganzen 3 Methoden genannt, das Getön der Telegraphenleitungen zu beseitigen:

1. Die Methode von Listing.
2. Eine schon früher von Lissajou & Mahon angewendete Methode, bei welcher eine Holzleiste mit Schrauben an den Draht angepresst wird. A. a. Orte wird versichert, dass die Wirksamkeit dieses Mittels durch Versuche ausser Zweifel gestellt worden sei.
3. Die Methode von Le Moyne, welche in den *Annales télégraphiques* beschrieben ist. Im Wesentlichen besteht die Einrichtung von Le Moyne in der Trennung des Drahtes in der Nähe der Befestigung und Dazwischenschieben von einem Stück Holz; damit die Leitung nicht unterbrochen werde, werden die Drahtenden an den Unterbrechungsstellen durch zwei sehr dünne Kupferdrähte wieder mit einander verbunden. Auch diese Methode hat sich bei der Prüfung sehr gut bewährt.

Dr. Kahl.

XII.

Beiträge zur Geschichte der Fortschritte in der elektrischen Telegraphie.

Von Dr. EDUARD ZETZSCHE.

IV. Die Doppeltelegraphie.

(Dritte Abtheilung).

(Schluss zu No. XI, Jahrg. X, S. 314.)

III. Doppelsprechen und Gegensprechen zugleich.

An die Lösung der Aufgabe des Doppelsprechens knüpfte sich sofort eine neue Aufgabe: die Verbindung des Gegensprechens mit dem Doppelsprechen. Liess sich doch, abgesehen von dem wissenschaftlichen Interesse, von der Lösung dieser Aufgabe ein noch weit grösserer praktischer Vortheil, eine noch weit vollständigere Ausnutzung der Telegraphenleitungen hoffen, als man von der Anwendung des Gegensprechens allein, oder des Doppelsprechens allein hoffen konnte.

Der erste, welcher die Möglichkeit der gleichzeitigen Verbindung des Gegensprechens mit dem Doppelsprechen behauptete, war Dr. Stark; sowohl in seinem, vom 15. October 1855 datirten Aufsatze (Zeitschr. d. Tel.-Ver. II, S. 224), als in seiner Mittheilung an die Wiener Akademie der Wissenschaften (vergl. II, 1, C.) deutet er auf die Möglichkeit hin, zwischen zwei Stationen auf einem Drahte gleichzeitig vier Telegramme zu wechseln, doch gab er weder eine weitere Begründung, noch ein Einschaltungsschema, selbst dann nicht, als W. Siemens (Poggendorff's Annalen Bd. 98, S. 131) die Unmöglichkeit der Verbindung des Gegen- und Doppelsprechens behauptete, weil Gegen- wie Doppelsprechen durch denselben

Draht und mit Morseschreibapparaten oder überhaupt solchen Telegraphen, welche zur Darstellung ihrer Zeichen Ströme verschiedener Dauer bedürfen, nur durch Veränderung der Stromstärke im Leitungsdrahte möglich wäre, Gegen- und Doppelsprechen in bisher beschriebener Weise sich daher nothwendig gegenseitig stören müssten, mithin nicht gleichzeitig ausführbar wären. Als darauf Dr. Bosscha in seiner Mittheilung vom 27. October 1855 dieselbe Behauptung wie Dr. Stark aufstellte, sprach auch die Redaction der Zeitschrift des Telegraphen-Vereins (s. d. III, S. 51) ihre Zweifel daran aus. Wartmann sprach sich (*Annales télégr.* 1861, S. 161) in Bezug auf seinen bereits unter II, 5 besprochenen, in Fig. 41 skizzirten Doppelsprecher dahin aus, dass man, um das Doppelsprechen mit dem Gegensprechen zu vereinigen, *R* unmittelbar mit der Luftleitung verbinden und jeden seiner Elektromagnete mit doppelten Windungen versehen müsse, deren eine durch einen Ausgleichungsstrom, die andere durch den in die Linie gehenden Strom durchlaufen werden müsse. Einschaltungen zum Doppel- und Gegensprechen zugleich gaben endlich 1863 Maron und Schaack.

Eine Verbindung des Doppelsprechens mit dem Gegensprechen ist aber auch noch in einem andern Sinne denkbar. Wenn man nämlich in den Pausen zwischen den Zeichen des einen Telegramms die Leitung zur Beförderung eines Zeichens eines anderen Telegramms benutzt, so kann dieses sowohl in gleicher Richtung, als in entgegengesetzten Richtungen geschehen, ja man kann in dieser Weise auch leicht von mehr als 2 Telegrammen abwechselnd oder absatzweise ein Zeichen befördern.

A. Gleichzeitiges Doppel- und Gegensprechen.

Wenn eine Telegraphenleitung gleichzeitig zum Doppel- und Gegensprechen benutzt werden soll, so müssen die Empfangsapparate, ebenso wie schon beim Gegensprechen allein, stets in die Leitung eingeschaltet sein, damit sie in jedem Augenblicke von einem ankommenden Strome durchlaufen werden können. Es ist daher wiederum nöthig, dass auf irgend eine Weise in jeder Station die Wirkung des fortgehenden Stroms auf die Empfangsapparate dieser Station aufgehoben wird. Lässt man für diesen Zweck die Anwendung einer Ausgleichungsbatterie oder mehrerer Relais als unvortheilhaft ausser Acht, so bleibt hauptsächlich die Anwendung eines Relais mit doppelter Umwickelung, wie z. B. bei der von Siemens & Halske (I, 4.) für das Gegensprechen angegebenen Einschaltung, oder die Anwendung der von Maron (I, 6.) benutzten Stromtheilung einer weitern Untersuchung zu unterwerfen. Bei einer Verbindung des Doppel- und Gegensprechens macht sich nun die Forderung, dass durch die Tasterbewegung die Leitung nicht unterbrochen werde, mit um so grösserem Gewicht geltend, weil diese Unterbrechung nicht allein in Bezug auf einen von der andern Station ankommenden Strom, sondern auch in Betreff eines etwa vom zweiten Taster derselben Station gegebenen Strom zu verhüten ist, und weil ausserdem bei der doppelten Zahl der gleichzeitig in Gebrauch kommenden Taster die Gefahr der Verwirrung der Schrift mit der Wahrscheinlichkeit häufigerer Unterbrechungen wachsen muss. Es würde daher z. B. wenig Erfolg zu erwarten sein, wenn man den für das Doppelsprechen vorgerichteten Gegensprecher von Siemens & Halske etwa nach dem Schema Fig. 47 mit 2 gewöhnlichen Tastern T_1 und T_2 verbinden wollte; denn obgleich der ankommende Strom jederzeit einen Weg zur Erde offen hätte und auf die Relais R in gleicher Weise und fast gleicher Stärke wirken könnte, so würden doch die bei der Tasterbewegung unvermeidlichen Unterbrechungen der Leitung ebenso viele Stromunterbrechungen mit sich bringen. Auch eine der von Stark vorgeschlagenen, in Fig. 34 und 35 skizzirten Tastereinrichtungen wird diesen Uebelstand nicht genügend zu beseitigen vermögen, man wird vielmehr am besten zu der bereits unter II, 3. besprochenen, und in Fig. 39 abgebildeten Tastereinschaltung greifen und die beiden Pole der Batterie B_1 oder B_2 mit den Punkten 2 und 3 des Tasters T_1 oder T_2 verbinden. Man wird dabei die beiden Batterien derselben Station mit demselben oder mit entgegengesetzten Polen an die Tasteraxe führen, je nachdem man zum Doppelsprechen in der früher angegebenen Weise verschieden starke Ströme von gleicher Richtung oder von entgegengesetzter Richtung verwenden will, und danach muss natürlich auch die Wahl der Empfangsapparate getroffen werden. Setzen wir nun mit Rücksicht auf das Frühere voraus, der Empfangsapparat bestehe aus 3 passend eingerichteten und mit den 2 Schreibapparaten in entsprechender Weise verbundenen, polarisirten oder unpolarisirten Relais, und es seien sämmtliche 3 Relais mit einer doppelten Umwickelung versehen und die innern Windungen derselben sämmtlich mit einem regulirbaren Widerstande W zu einem localen Zweig-Stromkreise (welcher im Gegensatze zur Luftleitung die Localleitung heissen möge) vereinigt in ähnlicher Weise, wie es bei R in Fig. 47 gezeigt ist, dann werden die fortgehenden Ströme von T_1 oder T_2 oder von T_1 und T_2 zusammen sämmtliche Relais der eigenen Station in 2 sich in ihrer Wirkung aufhebenden Zweigströmen umkreisen, und es wird diese Ausgleichung der Wirkungen bei der gewählten Tastereinschaltung offenbar leichter zu erreichen sein, als beim Gegensprechen allein, da jetzt blos 2 Stellungen des Tasterhebels, die Ruhestellung und die Arbeitsstellung, in Betracht kommen. Der Lauf des Linienstroms auf der Empfangsstation ist, so lange blos die eine Station spricht, genau derselbe wie beim Doppelsprechen allein, und es müssen daher für diesen Fall die Empfangsapparate blos die beim Doppelsprechen wiederholt erwähnten Bedingungen erfüllen, damit die Schreibapparate während des

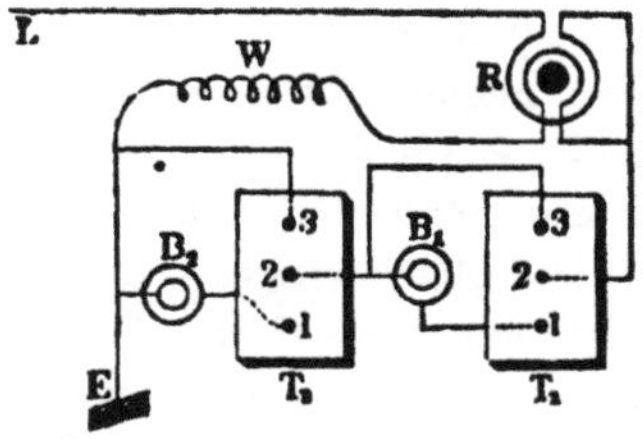

Fig. 47.

Doppelsprechens nicht absetzen. Sehr verwickelt erscheinen die Vorgänge, während beide Stationen doppelt sprechen. Hierbei können zunächst zwei Fälle in Bezug auf die Batterieeinschaltung beider Stationen unterschieden werden; es können in beiden Stationen die Batterien übereinstimmend oder entgegengesetzt eingeschaltet, z. B. B_1 auf beiden Stationen mit dem nämlichen Pole oder auf der einen Station mit dem positiven, auf der andern mit dem negativen Pole mit der Axe des Tasters T_1 verbunden sein; im erstern Falle werden sich die Ströme der Batterien B_1 der beiden Stationen beim Zusammentreffen aufheben, im letztern verstärken. Bei der Untersuchung, ob ein gleichzeitiges Doppel- und Gegensprechen möglich ist, brauchen wir aber auf diese Unterscheidung nicht weiter einzugehen, vielmehr nur die Frage zu beantworten, was geschieht auf beiden Stationen, wenn zu einem von der ersten Station ausgehenden Strome noch ein gleich oder entgegengesetzt gerichteter Strom der zweiten Station hinzutritt. Hat der neu hinzutretende Strom dieselbe Richtung mit dem schon vorhandenen, so werden sich beide summiren; auf der ersten Station nun, wo vorher in allen 3 Relais die beiden Zweigströme sich in ihren Wirkungen aufhoben, wird jetzt der Strom in der Luftleitung den Strom in der Localleitung um die Grösse des neu hinzugekommenen Stromes übertreffen, und es sprechen jetzt auf dieser Station die Relais an, welche ansprechen würden, wenn der hinzugekommene Strom allein vorhanden wäre; auf der zweiten Station verstärkt sich zwar ebenfalls der Strom in der Luftleitung in allen 3 Relais um die Grösse des neu hinzukommenden Stroms, es tritt aber hier zugleich auch in der Localleitung ebenfalls in allen 3 Relais ein ebenso starker Strom von entgegengesetzter Wirkung auf, und es bleibt daher nur in den Relais ein Ueberschuss, welche vorher schon, auf den erst allein vorhandenen Strom ansprachen, es ändert sich also auf der zweiten Station nichts durch das Hinzutreten des zweiten Stroms. Ist dagegen der neu hinzutretende Strom dem schon vorhandenen entgegengesetzt gerichtet, so werden sich in der Luftleitung beide je nach den Stärkenverhältnissen ganz oder theilweise tilgen; auf der ersten Station wird dadurch die Wirkung eines Stromantheils in der Localleitung frei, welcher dem zur Tilgung des neu hinzugekommenen Stromes verwendeten Luftleitungsstrome an Stärke gleichkommt, und dieser, mit dem neuen Strome gleichgerichtete, frei werdende Strom ersetzt den getilgten Antheil des neuen Stromes in seiner Wirkung auf die 3 Relais der ersten Station, und es werden hier wieder die Relais ansprechen, welche auf den neuen Strom allein angesprochen hätten; auf der zweiten Station wird von dem, mit dem ursprünglich vorhandenen Strome gleichgerichteten Strome in der Localleitung ein Stromtheil frei, welcher dem vom neu hinzugekommenen Strom getilgten Theile des ursprünglichen Stromes an Stärke völlig gleicht und diesen daher auch in seiner Wirkung auf die 3 Relais der zweiten Station zu ersetzen vermag, weshalb auch jetzt sich hier im Spiel der Relais nichts ändert.

Nach dieser allgemeinen Betrachtung lässt sich nun leicht beurtheilen, ob und welche von den unter II. aufgeführten Doppelsprechern sich zu einer Verbindung des Gegen- und Doppelsprechens eignen, und es mag (weil Kramer dies nicht selbst gethan hat) nur namentlich darauf hingewiesen werden, dass der Doppelsprecher von Kramer (II, 3.) sich ebenso gut, wie der von Bosscha, eignen würde, an dessen sogleich folgende Beschreibung sich dann die Besprechung der Einschaltungen von Maron und Schaack schliessen soll.

1. Doppel- und Gegensprecher von Bosscha.

Dr. J. Bosscha jun. in Leyden theilte seine Erfindung in der Sitzung der holländischen Akademie der Wissenschaften am 27. October 1855 mit; aus den Mittheilungen dieser Akademie ging die Beschreibung in die Zeitschrift des Telegraphen-Vereins (III, S. 27 ff.) über. Dr. Bosscha stellte sich die Aufgabe, eine Einrichtung zu finden, durch welche es möglich wird, zu gleicher Zeit von jeder von 3 durch einen einzigen Draht mit einander verbundenen Stationen nach jeder der beiden andern ein verschiedenes Telegramm zu senden. Wenn nun eine Einrichtung gefunden wäre, zwei Telegramme gleichzeitig in derselben Richtung zu senden, und wenn dann darauf das Gegensprechen mit Stromtheilung noch anwendbar bliebe, so wäre die Aufgabe gelöst.

Um nun zunächst das Doppelsprechen zu ermöglichen, wählte Dr. Bosscha dem Wesen nach dieselbe Einschaltung der Taster, welche fast gleichzeitig auch Dr. Kramer (vergl. II, 3.) gewählt hat, allein er versah die Taster auch noch mit einem einfachen Stöpselausschalter, um den kurzen Schluss der Taster während der Zeit, in welcher nicht telegraphirt wird, bequem beseitigen zu können, ohne eine unabsichtliche gänzliche Unterbrechung der Leitung befürchten zu müssen. Man könnte zu diesem Behufe einfach einen Poldraht aus seiner Klemmschraube lösen, doch wäre dies nicht allein sehr umständlich, sondern es könnte auch geschehen, dass der Telegraphist den Poldraht wieder einzuschalten vergässe, bevor er zu telegraphiren anfängt, und dann würde er durch Niederdrücken des Tasters die Leitung unterbrechen und so andere, gleichzeitig auf der Leitung beförderte Telegramme stören können. Das Wesen des von Bosscha deshalb angewendeten Stöpselausschalters (Zeitschrift d. Tel.-Ver. III, S. 53) zeigt Fig. 48; es stehen einer Metallschiene *a* zwei andere *b* und *c* gegenüber und durch einen, in passend angebrachte runde Löcher eingesteckten Metallstöpsel kann *a* mit *b* oder mit *c* in leitende Verbindung gesetzt werden. So lange *a* und *b* verbunden sind, ist nicht nur die Batterie *B* ausgeschaltet, sondern gleichzeitig auch die Leitung *L* auf dem kürzesten Wege mit der Erde *E* verbunden, und die Bewegung des Tasters vermag die Leitung nicht zu unterbrechen; wird der

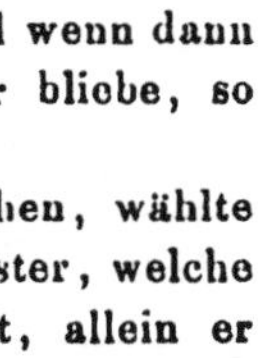

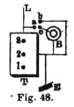

Fig. 48.

Stöpsel zwischen *a* und *b* herausgenommen und zwischen *a* und *c* eingesteckt, so wird die Batterie *B* eingeschaltet und ist durch den Tasterhebel kurz geschlossen, bis der Taster niedergedrückt wird. Der Telegraphist hat also, um Störungen zu verhüten, blos darauf zu achten, dass der Stöpsel stets in dem einen oder dem andern Loche steckt.

Die beim Doppelsprechen mit 2 Tastern auftretenden 3 verschiedenen Stromstärken könnte man nun, bei Anwendung von gleichgerichteten Telegraphirströmen, auf der Empfangsstation durch 3 Relais von verschiedener Empfindlichkeit von einander unterscheiden (wie es u. A. auch Stark, Siemens & Halske und Wartmann thaten). Doch hält es Bosscha für zweckmässiger, Ströme von verschiedener Richtung anzuwenden, und zwar durch T_2 einen Strom $+S$, durch T_1 einen Strom $-2S$, also durch T_1 und T_2 zusammen einen Strom $-S$ in die Leitung zu senden. Auf der Empfangsstation kommen wieder 3 Relais zur Verwendung, und zwar 2 polarisirte und 1 unpolarisirtes (Neutral-) Relais, ähnlich wie bei Kramer, doch von anderer Einrichtung und in anderer Verbindung. Der Schreibapparat M_1 soll nur schreiben, wenn negative Ströme in der Leitung sind; dazu dient das für diesen Zweck besonders eingerichtete, in Fig. 49 dargestellte polarisirte Relais: Zwischen den beiden Polen eines kreisförmigen Elektromagnetes *A* befindet sich der eine Pol des Magnetstabes *NZ*, welcher um eine horizontale, in Zapfenlöchern des kupfernen Trägers *c* lagernde Axe drehbar ist. Die Bewegung dieses Magnetstabes ist indess nur in einer Richtung (mit *N* nach links) gestattet, während seine Bewegung nach der andern Seite durch den Metallarm *d* verhindert wird, an dem er anliegt.

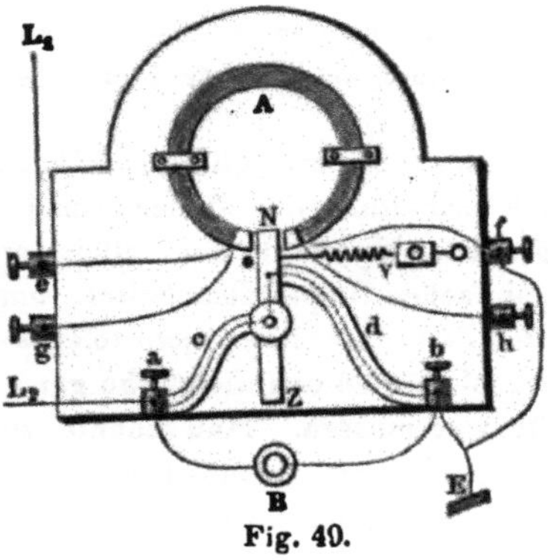

Fig. 49.

Der Magnet soll also, wenn *N* sein Nordpol ist, nur dann von dem Elektromagnet angezogen werden, wenn die Windungen des letztern in einer solchen Richtung vom Strome durchlaufen werden, dass sein Südpol links erscheint. Die Spannfeder *v* drückt den Magnet *NZ* gegen das Ende des Metallarmes *d*. Beide Arme *c* und *d* stehen mit den Klemmschrauben *a* und *b* in Verbindung. Um den Elektromagnet sind für die Zwecke des gleichzeitigen Doppel- und Gegensprechens zwei verschiedene Drähte gewickelt; die Enden des einen sind mit den Klemmschrauben *e* und *f*, die Enden des andern mit den Klemmschrauben *g* und *h* verbunden. So lange der Magnet *NZ* nicht vom Elektromagnet *A* angezogen wird, besteht eine leitende Verbindung von *a* durch *c*, den Magnetstab und *d* nach *b*, welche in Fig. 49 durch die punktirte Linie angedeutet ist; diese Leitung wird aber unterbrochen, sobald sich der Magnet *NZ* in Bewegung setzt, weil er dann seine Berührung mit *d* aufhebt. Wird dieses Relais in *e* mit einer Telegraphenleitung L_1 und in *f* mit der Erde *E* verbunden, so kann das Relais als Translator dienen, wenn *a* mit einer zweiten Luftleitung L_2 und *b* mit der Erde verbunden wird, denn dann giebt das Relais jedes auf ihm erscheinende Zeichen, jeden aus L_1 ankommenden und den Anker *NZ* bewegenden (z. B. negativen) Strom selbstthätig nach L_2 weiter, sobald nur die Pole der Batterie *B'* in der in Fig. 49 gezeichneten, mit der Tastereinschaltung übereinstimmenden Weise mit *a* und *b* verbunden sind. Werden dagegen die Klemmschrauben *a* und *b* anstatt mit L_2 und *E* mit den Enden der Multiplication des Schreibapparates M_1 verbunden, so wird M_1 jedes aus L_1 einlaufende Zeichen, das auf dem Relais erscheint (also mit einem negativen Strome gegeben wurde), niederschreiben. In beiden Fällen ist die Batterie *B* über *a*, *c* und *d* kurz geschlossen, so lange der Magnet *NZ* an *d* anliegt.

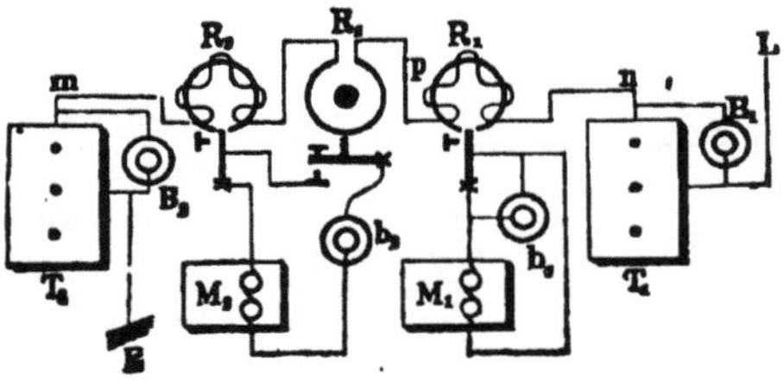

Fig. 50.

Die Relaisverbindung auf der Empfangsstation ist aus Fig. 50 ersichtlich: R_1 ist ein Polarrelais, welches auf negative Ströme von jeder Stärke anspricht, welches also den kurzen Schluss der Localbatterie b_1 beseitigt und den Schreibapparat M_1 schreiben lässt, so oft auf der gebenden Station T_1 allein oder mit T_2 niedergedrückt ist. Das Neutralrelais R_2 spricht sowohl auf positive als auf negative Ströme von jeder Stärke an, d. h. wenn T_1 oder T_2 allein oder beide zusammen niedergedrückt sind; nun ist aber in dem Schliessungskreise der durch R_2 zu schliessenden Batterie b_2 ausser dem Schreibapparate M_2 noch der Anker des zweiten Polarrelais R_3 eingeschaltet und b_2 kann daher nur durch R_2 geschlossen werden, so lange der Anker von R_3 nicht angezogen ist; da nun R_3 wegen der stärkeren Spannung seiner Feder nur auf den Strom $-2S$ anspricht, so wird b_2 nur geschlossen und M_2 schreibt nur, so lange der Strom $+S$ oder $-S$, nicht aber wenn $-2S$ die Leitung durchläuft, d. h. wenn T_2 oder T_1 und T_2 zugleich, nicht aber wenn blos T_1 niedergedrückt ist. Ein Absetzen des Schreibapparates M_1 beim Spiel der Taster tritt nicht ein, da M_1 stets und in derselben Weise durch R_1 zum Schreiben gebracht wird. Damit aber M_2 nicht aussetze, muss das neutrale Relais R_2 nicht absetzen, während durch das Loslassen von T_1 die Stromstärke $-S$ in $+S$ übergeht und umgekehrt; da nun hierbei die Pole in R_2 umgekehrt werden, so giebt es einen Moment, wo die Anziehung des Ankers $=0$ wird und in ihm kann also R_2 seinen Anker loslassen und M_2 absetzen, was zum Zerreissen des Zeichens, zum Verwirren der Schrift Anlass giebt.

Man kann diesen Uebelstand wohl dadurch vermindern, dass man die Spannfeder in R_2 weniger stark anspannt, aber ganz aufheben lässt er sich dadurch nicht. Zu seiner Beseitigung könnte man einen federnden Contact am Relais R_2 anwenden und die Contactfeder so einrichten, dass sie vollständig frei ist, so lange der Anker nicht angezogen ist, dass aber ihr Spielraum bei der Berührung oder der Ankerbewegung grösser ist, als der Abstand, um welchen der Anker bei Umkehrung des Stromes zurückspringt, dass also die Feder die metallische Berührung und den Schluss der Localbatterie unverändert erhält, selbst wenn der Anker zurückgeht.

Wegen der Veränderlichkeit der Federkraft der Spannfeder und der Contactfeder hält es jedoch Bosscha (nach einer der holländischen Akademie der Wissenschaften am 26. Januar 1856 gemachten Mittheilung; vergl. Zeitschr. d. Tel.-Ver. III, S. 75) für vortheilhafter, das neutrale Relais R_3 durch ein Polarrelais zu ersetzen, das nur auf positive Ströme anspricht, auf dem also alle von T_2 allein gegebenen Zeichen erscheinen. Der Magnet NZ dieses Relais R_2 und sein Metallarm d wird nach Fig. 51 in die durch den Anker von R_1 hergestellte kurze Schliessung der Localbatterie b_2 gebracht, die den Schreibapparat M_2 in Bewegung zu setzen hat. Um nun auf diesem Schreibapparate auch die Signale von T_2 durch den beim gleichzeitigen Niederdrücken von T_1 und T_2 in die Leitung gesendeten Strom $-S$ zu erhalten, wird das negative Polarrelais R_1 auf eine andere Weise eingeschaltet, nämlich so, dass es beide Schreibapparate schreiben lässt, so oft ein negativer Strom ankommt. Die Localbatterie b_1 wird dabei in gewöhnlicher Weise geschlossen und lässt M_1 schreiben, so oft sich der Anker von R_1 an den Arbeitscontact anlegt. Die Batterie b_2 des Schreibapparates M_2 ist gleichfalls mit der Axe des Hebels von R_1 verbunden, und von dem Ruhecontact dieses Relais ist ein Draht nach dem Ruhecontacte des positiven Polarrelais R_2 geführt, die Axe dieses Relais aber mit dem andern Batteriepole verbunden; ferner ist die Localbatterie b_2, so lange die Hebel von R_1, R_2 und R_3 in der Ruhelage sind, ausser dem kurzen Schluss über die Hebel von R_1 und R_2, auch durch den Hebel von R_3 und M_2 geschlossen, daher muss ausser M_1 auch M_2 schreiben, sobald bei der Bewegung des Ankerhebels in R_1 der kurze Schluss abgebrochen wird, ohne dass der andere Schluss über den Hebel in R_3 gestört wird, d. h. so lange blos R_1 auf den von T_1 und T_2 gegebenen Strom $-S$ anspricht. Wenn dagegen blos T_1 niedergedrückt wird, also der Strom $-2S$ die Leitung durchläuft, so sprechen R_1 und R_3 an, b_1 wird durch R_1 geschlossen, b_2 durch R_3 in Bezug auf M_2 unterbrochen und es schreibt blos M_1. Wird endlich T_2 allein niedergedrückt, so spricht auf den Strom $+S$ blos R_2 an, b_1 bleibt offen, der kurze

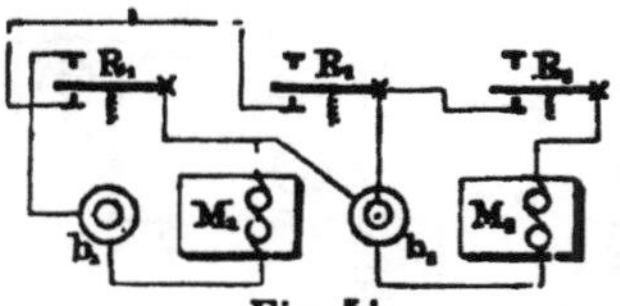

Fig. 51.

Schluss von b_2 wird durch R_2 unterbrochen, doch bleibt b_2 durch den Ankerhebel in R_3 durch M_2 geschlossen und nur M_2 schreibt.*)

Mit Hilfe der im Vorstehenden besprochenen Einschaltung können nun auch in der einfachsten Weise 2 Telegramme von 2 verschiedenen Stationen nach einer dritten nicht zwischen beiden liegenden Station gesendet werden; denn abgesehen davon, dass man (wie oben schon angedeutet wurde) die Relais sofort als Translatoren benutzen kann, ist es auch keineswegs nothwendig, dass beide Taster T_1 und T_2 sich auf derselben Station befinden, sondern beide können, da sie nur durch einen einzigen Draht mit einander verbunden sind, beliebig weit von einander entfernt sein, man braucht sich nur z. B. in Fig. 50 unter *mn* den Leitungsdraht zwischen den Stationen I und II vorstellen und unter *L* die nach Station III führende Leitung. Ebenso leicht liesse sich gleichzeitig ein Telegramm von I nach II und von II nach III senden, was man aber, sofern II zwischen I und III liegt, einfacher und besser bei Anlegung einer Erdleitung in II mit einfacher Telegraphie erlangen kann.

Auch zum Gegensprechen allein lässt sich die Apparatzusammenstellung von Bosscha nicht minder leicht anwenden, als der Doppelsprecher von Kramer und selbst der Doppelsprecher von Stark, wenn man nur bei der Stark'schen Einschaltung den Taster ein wenig abändert, so dass T_1 und T_2 nur durch einen Draht mit einander in Verbindung stehen, wodurch sich die Tastereinschaltung etwa der in Fig. 47 gewählten nähert. Ja wenn man die Apparatzusammenstellung nach Fig. 50 brauchen könnte, so würde man für das Gegensprechen allein sogar auf keiner Station die sämmtlichen zum Doppelsprechen erforderlichen Apparate brauchen und auf keiner der beiden Stationen würden die eigenen Zeichen mit erscheinen, sondern nur die ankommenden; man würde dann in Fig. 50 den Draht *p* als den Leitungsdraht zwischen den beiden Stationen ansehen können und hätte dann in Station I nur den Taster T_1, das Relais R_1 und den Schreibapparat M_1, in Station II nur den Taster T_2, die Relais R_2 und R_3 und den Schreibapparat M_2 nöthig; wäre aber Station I eine Endstation, so wäre die Luftleitung *L* noch durch eine Erdleitung zu ersetzen. Dabei ist nur das Relais R_3 einer beschränkenden Bedingung hinsichtlich seiner Empfindlichkeit unterworfen, denn es muss nur auf $-2S$, nicht auf $-S$ ansprechen. Darüber, ob diese Bedingung erfüllt ist, kann sich der Telegraphist sehr leicht vergewissern, wenn er nur in einem Augenblicke, wo von T_1 kein Strom kommt, seinen Taster T_2 niederdrückt und die Spannfeder dabei nach Bedarf so weit nachlässt, dass R_3 anspricht; fürchtet er dagegen, R_3 sei zu empfindlich, so braucht er nur seinen Taster niederzudrücken,

*) Die Einschaltung nach Fig. 51 ist der in Fig. 40 skizzirten Einschaltung von Kramer sehr ähnlich, doch war dort R_2 unpolarisirt, und auch das Zusammengreifen der Apparate wesentlich anders.

während ein Strom von T_1 kommt, und dabei muss dann R_1 schweigen und blos R_2 ansprechen. Wenn aber eine plötzliche Aenderung des Widerstandes in der Leitung eintreten sollte, so kann bei dieser Einschaltung nur das Telegramm, welches in der Station I ankommt, verwirrt werden, während bei gewöhnlichen Gegensprechern beide Telegramme gestört werden.

Soll endlich das Doppelsprechen mit dem Gegensprechen vereinigt werden, so benutzt man die zweite, in den Klemmschrauben *g* und *h* (Fig. 49) endende Umwickelung des polarisirten Relais, um durch diese Umwickelung einen Zweig des abgesendeten Stromes gehen zu lassen und so die eigenen Relais für die abgehenden Ströme unempfindlich zu machen; man kann dann gleichzeitig 4 Telegramme durch einen einzigen Draht befördern. Von den 3 in die Linie einzuschaltenden Relais sind dann zwei, nämlich R_1 und R_2, von der Stärke des Stromes völlig unabhängig, nur müssen sie, wie beim einfachen Telegraphiren, empfindlich genug sein oder die Linienströme eine gewisse Stärke besitzen. Nur das Polarrelais R_3 darf ein gewisses Maximum der Empfindlichkeit nicht überschreiten, damit es nicht auch auf den Strom $-S$ anspricht. Dies könnte zu einer Unsicherheit Anlass geben, wenn durch Verminderung des Linienwiderstandes der Strom $-S$ so anwächst, dass er R_3 bewegt. Diese Unsicherheit kann man durch Vermehrung beider Batterien umgehen; z. B. bei Anwendung der Stromstärken $-4S$ und $+3S$, wobei dann T_1 und T_2 zusammen nur $-S$ geben, R_3 also auf $-4S$, nicht aber auf $-S$ ansprechen muss.

2. Doppel- und Gegensprecher von Maron.

Als der königl. preuss. Telegrapheninspector Maron seine Einschaltung zum Gegensprechen (vergl. I, 6.) veröffentlichte, gab er (Zeitschr. d. Tel.-Ver. X, S. 3) zugleich an, wie dieselbe Einschaltung auch zum Doppel- und Gegensprechen zugleich brauchbar gemacht werden könnte. Bei der zum Gegensprechen vorgeschlagenen Einschaltung (Fig. 12) blieb auf

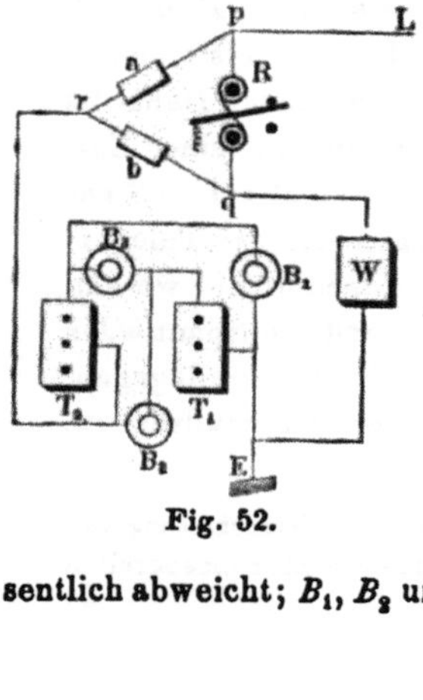

Fig. 52.

jeder Station der eigene, fortgehende Strom ohne alle Einwirkung auf das oder die in die Diagonale *pq* des Wheatstone'schen Parallelogrammes eingeschalteten Relais *R*. Wenn also die zum Doppelsprechen nöthigen Apparate in diese Diagonale eingeschaltet werden, übrigens aber der Stromlauf im Wesentlichen beibehalten wird, so muss sich das Gegensprechen mit dem Doppelsprechen vereinigen lassen. Aus dem hierzu vorgeschlagenen Schema Fig. 52 ersieht man zunächst die Einschaltung der Linienbatterien B_1, B_2 und B_3, welche von der bei den andern Doppelsprechern angewandten Einschaltung wesentlich abweicht; B_1, B_2 und B_3 haben für gewöhnlich einen kurzen Schluss;

wird der Taster T_2 niedergedrückt, so wird bei B_2 der kurze Schluss beseitigt und B_2 sendet einen Strom $+S$ in die Leitung; beim Niederdrücken von T_1 bleiben B_2 und B_3 noch in kurzem Schluss, aber B_1 sendet einen Strom $-3S$ in die Linie; sind endlich T_1 und T_2 gleichzeitig niedergedrückt, so senden alle 3 Batterien ihren Strom in die Leitung, und es geben diese 3 Ströme zusammen die Stromstärke $-3S+S+S=-S$, da B_2 und B_3 gleichstarke Ströme liefern. Bei dieser Einschaltung der Batterien hat man es vollständig in der Hand, die Differenz der Stromstärken ($-S$ und $-3S$) ausreichend gross zu machen, und zu bewirken, dass der Anker, welcher nur bei $-3S$ angezogen werden soll, nicht auch bei $-S$ angezogen wird. Anstatt des gewöhnlichen Relais ist nun in die Diagonale pq ein Relais R von besonderer Construction eingeschaltet; dasselbe besteht aus einem Elektromagnet mit zwei vertical stehenden Schenkeln, welche an den Polen armirt sind; zu den beiden Seiten des Elektromagnetes befinden sich 3 permanent magnetische Stahlstäbchen, welche die 3 Anker des Relais bilden. Die Ankerhebel sind gegen einander isolirt, stehen lothrecht und bewegen sich um horizontale Axen; die Stellung der Anker und der Contacte und die Kraft der Abreissfedern sind so regulirt, dass der Anker a_2 nur durch einen Strom $+S$ (wenn der Taster T_2 allein arbeitet), der Anker a_1 nur durch negative Ströme ($-S$ bis $-3S$, wenn T_1 und T_2 zugleich, oder T_1 allein arbeitet), der Anker a_3 endlich nur durch einen Strom $-3S$ (wenn T_1 allein niedergedrückt ist) angezogen wird. Die Einschaltung der beiden Morse-Schreibapparate M_1 und M_2 und der beiden Localbatterien b_1 und b_2 ist so gewählt, dass b_1 durch M_1 hindurch geschlossen wird, wenn a_1 (durch $-S$ oder $-3S$) angezogen wird, dass dagegen die für gewöhnlich durch Vermittelung der Ankerhebel a_1 und a_3 kurz geschlossene Batterie b_2 gänzlich unterbrochen wird, wenn a_1 und a_3 zugleich (durch $-3S$ von T_1) angezogen werden, während dieselbe M_2 schreiben lässt, wenn blos a_2 (durch $+S$ von T_2), oder blos a_1 (durch $-S$ von T_1 und T_2 zugleich) angezogen wird, weil dann nur der kurze Schluss von b_2, nicht aber auch der Schluss durch M_2 aufgehoben ist. Dieser Localstromlauf stimmt also wesentlich mit dem von Bosscha (vergl. III, 1.) gegebenen in Fig. 51 überein, nur dass Bosscha drei einzelne Relais anwendete, während hier ein Relais mit drei Ankern Anwendung fand, weil es hier darauf ankam, den Widerstand in pq möglichst gering zu machen.

Da nun in Fig. 52 das Relais jeder Station so eingeschaltet ist, dass die von einer Station ausgesendeten Ströme auf das Relais dieser Station keine Wirkung äussern, so lässt sich auch das Doppelsprechen mit dem Gegensprechen verbinden, und man kann auf einer Leitung 4 Telegramme gleichzeitig befördern. Auch würde bei diesem Stromlaufe ohne besondere Schwierigkeiten eine Uebertragung (Translation) mittelst der gewöhnlichen Schreibapparate ausführbar sein.

3. Doppel- oder Gegensprecher von Schaack.

Der königl. preuss. Telegraphen-Secretair F. Schaack hat 1863 in der Zeitschrift des Telegraphen-Vereins (X, S. 5) eine ziemlich verwickelte Apparatverbindung angegeben, welche zwar nicht eine vollständige und gleichzeitige Verbindung des Doppelsprechens mit dem Gegensprechen ermöglichen soll, sondern nur eine beliebige Abwechselung im Gegen- und Doppelsprechen und einen sofortigen Uebergang von dem einen zum andern, und bei welcher zugleich in beiden Fällen die Möglichkeit, etwa nöthig werdende Correcturen zu bewirken, jederzeit geboten sein soll, was bei den einfachen Doppelsprechern und Gegensprechern nicht der Fall ist, da bei diesen auf beiden Stationen zusammengenommen nur 2 Taster und 2 Schreibapparate vorhanden sind. Diese Apparatverbindung leidet nun ebenfalls an dem Uebelstande, dass die Leitung, so lange die Taster schweben, völlig unterbrochen ist. Ausserdem werden die Schreibapparate nicht immer durch dasselbe Relais geschlossen, sondern es tritt während des Schreibens ein Relaiswechsel ein. Um diese Uebelstände zu mildern, versieht Schaack die Relaishebel mit federnden Contacten, damit die durch das Relais geschlossene Localbatterie noch während des Rückganges oder Schwebens des Tasters oder während des Relaiswechsels geschlossen erhalten werde und der Schreibapparat während des Schwebens oder des Wechselns nicht absetze. In Fig. 53 ist *b* die mit dem um die Axe *c* drehbaren Relaishebel *a* verbundene, sehr biegsame Feder, *d* die Contactschraube, *e* eine Stellschraube zur Regulirung des Abstandes der Feder, *f* der Anker; die Feder *b* schliesst die Localbatterie schon früher, als *e* sich an *d* anlegt, und hält sie noch eine Weile geschlossen, wenn der Hebel *a* schon seinen Rückweg angetreten hat. Um nun dadurch nicht zugleich eine grössere Annäherung der Schriftelemente zu veranlassen, be-

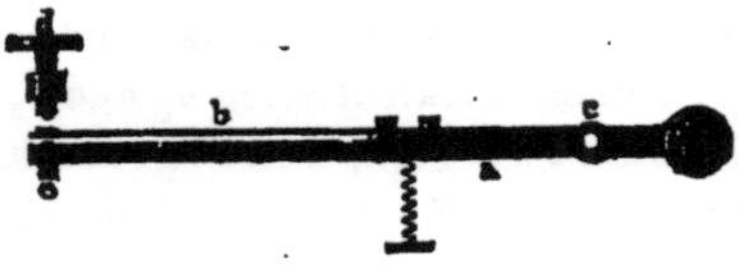

Fig. 53.

Fig. 54 a.

kommt der Tasterhebel eine grössere Hubhöhe und ebenfalls federnde Contacte. Die Einrichtung des Tasters zeigt Fig. 54 im Aufriss und Seitenriss:

Auf einem isolirenden Klötzchen *a* sind 4 biegsame Federn 2, 3, 4, 6 befestigt, welche im Zustande der Ruhe auf den Contactkegeln *m*, *n*, *o*, *p* aufliegen, beim Niederdrücken des Griffes *d* aber durch ein am Ende des Tasterhebels *b* befindliches Elfenbeinstäbchen *c* zugleich von den Contactkegeln losgehoben werden; bald nachher werden die zwei Federn 2 und 6 mit einer schwachen Durchbiegung an die Contactschrauben der Winkelstützen *i* und *k* angelegt; die Stellschrauben *g* und *h* reguliren die Bewegung des Tasterhebels und vermitteln gute Contacte an den Schrauben und Kegeln. Der Weg der Federn 2 und 6 muss möglichst kurz sein, wenn die Zeichen nicht zerrissen werden sollen.

Fig. 54 b.

Die Einschaltung der Apparate erfolgt nach Fig. 55 (s. folg. S.); durch sie soll jede Station mit 1 oder 2 Tastern nach der andern Station telegraphiren, oder mit 1 Taster telegraphiren und gleichzeitig auf 1 Schreibapparat Schrift empfangen, auch Unterbrechungen und Correcturen bewirken können, ohne dadurch die Thätigkeit der anderen Apparate zu stören; und stets soll dabei die mit demselben Taster gegebene Schrift auf der andern Station auf demselben Schreibapparat erscheinen. Dazu besitzt jede Station ausser den 2 Tastern *T* und Schreibapparaten *M* vier Relais. Von den Relais jeder Station sind zwei polarisirte und zwei mit Federspannung, oder drei polarisirte und eins mit Federspannnng. Die in Fig. 55 mit R'_1 und R'_2 bezeichneten Relais müssen Federspannung erhalten, da sie auf Ströme von doppelter Stärke ansprechen sollen. Die Relais R''_1 und R''_2 können unpolarisirt oder polarisirt sein, nur muss im letzteren Falle R''_1 nur auf negative, R''_2 nur auf positive Ströme ansprechen, da diese Relais nur dann in Thätigkeit treten, wenn die beiden Taster der andern Station gleichzeitig geschlossen werden. Die mit P_1 und P_2 bezeichneten Relais sprechen nur auf positive, die mit N_1 und N_2 bezeichneten nur auf negative Ströme an. Die Schreibapparate erhalten zwei von einander isolirte Umwickelungen der Elektromagnetkerne; die mit *u u* bezeichneten Enden der einen Umwickelung werden mit den polarisirten Relais *P* und *N*, die mit *i i* bezeichneten Enden der andern mit den Relais R'_1 und R'_2 verbunden. Die Schrift der Taster T_1, T_2, T_3 und T_4 soll stets der Reihe nach auf den Schreibapparaten M_4, M_3, M_2 und M_1 erscheinen.

Beim einfachen Telegraphiren spricht z. B. entweder T_1 oder T_3 und M_4 oder M_2 muss schreiben. Durch das Niederdrücken des Tasters T_1 kommen die Federn mit 1 und 5 in Berührung, die Contacte bei 2, 3, 4 und 6 werden unterbrochen. Die Batterie $B_1 + B_5$ ist dadurch nicht geschlossen, weil der Contact 5 in T_2 offen ist. Der positive Strom der Batterie B_1 tritt über 5 in

T_1 und 3 in T_2' an den Knotenpunkt a_1 und durch R'_1 in die Leitung nach der andern Station; R'_1 spricht nicht an, da der Strom nur die einfache

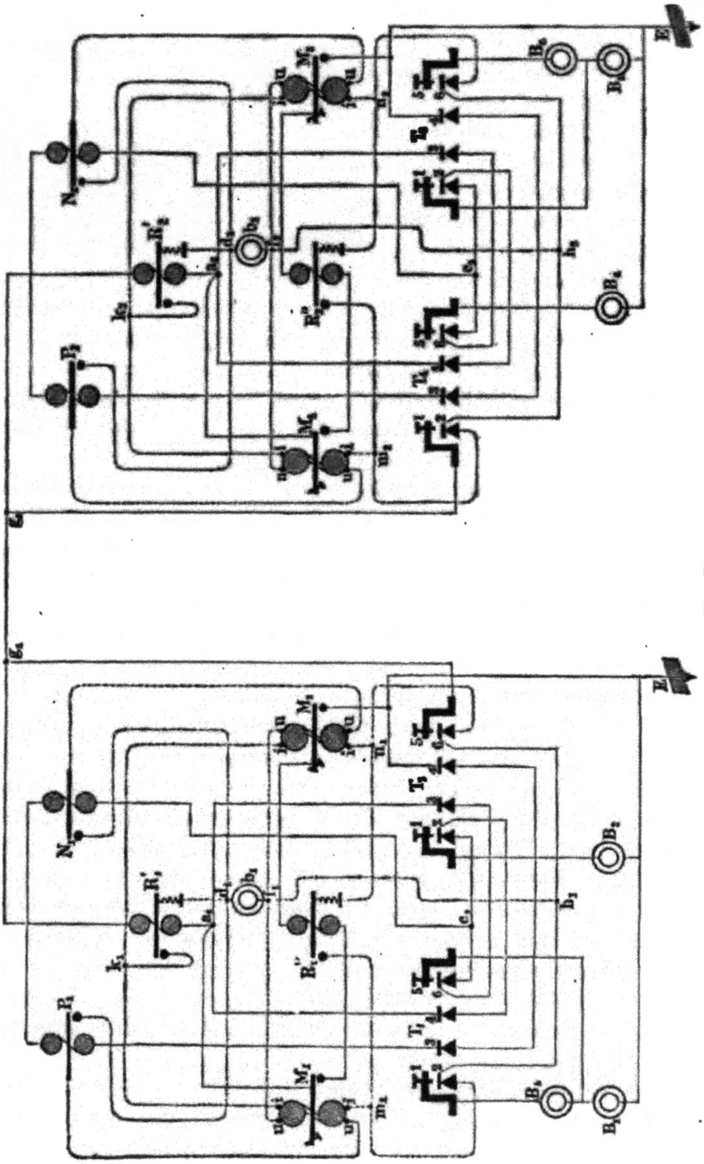

Fig. 55.

Stärke besitzt. Auf der Empfangsstation geht der Strom durch R'_2, *das ebenfalls* nicht anspricht, nach a_2 und von diesem Knotenpunkte gleichzeitig über 4 in T_4 und 2 in T_2 und über 3 in T_2 und 6 in T_4 nach dem Knotenpunkte c_2, durch die Relais N_2 und P_2, über 3 in T_4 nach 4 in T_2 zu zur Erde E. Das Relais P_2 spricht an und M_4 schreibt, da die Localbatterie b_2 über d_2, durch P_2, durch die Windungen u u in M_4 und über f_2 geschlossen wird. Auf der gebenden Station bietet sich dem Strome weder über die Hebel der Morse, noch über 4 in T_1 ein Weg dar. Wenn dagegen T_3 niedergedrückt wird, so ist die Batterie B_3 geschlossen; sie sendet ihren negativen Strom über 1 in T_3 und 4 in T_1 nach a_1, durch R'_1 (welches wieder nicht anspricht) in die Leitung, nimmt auf der andern Station wieder denselben Weg, bringt aber M_2 zum Ansprechen; dieses schliesst die Localbatterie b_2 über d_2 durch N_2, durch die Windungen u u in M_2 und f_2. Auch dabei ist dem Strome von a_1 aus der Weg über M_1 und über 3 in T_3 abgeschnitten.

Beim Doppelsprechen mit den Tastern T_1 und T_3 senden die Batterien B_1 und B_5 einen positiven Strom von doppelter Stärke über 1 in T_1 und 5 in T_3 nach g_1 und in die Leitung; rückwärts ist diesem Strome der Weg über a_1 durch die beiden Schreibapparate M_1 und M_3, oder über 4 in T_1 oder 3 in T_3 abgebrochen. Auf der Empfangsstation nimmt der Strom wieder denselben Weg, lässt aber das Relais R'_2 ansprechen und dieses schliesst die Localbatterie b_2 für beide Schreibapparate M_2 und M_4, nämlich über d_2, R'_2, k_2, durch beide Windungen i i, über m_2 und n_2, 2 in T_4 und 6 in T_2, über h_2 und f_2; M_2 und M_4 schreiben also. Nach dem Schluss der Schreibapparate erhält der Linienstrom von dem Knotenpunkte a_2 aus über beide Schreibhebel und durch R''_2 einen zweiten Weg zur Erde, und in Folge dessen wird auch die Localbatterie b_2 zum zweiten Male über die Knotenpunkte m_2 und n_2 geschlossen. — Diese Schliessung hat ausschliesslich den Zweck, das Corrigiren und Unterbrechen zu ermöglichen, ohne das Sprechen auf dem andern Apparate zu unterbrechen. Will nämlich in diesem Momente einer der beiden Taster T_2 oder T_4 corrigiren, so kann er die Schrift auf dem andern Schreibapparate durch das Einschalten seiner Batterie nicht stören, da seine Batterie über den Knotenpunkt a_2, die beiden Schreibhebel und durch R''_2 (welches freilich nicht loslassen darf) so lange kurz geschlossen ist, als das Relais R'_1 von T_1 und T_3 geschlossen erhalten wird. Damit aber durch das Niederdrücken von T_2 oder T_4 und das Unterbrechen des Localstromes bei 6 in T_2 oder bei 2 in T_2 nicht der eine Schreibhebel in die Ruhelage gehe und so den kurzen Schluss der zu T_2 oder T_4 gehörigen Batterie unterbrechen kann, ist die Localbatterie b_2 noch über m_2 und n_2 geschlossen. Das Correcturzeichen kann also erst dann nach der mit T_1 und T_3 sprechenden Station gelangen, wenn dort der eine Taster und folglich auch das Relais R'_2 in die Ruhelage geht und so der kurze Schluss durch die Schreibhebel wegbleibt. — Macht bei dem Doppelsprechen der Taster T_1 einen Strich, T_3 einen Punkt, so bleibt, wenn T_3 in die Ruhelage zurückgegangen ist, nur der Strom von B_1 thätig, und das Relais P_2 vollendet den von R'_2 begonnenen Strich auf M_4. Macht dagegen T_1 einen Punkt und T_3 einen Strich, so tritt, wenn T_1 in die Ruhelage zurückgekehrt ist, B_3 in Thätigkeit und N_2 vollendet nun den von R'_2 begonnenen Strich auf M_2.

Beim Gegensprechen mit den Tastern T_1 und T_2 erhalten die Schreibapparate M_4 und M_3 Schrift. Durch das Niederdrücken der beiden Taster T_1 und T_2 werden die beiden Batterien B_1 und B_2 zu einer Batterie von doppelter Stärke vereinigt und in Folge dessen sprechen die beiden Relais R'_1 und R'_2 an; da aber durch das Niederdrücken der Taster T_2 und T_1 die Localstromkreise der Schreibapparate M_2 und M_1 bei 6 in S_2 und 2 in T_1 unterbrochen sind, auch nicht P_1 und P_2 von den Linienströmen durchlaufen werden, so können diese Schreibapparate nicht schreiben, sondern nur M_3 und M_4. Macht hierbei T_1 einen Strich, T_2 einen Punkt, so vollendet P_2, und macht T_2 einen Strich und T_1 einen Punkt, so vollendet N_1 den beziehungsweise von R'_2 auf M_4 oder von R'_1 auf M_3 begonnenen Strich. Sind beide Taster niedergedrückt, und es corrigirt etwa T_3, so erscheint die Schrift von T_2, wie beabsichtigt, nicht auf M_3, dagegen erhält nun M_2 die Correcturzeichen von T_3, da in dem Moment, wo T_2 in die Ruhelage gelangt, die Verbindung zum Doppelsprechen hergestellt ist, in den Momenten aber, wo alle 3 Taster niedergedrückt sind, die Batterien B_1, B_5 und B_2 ihren Strom vereinigen, was für M_4 keine Störung herbeiführt. — Auch T_3 und T_4 könnten zum Gegensprechen gebraucht werden, nicht aber T_1 und T_4 oder T_2 und T_3, da sich die Ströme der letzteren Paare vernichten würden.

Dass diese Einschaltung nicht zum gleichzeitigen Doppel- und Gegensprechen brauchbar ist, geht schon daraus hervor, dass beim gleichzeitigen Niederdrücken aller vier Taster sich die Ströme der Batterien B_1, B_5, B_6 und B_2 vereinigen, ohne irgend ein Relais zu durchlaufen, da sie von g_1 und g_2 sofort nach den Tastern gehen; waren aber erst T_1 und T_2 oder T_3 und T_4 zugleich niedergedrückt und darauf die beiden noch fehlenden Taster, so bildet sich auf der einen Station noch ein Zweigstrom durch die Schreibhebel, auf dieser fahren voraussichtlich die Schreibapparate fort zu schreiben, auf der andern Station bleiben sie in Ruhe.

B. Doppel- und Gegensprechen mittels aufeinander folgender Ströme.

Die Vorschläge zur Ausnutzung des Leitungsdrahtes während der Pausen zwischen den Zeichen eines Telegrammes ermöglichen ebenso leicht eine Beförderung von mehr als 2 Telegrammen, wie sie zum blossen Gegensprechen oder Doppelsprechen gebraucht werden können.*)

---

*) Schon Newton sagt, bei seiner Methode lasse sich der Draht als *an omnitelegraphic way* betrachten, während er seither nur *a unitelegraphic way* war.

1. Vorschlag von Newton.

Der Patentagent Alfred Vincent Newton nahm am 8. Februar 1851 in England in Folge einer Mittheilung ein Patent auf die gleichzeitige Beförderung mehrerer Telegramme auf demselben Drahte in derselben oder in entgegengesetzter Richtung (London Journal 1852, vol. XL, pag. 86). An den Leitungsdraht werden an beiden Enden ebenso viel Sätze kürzere Signaldrähte angelegt, als Telegramme zugleich befördert werden sollen; jeder Satz besteht aber aus so vielen einzelnen Drähten, wie viel verschiedene Zeichen für jedes Telegramm möglich sein sollen. Sollen z. B. an jedem Ende des Leitungsdrahtes 10 Personen befindlich sein und jede 25 verschiedene Zeichen geben und empfangen können, so müssen an jedem Ende des Leitungsdrahtes 2.25.20 = 1000 Drähte angebracht und der Reihe nach abwechselnd auf eine kurze Zeit mit diesem Leitungsdrahte und der Elektricitätsquelle leitend verbunden werden. Da nun das Aufnehmen und Niederschreiben der einzelnen elektrischen Signale weit mehr Zeit erfordert, als die Elektricität zum Durchlaufen des Leitungsdrahtes braucht, so wird bei Anwendung dieser Methode die Leitung besser ausgenutzt. Als zweckmässig wird folgende Ausführung bezeichnet: Auf jeder Station befindet sich ein durch ein Uhrwerk getriebenes Pendel; beide Pendel müssen einen ganz übereinstimmenden Gang haben, von dessen Vorhandensein man sich durch am Ende der Pendelschläge überspringende Funken überzeugen kann, oder den man auch durch Elektromagnete hervorbringen und reguliren kann. Die Axen beider Pendel sind mit dem Leitungsdrahte verbunden, in welchen irgendwo eine Batterie oder eine andere Elektricitätsquelle eingeschaltet ist; die metallene Pendelstange ist beträchtlich verlängert und trägt an ihrem Ende eine Metallfeder, welche auf einem grossen Bogen schleift und in diesem beim Hin- und Hergange des Pendels abwechselnd in der einen und der andern von zwei Nuthen gleitet; in diesen Nuthen stehen Metallstifte vor, deren jeder bei jeder Pendelschwingung von der Feder einmal berührt wird; die Stifte der einen Nuth sind durch die erwähnten Signaldrähte mit den Zeichengebern, die der andern mit den Zeichenempfängern verbunden und stehen durch letztere stets, durch erstere beim Zeichengeben mit der Erde in Verbindung. Bei dieser Einrichtung wird bei jedem Pendelschlage abwechselnd die eine und die andere Station einen kurzen Strom der Reihe nach durch beliebig gewählte Zeichengeber und die zugehörigen Zeichenempfänger der andern Station senden können, denn die Batterie ist durch die schleifenden Federn geschlossen, sobald die eine über einen Stift gleitet, dessen Zeichengeber eben ein Zeichen giebt. Als Zeit für eine Schwingung wählt man die Zeit, welche gewöhnlich zum Geben und Aufnehmen eines Zeichens nöthig ist. Als Signale kann man dabei überspringende Funken, Nadelablenkungen oder die Anziehung von Elektromagnetankern benutzen.

2. Vorschlag von Rouvier.

Einen dem eben besprochenen ganz ähnlichen Vorschlag machte Rouvier (*Annales télégraphiques* 1860, S. 5), welcher übrigens seit 1852 der französischen Verwaltung vorgeschlagen hatte, auf ähnliche Weise die zwei Zeichenempfänger des französischen Zeigerapparates durch einen einzigen Draht in Gang zu setzen (*Ann. télégr.* 1861, S. 145). Die an den beiden Enden der Leitung aufgehängten zwei Pendel von gleichem Gewicht, Länge, Form und Aufhängung erhalten durch die Wirkung elektrischer Ströme, was sie durch Reibung u. s. w. verlieren, und werden zugleich durch diese Ströme in übereinstimmendem Gang erhalten. Die Einrichtung dazu zeigt Fig. 56. Das Pendel *OF* schwingt zwischen *A* und *C* hin und her; an den Enden des Schwingungsbogens sind 2 Elektromagnete e_1 und e_2 aufgestellt, auf welche die Batterien b_1 oder b_2 wirken, deren Schluss durch den Regulator *ar* herbeigeführt wird, der sich umdreht und an x_1 und z_1 oder an x_2 und z_2 antrifft, wenn das Pendel seine äussersten Lagen erreicht hat. Kurze Zeit, bevor sich *ar* an x_1 oder x_2 anlegt, kommt das obere Ende *u* des Pendels an eine der Federn f_1 oder f_2 zu liegen, welche mit dem einen Pole der Batterien b_1 und b_2 verbunden sind. Steht nun die Platte *L* mit der Erde *E* in Verbindung, so ist die Batterie *B* geschlossen, sowie sich *a* an x_1 oder x_2 anlegt, ihr Strom durchläuft den Elektromagnet *e*, und dessen Anker *sd* legt sich an die Contactschraube *h*; dadurch wird aber, weil sich *u* vorher schon an f_1 oder f_2 gelegt hat, die Batterie b_1 oder b_2 durch e_1 oder e_2 hindurch geschlossen, und e_1 oder e_2 hält das Pendel in seiner äussersten Lage *A* oder *C* fest, indem das Eisenstück *F* gewissermassen als Anker für e_1 oder e_2 dient. Bald darauf stösst auch *r* gegen z_1 oder z_2, wodurch die Batterie *B* kurz geschlossen wird; daher geht jetzt der Anker *sd* durch die Wirkung der Feder *i* in die Ruhelage zurück, unterbricht dadurch den Strom der Batterie b_1 oder b_2 und e_1 oder e_2 lässt das Pendel los; dieses beginnt einen neuen Schlag und alle 3 Batterien bleiben unterbrochen bis das Pendel durch Anlegen an x_2 oder x_1 zunächst *B* und darauf über *sd* auch b_2 oder b_1 schliesst und das Spiel sich wiederholt. Wird dagegen *L* nicht mit der Erde, sondern mit einer entsprechend in den Apparat eingeschalteten Platte L_1 einer zweiten Station verbunden, deren Batterie B_1 entgegengesetzt eingeschaltet ist, so schliessen sich *B* und B_1 zu einer einzigen Batterie, wenn *a* und a_1 sich (zugleich) an *x* anlegen, und darauf folgen die eben erwähnten Vorgänge auf beiden Stationen. Kommen beide Pendel ganz

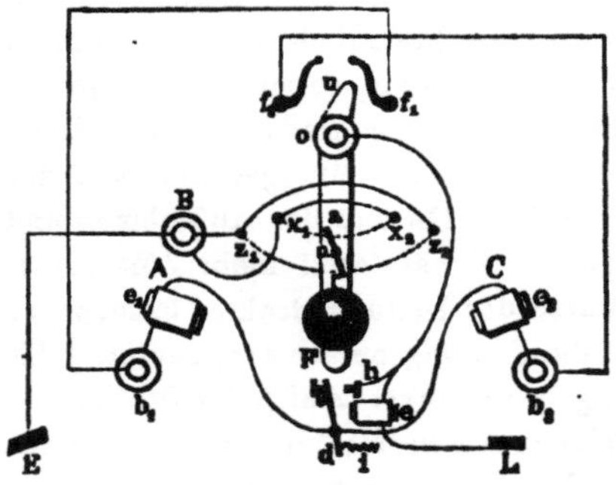

Fig. 56.

gleichzeitig an, so gehen sie auch gleich darauf und gleichzeitig fort; kommt aber das eine Pendel, z. B. OF, etwas früher an, so wird zwar, wenn ar sich an xz legt, B kurz geschlossen, B_1 aber hält in beiden Stationen die Anker sd noch angezogen und deshalb bleiben auf beiden Stationen die Batterien e_1 oder e_2 so lange geschlossen, bis auch das andere Pendel sich mit dem Regulator an x und z angelegt hat, worauf, weil jetzt B und B_1 kurz geschlossen sind, beide Pendel gleichzeitig den nächsten Schlag beginnen. Ist der entwickelte Magnetismus zu schwach, um die Bewegungshindernisse zu überwinden, so kann man zu Bewegung der Hebel noch ein Uhrwerk anbringen.

Bei jedem Pendelschlage wird nun auf jedem Apparate 1 Buchstabe gegeben. Während der Hinbewegung des Pendels schleift ein Hebel auf mehreren (8) Sätzen metallischer Bögen, herwärts auf anderen Sätzen; die Bögen der einen Station sind mit der Linienbatterie, die der andern mit dem Morseschreibapparate verbunden. Jeder Satz besteht aus 3 concentrischen Bögen a, b, c, die, wie Fig. 57 zeigt, übereinander greifen, und die Länge der Bögen in den 8 Sätzen ist so bemessen, dass der Hebel bei der Pendelbewegung gleich lange auf jedem Bogen schleift; der 1., 3., 5. und 7. Satz gehört etwa zur Beförderung des ersten, der 2., 4., 6. und 8. Satz zur Beförderung des zweiten Telegramms. Bleibt die Batterie (durch 2 Zwischenhebel) nur so lange geschlossen, als der Hebel über a_1 oder a_2 schleift, so wird ein Punkt des ersten oder zweiten Telegramms gegeben; bleibt die Batterie so lange geschlossen, als die Batterie über a_1 und b_1 oder über a_2 und b_2 schleift, so wird ein Strich des ersten oder zweiten Telegramms gegeben, und man hat demnach durch die 16 Zwischenhebel bei jedem Schlage die Möglichkeit, 4 Zeichen (Punkte oder Striche), also irgend einen aus nicht mehr als 4 Zeichen bestehenden Buchstaben des ersten und auch des zweiten Telegramms zu befördern. Die Bögen c_1 und c_2 (von Punktlänge) dienen dazu, behufs der Entladung die Leitung momentan mit der Erde zu verbinden. Beim Rückgange schleift ein zweiter Theil des Pendels auf 3 andern Bögen und giebt die beiden nächsten Buchstaben. Zur Bewegung der Zwischenhebel in der dem zu telegraphirenden Buchstaben entsprechenden Weise dient eine Claviatur, deren 29 Tasten mit den Buchstaben bezeichnet sind. Zu den Ziffern dienen Taste 1 — 10, zu den Interpunktions- und anderen Zeichen die Tasten 11 — 25, ihre Zeichen werden dabei stets von dem Zeichen — — — — — hinten und vorn eingeschlossen. Bei Anwendung von Translation wären 4 Pendel nöthig und in übereinstimmenden Gang zu setzen. Eine Benutzung dieser Methode für Typendrucktelegraphen ist möglich, aber umständlich.

Fig. 57.

3. Vorschlag im Civil-Engineer and Architects Journal.

Veranlasst durch die Nachricht, dass Professor Edlund in Stockholm einen Gegensprecher erfunden habe, giebt im *Civil-Engineer and Architects Journal* (Maiheft 1855, S. 164; vergl. auch Zeitschr. d. Tel.-Ver. II, S. 242) ein ungenannter Verfasser eine weit allgemeinere Lösung derselben Aufgabe. Um den kurzen Schluss der Batterie durch die Apparate der eigenen Station zu verhüten, welcher eintreten würde, wenn man mehrere Apparatpaare in gewöhnlicher Weise einfach mit der Leitung verbände, und um zu verhüten, dass 2 von derselben Station mit 2 gesonderten Batterien nach der andern Station gegebene Telegramme dort auf beiden Empfangsapparaten zugleich und zwar verwirrt erscheinen, schlägt der Verfasser vor, auf jeder Station die Luftleitung zunächst mit einer Wechselscheibe S_1 und S_2 Fig. 58 zu verbinden, welche bei ihrer Drehung abwechselnd das eine und das andere Apparatpaar A_1 und A_2 oder A_3 und A_4 in die Leitung einschaltet und wieder ausschaltet.

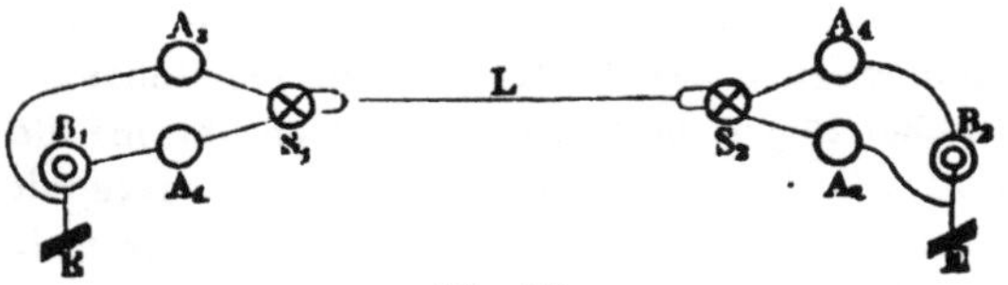

Fig. 58.

Die Kreuzlinien in den Wechselscheiben bedeuten nämlich in die Holzscheibe eingelegte Metallstreifen; bei der in Fig. 58 gezeichneten Stellung der Scheiben durchläuft also der Strom der Batterie B_1 blos die Apparate A_1 und A_2, und nachdem sich die Scheiben f um $\frac{1}{8}$ Umdrehung weiter gedreht haben, sendet die Batterie B_2 ihren Strom durch A_3 und A_4. Die Einrichtung ist sowohl zum Gegensprechen, wobei etwa A_1 und A_4 Taster sind, als auch zum Doppelsprechen, wobei etwa A_1 und A_3 Taster sind, brauchbar, wenn nur die beiden Wechselscheiben in ihrer Drehung vollständig mit einander übereinstimmen; dass eine solche Uebereinstimmung zu erreichen ist, hält der Verfasser durch Bakewell's Copirtelegraph für nachgewiesen. Auch könnten mehr als zwei Apparatpaare mit demselben Leitungsdraht verbunden werden. Die völlige Uebereinstimmung könnte dann auch mittelst eines zweiten Drahtes erreicht werden.

Die Redaction der Zeitschrift des Telegraphen-Vereins hält es für nothwendig, dass die Leitung nach jedem Zeichen, also beim Uebergange von einem Apparatpaare zum andern durch Verbindung mit der Erde entladen werde, was übrigens leicht geschehen kann. Mit dem Morsetaster giebt ein geübter Telegraphist etwa 340 Punkte in 1 Minute, der Contact für 1 Punkt dauert also $\frac{1}{2} \cdot \frac{60}{340} = \frac{1}{12}$ Secunde; braucht nun der Strom zum wirksamen Durchlaufen der Leitung $\frac{1}{200}$ Secunde, und sind die Zwischenzeiten zwischen 2 Contacten eben so gross, so kann man $\frac{200}{2} = 100$ Contacte in 1 Secunde geben. Reichte nun ein einmaliger Contact zum Hervorbringen des Zeichens aus, so könnte man 8 — 9, wäre aber ein 2- oder 3maliger Contact dazu nöthig, so könnte man nur 4 oder 3 Apparatpaare mit der Leitung verbinden.

4. Vorschlag von Kruse.

Dr. Kruse in Artlenburg benutzte (Poggendorff's Annalen Bd. 98, S. 116) zu seinen Versuchen eine Abänderung der sich auf das Princip der Selbstunterbrechung stützenden Zeigertelegraphen von Siemens & Halske, indem er sie mit Relais in Verbindung brachte und die Windungen der Relais vom Linienstrome, die des Telegraphen von einem Localstrome durchlaufen und dabei durch das Relais den Localstrom, durch den Telegraphen aber den Linienstrom abwechselnd schliessen und unterbrechen liess. Werden nun eine Anzahl solcher Telegraphen an beiden Enden einer Leitung aufgestellt, das eine Ende sämmtlicher Relaisumwickelungen durch den Ruhecontact der zugehörigen Telegraphen hindurch mit dem einen Pol einer Linienbatterie verbunden, deren zweiter Pol zur Erde abgeleitet ist, wird ferner das zweite Ende jeder Relaisumwickelung mit einer isolirten Contact- oder Schliessungsfeder verbunden und schleifen sämmtliche Federn in gleichen Abständen von einander auf einer Schliessungs oder Wechselscheibe, deren Rand in abwechselnde isolirende und leitende Felder derart eingetheilt ist, dass stets nur eine Feder mit einem leitenden Felde in Berührung steht, so treten beim gleichmässigen Drehen der beiden Scheiben die Federn der Reihe nach mit der Leitung in Verbindung und schliessen die Batterie. Bei sämmtlichen Zeigertelegraphen (oder auch Typendrucktelegraphen) beginnt demnach eine gleichmässige Umdrehung der Zeiger; wird aber einer dieser Telegraphen angehalten, und dadurch die Verbindung seiner Schliessungsfeder mit der Batterie dauernd unterbrochen, so muss auch der zu ihm gehörige, mit der entsprechenden Schliessungsfeder auf der andern Station verbundene Telegraph der andern Station still stehen und der telegraphirte Buchstabe, auf dem der Zeiger feststeht, abgelesen werden. Die gleichmässige Drehung der Scheiben lässt Dr. Kruse durch die Telegraphenmagnete selbst bewirken, indem er die Scheiben am Rande mit Zähnen versieht.

5. Vorschlag von Hughes.

Professor David Edward Hughes in Newyork brachte an seinem 1855 patentirten Typendrucktelegraphen eine ähnliche Einrichtung an, um 2 Telegramme zugleich in entgegengesetzter Richtung befördern zu können (*Annales télégraphiques* 1861, S. 145). Er steckte nämlich 2 Schliessungsräder auf eine durch ein Uhrwerk in Umdrehung versetzte Welle und liess durch eine darauf schleifende Feder die Luftleitung abwechselnd mit dem Zeichengeber und dem Zeichenempfänger in Verbindung treten.

6. Vorschlag von Caselli.

Der Abbé Giovanni Caselli in Florenz hat seinen Pantelegraphen (Zeitschr. f. Mathem. u. Phys. V, S. 44) ebenfalls so eingerichtet, dass 2 Telegramme zugleich absatzweise durch ihn befördert werden können. Eine Beschreibung der verbesserten Einrichtung dieses Copirtelegraphen gab ich im Polytechnischen Centralblatt (1864, S. 1285; nach *Annales télégraph.* 1863, S. 209). Die Schreibspitzen ertheilen gleichgehenden Pendeln eine hin- und hergehende Bewegung über bogenförmigen Unterlagen, die Spitzen schreiben aber nur bei der Bewegung nach der einen Richtung; doch sind alle betreffenden Theile doppelt vorhanden, und während das eine eben bei Beförderung des einen Telegramms thätig gewesene Spitzenpaar unthätig zurückgeht, tritt das andere in Thätigkeit und telgraphirt eine Zeichenreihe aus einem zweiten Telegramm.

XIII.

Ueber Hydrodiffusion in begrenzten cylindrischen Gefässen.

Von Dr. R. Beez,

Lehrer an der Königl. Realschule zu Plauen i. V.

In Poggendorff's Annalen der Physik und Chemie, Bd. C, haben Simmler und Wild eine Abhandlung: „Ueber einige Methoden zur Bestimmung der bei der Diffusion einer Salzlösung in das reine Lösungsmittel auftretenden Constante" veröffentlicht, in welcher unter anderen auch zwei Diffusionsströme behandelt werden, mit denen ich mich ebenfalls, jedoch ohne die erwähnte Abhandlung zu kennen, beschäftigt habe (siehe diese Zeitschrift Bd. IV und VII). Leider sind die genannten Verfasser nicht dazu gekommen, ihre durch Rechnung gefundenen Formeln experimentell zu prüfen, wodurch nicht allein über die Brauchbarkeit der aufgestellten Gleichungen selbst, sondern auch über den Werth der von ihnen vorgeschlagenen experimentellen Methoden ein sicheres Urtheil sich hätte bilden lassen. Denn so sinnreich namentlich ihre optischen Methoden auf den ersten Blick auch erscheinen, so wenig lässt sich doch im Voraus erkennen, ob sie zu einer genauen Bestimmung der Diffusionsconstante k sich eignen. Was die Formeln selbst anlangt, die von Simmler und Wild einerseits und von mir andererseits gefunden worden sind, so besteht zwischen ihnen der Unterschied, dass erstere für oben und unten begrenzte Gefässe, letztere für halbbegrenzte oder unbegrenzte gelten. An einem Beispiel wird dieser Unterschied deutlicher hervortreten. Denken wir uns ein cylindrisches Gefäss von etwa einem Fuss Höhe, wie ich es bei meinen Versuchen (siehe diese Zeitschrift IV, S. 225 ff.) angewendet habe, zur Hälfte mit Salzlösung, zur Hälfte mit reinem Wasser angefüllt, so wird ein Diffusionsstrom entstehen, der erst nach Verlauf von mehreren Tagen sowohl die obere als auch die untere Grenze der Flüssigkeit erreicht. Innerhalb dieses ersten Stadiums ist der Strom ganz unabhängig von den Bedingungen der obern und untern Grenze und unterliegt daher denselben Gesetzen, wie ein nach beiden Richtungen hin unbegrenzter Strom. Da meine Versuche so ziemlich in dieses erste Stadium fallen, so ist auch die Berechnung derselben mit derjenigen Formel bewerkstelligt, welche für einen beiderseits unbegrenzten Strom gilt. Dass die Einführung der Grenz- oder Oberflächen-Bedingungen, so lange der Strom im ersten Stadium sich befindet, vollkommen überflüssig ist und nur zu weitläufigen Formeln führt, aus denen die Constante nur annäherungsweise bestimmt werden kann, leuchtet ohne Weiteres ein und wird bei Betrachtung der Diffusionsgleichungen noch deutlicher sich zeigen. Selbstverständlich fangen aber die von mir aufgestellten Formeln an ihre Gültigkeit zu verlieren, wenn der Strom die Oberfläche der Flüssigkeit oder den Boden des Gefässes erreicht hat, wiewohl auch in diesem Falle noch eine längere Zeit vergehen muss, ehe die Einwirkung der Grenzen durch den ganzen Diffusionsstrom hindurch sich fühlbar macht. Von nun an treten die Formeln von Simmler und Wild in Kraft, aus denen sich die meinigen ohne Mühe ergeben, sobald man eine oder beide Grenzen ins Unendliche verschiebt.

Die Methode, deren sich Simmler und Wild bedienen, um die Differentialgleichung

$$\frac{\partial u}{\partial t} = k \frac{\partial^2 u}{\partial x^2}$$

unter Berücksichtigung der Grenzbedingungen in geschlossenen Gefässen und gegebener Anfangszustände in denselben zu integriren, verdanken sie ihrer eigenen Angabe nach Herrn Professor Neumann in Königsberg, unter dessen Leitung im physikalischen Seminar, behufs Bestimmung des äusseren und inneren Wärmeleitungsvermögens der Metalle, variabele Wärmeströme behandelt wurden, bei denen ähnliche Integrationen vorgekommen seien. Aus dem ersten, S. 221 ff. behandelten Beispiele ersieht man deutlich, dass die angewendete Methode in der Hauptsache dieselbe ist, deren sich schon Lagrange in seiner analytischen Mechanik bedient hat und die später von Fourier, Poisson, Duhamel, Lamé etc. in ihren Untersuchungen über Verbreitung der Wärme in athermanen Mitteln fortwährend angewendet worden ist. Diese Methode besteht ihrem Wesen nach darin, dass man zuerst den Grenzwerth sucht, welchem sich $u = f(x,t)$ für $t = \infty$ nähert, sodann zu diesem Werthe eine unendliche Reihe hinzufügt, deren jedes Glied, mit einem noch zu bestimmenden Factor behaftet, die sämmtlichen Bedingungen der Aufgabe erfüllt mit Ausnahme einer einzigen, die sich auf den Anfangszustand des Gefässes zur Zeit $t = 0$ bezieht. Die eben erwähnten Factoren werden endlich durch ein sich stets gleichbleibendes Verfahren mit Hilfe der letzten noch übrigen Gleichungen ermittelt. Was den zuerst erwähnten Grenzwerth anlangt, so kann derselbe durch eine lineare Function von x characterisirt sein und führt dann den Namen „stationärer Zustand“ oder „dynamisches Gleichgewicht“, in anderen Fällen ist er eine Constante, die bei dem Wärmestrom — gleichgültig, ob der Körper an seiner Oberfläche die Wärme frei ausstrahlt oder auf constanter Temperatur erhalten wird — unabhängig vom Anfangszustand, beim Diffusionsstrom aber theils unabhängig, theils abhängig von demselben ist, je nachdem, den Bedingungen der Aufgabe gemäss, Salz aus dem Gefäss austreten kann oder nicht. Dass ein solcher Grenz- respective stationärer Zustand eintreten muss, wird im Folgenden an den betreffenden Stellen streng analytisch bewiesen, während man sich gewöhnlich begnügt, die Nothwendigkeit derselben aus physikalischer Anschauung abzuleiten. In Betreff der Wärmeverbreitung haben schon Amsler, Crelle's Journal Bd. 42, S. 316 ff. und Minnigerode: „Ueber Wärmeleitung in Krystallen“, Inauguraldissertation, Göttingen 1862, Art. X, ähnliche Betrachtungen angestellt.

Im Folgenden sollen nun die Gesetze der Hydrodiffusion in einem senkrechten cylindrischen oder prismatischen Gefäss unter den allgemeinsten Voraussetzungen über den Anfangszustand und für die experimentell leicht ausführbaren Grenzbedingungen ermittelt werden, wobei sowohl die von Simmler und Wild, als die von mir aufgestellten Formeln als specielle Beispiele auftreten werden.

§. 1.

Ableitung der Differentialgleichungen.

Bezeichnet u die Concentration d. h. die in der Volumeinheit der Salzlösung enthaltene Salzmenge in irgend einem horizontalen Querschnitt eines senkrechten cylindrischen oder prismatischen Gefässes, in welchem der Diffusionsstrom vor sich geht, so kann u als eine Function des Abstandes x jenes Querschnittes vom Boden des Gefässes und der seit Beginn des Versuches verflossenen Zeit angesehen werden. Wir nehmen nun an:

1. dass das Salz, welches aus der concentrirten Lösung in die dünnere der Schwere entgegen einströmt, mit gleichförmiger Geschwindigkeit die einzelnen Schichten durchfliesse, vernachlässigen aber die geringe Verdichtung, die eintritt, sobald zwei Lösungen von verschiedener Concentration sich mischen;
2. dass die Menge ∂S des im Zeitelement aus einer Schicht in die benachbarte überfliessenden Salzes dem Concentrationsunterschied in beiden Schichten proportional sei —

dann können wir die im Zeitelement ∂t durch den Querschnitt q fliessende Salzmenge ∂S direct proportional dem Zeitelement ∂t, dem Querschnitt q, dem Concentrationsunterschied ∂u und umgekehrt proportional der Dicke ∂x des Querschnittes annehmen. Berücksichtigen wir ferner noch, dass der Natur der Sache nach die Concentration für wachsende x abnehmen, also $\frac{\partial u}{\partial x}$ negativ sein muss, die überfliessende Salzmenge aber eine positive Grösse ist, so können wir setzen:

$$1)\qquad \partial S = -kq\frac{\partial u}{\partial x}\partial t,$$

worin k eine noch näher zu definirende Constante (siehe §. 8), die der Affinität des Salzes zum Wasser proportional ist, bedeutet. Dies ist der Zuwachs, den eine Schicht, welche den Abstand x vom Boden des Gefässes hat, durch die untere Nachbarschicht erhält. Lässt man in dem Ausdruck 1) x um ∂x zunehmen, so erhält man die Salzmenge, welche dieselbe Schicht an ihre obere Nachbarschicht abgiebt, nämlich, da q constant ist,

$$2)\qquad \partial S' = -kq\left(\frac{\partial u}{\partial x} + \frac{\partial^2 u}{\partial x^2}\partial x\right)\partial t$$

Zieht man nun den Salzverlust 2) vom Salzgewinn 1) ab, so erhält man

$$kq\frac{\partial^2 u}{\partial x^2}\partial x\,\partial t,$$

welcher Ausdruck also den unendlich kleinen Zuwachs an Salz bedeutet, den im Zeitelement ∂t eine Schicht erhält, welche von zwei Querschnitten in den Abständen x und $x + \partial x$ vom Boden des Gefässes begrenzt ist. Diese Zunahme an Salz lässt sich aber auch auf eine zweite Weise berechnen. Denn die Salzmenge in einer Schicht vom Querschnit q, der Höhe ∂x und der Concentration u ist $qu\partial x$, folglich die Zunahme an Salz im Zeitelement ∂t, $q\frac{\partial u}{\partial t}\partial x\,\partial t$. Durch Gleichstellung beider Ausdrücke ergiebt sich somit die partielle Differentialgleichung

$$3)\qquad \frac{\partial u}{\partial t} = k\frac{\partial^2 u}{\partial x^2},$$

welche das Gesetz ausdrückt, dem der Diffusionsstrom im Innern des Gefässes unterworfen ist. Hierzu gesellen sich noch die Bedingungen, die an der oberen und an der unteren Grenzschicht der Flüssigkeiten gelten. Wir unterscheiden im Ganzen vier von einander verschiedene, experimentell ohne grosse Schwierigkeit herstellbare Oberflächenbedingungen. Nämlich

1. das Gefäss sei oben und unten geschlossen, so dass Salz weder unten eintreten, noch oben austreten kann. Dies giebt, wenn wir die Höhe des Gefässes h nennen

$$\left(\frac{\partial u}{\partial x}\right)_{x=0} = 0, \qquad \left(\frac{\partial u}{\partial x}\right)_{x=h} = 0,$$

was wir kürzer ausdrücken durch

$$\frac{\partial u}{\partial x_0} = 0, \qquad \frac{\partial u}{\partial x_h} = 0;$$

2. das Gefäss sei oben offen und die Concentration werde am oberen Rande constant auf Null erhalten, während unten, wo das Gefäss

geschlossen ist, kein Salz eintreten kann. Diesen Bedingungen entsprechen die Gleichungen

$$u_h = 0, \qquad \frac{\partial u}{\partial x_0} = 0;$$

3. das Gefäss sei unten offen und die Concentration in der untersten Schicht fortwährend gleich U, während es oben geschlossen ist, so dass kein Salz austreten kann; dann ist

$$u_0 = U, \qquad \frac{\partial u}{\partial x_h} = 0;$$

4. sowohl unten als oben sei das Gefäss offen und sei die Concentration unten fortwährend $= U$, oben $= 0$, so ergeben sich als Oberflächenbedingungen

$$u_0 = U, \qquad u_h = 0.$$

Endlich ist noch über die anfängliche Concentration im Diffusionsgefässe zur Zeit $t=0$ eine Bestimmung zu treffen. Der Natur der Aufgabe gemäss kann die beim Beginn des Versuches im Gefäss statthabende Vertheilung oder der Salzgehalt der Flüssigkeit nur durch eine eindeutige, reelle, positive und endliche Function von x charakterisirt sein, auch darf dieselbe mit zunehmendem x nicht zunehmen, weil sonst die ungereimte Forderung entstünde, eine Flüssigkeitssäule zu construiren, deren obere Schichten schwerer, als die unteren wären. Wir bezeichnen den Werth, den u für $t=0$ annimmt, mit $u(0)$, dann ist im Allgemeinen $u(0)=f(x)$ eine Function von x, welche die eben erwähnten Eigenschaften besitzt. Doch braucht die Function $u(0)$ durchaus nicht nach einem und demselben Gesetz aus x gebildet zu sein, sondern es kann z. B. $u(0)$ von $x=0$ bis $x=h_1$ den Werth $u_1(0)$, von $x=h_1$ bis $x=h_2$ den Werth $u_2(0)$ etc., von $x=h_{n-1}$ bis $x=h_n$ den Werth $u_n(0)$ haben, wo $u_1(0), u_2(0) \ldots u_n(0)$ ganz verschiedene Functionen von x oder auch Constante bedeuten. Die Herstellung des zuletzt angedeuteten Anfangszustandes im Diffusionsgefäss ist experimentell ohne Schwierigkeit und es gelingt leicht, eine Flüssigkeitssäule zu construiren, die aus Schichten verschiedener, aber constanter Concentration zusammengesetzt ist.

§. 2.
Allgemeine Eigenschaften der Function u im ersten Diffusionsstrom.

Die analytischen Bedingungen, denen die Concentration u im ersten Diffusionsstrom unterworfen ist, sind nach dem Vorigen in folgendem Gleichungssystem enthalten:

$$4) \qquad \left\{ \frac{\partial u}{\partial t} = k\frac{\partial^2 u}{\partial x^2}, \quad \frac{\partial u}{\partial x_0} = 0, \quad \frac{\partial u}{\partial x_h} = 0, \quad u(0) = f(x) \right\}.$$

Mit Hilfe dieser Gleichungen lässt sich zunächst nachweisen, dass u für jedes reelle t und x ebenfalls reell ist. Denn angenommen, es genügte der complexe Werth $v + v'\sqrt{-1}$ dem System 4), dann würde durch Einführung dieses Werthes an die Stelle von u das System 4) in die beiden von einander unabhängigen Gruppen

$$4a)\qquad \left\{\frac{\partial v}{\partial t} = k\frac{\partial^2 v}{\partial x_2},\quad \frac{\partial v}{\partial x_0} = 0,\quad \frac{\partial v}{\partial x_h} = 0,\quad v(0) = f(x)\right\}$$

und

$$4b)\qquad \left\{\frac{\partial v'}{\partial t} = k\frac{\partial^2 v'}{\partial x^2},\quad \frac{\partial v'}{\partial x_0} = 0,\quad \frac{\partial v'}{\partial x_h} = 0,\quad v'(0) = 0\right\}$$

zerfallen. Multiplicirt man die Gleichung $\frac{\partial v'}{\partial t} = k\frac{\partial^2 v'}{\partial x^2}$ mit $v'\,\partial x$ und integrirt *per partes* zwischen den Grenzen 0 und h so kommt:

$$5)\qquad \frac{1}{k}\int_0^h v'\frac{\partial v'}{\partial t}\partial x = \left(v'\frac{\partial v'}{\partial x}\right)_h - \left(v'\frac{\partial v'}{\partial x}\right)_0 - \int_0^h\left(\frac{\partial v'}{\partial x}\right)^2\partial x,$$

welche Gleichung vermöge der Oberflächenbedingungen $\frac{\partial v'}{\partial x_0} = 0$, $\frac{\partial v'}{\partial x_h} = 0$ in die einfachere

$$\frac{1}{k}\int_0^h v'\frac{\partial v'}{\partial t}\partial x = -\int_0^h\left(\frac{\partial v'}{\partial x}\right)^2\partial x$$

übergeht, für welche man auch schreiben kann

$$6)\qquad \frac{1}{2k}\frac{\partial}{\partial t}\int_0^h v'^2\,\partial x = -\int_0^h\left(\frac{\partial v'}{\partial x}\right)^2\partial x.$$

Da nun v', also auch $\frac{\partial v'}{\partial x}$ reell ist, so muss sowohl v'^2 als $\left(\frac{\partial v'}{\partial x}\right)^2$ stets positiv sein, folglich sind auch die unendlichen Summen $\int_0^h v'^2\,\partial x$ und $\int_0^h\left(\frac{\partial v'}{\partial x}\right)^2\partial x$ positiv. Die Gleichung 6) drückt demnach aus, dass der erste Differentialquotient von $\int_0^h v'^2\,\partial x$ nach t fortwährend negativ bleibt; ausserdem ist für $t = 0$, $v' = 0$ folglich auch $\int_0^h v'^2\,\partial x = 0$. Es hat demnach $\int_0^h v'^2\,\partial x$, als Function von t betrachtet, folgende Eigenschaften. Sie ist für jedes beliebige t positiv, für $t = 0$ selbst gleich Null und nimmt für wachsende t beständig ab. Diesen Anforderungen wird durch die Annahme:

$$\int_0^h v'^2\,\partial x = 0$$

genügt. Hieraus folgt aber, dass $v' = 0$ ist. Die complexe Function

$u = v + v'\sqrt{-1}$ reducirt sich somit auf ihren reellen Theil oder dem Gleichungssystem 4) genügen nur reelle u.

Auf ähnliche Weise lässt sich darthun, dass die Function u stets eindeutig ist, so lange $u(0)$ eindeutig ist, wie vorausgesetzt wurde. Denn angenommen, es gäbe ausser u noch einen zweiten Werth u', der für irgend ein t und x dem Gleichungssystem 4) genügte, dann würden die beiden Systeme gelten

$$\left\{\frac{\partial u}{\partial t} = k\frac{\partial^2 u}{\partial x^2}, \quad \frac{\partial u}{\partial x_0} = 0, \quad \frac{\partial u}{\partial x_h} = 0, \quad u(0) = f(x)\right\}$$

und

$$\left\{\frac{\partial u'}{\partial t} = k\frac{\partial^2 u'}{\partial x^2}, \quad \frac{\partial u'}{\partial x_0} = 0, \quad \frac{\partial u'}{\partial x_h} = 0, \quad u'(0) = f(x)\right\}.$$

Sei nun $u > u'$ und setzen wir $u - u' = v$, so würden aus den beiden so eben aufgestellten Systemen durch Subtraction der bezüglichen Gleichungen ein neues für v sich bilden lassen, nämlich:

$$\left\{\frac{\partial v}{\partial t} = k\frac{\partial^2 v}{\partial x^2}, \quad \frac{\partial v}{\partial x_0} = 0, \quad \frac{\partial v}{\partial x_h} = 0, \quad v(0) = 0\right\}$$

genau dasselbe, wie 4*b*). Durch dieselben Schlüsse, wie dort, findet sich hieraus $v = 0$ d. h. $u' = u$. Auch für den Fall, dass der Anfangszustand $u(0)$ nicht durch eine stetige Function von x, sondern durch eine Reihe einzelner Functionen $u_1(0)$, $u_2(0)$ etc. repräsentirt wird, behalten die obigen Schlüsse ihre Gültigkeit. Denn da $u'(0)$ auch an den Stellen, wo eine Unterbrechung der Stetigkeit eintritt, doch immer gleich $u(0)$ ist, so bleibt die Gleichung $v(0) = 0$ auch in diesem Falle richtig.

Endlich kann man noch nachweisen, dass für $t = \infty$, u einem constanten Werth, der vom Anfangszustand abhängig ist, ohne Ende sich nähert. Aus den Gleichungen unter 4) ergiebt sich zunächst mit Hilfe derselben Operationen, durch die 6) erhalten wurde:

$$\frac{1}{2k}\frac{\partial}{\partial t}\int_0^h u^2\,\partial x = -\int_0^h \left(\frac{\partial u}{\partial x}\right)^2 \partial x,$$

woraus folgt, dass $\int_0^h u^2\,\partial x$ eine positive, abnehmende Function von t ist Da nun $u(0) = f(x)$ der Voraussetzung nach eine endliche Function von x ist, so bleibt für $t = 0$ auch $\int_0^h u^2\,\partial x$ endlich. Es nähert sich daher $\int_0^h u^2\,dx$ für wachsende t einem endlichen, von t unabhängigen Werthe, der $\geqq 0$ sein kann. Folglich ist $\lim_{t=\infty}\int_0^h u^2\,\partial x = c$ und $\lim_{t=\infty}\frac{\partial}{\partial t}\int_0^h u^2\,\partial x = 0$. Demselben

Werthe 0 muss sich auch die rechte Seite der obigen Gleichung $\int_0^h \left(\frac{\partial u}{\partial x}\right)^2 \partial x$ ohne Ende nähern. Hieraus folgt, dass für $t=\infty$ auch $\frac{\partial u}{\partial x}=0$ oder u gleich einer Constanten wird. Multiplicirt man ferner die Gleichung $\frac{\partial u}{\partial t}=k\frac{\partial^2 u}{\partial x^2}$ mit ∂t und integrirt innerhalb der Grenzen 0 und t, so kommt

$$u-u(0)=k\int_0^t \frac{\partial^2 u}{\partial x^2}\partial t.$$

Aus dieser Gleichung erhält man weiter durch Multiplication mit ∂x und Integration zwischen den Grenzen 0 und h, indem man rechts die Integrationsordnung umkehrt

$$\int_0^h u\,\partial x-\int_0^h u(0)\,\partial x=k\int_0^t \partial t\left\{\left(\frac{\partial u}{\partial x}\right)_h-\left(\frac{\partial u}{\partial x}\right)_0\right\}.$$

Da aber sowohl $\frac{\partial u}{\partial x_h}=0$, als $\frac{\partial u}{\partial x_0}=0$, so verschwindet der Ausdruck rechts und es bleibt

$$\int_0^h u\,\partial x=\int_0^h u(0)\,\partial x.$$

Fügt man auf beiden Seiten dieser Gleichung noch den constanten Factor q, welcher die Fläche des Querschnittes bedeutet, hinzu, so hat die Gleichung $\int_0^h q\,u\,\partial x=\int_0^h q\,u(0)\,\partial x$ den Sinn, dass die zu irgend einer Zeit im Diffusionsgefäss enthaltene Menge Salz der zur Zeit Null daselbst befindlichen gleich sein muss; ein Resultat, das sich physikalisch von selbst versteht, da den Bedingungen der Aufgabe gemäss das Diffusionsgefäss unten und oben geschlossen ist, so dass am Boden weder Salz eintreten, noch am obern Rande Salz entweichen kann. Da nun für $t=\infty$, u constant wird, so erhält man aus der letzten Gleichung für ein unendliches t

$$\int_0^h c\,\partial x=\int_0^h u(0)\,\partial x,$$

woraus sich

$$7)\qquad c=\frac{1}{h}\int_0^h u(0)\,\partial x$$

ergiebt. Multiplicirt und dividirt man die rechte Seite dieser Gleichung mit q, so drückt sie aus, dass die nach unendlicher Zeit im ganzen Gefäss eintretende constante Concentration gleich derjenigen ist, welche man erhält, wenn man das zur Zeit 0 im Gefäss enthaltene Salz gleichmässig in die einzelnen Schichten vertheilt.

Wenn für $t=0$, in dem Intervall $x=0$ bis $x=h_1$, $u=u_1(0)$ ist, von $x=h_1$ bis $x=h_2$, $u=u_2(0)$ etc., für $x=h_{n-1}$ bis $x=h_n$, $u=u_n(0)$, so würde man ohne Schwierigkeit als Grenzzustand finden

$$8)\qquad c=\frac{1}{h}\left\{\int_0^{h_1} u_1(0)\,\partial x+\int_{h_1}^{h_2} u_2(0)\,\partial x+\ldots+\int_{h_{n-1}}^{h_n} u_n(0)\,dx\right\},$$

woraus endlich, wenn $u_1(0)$, $u_2(0)$ etc. constant sind, sich ergiebt:

$$8a)\qquad c=\frac{1}{h}\left\{h_1 u_1(0)+(h_2-h_1)u_2(0)+\ldots+(h_n-h_{n-1})u_n(0)\right\}.$$

§. 3.

Integration der Differentialgleichungen für die Concentration u im ersten Diffusionsstrom.

Der Differentialgleichung $\frac{\partial u}{\partial t}=k\frac{\partial^2 u}{\partial x^2}$ kann auf verschiedene Weise genügt werden, so lange man von den Oberflächengleichungen absieht. Das Einfachste ist jedenfalls als particuläres Integral ein Product zweier Factoren aufzustellen, von denen der eine nur die Veränderliche x, der andere nur t enthält. Es sei demgemäss

$$u=Pf(t),$$

worin P nur von x, $f(t)$ nur von t abhängt. Dann ist:

$$\frac{\partial u}{\partial t}=Pf'(t),\quad \frac{\partial^2 u}{\partial x^2}=\frac{\partial^2 P}{\partial x^2}f(t),$$

folglich

$$Pf'(t)=k\frac{\partial^2 P}{\partial x^2}\cdot f(t).$$

Nimmt man hierin x einen Augenblick als constant, so sieht man, dass die Function $f(t)$ die Gleichung erfüllen muss

$$f'(t)=kc'f(t),$$

d. h. $f(t)$ ist eine Function von t, welche ihrer Abgeleiteten bis auf einen constanten Factor gleich ist. Diese Bedingung wird vollständig erfüllt durch die Annahme

$$f(t)=e^{c'kt}.$$

Die Function P lassen wir vorläufig noch unbestimmt und setzen:

$$u=c+\sum_{p=0}^{p=\infty} A_p P e^{c'kt}.$$

Für ein unendliches t muss $u=c$ werden, zu dessen Bestimmung die Gleichung 7) oder 8) anzuwenden ist; also muss die Reihe unter Σ verschwinden, was dadurch erreicht wird, dass man $c' = -m^2$ annimmt. Somit ist

9) $$u = c + \sum_{p=0}^{p=\infty} A_p P e^{-m^2 k t}.$$

Jedes Glied der durch das Summenzeichen angedeuteten Reihe besteht aus drei Factoren, nämlich dem constanten Coefficienten A_p, der jedoch für jedes Glied der Reihe verschieden ist, indem er sich mit dem Index p ändert, ferner dem Factor $e^{-m^2 k t}$, worin m in einer noch zu bestimmenden Weise von p abhängig zu setzen ist, endlich dem Factor P, der eine Function von x bedeutet und ebenfalls den Modulus m enthält. Bezeichnen wir ein einzelnes Glied der obigen Reihe $A_p P e^{-m^2 k t}$ mit v, so muss v den drei ersten Bedingungen in 4) entsprechen. Aus den Gleichungen

$$\frac{\partial v}{\partial t} = k \frac{\partial^2 v}{\partial x^2}, \quad \frac{\partial v}{\partial x_0} = 0, \quad \frac{\partial v}{\partial x_h} = 0$$

ergiebt sich aber nach Einsetzung des Werthes von v

a) $$\left\{ \frac{\partial^2 P}{\partial x^2} + m^2 P = 0, \quad \frac{\partial P}{\partial x_0} = 0, \quad \frac{\partial P}{\partial x_h} = 0 \right\}.$$

Endlich soll auch noch die Function u für $t = 0$ den Anfangszustand darstellen. Betrachten wir zuerst den Fall, dass c durch Gleichung 7) bestimmt ist, so hat man für $t = 0$

b) $$u(0) = \frac{1}{h} \int_0^h u(0)\, \partial x + \sum_{p=0}^{p=\infty} A_p P.$$

Aus dieser Gleichung sind die A_p zu bestimmen. Da sich dies ohne Kenntniss der Function P mit Hilfe der Gleichungen unter a) vollständig ausführen lässt, so wollen wir die Form der Function P vorläufig unberücksichtigt lassen. Zunächst ist es nöthig, den Satz zu beweisen, dass für zwei verschiedene P, z. B. P und P', die sich durch die Moduli m und m' unterscheiden, die Gleichung gilt:

c) $$\int_0^h P P' \,\partial x = 0.$$

P genügt den Gleichungen unter a), P' den analog gebildeten

a*) $$\left\{ \frac{\partial^2 P'}{\partial x^2} + m'^2 P' = 0, \quad \frac{\partial P'}{\partial x_0} = 0, \quad \frac{\partial P'}{\partial x_h} = 0 \right\}.$$

Multiplicirt man die erste Gleichung in a) und a^*) bezüglich mit P' und P und subtrahirt, so erhält man:

$$(m'^2 - m^2) P P' = P' \frac{\partial^2 P}{\partial x^2} - P \frac{\partial^2 P'}{\partial x^2}.$$

Aus dieser Gleichung ergiebt sich durch Multiplication mit ∂x und partieller Integration zwischen den Grenzen 0 und h

d) $$(m'^2 - m^2) \int_0^h P P' \,\partial x = \left(P' \frac{\partial P}{\partial x}\right)_0^h - \left(P \frac{\partial P'}{\partial x}\right)_0^h.$$

Die rechte Seite aber ist Null, folglich muss auch, so lange m und m' verschieden sind,

$$\int_0^h P P' \partial x = 0$$

sein. Sind die beiden Moduli m und m' einander gleich, also auch $P' = P$, so lässt sich der Werth des Integrals $\int_0^h P^2 \partial x$ nicht aus der vorigen Formel $d)$ ableiten, so lange man nicht die Art und Weise kennt, wie P von m abhängt, also mit andern Worten die Beschaffenheit der Function selbst. Doch gelangt man auf folgendem Wege zum Ziel. Multiplicirt man die Gleichung

$$\frac{\partial^2 P}{\partial x^2} + m^2 P = 0$$

zuerst mit $P \partial x$ und integrirt man innerhalb der Grenzen 0 und h, so erhält man:

$$\left(P \frac{\partial P}{\partial x}\right)_0^h - \int_0^h \left(\frac{\partial P}{\partial x}\right)^2 \partial x + m^2 \int_0^h P^2 \partial x = 0.$$

Das erste Glied links verschwindet und es bleibt

$$e) \qquad m^2 \int_0^h P^2 \partial x - \int_0^h \left(\frac{\partial P}{\partial x}\right)^2 \partial x = 0.$$

Multiplicirt man ferner dieselbe Gleichung mit $\frac{\partial P}{\partial x} \partial x$ und integrirt, so ergiebt sich allgemein, wenn c eine Constante bedeutet

$$\left(\frac{\partial P}{\partial x}\right)^2 + m^2 P^2 = c.$$

Da nun für $x = 0$, $\frac{\partial P}{\partial x} = 0$ wird, während P den Werth P_0 annehmen mag, so findet sich für die Constante der Ausdruck $c = m^2 P_0^2$, folglich wird

$$\left(\frac{\partial P}{\partial x}\right)^2 + m^2 P^2 = m^2 P_0^2.$$

Durch abermalige Multiplication mit ∂x und Integration zwischen den Grenzen 0 und h ergiebt sich

$$f) \qquad m^2 \int_0^h P^2 \partial x + \int_0^h \left(\frac{\partial P}{\partial x}\right)^2 \partial x = m^2 P_0^2 h.$$

Aus $e)$ und $f)$ findet man endlich:

$$g) \qquad \int_0^h P^2 \partial x = \frac{h}{2} P_0^2,$$

$$h)\qquad \int_0^h \left(\frac{\partial P}{\partial x}\right)^2 \partial x = m^2 \frac{h}{2} P_0^2.$$

Die Gleichungen $c)$ und $g)$ reichen hin, um die Coefficienten A_p zu bestimmen. Man multiplicire die Gleichung $c)$ mit $P\partial x$ und integrire innerhalb der Grenzen 0 und h, so werden rechts alle Integrale von der Form $\int PP'\partial x$, worin P und P', verschiedene Moduli haben, verschwinden, und von der ganzen Reihe wird nur $A_p \int_0^h P^2 \partial x$ übrig bleiben, welches nach $g)$ in $A_p \frac{h}{2} P_0^2$ übergeht. Man erhält somit:

$$A_p = \frac{2}{h P_0^2} \int_0^h P \left\{ u(0) - \frac{1}{h} \int_0 u(0)\, \partial x \right\} \partial x.$$

Hierin ist noch die Function P mit Hilfe der Gleichungen $a)$ und $b)$ zu ermitteln. Der Bedingung $\frac{\partial^2 P}{\partial x^2} + m^2 P = 0$ genügen die beiden Functionen $\sin mx$ und $\cos mx$, der Gleichung $\frac{\partial P}{\partial x_0} = 0$ nur $\cos mx$, welches zugleich, wenn man $m = \frac{p\pi}{h}$ setzt, auch die letzte Bedingung $\frac{\partial P}{\partial x_h} = 0$ erfüllt. Dass die Function $P = \cos \frac{p\pi}{h} x$ auch den Gleichungen $\int_0^h PP'\partial x = 0$ und $\int_0^h P^2 \partial x = \frac{h}{2} P_0^2$ entspricht, soll kurz nachgewiesen werden. Es ist

$$\int_0^h \cos \frac{p\pi}{h} x \cos \frac{p'\pi}{h} x\, \partial x = \tfrac{1}{2} \int_0^h \left\{ \cos \frac{p+p'}{h} \pi x + \cos \frac{p-p'}{h} \pi x \right\} \partial x$$

$$= \tfrac{1}{2} \frac{h}{\pi} \left\{ \frac{1}{p+p'} \sin \frac{p+p'}{h} \pi x + \frac{1}{p-p'} \sin \frac{p-p'}{h} \pi x \right\}_0^h,$$

welcher Ausdruck, so lange p und p' verschieden sind, vollständig verschwindet. Für den Fall aber, dass $p' = p$ wird, stellt sich das zweite Glied rechts unter der unbestimmten Form $\frac{0}{0}$ dar. Setzt man $(p-p') \frac{\pi}{h} x = \delta$, so wird

$$\frac{1}{p-p'} \sin \frac{(p-p')\pi x}{h} = \frac{\pi}{h} x \frac{\sin \delta}{\delta}.$$

Für $p = p'$ ist $\delta = 0$, $\frac{\sin\delta}{\delta} = 1$, also

$$\int_0^h \cos^2 \frac{p\pi x}{h} = \tfrac{1}{2} h.$$

Denselben Werth hat auch $\frac{h}{2} P_0^2$, da $P_0 = 1$ ist. Führt man endlich den für P gefundenen Werth $\cos \frac{p \pi x}{h}$ in die Gleichung g) ein, so kommt:

10) $$u = c + \sum_{p=0}^{p=\infty} A_p \cos \frac{p \pi x}{h} e^{-\left(\frac{p \pi}{h}\right)^2 kt},$$

worin

$$c = \frac{1}{h} \int_0^h u(0)\, \partial x$$

und

$$A_p = \frac{2}{h} \int_0^h \cos \frac{p \pi x}{h} \left\{ u(0) - \frac{1}{h} \int_0^h u(0)\, \partial x \right\} \partial x = \frac{2}{h} \int_0^h u(0) \cos \frac{p \pi x}{h}\, \partial x$$

ist. Besteht $u(0)$ aus verschiedenen Functionen und hat es von $x=0$ bis $x=h_1$ den Werth $u_1(0)$, von $x=h_1$ bis $x=h_2$ den Werth $u_2(0)$ etc., so ist wiederum

$$u = c + \sum_{p=0}^{p=\infty} A_p \cos \frac{p \pi x}{h} e^{-\left(\frac{p \pi}{h}\right)^2 kt},$$

worin aber c den Ausdruck 8) bedeutet. Da für $t=0$ die vorstehende Gleichung den Anfangszustand wiedergeben muss, so gilt in dem Intervall 0 bis h_1 die Gleichung:

$$u_1(0) = c + \sum_{p=0}^{p=\infty} A_p \cos \frac{p \pi x}{h},$$

in dem Intervall h_1 bis h_2

$$u_2(0) = c + \sum_{p=0}^{p=\infty} A_p \cos \frac{p \pi x}{h},$$

u. s. w., endlich in dem Intervall $x = h_{n-1}$ bis $x = h$

$$u_n(0) = c + \sum_{p=0}^{p=\infty} A_p \cos \frac{p \pi x}{h}.$$

Multiplicirt man sämmtliche n Gleichungen mit $\cos \frac{p \pi x}{h} \partial x$, integrirt jede einzelne innerhalb der angegebenen Gültigkeitsgrenzen, addirt sodann sämmtliche Gleichungen und zieht die Integrale zusammen, so findet man mit Berücksichtigung der Formeln

$$\int_0^h \cos \frac{p \pi x}{h} \cos \frac{p' \pi x}{h}\, \partial x = 0,$$

$$\int_0^h \cos^2 \frac{p \pi x}{h}\, \partial x = \tfrac{1}{2} h, \quad \int_0^h \cos \frac{p \pi x}{h}\, \partial x = 0$$

$$11)\quad A_p = \frac{2}{h}\left\{ \int_0^{h_1} u_1(0)\cos\frac{p\pi x}{h}\,\partial x + \int_{h_1}^{h_2} u_2(0)\cos\frac{p\pi x}{h}\,\partial x + \ldots + \int_{h_n-1}^{h} u_n(0)\cos\frac{p\pi x}{h}\,\partial x \right\},$$

und wenn $u_1(0)$, $u_2(0)\ldots u_n(0)$ Constanten sind

$$11a)\quad A_p = \frac{2}{p\pi}\left\{ u_1(0)\sin\frac{p\pi}{h}h_1 + u_2(0)\left(\sin\frac{p\pi}{h}h_2 - \sin\frac{p\pi}{h}h_1\right) + \ldots + u_{n-1}\left(\sin\frac{p\pi}{h}h_{n-1} - \sin\frac{p\pi}{h}h_{n-2}\right) - u_n(0)\sin\frac{p\pi}{h}h_{n-1}\right\}.$$

§. 4.
Untersuchung einiger speciellen Fälle.

Es sei das Gefäss zu Anfang des Versuches bis zur Höhe h_1 mit Salzlösung von constanter Concentration $u(0) = u_1(0)$ gefüllt, von da bis an den oberen Rand mit reinem Wasser, so dass für das Intervall h_1 bis h, $u(0) = u_2(0) = 0$ ist. Dann erhalten wir zuerst aus Gleichung $8a)$ die Grenze, welcher sich die Concentration aller Schichten für $t = \infty$ nähert, nämlich

$$c = \frac{h_1}{h}u_1(0),$$

und aus $11a)$ den Coefficienten

$$A_p = \frac{2}{p\pi}u_1(0)\sin\frac{p\pi h_1}{h},$$

folglich ist in einem Diffusionsstrom von der angegebenen Beschaffenheit die Concentration irgend einer Schicht:

$$12)\quad u = \frac{h_1}{h}u_1(0) + \frac{2u_1(0)}{\pi}\sum_{p=1}^{p=\infty}\frac{1}{p}\sin\frac{p\pi h_1}{h}\cos\frac{p\pi x}{h}\, e^{-\left(\frac{p\pi}{h}\right)^2 k t},$$

welche Formel auch Simmler und Wild l. c. S. 228 aufgestellt haben, nur mit dem geringen Unterschiede, dass sie die Abstände x von oben nach unten zählen, wodurch rechts das zweite Glied subtractiv wird. Für $t = 0$ muss u den Anfangszustand im Gefäss darstellen, d. h. es muss

$$u(0) = \frac{h_1}{h}u_1(0) + \frac{2u_1(0)}{\pi}\sum_{p=1}^{p=\infty}\frac{1}{p}\sin\frac{p\pi h_1}{h}\cos\frac{p\pi x}{h}$$

in dem Intervalle $x = 0$ bis $x = h_1$ gleich $u_1(0)$, dagegen von $x = h_1$ bis $x = h$ gleich Null sein. Es dürfte nicht überflüssig sein, diesen Nachweis zu liefern. Zerlegen wir zuerst nach der Formel

$$2\sin m\cos n = \sin(m+n) + \sin(m-n)$$

jedes Product unter dem Summenzeichen in zwei Summen, so erhalten wir

$$u = \frac{h_1}{h}u_1(0) + \frac{u_1(0)}{\pi}\left\{\sum_{p=1}^{p=\infty}\frac{1}{p}\sin\frac{p\pi}{h}(h_1 + x) + \sum_{p=1}^{p=\infty}\frac{1}{p}\sin\frac{p\pi}{h}(h_1 - x)\right\}.$$

Es sei $x \leqq h_1$, so stehen unter den Summenzeichen lauter positive Posten und man hat daher die Summe der beiden Reihen:

$$\sin\frac{\pi}{h}(h_1+x)+\tfrac{1}{2}\sin\frac{2\pi}{h}(h_1+x)+\tfrac{1}{3}\sin\frac{3\pi}{h}(h_1+x)+\ldots \text{ in inf.}$$

$$\sin\frac{\pi}{h}(h_1-x)+\tfrac{1}{2}\sin\frac{2\pi}{h}(h_1-x)+\tfrac{1}{3}\sin\frac{3\pi}{h}(h_1-x)+\ldots \text{ in inf.}$$

zu bestimmen. Da nun

$$\sin\beta+\tfrac{1}{2}\sin 2\beta+\tfrac{1}{3}\sin 3\beta+\ldots \text{ in inf.}=\tfrac{1}{2}(\pi-\beta),$$

so lange $2\pi>\beta>0$, so ist der Werth der ersten Summe

$$\tfrac{1}{2}\left(\pi-\frac{\pi}{h}(h_1+x)\right),$$

der der zweiten

$$\tfrac{1}{2}\left(\pi-\frac{\pi}{h}(h_1-x)\right),$$

welcher letztere jedoch aufhört richtig zu sein, wenn $x=h_1$, folglich gilt mit Ausnahme dieses einzigen Werthes die Gleichung:

$$\sum_{p=1}^{p=\infty}\frac{1}{p}\sin\frac{p\pi}{h}(h_1+x)+\sum_{p=1}^{p=\infty}\frac{1}{p}\sin\frac{p\pi}{h}(h_1-x)=\frac{\pi(h-h_1)}{h},$$

und es wird

$$u=\frac{h_1}{h}u_1(0)+\frac{h-h_1}{h}u_1(0)=u_1(0),$$

wie verlangt wurde. Ist aber $x>h_1$, so wird die zweite Reihe negativ und wir haben die Differenz der beiden Summen zu bilden. Es ist dann wiederum

$$\sin\frac{\pi}{h}(h_1+x)+\tfrac{1}{2}\sin\frac{2\pi}{h}(h_1+x)+\ldots \text{ in inf.}=\tfrac{1}{2}\left(\pi-\frac{\pi}{h}(h_1+x)\right)$$

und

$$\sin\frac{\pi}{h}(x-h_1)+\tfrac{1}{2}\sin\frac{2\pi}{h}(x-h_1)+\ldots \text{ in inf.}=\tfrac{1}{2}\left(\pi-\frac{\pi}{h}(x-h_1)\right),$$

welche Reihe für $x=h_1$ aufhört, gültig zu sein. Unter dieser Beschränkung wird:

$$\sum_{p=1}^{p=\infty}\frac{1}{p}\sin\frac{p\pi}{h}(h_1+x)-\sum_{p=1}^{p=\infty}\frac{1}{p}\sin\frac{p\pi}{h}(x-h_1)=-\frac{\pi h_1}{h}$$

und

$$u=\frac{h_1}{h}u_1(0)-\frac{u_1(0)}{\pi}\cdot\frac{\pi h_1}{h}=0,$$

was zu beweisen war. Mit Ausnahme der Stelle $x=h_1$ giebt also die Gleichung 13) den Anfangszustand im Diffusionsgefäss richtig an. Für $x=h_1$ drückt sie die Unstetigkeit der Function $u(0)$ aus. Beträgt h_1 die Hälfte von h, so wird die Gleichung 12) etwas einfacher, nämlich

$$14)\qquad u=\frac{u_1(0)}{2}+\frac{2u_1(0)}{\pi}\sum_{p=1}^{p=\infty}\frac{1}{p}\sin\frac{p\pi}{2}\cos\frac{p\pi}{h}x\,e^{-\left(\frac{p\pi}{h}\right)^2 kt}.$$

Man sieht, dass alle Glieder mit geradem Index p wegen des Factors $\sin\frac{p\pi}{2}$ *in Wegfall kommen*, und dass die übrig bleibenden mit ungeradem Index wechselnde Vorzeichen erhalten. Verlegt man nun den Coordinatenanfang in die Grenzschicht beider Flüssigkeiten, d. h. führt man statt x die neue Veränderliche $x+\frac{h}{2}$ ein, so wird

$$\cos\left(\frac{p\pi}{h}x+\frac{p\pi}{2}\right)=-\sin\frac{p\pi}{h}x\sin\frac{p\pi}{2}.$$

Man erhält also, da $\sin^2\frac{p\pi}{2}=1$ ist und die Glieder mit geradem p wegfallen,

$$14a)\quad u=\frac{u(0)}{2}-\frac{2u(0)}{\pi}\sum_{p=0}^{p=\infty}\frac{1}{2p+1}e^{-\left(\frac{2p+1}{h}\pi\right)^2kt}\sin\frac{2p+1}{h}x.$$

Für $x=0$ wird $u=\frac{u(0)}{2}$, d. h. es bleibt in der ursprünglichen Grenzschicht beider Flüssigkeiten fortwährend die Concentration $\frac{u(0)}{2}$. Setzen wir $h=2H$, so dass also H sowohl die Höhe der ursprünglichen Salzlösung, als auch die Höhe der darüber stehenden Wassersäule bedeutet, lassen H unendlich werden und nehmen $\frac{p\pi}{H}=z$, $\frac{\pi}{H}=\partial z$ also $\frac{1}{2p+1}=\frac{\partial z}{2z}$ an, so verwandelt sich vorstehende Summe in ein Integral und wir können schreiben:

$$u=\frac{u(0)}{2}-\frac{u(0)}{\pi}\int_0^\infty\frac{1}{z}e^{-kz^2t}\sin zx\,\partial z.$$

Da nun bekanntlich

$$\int_0^\infty e^{-kz^2t}\cos zx\,\partial x=\frac{\sqrt{\pi}}{2\sqrt{kt}}e^{-\frac{x^2}{4kt}},$$

so ergiebt sich, wenn wir beide Seiten der Gleichung mit ∂x multipliciren und innerhalb der Grenzen 0 und x integriren,

$$\int_0^x\int_0^\infty e^{-kz^2t}\cos zx\,\partial z=\int_0^\infty\frac{1}{z}e^{-kz^2t}\sin zx\,\partial x=\frac{\sqrt{\pi}}{2\sqrt{kt}}\int_0^x e^{-\frac{x^2}{4kt}}\partial x,$$

also:

$$15)\qquad u=\frac{u(0)}{2}-\frac{u(0)}{\sqrt{4kt\pi}}\int_0^x e^{-\frac{x^2}{4kt}}\partial x.$$

Diese Formel, welche mit der früher von mir aufgestellten identisch ist, giebt die Concentration u zur Zeit t in irgend einem Querschnitt eines cylindrischen Gefässes von unbegrenzter Höhe, wenn in demselben zur Zeit $t=0$ eine nach oben unbegrenzte Wassersäule über einer nach unten unbegrenzten Schicht Salzlösung von constanter Concentration $u(0)$ sich befand und der Abstand x des betrachteten Querschnittes von der Stelle an gerechnet wird, wo ursprünglich Wasser und Salzlösung sich berührten. Für $t=\infty$ wird die Concentration im ganzen Gefäss constant und $=\frac{u(0)}{2}$ d. h. gleich der Hälfte der Concentration, welche zur Zeit $t=0$ im unteren Theile des Gefässes vorhanden war. Dass die Formel 15) auch allen übrigen Bedingungen genügt, wollen wir kurz nachweisen. Durch Differentiation nach t ergiebt sich:

$$\frac{\partial u}{\partial t}=\frac{u(0)}{4\sqrt{kt^3\pi}}\int_0^x e^{-\frac{x^2}{4kt}}\partial x-\frac{u(0)}{2\sqrt{kt\pi}}\int_0^x e^{-\frac{x^2}{4kt}}\frac{x^2}{4kt^2}\partial x.$$

Der zweite Ausdruck rechts giebt durch partielle Integration

$$-\frac{u(0)}{4\sqrt{kt^3\pi}}e^{-\frac{x^2}{4kt}}x+\frac{u(0)}{4\sqrt{kt^3\pi}}\int_0^x e^{-\frac{x^2}{4kt}}\partial x,$$

also bleibt

$$\frac{\partial u}{\partial t}=\frac{u(0)}{4\sqrt{kt^3\pi}}e^{-\frac{x^2}{4kt}}x.$$

Ferner ist

15a) $$\frac{\partial u}{\partial x}=-\frac{u(0)}{2\sqrt{kt\pi}}e^{-\frac{x^2}{4kt}}$$

und

$$\frac{\partial^2 u}{\partial x^2}=\frac{u(0)}{4k\sqrt{kt^3\pi}}e^{-\frac{x^2}{4kt}}x,$$

also in der That $\frac{\partial u}{\partial t}=k\frac{\partial^2 u}{\partial x^2}$.

Aus den ursprünglich gegebenen Oberflächenbedingungen $\frac{\partial u}{\partial x_0}=0$ $\frac{\partial u}{\partial x_h}=0$ ergiebt sich weiter, wenn man den Nullpunkt der x um $H=\frac{h}{2}$ nach oben verschiebt, dass u in Gleichung 15) den Bedingungen unterworfen ist:

$$\frac{\partial u}{\partial x_{+H}}=0,\quad \frac{\partial u}{\partial x_{-H}}=0.$$

Setzt man aber in Gleichung 15a) $x=\pm H=\pm\infty$, so ergiebt sich

$$\frac{\partial u}{\partial x_{\pm\infty}}=0.$$

Endlich hat die Formel 15) auch den Anfangszustand des Diffusionsstromes zur Zeit $t=0$ wiederzugeben. Derselbe bestand darin, dass in dem Intervall $x=0$ bis $x=-\infty$ die Concentration constant $u(0)$, in dem Intervall $x=0$ bis $x=+\infty$ aber gleich Null war. In dem Punkte $x=0$ selbst stiessen die Concentrationen $u(0)$ und 0 unmittelbar an einander. Alle diese

Bedingungen reproducirt die Gleichung 15), wie man leicht erkennt, wenn man sie in der Form

16) $$u=\frac{u(0)}{2}\left(1-\frac{2}{\sqrt{\pi}}\int_0^{\frac{x}{\sqrt{4kt}}} e^{-x^2}\partial x\right)$$

schreibt. Denn für $t=0$ und positive oder negative x wird

$$\int_0^{\pm\frac{x}{\sqrt{4kt}}} e^{-x^2}\partial x=\pm\frac{\sqrt{\pi}}{2},$$

also u entweder $=0$ oder $=u(0)$, je nachdem x positiv oder negativ ist. Für $x=0$ tritt eine Unterbrechung der Stetigkeit ein, da $\frac{x}{\sqrt{4kt}}$ für $x=0$ und $t=0$ wegen der Unabhängigkeit von x und t von einander keinen angebbaren Werth hat. Die Formel 15) deutet also auch die einzige Stelle, bei welcher die Function u unstetig wird, richtig an.

Gehen wir wieder auf die Gleichung 12) zurück und nehmen an, h_1 sei unendlich klein, so wird

$$u=\frac{2h_1 u(0)}{\pi}\sum_{p=1}^{p=\infty}\frac{\pi}{h}e^{-\left(\frac{p\pi}{h}\right)^2 kt}\cos\frac{p\pi}{h}x,$$

folglich, wenn man die Höhe des Gefässes unendlich gross werden lässt und $\frac{\pi}{h}=\partial z$, $\frac{p\pi}{h}=z$ setzt

17) $$u=\frac{2h_1 u(0)}{\pi}\int_0^\infty e^{-z^2kt}\cos zx\,\partial z=\frac{h_1 u(0)}{\sqrt{k\pi t}}e^{-\frac{x^2}{4kt}},$$

d. h. wenn zur Zeit $t=0$ über einer unendlich dünnen Schicht Salzlösung von der Concentration $u(0)$ eine unendlich hohe Wassersäule sich befindet, so stellt u in Gleichung 17) die Concentration in einem Querschnitt dar, welcher vom Boden des Gefässes den Abstand x hat.

Nimmt man endlich an, dass in der Formel 12) $h=\infty$ werde, während h_1 endlich bleibt, so erhält man die Gleichung eines Diffusionsstromes, dessen Anfangsbedingungen die sind, dass über einer Salzlösung von der Höhe h_1 eine unendlich hohe Wassersäule sich befindet. Dann ist $\frac{h_1}{h}=0$, und wenn man abermals $\frac{p\pi}{h}=z$, $\frac{\pi}{h}=\partial z$ setzt, so erhält man:

$$u=\frac{2u(0)}{\pi}\int_0^\infty\frac{1}{z}\sin zh_1\,e^{-z^2kt}\cos zx\,\partial z.$$

Nun ist:

$$2\sin zh_1\cos zx=\sin z(h_1+x)+\sin z(h_1-x)$$

und

$$\int_0^\infty e^{-kz^2t}\cos(z+h_1)z\,\partial z = \frac{\sqrt{\pi}}{2\sqrt{kt}}e^{-\frac{(x+h_1)^2}{4kt}}.$$

Multiplicirt man beide Seiten dieser Gleichung mit ∂x und integrirt halb der Grenzen 0 und x, so kommt:

$$\int_0^\infty \frac{1}{z}\sin z(h_1+x)e^{-kz^2t}\partial z - \int_0^\infty \frac{1}{z}\sin z h_1 e^{-kz^2t}\partial z = \frac{\sqrt{\pi}}{2\sqrt{kt}}\int_0^x e^{-\frac{(h_1+x)^2}{4kt}}\partial x$$

und

$$\int_0^\infty \frac{1}{z}\sin z(h_1-x)e^{-kz^2t}\partial z - \int_0^\infty \frac{1}{z}\sin z h_1 e^{-kz^2t}\partial z = -\frac{\sqrt{\pi}}{2\sqrt{kt}}\int_0^x e^{-\frac{(h_1-x)^2}{4kt}}\partial x,$$

woraus sich endlich, da

$$\int_0^\infty \frac{1}{z}\sin z h_1 e^{-kz^2t}\partial z = \frac{\sqrt{\pi}}{2\sqrt{kt}}\int_0^{h_1} e^{-\frac{h_1}{4kt}}\partial h_1$$

ist, ergiebt:

$$18)\qquad u = \frac{u(0)}{2\sqrt{kt\pi}}\left\{2\int_0^{h_1} e^{-\frac{h_1^2}{4kt}}\partial h_1 + \int_{h_1-x}^{h_1+x} e^{-\frac{x^2}{4kt}}\partial x\right\}.$$

§. 5.

Der zweite Diffusionsstrom.

Die Concentration u im zweiten Diffusionsstrom hat den Bedingungen

$$19)\qquad \left\{\frac{\partial u}{\partial t} = k\frac{\partial^2 u}{\partial x^2},\quad u_h = 0,\quad \frac{\partial u}{\partial x_0} = 0,\quad u(0) = f(x)\right\}$$

zu genügen. Man kann mit Hilfe dieser Gleichungen in ähnlicher Weise, wie es oben bei den Gleichungen unter 4) geschehen ist, streng nachweisen, dass u eine reelle, eindeutige Function sein muss, welche für $t = \infty$ ohne Ende der Null sich nähert. Dann lässt sich das vollständige Integral unter der Form:

$$u = \sum_{p=0}^{p=\infty} A_p P e^{-m^2kt}$$

aufstellen, in welchem die P und A_p ohne Schwierigkeit durch Anwendung der drei letzten Gleichungen in 19) sich bestimmen lassen. Doch soll jetzt ein anderer Weg eingeschlagen und mit Hilfe des Princips der Fortsetzung oder der ebenen Spiegelung die Lösung des Systems 19) auf die von 4) zurückgeführt werden. Denken wir uns das Diffusionsgefäss, an dessen oberem Rande die Concentration fortwährend auf Null erhalten werden soll, um seine eigene Höhe h nach oben fortgesetzt (daher Princip der Fortsetzung) und in dem oberen Theile eine derartige anfängliche Vertheilung von Salz angebracht, dass in gleichen Abständen*) von der Mittelebene im oberen und unteren Theile gleiche aber entgegengesetzte Concentrationen stattfinden, — so dass also, wenn man, wie bisher die Abstände vom Boden des Gefässes zählt, für $t=0$

$$u_{2h-x}=-u_x$$

ist — und lässt man ferner am oberen Rande des neuen Diffusionsgefässes die Bedingung

$$\frac{\partial u}{\partial x_{2h}}=0$$

gelten, so erkennt man leicht, dass nicht blos für die Zeit $t=0$, sondern für jedes beliebige t die Concentration in der Mittelebene Null sein wird. Während also die untere Hälfte des Diffusionsstromes die unter 19) aufgestellten Bedingungen erfüllt, genügt die Concentration im ganzen Gefäss zugleich den Bedingungen

$$\frac{\partial u}{\partial t}=k\frac{\partial^2 u}{\partial x^2},\quad \frac{\partial u}{\partial x_0}=0,\quad \frac{\partial u}{\partial x_{2h}}=0$$

und für $t=0$ in dem Intervall $x=0$ bis $x=h$ der Gleichung $u_1(0)=f_1(x)$, von $x=h$ bis $x=2h$ der Gleichung $u_2(0)=f_2(x)$, zwischen welchen Gleichungen selbst überdies noch der Zusammenhang

$$f_2(2h-x)=-f_1(x)$$

besteht. Führen wir diese Bedingungen zunächst in die Gleichung 8) ein, um zu erfahren, welchem Grenzzustand der Diffusionsstrom für ein unendliches t sich nähert, so erhalten wir:

$$c=\frac{1}{2h}\left\{\int_0^h f_1(x)\partial x+\int_h^{2h} f_2(x)\partial x\right\}.$$

Es ist aber, wenn man im 2. Integral x mit $2h-x$ vertauscht,

$$\int_h^{2h} f_2(x)\partial x=\int_0^h f_2(2h-x)\partial x=-\int_0^h f_1(x)\partial x,$$

folglich wird für $t=\infty$, $c=0$. Ferner ergiebt sich aus 11), sobald wir h durch $2h$ ersetzen:

$$A_p=\frac{1}{h}\left\{\int_0^h f_1(x)\cos\frac{p\pi}{2h}x\,\partial x+\int_h^{2h} f_2(x)\cos\frac{p\pi}{2h}x\,\partial x\right\}.$$

Vertauscht man wiederum im 2. Integrale x mit $2h-x$, so kommt:

$$\int_h^{2h} f_2(x)\cos\frac{p\pi}{2h}x\,\partial x=\int_0^h f_2(2h-x)\cos\frac{p\pi}{2h}(2h-x)\partial x,$$

---

*) Denkt man sich die Mittelebene als spiegelnd, so haben bekanntlich Gegenstand und Bild gleichen Abstand von derselben; man kann daher die Zustände im oberen Theile des Diffusionsgefässes gewissermassen als das Spiegelbild derjenigen, die in der untern Hälfte des Gefässes stattfinden, ansehen.

welches für ungerade p $\quad = + \int_0^h f_1(x) \cos \frac{p\pi}{2h} x \, \partial x,$

für gerade dagegen $\quad = - \int_0^h f_1(x) \cos \frac{p\pi}{2h} x \, \partial x$

wird. Für gerade p verschwindet demnach A_p und es bleiben nur Glieder mit ungeraden p übrig; wir können daher, wenn wir statt $f_1(x)$ wieder $u(0)$ einführen, schreiben:

$$A_p = \frac{2}{h} \int_0^h u(0) \cos \frac{2p+1}{2h} \pi x \, \partial x.$$

Substituirt man die gefundenen Werthe von c und A_p in die Gleichung

$$u = c + \sum_{p=0}^{p=\infty} A_p \cos \frac{2p+1}{2h} \pi x \, e^{-\left(\frac{2p+1}{2h} \pi\right)^2 kt},$$

so erhält man die vollständige Lösung des Systems 19), in welcher also u die Concentration zur Zeit t in einem Querschnitt des Diffusionsgefässes bedeutet, der vom Boden den Abstand x hat, wenn die oberste Schicht constant auf der Concentration Null erhalten wird, am Boden kein Salz eintreten kann und die anfängliche Vertheilung des Salzes zur Zeit $t=0$ durch die Function $u(0)$ dargestellt wird.

Ist $u(0)$ constant, so wird

$$\int_0^h u(0) \cos \frac{2p+1}{2h} \pi x \, \partial x = \frac{2h}{(2p+1)\pi} u(0) \sin \frac{2p+1}{2} \pi,$$

folglich

$$u = \frac{4u(0)}{\pi} \sum_{p=0}^{p=\infty} \frac{1}{2p+1} \cos \frac{2p+1}{2h} \pi x \sin \frac{2p+1}{2} \pi e^{-\left(\frac{2p+1}{2h} \pi\right)^2 kt}.$$

Verlegt man den Coordinatenanfang in die oberste Schicht, nimmt aber die Richtung von oben nach unten als die positive, setzt also statt x $h-x$, so geht die vorstehende Formel über in:

$$21) \qquad u = \frac{4u(0)}{\pi} \sum_{p=0}^{p=\infty} \frac{1}{2p+1} \sin \frac{2p+1}{2h} \pi x \, e^{-\left(\frac{2p+1}{2h} \pi\right)^2 kt},$$

(siehe Simmler und Wild S. 223), welche die Concentration angiebt, die zur Zeit t in einem Querschnitt, der vom oberen Rande den Abstand x hat, stattfindet, wenn zur Zeit $t=0$ die Concentration im ganzen Gefäss constant $u(0)$ war. So lange der Diffusionsstrom noch nicht die untere Grenze des Gefässes erreicht hat, tritt die daselbst geltende Bedingung $\left(\frac{\partial u}{\partial x}\right)_h = 0$ nicht in Wirksamkeit und man *kann* daher den Strom innerhalb der Zeit, in welcher er die untere Grenze nicht berührt hat, als einen nach dieser Richtung hin unbegrenzten ansehen oder $h=\infty$ setzen. Es wird dann, wenn

$$\frac{\pi}{h}=\partial y, \quad \frac{2p+1}{2}\frac{\pi}{h}=y, \quad \frac{1}{p}=\frac{\partial y}{y}$$

gesetzt wird,

$$22) \qquad u=\frac{2u(0)}{\pi}\int\limits_0^\infty \frac{\sin yx}{y}e^{-y^2kt}\,\partial y=\frac{u(0)}{\sqrt{kt\pi}}\int\limits_0^x e^{-\frac{x^2}{4kt}}\partial x.$$

Um die Menge des aus dem Gefäss diffundirten Salzes zu berechnen, hat man von der anfänglich in demselben enthaltenen Salzmenge die zur Zeit t noch darin befindliche abzuziehen, d. h. das Integral

$$\int\limits_0^h \{u(0)-u\}\,\partial x$$

zu bestimmen. Es ist aber:

$$\int\limits_0^t \partial u=k\int\limits_0^t \frac{\partial^2 u}{\partial x^2}\partial t,$$

oder wenn man links die Integration ausführt, mit ∂x multiplicirt und aufs Neue zwischen den Grenzen 0 und h integrirt

$$\int\limits_0^h [u-u(0)]\,\partial x=k\int\limits_0^t \partial t\left\{\frac{\partial u}{\partial x_h}-\frac{\partial u}{\partial x_0}\right\},$$

folglich, da $\frac{\partial u}{\partial x_0}=0$ ist,

$$23) \qquad \int\limits_0^h \{u(0)-u\}\,\partial x=-k\int\limits_0^t \partial t\,\frac{\partial u}{\partial x_0}.$$

Multiplicirt man auf beiden Seiten mit der Fläche des Querschnittes q, so hat die resultirende Gleichung die Bedeutung, dass die Menge des aus dem Diffusionsgefäss entwichenen Salzes gleich ist der Menge des Salzes, welches in der Zeit t durch den obersten Querschnitt hindurch geströmt ist. Diesen Satz wenden wir auf den zuletzt betrachteten Diffusionsstrom an, der durch die Gleichung 22) charakterisirt ist. Für denselben ist

$$24) \qquad S=q\int\limits_0^h \{u(0)-u\}\,\partial x=qk\int\limits_0^t \frac{u(0)}{\sqrt{kt\pi}}\partial t=2q\frac{u(0)}{\sqrt{\pi}}\sqrt{kt}.$$

Es verhalten sich daher die Mengen des aus dem Gefäss geflossenen Salzes, wie die Quadratwurzeln aus den verflossenen Zeiten, oder es ist die Grösse $\frac{S}{\sqrt{t}}$ gleich einer Constanten.

§. 6.

Der dritte Diffusionsstrom.

Die Bedingungen, denen die Concentration im dritten Diffusionsstrom zu genügen hat, sind in den Gleichungen

$$25)\qquad \left\{\frac{\partial u}{\partial t}=k\frac{\partial^2 u}{\partial x^2},\quad u_0=U,\quad \frac{\partial u}{\partial x_h}=0,\quad u(0)=f(x)\right\}$$

enthalten. Auch hier lässt sich das Princip der Fortsetzung anwenden. Denken wir uns das Diffusionsgefäss nach unten hin um seine eigene Höhe verlängert und in der unteren Hälfte eine derartige Vertheilung des Salzes angebracht, dass das arithmetische Mittel aus den Concentrationen der gleichweit von der mittelsten Schicht des verlängerten Gefässes abstehenden Querschnittes $=U$ sei und nehmen überdies an, dass von unten kein Salz in das Gefäss eintreten könne, so erhalten wir einen Diffusionsstrom der ersten Art, dessen Bedingungen sind

$$\frac{\partial u}{\partial t}=k\frac{\partial^2 u}{\partial x^2},\quad \frac{\partial u}{\partial x_0}=0,\quad \frac{\partial u}{\partial x_{2h}}=0,$$

und für den Anfangszustand in dem Intervall von $x=h$ bis $x=2h$, $u_2(0)=f_1(x)$, von $x=0$ bis $x=h$, $u_1(0)=f_1(x)$, wobei jedoch zwischen den beiden Functionen die Beziehung stattfinden muss

$$\frac{f_1(x)+f_2(2h-x)}{2}=U,$$

so dass

$$f_2(2h-x)=2U-f_1(x)$$

ist. Dann findet sich

$$c=\frac{1}{2h}\left\{\int_0^h f_1(x)\,\partial x+\int_h^{2h} f_2(x)\,\partial x\right\}.$$

Es ist aber

$$\int_h^{2h} f_2(x)\,\partial x=\int_0^h f_2(2h-x)\,\partial x=\int_0^h 2U\partial x-\int_0^h f_1(x)\,\partial x,$$

folglich

$$c=U.$$

Ferner wird

$$A_p=\frac{1}{h}\left\{\int_0^h f_1(x)\cos\frac{p\pi x}{2h}\,\partial x+\int_h^{2h} f_2(x)\cos\frac{p\pi x}{2h}\,\partial x\right\}.$$

Es ist aber, wie früher

$$\int_h^{2h} f_2(x)\cos\frac{p\pi x}{2h}\,\partial x=\int_0^h f_2(2h-x)\cos\frac{p\pi(2h-x)}{2h}\,\partial x$$

$$=\cos p\pi\int_0^h [2U-f_1(x)]\cos\frac{p\pi x}{2h}\,\partial x',$$

also:

$$A_p = \frac{1}{h}\left\{(1-\cos p\pi)\int_0^h f_1(x)\cos\frac{p\pi x}{2h}\,\partial x + \frac{4Uh}{p\pi}\cos p\pi \sin\frac{p\pi}{2}\right\}.$$

Für jedes gerade p verschwindet A_p und es bleiben nur die Glieder mit ungeradem Index, daher wird

$$A_p = \frac{2}{h}\int_0^h f_1(x)\cos\frac{2p+1}{2h}x\,\partial x - \frac{4Uh}{(2p+1)\pi}\sin\frac{2p+1}{2}\pi.$$

Ist $f_2(x)=0$, d. h. das Diffusionsgefäss beim Beginn des Versuches mit reinem Wasser gefüllt, während der untere Rand fortwährend von Salzlösung von der Concentration U umspült wird, so ist

$$f_1(x) = 2U,$$

also

$$A_p = \frac{4U}{h}\left\{\int_0^h \cos\frac{2p+1}{2h}\pi x\,\partial x - \frac{1}{(2p+1)\pi}\sin\frac{2p+1}{2}\pi\right\}$$

$$= \frac{4U}{(2p+1)\pi}\sin\frac{2p+1}{2}\pi$$

und die Concentration u durch die Gleichung gegeben

$$u = U + \frac{4U}{\pi}\sum_{p=0}^{p=\infty}\frac{1}{2p+1}\sin\frac{2p+1}{2}\pi\cos\frac{2p+1}{2h}\pi x e^{-\left(\frac{2p+1}{2h}\pi\right)^2 kt}.$$

Setzt man hierin statt x, $x+h$, d. h. verlegt man den Coordinatenanfang in die Mitte des neuen Gefässes, oder, was dasselbe ist, in den unteren Rand des alten, so wird:

$$26)\qquad u = U - \frac{4U}{\pi}\sum_{p=0}^{p=\infty}\frac{1}{2p+1}\sin\frac{2p+1}{2h}\pi x e^{-\left(\frac{2p+1}{2h}\pi\right)^2 kt}.$$

Nimmt man endlich an, dass die Höhe des Diffusionsgefässes unbegrenzt sei, so erhält man durch dieselben Substitutionen wie früher

$$27)\qquad u = U - \frac{U}{\sqrt{kt\pi}}\int_0^x e^{-\frac{x^2}{4kt}}\partial x,$$

welche Gleichung also für einen Diffusionsstrom gilt, der in einem unendlich hohen cylindrischen Gefäss vor sich geht, welches zu Anfang des Versuches mit reinem Wasser gefüllt ist, während am unteren Rande fortwährend die Concentration auf U erhalten wird. Diese Gleichung gilt natürlich auch für ein Gefäss von endlicher Höhe, so lange der Strom noch nicht die obere Grenze erreicht hat, also auch die Gleichung $\frac{\partial u}{\partial x_h}=0$ noch nicht in Kraft getreten ist.

Die Salzmenge S, welche nach Verlauf der Zeit t in das Gefäss eingetreten ist, lässt sich leicht berechnen. Man hat

$$S = q \int_0^h u \, \partial x.$$

$$u = k \int_0^t \frac{\partial^2 u}{\partial x^2} \partial t,$$

reil für $t = 0$ ch $u = 0$ wird, so erhält man:

$$[illegible] \int^h [illegible] \int^t \frac{\partial^2 u}{[illegible]} [illegible] = -kq \int_0^t \frac{\partial u}{\partial x_0} \partial t.$$

aus 27) aber findet man

$$\frac{\partial u}{\partial x_0} = -\frac{U}{\sqrt{kt\pi}},$$

also ist

$$S = kqU \int \frac{\partial t}{\sqrt{kt\pi}} = \frac{2qU\sqrt{kt}}{\sqrt{\pi}},$$

d. h. das Quantum des während der Zeit t in das Diffusionsgefäss eingetretenen Salzes ist proportional der Quadratwurzel aus der verflossenen Zeit.

§. 7.
Der vierte Diffusionsstrom.

Es bleibt noch der Diffusionsstrom zu betrachten übrig, dessen Gleichungen sind:

28) $$\left\{ \frac{\partial u}{\partial t} = k \frac{\partial^2 u}{\partial x^2}, \quad u_0 = U, \quad u_h = 0, \quad u(0) = f(x) \right\}.$$

Zunächst lässt sich hieraus nachweisen, dass nur ein Werth von u dem vorgelegten Gleichungssystem genügt. Denn angenommen, es wäre u' ein zweiter Werth, dann müsste auch

$$\left\{ \frac{\partial u'}{\partial t} = k \frac{\partial^2 u'}{\partial x^2}, \quad u'_0 = U, \quad u'_h = 0, \quad u'(0) = f(x) \right\},$$

oder wenn wir $u - u' = v$ setzen, v eine Function von t und x sein, welche den Gleichungen

$$\left\{ \frac{\partial v}{\partial t} = k \frac{\partial^2 v}{\partial x^2}, \quad v_0 = 0, \quad v_h = 0, \quad v(0) = 0 \right\}$$

genügt. Dann aber ergiebt sich ähnlich, wie früher, die Gleichung

$$\frac{1}{2k} \frac{\partial \cdot}{\partial t} \int_0^h v^2 \, \partial x = -\int_0^h \left(\frac{\partial v}{\partial x} \right)^2 \partial x.$$

Folglich ist $\int v^2 \partial x$ eine positive, aber abnehmende Function von x, und da für $t=0$ auch $v=0$ ist, so muss fortwährend

$$\int_0^t v^2 \partial x = 0,$$

folglich $v=0$ oder $u'=u$ sein.

Ebenso ergiebt sich ohne Schwierigkeit, dass u stets reell ist, so lange $f(x)$ reell angenommen wird. Denn möge $u=v+v'\sqrt{-1}$ den obigen Gleichungen genügen, so würden die beiden von einander unabhängigen Gleichungssysteme gelten:

$$\left\{\frac{\partial v}{\partial t}=k\frac{\partial^2 v}{\partial x^2},\quad v_0=u,\quad v_h=0,\quad v(0)=f(x)\right\}$$

und

$$\left\{\frac{\partial v'}{\partial t}=k\frac{\partial^2 v'}{\partial x^2},\quad v'_0=0,\quad v'_h=0,\quad v'(0)=0\right\},$$

woraus folgt, dass $v'=0$ sein muss.

Endlich lässt sich nachweisen, dass u für ein wachsendes t einer vom Anfangszustand $u(0)$ unabhängigen Grenze, dem sogenannten stationären Zustand oder dynamischen Gleichgewicht sich nähert. Denn es sei zur Zeit t die Concentration irgend einer Stelle im Abstand x, vom Boden des Gefässes $u=f(x,t)$, so wird sie an derselben Stelle im nächsten Moment sein $u'=f(x,t+\partial t)$. Der Unterschied $u'-u=\left(\frac{\partial u}{\partial t}\right)\partial t$ genügt der Hauptgleichung

$$\frac{\partial\left(\frac{\partial u}{\partial t}\right)}{\partial t}=k\frac{\partial^2\left(\frac{\partial u}{\partial t}\right)}{\partial x^2},$$

ausserdem ist, da die Concentrationen am oberen und unteren Rande constant sind,

$$\left(\frac{\partial u}{\partial t}\right)_0=0,\quad \left(\frac{\partial u}{\partial t}\right)_h=0.$$

Es gilt also auch für $\left(\frac{\partial u}{\partial t}\right)$ die Gleichung:

$$\frac{1}{2k}\frac{\partial.}{\partial t}\int_0^h\left(\frac{\partial u}{\partial t}\right)^2\partial x=-\int_0^h\left(\frac{\partial^2 u}{\partial t\,\partial x}\right)^2\partial x.$$

Es nimmt demnach $\left(\frac{\partial u}{\partial t}\right)$ mit wachsendem t fortwährend ab (siehe §. 2) und nähert sich einem positiven constanten Werthe; da aber sowohl für $x=0$, als $x=h$ dieser Werth Null ist, so wird überhaupt für unendliche t

$$Lim\,\frac{\partial u}{\partial t}=0.$$

Nach Verlauf einer unendlichen Zeit tritt somit ein Zustand des Diffusionsstromes ein, in welchem an irgend einer Stelle die Concentration mit der Zeit sich nicht mehr ändert, sondern fortwährend constant bleibt. Da nun

$$\frac{1}{k}\int_0^k \frac{\partial u}{\partial t}\partial x = \frac{\partial u}{\partial x_h} - \frac{\partial u}{\partial x_0},$$

so folgt, weil $\frac{\partial u}{\partial t} = 0$ ist, für $t = \infty$, dass auch

$$\frac{\partial u}{\partial x_h} - \frac{\partial u}{\partial x_0} = 0$$

sei, d. h. dass an dem einen Ende des Gefässes im stationären Zustande des Stromes ebensoviel Salz austritt, als an dem anderen einfliesst. Zugleich sieht man, dass, weil $\frac{\partial^2 u}{\partial x^2} = 0$, $\frac{\partial u}{\partial x} = a$, also constant ist. Es giebt daher jede Schicht ebensoviel Salz an die nächst obere ab, als sie von der nächst unteren empfängt. Aus der Gleichung $\frac{\partial u}{\partial x} = a$ folgt weiter $u = ax + b$, und da für $x = 0$ $u = U$, so ergiebt sich $b = U$, und weil ferner für $x = h$, $u = 0$ wird, so hat man zur Bestimmung von a

$$ah + U = 0.$$

Mit Hilfe dieser Bedingungen ergiebt sich für das stationäre Gleichgewicht die Gleichung:

$$u = U\left(1 - \frac{x}{h}\right). \tag{29}$$

Hat man dagegen mit variabelen Strömen zu thun, so ist

$$u = U\left(1 - \frac{x}{h}\right) + \sum_{p=0}^{p=\infty} A_p e^{-m^2 k t} P$$

zu setzen. Ein einzelnes Glied der unendlichen Reihe unter Σ hat die Form

$$v = A_p e^{-m^2 k t} P,$$

woraus sich in Verbindung mit $\frac{\partial v}{\partial t} = k\frac{\partial^2 v}{\partial x^2}$ zur Bestimmung von P ergiebt

$$\frac{\partial^2 P}{\partial x^2} + m^2 P = 0,$$

und da ausserdem $u_0 = U$, $u_h = 0$ ist, so folgt, dass $P_0 = 0$ und $P_h = 0$ sein muss. Den drei Bedingungen für P genügt allein die Function $P = \sin\frac{p\pi}{h}x$. Es wird daher:

$$u = U\left(1 - \frac{x}{h}\right) + \sum_{p=0}^{p=\infty} A_p e^{-\left(\frac{p\pi}{h}\right)^2 k t} \sin\frac{p\pi}{h}x. \tag{30}$$

Für $t = 0$ wird:

$$u = u(0) = U\left(1 - \frac{x}{h}\right) + \sum_{p=0}^{p=\infty} A_p \sin\frac{p\pi}{h}x.$$

Multipliciren wir diese Gleichung mit $sin \frac{p\pi}{h} x \partial x$ und integriren innerhalb der Grenzen 0 und h, so ergiebt sich

$$31)\qquad A_p = \frac{2}{h}\int_0^h \left\{u(0) - U\left(1 - \frac{x}{h}\right)\right\} sin \frac{p\pi}{h} x \partial x.$$

Wird $u(0)$ constant und gleich U, so vereinfacht sich der Ausdruck für A_p und man erhält:

$$32)\qquad A_p = \frac{2}{h} U \int_0^h \frac{x}{h} sin \frac{p\pi}{h} x \partial x = -\frac{2U}{p\pi} cos\, p\pi.$$

Substituirt man diesen Werth von A_p in 30), indem man zugleich statt x $x+h$ einführt, so kommt:

$$33)\qquad u = \frac{Ux}{h} - \frac{2}{\pi}\Sigma_{p=1}^{p=\infty} \frac{1}{p} sin \frac{p\pi}{h} x\, e^{-\left(\frac{p\pi}{h}\right)^2 kt}.$$

Hierin ist u die Concentration zur Zeit t einer Schicht im Abstand x vom oberen Rande des Diffusionsgefässes, wenn der obere Rand fortwährend auf der Concentration O, der untere auf der Concentration U erhalten wird und zur Zeit $t=0$ die Concentration im ganzen Gefäss U war.

§. 8.
Berechnung der Constante k.

Es entsteht nun die Frage, aus welcher der aufgestellten Gleichungen die Constante k am einfachsten sich berechnen lässt, und mit Hilfe welcher Beobachtungsmethode entweder die Concentrationen, oder die aus dem Diffusionsgefäss geflossenen Salzmengen am sichersten bestimmt werden können. Bereits in Gleichung 1)

$$a)\qquad \partial S = -kq \frac{\partial u}{\partial x} \partial t$$

tritt die Constante k auf und wurde allgemein als eine Grösse definirt, die der Affinität des Salzes zum Wasser proportional sei. Eine genauere Definition könnte man aus der eben erwähnten Gleichung selbst ableiten. Es würde nämlich nach derselben k die im Verhältniss der Zeiteinheit zum Zeitelement verkleinerte Salzmenge bedeuten, welche im Zeitelement für $\frac{\partial u}{\partial x} = 1$ durch die Querschnittseinheit fliesst. Lässt man den stationären Zustand eintreten, so ist nach Gleichung 27)

$$u = U\left(1 - \frac{x}{h}\right),$$

also

$$\frac{\partial u}{\partial x} = -\frac{U}{h},$$

folglich $\partial S = \frac{kqU}{h} \partial t$, woraus sich durch Integration findet

$$b) \qquad S = \frac{kqU}{h} t,$$

in welcher Gleichung die Zeit von irgend einem beliebigen Moment nach Eintritt des stationären Zustandes an gerechnet werden kann. Nimmt man hier q als die Einheit des Querschnittes, U als die Einheit der Concentration, h als die Einheit der Länge, t als Einheit der Zeit, dann bedeutet k diejenige Salzmenge, welche nach Eintreten des stationären Zustandes in der Zeiteinheit durch die Querschnittseinheit fliesst, wenn die Höhe des Gefässes der Einheit gleich ist und an seinem oberen Rande fortwährend die Concentration Null, am unteren die Concentration $U=1$ herrscht. Offenbar geht die Gleichung b) in a) über, wenn t, h und U unendlich klein angenommen werden.

Fick hat bei seinen Versuchen über Diffusion (siehe Poggendorff's Annalen 94. Bd., S. 69—73) sich auf Beobachtung des stationären Zustandes beschränkt. Um denselben herzustellen, kittete er ein oben und unten offenes Gefäss mit dem einen Ende in ein anderes Gefäss ein, das mit Kochsalz ganz angefüllt war und stellte hierauf das Ganze in einen grossen Behälter mit Wasser. So vorgerichtet wurde der Apparat wochenlang sich selbst überlassen und nur von Zeit zu Zeit das Wasser in dem äusseren Behälter erneuert. Da die Bodenschicht mit dem Reservoir von Salzkrystallen in Berührung fortwährend absolut gesättigte Lösung enthielt, die Oberflächenschicht, an das reine Wasser grenzend, beständig die Concentration Null hatte, so musste schliesslich ein stationärer Zustand oder dynamisches Gleichgewicht eintreten. Die analytische Bedingung dafür $\frac{\partial u}{\partial t} = 0$ stellt sich in einem cylindrischen Gefäss unter der Form $\frac{\partial^2 u}{\partial x^2} = 0$ dar, deren Integral $u = ax + b$ ausdrückt, dass die Concentrationen von unten nach oben abnehmen, wie die Ordinaten einer geraden Linie. Zur Beobachtung dieser Concentrationen bediente sich Fick einer kleinen Glaskugel, welche er in die verschiedenen Schichten hinabsenkte und aus deren Gewichtsverlust er das specifische Gewicht der Lösung und sodann die Concentration in den einzelnen Schichten berechnete. Derselben Methode habe ich mich im Wesentlichen ebenfalls bedient und sie als vollkommen brauchbar befunden (siehe diese Zeitschrift Bd. IV, S. 225 ff.). Die Fick'schen Beobachtungen bestätigen das einfache Gesetz, dem der Diffusionsstrom im stationären Zustande unterworfen ist. Er findet nämlich, bei 10^{mm} unter dem Niveau beginnend, in Abständen von $22{,}2^{mm}$ die auf einander folgenden Concentrationen

0,009, 0,032, 0,053, 0,073, 0,093, 0,115, 0,135, 0,152, 0,170, 0.187, 0,196, deren Differenzen ziemlich constant sind. Da dieselben jedoch nach unten hin abnehmen, so schliesst Fick, dass der stationäre Zustand noch nicht völlig eingetreten sei, trotzdem der Apparat schon wochenlang in Thätigkeit gewesen war. Diese Unsicherheit in der Erkennung des Zeitpunktes, wenn es gestattet ist, den Diffusionsstrom als stationär vorauszusetzen, lassen denselben überhaupt als Grundlage der Beobachtung wenig empfehlenswerth erscheinen. Hierzu kommt, dass auf Concentrationsbeobachtungen am stationären Strome sich keine Berechnung der Constante k gründen lässt, da sie aus der betreffenden Gleichung verschwunden ist (siehe Gl. 29). Fick sucht daher die Constante k aus der Menge des aus dem Diffusionsgefäss entwichenen Salzes zu bestimmen. Er definirt sie in diesem Falle als diejenige Salzmenge, welche während der Zeiteinheit durch die Querschnittseinheit aus einer Schicht in die benachbarte übergeht, wenn die Raschheit der Concentrationsabnahme $\frac{\partial u}{\partial x}$ der Einheit gleich ist. Als Querschnittseinheit wird die Oberfläche eines Kreises von 1^{cm} Halbmesser angenommen, ferner wird die Concentrationsabnahme $\frac{\partial u}{\partial x}$ dann der Einheit gleich gesetzt, wenn sie durch eine Flüssigkeitssäule, deren Höhe der Längeneinheit 1^{mm} gleich kommt, constant herrschend gedacht, eine Concentrationsdifferenz der beiden Endflächen derart zur Folge hat, dass die eine die absoluter Sättigung entsprechende Concentration, die andere die Concentration Null besitzt. Als Zeiteinheit soll ein Tag gelten. Die vorstehende Definition der Constante k ergiebt sich streng genommen weder aus der Gleichung a) noch aus b), es dürfte daher die oben aus b) abgeleitete vorzuziehen sein. Aus derselben Gleichung b) ergiebt sich, dass für $U = 1$ und $q = 1$

$$c) \qquad k = \frac{Sh}{t}$$

ist. Fick nahm nun Röhren, deren Querschnitt 20^{mm} Durchmesser hatte, die aber von verschiedener Länge waren. In diesen wurde auf die oben beschriebene Weise ein stationärer Diffusionszustand hervorgebracht. Hierauf wurden die Salzmengen untersucht, welche während ein und derselben Zeit aus jeder der drei Röhren in die äussere Flüssigkeit diffundirt waren, durch Abheben, Eindämpfen und Fällen mit einer titrirten Silberlösung. Mit Hilfe von c) wurden sodann die Werthe von k berechnet. Diese ergaben sich für die drei Gefässe:

11,71	12,36	11,08
9,67	9,7	9,3
. .	9,57	. .
. .	9,94	
10,79	. .	. .
10,71	11,08	10,50
11,14	. . .	11,02

11,44	11,33	. .
11,80	. .	11,12.

Der grösste Werth von k ist demnach 12,36, der kleinste 9,3, die Differenz also 3,06. Dieser Unterschied ist an und für sich schon bedeutend; da aber Fick angiebt, dass er nur die besten seiner Versuche mittheile, so steht zu vermuthen, dass, wenn er alle, bei denen nicht geradezu ein Versehen vorgekommen ist, mit in Rechnung gezogen hätte, die Differenz sich noch höher herausgestellt haben würde. Es kann daher wohl kein Zweifel obwalten, dass die eben beschriebene Methode k aus dem stationären Zustande des Diffusionsstromes zu bestimmen, als unbrauchbar anzusehen ist. Simmler und W[illegible] haben sich gleich mir dafür entschieden, die Constante durch Beobachtung [illegible] ermitteln. Die erste Methode, die sie zu diesem Zwec[illegible]ten, ist genau dieselbe, die auch ich angewendet habe (siehe [illegible] IV. S. 221). Ein kleines cylindrisches Glas wird mit einer Lösung des zu untersuchenden Salzes von bekannter Concentration ganz angefüllt und sodann im oberen Theile eines grösseren mit reinem Wasser gefüllten G[illegible]fässes aufgestellt, so dass der obere eben abgeschliffene Rand des Diffusionscy[illegible]inders horizontal ist und von dem Lösungsmittel umspült wird. Nach einig[illegible]r Zeit wird das Gläschen wieder herausgenommen und der Salzverlust, [illegible]en es durch Diffusion erlitten hat, experimentell bestimmt. Wendet man die Vorsicht an, dass man den Versuch unterbricht, wenn der Strom etwa bis an den Boden des Gefässes zurückgegangen ist, so kann man die Gleichung 24)

$$S = \frac{q\,u(0)\sqrt{kt}}{\sqrt{\pi}},$$

worin S den Salzverlust bedeutet, anwenden, um aus ihr unmittelbar

$$c^*) \qquad k = \frac{S^2\pi}{q^2\,u^2(0).t}$$

zu finden. Will man aber auf die untere Grenze des Gefässes Rücksicht nehmen, so kann man die Gleichung 21) benutzen und aus ihr zunächst den Salzverlust:

$$d) \quad S = kq\int_0^t \frac{\partial u}{\partial x_0}\,\partial t = u(0)\,q\,h\left\{1 - \frac{8}{\pi^2}\sum_{p=0}^{p=\infty}\frac{1}{(2p+1)^2}\,e^{-\left(\frac{2p+1}{2h}\right)^2 kt}\right\}$$

(siehe Simmler und Wild S. 224) bestimmen. Aus dieser Gleichung lässt sich k näherungsweise berechnen, wenn man die unter Σ stehenden Glieder sämmtlich bis auf das erste vernachlässigt. Es ergiebt sich dann als erste Annäherung

$$e) \qquad k = \frac{4h^2}{\pi^2 t}\left\{\log\frac{8}{\pi^2} - \log\left(1 - \frac{S}{u(0)\,q\,h}\right)\right\}.$$

Die Gleichung c^*) hat jedenfalls vor e) den Vorzug, sowohl was Einfachheit, *als was* Genauigkeit betrifft. Man kann allerdings, wie Simmler und

Wild gezeigt haben (siehe S. 226 f. l. c.), durch vortheilhafte Anordnung des Anfangszustandes im Diffusionsgefäss für *S* Reihen erzielen, die stärker als die in *d*) convergiren und also auch gleich den ersten Näherungswerth für *k* schärfer geben, als *e*); indess geschieht dies auf Kosten der Sicherheit des Experimentes. Nach der zweiten Methode von Simmler und Wild soll die Concentration *u* in dem Diffusionsstrom, dessen Gleichung in 14) enthalten ist, durch Beobachtung und zwar auf optischem Wege gefunden und sodann mit Hilfe der Gleichung 14) die Constante *k* annähernd berechnet werden, indem man von der daselbst auftretenden unendlichen Reihe wiederum nur das erste Glied beibehält. Die Beobachtungsmethode selbst ist folgende. Man giebt dem Diffusionsgefäss die Gestalt eines dreiseitigen Prismas und beobachtet das Minimum der Ablenkung, welches ein Lichtstrahl erfährt, der horizontal durch die Flüssigkeit geht. Hieraus lässt sich auf das Brechungsverhältniss der Flüssigkeitsschicht schliessen, durch welche sich der Lichtstrahl bewegt, und aus dem Brechungsverhältniss kann man dann die Concentration der Flüssigkeit ableiten, da dasselbe von letzterer abhängt. Um dies auszuführen, ist es freilich nöthig, dass man das Brechungsverhältniss als Function der Concentration bestimmt oder wenigstens aus einer hinreichenden Zahl guter Beobachtungen mit Hilfe der Methode der kleinsten Quadrate eine empirische Formel für diese Abhängigkeit aufstellt, was meines Wissens bis jetzt noch nicht geschehen ist. Im Uebrigen lässt sich gegen die vorgeschlagene Methode vom theoretischen Standpunkt kaum eine Einwendung machen, ebenso wenig gegen die anderen optischen Methoden, die Simmler und Wild erwähnen. Einfacher und sicher zum Ziele führend ist der Weg, den sowohl Fick als ich eingeschlagen haben, nämlich mit Hilfe eines Senkgläschens das specifische Gewicht der Schichten zu bestimmen und aus ihm die Concentration zu berechnen, wovon schon weiter oben die Rede gewesen ist. Was nun die Berechnung der Constante *k* in diesem Falle betrifft, so ist sie nach Simmler und Wild mit Hilfe der Gleichung 14) annähernd zu bewerkstelligen, während ich die Gleichung 15) dazu verwendet habe, welche zwar nur für einen nach oben und unten unbegrenzten Strom gilt, aber auch, wie schon in der Einleitung bemerkt wurde, für das erste Stadium eines Diffusionsstromes in einem begrenzten Gefässe benutzt werden kann, so lange derselbe weder den oberen noch den unteren Rand des Diffusionsgefässes erreicht hat.

XIV.

Zur Theorie des Pascal'schen Sechsecks.

Von Dr. J. Lüroth in Berlin.

Ich erlaube mir im Folgenden den Mathematikern einige Sätze über das Pascal'sche Sechseck vorzulegen, welche lehren, aus einem gegebenen Sechseck neue abzuleiten. Da bei einem dieser Sätze ein Pascal'sches Sechseck auftritt, welches zugleich ein Brianchon'sches einer speciellen Art ist, so habe ich in §. 2 die Eigenschaften einer solchen Figur näher betrachtet. Der Inhalt des §. 1, welcher die Grundlage des Späteren bildet, ist im Wesentlichen der vierten der „Vorlesungen über analytische Geometrie des Raumes" meines hochverehrten Lehrers des Herrn Prof. Hesse entnommen.

§. 1.

Wenn die Gleichungen der gegenüberliegenden Seiten eines Pascal'schen Sechsecks symbolisch bezeichnet werden durch $a=0$ und $a'=0$, $b=0$ und $b'=0$, $c=0$ und $c'=0$, so sind die Bedingungen dieser Figur bekanntlich durch die drei identischen Gleichungen:

$$1)\qquad \begin{aligned} a-a' &\equiv r'' \\ b-b' &\equiv r'' \\ c-c' &\equiv r'' \end{aligned}$$

ausgesprochen, vorausgesetzt noch, dass man in den Grössen $a, a' \ldots.$ Factoren einrechnet, die zum Bestehen dieser Gleichungen nöthig sind. $r''=0$ ist dann die Gleichung der zum Sechsecke gehörigen Pascal'schen Linie.

Definirt man nun die drei Ausdrücke a'', b'', c'' durch die drei identischen Gleichungen

$$2)\qquad a+b'+c''\equiv 0,\quad b+c'+a''\equiv 0,\quad c+a'+b''\equiv 0,$$

so hat man auch die Folgenden:

$$3)\qquad a'+b+c''\equiv 0,\quad b'+c+a''\equiv 0,\quad c'+a+b''\equiv 0,$$

und diese sechs identischen Gleichungen beweisen, dass $a''=0$, $b''=0$, $c''=0$ die Gleichungen der Diagonalen des gegebenen Sechsecks sind.

Aus der Combination der vorstehenden Gleichungen geht nun folgendes System hervor:

$$4)\qquad \begin{aligned} a'-a'' &\equiv r' &\qquad a''-a &\equiv r' \\ b'-b'' &\equiv r' & b''-b &\equiv r' \\ c'-c'' &\equiv r & c''-c &\equiv r', \end{aligned}$$

$$5)\qquad r+r'+r''\equiv 0.$$

Dessen Deutung den Satz liefert:

I. Wenn man in einem Pascal'schen Sechsecke drei nicht auf einander folgende Seiten mit den drei Diagonalen combinirt, so erhält man zwei weitere Sechsecke, deren Pascal'sche Linien sich mit der des gegebenen Sechsecks in einem Punkte schneiden.

Aus den obigen Identitäten entspringt aber noch das andere System von Gleichungen

$$6)\quad \begin{array}{lll} a-b\equiv\varrho'' & b-c\equiv\varrho & c-a\equiv\varrho' \\ a'-b'\equiv\varrho'' & b'-c'\equiv\varrho & c'-a'\equiv\varrho' \\ a''-b''\equiv\varrho'' & b''-c''\equiv\varrho & c''-a''\equiv\varrho' \end{array}$$

$$7)\quad \varrho+\varrho'+\varrho''\equiv 0,$$

aus dem der Satz hervorgeht:

II. Wenn man in einem Pascal'schen Sechsecke zwei Paare gegenüberliegender Seiten mit zweien der Diagonalen zusammennimmt, so erhält man wieder ein Pascal'sches Sechseck. Die drei Pascal'schen Linien der so entstehenden drei Sechsecke schneiden sich in einem Punkte.

Wir haben so zwei Gruppen von drei Sechsecken, von denen die erste aus dem gegebenen Sechsecke und den beiden besteht, die sich aus diesem nach dem Satze I) ableiten lassen, während die zweite die drei enthält, welche der zweite Satz zu finden lehrt. Diese Sechsecke stehen in enger Verwandtschaft. Sie bestehen nämlich aus denselben neun Linien und haben die Eigenschaft, dass, wenn man Eines von ihnen als das gegebene betrachtet, die fünf abgeleiteten die andern fünf sind. Man sieht auch leicht ein, dass, wenn ein Sechseck aus der zweiten Gruppe als das ursprünglich gegebene betrachtet wird, die beiden mit Hilfe des Satzes I) aus diesem abgeleiteten, die zwei andern Sechsecke derselben Gruppe sind, während der zweite Satz aus jenem die drei Sechsecke der ersten Gruppe hervorgehen lässt.

Das Princip der Reciprocität auf das Vorige angewandt zeigt, wie auch aus jedem Brianchon'schen Sechsecke zwei Gruppen von weiteren Sechsecken hervorgehen, deren Brianchon'sche Punkte in jeder Gruppe auf einer geraden Linie liegen.

Wenn man noch drei Ausdrücke R und drei P durch die Gleichungen definirt:

$$\begin{array}{ll} r''-r'\equiv R & \varrho''-\varrho'\equiv P \\ r-r''\equiv R' & \varrho-\varrho''\equiv P' \\ r'-r\equiv R'' & \varrho'-\varrho\equiv P'', \end{array}$$

so findet man leicht

$$8)\quad \begin{array}{ll} R\equiv a+b+c & P\equiv a+a'+a'' \\ R'\equiv a'+b'+c' & P'\equiv b+b'+b'' \\ R''\equiv a''+b''+c'' & P''\equiv c+c'+c'', \end{array}$$

und hieraus

$$9)\quad \begin{array}{lll} R+P\equiv 3a & R'+P\equiv 3a' & R''+P\equiv 3a'' \\ R+P'\equiv 3b & R'+P'\equiv 3b' & R''+P'\equiv 3b'' \\ R+P''\equiv 3c & R'+P''\equiv 3c' & R''+P''\equiv 3c'', \end{array}$$

Gleichungen, aus denen sich leicht gewisse Eigenschaften des Sechsecks ablesen lassen, die wir hier, als für das folgende nicht nöthig, übergehen.

Die Ecken jedes Pascal'schen Sechsecks liegen bekanntlich auf einem Kegelschnitt, dessen Gleichung geschrieben werden kann:

10) $$r''^2 - r''(a+b+c) + ab + bc + ca \equiv 0,$$

denn man überzeugt sich leicht mit Hilfe der Gleichung 1), dass die 10) erfüllt ist, wenn zu gleicher Zeit $a=0$ und $b'=0$ oder $a=0$ und $c'=0$ u. s. w. Durch einfache Reductionen mit Hilfe der oben entwickelten Identitäten kann man jener Gleichung die Form geben:

11) $$(r^2 + r'^2 + r''^2) - (\varrho^2 + \varrho'^2 + \varrho''^2) = 0.$$

Aus dieser Gleichung können wir eine Eigenschaft ableiten. Die Gleichung der Polare eines Punktes in Bezug auf diesen Kegelschnitt findet sich nämlich:

12) $$(r r_0 + r' r'_0 + r'' r''_0) - (\varrho\varrho_0 + \varrho'\varrho'_0 + \varrho''\varrho''_0) = 0,$$

wenn wir durch den Index 0 die Resultate der Substitution der Coordinaten des gegebenen Punktes in den betreffenden Gleichungen bezeichnen. Ist $r_0 = r'_0 = r''_0 = 0$, so wird die Gleichung 12) erfüllt für einen Punkt, dessen Coordinaten ϱ, ϱ' und ϱ'' gleich Null machen, d. h.

> der Schnittpunkt der Linien r und der der Linien ϱ sind harmonische Pole des dem zugehörigen Sechsecke umschriebenen Kegelschnitts.

Der Grund hiervon ist der, dass, wie die Gleichung 11) zeigt, die vorerwähnten beiden Punkte die Spitzen zweier Linienpaare sind, durch deren Schnittpunkte der Kegelschnitt geht.

§. 2.

Wir wollen jetzt die Eigenschaften eines Pascal'schen Sechsecks untersuchen, welches zugleich ein Brianchon'sches ist. Die Bedingungen des ersteren sind die Gleichungen 1) des vorigen Paragraphen. Soll das Sechseck auch ein Brianchon'sches sein, so muss zwischen den Grössen a'', b'', c'' noch eine identische Gleichung bestehen. Wir wollen hier nur den Fall ins Auge fassen, dass die Bedingungsgleichung die einfachste Form

13) $$a'' + b'' + c'' \equiv 0$$

hat.

Eine der Gleichungen 8) zeigt dann sogleich, dass $R'' \equiv 0$ ist, oder dass

14) $$r \equiv r',$$

und hiermit folgt aus 5) $r \equiv r' \equiv -\frac{1}{2} r''$, d. h. also in unserm Sechsecke fallen die drei Pascal'schen Linien r in eine zusammen.

Wenn man nun in 14) r und r' durch die mit ihnen identischen Ausdrücke aus 4) ersetzt, so erhält man die Beziehungen

15) $$\begin{aligned} a + a' - 2a'' &\equiv 0 \\ b + b' - 2b'' &\equiv 0 \\ c + c' - 2c'' &\equiv 0, \end{aligned}$$

welche in Verbindung mit den Gleichungen 1) aussagen:

> Je zwei gegenüberliegende Seiten unseres Sechsecks schneiden sich mit der dritten Diagonale in einem Punkte. Diese drei Punkte liegen natürlich auf der Linie r'', welche mit jeder Diagonale ein Linienpaar bildet, das zu den Gegenseiten harmonisch ist.

Wenn man bedenkt, dass a, a', a'' die Diagonalen eines Sechsecks sind, welches zur zweiten Gruppe von Sechsecken gehört, die sich aus dem gegebenen ableiten lassen, so kann man den ersten Theil des Satzes auch so aussprechen:

> Die drei Pascal'schen Sechsecke, welche man durch den Satz II) des vorigen Paragraphen aus unserm Sechsecke ableiten kann, sind auch zugleich Brianchon'sche Sechsecke, aber anderer Art als das ursprüngliche.

Hält man die drei Gleichungen

$$a''-b''\equiv\varrho'' \qquad b''-c''\equiv\varrho \qquad c''-a''\equiv\varrho'$$

zusammen mit der Gleichung 13), so sieht man,

> die drei Pascal'schen Linien ϱ sind die drei vierten harmonischen Linien zu den Diagonalen.

Ein solches Sechseck, wie wir es eben betrachteten, besitzt noch eine merkwürdige Eigenschaft in Bezug auf den Kegelschnitt, den man in dasselbe beschreiben kann.

Wir wollen, um sie zu finden, die Punkte aufsuchen, in denen die Seiten von jenem Kegelschnitte berührt werden. Wenn man aber in einem Brianchon'schen Sechsecke zwei Seiten zusammenfallen lässt, so geht ihr Schnittpunkt in der Grenze über in den Berührungspunkt, der mit den fünf andern Ecken ein Brianchon'sches Sechseck bildet. Lassen wir z. B um den Berührungspunkt von a zu finden, c' mit a zusammenfallen, so haben wir den Schnittpunkt von a und b durch eine Linie G zu verbinden mit dem von b' und c. Legen wir dann durch den von c und a' gebildeten Eckpunkt eine Linie H so, dass sich G, H und c'' in einem Punkte schneiden, so trifft H die Seite a im Berührungspunkt.

Bezeichnen wir die Gleichungen der Linien G und H durch $G=0$ und $H=0$, so findet sich

$$G\equiv 2a''-b'$$
$$H\equiv 3b''-c.$$

In der That genügen diese Ausdrücke den Bedingungen, die wir aufstellten, da vermöge der Gleichungen 15) und 13)

$$G\equiv 2a-b$$
$$G+H+3c''\equiv 0$$

ist. Man hat aber $b''-c\equiv -a-2c''$ und somit

$$H\equiv 2(b''-c'')-a\equiv 2\varrho-a.$$

Die Linien H, a und ϱ schneiden sich also in einem Punkte. Aehnliches gilt von den andern Seiten, so dass sich der Satz ergiebt:

Die Punkte, in welchen die Seiten unseres Sechsecks von dem eingeschriebenen Kegelschnitte berührt werden, sind ihre Schnittpunkte mit den drei vierten harmonischen Linien zu den Diagonalen.

Wenn man auf die Figur, welche die eben abgeleiteten Eigenschaften besitzt, das Princip der Reciprocität anwendet, so erhält man Eigenschaften eines Brianchon'schen Sechsecks, welches zugleich ein Pascal'sches einer speciellen Art ist. Es lässt sich nun zeigen, dass das vorliegende Sechseck eben von dieser Art ist, oder, wie man auch sagen kann, dass es sich selbst reciprok ist.

Um dies nachzuweisen, bemerken wir, dass die Eigenschaft unserer Figur, dass die Pascal'sche Linie r'' harmonisch zu den Diagonalen in Bezug auf die Gegenseiten, für sie charakteristisch ist. Denn sie verlangt die Gleichungen

$$a+a'-\lambda a''\equiv 0$$
$$b+b'-\mu b''\equiv 0$$
$$c+c'-\nu c''\equiv 0.$$

Die Gleichungen

$$2\varrho\equiv\mu b''-\nu c'',\quad 2\varrho'\equiv\nu c''-\lambda a'',\quad 2\varrho''\equiv\lambda a''-\mu b,$$

die aus ihnen folgen, können aber nur dann mit den Gleichungen

$$\varrho\equiv b''-c'',\quad \varrho'\equiv c''-a'',\quad \varrho''\equiv a''-b''$$

bestehen, wenn $\lambda=\mu=\nu=2$ ist. Die oben aufgestellten Bedingungen gehen dann in die 15) über, aus welchen sofort die 13) hervorgeht.

Das Brianchon'sche Sechseck, auf welches wir durch das Princip der Reciprocität geführt werden, besitzt also die charakteristische Eigenschaft, dass der Schnittpunkt der Diagonalen harmonisch ist zum Schnittpunkte von je zwei Gegenseiten. Dass dieses bei unserm Sechsecke stattfindet, erkennt man leicht, wenn man bedenkt, dass nach 15) a und a' harmonisch sind zu a'' und r'', und dass folglich diese zwei Linienpaare jede weitere Linie, also auch die b'' und c'' in harmonischen Punktenpaaren schneiden.

Wir erhalten somit aus den oben angeführten Eigenschaften noch folgende andere:

Wenn man aus dem Sechsecke, als einem Brianchon'schen, die fünf andern ableitet, die sich nach den Reciproken der Sätze I) und II) des vorigen Paragraphen aus ihm ableiten lassen, so fallen die Brianchon'schen Punkte der Sechsecke der ersten Gruppe zusammen in den Schnittpunkt der Diagonalen. Die Brianchon'schen Punkte der Sechsecke der zweiten Gruppe sind die Schnittpunkte der Linie r'' mit den Linien ϱ oder die drei vierten harmonischen Punkte zu den Schnittpunkten der Gegenseiten.

Die abgeleiteten Sechsecke der zweiten Gruppe sind

zugleich Pascal'sche Sechsecke aber anderer Art als das gegebene;

und weiter:

> Wenn man die Schnittpunkte der Linien ϱ mit der Pascal-schen Linie verbindet mit den entsprechenden Ecken, so sind die Verbindungslinien die Tangenten an dem Kegelschnitte, welchen man dem Sechsecke umschreiben kann.

Diese Eigenschaften in Verbindung mit den bekannten Beziehungen von Pol und Polaren lassen erkennen:

> Der Brianchon'sche Punkt und die Pascal'sche Linie sind Pol und Polare, sowohl in Bezug auf den Kegelschnitt, welcher dem Sechseck einbeschrieben werden kann, als in Bezug auf den ihm umschriebenen.

Diese letzterwähnten Eigenschaften hätten sich auch leicht aus den Gleichungen der beiden Kegelschnitte herleiten lassen. Die Gleichung des umschriebenen Kegelschnitts folgt aus 11) mit Benutzung von 14)

16) $$\tfrac{3}{2}r''^2-(\varrho^2+\varrho'^2+\varrho''^2)=0.$$

Um die Gleichung des eingeschriebenen Kegelschnitts zu erlangen, betrachten wir das Sechseck, dem er umschrieben ist, und dessen Ecken, wie wir oben sahen, die Schnittpunkte der Linien ϱ mit den Seiten sind. Die Gleichungen der Seiten dieses neuen Sechsecks finden sich

$$\begin{array}{lll} 3a-\varrho=0 & 3a'-\varrho=0 & 3a''-\varrho=0 \\ 3b-\varrho'=0 & 3b'-\varrho'=0 & 3b''-\varrho'=0 \\ 3c-\varrho''=0 & 3c'-\varrho''=0 & 3c''-\varrho''=0, \end{array}$$

denn da $3a-\varrho$ z. B. auch $\equiv -3b'-\varrho'$ ist, so geht diese Linie in der That durch den Schnittpunkt von a mit ϱ und durch den von b' und ϱ' u. s. w.

Die Gleichungen der Pascal'schen Linien dieses Sechsecks, das von derselben Art ist, wie das gegebene, werden

$$3r=0, \qquad 3r'=0, \qquad 3r''=0,$$
$$2(\varrho'-\varrho'')=0, \qquad 2(\varrho-\varrho')=0, \qquad 2(\varrho''-\varrho)=0,$$

und wenn man nach 11) die Gleichung des Kegelschnitts bildet, so erhält man nach einfachen Reductionen

17) $$\tfrac{9}{2}r''^2-4(\varrho^2+\varrho'^2+\varrho''^2)=0.$$

Zieht man von dieser Gleichung die mit 4 multiplicirte Gleichung 16) ab, so bleibt:

$$\tfrac{3}{2}r''^2=0.$$

Dies Resultat beweist den Satz:

> Der unserem Sechsecke eingeschriebene Kegelschnitt und der ihm umschriebene berühren sich in zwei Punkten der Linie r''.

Diese beiden Punkte sind aber imaginär; denn sie liegen auf dem Linienpaar $\varrho^2+\varrho'^2+\varrho''^2=0$, welches das gemeinschaftliche Tangentenpaar beider Kegelschnitte ist.

§. 3.

Wir wollen jetzt aus einem gegebenen Sechsecke andere ableiten.

Wir legen zunächst an jede Ecke eine weitere Linie so, dass das anharmonische Verhältniss des Linienpaares, welches die neue Linie und die Diagonale bilden, zu dem von den beiden Seiten gebildeten, das gleiche ist an den gegenüberliegenden Ecken. Die Gleichungen der so gezogenen Linie lassen sich in der Form darstellen:

$$\text{18)}\quad \begin{gathered} (1+\gamma)a-(1-\gamma)b'=0, \qquad (1+\alpha)b-(1-\alpha)c'=0 \\ (1+\beta)c-(1-\beta)a'=0, \\ (1+\gamma)a'-(1-\gamma)b=0, \qquad (1+\alpha)b'=(1-\alpha)c=0, \\ (1+\beta)c'-(1-\beta)a=0. \end{gathered}$$

Wenn man zwei unter einander stehende Gleichungen subtrahirt, so erhält man das Resultat

$$2r''=0,$$

und dies zeigt, dass die gezogenen sechs Linien ein Pascal'sches Sechseck bilden, dessen Pascal'sche Linie mit der des gegebenen Sechsecks zusammenfällt.

In einem Falle lassen sich sechs solche Linien leicht construiren. Wenn wir nämlich einen Punkt der Linien r'' des gegebenen Sechsecks verbinden mit dessen Ecken und dann in jeder Ecke zu der Verbindungslinie die vierte harmonische ziehen, so erhalten wir sechs Linien, welche der angegebenen Bedingung genügen. Denn die Gleichungen der an den Enden der Diagonale c'' liegenden werden:

$$\frac{a}{a_0}+\frac{b'}{b'_0}=0, \text{ und } \frac{a'}{a'_0}+\frac{b}{b_0}=0,$$

wenn wir den Index 0 in der schon früher gebrauchten Bedeutung anwenden. Weil aber der betrachtete Punkt auf der Linie r'' liegt, so hat man $a_0=a'_0$, $b_0=b'_0$ und wir brauchen blos

$$\frac{b'_0+a_0}{b_0-a'_0}=\gamma$$

zu setzen, um jene beiden Gleichungen auf die Form 18) zu bringen.

Da Aehnliches von den beiden andern Seitenpaaren gilt, so hat man den Satz:

> Wenn man einen Punkt der Pascal'schen Linien r'' eines Sechsecks verbindet mit dessen Ecken, und in jeder die vierte harmonische zur Verbindungslinie construirt, so erhält man wieder ein Pascal'sches Sechseck, dessen Pascal'sche Linie mit der des gegebenen Sechsecks zusammenfällt.

Ein specieller Fall der Formeln 18) ist der, wenn $\alpha=\beta=\gamma$ ist, dann sind die Linien in allen Ecken nach dem gleichen anharmonischen Verhältniss gezogen und die Gleichungen der Diagonalen werden:

$(1+\alpha)a''-(1-\alpha)b''=0$, $(1+\alpha)b''-(1-\alpha)c''=0$, $(1+\alpha)c''-(1-\alpha)a''=0$,
woraus man ersieht, dass das abgeleitete Sechseck, wenn α unbestimmt ist,

nur dann zugleich ein Brianchon'sches wird, wenn das ursprüngliche von der in §. 2 betrachteten Art war. In allen Fällen aber findet dies statt, wenn $\alpha = 0$ ist. Das anharmonische Verhältniss geht dann in das harmonische über und die Gleichungen der sechs Linien und der Diagonalen werden:

$$19)\qquad \begin{array}{lll} b - c' = 0 & c - a' = 0 & a - b' = 0 \\ b' - c = 0 & c' - a = 0 & a' - b = 0 \\ b - c = 0 & c - a = 0 & a - b = 0, \end{array}$$

und hieraus folgt der Satz:

Wenn man in jeder Ecke eines Pascal'schen Sechsecks die zur Diagonale harmonische Linie zieht, so bilden diese sechs Linien ein Pascal'sches Sechseck, welches zugleich ein Brianchon'sches der in §. 2 betrachteten speciellen Art ist. Seine Pascal'sche Linie fällt mit der des gegebenen Sechsecks zusammen und seine Diagonalen sind die Linien ϱ des gegebenen Sechsecks, deren Schnittpunkt also der Brianchon'sche Punkt ist.

Durch Anwendung der in §. 2 gefundenen Sätze können wir die Eigenschaften des abgeleiteten Sechsecks leicht angeben. Wir heben folgende heraus:

Der dem abgeleiteten Sechseck einbeschriebene Kegelschnitt berührt die Seiten in Punkten, welche je zu zweien auf den drei vierten harmonischen zu den Linien ϱ des ursprünglichen Sechsecks liegen, und die Tangenten an den umschriebenen Kegelschnitt schneiden die Linie r'' in denselben Punkten, wie die drei vierten harmonischen zu der Linie ϱ.

Der Schnittpunkt der Linien ϱ und die Pascal'sche Linie r'' sind Pol und Polare in Bezug auf den dem abgeleiteten Sechseck eingeschriebenen Kegelschnitt und den ihm umschriebenen. Diese beiden Kegelschnitte berühren sich in Punkten der Linie r'', die auf dem Linienpaare

$$\varrho^2 + \varrho'^2 + \varrho''^2 = 0$$

liegen.

Da man aus 19) als Ausdrücke für die Pascal'schen Linien des abgeleiteten Sechsecks folgende findet:

$$\begin{array}{lll} 2r'' = 0, & -r'' = 0, & -r'' = 0, \\ \varrho - \varrho' = 0, & \varrho' - \varrho'' = 0, & \varrho'' - \varrho = 0, \end{array}$$

so giebt die Formel 16) des vorigen Paragraphen die Gleichung des umschriebenen Kegelschnitts:

$$20)\qquad 2r''^2 - (\varrho^2 + \varrho'^2 + \varrho''^2) = 0,$$

und aus 17) folgt die des eingeschriebenen:

$$21)\qquad \tfrac{3}{2}r''^2 - (\varrho^2 + \varrho'^2 + \varrho''^2) = 0.$$

Zieht man 20) ab von der Gleichung

$$(r^2 + r'^2 + r''^2) - (\varrho^2 + \varrho'^2 + \varrho''^2) = 0$$

des Kegelschnitts, der dem ursprünglichen Sechsecke umschrieben ist, so bleibt

$$r^2 + r'^2 - r''^2 \equiv -2rr' = 0,$$

d. h. der dem abgeleiteten Sechseck umschriebene Kegelschnitt schneidet den dem urspünglichen umschriebenen in Punkten, welche auf den Linien r und r' liegen.

Die Subtraction der Gleichung 21) von jener lässt aber den Rest:

$$r^2 + r'^2 - \tfrac{1}{2}r''^2 \equiv \tfrac{1}{2}(r - r')^2 = 0,$$

und dies Resultat zeigt:

Der dem abgeleiteten Sechsecke eingeschriebene Kegelschnitt berührt den dem ursprünglichen Sechsecke umschriebenen in zwei Punkten, die auf der vierten harmonischen zur Linie r'' liegen.

Die Gleichungen der Seiten des abgeleiteten Sechsecks kann man auch schreiben:

$$\varrho + r'' = 0, \qquad \varrho' + r'' = 0, \qquad \varrho'' + r'' = 0,$$
$$\varrho - r'' = 0, \qquad \varrho' - r'' = 0, \qquad \varrho'' - r'' = 0,$$

und hieraus ersieht man, dass die Schnittpunkte der Gegenseiten dieses Sechsecks die Punkte sind, in welchen r'' von den Linien ϱ getroffen wird, wie dies auch aus einem Satze des §. 2 zu schliessen war.

In ähnlicher Weise, wie wir hier aus dem einen Sechsecke ein neues ableiteten, kann man aus jedem Sechsecke der beiden Gruppen, die nach den Sätzen I) und II) des §. 1 aus dem gegebenen entspringen, ein anderes erhalten. Wir wollen hier die Gleichungen der Seiten der drei Sechsecke zusammenstellen, die aus Sechsecken der ersten Gruppe hervorgehen, indem wir zugleich eine passende Bezeichnung einführen. Es sind diese:

$$22)\qquad \begin{array}{lll} A_0 \equiv \varrho + r & B_0 \equiv \varrho' + r & C_0 \equiv \varrho'' + r \\ A_0' \equiv \varrho - r & B_0' \equiv \varrho' - r & C_0' \equiv \varrho'' - r \\[6pt] A' \equiv \varrho + r' & B' \equiv \varrho' + r' & C' \equiv \varrho'' + r' \\ A_1 \equiv \varrho - r' & B_1' \equiv \varrho' - r' & C_1' \equiv \varrho'' - r' \\[6pt] A_2 \equiv \varrho + r'' & B_2 \equiv \varrho' + r'' & C_2 \equiv \varrho'' + r'' \\ A_2' \equiv \varrho - r'' & B_2' \equiv \varrho' - r'' & C_2' \equiv \varrho'' - r''. \end{array}$$

Die Eigenschaften der beiden ersten Sechsecke ergeben sich leicht aus den eben angeführten Sätzen. Wir wollen noch einige aufstellen, die allen drei Sechsecken gemeinsam sind:

Die drei Sechsecke, welche sich aus den drei zu einer Gruppe gehörigen ableiten lassen, haben die gleichen Diagonalen.

Die den drei Sechsecken eingeschriebenen Kegelschnitte berühren die Seiten, deren Endpunkte auf denselben beiden Linien ϱ liegen, in Punkten einer geraden Linie und die Tangenten der umschriebenen Kegelschnitte in Ecken, die auf einer der Linien ϱ *liegen,* schneiden sich in drei Punkten einer geraden Linie.

Der Schnittpunkt der Linien r und der der Linien ϱ sind harmonische Pole eines jeden der sechs Kegelschnitte, welche man den drei abgeleiteten Sechsecken um- und einschreiben kann, und ihre Verbindungslinie schneidet daher je drei derselben in Punkten der Involution. Das Linienpaar

$$\varrho^2 + \varrho'^2 + \varrho''^2 = 0$$

ist gemeinschaftliches Tangentenpaar aller sechs Kegelschnitte.

Auf ähnliche Weise kann man auch aus den drei Sechsecken der zweiten Gruppe andere herleiten. Gemäss einer im §. 1 gemachten Bemerkung hat man aber, um die Eigenschaften dieser neuen Sechsecke kennen zu lernen, nur nöthig, im Vorigen die r mit den ϱ zu vertauschen. Wir sehen so zunächst, dass diese drei Sechsecke aus denselben drei Linien bestehen, deren Gleichungen wir in 22) zusammenstellten, nur bilden jetzt die in einer Verticalreihe stehenden zusammen ein Sechseck. Der Schnittpunkt der Linien r und der der Linien ϱ sind auch hier harmonische Pole der Kegelschnitte, welche man den abgeleiteten Sechsecken ein- und umschreiben kann. Diese sechs Kegelschnitte haben das Linienpaar

$$r^2 + r'^2 + r''^2 = 0$$

als gemeinsames Tangentenpaar. Wir haben somit auch die geometrische Bedeutung der Linienpaare erkannt, durch deren Schnittpunkte der Kegelschnitt geht, welcher dem ursprünglichen Sechsecke umschrieben ist.

Aus den 18 Linien, deren Schnittpunkte in 22) stehen, lassen sich noch zwei weitere Sechsecke bilden. Es bestehen nämlich die Gleichungen:

$$23)\quad \begin{aligned}
&A_0 - A_1 \equiv B_0 - B_1 \equiv C_0 - C_1 \equiv r - r', \quad && A_0 - B_0 \equiv A_1 - B_1 \equiv A_2 - B_2 \equiv \varrho - \varrho',\\
&A_1 - A_2 \equiv B_1 - B_2 \equiv C_1 - C_2 \equiv r' - r'', && B_0 - C_0 \equiv B_1 - C_1 \equiv B_2 - C_2 \equiv \varrho' - \varrho'',\\
&A_2 - A_0 \equiv B_2 - B_0 \equiv C_2 - C_0 \equiv r'' - r, && C_0 - A_0 \equiv C_1 - A_1 \equiv C_2 - A_2 \equiv \varrho'' - \varrho,
\end{aligned}$$

$$A_0 + B_1 + C_2 \equiv 0,$$
$$A_1 + B_2 + C_0 \equiv 0,$$
$$A_2 + B_0 + C_1 \equiv 0,$$

und ein ähnliches System gilt für die accentuirten Grössen, welches man aus dem Vorstehenden erhält durch Vertauschung von $+r_1, +r_1', +r''$ mit $-r_1, -r_1', -r''$. Die Gleichungen der beiden Sechsecken umschriebenen Kegelschnitte sind die gleichen, nämlich

$$(r-r')^2 + (r'-r'')^2 + (r''-r)^2 - \{(\varrho-\varrho')^2 + (\varrho'-\varrho'')^2 + (\varrho''-\varrho)^2\} = 0,$$

oder nach leichten Reductionen:

$$(r^2 + r'^2 + r''^2) - (\varrho^2 + \varrho'^2 + \varrho''^2) = 0.$$

Hieraus folgt aber:

Die neun von drei abwechselnden Ecken des gegebenen Sechsecks ausgehenden der gezogenen 18 Linien, bilden die Seiten und Diagonalen eines weiteren Pascal'schen Sechsecks, dessen Pascal'sche Linien die drei vierten harmonischen Linien zu den Linien r und die drei vierten harmonischen zu den Linien ϱ sind, und dessen Ecken auf demselben Kegelschnitt liegen, wie die des gegebenen Sechsecks.

Eine andere Art, aus dem gegebenen Sechseck neue abzuleiten ist die folgende. Die Formeln 9) des §. 1 zeigen, dass die drei vierten harmonischen Linien zu den Linien r und die drei vierten harmonischen zu den Linien ϱ sich in neun Punkten schneiden, welche auf den Seiten und Diagonalen des gegebenen Sechsecks liegen. Zieht man nun in jedem solchen Schnittpunkte eine vierte Linie, die überall nach dem gleichen anharmonischen Verhältnisse der Seite des Sechsecks conjugirt ist, so erhält man neun Linien, deren Gleichungen sind:

$$24)\quad \begin{array}{lll} \lambda R-\mu P=0, & \lambda R'-\mu P=0, & \lambda R''-\mu P=0, \\ \lambda R-\mu P'=0, & \lambda R'-\mu P'=0, & \lambda R''-\mu P'=0, \\ \lambda R-\mu P''=0, & \lambda R'-\mu P''=0, & \lambda R''-\mu P''=0. \end{array}$$

Da aus diesen ein System von Gleichungen, ähnlich wie 23) hervorgeht, so sieht man, dass diese neun Linien die Seiten und die Diagonalen eines Pascal'schen Sechsecks bilden, dessen Pascal'sche Linien die Gleichungen haben:

$$\begin{array}{lll} 3\lambda r=0, & 3\lambda r'=0, & 3\lambda r''=0, \\ 3\mu\varrho=0, & 3\mu\varrho'=0, & 3\mu\varrho''=0, \end{array}$$

und also mit den Pascal'schen Linien des gegebenen Sechsecks zusammenfallen. Die Gleichung

$$\lambda^2(r^2+r'^2+r''^2)-\mu^2(\varrho^2+\varrho'^2+\varrho''^2)=0$$

des dem Sechseck umschriebenen Kegelschnitts zeigt, dass er mit dem Kegelschnitt, welchem das ursprüngliche Sechseck einbeschrieben ist, zusammenfällt, wenn $\lambda=\mu$ ist; das anharmonische Verhältniss ist dann in das harmonische übergegangen und die Seiten des neuen Sechsecks lassen sich mit Hilfe der Linien, deren Gleichungen in 22) stehen, leicht construiren.

Zwei weitere Pascal'sche Sechsecke erhält man auf folgende Weise. In jeder der Linien r und ϱ liegen drei Schnittpunkte von Seiten. Wir ziehen nun in jedem dieser Punkte eine weitere Linie so, dass das anharmonische Verhältniss, nach welchem sie den Linien r oder ϱ conjugirt ist, überall das gleiche ist. Die neun Linien, welche vom Liniensysteme der r ausgehen, werden dann dargestellt durch die Gleichungen:

$$25)\quad \begin{array}{lll} \lambda a-\mu a'=0, & \lambda a'-\mu a''=0, & \lambda a''-\mu a=0, \\ \lambda b-\mu b'=0, & \lambda b'-\mu b''=0, & \lambda b''-\mu b=0, \\ \lambda c-\mu c'=0, & \lambda c'-\mu c''=0, & \lambda c''-\mu c=0, \end{array}$$

und dass sie die Seiten und Diagonalen eines Pascal'schen Sechsecks bilden, sieht man leicht ein. Die Pascal'schen Linien dieses Sechsecks fallen zum Theil mit den Linien ϱ zusammen, zum Theil gehen sie durch den Schnittpunkt der Linien r. Die Gleichungen der Linien, welche vom Systeme der ϱ ausgehen, erhält man aus 25), wenn man a' mit b, a'' mit c und b'' mit c' vertauscht. Durch diese Vertauschung gehen r, r' und r'' über in ϱ, ϱ' und ϱ'' und umgekehrt; und wir sehen also, dass auch diese letzteren neun Linien ein Sechseck bilden, von dessen Pascal'schen Linien drei mit den r zusammenfallen, während die drei andern durch den Schnittpunkt der ϱ gehen.

Ein specieller Fall hiervon ist der, wenn $\frac{\lambda}{\mu} = -1$ ist. Man kann den Gleichungen der Linien in 25) dann die Form geben:

$$
\begin{array}{lll}
-a+b+c=0, & -a'+b'+c'=0, & -a''+b''+c''-0, \\
a-b+c=0, & a'-b'+c'=0, & a''-b''+c''-0, \\
a+b-c=0, & a'+b'-c'=0, & a''+b''-c''=0.
\end{array} \tag{26}
$$

Die Gleichungen der Pascal'schen Linien sind dann

$$
\begin{array}{lll}
r=0, & r'=0, & r''=0, \\
-2\varrho=0, & -2\varrho'=0, & -2\varrho''=0,
\end{array}
$$

und durch die Deutung der obigen Ausdrücke erhält man den Satz:

> Wenn man die Schnittpunkte der Linien ϱ (oder r) und der geraden Seiten des Sechsecks unter sich verbindet, und ebenso mit den Schnittpunkten jener Linien und der ungeraden Seiten sowie der Diagonalen verfährt, so erhält man drei Dreiecke, deren Seiten die Seiten und Diagonalen eines Pascal'schen Sechsecks sind, dessen Pascal'sche Linien mit denen des gegebenen Sechsecks zusammenfallen.

Kleinere Mittheilungen.

XXIX. Ueber den Einfluss der Gestalt und täglichen Bewegung des Erdballs auf Gleichgewicht und scheinbare Bewegung irdischer Gegenstände in der Nähe der Oberfläche. Von Dr. LUDWIG MATTHIESSEN in Husum.

Die Axendrehung der Erde und ihre damit zusammenhängende Abweichung von der Kugelgestalt sind die Ursache einer Anzahl merkwürdiger Erscheinungen, von denen hier die vorzüglichsten einer genaueren Betrachtung unterzogen werden sollen. Schon Riccioli und Brahe versuchten in der Abweichung des freien Falles von der Verticalen einen mathematisch-physikalischen Beweis für die tägliche Bewegung des Erdballs zu entdecken (*Riccioli argumento fisico-matematico il moto diurno della terra.* 1668 *Bononiae*). Das Problem dieser Entdeckung hat ein merkwürdiges Schicksal gehabt. Die beiden genannten Gelehrten nahmen irrthümlich eine westliche Deviation des fallenden Körpers an. Mersenne stellte zur Prüfung dieser Annahme unmittelbare Versuche an, indem aus senkrecht in den Boden gegrabenen Kanonen Kugeln vertical aufwärts abgeschossen wurden. Diese Versuche führten indessen zu keinem entscheidenden Resultate, da die Kugeln sowohl westlich als östlich niederfielen, wiewohl hier wiederum eine westliche Deviation hätte erwartet werden müssen. Das Problem wurde mit grösserer Schärfe gelöst von Newton und Hooke um das Jahr 1679. Letzterer machte zuerst die interessante Bemerkung, dass nicht allein eine östliche, sondern auch wegen der Abplattung der Erde eine kleine südliche Deviation des Falles auf der nördlichen Halbkugel stattfinden müsse. Newton hielt die Curve des fallenden Körpers für eine Spirale, Hooke für eine Ellipse. Mit ihren Versuchen machten diese Beiden indessen ebenso wenig Glück, wie die vorigen. Die ersten mit der Theorie übereinstimmenden Versuche wurden 1802 von Benzenberg angestellt. Er beobachtete bei einer Fallhöhe von 235′ (Michaelisthurm in Hamburg) eine östliche Deviation von 4‴,0.*) In neuester Zeit hat Puiseux (*Compt. rend.* 1856, S. 683) wiederum auf die Einwirkung der Umdrehung der Erde auf die Richtungsänderung der Verticalen und die hiervon abhängige Gleichgewichtslage eines Pendels aufmerksam gemacht. Im Jahre 1862 ist in einer ausführlicheren Bearbeitung (Jahrg. VII dieser Zeitschr., S. 252) die Gleichung der Aberration der Richtung der Schwerkraft von der Verticalen eines Punktes der Erdoberfläche von mir aufgestellt worden. A. a. O. glaube ich dargethan zu haben, dass diese Gleichung der Aberration in der Nähe der Erdoberfläche bis zu einer Höhe von 100000 Metern sich auf eine gemeine Parabel reducire, nämlich für einen Ort mittlerer Breite

$$\delta^2 = \frac{5R}{3\lambda^4}s$$

die scheinbare Bahn des fallenden Körpers wegen der täglichen Bewegung aber, auf die fortschreitende Verticale als Ordinatenaxe bezogen, eine Neil'sche Parabel vorstelle von der Form

$$h^3 = \frac{g}{\omega^2 \cos\varphi^4} s_1^2,$$

wo R den Erdhalbmesser, h die Fallhöhe, φ die Breite des Ortes, δ die Erhebung über der Erdoberfläche, ω die Winkelgeschwindigkeit des Aequators, s und s_1 die südliche und östliche Deviation bezeichnen. Ferner habe ich ibid. nachgewiesen, dass die scheinbare Bahn eines durch beide Ursachen influencirten Körpers eine spiralförmig gewundene, gegen N und O concave, gegen SW convexe Linie sei.

Unter den Wirkungen der Axendrehung und der durch die Abplattung verursachten Aberration der Verticalen sind folgende beachtenswerth:

1. Die Trajectorien, welche die der Erdoberfläche sehr naheliegenden Niveauflächen durchschneiden, sind gemeine Parabeln, welche ihre concave Seite dem nächsten Erdpole zuwenden. Sie sind die Linien der Aberration der Verticalen und liegen in der Ebene des Meridians.
2. Ein frei hängender homogener Faden hat die Gestalt einer gemeinen Parabel, welche ihre concave Seite ebenfalls dem nächsten Erdpole zuwendet und in der Meridianebene liegt.
3. Ein Fadenpendel, an welchem eine Kugel von der Masse m hängt, bildet eine logarithmische Curve, welche ihre concave Seite dem nächsten Erdpole zuwendet.
4. Ein in seinem Schwerpunkte aufgehängter, in der Meridianebene drehbarer Stab strebt sich so zu stellen, dass sein unteres Ende gegen den nächsten Erdpol convergirt, also auf der nördlichen Halbkugel gegen Norden gerichtet ist. Wird derselbe am obersten

*) Vergl. Littrow, die Wunder des Himmels, §. 20.

Ende aufgehängt, so ist sein unteres Ende gegen den Aequator geneigt, er nimmt nur dann eine vollkommen verticale Stellung ein, wenn der Aufhängepunkt ein Dritttheil seiner Länge vom obern Ende genommen wird. Das Maximum seiner südlichen Declination findet statt, wenn die Höhe des Aufhängepunktes den sechsten Theil des Erdhalbmessers beträgt.

5. Die Bahn eines frei fallenden Körpers, abgesehen von seiner Deviation nach Osten wegen der Aenderung der Winkelgeschwindigkeit in verschiedenen Höhen, wenn man allein die Aberration der Verticalen berücksichtigt, ist eine in der Ebene des Meridians liegende gegen den nächsten Pol concave Apollonische Parabel, welche den Horizont unter einem spitzen Winkel mit der Normalen schneidet. Der fallende Körper ricochettirt gegen den entfernteren Pol oder, was dasselbe ist, gegen den Aequator.

6. Die Bahn eines senkrecht aufwärts geworfenen Körpers ist eine Curve vierten Grades, welche in unmittelbarer Nähe der Erdoberfläche in eine Parabel der dritten Ordnung übergeht. Sie ist gegen den nächsten Pol convex gekrümmt.

7. Der abwärts steigende Zweig dieser Bahn ist ebenfalls eine Curve vierten Grades, welche den Horizont unter einem sehr spitzen Winkel mit der Normalen schneidend dem nächsten Pole seine concave Seite zukehrt. Der geworfene Körper gelangt an einem dem Aequator näher gelegenen Orte wieder an und ricochettirt gegen den Aequator. Der absteigende Zweig ist mit dem aufsteigenden nicht congruent.

8. Die Bahn eines fallenden Körpers, abgesehen von der Aberration der Verticalen, wenn man nur seine Deviation nach Osten in Rechnung zieht, ist eine Neil'sche Parabel, deren Scheitel im Ausgangspunkte liegt und deren concave Seite gegen Osten gerichtet ist. Sie liegt in der durch die Verticale senkrecht zum Meridian gelegten Ebene. Der fallende Körper trifft den Horizont unter einem spitzen Winkel mit der Normalen und ricochettirt gegen Osten.

9. Die Bahn eines senkrecht aufwärts geworfenen Körpers ist eine Curve dritten Grades, deren concave Seite gegen Westen gekehrt ist. Der steigende Körper erreicht ein Maximum der Deviation gegen *W*.

10. Der absteigende Zweig dieser Bahn ist eine Curve dritten Grades, deren concave Seite gegen *O* gekehrt ist. Der fallende Körper erreicht ein absolutes Maximum der westlichen Deviation und kehrt dabei bis zu dem sub 9) angedeuteten Maximum der Deviation zurück. Die Totalabweichung ist aber eine westliche *im Gegensatz* zu 8) und der Körper ricochettirt gegen *O*.

11. Ein mit gleichförmiger Geschwindigkeit horizontal von S gegen N sich bewegender Körper durchläuft eine scheinbare Bahn, deren Gleichung die einer Apollonischen Parabel ist. Die Deviation ist eine östliche.

Es sollen obige Theoreme bewiesen werden.

Theorem I. Die Gleichung der Aberration der Verticalen ist bereits in der Einleitung angeführt, nämlich

$$\delta^2 = \frac{5}{3\lambda^4} R s,$$

wo $\lambda^2 = \frac{b^2 - a^2}{a^2}$, dem durch die Gradmessungen beobachteten und berechneten Werthe 0,00669, R der mittlere Erdhalbmesser = 6366785 Meter zu setzen ist.

Denkt man sich nämlich den Fusspunkt O (Taf. IV, Fig. 1) der Verticalen an einem Orte mittlerer Breite als Anfangspunkt der Coordinaten, die Verticale als z-Axe der Ordinaten, die Tangente des Meridians als y-Axe der Abscissen, die Tangente des Breitenkreises in O als x-Axe, so liegt die Linie der Aberration in der yz-Ebene. Die Grösse der Aberration für einen Punkt P ist offenbar*)

$$\frac{\partial y}{\partial z} = tan(\varphi - \varphi_0) = \frac{6\lambda^4 \delta}{5R},$$

wo δ die Verlängerung des *rad. vect.* R bis P, φ und φ_0 die Winkel bedeuten, welchen die Tangenten der Punkte P und O mit der Aequatorialaxe bilden. Der Winkel MPM' beträgt für die mittlere Breite ungefähr 11',5, mithin ist $\delta = z : cos\, 11',5 = s . 1,0000006$, so dass man $\delta = z$ setzen darf, also

$$\frac{\partial y}{\partial \delta} = \frac{6\lambda^4 \delta}{5R}.$$

Für die Oerter mittlerer Breite erreicht der Ausdruck $\frac{\partial y}{\delta . \partial \delta}$ ein Maximum. Es ist nämlich für $x : y = x_1 : y_1 = q$

$$tan\,\varphi_0 = (1 + \lambda^2) q, \quad tan\,\varphi_1 = \left\{ (1 + \lambda^2) + \frac{12\lambda^4 \delta}{5R} \right\} q,$$

also

$$\frac{\partial y}{\delta . \partial \delta} = \frac{\frac{12\lambda^4}{5R} q}{1 + (1 + \lambda^2)^2 q^2}, \quad \frac{\partial^2 y}{\delta . \partial \delta . \partial q} = \frac{12\lambda^4}{5R} . \frac{\{1 - (1 + \lambda^2)^2 q^2\}}{\{1 + (1 + \lambda^2)^2 q^2\}^2}.$$

Für ein Maximum ist folglich $q = 1 + \lambda^2$, also x nahezu gleich y. Durch Integration obiger Differentialgleichung erhält man

$$\delta^2 = \frac{5R}{3\lambda^4} y = \frac{5R}{3\lambda^4} s.$$

Die Gleichung ist gültig, so lange als das Verhältniss $s : \delta$ verschwindet gegen $\delta : R$, und so lange dies gleichfalls eine sehr kleine Grösse bleibt.

*) Vergl. Zeitschr. Bd. VII, S. 252.

Wir nehmen im Folgenden 100000 Meter als die äusserste Grenze von δ an, alsdann bleibt $\delta : R$ immer unter dem Werthe $1 : 63,67$, also klein genug, und $s : \delta$ unter $3\lambda^4 : (5.63,67) = 0,000000422$, welches wiederum gegen $\delta : R$ verschwindend klein ist. Die südliche Abweichung beträgt bei dieser Annahme $42,176^{mm}$ und $\frac{\partial s}{\partial \delta} = tan\, \varepsilon = tan\, 0^0 0' 0'', 18$.

Theorem II. Um die Curve des Gleichgewichts eines vom Punkte V (Taf. IV, Fig. 2) herabhängenden Fadens VPO zu bestimmen, nehmen wir den untersten Punkt zum Anfangspunkt der Coordinaten und erinnern uns, dass in der Nähe des Ortes O die Linie der Aberration überall als parallel angesehen werden kann. Die Gleichungen, welche die Bedingungen des Gleichgewichts für eine Seilcurve ausdrücken, sind:

$$d\left(T\frac{\partial y}{\partial s}\right) + Y\partial s = 0, \quad d\left(T\frac{\partial z}{\partial s}\right) + Z\partial s = 0.$$

Die Componenten Y und Z werden durch die Richtung der Verticalen (Schwerkraft) im Punkte P bestimmt. Seien für denselben Punkt ∂z und ∂y die Differentiale der Coordinaten der gesuchten Curve, ∂z und $\partial \eta$ die der Linie der Aberration, sowie ∂s und $\partial \sigma$ die zugehörigen Bogenelemente, so hat man, wenn μ das Gewicht der Längeneinheit des Fadens an der Erdoberfläche bedeutet, für den Punkt $(y z)$

$$Y = -\frac{\mu g' . \partial \eta}{g . d\sigma}, \quad Z = -\frac{\mu g' . \partial \zeta}{g . \partial \sigma} = -\frac{\mu g' . \partial z}{g . \partial \sigma},$$

wo g' und g die Schwerkräfte in P und O bezeichnen. Da aber diese sich wenig ändern und für kleine Werthe von z nahezu

$$g' : g = R^2 : (R + z)^2 = \left(1 - \frac{2z}{R}\right) : 1,$$

so wird es gestattet sein, $g' = g$ zu setzen. Weil ferner in der Nähe von P

$$\zeta^2 = c + \frac{5}{3\lambda^4} R \eta,$$

so ist wegen Congruenz dieser Curven c eine Constante, und

$$\partial \eta = \frac{6\lambda^4}{5R} \zeta \partial \zeta.$$

Ferner sind

$$\partial s = \partial z \sqrt{1 + \left(\frac{\partial y}{\partial z}\right)^2}, \quad \partial \sigma = \partial \zeta \sqrt{1 + \left(\frac{\partial \eta}{\partial \zeta}\right)^2}.$$

Setzt man diese Werthe in die Bedingungsgleichungen ein, so sind ihre Integrale

$$T\frac{\partial y}{\partial s} = \frac{6\lambda^4}{5R} \mu \int \frac{\sqrt{1 + \left(\frac{\partial y}{\partial z}\right)^2} . \zeta . \partial \zeta}{\sqrt{1 + \left(\frac{\partial \eta}{\partial \zeta}\right)^2}}$$

$$T\frac{\partial z}{\partial s}=\mu\int\frac{\sqrt{1+\left(\frac{\partial y}{\partial z}\right)^2}.\partial\zeta}{\sqrt{1+\left(\frac{\partial\eta}{\partial\zeta}\right)^2}}.$$

Nun ist die Cotangente des Punktes V offenbar kleiner, als die des Punktes F, und noch viel kleiner gegen die Cotangente eines beliebigen andern tiefer gelegenen Punktes P der Curve, also

$$\frac{\partial y}{\partial z}<\tan\varepsilon<\frac{6\lambda^4\delta_0}{R}\text{ oder } 0{,}000000843,$$

ebenso ist

$$\frac{\partial\eta}{\partial\zeta}=\frac{6\lambda^4\zeta}{5R}<\frac{\partial y}{\partial z},$$

also eine gegen 1 verschwindende Grösse. Hieraus folgen die einfachen Integrale

$$T\frac{\partial y}{\partial s}=\frac{6\lambda^4}{5R}\mu\int_0^z\zeta\partial\zeta=\frac{3\lambda^4\mu z^2}{5R},$$

$$T\frac{\partial z}{\partial s}=\mu\int_0^z\partial\zeta=\mu z.$$

Dividirt man beide Gleichungen, so erhält man

$$\frac{\partial y}{\partial z}=\frac{3\lambda^4}{5R}z,\text{ und } z^2=\frac{10R}{3\lambda^4}y+Const.$$

Da nun für $y=0$ auch $z=0$ werden soll, so ist die Constante Null und

$$z^2=\frac{10R}{3\lambda^4}y,$$

welche Gleichung eine Apollonische Parabel vom doppelten Parameter der Linie der Aberration vorstellt. Für $z=\delta_0=100000^{\text{m}}$ ist $y=21{,}088^{\text{mm}}$.

Theorem III. Denken wir uns den herabhängenden Faden von der Masse m und am untern Ende durch die Masse M gespannt, so wird die Richtungsänderung desselben eine andere Function von seiner Länge werden, und sich voraussichtlich bei zunehmendem M der Verticalen fort und fort nähern. Die Gleichgewichtsbedingungen sind

$$T\frac{\partial y}{\partial s}=\frac{3\lambda^4}{5R}\mu z^2,\quad T\frac{\partial z}{\partial s}=\mu z+M,$$

weil $\frac{\partial z}{\partial s}$ für $z=0$ in die Einheit, T aber in M übergeht.

Es ist also

$$\frac{\partial y}{\partial z}=\frac{3\lambda^4\mu z^2}{5R(\mu z+M)}=\frac{3\lambda^4z^2}{5R\left(z+\frac{M}{\mu}\right)}.$$

Das Integral dieser Gleichung ist

$$y=\frac{3\lambda^4}{10R}\left\{z^2-2\frac{M}{\mu}z+2\frac{M^2}{\mu^2}\log nat\frac{M+z\mu}{\mu}\right\}+Const,$$

und wenn der Einfachheit wegen $z=0$ für $y=0$ angenommen wird, so ist die Constante gleich $-\left(\frac{M}{\mu}\right)^2\log nat\left(\frac{M}{\mu}\right)$ und

$$y=\frac{3\lambda^4}{10R}\left\{z^2-2\frac{M}{\mu}z+2\left(\frac{M}{\mu}\right)^2\log nat\frac{M+z\mu}{M}\right\}.$$

Da innerhalb der Grenzen unserer Betrachtungen die Bogenlänge s und die Ordinate z als gleich angenommen werden können, so ist gemäss Voraussetzung $\mu\delta_0=m$, also $\mu=\frac{m}{\delta_0}$, und wenn dies substituirt wird

$$y=\frac{3\lambda^4}{10R}\left\{z^2-2\frac{M}{m}\delta_0 z+2\left(\frac{M}{m}\right)^2\log nat\frac{M+\frac{z}{\delta_0}m}{M}\right\}.$$

Stehen M und m in einem messbaren Verhältnisse zu einander, so wird für kleine z

$$y=\frac{\lambda^4 m z^3}{5R.M.\delta_0}\text{ (cubische Parabel).}$$

Dieselbe Gleichung erhält man, wenn überhaupt m gegen M verschwindet. Z. B. für $m=0$ oder $M=\infty$ wird $y=0$ (verticale Lage).

Theorem IV. Für einen in seinem Schwerpunkte aufgehängten, in der Ebene des Meridians liegenden, prismatischen Stab giebt es nur zwei Gleichgewichtslagen, die eine parallel zum Horizont, die andere mit einer geringen Ablenkung von der Normalen des Punktes O (Taf. IV, Fig. 3) gegen den nächsten Erdpol. Die Bedingung des Gleichgewichts des Stabes KL ist die, dass die Summen der statischen Momente gleich Null sind. Bezeichnet ω den Winkel der gesuchten Ablenkung, $\varphi-\varphi'$ die Aberration in P, so ist die Componente der Schwerkraft, welche in P normal gegen den Stab wirkt,

$$K=g.\frac{R^2}{(R+z)^2}\sin(\omega+\varphi-\varphi_0).$$

Berücksichtigt man, dass z gegen R verschwindet, so reducirt sich K auf den Ausdruck

$$K=g\left\{\omega+\varphi-\varphi_0-\frac{2\omega z}{R}\right\}.$$

Bildet man nun die Ausdrücke für die statischen Momente der beiden Hälften des Stabes, indem man für die Abstände auf den Stäben die entsprechenden Längen der Ordinaten z setzt, nämlich

$$\int_{\frac{\delta_0}{2}}^{\delta_0} g\left\{\omega+\varphi-\varphi_0-2\omega\frac{z}{R}\right\}\left(z-\frac{\delta_0}{2}\right)\partial z,$$

und

$$\int_0^{\frac{\delta_0}{2}} g\left\{\omega+\varphi-\varphi_0-2\,\omega\,\frac{z}{R}\right\}\left(\frac{\delta_0}{2}-z\right)\partial z,\quad \varphi-\varphi_0=\frac{6\,\lambda^4\,\delta}{5\,R}=\tan\varepsilon,$$

so erhält man die Bedingungsgleichung

$$\left(\frac{6\,\lambda^4}{5}-2\,\omega\right)\left\{\frac{5\,\delta_0^{\,3}-\delta_0^{\,3}}{48}\right\}=0,$$

also $\omega=\frac{3\,\lambda^4}{5}=\frac{R\tan\varepsilon}{2\,\delta_0}$.

Die Inclination des Stabes ist also unter derselben geographischen Breite von der Länge des Stabes unabhängig. Für die mittlere geographische Breite ist $\omega=5'',7$. Den Aufhängepunkt des Stabes, für welchen ω gleich Null wird, erhält man, wenn man in beiden Integralen statt δ_0 und $\frac{\delta_0}{2}$ die Grenzen δ_0 und l einführt, und dann ω gleich Null setzt. Die Bedingungsgleichung ist jetzt

$$\omega\left\{\frac{\delta_0^{\,2}-2\,l\,\delta_0}{2}\right\}+\left(\frac{6\,\lambda^4-10\,\omega}{5\,R}\right)\left\{\frac{\delta_0^{\,3}}{3}-\frac{l\,\delta_0^{\,2}}{2}\right\}=0,$$

also $l=\frac{2}{3}\,\delta_0$. Hieraus folgt, dass der Stab die vollkommen perpendiculäre Stellung einnimmt, wenn der Aufhängepunkt $\frac{1}{3}$ vom obern Ende entfernt ist. Rückt man denselben noch höher auf, so geht die nördliche Inclination des Stabes in eine südliche über, die ein neues Maximum erreicht. Wählt man das obere Ende dazu, so wird $l=\delta_0$ und die Bedingung des Gleichgewichts ist

$$\omega=-\frac{2\,\lambda^4\,\delta_0}{5\,R}=-\tfrac{1}{3}\tan\varepsilon=-0^0\,0'\,0'',06.$$

Der Sinn des negativen Vorzeichens ist klar genug. Es giebt zwei Grenzwerthe von ω, welche man aus der allgemeinen Gleichung des Gleichgewichts findet, indem man ω nach l differenzirt und den Differentialquotienten gleich Null oder ∞ setzt. Es ist nun

$$\frac{\partial\,\omega}{\partial\,l}=\frac{\omega-\frac{\delta_0}{R}\,\omega+\frac{3\lambda^4\,\delta_0}{5\,R}}{\frac{\delta_0}{2}+\frac{\delta_0\,l}{R}-\frac{2\,\delta_0^{\,2}}{3\,R}-l}.$$

Für den ersten Fall ist

$$\omega=-\frac{3\lambda^4\,\delta_0}{5\,R}=-0^0\,0'\,0'',09 \text{ (südlichste Inclination).}$$

Der entsprechende Werth von l ist $R:6$.

Für den zweiten Fall ist

$$\frac{\delta_0}{2}+\frac{\delta_0\,l}{R}-\frac{2\,\delta_0^{\,2}}{3\,R}-l=0,\qquad l=\frac{\delta_0}{2}.$$

Der entsprechende Werth von ω ist

$$\varphi=\tfrac{3}{5}\,\lambda^4=0^0\,0'\,5'',7 \text{ (nördlichste Inclination).}$$

Bei einem homogenen Erdellipsoid würde dieselbe $9'',0$ betragen.

Aus dem ersteren Werthe von l folgt die merkwürdige Thatsache, dass bei noch weiter wachsendem l die Inclination einen constanten Werth annimmt, und der Stab also sich parallel seiner Richtung gegen den Aequator inbewegen muss. Für denselben Grenzwerth von l ist die südliche Ablenng des untern Endes von dem Fusspunkt der Verticalen des Aufhängepunktes

$$LO = \frac{\lambda^4 \delta_0}{10} \text{ Meter} = 0{,}00669^2 . 10^4 \text{ Meter} = 448{,}9^{mm}.$$

Diese Lage des Stabes ist zugleich die Sehne, welche den obersten ie der Aberration mit ihrem Scheitel O verbindet.

V. Wir nohmen vorläufig den Fusspunkt O (Taf. IV, Fig. 4) n welcher die Bahn ihren Anfang hat, als Coordinatenanngspunkt an. n lfte $\frac{\partial^2 z}{\partial t^2}$ und $\frac{\partial^2 y}{\partial t^2}$, welche den Cos. n Wink e die Richtungen der Kräfte mit n Axen einschn 1,

$$\frac{\partial^2 z}{\partial t^2} = -2g \frac{\quad}{\sqrt{1+ \ldots}}, \quad \ldots = -2g \frac{\partial \eta}{\sqrt{1+\left(\frac{\partial \eta}{\partial \zeta}\right)^2}.\partial \zeta}.$$

Da aber $\left(\frac{\partial \eta}{\partial \zeta}\right)$ gegen die Einl verschwindend klein bleibt, so kann man den beiden Gleichungen eine einfachere Gestalt geben, nämlich

$$\frac{\partial^2 z}{\partial t^2} = -2g, \quad \frac{\partial^2 y}{\partial t^2} = -2g \frac{\partial \eta}{\partial \zeta} = -2g \frac{\partial \eta}{\partial z}.$$

Durch Integration erhält man

$$\frac{\partial z}{\partial t} = \sqrt{4g(\delta_0 - z)}, \quad z = \delta_0 - g t^2,$$

und weil $\frac{\partial \eta}{\partial z} = \frac{6 \lambda^4 z}{5R}$ ist, so ist noch

$$\frac{\partial y}{\partial t} = -2g \frac{6\lambda^4}{5R}\left(\delta_0 t - g \frac{t^3}{3}\right) + Const.$$

Die Constante wird gleich Null, wenn die Anfangsgeschwindigkeit Null ist. Unter dieser Annahme erhält man durch abermalige Integration

$$y = -g \frac{6\lambda^4}{5R}\left(\delta_0 t^2 - \frac{g}{6} t^4\right) + Const,$$

worin, der Voraussetzung gemäss, die Constante gleichfalls Null ist. Substituirt man den Werth von t aus z, so wird

$$z^2 + 4\delta_0 z - 5\delta_0^2 = \frac{5Ry}{\lambda^4}.$$

Hieraus ergiebt sich für $z=0$ der Werth der südlichen Deviation

$$y = -\lambda^4 \frac{\delta_0^2}{R} = 70{,}29^{mm}.$$

Der Körper erreicht also nicht völlig den Werth der Subtangente der

Aberrationslinie des obersten Punktes der Bahn, welche gefunden wird

$$y_1 = -\tfrac{6}{5}\frac{\lambda^4 \delta_0^2}{R} = 84{,}352^{mm}.$$

Da weiter

$$\frac{\partial z}{\partial y} = \frac{5R}{\lambda^4} : (2z + 4\delta_0),$$

so findet man den Winkel, unter welchem der Horizont in G getroffen wird, gleich

$$\operatorname{arctan}\frac{\partial z}{\partial y} = \frac{\pi}{2} - \frac{4\lambda^4\delta_0}{5R}.$$

Der Körper ricochettirt mithin gegen den Aequator. Der Ort des Scheitels der Parabel liegt unter dem Horizont und ergiebt sich aus der Relation

$$2z + 4\delta_0 = 0, \quad z = -2\delta_0 = -200000^m.$$

Für diese Ordinate ist $y = -\frac{9\lambda^4\delta_0^2}{5R}$. Substituirt man $z_1 - 2\delta_0$ statt z und y_1 statt $y - \frac{9\lambda^4\delta_0^2}{5R}$, so ist die Scheitelgleichung der Bahn

$$z_1^2 = \frac{5R}{\lambda^4} y_1.$$

Die Richtung der Bahn im Anfange der Bewegung ist

$$\frac{\partial z}{\partial y} = -\frac{5R}{6\lambda_4\delta_0} = \frac{\partial z}{\partial \eta},$$

also mit der Aberration gleich.

Theorem VI. Um die Bahn eines vertical aufwärts geworfenen Körpers (Taf. IV, Fig. 5) zu bestimmen, rechnen wir die positiven Abscissen gegen den Aequator hin vom Anfangspunkte aus. Ist a die Anfangsgeschwindigkeit, so sind die Gleichungen der Bewegung

$$\frac{\partial^2 z}{\partial t^2} = -2g, \quad z = at - gt^2,$$

$$\frac{\partial^2 y}{\partial t^2} = -2g\frac{\partial \eta}{\partial z} = -2g\frac{6\lambda^4}{5R}(at - gt^2),$$

$$\frac{\partial y}{\partial t} = -g\frac{6\lambda^4}{5R}\left(at^2 - \frac{2gt^3}{3}\right), \quad y = -\frac{g\lambda^4}{5R}(2at^3 - gt^4).$$

Durch Substitution von t aus z erhält man eine Curve vierten Grades. Es ist nämlich

$$\frac{z^2}{g} = \frac{a^2}{g}t^2 - 2at^3 + gt^4.$$

Addirt man hierzu

$$-\frac{5Ry}{g\lambda^4} = 2at^3 - gt^4,$$

so wird

$$z^2 = a^2t^2 + \frac{5R}{\lambda^4}y,$$

und

$$z = \sqrt{z^2 - \frac{5R}{\lambda^4} y} - \frac{g}{a^2}\left(z^2 - \frac{5R}{\lambda^4} y\right).$$

e Grenze (Werthes von a wird bestimmt durch $\sqrt{4g\delta_0}$. Hieraus und us $t_0 = \sqrt{\delta_0} . y$ findet man weiter die horizontale Geschwindigkeit im höchsten Punkte der Bahn

$$\frac{\partial y}{\partial t} = -g . \frac{6\lambda^4}{5R}(\tfrac{1}{3} a t^3) = -\frac{8\lambda^4}{5R}\delta_0\sqrt{\delta_0 g},$$

nd als das Maximum der südlichen Deviation

$$y_1 = -\frac{3\lambda^4}{5R}\delta_0^2 = -42{,}176^{mm}.$$

ine he von t ist

che Parabel).

e Bahn ist geg gekrümmt.

Theorem ue weig der Bahn wird gefunden, wenn t fortan vo e an gerechnet wird,

$$z = \delta_0 - g t^2,$$

$$\frac{\partial^2 y}{\partial t^2} = -2g\frac{6\lambda^4}{5R}(\delta_0 - \quad = -2g\frac{6\lambda^4}{5R}\left(\delta_0 t - \frac{g}{3}t^3\right) + Const.$$

Für $t=0$ ist aber, wie obe

$$\left(\frac{\partial y}{\partial t}\right)_0 = -\frac{8\lambda^4}{5R}\delta_0\sqrt{\delta_0 g},$$

also

$$\frac{\partial y}{\partial t} = -2g\frac{6\lambda^4}{5R}\left(\delta_0 t - \frac{g}{3}t^3\right) - \frac{8\lambda^4}{5R}\delta_0\sqrt{\delta_0 g},$$

und

$$y = -g\frac{6\lambda^4}{5R}\left(\delta_0 t^2 - \frac{g}{6}t^4\right) - \frac{8\lambda^4}{5R}\delta_0\sqrt{\delta_0 g}.t + Const.$$

Verlegt man den Coordinatenanfangspunkt von O nach O', so wird $y = y_1 + \frac{3\lambda^4\delta_0^2}{5R}$ und

$$y_1 = -g\frac{6\lambda^4}{5R}\left(\delta_0 t^2 - \frac{g}{6}t^4\right) - \frac{8\lambda^4}{5R}\delta_0\sqrt{\delta_0 g}.t.$$

Hieraus lässt sich t vermittelst der Beziehung $z = \delta_0 - g t^2$ eliminiren

$$\frac{5R}{\lambda^4} y = z^2 + 4\delta_0 z - 5\delta_0^2 - 8\delta_0\sqrt{\delta_0(\delta_0 - z)}.$$

Die Gleichung ist eine biquadratische und von der Bahncurve in V nur um das Glied $-8\delta_0\sqrt{\delta_0(\delta_0 - z)}$ verschieden. Man kann sie aus jener ableiten, wenn man annimmt, dass die Ordinatenaxe $O_1 Z_1$ mit der vom Körper im höchsten Punkte seiner Bahn erlangten Geschwindigkeit $\left(\frac{\partial y}{\partial t}\right)_0$ fortschreite. Nach der Zeit t ist dieser Fortschritt

$$\eta = \left(\frac{\partial y}{\partial t}\right)_0 t = -\frac{8\lambda^4}{5R}\delta_0\sqrt{\delta_0(\delta_0 - z)},$$

also

$$\frac{5R}{\lambda^4}\eta = -8\delta_0\sqrt{\delta_0(\delta_0-z)}.$$

Der absteigende Zweig der Bahn ist gegen den Aequator convex und ihr Scheitel unter dem Horizont gelegen. Denn für $\left(\frac{\partial y}{\partial z}\right)=0$ ist

$$2z+4\delta_0+4\frac{\delta_0^{\frac{3}{2}}}{\sqrt{\delta_0-z}}=0,\quad z=-3\delta_0=-300000^{m}.$$

Für $z=0$ ist $5Ry:\lambda^4=-13\delta_0^2$, also die südliche Abweichung O_1G gleich $-\frac{13\lambda^4}{5R}\delta_0^2$. Die Totalabweichung OG beträgt also

$$-\frac{13\lambda^4}{5R}\delta_0^2=-224{,}94^{mm}.$$

Um den Winkel zu finden, unter welchem der Körper den Horizont in G trifft, hat man

$$\frac{\partial y}{\partial z}=\frac{\lambda^4}{5R}\left(2z+4\delta_0+4\frac{\delta_0^{\frac{3}{2}}}{\sqrt{\delta_0-z}}\right),$$

also für $z=0$

$$arc\,cot\frac{\partial y}{\partial z}=\frac{\pi}{2}-\frac{8\lambda^4\delta_0}{5R}.$$

Der Körper ricochettirt mithin gegen den Aequator.

Theorem VIII. Bezeichnet w die Winkelgeschwindigkeit eines Ortes von der Breite φ in der Richtung der Verticalen, ω die Winkelgeschwindigkeit eines Punktes des Aequators, so ist $w=\omega\cos\varphi$. Nimmt man die Verticale des Anfangspunktes V der Bahn (Taf. IV, Fig. 6) zur Ordinatenaxe, die Horizontale derselben zur Abscissenaxe, so ist die Ordinate M die Fallhöhe und

$$s=wht\cos\varphi=\omega ht\cos\varphi^2,\quad h=gt^2,$$

mithin die scheinbare Bahn des Körpers bezogen auf die veränderliche Ordinatenaxe

$$h^3=\frac{g}{\omega^2\cos\varphi^4}.s^2 \text{ (Neil's Parabel)};$$

die Grösse s_1 oder OG der Abweichung eines fallenden Körpers vom Fusspunkte O der Verticalen beträgt für die Fallhöhe 100000^{m} an einem Orte mittlerer Breite

$$s_1=\delta_0\sqrt{\frac{\delta_0}{g}}.\frac{\pi}{86164}=521^{m}.$$

Den Winkel, unter welchem der Körper den Horizont trifft, findet man aus

$$\frac{\partial h}{\partial s}=\frac{2gs}{3\omega^2\cos\varphi^4h^2}=\frac{2h}{3s},$$

$$arc\tan\frac{\partial h}{\partial s}=\frac{\pi}{2}-\frac{3s}{2h};$$

der Körper ricochettirt mithin gegen Osten (bei grossen Höhen etwas süd-östlich).

Theorem IX. Der aufsteigende Zweig der scheinbaren Bahn (Taf. V, Fig. 7) eines vertical aufwärts geworfenen Körpers wird gefunden aus den Relationen

$$x = \omega \cos \varphi^2 . tz, \quad z = at - gt^2 = \sqrt{4g\delta_0} . t - gt^2,$$

wo δ_0 die höchste Steigung bezeichnet. Eliminirt man t, so wird

$$z^2 - \frac{\sqrt{4g\delta_0}}{\omega \cos \varphi^2} zx + \frac{g}{\omega^2 \cos \varphi^4} x^2 = 0.$$

Für kleine x geht diese Gleichung der Bahn über in die einer Parabel

$$z^2 = \frac{\sqrt{4g\delta_0}}{\omega \cos \varphi^2} x.$$

Ferner findet man leicht

$$\tan \tau = \frac{\partial z}{\partial x} = \frac{\sqrt{4g\delta_0} . \omega \cos \varphi^2 z - 2gx}{2\omega^2 \cos \varphi^4 z^2 - \sqrt{4g\delta_0} . \omega \cos \varphi^2 x},$$

also für das *max.* oder *min.* von $\tan \tau$

$$0 = \omega \cos \varphi^2 \sqrt{4g\delta_0}\, z - 2gx.$$

Wenn man hieraus x bestimmt und in die Gleichung der Bahn einsetzt, so wird

$$z^3 - \delta_0 z^2 = 0,$$

mithin ein *max.* für $z=0$, ein *min.* für $z=\delta_0$. Im letzteren Falle erhält man die grösste westliche Deviation, nämlich

$$x_0 = \omega \cos \varphi^2 \sqrt{\frac{\delta_0}{g}} . \delta_0 = 521^m.$$

Die Zeit des Aufsteigens ist $t_0 = \sqrt{\delta_0 : g}$ oder ungefähr 2′21″,4. Differenzirt ma x nach t, so erhält man die scheinbare horizontale Geschwindigkeit des Körpers im höchsten Punkte V seiner Bahn, nämlich

$$\frac{\partial x}{\partial t} = \omega \cos \varphi^2 \left(\delta_0 + t \frac{\partial z}{\partial t}\right) = \omega . \cos \varphi^2 . \delta_0 = 3{,}64^m,$$

indem $\frac{\partial z}{\partial t}$ an dieser Stelle gleich Null wird.

Theorem X. Von dem Wendepunkte V der Bahn (Taf. IV, Fig. 7) an gerechnet, ist nun offenbar

$$x = \omega \cos \varphi^2 \{\delta_0 t_0 + z(t - t_0)\},$$

und

$$\delta_0 - z = g(t - t_0)^2, \quad t - t_0 = \sqrt{\frac{\delta_0 - z}{g}}.$$

Snbstituirt man diesen Werth in die Bahngleichung, so wird

$$x = \omega \cos \varphi^2 \left\{\delta_0 t_0 + z\sqrt{\frac{\delta_0 - z}{g}}\right\},$$

und wenn man $x - x_0 = x_1$ setzt

$$z^3 - \delta_0 z^2 + g \frac{x_1^2}{\omega^2 \cos \varphi^4} = 0.$$

Für $z=0$ und δ_0 wird $x_t=0$, d. h. der Körper erreicht am Fusspunkte der Normalen des Gipfelpunktes V der scheinbaren Bahn wieder den Erdboden. Seine gesammte Deviation ist also westlich, sie beträgt ebenfalls 521^m. Es giebt aber zwischen $z=0$ und $z=\delta_0$ ein *max.* der Deviation gegen W und wird gefunden, wenn man $\frac{\partial x}{\partial z}=0$ setzt, oder

$$0=\frac{2\,\delta_0 z-3z^2}{2gx_1}\,\omega^2\cos\varphi^4,$$

also $z_{,,}=\frac{2}{3}\delta_0$, während die Deviation x selbst beträgt

$$x=x_0+x_{,,}=\omega\cos\varphi^2\sqrt{\frac{\delta_0}{g}}\,\delta_0\left(1+\sqrt{\tfrac{4}{27}}\right)=719^m.$$

Der Winkel, unter welchem der Körper in G aufschlägt, wird gefunden aus

$$\frac{\partial z}{\partial x}=\frac{2gx_1}{(2\delta_0 z-3z^2)\,\omega^2\cos\varphi^4}=\frac{2\sqrt{g}\sqrt{\delta_0-z}\,.\,\omega\cos\varphi^2}{2\delta_0-3z},$$

welcher Ausdruck für $z=0$ die Form $\sqrt{\frac{\delta_0}{g}}:\omega\cos\varphi^2$ annimmt. Mithin ist

$$arc\tan\frac{\partial z}{\partial x}=\frac{\pi}{2}-\frac{\omega\cos\varphi^2}{\sqrt{\delta_0:g}}.$$

Der Körper ricochettirt folglich gegen Osten.

Da ferner $\frac{\partial z}{\partial x}$ für $\omega=0$ oder $\varphi=\frac{\pi}{2}$ gleich ∞ wird, so folgt hieraus, dass in beiden Fällen, also am Pole stets und am Aequator aus in diesem speciellen Falle die scheinbare Bahn eine Gerade ist. Das Hauptmaximum der Deviation befindet sich über dem Aequator und zwar westlich 1438 Meter für $\delta_0=100000$ Meter.

Theorem XI. Seien die Tangente NS des Meridians des Ortes O (Taf. IV, Fig. 8), sowie die Tangente WO des Breitenkreises die Coordinatenaxen der Horizontalprojection der scheinbaren Bahn OG. Nehmen wir ferner an, die Breite des Punktes O betrage φ_0, die irgend eines andern Punktes der Bahn φ, so ist offenbar

$$y=vt,\quad x=\omega r t(\cos\varphi_0-\cos\varphi)=2\omega r t\sin\left(\frac{\varphi_0+\varphi}{2}\right)\sin\left(\frac{\varphi-\varphi_0}{2}\right).$$

Da man aber wegen der sehr kleinen Grösse $\varphi-\varphi_0$ für den Sinus den Bogen selbst setzen darf, sowie für $\sin\left(\frac{\varphi_0-\varphi}{2}\right)$ den Werth $\sin\varphi_0$, so geht die zweite Gleichung über in

$$x=\omega r t\sin\varphi_0\,\frac{y}{r}=\omega t\sin\varphi_0\,y,$$

und wenn man t eliminirt

$$x=\frac{\omega\sin\varphi_0}{v}\,y^2,\quad y^2=\frac{v}{\omega\sin\varphi_0}\,x.$$

Um die Ideen zu fixiren seien für eine Geschützkugel $v=1000^m$ und $y=8000^m$, so würde betragen

$$x=\frac{8000^2\sqrt{\frac{1}{2}}.2\pi}{1000.86164}=3,30^m,$$

eine Grösse der Deviation, die sich der Beobachtung kaum entziehen dürfte.

XXX. Ueber ein geometrisches Theorem von Jacobi.

In Crelle's Journal (t. XII, p. 139) hat Jacobi folgenden Satz aufgestellt:

> Sind die Distanzen eines Punktes π von drei festen Punkten ω, ω', ω'' respective gleich den Distanzen eines Punktes p von drei festen Punkten o, o', o'', bewegt sich der Punkt π in einer Ebene, so beschreibt der Punkt p eine Fläche zweiten Grades.

Unter Voraussetzung eines orthogonalen Coordinatensystems seien ξ, η, ζ und x, y, z die Coordinaten der beiden Punkte π und p; ferner α, β, γ; α', β', γ'; α'', β'', γ'' die Coordinaten der drei festen Punkte ω, ω', ω''; endlich a, b, c; a', b', c'; a'', b'', c'' die Coordinaten der drei festen Punkte o, o', o''.

Die Bedingungen $\omega\pi=op$, $\omega'\pi=o'p$, $\omega''\pi=o''p$ geben:

$$1)\quad\begin{cases}(\xi-\alpha\ )^2+(\eta-\beta\ )^2+(\zeta-\gamma\ )^2=(x-a\ )^2+(y-b\ )^2+(z-c\ )^2,\\(\xi-\alpha'\ )^2+(\eta-\beta'\ )^2+(\zeta-\gamma'\ )^2=(x-a'\ )^2+(y-b'\ )^2+(z-c'\ )^2,\\(\xi-\alpha'')^2+(\eta-\beta'')^2+(\zeta-\gamma'')^2=(x-a'')^2+(y-b'')^2+(z-c'')^2.\end{cases}$$

Setzt man:

$$3)\qquad \xi\cos\lambda+\eta\cos\mu+\zeta\cos\nu=\varepsilon,$$

wo λ, μ, ν, ε Constanten sind, so drückt diese Gleichung aus, dass der Punkt π in einer festen Ebene liegt.

Zur Abkürzung werde gesetzt:

$$3)\quad\begin{cases}(x-a\ )^2+(y-b\ )^2+(z-c\ )^2=r\ ,\\(x-a'\ )^2+(y-b'\ )^2+(z-c'\ )^2=r'\ ,\\(x-a'')^2+(y-b'')^2+(z-c'')^2=r''.\end{cases}$$

$$4)\quad\begin{cases}(\alpha'-\alpha'')^2+(\beta'-\beta'')^2+(\gamma'-\gamma'')^2=\delta\ ,\\(\alpha\ -\alpha'')^2+(\beta\ -\beta'')^2+(\gamma\ -\gamma'')^2=\delta'\ ,\\(\alpha\ -\alpha'\ )^2+(\beta\ -\beta'\ )^2+(\gamma\ -\gamma'\ )^2=\delta''.\end{cases}$$

$$5)\quad\begin{cases}\alpha\ \cos\lambda+\beta\ \cos\mu+\gamma\ \cos\nu-\varepsilon=\varrho\ ,\\\alpha'\ \cos\lambda+\beta'\ \cos\mu+\gamma'\ \cos\nu-\varepsilon=\varrho'\ ,\\\alpha''\cos\lambda+\beta''\cos\mu+\gamma''\cos\nu-\varepsilon=\varrho''.\end{cases}$$

Mittelst der Gleichungen 1), 3) und 4) folgt:

$$\begin{aligned}&2(\alpha-\xi)(\alpha'-\xi)+2(\beta-\eta)(\beta'-\eta)+2(\gamma-\zeta)(\gamma'-\zeta)=\\&(\xi-\alpha)^2+(\eta-\beta)^2+(\zeta-\gamma)^2+(\xi-\alpha')^2+(\eta-\beta')^2+(\zeta-\gamma')^2\\&-\{(\alpha'-\alpha)^2+(\beta'-\beta)^2+(\gamma'-\gamma)^2\}=r+r'-\delta''.\end{aligned}$$

Auf ähnliche Weise ergeben sich die folgenden Gleichungen:

$$6)\quad \begin{cases} (\alpha-\xi)(\alpha'-\xi)+(\beta-\eta)(\beta'-\eta)+(\gamma-\zeta)(\gamma'-\zeta)=\frac{1}{2}(r+r'-\delta''), \\ (\alpha-\xi)(\alpha''-\xi)+(\beta-\eta)(\beta''-\eta)+(\gamma-\zeta)(\gamma''-\zeta)=\frac{1}{2}(r+r''-\delta'), \\ (\alpha'-\xi)(\alpha''-\xi)+(\beta'-\eta)(\beta''-\eta)+(\gamma'-\zeta)(\gamma''-\zeta)=\frac{1}{2}(r'+r''-\delta). \end{cases}$$

Aus den Gleichungen 2) und 5) folgt:

$$7)\quad \begin{cases} (\alpha-\xi)\cos\lambda+(\beta-\eta)\cos\mu+(\gamma-\zeta)\cos\nu=\varrho, \\ (\alpha'-\xi)\cos\lambda+(\beta'-\eta)\cos\mu+(\gamma'-\zeta)\cos\nu=\varrho', \\ (\alpha''-\xi)\cos\lambda+(\beta''-\eta)\cos\mu+(\gamma''-\zeta)\cos\nu=\varrho''. \end{cases}$$

Die Elimination von ξ, η, ζ zwischen den Gleichungen 1) und 2) lässt sich leicht mittelst der folgenden Determinante ausführen:

$$8)\quad \Delta=\begin{vmatrix} \alpha, & \beta, & \gamma, & 1 \\ \alpha', & \beta', & \gamma', & 1 \\ \alpha'', & \beta'', & \gamma'', & 1 \\ \cos\lambda, & \cos\mu, & \cos\nu, & 0 \end{vmatrix}.$$

Es ist nun auch:

$$\Delta=\begin{vmatrix} \alpha-\xi, & \beta-\eta, & \gamma-\zeta, & 1 \\ \alpha'-\xi, & \beta'-\eta, & \gamma'-\zeta, & 1 \\ \alpha''-\xi, & \beta''-\eta, & \gamma''-\zeta, & 1 \\ \cos\lambda, & \cos\mu, & \cos\nu, & 0 \end{vmatrix}.$$

Diese Gleichung quadrirt giebt, mit Rücksicht auf 1), 3), 6) und 7):

$$\Delta^2=\begin{vmatrix} 1+r, & 1+\frac{1}{2}(r+r'-\delta''), & 1+\frac{1}{2}(r+r''-\delta'), & \varrho \\ 1+\frac{1}{2}(r+r'-\delta''), & 1+r', & 1+\frac{1}{2}(r'+r''-\delta), & \varrho' \\ 1+\frac{1}{2}(r+r''-\delta'), & 1+\frac{1}{2}(r'+r''-\delta), & 1+r'', & \varrho'' \\ \varrho, & \varrho', & \varrho'', & 1 \end{vmatrix}.$$

Zieht man in der Determinante auf der rechten Seite der vorstehenden Gleichung die Elemente der ersten Verticalreihe von den Elementen der zweiten und dritten Verticalreihe ab, so folgt:

$$\Delta^2=\begin{vmatrix} 1+r, & \frac{1}{2}(r'-r-\delta''), & \frac{1}{2}(r''-r-\delta'), & \varrho \\ 1+\frac{1}{2}(r+r'-\delta''), & \frac{1}{2}(r'-r+\delta''), & \frac{1}{2}(r''-r-\delta+\delta''), & \varrho' \\ 1+\frac{1}{2}(r+r''-\delta'), & \frac{1}{2}(r'-r-\delta+\delta'), & \frac{1}{2}(r''-r+\delta'), & \varrho'' \\ \varrho, & \varrho'-\varrho, & \varrho''-\varrho, & 1 \end{vmatrix}.$$

Zieht man in der rechts stehenden Determinante die Elemente der ersten Horizontalreihe von den Elementen der zweiten und dritten Horizontalreihe ab, so erhält man:

$$9)\quad \Delta^2=\begin{vmatrix} 1+r, & \frac{1}{2}(r'-r-\delta''), & \frac{1}{2}(r''-r-\delta'), & \varrho \\ \frac{1}{2}(r'-r-\delta''), & \delta'', & \frac{1}{2}(\delta'+\delta''-\delta), & \varrho'-\varrho \\ \frac{1}{2}(r''-r-\delta'), & \frac{1}{2}(\delta'+\delta''-\delta), & \delta, & \varrho''-\varrho \\ \varrho, & \varrho'-\varrho, & \varrho''-\varrho & 1 \end{vmatrix}.$$

Zieht man in der Determinante der Gleichung 8) die Elemente der ersten Horizontalreihe von denen der zweiten und dritten ab, so folgt:

$$\Delta=\begin{vmatrix} \alpha'-\alpha, & \beta'-\beta, & \gamma'-\gamma \\ \alpha''-\alpha, & \beta''-\beta, & \gamma''-\gamma \\ \cos\lambda, & \cos\mu, & \cos\nu \end{vmatrix}.$$

Diese Gleichung quadrirt, giebt, mit Rücksicht auf 4) und 5)

$$10)\qquad \Delta^2 = \begin{vmatrix} \delta'', & \frac{1}{2}(\delta' + \delta'' - \delta), & \varrho' - \varrho \\ \frac{1}{2}(\delta' + \delta'' - \delta), & \delta, & \varrho'' - \varrho \\ \varrho' - \varrho, & \varrho'' - \varrho, & 1 \end{vmatrix}.$$

Zerlegt man die Determinante in 9) in partielle Determinanten, welche die Elemente der ersten Horizontalreihe zu Factoren haben, so ist nach 10) der Factor von $1 + r$ gleich Δ^2, die Gleichung 9) wird hierdurch einfacher:

$$\begin{vmatrix} r, & \frac{1}{2}(r' - r - \delta''), & \frac{1}{2}(r'' - r - \delta'), & \varrho, \\ \frac{1}{2}(r' - r - \delta''), & \delta'', & \frac{1}{2}(\delta' + \delta'' - \delta), & \varrho' - \varrho, \\ \frac{1}{2}(r'' - r - \delta'), & \frac{1}{2}(\delta' + \delta'' - \delta), & \delta, & \varrho'' - \varrho, \\ \varrho, & \varrho' - \varrho, & \varrho'' - \varrho, & 1, \end{vmatrix} = 0,$$

oder entwickelt:

$$\begin{aligned} &\delta(r - r')(r - r'') + \delta'(r' - r)(r' - r'') + \delta''(r'' - r)(r'' - r') + \delta\delta'\delta'' \\ &+ r\delta(+\delta + \delta' + \delta'') + r'\delta'(-\delta + \delta' - \delta'') + r''\delta''(-\delta - \delta' + \delta'') \\ &- \{\varrho''(r - r') + \varrho'(r'' - r) + \varrho(r' - r'')\}^2 \\ 11)\quad &+ 2r\,\{\delta(2\varrho'\varrho'' - \varrho\varrho' - \varrho\varrho'') + \delta'\varrho'(\varrho' - \varrho'') + \delta''\varrho''(\varrho'' - \varrho')\} \\ &+ 2r'\,\{\delta\varrho(\varrho - \varrho'') + \delta'(2\varrho\varrho'' - \varrho'\varrho - \varrho'\varrho'') + \delta''\varrho''(\varrho'' - \varrho)\} \\ &+ 2r''\{\delta\varrho(\varrho - \varrho') + \delta'\varrho'(\varrho' - \varrho) + \delta''(2\varrho\varrho' - \varrho''\varrho - \varrho''\varrho')\} = \\ &(\delta\varrho)^2 + (\delta'\varrho')^2 + (\delta''\varrho'')^2 - 2\delta'\varrho'\delta''\varrho'' - 2\delta\varrho\delta''\varrho'' - 2\delta\varrho\delta'\varrho'. \end{aligned}$$

Die vorstehende Gleichung enthält das Resultat der Elimination von ξ, η, ζ zwischen den Gleichungen 1) und 2). Mit Rücksicht auf die Gleichungen 3) ist unmittelbar ersichtlich, dass die Gleichung 11) in Beziehung auf x, y, z vom zweiten Grade ist.

Bezeichnet man die linke Seite der Gleichung 11) durch $f(r, r', r'')$, so finden folgende Gleichungen statt:

$$12)\qquad \frac{\partial f}{\partial r} + \frac{\partial f}{\partial r'} + \frac{\partial f}{\partial r''} = M,$$

$$13)\ \begin{cases} \dfrac{\partial^2 f}{\partial r^2}\dfrac{\partial^2 f}{\partial r'^2} - \left(\dfrac{\partial^2 f}{\partial r\,\partial r'}\right)^2 = \dfrac{\partial^2 f}{\partial r^2}\dfrac{\partial^2 f}{\partial r''^2} - \left(\dfrac{\partial^2 f}{\partial r\,\partial r''}\right)^2 = \dfrac{\partial^2 f}{\partial r'^2}\dfrac{\partial^2 f}{\partial r''^2} - \left(\dfrac{\partial^2 f}{\partial r'\,\partial r''}\right)^2 = \\ \dfrac{\partial^2 f}{\partial r\,\partial r'}\dfrac{\partial^2 f}{\partial r\,\partial r''} - \dfrac{\partial^2 f}{\partial r^2}\dfrac{\partial^2 f}{\partial r\,\partial r''} = \dfrac{\partial^2 f}{\partial r\,\partial r'}\dfrac{\partial^2 f}{\partial r'\,\partial r''} - \dfrac{\partial^2 f}{\partial r'^2}\dfrac{\partial^2 f}{\partial r\,\partial r''} = \\ \dfrac{\partial^2 f}{\partial r\,\partial r''}\dfrac{\partial^2 f}{\partial r'\,\partial r''} - \dfrac{\partial^2 f}{\partial r''^2}\dfrac{\partial^2 f}{\partial r\,\partial r'} = -M, \end{cases}$$

wo:

$$\begin{aligned} 14)\qquad M = {} & \delta^2 + \delta'^2 + \delta''^2 - 2\delta\delta' - 2\delta\delta'' - 2\delta'\delta'' \\ & + 4\{\delta(\varrho - \varrho')(\varrho - \varrho'') + \delta'(\varrho' - \varrho)(\varrho'' - \varrho) + \delta''(\varrho'' - \varrho)(\varrho'' - \varrho')\}. \end{aligned}$$

Aus der Gleichung 12) oder aus den Gleichungen 13) ergiebt sich unmittelbar die folgende:

$$15)\qquad \begin{vmatrix} \dfrac{\partial^2 f}{\partial r^2}, & \dfrac{\partial^2 f}{\partial r\,\partial r'}, & \dfrac{\partial^2 f}{\partial r\,\partial r''} \\ \dfrac{\partial^2 f}{\partial r\,\partial r'}, & \dfrac{\partial^2 f}{\partial r'^2}, & \dfrac{\partial^2 f}{\partial r'\,\partial r''} \\ \dfrac{\partial^2 f}{\partial r\,\partial r''}, & \dfrac{\partial^2 f}{\partial r'\,\partial r''}, & \dfrac{\partial^2 f}{\partial r''^2} \end{vmatrix} = 0.$$

Mit Rücksicht auf die Gleichung 14) findet man:

$$\frac{\partial^2 f}{\partial x^2} = \frac{\partial^2 f}{\partial r^2}\left(\frac{\partial r}{\partial x}\right)^2 + \frac{\partial^2 f}{\partial r'^2}\left(\frac{\partial r'}{\partial x}\right)^2 + \frac{\partial^2 f}{\partial r''^2}\left(\frac{\partial r''}{\partial x}\right)^2 + 2\frac{\partial^2 f}{\partial r\,\partial r'}\frac{\partial r}{\partial x}\frac{\partial r'}{\partial x}$$

$$+ 2\frac{\partial^2 f}{\partial r\,\partial r''}\frac{\partial r}{\partial x}\frac{\partial r''}{\partial x} + 2\frac{\partial^2 f}{\partial r'\,\partial r''}\frac{\partial r'}{\partial x}\frac{\partial r''}{\partial x} + 2M,$$

$$\frac{\partial^2 f}{\partial x\,\partial y} = \frac{\partial^2 f}{\partial r^2}\frac{\partial r}{\partial x}\frac{\partial r}{\partial y} + \frac{\partial^2 f}{\partial r'^2}\frac{\partial r'}{\partial x}\frac{\partial r'}{\partial y} + \frac{\partial^2 f}{\partial r''^2}\frac{\partial r''}{\partial x}\frac{\partial r''}{\partial y} +$$

$$\frac{\partial^2 f}{\partial r\,\partial r'}\left(\frac{\partial r}{\partial x}\frac{\partial r'}{\partial y} + \frac{\partial r'}{\partial x}\frac{\partial r}{\partial y}\right) + \frac{\partial^2 f}{\partial r\,\partial r''}\left(\frac{\partial r}{\partial x}\frac{\partial r''}{\partial y} + \frac{\partial f}{\partial y}\frac{\partial r''}{\partial x}\right) +$$

$$\frac{\partial^2 f}{\partial r'\,\partial r''}\left(\frac{\partial r'}{\partial x}\frac{\partial r''}{\partial y} + \frac{\partial r'}{\partial y}\frac{\partial r''}{\partial x}\right).$$

Mittelst der vorstehenden Gleichungen und einiger analogen folgt, unter Zuziehung der Gleichungen 13):

$$16)\quad \frac{\partial^2 f}{\partial x^2}\frac{\partial^2 f}{\partial y^2} - \left(\frac{\partial^2 f}{\partial x\,\partial y}\right)^2 + \frac{\partial^2 f}{\partial x^2}\frac{\partial^2 f}{\partial z^2} - \left(\frac{\partial^2 f}{\partial x\,\partial z}\right)^2 + \frac{\partial^2 f}{\partial y^2}\frac{\partial^2 f}{\partial z^2} - \left(\frac{\partial^2 f}{\partial y\,\partial z}\right)^2 =$$

$$-M\{g'g'' - h^2 + gg'' - h'^2 + gg' - h''^2 + 2(hh' - g''h'') + 2(hh'' - g'h') + 2(h'h'' - gh)\}$$

$$+ 4M\left\{g\frac{\partial^2 f}{\partial r^2} + g'\frac{\partial^2 f}{\partial r'^2} + g''\frac{\partial^2 f}{\partial r''^2} + 2h''\frac{\partial^2 f}{\partial r\,\partial r'} + 2h'\frac{\partial^2 f}{\partial r\,\partial r''} + 2h\frac{\partial^2 f}{\partial r'\,\partial r''}\right\}$$

$$+ 12M^2.$$

In der vorstehenden Gleichung ist zur Abkürzung gesetzt:

$$17)\quad \begin{aligned} g &= \left(\frac{\partial r}{\partial x}\right)^2 + \left(\frac{\partial r}{\partial y}\right)^2 + \left(\frac{\partial r}{\partial z}\right)^2, & h &= \frac{\partial r'}{\partial x}\frac{\partial r''}{\partial x} + \frac{\partial r'}{\partial y}\frac{\partial r''}{\partial y} + \frac{\partial r'}{\partial z}\frac{\partial r''}{\partial z}, \\ g' &= \left(\frac{\partial r'}{\partial x}\right)^2 + \left(\frac{\partial r'}{\partial y}\right)^2 + \left(\frac{\partial r'}{\partial z}\right)^2, & h' &= \frac{\partial r}{\partial x}\frac{\partial r''}{\partial x} + \frac{\partial r}{\partial y}\frac{\partial r''}{\partial y} + \frac{\partial r}{\partial z}\frac{\partial r''}{\partial z}, \\ g'' &= \left(\frac{\partial r''}{\partial x}\right)^2 + \left(\frac{\partial r''}{\partial y}\right)^2 + \left(\frac{\partial r''}{\partial z}\right)^2, & h'' &= \frac{\partial r}{\partial x}\frac{\partial r'}{\partial x} + \frac{\partial r}{\partial y}\frac{\partial r'}{\partial y} + \frac{\partial r}{\partial z}\frac{\partial r'}{\partial z}. \end{aligned}$$

Setzt man:

$$18)\quad \begin{aligned} &(a-a')^2 + (b-b')^2 + (c-c')^2 = p'', \quad (a-a'')^2 + (b-b'')^2 + (c-c'')^2 = p', \\ &(a'-a'')^2 + (b'-b'')^2 + (c'-c'')^2 = p, \end{aligned}$$

so geben die Gleichungen 17):

$$\begin{aligned} g &= 4r, & h'' &= 2(r + r' - p''), \\ g' &= 4r', & h' &= 2(r + r'' - p'), \\ g'' &= 4r'', & h &= 2(r' + r'' - p). \end{aligned}$$

Die Gleichung 16) geht hierdurch über in:

$$19)\quad \tfrac{1}{4}\left\{\frac{\partial^2 f}{\partial x^2}\frac{\partial^2 f}{\partial y^2} - \left(\frac{\partial^2 f}{\partial x\,\partial y}\right)^2 + \frac{\partial^2 f}{\partial x^2}\frac{\partial^2 f}{\partial z^2} - \left(\frac{\partial^2 f}{\partial x\,\partial z}\right)^2 + \frac{\partial^2 f}{\partial y^2}\frac{\partial^2 f}{\partial z^2} - \left(\frac{\partial^2 f}{\partial y\,\partial z}\right)^2\right\} =$$

$$M\{p^2 + p'^2 + p''^2 - 2pp' - 2pp'' - 2p'p''\}$$

$$+ 4M\{p(\delta' + \delta'' - \delta) + p'(\delta + \delta'' - \delta') + p''(\delta + \delta' - \delta'')\}$$

$$-8\{p(\varrho - \varrho')(\varrho - \varrho'') + p'(\varrho' - \varrho)(\varrho' - \varrho'') + p''(\varrho'' - \varrho)(\varrho'' - \varrho')\}M$$

$$+ 3M^2.$$

Analog folgt:

$$20)\qquad \tfrac{1}{2}\left(\frac{\partial^2 f}{\partial x^2}+\frac{\partial^2 f}{\partial y^2}+\frac{\partial^2 f}{\partial z^2}\right)=$$
$$2\{p(\delta'+\delta''-\delta)+p'(\delta+\delta''-\delta')+p''(\delta+\delta'-\delta'')\}$$
$$-4\{p(\varrho-\varrho')(\varrho-\varrho'')+p'(\varrho'-\varrho)(\varrho'-\varrho'')+p''(\varrho''-\varrho)(\varrho''-\varrho')\}$$
$$+3M.$$

Multiplicirt man die Gleichung 15) mit der Determinante:

$$21)\qquad \begin{vmatrix} \frac{\partial r}{\partial x}, & \frac{\partial r'}{\partial x}, & \frac{\partial r''}{\partial x} \\ \frac{\partial r}{\partial y}, & \frac{\partial r'}{\partial y}, & \frac{\partial r''}{\partial y} \\ \frac{\partial r}{\partial z}, & \frac{\partial r'}{\partial z}, & \frac{\partial r''}{\partial z} \end{vmatrix}$$

die so erhaltene Gleichung noch einmal mit der Determinante 21), so folgt:

$$\begin{vmatrix} \tfrac{1}{2}\frac{\partial^2 f}{\partial x^2}-M, & \tfrac{1}{2}\frac{\partial^2 f}{\partial x\,\partial y}, & \tfrac{1}{2}\frac{\partial^2 f}{\partial x\,\partial z} \\ \tfrac{1}{2}\frac{\partial^2 f}{\partial x\,\partial y}, & \tfrac{1}{2}\frac{\partial^2 f}{\partial y^2}-M, & \tfrac{1}{2}\frac{\partial^2 f}{\partial y\,\partial z} \\ \tfrac{1}{2}\frac{\partial^2 f}{\partial x\,\partial z}, & \tfrac{1}{2}\frac{\partial^2 f}{\partial y\,\partial z}, & \tfrac{1}{2}\frac{\partial^2 f}{\partial z^2}-M \end{vmatrix}=0.$$

Diese Gleichung in Verbindung mit 19) und 20) giebt:

$$\begin{vmatrix} \frac{\partial^2 f}{\partial x^2}, & \frac{\partial^2 f}{\partial x\,\partial y}, & \frac{\partial^2 f}{\partial x\,\partial z} \\ \frac{\partial^2 f}{\partial x\,\partial y}, & \frac{\partial^2 f}{\partial y^2}, & \frac{\partial^2 f}{\partial y\,\partial z} \\ \frac{\partial^2 f}{\partial x\,\partial z}, & \frac{\partial^2 f}{\partial y\,\partial z}, & \frac{\partial^2 f}{\partial z^2} \end{vmatrix}\frac{1}{8M^2}=$$
$$p^2+p'^2+p''^2-2pp'-2pp''-2p'p''+2p(\delta'+\delta''-\delta)$$
$$+2p'(\delta+\delta''-\delta')+2p''(\delta+\delta'-\delta'')$$
$$-4\{p(\varrho-\varrho')(\varrho-\varrho'')+p'(\varrho'-\varrho'')(\varrho'-\varrho)+p''(\varrho''-\varrho)(\varrho''-\varrho')\}$$
$$+M.$$

Substituirt man hierin für M seinen Werth aus 14), so folgt:

$$\begin{vmatrix} \frac{\partial^2 f}{\partial x^2}, & \frac{\partial^2 f}{\partial x\,\partial y}, & \frac{\partial^2 f}{\partial x\,\partial z} \\ \frac{\partial^2 f}{\partial x\,\partial y}, & \frac{\partial^2 f}{\partial y^2}, & \frac{\partial^2 f}{\partial y\,\partial z} \\ \frac{\partial^2 f}{\partial x\,\partial z}, & \frac{\partial^2 f}{\partial y\,\partial z}, & \frac{\partial^2 f}{\partial z^2} \end{vmatrix}\frac{1}{8M^2}=$$
$$(p-\delta)^2+(p'-\delta')^2+(p''-\delta'')^2+2(p-\delta)(p'-\delta')-2(p-\delta)(p''-\delta'')$$
$$-2(p'-\delta')(p''-\delta'')$$
$$-4\{(p-\delta)(\varrho-\varrho')(\varrho-\varrho'')+(p'-\delta')(\varrho'-\varrho)(\varrho'-\varrho'')+(p''-\delta'')(\varrho''-\varrho)(\varrho''-\varrho')\}.$$

Durch diesen Ausdruck für die Determinante der Gleichung der Fläche *zweiten Grades* ist die Art der Fläche bestimmt. Die Quantitäten p, p', p''

sind die Quadrate der Verbindungslinien der Punkte o, o', o''; ebenso sind δ, δ', δ'' die Quadrate der Verbindungslinien der Punkte ω, ω', ω''; endlich sind ϱ, ϱ', ϱ'' die Perpendikel, gefällt von den Punkten ω, ω', ω'' auf die feste Ebene. Geht die feste Ebene durch die Punkte ω, ω', ω'', so ist $\varrho=0$, $\varrho'=0$, $\varrho''=0$.

Die hauptsächlichsten Flächen zweiten Grades ergeben sich durch die Annahme, dass die Punkte ω, ω', ω'' und o, o', o'' die Spitzen zweier gleichschenkligen Dreiecke bilden. Nimmt man der Einfachheit halber an, dass die Punkte ω, ω', ω'' in der festen Ebene liegen, ferner die Ebene durch die Punkte o, o', o'' zur Ebene der x und y und die Mitte von o', o'' zum Anfangspunkt der Coordinaten, so hat man folgende Gleichungen:

$$22)\qquad \begin{array}{lll} \varrho=0, & \varrho'=0, & \varrho''=0, \\ c=0, & c'=0, & c''=0, \\ a=0, & a'=m, & a''=-m, \\ b=n, & b'=0, & b''=0. \\ & \delta'=\delta''. & \end{array}$$

Setzt man noch $\delta=4q^2$, so geht die Gleichung 11) wegen der Gleichungen 22) über in:

$$23)\qquad \begin{aligned} & x^2(q^2-m^2)(q^2-\delta')+z^2(q^2-\delta')q^2+y^2(q^2-\delta'+n^2)q^2 \\ & +nyq^2(2q^2+n^2-m^2-\delta')+q^2\left(\frac{\delta'-m^2-n^2}{2}\right)^2 \\ & +n^2(q^2-m^2)=0. \end{aligned}$$

Nimmt man $\delta'=2q^2+n^2-m^2$, so geht die Gleichung 23) über in:

$$\frac{x^2}{q^2}+\frac{y^2}{q^2-m^2+n^2}+\frac{z^2}{q^2-m^2}=1.$$

Diese Gleichung repräsentirt für:

$q^2>m^2$ das Ellipsoid,

$m^2>q^2$, $n^2>m^2-q^2$ das einschalige Hyperpoloid,

$m^2>q^2+n^2$, $2q^2>m^2-n^2$ das zweischalige Hyperboloid.

Setzt man in 23) $\delta'=q^2+n^2$, so folgt:

$$\frac{x^2}{q^2}+\frac{z^2}{q^2-m^2}=\frac{y}{n}+\frac{1}{n^2}\left(\frac{q^2-m^2}{4}+n^2\right).$$

Diese Gleichung repräsentirt die beiden Paraboloide je nachdem $q^2\gtrless m^2$.

Dr. Enneper.

XXXI. Die Polarisationsbatterie, ein neuer Apparat zur Hervorbringung eines elektrischen Stromes von hoher Spannung und constanter Stärke mit Hilfe eines einzelnen galvanischen Elementes.

Unter diesem Titel hat Herr Julius Thomsen in der Zeitschrift für Physik und Chemie III, Kopenhagen 1864, auf eine von ihm erfundene neue Einrichtung der Gasbatterie aufmerksam gemacht, und daselbst die Hoffnung zu erkennen gegeben, dass die von ihm getroffene Einrichtung der Praxis gute Dienste l[illegible]sten werde. Die Poggendorf'sche Wippe scheint sich kaum zu einem Apparate umgestalten zu lassen, welcher bei der Verwendung vieler Polarisationszellen (um hohe Spannung zu erreichen) eine bequeme Handhabung gestattet. Herr Thomsen hat die Aufgabe zu lösen versucht, eine bequem zu handhabende Gasbatterie mit möglichst vielen Zellen zu construiren und hat seine aus diesen Bestrebungen hervorgegangene Polarisationsbatterie in dem oben citirten 32 Seiten langen Aufsatze beschrieben und abgebildet, die Principien ihrer Construction theoretisch erläutert, vorläufig Einiges über die Leistungen des gedachten Apparates bekannt gemacht und mit historischen Notizen über die Gasbatterien überhaupt den Beschluss gemacht. Die Thomsen'sche Batterie ist so eingerichtet, dass unausgesetzt geladen und entladen wird, so dass ein völlig constanter Strom zu[illegible]om[illegible]en muss. Die in dem Aufsatze beschriebene Batteri[illegible]en mit Wachs ausgelegten Holzkästen, die zusammen [illegible]tinplatten in paralleler Aufstellung enthalten, s[illegible] beiden Kästen gebildet werden. Da der Abstand zweier Pl[illegible]o ist die Länge jedes Kastens 125^{mm}, die Breite der Zellen[illegible], die Tiefe 80^{mm}. Diese Zellen werden mit reiner verdünnte[illegible]efelsä[illegible]e bis zu 5^{mm} vom Rande gefüllt. Dieses Arrangement ist sehr [illegible]ch, weil die Platinplatten selbst die Zellenwände bilden.

Wenn man nun von einem constanten Elemente, welches im Stande ist, Wasser zu zersetzen, beide Elektroden, die mit dem Abstand von 5^{mm} parallel endigen, in die Hand nimmt und kurze Zeit die Wände der ersten Zelle, dann die der zweiten Zelle u. s. w. berührt, so haben sich nach der Berührung aller Zellenwände in der nämlichen Weise, z. B. alle rechts liegenden Zellenwände der beiden vor den Experimentator gestellten Kästen mit *H*, alle links liegenden aber dann mit *O* überkleidet.

Verbände man nun beide Kästen unter einander und auch die Endzellen durch einen Draht metallisch, so würde der Polarisationsstrom in den Kästen von der rechten nach der linken Hand gehen. Dieser Strom muss aber bald aufhören, weil derselbe durch seine elektrolytischen Wirkungen die erregenden Gase an den Platten wieder aufzehrt. Wenn man nun, während der Polarisationsstrom geschlossen bleibt, mit den ladenden Elektroden sich gleichförmig an beiden Kästen hinbewegt, so bleiben die Wände jeder Zelle eine gewisse kleine Zeit mit dem ladenden Elemente verbunden und der Polarisationsstrom bleibt daher immer von gleicher Stärke, so bald man, nachdem man mit den ladenden Elektroden an das Ende der Kästen gekommen ist, wieder mit dem Laden der ersten Zelle beginnt u. s. w. fortfährt. Herr Thomsen lässt nun dieses unausgesetzte Laden durch den sogenannten Vertheilungsapparat besorgen, welchem durch ein Uhrwerk eine gleichförmige Bewegung gesichert ist. Die Kästen stehen zu beiden Seiten des Vertheilungsapparates, von jeder Platinplatte führt ein Draht nach dem Umfang eines Kreises und die Drahtenden theilen diesen Kreisumfang in gleiche Abschnitte. Durch den Mittelpunkt des horizontalen Kreises, den die Enden der Zuleitungsdrähte bilden, geht eine verticale Axe, welche zwei horizontale Metallstäbchen trägt, die durch einen Nichtleiter in paralleler Lage gehalten werden und bei ihrer durch ein Uhrwerk bewirkten gleichförmigen Umdrehung um die Axe nach und nach alle die im Kreisumfang endigenden Leitungsdrähte von den Platinplatten so berühren, dass die Metallstäbchen gleichzeitig in Contact mit zwei Nachbardrahtenden sind. Da nun das eine Metallstäbchen dauernd mit dem einen Pole, das andere dauernd mit dem andern Pole des ladenden Elementes verbunden ist, so wird während einer Umdrehung des Vertheilungsapparates jede der 50 Zellen einmal geladen, und es ist klar, dass die Polarisationsbatterie einen constanten Strom liefern muss.

Die theoretischen Betrachtungen des Herrn Thomsen zeigen, dass die Leistungsfähigkeit der Polarisationsbatterie von dem Verhältniss des Gesammtwiderstandes des ladenden Elementes abhängen. Es geht dies aus dem Princip der mechanischen Theorie der Elektrolyse hervor: die der Auflösung des positiven Erregers in einer Batterie entsprechende Wirkungsfähigkeit ist der im Schliessungskreise der Batterie geleisteten Arbeit genau gleich.

Bei der Polarisationsbatterie wirkt zunächst die durch Auflösung des Zinkes, im ladenden Elemente entstehende Wirkungsfähigkeit, indem sie die Sauerstoff- und Wasserstoffatome in den Polarisationszellen von einanderreisst; ist nun die Polarisationsbatterie geschlossen, so können 2 Fälle eintreten:

1. der Polarisationsstrom verzehrt die in einer bestimmten Zeit entwickelten Gase auch in derselben Zeit wieder vollständig;
2. der Polarisationsstrom verzehrt weniger erregende Gase, als in einer gewissen Zeit entwickelt werden.

Den ersten Fall, in welchem der Polarisationsstrom ebenso viel arbeitet als das erregende Element, hat Herr Thomsen bei seinem Polarisationsapparat zu verwirklichen gesucht.

Es sei:

k die elektromotorische Kraft des erregenden Elementes,
k' die elektromotorische Kraft einer Zelle des Polarisationsapparates,
m der innere Widerstand des ladenden Elementes,
μ der Widerstand einer Polarisationszelle,
n die Anzahl der Polarisationszellen,
W der äussere Widerstand des Polarisationsapparates,
s die Stromstärke des ladenden Elementes,
S die Stromstärke der Polarisationsbatterie,

so gelten die Beziehungen:

$$s = \frac{k - k'}{m + \mu}, \qquad S = \frac{nk'}{n\mu + W}.$$

Sollen nun beide Ströme gleich viel arbeiten, so muss s ebenso viel Knallgas entwickeln, als S in allen seinen Zellen zusammen genommen entwickelt, resp. an den Erregerplatten verschwinden macht, d. h. es muss sein:

$$s = nS,$$

oder

$$\frac{k - k'}{m + \mu} = \frac{n^2 k'}{n\mu + W}.$$

Herr Thomsen hat nun bei seinem Apparat

$$m + \mu = (n\mu + W)\frac{(k - k')}{n^2 k'}$$

genommen und dadurch seiner Polarisationsbatterie die grösstmöglichste Leistungsfähigkeit gesichert.

Unter den vom Verfasser des besprochenen Aufsatzes mitgetheilten vorläufigen Notizen über die Leistungen seiner 50 elementigen Polarisationsbatterie fallen besonders folgende in die Augen:

a) der Strom zeigt sich völlig constant, ebenso ist zu jeder Zeit die elektromotorische Kraft der Polarisationsbatterie constant, ja selbst einige Minuten nach dem Wegnehmen des ladenden Elementes vermag die Batterie noch Bewegungen von Relais hervorzubringen;

b) der Strom zeigt starke physiologische Wirkungen und zersetzt schlecht leitende Elektrolyten gut;

c) der Strom kann auch Glüh- und Schmelzwirkungen hervorbringen, dünne Eisendrähte von mehrern Centimetern Länge schmelzen durch ihn.

Die Vortheile der Polarisationsbatterie, die der Verfasser auch besonders angegeben hat, liegen auf der Hand; der geringe Raum, den die Batterie einnimmt (sie lässt sich bequem auf einem kleinen Tische aufstellen), die geringen Betriebskosten und die geringe Mühe, die man zur Instandhaltung aufzuwenden hat.

Die letzten Seiten des Aufsatzes sind, wie schon erwähnt, mit historischen Notizen angefüllt, die die früheren Polarisationsbatterien besprechen; die Ritter'sche Ladungssäule, die Poggendorf'sche Wippe und die Grove'sche Gassäule.

Es wäre im Interesse der Sache sehr zu wünschen, dass Her Thomsen die versprochenen genaueren Mittheilungen über die Leistungen bald veröffentlichte, da das Bisherige nur den Charakter einer Ankündigung an sich trägt.

Der Preis der Polarisationsbatterie lässt sich zwar aus der von Herrn

Thomsen gemachten Angabe angenähert bestimmen, dass man zu 50 Zellen 80 Gramm Platin braucht, allein es würde eine genaue Preisangabe bei späteren Mittheilungen von Herrn Thomsen nur willkommen sein.

Dr. Kahl.

XXXII. Ueber die anschauliche Darstellung einiger Lehren der musikalischen Akustik. Von Ernst Mach.

Wenn es wahr ist, dass der berühmte Scharfsinn der alten Geometer in dem Maasse seltener wird, als sich die analytischen Methoden zur Behandlung geometrischer Probleme vervollkommnen und bequemer gestalten, so ist dies ein ganz allgemeiner sehr wichtiger Fingerzeig für die Methode des wissenschaftlichen Unterrichts überhaupt.. Die Einführung complicirter physikalischer Apparate in die Elementarschule muss dann sofort als ein arger Missgriff erscheinen. Im Unterricht sollen diese Dinge eine möglichst untergeordnete Rolle spielen, so gross auch ihr Werth in der Hand des Forschers sein mag. Die meisten Apparate lenken durch ihre künstliche Einrichtung die Aufmerksamkeit des Anfängers von der Hauptsache ab. Viele haben den Zweck, eine Erscheinung, welche man mit einiger Anstrengung der Sinne unter den gewöhnlichsten Umständen wahrnehmen kann, schärfer hervorzuheben und sicherer zu erfassen; sie verwöhnen aber gewissermassen die Beobachtungsfähigkeit. Auf diesem Wege aber wird man kein Naturforscher. Wozu bedarf der Elementarunterricht eines Savart-schen Rades, da sich fast ebenso viel an einem in gerippte Leinwand gebundenen Buche zeigen lässt, wenn man mit dem Fingernagel darüber hinfährt. Wozu eine kostbare Stossmaschine mit Elfenbeinkugeln, da zwei zusammenstossende Reihen von Ein- und Zweikreuzerstücken auf einem platten Tische sogar noch mehr lehren. Wozu eine elegant ausgeführte Sirene, wenn die durchlöcherte Pappscheibe ausreicht. Ich will die Beispiele nicht häufen.

Es fällt mir nicht bei, die sogenannten Schulapparate verbannen zu wollen. Sie sollen nur erst dann zur Anwendung kommen, wenn so viel als möglich ohne dieselben geleistet worden. Im Gegentheil, ich wünsche einer gewissen Art von Schulapparaten sogar eine viel ausgedehntere Verwerthung, als ihnen gewöhnlich zu Theil wird. Es ist offenbar ungemein nützlich, Dinge, die nicht unmittelbar sichtbar sind, sondern erschlossen werden müssen, durch passende Modelle zur sinnlichen Anschauung zu bringen, oder auch nur weniger geläufige Vorstellungsweisen mit Hilfe von Modellen auf geläufigere zurück zu führen.

Das Folgende soll ein Beispiel einer solchen Methode geben. Ich verfiel auf dieselbe bei Gelegenheit von Vorlesungen über musikalische Akustik vor einem gemischten Publikum, welchem ich keine bedeutenden physikalischen Kenntnisse zumuthen durfte. Der Kunstgriff erwies sich wenigstens praktisch als sehr zweckmässig.

Wie Helmholtz nachgewiesen hat, enthält jeder musikalisch verwendbare Klang nebst dem Grundtone noch mehrere schwächere höhere Töne (die harmonischen Obertöne), nämlich die Octave des Grundtons, die Duodecime, die Doppeloctave, die Terz, Quint der Doppeloctave u. s. w. Der Klang *c* z. B. enthält die einfachen Töne *c*, $\bar{c}$, $\bar{g}$, $\bar{\bar{c}}$, $\bar{\bar{e}}$, $\bar{\bar{g}}$, $\bar{\bar{b}}$ . . . Man kann sich den K[illegible]ang *c* mit seinen sämmtlichen Partialtönen leicht vergegenwärtigen, we[illegible] man an die Claviatur Taf. IV, Fig. 9 eine Stange *aa* legt, auf welcher i[illegible]trichen die betreffenden Tasten markirt sind. Die Stange *aa*, an der wi[illegible] B. die Partialtöne für *c* markirt haben, hat nun die bemerkenswerthe [illegible]ie Marken auch dann noch eine Bedeutung behalten, wenn [illegible] St[illegible]der Claviatur verschieben. Verschieben wir so, dass die tiefste [illegible] *d*, *e*, *f*, *g* . . . . fällt, so bezeichnen die höheren Marken die [illegible]beziehungsweise der Klänge *d*, *e*, *f*, *g* . . . . Man braucht also die [illegible] irgendwo an die Claviatur zu setzen, um sofort irgend einen Klang [illegible]en sämmtlichen Partialtönen darzustellen.

Nach Helmholtz consoniren zwei Klänge und eignen sich vorzüglich zur harmonischen sowohl, als auch zur melodischen Verbindung, wenn ihre Partialtöne zum Theil zusammenfallen. Dass dies nur bei gewissen bestimmten Verhältnissen der Tonhöhen eintrifft, lässt sich an unserm Modell recht anschaulich darstellen. Fügen wir zur Stange *aa* noch eine zweite gleich markirte *bb*. Wir können beide so an die Claviatur legen, dass die Marken beider Stangen vollständig auf einander fallen, demnach dieselben Tasten bezeichnen, demnach das Unisono zweier Klänge darstellen. Lassen wir nun die eine Stange fort, während wir die andere etwa aufwärts verschieben, so zeigen sich die Verhältnisse, welche bei Verstimmung zweier Klänge gegen einander auftreten. Die Marken beider Stangen (die Partialtöne) treten zunächst auseinander, es zeigt sich Dissonanz. Bei weiterer Verschiebung fallen einige Marken wieder zusammen, es stellt sich wieder Consonanz ein, dann wieder Dissonanz u. s. f. — Consonanz zeigt sich nur bei ganz bestimmten Lagen, bei ganz bestimmten Tonhöhenverhältnissen, welche man mit Hilfe unseres Modells aufsuchen kann. Die Figur 9 stellt zwei Klänge dar, welche die Terz *ce* bilden, die sich als Consonanz charakterisirt.

Wenn wir die Schwingungszahl eines Tones verdoppeln, so empfinden wir die Octave. Ueberhaupt erhalten wir immer dieselbe Tonhöhen d i f f e r e n z, wenn wir die Schwingungszahl mit demselben Factor m u l t i p l i c i r e n. Wenn der Grundton eines Klanges zweimal rascher schwingt, so schwingen auch alle Obertöne zweimal rascher und bei allen steigt die Höhe u m g l e i c h v i e l. Kurz die Tonhöhenempfindung geht, wie längst bekannt, *dem Logarithmus* d e r S c h w i n g u n g s z a h l proportional. Dieses Verhältniss ist es, welches sich in der Anordnung unserer Claviertaster ausspricht und die einfache Darstellung durch das erwähnte Modell möglich macht. Kleine, theils durch historische, theils durch Zweckmässigkeitsgründe bedingte Abweichungen abgerechnet, sind nämlich die Tastenabstände den Differenzen der Logarithmen der Schwingungszahlen proportional, welches einfache Verhältniss uns meist nicht auffällt. Ebenso wenig denken wir daran, dass ein Tonstück in Noten ausgeschrieben, kleine des Ueberblickes wegen nöthige Abweichungen abgerechnet, nichts anderes ist, als eine geometrische Darstellung durch eine Curve, wobei die Zeiten als Abscissen, die Logarithmen der Schwingungszahlen als Ordinaten aufgetragen erscheinen. — Was das erwähnte Modell brauchbar und zweckmässig macht, ist einmal die Vereinfachung, welche dadurch entsteht, dass die Logarithmen sämmtlicher Schwingungszahlen um gleiche Differenzen wachsen, wenn die Schwingungszahlen selbst mit gleichen Factoren multiplicirt werden, dann der Umstand, dass der optische Raum (das Gesichtsfeld) für alle Menschen eine schärfere und klarere Vorstellung ist, als der Tonraum (die Tonhöhe)*, obgleich letzterer nur e i n e Dimension hat.

Wer die Fig. 9 aufmerksam betrachtet, findet sofort, dass wir die gewöhnliche Construction der Claviatur, um sie für unsere Zwecke geeigneter zu machen, ein klein wenig modificirt haben, die Untertasten *c*, *e*, *f*, *h* sind schmäler, wodurch oben sämmtliche Tasten g l e i c h b r e i t ausfallen.

Ganz genau ist jedoch die Demonstration an unserm Modell nicht. Dies wird sie erst, wenn wir berücksichtigen, dass die Obertöne eines Klanges keine temperirten Quinten, Terzen u. s. w. gegen den Grundton bilden, sondern reine Intervalle. Die für diesen Fall nöthige Theilung der Stangen *aa*, *bb* können wir mit Hilfe der Logarithmen leicht ausfindig machen. Setzen wir den Abstand einer Octave = 1·00000 und bezeichnen die Partialtöne der Reihe nach mit c, $\bar{c}$, $\bar{g}$, $\bar{\bar{c}}$, $\bar{\bar{e}}$, $\bar{\bar{g}}$, $\bar{\bar{b}}$ oder 1, 2, 3, 4, 5, 6, 7, so erhalten wir für die Entfernung ihrer Marke von der Marke des Grundtones:

Marke	Entfernung von der Marke *c*, 1.
c, 1	0·00000
$\bar{c}$, 2	1·00000
$\bar{g}$, 3	1·58496
$\bar{\bar{c}}$, 4	2·00000
$\bar{\bar{e}}$, 5	2·32192
$\bar{\bar{g}}$, 6	2·58496
$\bar{\bar{b}}$, 7	2·80735.

Legt man zwei Stäbe von dieser Theilung an die Claviatur Fig. 9, und verschiebt den einen langsam gegen den andern, so findet man leicht alle consonanten Intervalle auf.

Die Construction sämmtlicher Tonleitern, der alten und neuen Tongeschlechter nach den Principien von Helmholtz, unterliegt nach dieser Methode keinen Schwierigkeiten und lässt sich in sehr einfacher Weise ausführen.

Ebenso gut brauchbar ist das Instrument, um zu zeigen, dass man durch Stimmung nach Quinten zu andern Tonleitern gelangt, als wenn man nach andern Intervallen stimmt.

Zu weiteren Betrachtungen ist es zweckmässig, sich auf einen Stab eine rein immte Durscala aufzutragen, in ähnlicher Weise wie bisher. Nimmt man fi as Octavenintervall denselben Werth wie vorhin, so ist die Eintheilu olgende:

	au	a der Marke c
	. .	)000
	. (	3002
	¢	2192
f	∩	1504
g		3406
a	. |	3606
h .		0·90688
$\bar{c}$	|	)000.

Mit Hilfe solcher Stäbe kan nfänger leicht den Unterschied der reinen und temperirten Stimmung vergegenwärtigen. Auch wird er nicht ohne Nutzen versuchen, auf den Tönen einer reinen Scala abermals neue reine Scalen zu construiren.

Zum Schlusse sei noch bemerkt, dass auch die Verhältnisse der Combinationstöne, die in der Musik ebenfalls eine wichtige Rolle spielen, sich gut geometrisch veranschaulichen lassen. Ueberhaupt vereinfacht diese Betrachtungsweise selbst manche wissenschaftliche Untersuchung, und man wird nicht ohne Vortheil die Logarithmen der Schwingungszahlen für die Schwingungszahlen selbst in die Rechnungen der musikalischen Akustik einführen. Hierauf komme ich vielleicht später zurück.

XXXIII. Ueber das mechanische Aequivalent der Wärme und die Elasticität fester Körper von Dr. A. Kurz.

Von dem kürzlich verstorbenen gelehrten Physiker Kupffer in Petersburg rührt eine Methode der Ermittelung jener wichtigen Constanten her,*) welche sich vermöge ihrer unmittelbaren Verständlichkeit sehr gut für Lehrzwecke eignet. Bei der zu diesem Behufe vorgenommenen Umrechnung von russischen Pfunden und Fussen (englischen Duodecimalzollen)

*) *Pogg. Ann.* Bd. 86, S. 310 (1852).

ins französische Mass nahm ich den Decimeter als Universaleinheit, wodurch die Entwickelung in ihrer ganzen Einfachheit erhalten wird und ohne umständliche Reductionen zum bekannten Ziele führt.

Sei nämlich ε der Elasticitätscoefficient des Versuchskörpers, reducirt auf den Würfel 1^{cdm} und das spannende Gewicht 1^{kg}, s das specifische Gewicht, c die specifische Wärme, α der Ausdehnungscoefficient für 1° Celsius. Kupffer bestimmte für die folgenden vier Metalle die ε, aus den Schwingungen von 10 Fuss langen Drähten, und deren s; die c entlehnte er von Regnault und desgleichen die α aus gegebenen Tabellen.

	ε	s	c	α
Eisen	$0{,}0^7 05494$	7,5536	0,11379	$0{,}0^4 1182$
Messing	10586	8,4760	0,09391	1878
Platin	06281	20,9624	0,03243	0884
Silber	14125	10,4845	0,05701	1910.

Während nun die Wärmemenge cs bei der Erhöhung der Temperatur unseres Metallwürfels die cubische Dilatation 3α hervorbringt, verlängert das spannende Gewicht 1^{kg} nur die eine Dimension um ε und verkürzt dagegen die beiden andern je um $m\varepsilon$, so dass die cubische Dilatation da $\varepsilon(1-2m)$ wird, und $3\varepsilon(1-2m)$ würde, wenn die Zugkraft von 1^{kg} direct in allen drei Richtungen wirkte wie die Wärme.

Die Wirkungen $\frac{3\alpha}{cs}$ der Wärmeeinheit und $3\varepsilon(1-2m)$ der Gewichtseinheit sind jetzt vergleichbar, so zwar dass die Arbeit der Wärme-Einheit gleich kommt

$$\frac{\alpha}{\varepsilon(1-2m)cs} \text{ Decimeterkilogrammen.}$$

Kupffer folgte unbedingt der Poisson'schen Annahme, gemäss welcher unabhängig von der Natur des Körpers wäre $m=\frac{1}{4}$, und schreibt daher gleich von Anfang an $\frac{2\alpha}{\varepsilon cs}$. Dann ergiebt die Rechnung der Reihe nach dier vier Resultate 500, 446, 414, 452, und im Mittel ganz nahe die letzte, mit dem Silberdraht erhaltene Zahl von 453 Meterkilogrammen.

Diese Zahl 453 liegt im Bereiche der anderweitig für das mechanische Aequivalent der Wärme gefundenen Werthe, und noch mehr wäre dies der Fall mit der Mittelzahl 428, welche man erhält bei Ausschliessung der excessiven Zahl 500, die der Eisendraht lieferte. Indessen beruht diese Unsicherheit vornehmlich auf unserer höchst mangelhaften Kenntniss der Zahl m, angesichts deren man sich über die nahe Uebereinstimmung jener vier Resultate noch wundern dürfte.

Wertheim hat die Poisson'sche Annahme sammt ihrer experimentellen Bestätigung von Cagniard de Latour durch eigene Versuche erschüttert, aber hauptsächlich, scheint es, um die ebenso starre Annahme $m=\frac{1}{3}$ an deren Stelle zu setzen. Damit würden die Kupffer'schen Resultate um die

Hälfte grösser, zwischen 600 und 700 zu liegen kommen. Die natürlichste Annahme hingegen, dass die Zahl m verschieden sei für die verschiedenen Körper, weist uns darauf hin, dass sie für die obengenannten Metalle von $\frac{1}{4}$ nicht stark abweicht, am stärksten — unter Voraussetzung nahezu gleicher Genauigkeit in den übrigen Coefficienten — beim Eisen, für welches die ungefähre Annahme $m = \frac{1}{5}$ das mehr befriedigende Resultat liefern würde $\frac{250}{1-2m} = \frac{1250}{3} = 417$. Dies also ein wechselseitiger Dienst, den sich die Elasticitäts- und die mechanische Theorie der Wärme leisten könnten.

München, am 16. Juli 1865.

XXXIV. Kurze Uebersicht einer Theorie der doppelten Brechung; von Prof. STEFAN.

Wird das Licht fortpflanzende Medium betrachtet als ein System von materiellen Punkten, welche vor der Licht bildenden Erschütterung im gegenseitigen Gleichgewichte sich befinden, so hat die Theorie der doppelten Brechung zuerst die Gesetze, nach denen die Elasticität um einen Punkt herum vertheilt ist, festzustellen, dann aus diesen die Gesetze der Polarisation und Fortpflanzung abzuleiten. Dies geschieht auf folgende Weise.

Verschiebt man einen Punkt des Systems aus seiner Ruhelage nach allen möglichen Richtungen und zwar nach jeder so weit, dass alle diese Verschiebungen mit dem Aufwande einer und derselben Arbeit bewerkstelligt werden, so liegen die Endpunkte dieser Verschiebungen in einer krummen Fläche, welche Fläche gleicher Arbeit heissen soll. Ist die durch eine Verschiebung geweckte Kraft unabhängig von der Richtung der Verschiebung, so ist diese Fläche eine Kugel. Steht die Kraft zur Verschiebung wohl in einem directen aber mit der Richtung wechselnden Verhältniss, so ist die Fläche gleicher Arbeit ein Ellipsoid. Ein solches lässt sich also um jeden Punkt des Systems construiren. Als Fläche gleicher Arbeit hat es die Eigenschaft, dass jede in seiner Oberfläche liegende Verschiebung ohne Aufwand von Arbeit bewerkstelligt werden kann. Verschiebt man also den Punkt bis in die Oberfläche des Ellipsoides, so hat die durch die Verschiebung geweckte Kraft keine in die Oberfläche fallende Componente, steht also normal zur selben. Es giebt daher nur drei Richtungen, für welche Verschiebung und die durch die geweckte Kraft zusammenfallen, nämlich die der Axen des Ellipsoides gleicher Arbeit. Diese Richtungen heissen Elasticitätsaxen, die in diesen Richtungen wirksamen Elasticitäten Hauptelasticitäten.

Verschiebt man den Punkt nach einer der Axen, so ist die dadurch geweckte Kraft gleich der dazu gehörigen Hauptelasticität multiplicirt mit der

Verschiebung. Die dabei geleistete Arbeit ist gleich der Verschiebung multiplicirt mit dem Mittelwerthe der durch dieselbe geweckten Kraft, welcher Mittelwerth das halbe Product aus Elasticität und Verschiebung ist. Umgekehrt ist die geweckte Hauptelasticität gleich der doppelten Arbeit, für welche das Ellipsoid construirt ist, dividirt durch das Quadrat der zugeordneten Axe des Ellipsoides.

Auf dieselbe Weise bestimmt sich von der durch eine beliebig gerichtete Verschiebung geweckten Elasticität jene Componente, welche in die Richtung der Verschiebung fällt und parallele Elasticität heisst. Sie ist gleich der doppelten Arbeit, dividirt durch das Quadrat des Radius Vectors, in welchen die gethane Verschiebung fällt.

Um die Fortpflanzung einer Planwelle zu bestimmen, schneide man das Ellipsoid der gleichen Arbeit central durch die Wellenebene. Der Schnitt ist eine Ellipse. Von dieser und dem Ellipsoide zugleich bildet die in der Planwelle enthaltene Schwingungsrichtung einen Radius vector. Normal zum Ellipsoide wirkt die durch die Schwingung geweckte Elasticität. Diese zerfälle man in zwei Componenten, eine zur Wellenebene senkrechte, welche Longitudinalschwingungen zu erzeugen strebt und nicht weiter zu berücksichtigen ist, und eine in die Wellenebene fallende. Diese letztere steht normal zur Ellipse in jenem Punkt, in welchem diese von der Schwingung getroffen wird. Sie hat also mit der Schwingung nur in den zwei Fällen gleiche Richtung, wenn die Schwingung in eine der Axen der Ellipse fällt. Nur diese zwei Schwingungsrichtungen sind stabile. Die Fortpflanzungsgeschwindigkeit einer Planwelle mit Schwingungen stabiler Richtung ist der Quadratwurzel aus der zu den Schwingungen paralleler Elasticität direct, somit der zugehörigen Axe der Ellipse verkehrt proportionirt.

In jeder Planwelle, welche Schwingungen nicht stabiler Richtung enthält, theilen sich diese in Componenten nach den zwei zu einander senkrechten stabilen Richtungen. Da jeder dieser Componenten eine andere Fortpflanzungsgeschwindigkeit entspricht, so theilt sich somit auch die Welle in zwei, senkrecht gegen einander polarisirte.

Es giebt aber zwei Lagen für die Planwelle, in welcher jede in ihr enthaltene Schwingung eine stabile ist. Diese sind jene Lagen, in welchen sie das Ellipsoid der gleichen Arbeit in Kreisen schneidet. Sonach giebt es auch zwei Richtungen, nach denen sich eine Planwelle mit beliebigen Schwingungen ohne Zweitheilung fortpflanzen kann, sie heissen die optischen Axen und liegen in der Ebene der grössten und kleinsten Axe des Ellipsoides gleicher Arbeit. Ihre Winkel werden von diesen Axen halbirt.

Ist das Medium um eine Richtung herum symmetrisch gebaut, so ist das Ellipsoid der gleichen Arbeit ein Rotationsellipsoid, die Symmetrielinie ist die Rotationsaxe und zugleich die einzige optische Axe. In diesem Falle haben die verschiedenen Schnittellipsen eine Axe immer gleich gross und senkrecht zur optischen Axe, ihr parallele Schwingungen bilden die ordentliche Welle von constanter Fortpflanzungsgeschwindigkeit.

Ist das Medium symmetrisch nach allen Richtungen, so ist die Fläche gleicher Arbeit eine Kugel, jede Schwingungsrichtung ist eine stabile, die Fortpflanzungsgeschwindigkeit für alle Richtungen und Schwingungen dieselbe.

Jede Planwelle um ihre Fortpflanzungsgeschwindigkeit nach ihrer Normale verschoben, bildet eine Tangentialebene der Elementarwellenfläche. Den Berührungspunkt findet man, wenn man durch den Ursprung eine Senkrechte auf die Totalelasticität, welche durch die in der Planwelle enthaltene stabile Schwingung geweckt wird, zieht, und sie bis in die vorgeschobene Planwelle verlängert. So verfahrend, kann man alle Punkte der Wellenfläche, also diese selbst, construiren. (Wiener Akademieberichte.)

XXXV. Ueber die Malaria zu Rom. In einer Sitzung der Arcadischen Gesellschaft zu Rom vom 11. Juni d. J. hat P. Secchi einen interessanten Vortrag über die hygienischen Verhältnisse des alten und des jetzigen Roms gehalten, in welchem er sich besonders über die bösartigen Fieber verbreitet, welche die Umgebung von Rom in manchen Sommermonaten nahezu unbewohnbar machen. Er findet auf 10jährigen, freilich sehr mangelhaften Tabellen das Maximum der Erkrankungen am 6. August und hofft eine Besserung der Verhältnisse aus der beginnenden Anwendung der Maschinen beim Ackerbau, weil durch diese eine Cultivirung des Bodens in den wenigen gesunden Monaten ermöglicht wird, und der cultivirte Boden umgekehrt wieder die giftigen Ausdünstungen zurückhalte.

XV.

Beitrag zu der Lehre von den Trägheitsmomenten.

Von Dr. Th. Reye,
Privatdocent in Zürich.

Die Bewegung eines festen Körpers lässt sich vermöge des Princips vom Schwerpunkte leicht vollständig ermitteln, wenn der Körper keiner Drehung unterworfen ist, indem dann nur die Masse des Körpers und die Resultirende aller auf ihn wirkenden Kräfte in Betracht kommt. Im allgemeinen Falle dagegen ist ausserdem noch das Drehungsmoment der Kräfte, sowie das Trägheitsmoment des Körpers in Bezug auf eine veränderliche Rotationsaxe zu berücksichtigen. Ich habe mir nun die Frage vorgelegt, ob nicht der Körper, wie im erstgenannten speciellen Falle durch seinen Schwerpunkt, so in diesem allgemeinen Falle durch eine beschränkte Anzahl materieller Punkte ersetzt werden könne, so dass das Trägheitsmoment dieser Massenpunkte für jede im Raum angenommene Axe ebenso gross sei, wie dasjenige des Körpers. Für das beliebig gegebene Kräftesystem liessen sich dann Einzelkräfte substituiren, welche auf jene Massenpunkte wirken, und das so schwierige Problem der Bewegung eines festen Körpers wäre damit zurückgeführt auf das einfachere der Bewegung weniger mit einander fest verbundener Massenpunkte.

Im Folgenden soll nun gezeigt werden, dass ein beliebiger Körper wirklich durch eine beschränkte Anzahl materieller Punkte, nämlich durch vier, im oben angegebenen Sinne ersetzt werden kann, und zwar auf sehr verschiedene Weise. Nämlich der erste dieser vier Punkte kann ganz beliebig im Raum angenommen werden; dadurch ist aber nicht nur die Masse, welche diesem Punkte beizulegen ist, sondern auch die Ebene der drei übrigen Punkte völlig bestimmt. Nimmt man in dieser Ebene den zweiten Punkt willkürlich an, so erhält man eine Gerade, auf welcher die beiden letzten Punkte liegen, und auf dieser kann noch der dritte Punkt beliebig gewählt werden. Wirkt die Schwerkraft auf den gegebenen Körper, so können wir derselben die Gewichte der vier Punkte substituiren, indem letztere stets dieselbe Gesammtmasse und denselben Schwerpunkt haben, wie der Körper. Der Umstand ferner, dass das Tetraeder, dessen Eckpunkte die vier materiellen Punkte bilden, in der verschiedensten Weise construirt werden kann, muss als ein sehr glücklicher bezeichnet werden, denn soll z. B. die Drehung eines Körpers um eine feste Axe oder einen festen Punkt untersucht werden, so kann man zwei Eckpunkte des Tetraeders in jene Axe, oder doch einen in diesen Punkt verlegen, und hat sodann nur noch die Bewegung der übrigen zwei resp. drei Punkte zu untersuchen.

Ich behalte mir vor, derartige Anwendungen meiner vorliegenden Arbeit auf die Bewegung fester Körper später zu veröffentlichen, und beschränke mich hier darauf, die Möglichkeit eines Tetraeders, welches einen Körper hinsichtlich der Trägheitsmomente völlig vertritt, zu beweisen, seine Construction anzugeben, und einige der zahlreichen, theils geometrischen, theils analytischen Aufgaben zu erörtern, die sich an jene Hauptaufgabe knüpfen. Ich schicke einige bekannte Sätze über Trägheitsmomente voraus.

§. 1.

Die Trägheitsmomente eines beliebigen Massensystems in Bezug auf zwei zu einander senkrechte Ebenen sind zusammen gleich dem Trägheitsmoment in Bezug auf die Axe, in welcher die Ebenen sich schneiden. Denn sind x und y die Abstände eines Massentheilchens m von den Ebenen, r der Abstand von der Axe, so ist $mr^2 = mx^2 + my^2$ und folglich auch $\Sigma mr^2 = \Sigma mx^2 + \Sigma my^2$, wenn die Summen über die gleichartig gebildeten Produkte für alle Massentheilchen ausgedehnt werden. Wenn also die Trägheitsmomente von zwei Massensystemen einander gleich sind für jede beliebige Ebene, so sind sie auch gleich für jede Axe im Raume. Wir dürfen uns daher auf Momente in Bezug auf Ebenen beschränken.

Für diese aber wollen wir den Begriff „Trägheitsmoment" in weiterem Sinne auffassen, als soeben geschah. Ziehen wir von jedem Massentheilchen m in beliebig angenommener Richtung eine Gerade bis an die gegebene Ebene, und bezeichnen mit r die Länge dieser Geraden, so soll die Summe Σmr^2, ausgedehnt über alle Massentheilchen, das Trägheitsmoment für die gegebene Ebene und Richtung heissen. Ist $\mathfrak{M} = \Sigma m$ die Gesammtmasse des Systems, so können wir mittelst der Gleichung:

$$\mathfrak{M}\varrho^2 = \Sigma mr^2$$

den sogenannten Trägheitsradius ϱ für die gebene Ebene und Richtung berechnen. Das Trägheitsmoment ist dann so gross, als wäre die gesammte *Masse des Systems* in einer der beiden Ebenen concentrirt, welche mit der gegebenen parallel sind und mit derselben auf jeder Geraden r die Länge ϱ einschliessen. Die Lage dieser Ebenen ist unabhängig von der gegebenen Richtung. Denn nach obiger Gleichung ändert sich ϱ proportional mit r, wenn eine neue Richtung gewählt wird, und die beiden Parallelebenen behalten ihren senkrechten Abstand von der gegebenen.

Wenn nun die gegebene Ebene sich um einen ihrer Punkte O dreht, und so alle möglichen Stellungen im Raume annimmt, so umschreiben, wie nach Cauchy's Aussage (siehe *Exercices de Math.* Bd. 2, S. 93) zuerst Binet gezeigt hat, die beiden Parallelebenen ein Ellipsoid. Die Gleichung desselben lässt sich wohl am einfachsten auf folgendem von Herrn Culmann (in seiner „Graphischen Statik" S. 163 ff.) eingeschlagenen Wege gewinnen.

Seien durch den Drehpunkt O drei ganz beliebige, z. B. schiefwinklige Coordinatenaxen gelegt, und x, y, z die Coordinaten des Massentheilchens m. Die Länge r, welche in gegebener Richtung den Abstand des m von einer bestimmten, durch O gelegten Ebene misst, ist dann eine lineare Function von x, y, z, also

$$r = \alpha x + \beta y + \gamma z.$$

Denn projiciren wir den Linienzug der Coordinaten x, y, z, durch welchen m mit O verbunden wird, parallel zu der Ebene auf die gegebene Richtung, so erhalten wir als Projection die Länge r selber, oder auch $\alpha x + \beta y + \gamma z$, wenn α, β, γ die Verkürzungsverhältnisse für x, y und z bedeuten. Dieselben bleiben constant, so lange die gegebene Ebene und die Richtung der r unverändert bleiben. Das Trägheitsmoment $\mathfrak{M}\varrho^2 = \Sigma m r^2$ lässt sich daher auch schreiben:

$$\mathfrak{M}\varrho^2 = \alpha^2 \Sigma m x^2 + \beta^2 \Sigma m y^2 + \gamma^2 \Sigma m z^2 + 2\beta\gamma \Sigma m y z + 2\gamma\alpha \Sigma m z x + 2\alpha\beta \Sigma m x y.$$

Zur Abkürzung setzen wir:

$$1)\qquad \left\{\begin{array}{ll} \Sigma m x^2 = \mathfrak{M} a^2, & \Sigma m y z = \mathfrak{M} A, \\ \Sigma m y^2 = \mathfrak{M} b^2, & \Sigma m z x = \mathfrak{M} B, \\ \Sigma m z^2 = \mathfrak{M} c^2, & \Sigma m x y = \mathfrak{M} C; \end{array}\right.$$

so dass a, b, c die Trägheitsradien für die Coordinatenebenen der yz, zx und xy bedeuten, gemessen in der Richtung der x, y und z. Für ϱ^2 ergiebt sich dann:

$$2)\qquad \varrho^2 = \alpha^2 a^2 + \beta^2 b^2 + \gamma^2 c^2 + 2\beta\gamma A + 2\gamma\alpha B + 2\alpha\beta C.$$

Die eine der beiden Ebenen, welche von der gegebenen in der Richtung der Geraden r um ϱ entfernt sind, möge nun auf den Coordinatenaxen die Strecken x_1, y_1, z_1 abschneiden, so dass ihre Gleichung lautet:

$$3)\qquad \frac{x}{x_1} + \frac{y}{y_1} + \frac{z}{z_1} = 1.$$

Projiciren wir alsdann diese Strecken auf die Richtung von r parallel zu der Ebene, so erhalten wir:

$$\varrho = \alpha x_1 = \beta y_1 = \gamma z_1,$$

d aus 2) ergiebt sich durch Elimination von α, β und γ:

$$4)\qquad 1=\frac{a^2}{x_1^2}+\frac{b^2}{y_1^2}+\frac{c^2}{z_1^2}+\frac{2A}{y_1z_1}+\frac{2B}{z_1x_1}+\frac{2C}{x_1y_1}.$$

Die Ebene 3) beschreibt also den Ebenenbündel zweiter Ordnung 4), oder sie umschreibt eine Fläche zweiter Ordnung, welche ein Ellipsoid sein muss, da a^2, b^2 und c^2 positive Grössen bezeichnen. Durch Veränderung der Coordinatenaxen können A, B und C zum Verschwinden gebracht werden, so dass

$$\Sigma myz=0;\quad \Sigma mzx=0;\quad \Sigma mxy=0$$

wird. Das Ellipsoid ist dann auf drei conjugirte Durchmesser bezogen, und seine Berührungsebene 3) ist bedingt durch die Gleichung:

$$4a)\qquad 1=\frac{a^2}{x_1^2}+\frac{b^2}{y_1^2}+\frac{c^2}{z_1^2}.$$

In Punktcoordinaten wird dann die Gleichung des Ellipsoides folgende:

$$5)\qquad 1=\frac{x^2}{a^2}+\frac{y^2}{b^2}+\frac{z^2}{c^2}.$$

Der Punkt O ist der Mittelpunkt dieses Ellipsoides; dasselbe soll das Trägheitsellipsoid von O heissen.

Für jede durch O gehende Ebene ist das Trägheitsmoment des Massensystems genau so gross, als wäre die gesammte Masse concentrirt in einer der beiden Berührungsebenen des Ellipsoides 5), welche jener gegebenen Ebene parallel laufen.

§. 2.

Die unzähligen Trägheitsellipsoide, welche wir für die sämmtlichen Punkte des Raumes construiren können, stehen in einfachen Beziehungen zu einander. Die Ellipsoide der sämmtlichen Punkte einer Ebene z. B. werden von zwei Ebenen, die zu jener parallel sind, berührt. Die Ellipsoide der sämmtlichen Punkte einer Geraden werden von einer Cylinderfläche berührt, deren Axe jene Gerade ist; die Berührungslinien sind natürlich Kegelschnitte.

Das Trägheitsellipsoid für den Schwerpunkt S des Massensystems ist von besonderer Wichtigkeit; es wird auch Centralellipsoid genannt. Lage und Gestalt der übrigen Ellipsoide lassen sich leicht aus derjenigen des Centralellipsoides ableiten. Sei 5) die Gleichung desselben in Bezug auf drei conjugirte Axen, von denen diejenige der x durch einen beliebigen Punkt O des Raumes gelegt sei. Wir setzen $OS=x_0$ und verlegen die Coordinatenaxen parallel nach O; dann gehen die Coordinaten x, y, z des Massentheilchens m über in:

$$x'=x-x_0;\quad y'=y;\quad z'=z,$$

und da für den Schwerpunkt $\Sigma mx=\Sigma my=\Sigma mz=0$ ist, und nach Voraussetzung $\Sigma mxy=\Sigma myz=\Sigma mzx=0$, so folgt:

$$\Sigma m x'^2 = \Sigma m x^2 - 2x_0 \Sigma m x + x_0^2 \Sigma m = \mathfrak{M}(a^2 + x_0^2),$$
$$\Sigma m y'^2 = \Sigma m y^2 = \mathfrak{M} b^2,$$
$$\Sigma m z'^2 = \Sigma m z^2 = \mathfrak{M} c^2,$$
$$\Sigma m y' z' = \Sigma m y z = 0,$$
$$\Sigma m z' x' = \Sigma m z x - x_0 \Sigma m z = 0,$$
$$\Sigma m x' y' = \Sigma m x y - x_0 \Sigma m y = 0.$$

Die erste dieser 6 Gleichungen enthält die bekannte Regel:

Um für irgend eine Richtung das Trägheitsmoment eines Massensystems in Bezug auf eine gegebene Ebene zu erhalten, bestimmt man für eine durch den Schwerpunkt gehende Parallelebene das Trägheitsmoment und addirt dazu das Product aus der Gesammtmasse $\mathfrak{M}$ in das Quadrat des (nach der gegebenen Richtung gemessenen) Abstandes beider Ebenen.

Die letzten drei Gleichungen zeigen, dass die drei neuen Coordinatenaxen drei conjugirte Durchmesser sind für das Trägheitsellipsoid von O. Die halben Längen dieser Durchmesser sind:

$$\sqrt{a^2 + x_0^2},\ b \text{ und } c.$$

Das Ellipsoid des beliebigen Punktes O kann also mittelst des Centralellipsoides wie folgt construirt werden. Man umhülle letzteres durch eine Cylinderfläche, deren Axe die Gerade $\overline{SO}$ ist, und verschiebe die ebene Berührungscurve parallel auf der Cylinderfläche, bis ihr Mittelpunkt mit O zusammenfällt, so hat man die Curve, in welcher die Cylinderfläche von dem Ellipsoid O berührt wird. Zwischen der Länge SO und dem auf derselben Geraden liegenden Halbmesser a des Centralellipsoïdes, als Catheten, construire man ferner ein rechtwinkliges Dreieck, und trage die Hypotenuse $\sqrt{a^2 + SO^2}$ von O aus ab auf $\overline{SO}$; so erhält man die beiden Punkte, in welchen $\overline{SO}$ von dem gesuchten Ellipsoid O geschnitten wird. Auch je zwei Sehnen der beiden Ellipsoide, welche auf einer Parallelen zu $\overline{SO}$ liegen, verhalten sich wie $\sqrt{a^2 + SO^2} : a$, und da dieselben von den Ebenen der oben genannten Berührungscurven halbirt werden, so ist die eine leicht zu construiren, wenn die andere bekannt ist. Herr Culmann folgert aus den hier bewiesenen Sätzen (a. a. O.):

Die Trägheitsellipsoide sämmtlicher Punkte einer durch den Schwerpunkt gehenden Geraden werden von einer zu letzterer parallelen Cylinderfläche in parallelen und congruenten Kegelschnitten berührt. Daraus ergiebt sich weiter:

Die Trägheitsellipsoide sämmtlicher Punkte einer durch S gehenden Ebene werden von zwei parallelen Ebenen berührt, und die nach dem Berührungspunkten gehenden Durchmesser der Ellipsoide sind parallel.

Der Schwerpunkt S liegt **innerhalb** jedes Trägheitsellipsoides, weil nämlich $\sqrt{a^2+OS^2}>OS$ ist.

§. 3.

Soll nun das gegebene Massensystem durch ein anderes in Bezug auf die Trägheitsmomente völlig ersetzt werden, so ist offenbar nothwendig, aber auch hinreichend:

1. dass die Trägheitsellipsoide beider Systeme für einen gegebenen Punkt O zusammenfallen, dass also irgend drei conjugirte Durchmesser derselben gleiche Richtung und Grösse haben;
2. dass die Schwerpunkte der beiden Massensysteme zusammenfallen, so dass auch die beiden Centralellipsoide und folglich die Trägheitsellipsoide eines jeden Punktes einander decken;
3. dass die Gesammtmasse $\mathfrak{M}$ des einen Systems derjenigen des andern gleich sei. Denn mit $\mathfrak{M}$ ist das Quadrat des betreffenden Trägheitsradius ϱ zu multipliciren, damit wir für irgend eine Ebene und Richtung das Trägheitsmoment $\mathfrak{M}\varrho^2$ erhalten.

Ein Massensystem, dessen Centralellipsoid die Gleichung

$$1=\frac{x^2}{a^2}+\frac{y^2}{b^2}+\frac{z^2}{c^2}$$

hat, lässt sich in diesem Sinne ersetzen durch ein Ellipsoid

$$5=\frac{x^2}{a^2}+\frac{y^2}{b^2}+\frac{z^2}{c^2},$$

in dessen Innern die Gesammtmasse $\mathfrak{M}$ gleichförmig vertheilt ist; ebenso durch ein homogenes Parallelepipedon, dessen Seitenflächen die Gleichungen haben:

$$\frac{x}{a}=\frac{y}{b}=\frac{z}{c}=\pm\sqrt{12}.$$

Durch ein System von drei materiellen Punkten lassen sich jene Bedingungen nur dann erfüllen, wenn das gegebene Massensystem ganz in der Ebene dieser drei Punkte liegt, weil nur dann das Trägheitsmoment für diese Ebene gleich Null wird. Im allgemeinen Fall genügen vier Punkte, die nicht alle in einer Ebene liegen, also die Eckpunkte eines Tetraeders. Seien m, m_x, m_y, m_z die Massen derselben. Wir nehmen den ersten derselben, O, zum Anfangspunkte eines Coordinatensystems, dessen Axen resp. durch die übrigen drei Punkte gehen. Seien ξ, η, ζ die resp. Entfernungen dieser Punkte von O, so wird:

$$\Sigma m x^2 = m_x\xi^2;\quad \Sigma m y^2 = m_y\eta^2;\quad \Sigma m z^2 = m_z\zeta^2;$$
$$\Sigma m y z = 0;\quad \Sigma m z x = 0;\quad \Sigma m x y = 0.$$

Die drei Geraden, welche den Punkt O mit den übrigen drei materiellen Punkten verbinden, sind also conjugirte Durchmesser des Trägheitsellipsoides O unseres Tetraeders. Der Forderung 1) zufolge müssen sie der Richtung und Grösse nach zusammenfallen mit drei beliebigen conjugirten Durchmessern desjenigen Ellipsoides, welches in dem ursprünglich gegebenen Massensystem dem Punkte O zukommt. Die Gleichung des letzteren Ellipsoides muss sich also auf die Form bringen lassen:

$$6)\qquad 1=\frac{x^2}{a_0^2}+\frac{y^2}{b_0^2}+\frac{z^2}{c_0^2},$$

und für die Grösse der Halbaxen gelten die Gleichungen:

$$m_x\xi^2=\mathfrak{M}a_0^2;\quad m_y\eta^2=\mathfrak{M}b_0^2;\quad m_z\zeta^2=\mathfrak{M}c_0^2.$$

Sind x_0, y_0, z_0 die Coordinaten des Schwerpunktes, so führt uns die Forderung 2) zu folgenden Gleichungen:

$$m_x\xi=\mathfrak{M}x_0;\quad m_y\eta=\mathfrak{M}y_0;\quad m_z\zeta=\mathfrak{M}z_0.$$

Die dritte Forderung endlich wird befriedigt durch die Gleichung:

$$m+m_x+m_y+m_z=\mathfrak{M}.$$

Diese sieben Gleichungen lassen sich in folgende auflösen. Es ist:

$$7)\qquad \xi=\frac{a_0^2}{x_0};\quad \eta=\frac{b_0^2}{y_0};\quad \zeta=\frac{c_0^2}{z_0};$$

$$8)\qquad m_x=\mathfrak{M}\frac{x_0^2}{a_0^2};\quad m_y=\mathfrak{M}\frac{y_0^2}{b_0^2};\quad m_z=\mathfrak{M}\frac{z_0^2}{c_0^2};$$

$$9)\qquad m=\mathfrak{M}\left(1-\frac{x_0^2}{a_0^2}-\frac{y_0^2}{b_0^2}-\frac{z_0^2}{c_0^2}\right).$$

Da der Schwerpunkt (x_0, y_0, z_0) oder S stets innerhalb des Ellipsoides 6) liegt, so ist m positiv, wie auch sein muss. Das Verhältniss $\frac{m}{\mathfrak{M}}$ hängt nur ab von der gegenseitigen Lage der Punkte O und S, nicht aber von der Wahl des Coordinatensystems resp. der Lage der übrigen drei Punkte. Denn die Function

$$1-\frac{x^2}{a_0^2}-\frac{y^2}{b_0^2}-\frac{z^2}{c_0^2}=f(x,y,z)$$

erhält für jeden Punkt des Raumes, also auch für den Schwerpunkt, einen ganz bestimmten Werth, welcher sich nicht ändert, wenn man die Coordinaten x, y, z durch andere Grössen ausdrückt, d. h. ein beliebiges neues Coordinatensystem einführt.

Die Gleichung der Ebene, in welcher die Massen m_x, m_y, m_z liegen, ist:

$$\frac{x}{\xi}+\frac{y}{\eta}+\frac{z}{\zeta}=1,$$

oder:

$$10)\qquad \frac{x_0x}{a_0^2}+\frac{y_0y}{b_0^2}+\frac{z_0z}{c_0^2}=1;$$

d. h. diese Ebene ist die Polarebene des Schwerpunktes in Bezug auf das Trägheitsellipsoid 6). Auch die Lage dieser Ebene ist also unabhängig von der Wahl des Coordinatensystems oder der Punkte m_x, m_y und m_z. Also:

Durch willkürliche Annahme eines der vier Eckpunkte des Tetraeders ist nicht nur die Masse, welche demselben beizulegen ist, sondern auch die Ebene, in welcher die übrigen drei Eckpunkte liegen, völlig und eindeutig bestimmt.

§. 4.

Die Grösse dieser Masse und die Lage dieser Ebene lassen sich mittelst des Centralellipsoides noch bequemer angeben, so dass sich namentlich leicht erkennen lässt, wie sie sich ändern mit der Lage des Punktes O. Die Ebene 10) ist parallel zu der Polarebene des Punktes O in Bezug auf das Centralellipsoid S, weil nach §. 2 die beiden Diametralebenen der Ellipsoide S und O, welchen die Gerade $\overline{SO}$ conjugirt ist, parallel sind, zu diesen aber die Polarebenen jedes Punktes von $\overline{SO}$. Wir wollen nun über die drei conjugirten Durchmesser, auf welche das Ellipsoid O bezogen ist, die Annahme machen, dass der eine, z. B. die x-Axe, durch den Schwerpunkt S gehe. Dann bedeutet x_0 die Länge OS, und y_0, sowie z_0 verschwinden. Zwei von den Eckpunkten des Massentetraeders rücken nach 7) in unendliche Entfernung, indem $\eta = \infty$ und $\zeta = \infty$; ihre Massen m_y und m_z werden zugleich verschwindend klein nach 8), so jedoch, dass immerhin $m_y \eta^2 = \mathfrak{M} b_0^2$ und $m_z \zeta^2 = \mathfrak{M} c_0^2$ bleibt. Die Gleichungen 9) und 10) gehen über in:

$$\frac{m}{\mathfrak{M}} = 1 - \frac{x_0^2}{a_0^2} \text{ und } \frac{x_0 x}{a_0^2} = 1.$$

Nach §. 2 ist aber $a_0^2 = a^2 + x_0^2$, wenn a den auf $\overline{OS}$ liegenden Halbmesser des Centralellipsoides bezeichnet. Also folgt:

$$\frac{m}{\mathfrak{M}} = \frac{a^2}{a^2 + x_0^2} = \frac{a^2}{a_0^2} \text{ und } x = \frac{a^2 + x_0^2}{x_0},$$

indem x die Länge OP bedeutet, welche von der Ebene 10) auf der Geraden $\overline{OS}$ abgeschnitten wird. Die geometrische Deutung der ersten Gleichung liegt auf der Hand; die zweite können wir auch schreiben:

$$a^2 = x_0 . (x - x_0) = OS . SP,$$

so dass also der Halbmesser a des Centralellipsoides die mittlere Proportionale ist von OS und SP. Ist nun P_1 der Schnittpunkt, welchen die Polarebene von O in Bezug auf das Centralellipsoid mit $\overline{OS}$ erzeugt, so dass also P_1 von O harmonisch getrennt ist durch das Ellipsoid, so gilt bekanntlich die Gleichung:

$$a^2 = OS . P_1 S.$$

Also ist $P_1 S = SP$, oder die Polarebene von O ist nicht allein parallel zu der Ebene 10), sondern hat auch vom Schwerpunkt denselben Abstand, wie diese. Wir wollen deshalb die Ebene 10) die **Gegenpolare** des Punktes O nennen, und umgekehrt O den **Gegenpol** jener Ebene in Bezug auf das [illegible]alellipsoid.

Ist O ein Eckpunkt des Tetraeders, so liegen die übrigen drei Eckpunkte in der Gegenpolare von O, d. h. in der Ebene, welche der Polare von O hinsichtlich des Centralellipsoides parallel ist und vom Schwerpunkt denselben Abstand hat wie diese.

Die Gleichung für $\frac{m}{\mathfrak{M}}$ kann auch geschrieben werden:

$$\frac{\mathfrak{M}-m}{m}=\frac{x_0^2}{a^2}.$$

Verlängern wir also jeden Halbmesser des Centralellipsoides im Verhältniss $\sqrt{\frac{\mathfrak{M}-m}{m}}$, so erhalten wir alle diejenigen Punkte des Raumes, welchen die Masse m zugetheilt werden müsste, wenn sie zu Eckpunkten des Tetraeders gewählt würden. Für ein constantes m erhalten wir als Ort dieser Punkte ein zum Centralellipsoid ähnliches und ähnlich liegendes Ellipsoid. Ist die Gleichung des Centralellipsoides für drei seiner conjugirten Durchmesser:

$$11)\qquad \frac{x^2}{a^2}+\frac{y^2}{b^2}+\frac{z^2}{c^2}=1,$$

so hat das letztere Ellipsoid die folgende Gleichung:

$$12)\qquad \frac{x^2}{a^2}+\frac{y^2}{b^2}+\frac{z^2}{c^2}=\frac{\mathfrak{M}-m}{m}.$$

Dieselbe muss von den Cordinaten (x_1, y_1, z_1) des Punktes O befriedigt werden, wenn dessen Masse m zum Voraus gegeben ist; oder diese Masse kann aus 12) berechnet werden, wenn jene Coordinaten gegeben sind. Die Masse m liegt, wie auch sein muss, immer zwischen 0 und $\mathfrak{M}$, weil die linke Seite von 12) nicht negativ werden kann. — Beispielsweise finden wir als Ort der Punkte, welchen die Masse $m=\frac{\mathfrak{M}}{2}$ oder auch $m=\frac{\mathfrak{M}}{5}$ beigelegt werden müsste, das Centralellipsoid und ein zweites, dessen Axen doppelt so gross sind, wie diejenigen des Centralellipsoides.

Da die Polare des Punktes O (x_1, y_1, z_1) in Bezug auf das Ellipsoid 11) folgende Gleichung hat: $\frac{x_1 x}{a^2}+\frac{y_1 y}{b^2}+\frac{z_1 z}{c^2}=1$,

so ist die Gleichung seiner Gegenpolare:

$$13)\qquad \frac{x_1 x}{a^2}+\frac{y_1 y}{b^2}+\frac{z_1 z}{c^2}+1=0.$$

Es folgt daraus, da 13) symmetrisch ist für (x, y, z) und (x_1, y_1, z_1), der Satz:

Von zwei gegebenen Punkten liegt entweder keiner oder jeder in der Gegenpolare des andern.

§. 5.

Analytisch lassen sich die soeben gewonnenen Resultate auch wie folgt ausdrücken. Seien $m_1(x_1, y_1, z_1)$, $m_2(x_2, y_2, z_2)$, $m_3(x_3, y_3, z_3)$ und $m_4(x_4, y_4, z_4)$ die vier Massen nebst den Coordinaten der Punkte, in welchen sie concentrirt sind, und seien zu Coordinatenaxen drei conjugirte Durchmesser des Centralellipsoides S gewählt worden, so dass wieder 11) die Gleichung des letzteren ist. Damit alsdann das gegebene Massensystem hinsichtlich der Trägheitsmomente völlig ersetzt werde durch jene vier materiellen Punkte, müssen letztere nur dieselbe Gesammtmasse, dasselbe Centralellipsoid und also auch denselben Schwerpunkt haben, wie ersteres. D. h. es ist nothwendig und hinreichend, dass folgende zehn Gleichungen befriedigt werden:

$$14)\quad \left\{\begin{aligned}
&m_1 + m_2 + m_3 + m_4 = \mathfrak{M},\\
&m_1 x_1^2 + m_2 x_2^2 + m_3 x_3^2 + m_4 x_4^2 = \mathfrak{M} a^2,\\
&m_1 y_1^2 + m_2 y_2^2 + m_3 y_3^2 + m_4 y_4^2 = \mathfrak{M} b^2,\\
&m_1 z_1^2 + m_2 z_2^2 + m_3 z_3^2 + m_4 z_4^2 = \mathfrak{M} c^2,\\
&m_1 y_1 z_1 + m_2 y_2 z_2 + m_3 y_3 z_3 + m_4 y_4 z_4 = 0,\\
&m_1 x_1 z_1 + m_2 x_2 z_2 + m_3 x_3 z_3 + m_4 x_4 z_4 = 0,\\
&m_1 x_1 y_1 + m_2 x_2 y_2 + m_3 x_3 y_3 + m_4 x_4 y_4 = 0,\\
&m_1 z_1 + m_2 z_2 + m_3 z_3 + m_4 z_4 = 0,\\
&m_1 y_1 + m_2 y_2 + m_3 y_3 + m_4 y_4 = 0,\\
&m_1 x_1 + m_2 x_2 + m_3 x_3 + m_4 x_4 = 0.
\end{aligned}\right.$$

Andererseits haben wir als nothwendig und hinreichend erkannt, dass jedem der vier Punkte eine Masse beizulegen sei, welche aus seinen Coordinaten durch eine Gleichung von der Form 12) berechnet wird, und dass jeder von den vier Punkten auf der Gegenpolaren der übrigen liege, seine Coordinaten also drei Gleichungen von der Form 13) genügen. D. h. es müssen nur die zehn Gleichungen befriedigt werden:

$$15)\quad \left\{\begin{aligned}
&1 + \frac{x_1^2}{a^2} + \frac{y_1^2}{b^2} + \frac{z_1^2}{c^2} = \frac{\mathfrak{M}}{m_1},\\
&1 + \frac{x_2^2}{a^2} + \frac{y_2^2}{b^2} + \frac{z_2^2}{c^2} = \frac{\mathfrak{M}}{m_2},\\
&1 + \frac{x_3^2}{a^2} + \frac{y_3^2}{b^2} + \frac{z_3^2}{c^2} = \frac{\mathfrak{M}}{m_3},\\
&1 + \frac{x_4^2}{a^2} + \frac{y_4^2}{b^2} + \frac{z_4^2}{c^2} = \frac{\mathfrak{M}}{m_4},\\
&1 + \frac{x_1 x_2}{a^2} + \frac{y_1 y_2}{b^2} + \frac{z_1 z_2}{c^2} = 0,\\
&1 + \frac{x_1 x_3}{a^2} + \frac{y_1 y_3}{b^2} + \frac{z_1 z_3}{c^2} = 0,\\
&1 + \frac{x_1 x_4}{a^2} + \frac{y_1 y_4}{b^2} + \frac{z_1 z_4}{c^2} = 0,\\
&1 + \frac{x_2 x_3}{a^2} + \frac{y_2 y_3}{b^2} + \frac{z_2 z_3}{c^2} = 0,\\
&1 + \frac{x_2 x_4}{a^2} + \frac{y_2 y_4}{b^2} + \frac{z_2 z_4}{c^2} = 0,\\
&1 + \frac{x_3 x_4}{a^2} + \frac{y_3 y_4}{b^2} + \frac{z_3 z_4}{c^2} = 0.
\end{aligned}\right.$$

Hätten wir das Centralellipsoid auf ein anderes Cordinatensystem bezogen, so würden in die Gleichungen 14) und 15) noch mehr willkürliche Constanten eingetreten sein. Diese allgemeineren Systeme von Gleichungen sind ohne Schwierigkeit aufzustellen.

Das in §. 4 Bewiesene lässt sich nun kurz so aussprechen:

Die Gleichungen 14) sind eine blosse Umformung der Gleichungen 15), und umgekehrt diese von jenen.

Einmal gefunden lässt sich dieser Satz auch analytisch leicht beweisen. Man setze zunächst zur Vereinfachung:

$$\alpha)\qquad \frac{m_i}{\mathfrak{M}}=\mu_i^2;\quad \frac{\mu_i x_i}{a}=\xi_i;\quad \frac{\mu_i y_i}{b}=\eta_i;\quad \frac{\mu_i z_i}{c}=\zeta_i,$$

indem i die Indices 1, 2, 3 oder 4 bedeutet. Dann gehen die Gleichungen 14) und 15) in folgende über:

$$14a)\left\{\begin{array}{l}\mu_1^2+\mu_2^2+\mu_3^2+\mu_4^2=1,\\ \xi_1^2+\xi_2^2+\xi_3^2+\xi_4^2=1,\\ \eta_1^2+\eta_2^2+\eta_3^2+\eta_4^2=1,\\ \zeta_1^2+\zeta_2^2+\zeta_3^2+\zeta_4^2=1,\\ \eta_1\zeta_1+\eta_2\zeta_2+\eta_3\zeta_3+\eta_4\zeta_4=0,\\ \xi_1\zeta_1+\xi_2\zeta_2+\xi_3\zeta_3+\xi_4\zeta_4=0,\\ \xi_1\eta_1+\xi_2\eta_2+\xi_3\eta_3+\xi_4\eta_4=0,\\ \mu_1\zeta_1+\mu_2\zeta_2+\mu_3\zeta_3+\mu_4\zeta_4=0,\\ \mu_1\eta_1+\mu_2\eta_2+\mu_3\eta_3+\mu_4\eta_4=0,\\ \mu_1\xi_1+\mu_2\xi_2+\mu_3\xi_3+\mu_4\xi_4=0.\end{array}\right.\qquad 15a)\left\{\begin{array}{l}\mu_1^2+\xi_1^2+\eta_1^2+\zeta_1^2=1,\\ \mu_2^2+\xi_2^2+\eta_2^2+\zeta_2^2=1,\\ \mu_3^2+\xi_3^2+\eta_3^2+\zeta_3^2=1,\\ \mu_4^2+\xi_4^2+\eta_4^2+\zeta_4^2=1,\\ \mu_1\mu_2+\xi_1\xi_2+\eta_1\eta_2+\zeta_1\zeta_2=0,\\ \mu_1\mu_3+\xi_1\xi_3+\eta_1\eta_3+\zeta_1\zeta_3=0,\\ \mu_1\mu_4+\xi_1\xi_4+\eta_1\eta_4+\zeta_1\zeta_4=0,\\ \mu_2\mu_3+\xi_2\xi_3+\eta_2\eta_3+\zeta_2\zeta_3=0,\\ \mu_2\mu_4+\xi_2\xi_4+\eta_2\eta_4+\zeta_2\zeta_4=0,\\ \mu_3\mu_4+\xi_3\xi_4+\eta_3\eta_4+\zeta_3\zeta_4=0.\end{array}\right.$$

Von befreundeter Seite wurde ich darauf aufmerksam gemacht, dass, wenn die μ, ξ, η, ζ als Coefficienten einer linearen Substitution angesehen werden, die Gleichungen 14a) und ebenso 15a) einfach aussagen, die Substitution sei eine orthogonale*), und dass somit 14a) aus 15a) folgt und umgekehrt 15a) aus 14a). Nämlich von den Gleichungen:

$$\beta)\left\{\begin{array}{l}t=\mu_1 T+\xi_1 U+\eta_1 V+\zeta_1 W,\\ u=\mu_2 T+\xi_2 U+\eta_2 V+\zeta_2 W,\\ v=\mu_3 T+\xi_3 U+\eta_3 V+\zeta_3 W,\\ w=\mu_4 T+\xi_4 U+\eta_4 V+\zeta_4 W.\end{array}\right.\quad\text{und }\gamma)\left\{\begin{array}{l}\mu_1 t+\mu_2 u+\mu_3 v+\mu_4 w=T,\\ \xi_1 t+\xi_2 u+\xi_3 v+\xi_4 w=U,\\ \eta_1 t+\eta_2 u+\eta_3 v+\eta_4 w=V,\\ \zeta_1 t+\zeta_2 u+\zeta_3 v+\zeta_4 w=W\end{array}\right.$$

folgen, wie sofort in die Augen springt, die letzteren (γ) aus den ersteren (β) wegen der Gleichungen 14a). Ebenso ergiebt sich aus β) und 14a) die Gleichung:

$$t^2+u^2+v^2+w^2=T^2+U^2+V^2+W^2.$$

Werden hierin rechts für T, U, V, W ihre Werthe (γ) eingesetzt, und hernach die Coefficienten von resp. t^2, tu, u^2, tv, ... auf beiden Seiten einander gleichgemacht (was nothwendig ist, weil t, u, v, w ganz beliebige Grössen sein können), so folgen die Gleichuhgen 15a). Umgekehrt ergeben sich aus 15a) die Gleichungen 14a), wenn von den Gleichungen γ) ausgegangen

*) Vergl. Baltzer, Determinanten, 2. Aufl. §. 14, 5.

wird. Hiermit ist auch analytisch bewiesen, dass das Tetraeder auf unzählig viele Arten construirt werden kann nach Anleitung der Gleichungen 15).

Das Quadrat der Substitutionsdeterminante ist bekanntlich $=1$ oder

$$\begin{vmatrix} \mu_1 & \xi_1 & \eta_1 & \zeta_1 \\ \mu_2 & \xi_2 & \eta_2 & \zeta_2 \\ \mu_3 & \xi_3 & \eta_3 & \zeta_3 \\ \mu_4 & \xi_4 & \eta_4 & \zeta_4 \end{vmatrix}^2 = 1,$$

wie hier sofort sich ergiebt, wenn mit Berücksichtigung der Gleichungen 14*a*) oder 15*a*) das Quadrat in eine einfache Determinante verwandelt wird.*) Werden für die ξ, η und ζ ihre Werthe aus α) eingeführt, so erhalten wir:**)

$$\left(\frac{\mu_1\mu_2\mu_3\mu_4}{abc}\right)^2 \cdot \begin{vmatrix} 1 & x_1 & y_1 & z_1 \\ 1 & x_2 & y_2 & z_2 \\ 1 & x_3 & y_3 & z_3 \\ 1 & x_4 & y_4 & z_4 \end{vmatrix}^2 = 1.$$

Die in dieser Gleichung vorkommende Determinante bedeutet, wenn wir für den Augenblick rechtwinkelige Coordinaten voraussetzen, das Sechsfache vom Inhalte T des Tetraeders, welches die vier Massenpunkte bilden;***) und ebenso ist $\frac{4\pi}{3}abc$ gleich dem Inhalte E des Centralellipsoides. Wir haben also:

$$\frac{T}{E} = \frac{1}{8\pi.\mu_1\mu_2\mu_3\mu_4} = \frac{1}{8\pi}\sqrt{\frac{\mathfrak{M}^4}{m_1 m_2 m_3 m_4}};\ \text{d. h.:}$$

Der Inhalt des Tetraeders hängt nur davon ab, wie die Masse $\mathfrak{M}$ auf die vier Eckpunkte vertheilt ist.

Für $m_1 = m_2 = m_3 = m_4 = \frac{\mathfrak{M}}{4}$ z. B. ist $T = \frac{2}{\pi}E = \frac{8}{3}abc$ ein Minimum, so dass das Tetraedervolumen niemals grösser werden kann, als $\frac{2}{\pi}$ vom Volumen des Centralellipsoides. Im nächsten Paragraphen wird sich ergeben, dass das Verhältniss, in welchem die Masse $\mathfrak{M}$ sich auf die vier Eckpunkte des Tetraeders vertheilen soll, zum Voraus willkürlich angenommen, und dass gleichwohl das Tetraeder noch auf unendlich viele Arten construirt werden kann.

§. 6.

Ein Tetraeder, welches dem gegebenen Massensystem aequivalent ist hinsichtlich der Trägheitsmomente, kann nach Obigem wie folgt bestimmt werden. Man nimmt einen beliebigen Punkt O_1 als ersten Eckpunkt an; die Gleichungen 12) und 13) bestimmen dann sofort die Masse m_1, welche

---

*) Vergl. Baltzer a. a. O. §. 14, 5.

**) Ebenda §. 3, 4.

***) *Ebenda* §. 15, 6.

demselben beizulegen ist, sowie die Ebene, in welcher die übrigen drei Punkte liegen, und welche als Gegenpolare von O_1 mittelst des Centralellipsoides leicht construirt werden kann. In dieser Ebene wird der zweite Eckpunkt O_2 beliebig angenommen, dessen Masse m_2 und dessen gegenüberliegende Ebene sich wieder aus 12) und 13) ergeben. Auf der Schnittlinie der beiden so gefundenen Ebenen kann der dritte Eckpunkt beliebig gewählt werden; wodurch dann auch dessen gegenüberliegende Ebene und somit der vierte Eckpunkt, in welchem jene drei Ebenen sich schneiden, eindeutig bestimmt ist.

Ist vom Tetraeder eine Ebene gegeben, deren Gleichung sei:

$$Ax + By + Cz + D = 0,$$

so erhalten wir durch Identificirung dieser Gleichung mit 13) für die Coordinaten des ausserhalb der Ebene gelegenen Eckpunktes die Werthe:

$$x_1 = a^2 \frac{A}{D}; \quad y_1 = b^2 \frac{B}{D}; \quad z_1 = c^2 \frac{C}{D}.$$

Seine Masse m und die in der Ebene concentrirte Masse $\mathfrak{M} - m$ ergeben sich aus Gleichung 12), wenn diese Coordinaten statt x, y, z eingesetzt werden. Der Punkt (x_1, y_1, z_1) ist der Gegenpol der gegebenen Ebene; seine Verbindungslinie mit dem Pol der letzteren hinsichtlich des Centralellipsoides wird durch den Schwerpunkt S halbirt. Für $D = 0$, d. h. wenn die Ebene den Schwerpunkt enthält, fällt (x_1, y_1, z_1) ins Unendliche; die Richtung, nach welcher hin er im Unendlichen liegt, ist jedoch bestimmt, da er sich stets auf der Geraden:

$$\frac{x}{a^2 A} = \frac{y}{b^2 B} = \frac{z}{c^2 C},$$

d. h. auf demjenigen Durchmesser des Centralellipsoides, welcher der gegebenen Ebene conjugirt ist, befinden muss.

Ueberhaupt bilden die sämmtlichen Punkte des Raumes mit ihren Gegenpolaren ein räumliches Polarsystem, dessen Ordnungsfläche oder Directrix jedoch imaginär ist, und die Gleichung hat:

$$\frac{x^2}{a^2} + \frac{y^2}{b^2} + \frac{z^2}{c^2} + 1 = 0.$$

Das Massentetraeder ist ein Polartetraeder (oder Quadrupel harmonischer Punkte), und der Schwerpunkt S ist der Mittelpunkt dieses Polarsystems. Man überzeugt sich hiernach leicht, dass durch willkürliche Annahme einer Kante des Tetraeders sowohl die Summe der in ihr liegenden beiden Massen, als auch die gegenüberliegende Kante als Gegenpolare der ersteren eindeutig bestimmt ist. Geht die eine Kante durch den Schwerpunkt, so liegt die andere im Unendlichen (vergl. §. 4).

Wenn für jeden Punkt einer Ebene das Trägheitsellipsoid, in diesem aber derjenige Durchmesser construirt wird, welcher jener Ebene conjugirt ist, so geht derselbe durch den Gegenpol der Ebene. Denn sei dieser Gegenpol ein Eckpunkt des Tetraeders, so liegen die drei übrigen in der Ebene, und zwar kann einer von diesen, O_1, ganz beliebig in der Ebene angenommen werden. Die drei Kanten des Tetraeders, welche durch O_1 gehen, sind aber nach §. 3 conjugirte Durchmesser des Trägheitsellipsoides von O_1, wie behauptet wurde. Wir können diesen Satz anschaulicher, wie folgt, aussprechen:

Die Trägheitsellipsoide der sämmtlichen Punkte einer Ebene werden von zwei zu letzterer parallelen Ebenen so berührt, dass die sämmtlichen Berührungssehnen im Gegenpole der gegebenen Ebene sich schneiden. Daraus ergiebt sich mit Leichtigkeit:

Die Trägheitsellipsoide der sämmtlichen Punkte einer Geraden werden von einer zu der letzteren parallelen Cylinderfläche in Kegelschnitten berührt, deren Ebenen sich i[illegible] Geraden schneiden, nämlich in der Gege[illegible] [illegible]r gegebenen Geraden.

Die in §. 2 aufgestellten ver[illegible] sind in diesen enthalten.

Jeder Ebene, welche [illegible]he des Tetraeders angenommen wird, kommt ein ganz bestimmter S[illegible]rpunkt zu, dessen Lage unabhängig ist von der Lage der drei in [illegible] haltenen Eckpunkte. Derselbe liegt nämlich auf der Geraden, welche [illegible] Gegenpol der Ebene mit dem Schwerpunkt S des Massensystems verb[illegible]let; denn jede Gerade, welche einen Eckpunkt des Tetraeders mit dem Schwerpunkt der drei übrigen verbindet, geht durch S. Ebenso kommt jeder Kante des Tetraeders ein bestimmter Schwerpunkt zu, in welchem sie durch diejenige Ebene geschnitten wird, welche ihre Gegenpolare mit S verbindet.

Wird ein beliebiger Punkt O als erster und der Schwerpunkt O_1 seiner Gegenpolare als zweiter Eckpunkt des Tetraeders angenommen, so fallen nach §. 4 die übrigen beiden Eckpunkte ins Unendliche und erhalten die Masse Null. Ist also in O die Masse m concentrirt, so fällt auf O_1 die gesammte übrige Masse $\mathfrak{M}-m$, während offenbar bei jeder anderen Annahme des zweiten Eckpunktes diesem eine kleinere Masse zugekommen wäre. Wir schliessen daraus:

Liegt der Punkt O auf dem Ellipsoid:

$$12) \qquad \frac{x^2}{a^2}+\frac{y^2}{b^2}+\frac{z^2}{c^2}=\frac{\mathfrak{M}-m}{m},$$

so hat seine Gegenpolare mit dem Ellipsoide:

$$\frac{x^2}{a^2}+\frac{y^2}{b^2}+\frac{z^2}{c^2}=\frac{\mathfrak{M}-\mu}{\mu}$$

eine Schnittlinie, oder nur ihren Schwerpunkt oder gar keinen reellen Punkt gemein, je nachdem $\mu<\mathfrak{M}-m$ oder $\mu=\mathfrak{M}-m$ oder endlich $\mu>\mathfrak{M}-m$ ist.

Aehnliches gilt von beliebig als Kanten des Tetraeders angenommenen *Geraden. Ist m* die Summe der Massen, welche in den beiden durch die

Kante verbundenen Eckpunkten concentrirt sind, so hat die Gerade mit dem Ellipsoid:

$$\frac{x^2}{a^2}+\frac{y^2}{b^2}+\frac{z^2}{c^2}=\frac{\mathfrak{M}-\mu}{\mu}$$

zwei Schnittpunkte, oder nur ihren Schwerpunkt oder keinen reellen Punkt gemein, je nachdem $\mu < m$ oder $\mu = m$ oder $\mu > m$ ist. Die Gegenpolare der Geraden wird von jenem Ellipsoid berührt für $\mu = \mathfrak{M} - m$, dagegen zweimal geschnitten für $\mu < \mathfrak{M} - m$. Der Beweis dieser Sätze ist dem soeben geführten ganz analog.

Wir können daher das Tetraeder auch unter der Bedingung construiren, dass die Gesammtmasse $\mathfrak{M}$ des Systems in gegebenem Verhältniss sich auf die vier Eckpunkte vertheile. Denn seien m_1, m_2, m_3, m_4 vier beliebig gegebene Massen, deren Summe $= \mathfrak{M}$ ist, so liegen die gesuchten vier Eckpunkte des Tetraeders auf vier Ellipsoiden, deren resp. Gleichungen wir erhalten, wenn wir in Gleichung 12) statt m beziehungsweise m_1, m_2, m_3, m_4 einsetzen. Den ersten Eckpunkt wählen wir beliebig auf einem dieser vier Ellipsoide; seine Gegenpolare schneidet dann die drei übrigen. Auf einer der Schnittcurven nehmen wir den zweiten Eckpunkt an; dann schneidet die Gegenpolare der so bestimmten Kante die letzten beiden Ellipsoide. Wählen wir endlich einen der vier Schnittpunkte als dritten Eckpunkt, so ist dadurch auch der vierte den Bedingungen gemäss bestimmt.

Das Tetraeder kann z. B. auf unzählig viele Arten so construirt werden, dass die Gesammtmasse sich gleichmässig auf die vier Eckpunkte vertheilt. Letztere, deren jeder die Masse $\frac{\mathfrak{M}}{4}$ enthält, liegen dann auf dem Ellipsoid:

$$\frac{x^2}{a^2}+\frac{y^2}{b^2}+\frac{z^2}{c^2}=3;$$

die sechs Kanten werden in ihren Halbirungspunkten vom Centralellipsoid:

$$\frac{x^2}{a^2}+\frac{y^2}{b^2}+\frac{z^2}{c^2}=1$$

berührt, und die vier Seitenflächen in ihren Schwerpunkten vom Ellipsoid:

$$\frac{x^2}{a^2}+\frac{y^2}{b^2}+\frac{z^2}{c^2}=\tfrac{1}{3}.$$

§. 7.

In jedem Trägheitsellipsoid O giebt es drei Hauptaxen, d. h. conjugirte Durchmesser, welche auf einander senkrecht stehen. Dieselben spielen in der Rotationslehre eine wichtige Rolle, denn sie fallen (weil $\Sigma m z x = \Sigma m x y = \Sigma m y z = 0$ wird, wenn sie zu Coordinatenaxen gewählt werden) zusammen mit den Hauptträgheitsaxen des Punktes O. Wir wollen sie schlechthin die Hauptaxen, und die drei sie verbindenden Ebenen die Hauptebenen des Punktes O nennen. Jede Gerade, welche für irgend einen ihrer Punkte eine Hauptaxe ist, soll auch eine Hauptaxe des Massensystems genannt werden; die Hauptaxen und Hauptebenen des Schwerpunktes (oder des Centralellipsoides) wollen wir durch die Namen Centralaxen und Centralebenen von den übrigen unterscheiden.

Sei π_1 eine beliebige Ebene, O ein Punkt derselben und P ihr Gegenpol; dann ist nach §. 6 im Trägheitsellipsoid von O die Gerade $\overline{OP}$ der Ebene π_1 conjugirt. Steht also $\overline{OP}$ senkrecht auf π_1, so ist $\overline{OP}$ eine Hauptaxe und π_1 eine Hauptebene des Punktes O; so dass jede Ebene im Allgemeinen für einen einzigen Punkt, nämlich für den Fusspunkt der aus ihrem Gegenpol auf sie gefällten Normalen, eine Hauptebene ist. Nur jede der drei Centralebenen ist Hauptebene für alle ihre Punkte, weil ihr Gegenpol auf der conjugirten, senkrechten Centralaxe unendlich fern liegt. Jede zu einer Centralaxe parallele Gerade ist daher eine Hauptaxe für denjenigen Punkt, in welchem sie die conjugirte Centralebene trifft.

Eine beliebig gegebene Gerade k ist nur dann Hauptaxe für einen ihrer Punkte, wenn sie mit ihrer Gegenpolaren k_1 einen rechten Winkel bildet.

Nach §. 6 ist nämlich in jedem Trägheitsellipsoid, dessen Mittelpunkt O auf k liegt, die Gerade k der Ebene Ok_1 conjugirt, und nur im genannten Fall lässt sich durch k_1 eine zu k senkrechte Ebene Ok_1 legen. Jede in einer Centralebene liegende Gerade ist Hauptaxe des Systems, weil sie auf ihrer Polaren senkrecht steht. Eine Gerade, welche für zwei ihrer Punkte Hauptaxe ist, muss für jeden ihrer Punkte eine Hauptaxe sein, weil ihre Gegenpolare als Schnittlinie von zwei auf ihr senkrechten Ebenen im Unendlichen liegt, und in jeder zu ihr senkrechten Ebene enthalten ist. Die Gerade ist in diesem Falle eine Centralaxe.

Ueber die Vertheilung der Hauptaxen des Massensystems über den unendlichen Raum geben uns folgende Sätze Aufschluss:

Die sämmtlichen Hauptaxen, welche durch einen Punkt P gehen, bilden eine Kegelfläche zweiter Ordnung; dieselbe geht durch den Mittelpunkt S, und durch die unendlich fernen Punkte der Centralaxen.

Die sämmtlichen Hauptaxen, welche in einer gegebenen Ebene π_1 liegen, umhüllen eine Parabel.

Nur wenn P unendlich fern oder auf einer Centralebene liegt, oder andrerseits π_1 durch den Schwerpunkt geht, erhalten wir zwei Strahlenbüschel statt der Kegelfläche oder der Parabeltangenten.

Sei π_1 die Gegenpolare von P, und n die von P auf π_1 gefällte Normale, welche nebst ihrer in π_1 liegenden Gegenpolaren n_1 eine Hauptaxe ist. Dem Ebenenbüschel n entspricht dann die zu ihm projectivische Gerade n_1, und durch jeden Punkt A_1 der letzteren geht noch eine Hauptaxe g_1 der Ebene π_1, nämlich die Senkrechte, welche von A_1 auf seine durch n gehende Gegenpolare a gefällt wird; denn g_1 steht senkrecht auf ihrer durch P gehenden

Gegenpolaren g, welche letztere also ebenfalls eine Hauptaxe ist. Die Gerade g_1 kann auch angesehen werden als Verbindungslinie von A_1 mit demjenigen unendlich fernen Punkt A'_1 der Ebene, welcher in einem zur Ebene α senkrechten Strahl von P liegt. Man schliesst daraus, dass die Gerade n_1 und die unendlich ferne Gerade von π_1 projectivisch auf einander bezogen sind hinsichtlich der einander entsprechenden Punkte von A_1 und A'_1, und dass folglich g_1 eine Parabel umschreibt, wenn A sich bewegt, von welcher auch n_1 eine Tangente ist (vergl. Steiner, Abhängigkeit geometrischer Gestalten, S. 302). Die Gegenpolare g beschreibt zugleich die reciproke Figur, nämlich eine Kegelfläche zweiter Ordnung mit dem Mittelpunkte P, welche durch den Schwerpunkt S des Massensystems hindurchgeht, weil zu den Tangenten jener Parabel auch die unendlich ferne Gerade von π_1 gehört. Wir müssen hiernach auch jede durch S gehende, sowie jede unendlich ferne Gerade als Hauptaxe des Systems betrachten, und zwar erstere für ihren unendlich fernen Punkt.

Geht die Ebene π_1 durch S, so liegt ihr Gegenpol P unendlich fern auf dem zu π conjugirten Durchmesser des Centralellipsoides. Die sämmtlichen in π_1 gezogenen Parallelen, deren Richtung auf diesen Durchmesser senkrecht ist, sind deshalb Hauptaxen, und ebenso ihre Gegenpolaren, welche jenem Durchmesser (nach P hin) parallel laufen und eine durch S gehende Ebene erfüllen. Statt der Kegelfläche P erhalten wir also einen unendlich fernen und einen Parallelstrahlenbüschel P, dessen Ebene durch S geht; statt der sämmtlichen Tangenten einer Parabel erhalten wir in π_1 einen Strahlenbüschel S und einen Parallelstrahlenbüschel, und zwar ist die Richtung der parallelen Strahlen senkrecht zu derjenigen, in welcher P liegt. Beiläufig folgt:

> Die Hauptaxen, welche durch irgend zwei, mit S in einer Geraden liegende Punkte hindurchgehen, sind paarweise parallel, oder die beiden Kegelflächen, auf welchen sie liegen, berühren sich in jener Geraden und gehen durch denselben unendlich fernen Kegelschnitt.
>
> Die sämmtlichen Parabeln, welche von allen in parallelen Ebenen liegenden Hauptaxen eingehüllt werden, sind Schnitte einer einzigen Kegelfläche mit dem Mittelpunkt S.

Liegt der Punkt P auf einer Centralebene γ und ist s irgend eine durch P gehende Hauptaxe, welche mit γ einen spitzen Winkel bildet, so ist jeder Strahl von P, welcher mit s in einer zu γ senkrechten Ebene liegt, eine Hauptaxe. Denn zunächst sind auch die Normale in P und die senkrechte Projection von s auf γ Hauptaxen, wie früher bewiesen ist. Dem Strahlenbüschel P, in welchem diese drei Hauptaxen liegen, entspricht aber ein projectivischer Strahlenbüschel, welchem die drei Gegenpolaren angehören, und dessen Eb gleichfalls auf γ normal ist, während sein Mittelpunkt gleich P in γ lieg.. d jeder Strahl des einen Büschels steht auf seiner Gegenpolaren im re en Büschel senkrecht, weil dieses von drei Strahlen gilt (vergl. v. t, Geom. d. Lage, No. 350). Die sämmtlichen durch P gehenden . ıxen bilden also zwei Strahlenbüschel, von denen der eine in γ liegt, u.. dere in einer zu γ normalen Ebene. Ebenso erhalten wir als Ort aller : π_1 liegenden Hauptaxen zwei Strahlenbüschel, nämlich einen Pa ıhlenbüschel, dessen Strahlen auf γ senkrecht stehen, und einen gew .en, dessen Mittelpunkt in γ liegt. Beiläufig folgt:

Ist n eine Normale zu einer Centralebene γ, so bilden die sämmtlichen Hauptaxen, welche von n geschnitten werden, F ge' 'ächen 2. Ordnung, deren Mittelpunkte in ıd welche von γ in einer und derselben Hyperbe.. itten werden.

Nämlich eine beliebige die chen hat mit γ eine Hyperbel gemein, welche durch den : :t von n und γ, durch den Schwerpunkt S und die unendlich ferne.. te der in γ liegenden beiden Centralaxen hindurchgeht. Nach dem eben Bewiesenen ist aber jede Gerade, welche einen Punkt der Hyperbel mit einem Punkt von n verbindet, eine Hauptaxe. Aehnlich ist der folgende reciproke Satz zu beweisen:

Die sämmtlichen Hauptaxen, welche von einer Centralebene γ und von einer in dieser gelegenen Geraden g geschnitten werden, berühren einen parabolischen Cylinder, welcher auf γ senkrecht ist.

Ist ausser den drei Centralaxen noch eine vierte Hauptaxe a bekannt, welche weder mit einer von ersteren in einer Ebene, noch unendlich fern liegt, so können alle Hauptaxen des Massensystems leicht construirt werden. Man nehme z. B. auf der Ebene Sa irgend einen Punkt O an und lege durch diesen vier Parallele zu den gegebenen vier Hauptaxen und eine fünfte Gerade nach S. Construirt man dann die Kegelfläche 2. Ordnung, welche durch diese fünf Strahlen von O bestimmt ist, so liegen in dieser alle durch O gehenden Hauptaxen. Wird dieselbe Construction für jeden Punkt der Ebene Sa ausgeführt, so erhält man alle Hauptaxen des Systems, da jede derselben entweder die Ebene schneidet (resp. ihr parallel ist) oder in derselben liegt. Andere Constructionen folgen aus den letzten Sätzen.

Schneiden sich zwei solche Kegelflächen in einer Geraden, so haben sie ausserdem eine unebene Curve dritter Ordnung gemein, welche durch die Mittelpunkte der beiden Kegelflächen, durch S und durch die unendlich fernen Punkte der drei Centralaxen hindurchgeht. Jede dritte solche Kegelfläche, deren Mittelpunkt O auf dieser Curve 3. Ordnung liegt, geht durch dieselbe hindurch; denn es lassen sich sofort sechs durch O gehende

Hauptaxen angeben, welche die Curve schneiden (vergl. v. Staudt, Beitr. z. Geom. d. Lage, No. 462 ff.). Also:

Jede Gerade, welche eine solche Curve dritter Ordnung berührt oder in zwei Punkten schneidet, ist eine Hauptaxe des Massensystems.

Ich würde bei diesen Sätzen nicht so lange verweilt sein, wenn sie nicht für die Theorie der Normalen an Flächen zweiter Ordnung einiges Interesse böten. Im Folgenden stellen sich nämlich die Hauptaxen dar als die Normalen eines Systems confocaler Oberflächen, so dass alle jene Sätze auch für diese Normalen gelten.

§. 8.

Die drei Hauptträgheitsaxen eines beliebigen Punktes O, d. h. die Hauptaxen seines Trägheitsellipsoides, und die drei sie verbindenden Hauptebenen können wie folgt gefunden werden. Man suche diejenigen beiden Durchmesserebenen, deren Abstand von den resp. ihnen parallelen Berührungsebenen des Ellipsoides ein Maximum oder Minimum ist, so hat man zwei Hauptebenen; die dritte steht senkrecht auf jenen beiden, deren Normalen gleichzeitig die Richtung der grössten resp. kleinsten Hauptaxen angeben.

Um die einfache Rechnung, welche durch diese Bemerkung angezeigt ist, desto bequemer ausführen zu können, wählen wir die Centralaxen, d. h. die drei Hauptaxen des Schwerpunktes S, zu Coordinatenaxen, so dass die Gleichung des Centralellipsoides die Form hat:

$$17)\qquad \frac{x^2}{a^2}+\frac{y^2}{b^2}+\frac{z^2}{c^2}=1.$$

Die halben Axen desselben sind dann durch a, b, c bezeichnet. Der Abstand ϱ_0 irgend einer durch S gelegten Ebene ε von der ihr parallelen Berührungsebene des Ellipsoides ist nach §. 1 Gleichung 2) bestimmt durch:

$$\varrho_0^2=\alpha^2a^2+\beta^2b^2+\gamma^2c^2,$$

wenn α, β, γ die Cosinus der Neigungswinkel bezeichnet, welche die Normale von ε mit den resp. Axen bildet, und folglich:

$$18)\qquad \alpha^2+\beta^2+\gamma^2=1$$

ist. Wird durch einen beliebigen Punkt O (x_1, y_1, z_1) eine zu ε parallele Ebene ε_1 gelegt, so ist deren Abstand von ε:

$$p=\alpha x_1+\beta y_1+\gamma z_1.$$

Zugleich hat ε_1 von der ihr parallelen Berührungsebene des Trägheitsellipsoides O nach §. 2 den Abstand $\varrho=\sqrt{\varrho_0^2+p^2}$, so dass:

$$19)\qquad \varrho^2=\alpha^2(a^2+x_1^2)+\beta^2(b^2+y_1^2)+\gamma^2(c^2+z_1^2)+2\beta\gamma y_1z_1+2\gamma\alpha z_1x_1+2\alpha\beta x_1y_1.$$

Damit ϱ^2 ein Maximum oder Minimum werde, müssen die drei Gleichungen befriedigt werden:

$$20)\quad \begin{cases} (a^2+x_1^2-\varrho^2)\alpha+x_1y_1\beta+z_1x_1\gamma=0,\\ x_1y_1\alpha+(b^2+y_1^2-\varrho^2)\beta+y_1z_1\gamma=0,\\ z_1x_1\alpha+y_1z_1\beta+(c^2+z_1^2-\varrho^2)\gamma=0,\end{cases}$$

wie mit Berüc ichtigung von 18) leicht gefunden wird. Dieselben lassen sich auch schreiben:

$$21)\quad \frac{\varrho^2-a^2}{x_1}\alpha=\frac{\varrho^2-b^2}{y_1}\beta=\frac{\varrho^2-c^2}{z_1}\gamma=x_1\alpha+y_1\beta+z_1\gamma,$$

woraus mit Hilfe von Gleichung 18) folgt:

$$22)\quad \frac{x_1^2}{\varrho^2-a^2}+\frac{y_1^2}{\varrho^2-b^2}+\frac{z_1^2}{\varrho^2-c^2}=1,$$

während:

$$23)\quad \alpha:\beta:\gamma=\frac{x_1}{\varrho^2-a^2}:\frac{y_1}{\varrho^2-b^2}:\frac{z_1}{\varrho^2-c^2}.$$

Wird $a>b>c$ vorausgesetzt, so ergeben sich aus der cubischen Gleichung 22) für ϱ^2 drei positive Werthe, und zwar ist der eine grösser als a^2, der zweite liegt zwischen a^2 und b^2 und der dritte zwischen b^2 und c^2.

Von den Halbaxen eines beliebigen Trägheitsellipsoides ist die kleinste zwischen den beiden kleinern, die mittlere zwischen den beiden grösseren Halbaxen des Centralellipsoides enthalten; die grösste aber ist länger als die grösste Halbaxe des Centralellipsoides.

Nehmen wir in 22) ϱ constant, aber x_1, y_1, z_1 als veränderlich an, so folgt mit Berücksichtigung von 23):

Die sämmtlichen Punkte, deren Ellipsoide eine Halbaxe von gegebener Länge besitzen, liegen auf einer Fläche zweiter Ordnung, deren Normalen in jedem Punkte die Richtung dieser Halbaxe angeben; und alle solche Flächen zweiter Ordnung sind confocal.

Zu diesen confocalen Oberflächen gehört auch die imaginäre Ordnungsfläche

$$24)\quad \frac{x^2}{a^2}+\frac{y^2}{b^2}+\frac{z^2}{c^2}+1=0$$

des in §. 6 erwähnten Polarsystems.

Da ϱ^2 für jeden Punkt drei Werthe annimmt, so ergiebt sich weiter:

Durch jeden Punkt O gehen drei zu der Fläche 24) confocale Oberflächen, deren Normalen in O mit den Hauptaxen dieses Punktes zusammenfallen. Die Grössen dieser Hauptaxen sind gleich den doppelten Parametern 2ϱ der drei Oberflächen.

Herr Clebsch hat im Journal für reine und angewandte Mathematik, *Bd. 57, S. 75,* diesen Satz mittelst eines von ihm selbst erfundenen ganz anderen Trägheitsellipsoides zuerst bewiesen, und auch die vorhergehenden beiden Sätze sind den seinen analog. Ich musste sie auch für die hier betrachteten Trägheitsellipsoide beweisen, damit die in §. 7 aufgestellten Sätze über die Hauptaxen eines Massensystems sofort auch für die Normalen confocaler Oberflächen gelten. So z. B. ist jetzt der Satz bewiesen:

Sind von einem System confocaler Oberflächen die drei Axen und noch eine Normale gegeben, welche mit keiner der Axen in einer Ebene liegt, so sind dadurch alle Normalen der Oberflächen bestimmt. Die Normalen, welche durch einen beliebigen Punkt gehen, liegen im Allgemeinen in einer Kegelfläche zweiter Ordnung, welche durch den Schnittpunkt und die unendlich fernen Punkte der drei Axen hindurchgeht; diejenigen, welche in einer beliebigen Ebene liegen, umhüllen eine Parabel. Alle in gegebener Richtung möglichen Normalen erfüllen eine Ebene, welche durch den Mittelpunkt des Systems hindurchgeht. Zu jeder Geraden g, welche zu einer Axe parallel ist, lässt sich in der Ebene der übrigen beiden Axen eine Hyperbel h angeben, so dass jede Gerade, welche von g und h gleichzeitig geschnitten wird, zu einer der Oberflächen normal ist. Schneidet eine Gerade g zwei Axen zugleich, so berühren die sämmtlichen Normalen, welche g, aber nicht jene Axen schneiden, einen parabolischen Cylinder; u.s.w.

Diese Sätze werden wohl grösstentheils bekannt sein; doch wird vermuthlich ihr Beweis am einfachsten, wie in §. 7, mit Hilfe der neueren Geometrie geführt.

Zum Schluss bemerke ich noch, dass der von Herrn Clebsch bewiesene Satz:

Die sämmtlichen Punkte, deren Trägheitsellipsoide mehr als drei Hauptaxen haben, also Rotationsellipsoide sind, liegen auf den Focallinien des Systems confocaler Oberflächen,

auch aus den Gleichungen dieses Paragraphen mit Leichtigkeit folgt. Für diese Punkte müssen nämlich die Gleichungen 20), aus denen sich die Richtung der Hauptaxen ergiebt, für α, β und γ unbestimmt werden, d. h. es muss sein:

$$\text{entweder } x_1=0 \text{ und } \varrho^2=a^2,$$
$$\text{oder } y_1=0 \quad \text{,,} \quad \varrho^2=b^2,$$
$$\text{,,} \quad z_1=0 \quad \text{,,} \quad \varrho^2=c^2.$$

Diese Bedingungsgleichungen lassen sich wegen 20) auch auf die Form bringen:

$$\text{entweder: } \quad x_1=0 \text{ und } \frac{y_1^2}{a^2-b^2}+\frac{z_1^2}{a^2-c^2}=1,$$

$$\text{oder:}\quad y_1=0 \text{ und } -\frac{x_1^2}{a^2-b^2}+\frac{z_1^2}{b^2-c^2}=1,$$

$$\text{„}\quad z_1=0 \text{ „ } -\frac{x_1^2}{a^2-c^2}+\frac{y_1^2}{b^2-c^2}=1.$$

Der Punkt $(x_1 y_1 z_1)$ liegt also wirklich auf einer der Focallinien des Systems; dieselben sind der Reihe nach eine Ellipse, eine Hyperbel und ein imaginärer Kegelschnitt, weil $a > b > c$, und liegen in den Hauptebenen des Centralellipsoides.

Auf den besonderen Fall, in welchem das Centralellipsoid selbst ein Rotationsellipsoid ist, glaubte ich bei dieser ganzen Untersuchung nicht eingehen zu sollen, obgleich derselbe manche eigenthümliche Erscheinungen darbietet.

Zusatz.

Wir haben gesehen, dass jedes gegebene Massensystem durch vier materielle Punkte und somit überhaupt durch unendlich viele andere Massensysteme ersetzt werden kann, welche nämlich dem gegebenen System hinsichtlich der Trägheitsmomente aequivalent sind. Zwei solche aequivalente Massensysteme haben denselben Schwerpunkt und die gleiche Gesammtmasse, so dass die Schwerkraft in der gleichen Weise auf sie wirkt und etwaige Bewegungen derselben zu verändern sucht. Im Folgenden soll noch gezeigt werden, dass auch die Centrifugalkräfte, welche in solchen aequivalenten Systemen bei der Drehung um eine beliebig im Raum gegebene Axe wirksam werden, ganz die gleichen Bewegungsänderungen an den Massensystemen hervorzubringen streben; so dass Resultante und Drehmoment dieser Centrifugalkräfte für einen beliebigen Körper und für jede Axe leicht berechnet werden können, indem man die Centrifugalkräfte von irgend vier Massenpunkten berechnet, die dem Körper aequivalent sind.

Dreht sich ein Massensystem mit der Winkelgeschwindigkeit ϑ um eine beliebige Axe, und ist r der Abstand eines beliebigen Massenelementes m von letzterer, so ist $mr\vartheta^2$ die Centrifugalkraft, welche das Massenelement in der Richtung r von der Axe zu entfernen sucht oder der Zug, welchen m auf die Axe ausübt. Legen wir durch die Axe zwei zu einander senkrechte, mit dem Massensysteme sich drehende Ebenen, und sind y und x die Abstände des Elementes m von denselben, so sind $mx\vartheta^2$ und $my\vartheta^2$ die Projectionen der Centrifugalkraft $mr\vartheta^2$ auf diese Ebenen, oder zwei Componenten, in welche $mr\vartheta^2$ zerlegt werden kann. Der resultirende Druck, welchen die Centrifugalkraft senkrecht auf die Drehaxe ausübt, hat demnach zu Componenten in den beiden Ebenen die Kräfte:

$$\vartheta^2.\Sigma mx \text{ und } \vartheta^2\Sigma my,$$

wenn in diesen Ausdrücken die Summen über alle Massenelemente ausgedehnt werden. Das ϑ^2 durfte als ein für alle Summanden gleicher Factor *vor das* Σ gesetzt werden.

Um auch das Moment zu berechnen, mit welchem die Centrifugalkräfte die Axe zu drehen suchen, construiren wir senkrecht zu dieser eine dritte mit dem ganzen System sich bewegende Ebene, welche mit den beiden früheren ein rechtwinkeliges Coordinatensystem bestimmt, und bezeichnen mit z den Abstand des Elementes m von dieser Ebene. Dann sind:

$$\vartheta^2.\Sigma mxz \text{ und } \vartheta^2\Sigma myz$$

die beiden Componenten, in welche jenes Drehmoment sich nach der Richtung der ursprünglichen beiden Ebenen zerlegen lässt.

Ein aequivalentes Massensystem, welches sich um die gleiche Axe mit derselben Winkelgeschwindigkeit ϑ dreht, erleidet offenbar die nämlichen Wirkungen seitens seiner Centrifugalkräfte, wenn für beide Massensysteme die Summen:

$$\Sigma mx,\ \Sigma my,\ \Sigma mxz \text{ und } \Sigma myz$$

denselben Werth haben. Von Σmx und Σmy wissen wir dieses bereits; denn Gesammtmasse und Schwerpunkt beider Systeme sind die gleichen. Dass aber auch Σmxz, Σmyz und ebenso Σmxy für aequivalente Systeme gleiche Werthe erhalten müssen, sogar auch dann, wenn das Coordinatensystem beliebig schiefwinkelig ist, folgt aus den Entwickelungen des §. 1. Für das Trägheitsmoment eines Körpers in Bezug auf eine beliebige, durch den Coordinatenanfang gehende Ebene erhielten wir dort den Ausdruck:

$$\alpha^2\Sigma mx^2+\beta^2\Sigma my^2+\gamma^2\Sigma mz^2+2\beta\gamma\Sigma myz+2\gamma\alpha\Sigma mzx+2\alpha\beta\Sigma mxy.$$

Soll nun dieser Ausdruck für zwei Massensysteme stets gleiche Werthe ergeben, wie wir auch die Lage jener Ebene verändern, d. h. welche Werthe wir auch den Factoren α, β, γ ertheilen mögen, so muss offenbar jede der Summen

$$\Sigma mx^2,\ \Sigma my^2,\ \Sigma mz^2,\ \Sigma myz,\ \Sigma mzx,\ \Sigma mxy$$

für die beiden Systeme gleiche Werthe ergeben, und auch die Centrifugalkräfte aequivalenter Systeme sind somit die gleichen.

Die schwierige Aufgabe der Bewegung eines beliebigen schweren Körpers ist hiernach zurückgeführt auf folgende:

> Die Bewegung von vier, mit einander starr verbundenen materiellen Punkten zu untersuchen, auf welche die Schwerkraft und die Centrifugalkraft wirken.

Die Allgemeinheit der Untersuchung wird nach §. 6 nicht beeinträchtigt, wenn man die Massen der vier Punkte einander gleichsetzt, oder zwischen denselben ein beliebiges Verhältniss feststellt, falls nur ihre Coordinaten von einander unabhängig sind. Statt der vier Punkte kann nach §. 3 auch ein beliebiges homogenes Ellipsoid angenommen werden.

Zürich, den 25. Juli 1865.

XVI.

Die „mittleren" Bücher der Araber und ihre Bearbeiter.

Von Dr. M. Steinschneider in Berlin.

Arabische Schriftsteller bezeichnen als „mittlere" (*mutawassatât*) eine Anzahl von mathematischen Schriften, welche zwischen den Elementen des Euclid und dem Almagest des Ptolemäus zu lesen seien. Die Aufgabe der nachfolgenden Erörterung ist es vorzugsweise, zu untersuchen: Aus welchen Quellen diese Bezeichnung stamme, und in welcher Zeit der Begriff sich gebildet habe; ferner, welches der Inhalt dieses Begriffes sei, d. h. welche Schriften diese Bezeichnung überhaupt umfasse. Hingegen ist eine erschöpfende Behandlung der Literatur und Geschichte der einzelnen Bücher bei den Arabern hier nicht beabsichtigt. Bei der speciellen Musterung ist auch auf die aus dem Arabischen geflossenen hebräischen und lateinischen Uebersetzungen Rücksicht genommen und über einige arabische Mathematiker auf neu erschlossene Quellen hingewiesen, aber auch zu diesen manche, wie ich glaube, unbekannte Ergänzung und Berichtigung geboten, und zwar so, dass Nichtorientalisten nirgends Unverständlichem begegnen, daher nur bei wenigen Stellen das arabische Wort beigefügt worden, wo nämlich die Buchstabengestalt von Wichtigkeit ist. Eine Variation der Namensumschreibung war bei Citaten nicht zu umgehen, namentlich in Bezug auf *g*, *j* und *dsch*. Im Allgemeinen möchte noch hervorzuheben sein, dass es sich hier grossentheils um griechische Schriften handelt, die nur in Uebersetzungen sich erhalten haben.

§. 1.

Unter neuern Schriftstellern hat meines Wissens zuerst Gartz[1]) gelegentlich eine vollständige Uebersicht der sog. mittleren Bücher versucht. Unbedeutend und nicht ganz exact ist die Bemerkung, welche Wenrich[2]) der Behandlung einiger dieser Bücher voranschickt. Hingegen verdanken wir einige werthvolle Specialbemerkungen dem Catalog der orientalischen Handschriften der Bodleiana von Nicoll und Pusey,[3]) bei Gelegenheit

1) *De interpretibus et explanatoribus Euclidis arabicis*, 4. *Hal.* 1823, §. 1 *Divisio matheseos apud Orientales*.

2) *De auctorum graecor. versionibus etc. Lips.* 1842, *pag.* 205.

3) *Bibliothecae Bodl. Codicum MSS. oriental. Catalogi P. II.* (1821—35), *pag.* 259 und 541; letztere Stelle ist im *Index vocabulorum* pag. 727 nicht angegeben (weil dort das arabische Wort nicht vorkommt) und fehlt auch bei Flügel im Commentar zu *Hagi Khalfa VII*, 612 zu I. pag. 389.

einer directen arabischen Aufzählung, von welcher noch die Rede sein wird.

§. 2.

Die Frage nach den ersten Quellen fällt natürlich zusammen mit der andern: zu welcher Zeit Begriff und Bezeichnung entstanden sei. Von der Bezeichnung muss aber die Untersuchung ausgehen, weil erst mit ihr der Begriff die technische Präge erhält; doch müssten auch Quellen berücksichtigt werden, in welchen die vorzugsweise hierher gehörenden Schriften zusammen aufgezählt werden. Solche, und zwar höheren Alters, aufzusuchen, ist jedoch eben wegen des mangelnden Schlagwortes sehr schwierig, und man hätte sich zunächst an encyklopädische Werke zu halten, welche die mathematischen Wissenschaften behandeln.[4]) Es möge hier auf eine, auch Nichtorientalisten zugängliche, im Mittelalter, wie es scheint, viel gelesene, in neuerer Zeit aber meines Wissens nicht näher erforschte Schrift des bekannten *Thabit ben Korra* hingewiesen werden, welche uns um so näher liegt, als der Verfasser die arabische Uebersetzung der meisten jener „mittleren" Schriften revidirt, einige wohl selbst übersetzt hat. Jenes Werkchen ist unter dem Titel: *De his* (oder *iis*) *quae indigent expositione antequam legatur Almagestum* in mehreren lateinischen Handschriften erhalten,[5]) und war schon Roger Baco in der lateinischen Uebersetzung bekannt,[6]) deren Urheber meines Wissens nirgends genannt ist.[7]) Vielleicht nennt der

4) Dergleichen bekannte Schriften nennt Th. Haarbrücker in seiner Abhandlung „Muhammad Ibn Ibrahim al Anssari's arabische Encyklopädie u. s. w." (Jahresbericht der Louisenstädt. Realschule, Berlin 1859). — Von dem wichtigen *Fihrist* des Ibn Nadim hat inzwischen Flügel im XIII. Bande der D. Morgenl Zeitschr. eine ausführliche Inhaltsübersicht gegeben, siehe weiter unten §. 6. Eine kleine, in die hebräische u. lateinische Sprache mehrfach übersetzte Schrift des Farabi ist mir leider weder im Original noch in einer Uebersetzung zugänglich.

5) In Paris allein in den 5 alten Handschriften 7195, 7215, 7267, 7298, 7333 und Suppl. lat. 49 Bl. 24 (bei Libri, *Hist. des sciences math. I,* 289). In Oxford u. A. in der Bodleiana (siehe *Catal. MSS. Angliae I,* 109 u. 2083,[11], pag. 127 u. 2458; u. s. folg. Anm. 7; vergl. auch das. II. P. III, p. 18 u. 186,9), in den Bibliotheken von University-College (41,7 p. 12 bei Coxe, *Catalogus Codd. Coll. et Aull* 1852, wo im Index unter Thebit die Schriften nicht richtig geordnet sind) und Magdalen-Hall (1,1 der 2. Tractat); sicherlich noch in vielen andern Bibliotheken.

6) Jourdain, *Recherches* p. 433 der 1. Ausg. (deutsch von Stahr S. 353): *De iis quae indigent etc.* in einigen Handschriften *de hijs.*

7) Im Verzeichniss der Uebersetzungen Gerard's von Cremona, welches Boncompagni (*Della vita etc. Roma* 1851) veröffentlicht hat, findet man (p. 5, das 28. Werk, wenn dieselben gezählt werden): *Liber tembit* (offenbar für *thebit,* indem das *h* zum Nasallautzeichen geworden) *de expositione nominum almagesti tractatus I.* Unser Schriftchen führt aber auch den Titel: *de Expositione vocabulorum Almagesti* im Titelindex der Handschr. *Ashmol.* 1522 (*Catal. MSS. Angl. I,* 317 u. 6750, s. *Black's* Catalog dieser Sammlung, p. 1428). — In demselben Verzeichniss findet sich auch (als 23. Werk) ein *Liber introductorius Ptolemei in artem spericam* ohne Angabe

Verfasser auch die für den Almagest wichtigen Schriften? Genannt mag hier auch ein anderes Werk desselben Verfassers sein: „Ueber die Stufen (der Lectüre, d. h. des Studiums) der Wissenschaften", woraus Mose Ibn Esra (XII. Jahrh.) eine arabische Stelle citirt, in welcher von der Metrik die Rede ist.[8])

§. 3.

Der arabische Ausdruck *mutawassatat* oder eine andere Form derselben Wurzel[9]) reichte, nach den mir bisher zugänglichen Quellen nicht über das XIII. Jahrhundert hinauf. Durch die Mittheilung der Originalstelle des Nasawi im Vorwort zu Archimedes' Lemmata (siehe unten §§. 8 u. 13) steht der technische Gebrauch im X. Jahrhundert fest. Der bekannte Wesir el-Kifti (gewöhnlich „el-K [illegible] asser der, namentlich von Casiri stark excerpirten „*Bibliotheca* [illegible]", richtiger *Chronica Doctorum* (*Taarikh al Hukamâ*), welche 2 [illegible] braucht jenen Ausdruck an den zwei mir bekannten Stellen [illegible] bekannnten, der keiner Erklärung bedarf, und bezeichnet [illegible] „die mittleren Schriften" gradezu als ein einzelnes Buch oder Werk gegen [illegible] r dem Euklid oder Almagest.[11])

---

des arabischen Uebersetzers, welches ma[illegible] hne nähere Motivirung mit Thabit's Einleitung identificiren darf. Der bei [illegible] d. Mar. Magd. mitgetheilte Anfang lautet: *Equator major* (fehlt *est circulus*) [illegible] r. — Ich bemerke bei dieser Gelegenheit, dass die Orientalisten, welche [illegible] verzeichnisse von Thabit's Schriften, wenigstens von den noch erhaltenen, gegeben, Wüstenfeld, v. Hammer und Chwolsohn (die Ssabier), auf die nur in lateinischer Uebersetzung erhaltenen keine Rücksicht genommen; obwohl die oben angeführten 3 Cataloge allein gegen 20 Titel darbieten; vergl. namentlich unten §. 8 unter 16.

8) Bodl. Handschr. bei Uri 499 (wovon ich eine Durchzeichnung besitze) Bl. 73 a. Die Citationsformel lautet: „Es sagte Thabit ... in seiner Schrift, welche verfasst ist über die Stufen der Wissenschaften." Den vollern Titel hat el-Kifti bei Casiri, *Bibl. arab. I*, 390 Z. 11 v. u. und bei Hammer, Litgesch. d. Arab. IV, 349. No. 34. — Auch al-Farabi verfasste eine Schrift über „die Stufen der Wissenschaften" *(Casiri I*, 190*)*, bei Hammer l. c. IV, 291 u. 57 blos „Buch der Wissenschaften". Dieser entspricht vielleicht das hebräische Schriftchen „über die Ordnung der Lectüre der Wissenschaften", nur 1 Blatt umfassend. Auch dieses kenne ich leider nicht aus Autopsie; doch ist es jedenfalls nicht identisch mit dem in Anm. 4 erwähnten.

9) *Muwassatat*, siehe Nicoll p. 260, und unten über die Stelle aus Ibn Schihne bei Pusey p. 599.

10) Ueber ihn siehe namentlich Munk, *Notice sur Joseph ben Jehouda* (Abzug aus dem *Journal Asiat* 1842) p. 6; vgl. Wenrich l. c. *praef.* p. V sequ. Amari, *Storia dei Musulm.* I, p. XLVIII; Hammer, VII, 18, 723. Chwolsohn, die Ssabier I, 548 u. 243, II, S. XXI.

11) Einmal bezeichnet er die Sphärica des Theodosius als die beste der mittleren Schriften zwischen dem Buch des Euclid und dem Almagest — Casiri I, p. 345 (schon bei *Harless* zu *Fabricius* IV, 22); nach el-Kifti wohl auch Abu'l Farag Bar-Hebräus bei Assemani, *Catal. Codd. or. Medic.* p. 181 *ad Cod.* 271; vgl. Wenrich l. c. p. 206 u. 67. — Ein andermal (Casiri I, 416, lin. 6 [so ist bei Nicoll p. 260 zu *lesen*], *lat. p.* 414, Col. 2 unten) erzählt el-Kifti im Namen des „Josef Naschi", dass

Ohne Bedeutung für unsere Erörterung der Zeit ist die oben (1) erwähnte Bodleianische Handschrift, welche ein Verzeichniss der mittleren Bücher enthält. Diese Handschrift ist zwar auf Bl. 212 datirt Gomadi I. 635 H. (d. i. 20. December 1237 bis 19. Januar 1238); allein jenes Verzeichniss ist auf Bl. 213 hinzugefügt, und aus Nicoll's Beschreibung (p. 259) ist Nichts darüber zu ersehen, welcher Zeit dieser Zusatz angehöre.

Hingegen scheinen die jüngeren Nachrichten über die mittleren Bücher auf der Autorität des berühmten Astronomen Nasir ed-Din aus Tus (starb 24. Juni 1274)[12]) zu beruhen, welcher die klassischen mathematischen Schriften revidirte und zum Theil commentirte, darunter jene Schriften gewissermassen in ein Corpus vereinigte, vielleicht auch selbst mit der technischen Ueberschrift versah — wenigstens führen zwei Handschriften der Bodleiana und eine in Florenz diesen Titel, — aber auch vielleicht eine directe Aufzählung der „mittleren" gegeben, welche uns leider nur aus einem Citat bekannt ist.[13])

§. 4.

Die Frage: Welche Bücher nannte man die „mittleren"? darf nicht von der Voraussetzung ausgehen, dass diese Bezeichnung stets denselben Umfang gehabt; vielmehr ist es von vornherein nicht unwahrscheinlich, dass mit der Zeit manche Schriften in den Studienplan mit aufgenommen wurden.

---

der bekannte Astronom *Ibn Heitham* (A. 1038, identisch mit dem Optiker al-Hazen, nach den neuesten Ansichten) in einem Jahre, bei allen andern Beschäftigungen, die 3 Schriften, nämlich das Buch (Elemente) des Euclid, die mittleren und den Almagest abgeschrieben und mit den Figuren versehen habe. Der (bei Gartz p. 23 weggelassene) Gewährsmann Josef ist der oben (Anm. 10) erwähnte Josef b. Jehuda, Schüler des Maimonides, identisch (was Munk früher läugnete) mit Josef Ibn Aknin, siehe meinen Artikel in Ersch u. Gruber, Sect. II, Bd. 31, S. 51, A. 44, wo ich die irrige Auffassung jener Stelle bei Wüstenfeld (arab. Aerzte S. 77), als ob Heitham „jedes Jahr" eine solche Abschrift angefertigt, berichtigt habe; vergl. auch unten §. 6. — Es frägt sich, ob die Bezeichnung „mittlere Schriften" schon von Ibn Heitham gebraucht wurde.

12) Siehe u. A. Wenrich l. c. p. 68; vergl. Gartz l. c. p. 31; Nicoll p. 268 spricht von Tusi's „Uebersetzung" des Euclid, was unrichtig ist.

13) Hagi Khalfa (V, 371 u. 11358) erklärt *mutawassatat* als diejenigen Bücher, welche zwischen Euclid und Almagest einzuschalten sind, „z. B. die Sphärica des Theodosius und andere, wie Nasir ed-Din in seiner Recension der Sphärica des Menelaos erläutert. Einige Neuere haben die Lemmata des Archimedes hinzugefügt." Die Worte *ala ma bajjanahu*, welche Flügel übersetzt: *quemadmodum diserte dicit*, lassen eine allgemeine Bedeutung zu; es frägt sich, ob Tusi selbst nicht mehr als ein Beispiel brachte, und warum er gerade zu Menelaos diesen Begriff erläuterte (vergl. unten §. 8 unter 14). — Wenn Flügel (im Comm. VII, 612 zu I, 380) sich ausdrückt: *Recensentur hi libri . . . infra V*, No. 11358; so hätte es wohl genauer heissen sollen: *definiuntur . .*; da, wie wir gesehen, eben nur eine Definition mit einem oder zwei Beispielen gegeben wird.

Man muss also die einzelnen Quellen in dieser Beziehung auch einzeln betrachten. Zunächst ist zu beachten, dass der Ausdruck „mittlere", auch wenn er von älteren mathematischen Werken der Araber gebraucht wird, nicht immer die obige technische Bedeutung habe, sondern, und insbesondere in Verbindung mit einem restringirenden Wörtchen (*fihi* „darin") die Qualität des Werkes als eine „mittelmässige" bezeichne. Es ist hiernach unrichtig, wenn Pusey (p. 600, Col. 2, Z. 1 zu I, 194) meint, dass ein Werk des Khiraki (starb 533 H.) von Hagi Khalfa zu den mittleren gerechnet werde.[14])

§. 5.

Gartz (p. 1) hat in einer Anmerkung (8) die Worte hingeworfen: „*Graeci hos libros* (nämlich *intermedios*) *etiam* μικρὸν ἀστρονόμον *et* „*parvam Sintaxim*" *vocant.*"[15]) Wenrich (p. 205) kehrt die Sache einfach um: Die in den griechischen Handschriften meist zusammen vorkommenden Schriften sind ebenso ins Arabische übersetzt und „die mittleren" benannt worden. An dieser blossen Hypothese ist soviel höchst wahrscheinlich, dass der arabische Ausdruck sich ursprünglich nur auf solche Uebersetzungen aus dem Griechischen erstreckt habe, und dass daher die etwa später hinzugekommenen wegen irgend einer näheren Beziehung zu jenen der empfehlenden Aufnahme in den Cyclus der „überleitenden" gewürdigt wurden. Diese Beziehung werde ich weiter unten nachzuweisen suchen.

§. 6.

Für die Aufzählung der mittleren Bücher im Einzelnen reduciren sich die mir bekannten Quellen eigentlich nur auf zwei:

a) Die Sammlung des Nasir ed-Din Tusi (vergl. oben 3).

Wenn man die Aufzählung bei Gartz ansieht, so möchte man kaum bemerken, dass dieselbe zuletzt auf jene Quelle zurückgehe. Er benutzte nämlich eine Beschreibung von 4 Handschriften, welche manche Fehler und Lücken darbietet, die zum Theil später berichtigt und ergänzt worden sind. Von den beiden Mediceischen Handschriften, welche Assemani unter No. 271 (p. 381) und 286 beschreibt, ist die erstere eine (unvollständige) Copie der letzteren; diese, sowie die beiden Handschriften der Bodleiana, welche Uri

14) Die Handschrift des Hagi Khalfa, welche von Nicoll und Pusey benutzt ward, ist nicht selten lückenhaft und corrupt; vielleicht fehlt hier das Wort *fihi*, welches in Flügel's Ausgabe II, 180 u. 2379 steht; letzterer übersetzt daher: *ad intermedios hujus doctrinae pertinet,* wie II, p. 410 lin. 1 *hujus generis*; vergl. II, 182, Z. 5, wo ein Commentar als *intermedius* bezeichnet wird; über ähnliche Anwendung des Wortes siehe Flügel im Comm. VII, 612 zu I, 389 u. VI, 364. — Die asiatische Ausgabe des Hagi Khalfa steht mir nicht zu Gebote.

15) Diese Benennung findet sich bei Pappos (*Fabricius*, Bibl. Gr. IV, p. 16 ed. *Harless*).

unter No. 875 (p. 188) und No. 895 (p. 194) verzeichnet, hat die allgemeine Ueberschrift der „mittleren Bücher". Aus Uri und Assemani stammen allerlei falsche Angaben nicht blos bei Gartz, sondern auch bei Wenrich. Uri's Angaben im Einzelnen sind von Pusey (p. 598—9) mehrfach ergänzt und berichtigt, und werden wir Gelegenheit haben, darauf zurückzukommen. Wichtiger für die gegenwärtige Stelle unsrer Untersuchung sind die allgemeinen Bemerkungen desselben Gelehrten (p. 541) über das Verhältniss dieser 4 Handschriften zu einander und die daraus folgenden Berichtigungen der Angaben bei Gartz, welcher die, allerdings befremdenden Irrthümer Assemani's ohne Anstoss nachschrieb, während eine kritische Vergleichung mit Cod. 875 bei Uri auf Richtigeres führen musste. Wir vermissen aber auch bei Pusey die ausdrückliche Hervorhebung des Umstandes, dass sämmtliche 4 Handschriften die Sammlung des Tusi enthalten, und dass der Cod. 895 in Unordnung gerathen scheint;[16]) obwohl Pusey auch in angemessener Weise die Aufzählung der mathematischen Bearbeitungen des Tusi bei Hag'i Khalfa vergleicht; freilich wieder mit der fehlerhaften Handschrift, während Flügel's Ausgabe (II, p. 213 u. 2496) bessere Lesarten darbietet.[17])

---

16) Der selige Bibliothekar Bandinel in Oxford erzählte mir, wahrscheinlich aus guter Quelle, dass die Feinde Uri's ihm absichtlich die Handschriften in ungehöriger Ordnung und zum Theil in Fragmenten vorlegten, um ihn in Verlegenheit zu bringen! Ich hatte in der That Gelegenheit, in einer zufällig entdeckten Fragmentensammlung manche wichtige Ergänzung zu finden; vergl. meinen *Conspectus Codd. etc.* 1857 p. 28. — Ich werde später (§. 8 unter 14) Veranlassung haben, auf eine Verschiedenheit zwischen den beiden Bodleiana-Handschriften aufmerksam zu machen, welche freilich auf die Vermuthung führen könnte, dass entweder bei der Abschrift andere Recensionen, als die des Tusi benutzt seien, oder dass von letzterem selbst verschiedene Recensionen existirten. — Uebrigens wird Nasir ed-Din selbst mit seinen verschiedenen Namen Muhammed ben Hasan u. s. w. bei den Bibliographen mitunter in zwei Personen gespalten; z. B. bei *Harless* zu *Fabricius* IV, 22, 24 unter Theodosius und Menelaus, nämlich aus Casiri und Heilbronner; ja Wenrich selbst musste sich in dieser Beziehung corrigiren (p. 302 zu 234). Ferner ist auch der Abschreiber der Selden'schen Handschrift (Uri 875, geschrieben A. 1319) „*Zin* [richtiger *Zein*] *ed-Din*" *Abhari* durch den *Catalogus MSS. Angliae* I, p. 157, No. 3138 zum Uebersetzer gestempelt worden, und dann vermittelst *Heilbronner* in die Zusätze von *Harless* zu *Fabricius* (IV, 17 ff. u. 188) gedrungen. Wenrich hat die Aufklärung solcher Irrthümer in seinem Werke wohl nicht für nöthig gehalten; mir scheint es jedoch angemessen, darauf aufmerksam zu machen, da Nichtorientalisten die verschlungenen Wege solcher Irrthümer nicht immer verfolgen können.

17) Nachdem diese Abhandlung beinahe beendigt war, erhielt ich, auf Veranlassung meines dritten Briefes an Boncompagni über die arabischen Bearbeiter der Lemmata, von meinem geehrten Freunde Prof. Lasinio in Pisa genauere Auskunft über die 3 arabischen Handschriften der Medicea, woraus hervorgeht, dass Assemani hier, wie allerdings nicht selten, die beschriebenen Handschriften kaum genau angesehen haben kann. Cod. 271 enthält auf den beiden ersten Seiten ein arabisches Inhaltsverzeichniss, in dessen Ueberschrift die Sammlung ausdrücklich als die „geometri-

ı Gartz verweist zuletzt auch auf Casiri I, 345; allein die dort aus Kifti gesammelten Stellen über die griechischen Autoren: Menelaos, ıodosios, Autolicos, Aristarchos, Hypsicles, Hipparchus bieten nur unter dosios die oben (§. 3) angeführte Stelle; hingegen ist es nur der ganzen Anlage des Werkes zuzuschreiben, dass diese Autoren bei al-Kifti an ıcniedenen Stellen erscheinen, während Ibn Nadim in seinem *Fihrist* 2. Unterabtheilung des siebenten Buches von den Mathematikern, ...ern, Arithmetikern, Musikern, Rechnern, Astronomen, Verfertigern ımatischer Instrumente und Mechanikern[18]) folgende Reihenfolge der ıren beobachtet: Euclid, Archimedes, Hypsicles, Apollonius, Hermes, ıcius, Menelaus, Ptolemäus, Autolycus, Simplicius der Rumäer,[19]) s (Sidonius),[20]) Theon Alexandrinus, Valens (?) der Ru-

---

schen mittleren Schrift ı *'awassata -hindisijja)* nach der Recension und Emendation des 1 ... Au ...asse des Inhaltsverzeichnisses wird bemerkt, dass die ... ıeil der Sammlung, welcher mit der neunten Schrift ... Ganzen nur fünfzehn aufgezählt, nämlich Archimedes: *De armen* ... ches in Cod. Uri 875 als No. 5 erscheint, fehlt hier ganz und gar, indem zu ... 15 (über die Figur *al-Katta*) ausdrücklich bemerkt wird: „damit endet das Buch". Hingegen enthält Cod. 286 die ganze Sammlung.

18) Flügel (D. M. Zeitschr. XIII, S. 627) bemerkt in Bezug auf die beiden arabischen Ausdrücke für Arithmetiker und Rechner, „الارثماطيقيون sind die alten, d. h. vorzugsweise griechischen, الحساب die muhammedanischen Arithmetiker"; vielmehr dürfte ersteres, ein aus dem griech. selbst gebildetes Wort (wie „Arithmetiker") diejenigen bezeichnen, welche die reine Zahlenlehre im Sinne der alten Griechen behandeln, während die „Calculatoren" die praktischen Rechenkünstler sind; siehe Nesselmann, Gesch. d. Algebra S. 40 u 405; Ibn Khaldun bei Wöpke, *Recherches sur plus. ouvr. de Leonard de Pise etc.*, Rom 1856, p. 3, 5; Hebräische Bibliographie 1864, S. 88, Anm. 8.

19) Flügel erwähnt blos „2 Schriften"; man möchte wohl fragen, wie die Schriften des Commentators des Aristoteles unter die mathematischen gekommen sind? Die arabischen Bibliographen kennen meines Wissens nur 1) den Commentar zur Psychologie, der ins Syrische übersetzt worden; so richtig el-Kifti bei *Casiri* I, 309, *Wenrich* p. 207, während *Fihrist* bei Flügel im Comm. zu *H. Kh.* VII, 758 (und wohl daher *H Kh.* V, 164 u 10579) Simplicius selbst syrisch schreiben lässt. Wenrich hat den Fihrist und H Kh. an dieser Stelle nicht berücksichtigt; Flügel VII, 758 hat die obige richige Lesart. — Den Comm. über die Logik erwähnt *H. Kh.* VI, 97, No. 12819, aber nicht Wenrich, der überhaupt nicht den ganzen H. Kh. ausgenutzt hat.

20) Ueber die Verstümmelungen dieses Namens in Doronius u. s. w. und die Bezeichnung desselben als „Königs" (wie Ptolemäus) siehe die Anführungen in der Hebräischen Bibliographie 1860, S. 33 und D. M. Zeitschrift Bd XVIII, S. 133, Anm. 24 und S. 156, Anm 43. Flügel (*H. Kh.* VII, 574 zu I, 198) weist auf die (hebr.) Handschrift Dresden 384, 8 hin, wo Dordonius vorkommt; identisch ist die Vatican. Handschrift Urbin 47, 4. Die astrologische Piece wird auf ein Autograph von Ibn Esra zurückgeführt. In dem astrologischen Buch *de Interrogationibus* des Ibn Esra, nach der gedruckten lateinischen Uebersetzung des Petrus Aponensis, heisst es zu Anfang: *Astrologiae duo existerunt capita, unus quidem ptolomaeus alterus vero*

mäer,[21]) Theodosius, Pappus der Rumäer, Heron,[22]) Hipparch aus Nicaea, Diophantus, ثاذينس,[23]) Nicomachus aus Gerasa,[24]) بلاروغيا (oder

doromus (l. Doronius). Et ambo fuerunt reges. Von dem hebräischen Original giebt es zwei Recensionen, deren kürzere immer noch weitläufiger ist, als jene lateinische Uebersetzung. Auch daselbst wird an der Spitze der zweiten Partei Doronius genannt; in der Handschrift 304 der königl. Bibliothek zu München Bl. 13*b* heisst der Name Dorianus und eine Randnote bemerkt dazu: „Dorianus der Weise, d. i. der Kaiser Adrianus," — also Hadrian! Es ist nicht unmöglich, dass in dieser Namensähnlichkeit die Bezeichnung „König" mitbegründet sei. Hadrian war unter Anderem wegen seines Krieges in Palästina im Orient bekannt und werden ihm daher Disputationen mit jüdischen Gelehrten zugeschrieben. Andererseits ist er dem Orient auch durch seinen Philosophen Secundus bekannt; siehe Hebr. Bibliographie 1861, S. 18 und Nicoll, Catal. p. 58, No. 607 und Cod. *Par.* 107, 14; 943,², und vgl. Cod. 885 Adrianus? Vgl auch Reiche im Philologus 1861, S. 522.

21) In arabischen und hebräischen Schriften erscheinen als Autoritäten für Mathematisches und Magisches verschiedene, zum Theil arg verstümmelte Namensformen, deren Deutung zwischen Plinius, Apollonius (von Thyana), Aelius und Valens schwankt, und bei der Neigung der Orientalen, ihre geheime Wissenschaft auf Könige und Fürsten zurückzuführen, darf neben *Vettius Valens* auch an den Kaiser Valens gedacht werden; siehe die weitläufige Auseinandersetzung in meiner Abhandlung: Zur pseudopigr. Literatur, insbesondere der geheimen Wissenschaften des Mittelalters (Berlin 1862), S. 32, 83, 93 und D. M. Zeitschr. XVIII, S. 156, 178, 193. In abendländischen, aus dem Orient durch directe Uebersetzung oder anderweitig stammenden Quellen werden jene Namensformen, wie das aus anderen Literaturgebieten bekannt ist, noch weiter verstümmelt und daher noch mehr problematisch, so dass eine directe Zusammenstellung sehr wünschenswerth erscheint. Ich beschränke mich hier auf folgende kurze Bemerkung. Die deutliche Form ואליס (*Walis*) erscheint unmittelbar neben Doronius z B. in der, wie ich glaube, älteren, und nur in hebr. Handschr. erhaltenen Recension des Buches *de rationibus* des Ibn Esra gegen Ende des 3. Kapitels, z B. in der prächtigen Münchener Handschrift 202 Bl. 59 — das Wort scheint ausgefallen in der Münchener Handschrift 304 Bl. 42. Identisch ist *Uuelleius* und *Guellius* oder *Wellius* in der Uebersetzung des Haly (Ibn Radschal) und bei Guido Bonatti. Die Form Yluz (zur pseud. Lit S. 82, 93) und Velez (*Bodr. de Castro*, Bibl. Esp. I, p 126, No. LIX = LX) stammt offenbar aus dem arabischen *Ailus*, welches man auch *Ilus* lesen kann. Hingegen hat die latein. Uebersetzung des Buches *de nativitatibus* von Ibn Esra den Namen *Welius* wahrscheinlich für *Abu Ali*, wie man deutlich im hebräischen Original liest. Dass dieser im Mittelalter berühmte Astrolog Abu Ali kein anderer sei als Ibn el-Khajjat (oder Chajjat, d. h. *Sarcinator*, wie er auch bei Bonatti heisst, siehe D. M. Zeitschr. XVIII, 192), ein Schüler des bekannten Juden Maschallah, werde ich anderswo nachweisen. In Deutschland ist Valens zu Wilhelm geworden! (D. M. Zeitschr. XVIII, 178). Zweifelhaft ist mir das im gedruckten latein. Abumasar (*Introd. in Astrol. libr. VIII, Cap II*) vorkommende: *secundum Belitem* oder *Welitem*. — Auf Valens komme ich später (§. 8, Anm. 60) zurück.

22) Bei den Arabern und den von ihnen abgeleiteten Quellen: Iran; siehe die Nachweisungen in der Hebr. Bibliographie 1863, S. 92 und unten Anm. 60.

23) „*Thadsines*", vielleicht nur eine aus Irrthum selbstständig aufgeführte Nebenform von Theodosius?

24) Ueber die Bekanntschaft der Araber und Juden mit der Arithmetik des Nico-

a) ... zates ... Heraclius, ... Aristoxenus, ... Aristarchus der xand[illegible] r, ion, der Patriarch ...

b) Ein Zu[illegible]tz der oben erwähnten Bodleianischen Handschrift enthält ei[illegible]e directe Aufzählung von zwölf Schriften; diese Zahl [illegible] zu Ende der Aufzählung wird von dem sonst so gründ- [illegible]icoll mit Unrecht auf die Tractate des zuletzt genannten [illegible]s des Thabit bezogen.

Ausser diesen eigentlichen directen Quellen benutze ich in der unten folgenden T[illegible] die Aufzählung der von Nasir ed-Din Tusi recensirten oder emendirten Schriften bei Hagi Khalfa II, p. 213.

c) [illegible] diese Abhandlung zum Abschlusse gelangt war, erhielt ich, [illegible] unerwartet eine für unser Thema wichtige Notiz. Auf Veranlassung des Fürsten Boncompagni schickte mir Herr Eugene Janin in Paris eine exacte [illegible] ne Beschreibung der werthvollen late[illegible] Hs [illegible] iserl. Bibliothek daselbst, früher [illegible] ren Index bei Libri (*Hist. des scien*[illegible]. Es hatte sich mir zunächst um die Uebersetzung [illegible] gehandelt, von welcher unten (§. 8) die Rede sein wird. H[illegible] Janin war jedoch so aufmerksam, mir folgende Worte [illegible]chreiben, welche sich auf Bl. 28 *verso* Spalte 1. Zeile 36—4[illegible] der Schlussformel des Theodosius: *d*[illegible] laufende Ziffer habe ich zum bequemeren Citiren vorgesetzt).

Ordo qui est post librum Euclidiis secundum quod invenitur in scripturis Johannitii.

1) *Euclidis de aspectibus tractatus unus.*
2) *Theodosii de speris* (so) *tract. tres.*
3) *Autolici de spera mota tract. unus.*
4) *Euclidis de apparentibus tract. unus.*
5) *Theodosii de locis habitabilibus tract. unus.*
6) *Autholici de ortu et occasu duo tractatus.*
7) *Theodosii de die et nocte duo tractatus.*
8) *Esculei* (d. i. Hypsicles) *de ascensionibus tract. unus.*
9) *Arsodochii* (so für Aristarch) *de elongationibus phisicarum et earum magnitudinibus tract. unus.*

„Johannitius" ist ohne Zweifel der bekannte Uebersetzer Honein ben Ishak, welchem eine Uebersetzung des Almagest beigelegt wird.[26])

machus siehe Hebr. Bibliographie 1864, S. 87; vergl. D. M. Zeitschr. XVIII, 693. Die höchst werthvolle hebr. Münchener Handschr. 36 enthält u. A. auch eine sonst unbekannte Uebersetzung mit Anmerkungen nach el-Kindi. Vgl. auch unten Anm. 28.

25) „*Badsrogogia*" oder „*Thadsrogogia*" klingt mehr an einen Titel wie an einen Personennamen.

26) *Vgl.* unten Anm. 32.

Ehe ich jedoch zu den Bemerkungen in Betreff einzelner Schriften übergehe, sei noch auf zwei Autoren des XII. Jahrhunderts hingewiesen, deren jüngerer selbst arabisch schrieb, der ältere aus dem Arabischen übersetzte; beide hatten Gelegenheit, der Hauptquellen für mathematische Studien zu erwähnen.

Josef ben Jehuda Ibn Aknin, ein berühmter Schüler des Maimonides, verfasste in arabischer Sprache ein ethisches Schriftchen, betitelt: „Medizin der Seele“, worin ein Kapitel des III. Abschnitts, das auch ins Hebräische übersetzt worden, eine encyklopädische Uebersicht der Lehrgegenstände und Lehrmittel enthält.[27]) Unter der Rubrik Mathematik werden Autoren und Schriften in folgender Weise aufgezählt: Die Arithmetik des Nikomachos und das von Avicenna darüber Gesammelte,[28]) Euclid's Elemente, Theodosius über sphärische Figuren, Menelaos, Archimedes über Kugel und Cylinder, die Kegelschnitte des Apollonius, das Buch der Vollkommenheit des Mutamin Ibn Hud, Herrschers von Saragossa,[29]) die Abhandlung über die befreundeten Zahlen von Thabit,[30]) die Data des

27) Ich verweise der Kürze halber auf meinen betreffenden Artikel in der Encyklopädie von Ersch und Gruber S. II, Bd. 31, S. 51; vgl. auch oben Anm. 11.

28) Wahrscheinlich ist der Abschnitt des Buches *Schefâ* gemeint; siehe Wöpcke, *Mem. sur la propagation des chiffres ind.* p. 168, und oben Anm. 24.

29) Ich habe oben im Text gleich die richtige Lesart gesetzt. Das betreffende Werk, welches Maimonides mit seinem erwähnten Schüler las und verbesserte, führt den unten zu nennenden arabischen Titel und wird von el-Kifti (*Casiri* I, 294) als ein vortreffliches umfassendes Buch bezeichnet. Es sei gestattet, hier einige Quellen über den fürstlichen Arithmetiker nachzutragen. Bei Gayangos (*Makkari, History of the Mohammedan Dynasties etc.* London 1843, Vol. II, p. 256) liest man: „... *and his son Abú 'Ámir (!) Yusuf Almutamen (the trusty). The latter was so much addicted to the study of mathematics, that he composed, among other works on that science, one entitled Kitábu'l-istikmal wa-l-manadhir (perfection and observatories). He died the same year that Toledo was taken (A. H.* 478, *A. D.* 1085*), and was succeeded by his son Almustain Ahmed, who lost the battle of Huesca in* 489 *(A. D.* 1096*).*“ Im arabischen Originale des Makkari, welches kürzlich im Druck vollendet worden (Bd. I, S. 277), heisst es blos: „.. und sein Sohn Jusuf al-Mutamin, welcher sich der mathematischen Wissenschaften befleissigte, auch darüber Schriften verfasste, worunter das Buch *(Kitab) el-Istikmal we 'l-Manatzir.* Auf ihn folgte sein Sohn el-Mustaïn Ahmed im Jahre der Einnahme Toledo's; durch denselben geschah der Fall von Huesca im Krieg des Jahres 89.“ Hammer (Literaturgesch. VI, 75) nennt drei Fürsten des Stammes Hud: 1. Ahmed, Sohn des Josef, gestorben 474 (1081), dann 2. Ahmed, gest. 475 (1085), dann 3. dessen Sohn Abn Aamir Josef el-Mutemin: „ein gelehrter Fürst, der besonders dem Studium der Mathematik ergeben, ein mathematisches Werk unter dem Titel hinterliess: Das Buch der Vervollkommnung und der Ansichten.“ Die beiden Ahmed sind identisch, der Titel des Buches ist unrichtig übersetzt, jedoch das Wort *observatories* bei Gayangos wohl nicht in der specifisch astronomischen Bedeutung zu fassen, sondern etwa im Sinne von „Gesichtspunkte“. Nach Ibn el-Abbar bei Casiri II, 56 stirbt Abu Dschâfar Ahmed (Moktadir) 1081—82, Abu Amir Josef 1085—86 und dessen Sohn Abu Dschâfar Ahmed (Mostaïn) fällt bei Tudela 1109.

30) Dieses arithmetische Thema hat jedenfalls seinen Ursprung in einer super-

Euclid, das 8bändige Werk des Ibn Heitham, Almagest des Ptolemäus u. s. w., über Mechanik das Werk der *Beni Schakir*. Wir sehen hier grössentheils die sogenannten „mittleren Schriften“, ohne dass der technische Ausdruck gebraucht würde — wenigstens habe ich denselben nicht notirt.

Zu Anfang des XII. Jahrhunderts bearbeitete der spanische Jude Abraham bar Chijja aus arabischen Quellen eine Art Encyklopädie, als deren erster Theil kürzlich eine Abhandlung in 3 Abschnitten über Arithmetik, Geometrie und Musik erkannt worden ist.[31]) Am Schlusse des zweiten Abschnittes werden folgende Schriften und Autoren in 2 Classen genannt:

1. Diejenigen, welche von den Linien und den Ebenen handeln, wie die Elemente und andere Schriften des Euclid und seinesgleichen, oder von den Linien und Flächen der Kugel, wie die Abhandlungen (von den Kugelformen?) des Theodosius und Menelaos und ihrer Genossen, oder ihrer Veränderungen (durch Bewegung), wie das Buch der Kugel des Autolycos und Andrer, oder der gekrümmten und ihrer Eigenthümlichkeiten, wie das Buch der Kegelschnitte des Apollonius und das Buch über Kugel und Cylinder (des Archimedes).

2. Diejenigen, welche die Körper behandeln, wie das Buch der Seiten (??) des אוטוקיס — was am ehesten auf Entocius führt, aber sehr fraglich ist — und seiner Genossen, oder die Bücher vom Gewicht und der Wissenschaft der Last des Heron und ריאשמט (Archimedes? oder *Beni-Musa?*) und ihrer Genossen.

stitiösen Anwendung. Der als Mathematiker bekannte Maslima el-Medschriti (starb 1005—8) — identisch mit „*Maslem*“, dem arabischen Bearbeiter des Planisphärium von Ptolemäus, dessen gedruckte lateinische Uebersetzung wahrscheinlich von Hermann Dalmata herrührt (siehe die Nachweis. in der D. M. Ztschr. XVIII, 168—9) — nennt als Erfinder der befreundeten Zahlen den, in arabischen Quellen oft genannten, indischen „König“ und Weisen Kanaka (gewöhnlich Kanka u. s. w.), der freilich in indischen Quellen selbst noch nicht wiedererkannt ist (siehe vorläufig die Nachweisungen: Zur pseud. Lit. S. 78, 91; D. M. Ztschr. XVIII, 120, 146; und im 2. Brief an Boncompagni [Rom 1863] p. 16). Herr *P. de Jong* in Leyden theilte mir im Jahre 1862 auf Verlangen die Originalstelle des Medschriti aus beiden Leydener Handschriften mit, und ich ersehe daraus, dass die beiden Stellen (Zur pseud. Lit. S. 37 u. 41) zusammengehören, und in der That die beiden sympathetischen Zahlen mit den Ziffern Gobar geschrieben werden sollen. — Die Notiz schien mir für die neuesten Untersuchungen über die Ziffern interessant genug, um sie durch Mittheilung an den Fürsten Boncompagni zu Wöpcke's Kenntniss gelangen zu lassen; letzterer konnte leider nicht mehr davon Gebrauch machen!

31) Siehe den Artikel: „Die Encyklopädie des Abraham bar Chijja“ in der Hebr. Bibliographie 1864, No. 40, S 84 ff. Auf die dort gegebenen Nachweisungen verweise ich hier an mehreren Stellen.

§. 7.

In der nachfolgenden Tabelle von 18 Schriften, deren Ziffer ich der Bequemlichkeit halber vorgesetzt, ist die erste Columne aus Gartz, mit Weglassung der unten nachzuweisenden irrthümlichen Angaben. Was die Reihenfolge betrifft, so habe ich nur unter 15 Thabit hinter Menelaos gestellt, damit die Reihe der griechischen Autoren ungetrennt bleibe, und die letzten 3 nach ihrem Zusammenhang. Das Sternchen bedeutet, dass die Schrift bei *Fabricius* IV, 16 (und wohl daher bei *Wenrich* p. 205) zum „kleinen Astronomen" gerechnet werde. — Die II. Columne giebt unter *a* die Stelle oder Ziffer an, unter welcher dasselbe Buch in dem Verzeichniss der 12 Schriften der bodleianischen Handschrift bei *Nicoll* p. 260 vorkommt, und unter *b* die Anzahl der zu dem Buche gehörigen Figuren nach derselben Quelle, nebst den abweichenden Angaben in andern Quellen. — Die III. Columne bezeichnet durch eine Ziffer die Stelle, welche das betreffende Buch in der Aufzählung bei *Hagi Khalfa* II, p. 213 einnimmt, die IV. die Stelle des Buches in der oben nachträglich eingeschalteten Notiz des *Honein*.

Gartz.	*Nicoll.* *a*	*b*	*H. Kh.*	*Honein*
* 1. Euclid, *Data*	1	95 Fig.	1	
* 2. „ *Optica* (u. *Catoptrica*) . . .	5	64	5	1
* 3. „ *Phaenomena*	6	22 (23 Uri)	6	4
* 4. Theodosius, *Sphaerica*	2	59 (auch Uri 875)	2	2
* 5. Autolicus, *Sphera mota* (*mobilis*) . .	4	12	4	3
6. Archimedes, *de Sphaera et cylindro* .	0		14	
7. „ *Dimensio circuli* . . .	0	(3 bei Uri)	0	
* 8. Theodosius, *De habitationibus* . . .	7	12	15	5
* 9. Autolycus, *de ortu et occasu sider. inerr.*	8	37 (36?)	8	6
*10. Theodosius, *de diebus et noctibus* . .	9	33 (36 Uri)	7	7
*11. Aristarch, *de solis et lunae magn. et dist.*	10	17 (16 Uri No. 875)	10	9
*12. Hypsicles, *Anaphor.* (*de ascensionibus*)	11	5	9	8
13. Archimedes, *Lemmata* (*Assumta*) . .	0		11	
*14. Menelaus, *Sphaerica*	3	91 (60+30 bei Uri)		
15. Thabit, *Data*	0	(36 Uri)	12	
16. Muhammed ben Musa, (*de mensura figurarum*)	0	18	13	
17. Thabit, *de figura sectore*			12	
18. Nasir ed-Din Tusi, *de figurae secantis proprietatib. et demonstr.*		(5 Uri)		

§. 8.

Es mögen nun einige Bemerkungen zu den einzelnen Schriften folgen:

ad 1) auch übersetzt von Gerard von Cremona (*Boncomp.* p. 5, wo „*Ditorum*“); vergl. auch unten 14.

ad 2 u. 3) *Gartz* zählt ein Werk von Euclid: *de Proportionibus* auf (arab. *Al-Monasebât*), welches nicht existirt. Schon aus der Vergleichung mit den bodleianischen Handschriften conjicirte *Pusey*, dass dieses Werk bei *Assemani* (der Quelle Gartzens) irrthümlich anstatt der Optik (*al-Manatzir*) genannt sei. Ich füge hinzu, dass ich, noch ehe ich auf Pusey's Berichtigung gestossen, schon aus der Zahl 64 der Figuren auf dieselbe Vermuthung gerieth. Um so auffallender ist es, dass *Wenrich* (p. 183) nicht nur Assemani's Angabe ohne Anstoss wiederholt, sondern in Bezug auf Cod. Leyden 1109 mit 64 Figuren bemerkt, er werde wohl die Optik oder das Werk *de proportionibus* enthalten. — Das angebliche Buch *de proportionibus* des Euclid findet sich, wie ich nachträglich bemerke, auch ganz unabhängig von Assemani, aber durch ein nicht geringereres Missverständniss, in sonst guten Quellen. Von el-Hasan ben Obeid-Allah ben Soleiman ben Wahb (oder Wehb), aus einer vornehmen syrischen Familie stammend, handelt el-Kifti bei Casiri I, 413. Der arabische Text ist nicht ganz sicher, vielleicht auch nicht ganz correct. Ich gebe hier die Uebersetzungen von Casiri, Wenrich, Flügel und Hammer.

Casiri übersetzt: *Commentarium in Euclidis librum de Proportionibus evulgavit.*

Wenrich (p. 189): *De proportionibus librum ... commentatus est.*

Flügel (Diss. p. 36, No. 85): *explicationem unius proportionis in Euclidis libro de proportionibus vulgavit* — mit Beziehung auf Gartz p. 24 (den ich augenblicklich nicht zur Hand habe und der wohl nur aus Casiri geschöpft hat).

Hammer (III, 308, No, 4059): „1. *Commentar* der schwierigen Stellen des Euclid; 2. ein Buch des Verhältnisses in einer Rede (d. h. 1. Tractat).“ Hammer citirt Casiri, ohne dessen falsche Uebersetzung, wie sonst gewöhnlich, zu rügen, und hier hätte er wohl das Recht dazu gehabt; denn Hammer's Uebersetzung empfiehlt sich dem Sinne nach am besten.

Ein Datum für den, wie es scheint, sonst nirgend unter diesem Namen vorkommenden Autor habe ich nicht finden können; aber Hammer führt ihn unter dem Namen Abu Muhammed el-Hasan (b. Obeid Allah etc.) schon Bd. III, S. 265, No. 1166 nach Fihrist an, und zwar nur mit einem Werke: „Buch der Lösung der Schwierigkeiten des Euclid“. —

Dass die Optik 64 Figuren in der Recension des Nasir ed-Din enthalte, sagt auch *Hagi Khalfa* V, 159, No. 10532. Diesen Zeugnissen von 2 Handschriften der Optik in Oxford und Leyden und der Angabe in der Aufzählung gegenüber finden wir wieder bei *Assemani* unter der Optik in beiden *Handschriften* die Angabe von 23 Figuren des Uebersetzers Honein, zu welchen der Emendator Thabit 2 hinzu gefügt habe. *Wenrich* (p. 183) wiederholt auch diese Angabe, jedoch mit der Modification: „*Notandum, priorem Codicum horum etc.*“ — was schon darum unmöglich, weil eine Handschrift die Copie der andern ist! — und mit der (stillschweigenden) Substitution des Ishak für Honein — worauf ich noch zurückkomme. Es lag aber hier nahe genug, an die *Phaenomena* zu denken, deren Figurenzahl 23 bei Wenrich (p. 182, vgl. *Gartz* p. 4) wenigstens in der arabischen Ueberschrift der bodleianischen Handschrift wiedergegeben ist. Auch hier hat *Pusey* (p. 541) das Richtige conjicirt, ohne die Figurenzahl zu erwähnen; jedoch bemerkt er bald darauf (zu p. 260, lin. 4), dass nach *Hagi Khalfa* (nämlich Handschrift) die Phänomena in den verschiedenen Exemplaren **24** (*sic*) oder 25 Figuren haben. Der Text des gedruckten *H. Kh.* V, 113, No. 10289 scheint nicht ganz correct, ich möchte im Texte für *fi* lesen *wafi*, und übersetzen: „*liber .. quem Nasir ed-din recognovit, et is (continet) 23 figuras, in quibusdam vero exemplaribus* 25.“ Die Zahl **23** bezieht sich jedenfalls auf die Recension des Nasir ed-Din; ob die Zahl 25 sich auf Exemplare derselben Recension beziehe, lasse ich dahingestellt.

Als Uebersetzer ins Arabische wird bei *Gartz* (p. 1) Honein genannt; *Wenrich* (p. 181, No. 86) conjicirt Isak (Sohn des Honein), und substituirt diesen Namen p. 183 für den der angeblichen Optik, wo Assemani Honein hat. Auch *Pusey* (p. 598) vermuthet, dass die mathematischen Schriften vom Sohne übersetzt seien, obwohl jüngere arabische Bibliographen den Vater nennen.[32]) Doch muss bemerkt werden, dass im gedruckten *Hagi*

32) Diese allgemeine Argumentation darf jedoch, bei der bekannten Zweifelhaftigkeit der Autorschaft von Vater und Sohn nur mit grosser Vorsicht angewendet werden, wie z. B. in Bezug auf den Almagest, von dessen arabischen Handschriften leider nur Eine mit dem Namen des Uebersetzers versehen bekannt geworden, nämlich *Cod. Par.* 1107, und sonderbarer Weise substituirt Wenrich (p. 228) hier Ishak ben Honein für Honein ben Ishak (so bei *Wüstenfeld* S. 29); glücklicherweise wird letzteres gelegentlich durch Autopsie Wöpcke's bestätigt (*Mem. sur la propag.* p. 136). Den Honein nennt auch *Hagi Khalfa* (V, 385, No. 11413), angeführt bei Pusey selbst p. 536, wo p. 537 ein Citat aus einem arabischen Autor, wornach Honein bezweifelte, dass der Verfasser des Almagest auch der des *Quadripartitum* sei (letzteres übersetzte Honein, nach der mediceischen Handschrift 314). Auch Ibn Schihne (bei Pusey p. 509) nennt Honein. Der Catalog der arabischen Handschriften des British Museum p. 186, No. 389 setzt Honein und Thabit (vgl. *Chwolsohn* l. c. S. 558) nur als Conjectur hin. Wüstenfeld (S. 30, §. 71, 5) lässt es dahingestellt, ob etwa Vater und Sohn zwei selbstständige Uebersetzungen verfasst — was doch wohl am wenigsten einleuchtet, — Flügel (*Diss. de arab. scriptor. graecor. interpretibus*, Meissen 1841, p. 17) macht den Vater zum Uebersetzer, den Sohn zum Verbesserer der Uebersetzung, vermuthlich nur aus einer nahe liegenden Conjectur. Delambre (*Hist. de l'astr. du moyen age* p. 2 und Berichtigung p. LXX) und Sedillot (*Matériaux etc.* I, 96) nennen Isak als Uebersetzer und Thabit als Verbesserer, ausserdem, nach einer Notiz in einer Handschrift bei Peiresc u. s. w. die Namen: Alhaser (oder Alhazer), Sohn Josef's, Sohn des Maire (!), und Sevius (oder Serius, oder Serigus), Sohn des Elbe

Khalfa (V, 130, No. 10410) richtig Isak vorkommt, während die von Pusey benutzte (überhaupt oft fehlerhafte) Handschrift „Honein b. Abd-Allah" (!) darbietet — vielleicht eine Corruption aus Honein el-Ibadi? Ibn Schihne legt dem Honein auch die Uebersetzung von المسطر bei; ist das eine Corruptel von المناظر die Optik?

Die *Katoptrik* des Euclid erscheint bei *Wenrich* nur gelegentlich (p. 206) als Theil des griechischen „kleinen Astronomen"; eine arabische Bearbeitung weist er nicht nach, und ich habe auch sonst noch keine directe Notiz darüber gefunden. In diesem Falle — wie auch sonst nicht selten — bietet die neuhebräische Uebersetzungsliteratur einigen Ersatz. Gartz (p. 4) giebt einen zweiten Titel für die Optik اختلاف المناظر (*Ikhtilaf al-Manatzir*), und ihm folgt *Nicoll* (bei *Pusey* p. 541), während *Wenrich* dasselbe wiederholt, aber ebenso wenig eine Quelle angiebt als *Gartz* selbst. In *H. Khalfa* sucht man einen solchen Titel vergebens.[33]) Die Quelle ist offenbar Kifti bei Casiri I, 342, wo dieser Titel, anstatt des gewöhnlichen (*Ketab*, Buch) *al-Manatzir*, von Casiri inhaltlich richtig *Optica* übersetzt wird; die wörtliche Uebersetzung wäre: *Variatio* (oder *Differentia*) *aspectuum*. Diesen Titel hat die Optik schon im Verzeichniss bei *Nicoll* p. 260 und ebenso wörtlich hebräisch übersetzt (חלוף המבטים, *Chilluf ha-Mabatim*) in der Ueberschrift von wenigstens 3 oder 4 mir bekannten Handschriften, nämlich *München* 36, *Vatican* 400 und *Oratoire* 182 (und 183?). Der Münchener Codex, eine höchst interessante Sammlung mathematischer Schriften enthaltend, von welchen ich in der *Hebr. Bibliographie* 1862, S. 107—10 eine oberflächliche Notiz gegeben, wird in dem von mir vorbereiteten Catalog der hebräischen Handschriften der Münchener konigl. Bibliothek ausführlicher beschrieben werden; aus der Vatican'schen Handschrift erhielt ich eine Durchzeichnung einiger Stellen durch die unerschöpfliche Grossmuth des Fürsten Boncompagni. Die nachfolgenden Bemerkungen sind mit Rücksicht auf den nächsten Zweck beschränkt worden.

Assemani behauptet im Catalog der hebräischen Handschriften des Vatican, dass die Schrift unecht sei, weil „zu Ende" derselben des Almagest erwähnt werde. Das ist eine der vielen Ungenauigkeiten, denen man

(Christ). Es ist nicht schwer, in ersterem den Heddschadsch ben Jusuf ben Matar zu erkennen, der in arabischen Quellen beim Almagest genannt wird, und über welchen ich anderswo Näheres angeben werde. Sergius ist offenbar der Syrer Sergius ben Elia, über welchen zuletzt Meyer (Geschichte der Botanik III, 35, 155) gehandelt hat; vgl. *Colebrooke*, Essays II, 345. — Zu untersuchen wäre noch ein Fragment über Cometen, in einer bodl. Handschr. (Nicoll p. 283) dem Honein beigelegt. Wenrich nennt Honein als Uebersetzer der sphärischen Schriften von Archimedes, Menelaos und Autolycos. Zu beachten ist auch hier die oben mitgetheilte Notiz über die auf Euclid folgenden Bücher, welche dem Honein beigelegt ist.

33) Zehn Figuren „*de differentia aspectûs*" (oder *aspectuum?*) soll Avicenna zum Almagest hinzugefügt haben, nach Kifti bei *Casiri* I, 271; *Wenrich* p. 235. Flügel (al-Kindi S. 25 u. 26, No. 88, 102) übersetzt den arab. Ausdruck mit „Parallaxe".

in Assemani's Catalog begegnet. Des Almagest geschieht nur in den einleitenden Worten Erwähnung, welche offenbar von einem Uebersetzer oder Abschreiber hinzugefügt worden, und deren Wortlaut ich hier ganz treu wiedergebe; und zwar nach dem im Allgemeinen bessern Texte der Vatican'schen Handschrift:

„Es spricht der Uebersetzer dieses Buches (in M. blos: der Verfasser): Nachdem ich das Buch vollendet, welches nach meinem Namen betitelt ist, und zwar in XIII Tractaten, als Einleitung zu dem, was nöthig ist von (zu?) dem Buch *Megiste*, beschloss ich, dieses Buch zu verfassen, worin ich die Abwechselung (oder Verschiedenheit: *Chilluf*) dessen erläutere, was entsteht in Bezug auf das Gefühl bei dem Sehen eines sichtbaren Dinges; denn ich bemerkte, dass das Meiste, was dem Menschen kund werde, durch das Gesicht (es thue). Ich sah auch, dass diejenigen, die vor uns waren, uns Nichts darüber mitgetheilt. Ich erachtete daher (für angemessen), dieses Buch zu verfassen, damit die Männer meiner Zeit es lesen, und es zum Erbe bleibe demjenigen, der nach mir sein wird."

Charakteristisch für jene Zeit ist es wohl, dass hier Euclid — denn ihm sind jedenfalls diese Worte in den Mund gelegt, — seine Elemente als Einleitung oder Vorstufe zum Almagest verfasst haben will, und mag ich hier nicht auf die Berichte eingehen, welche von dem Zeitalter des Euclid und anderer griechischer Mathematiker sich erhalten haben. Wenn aber Assemani auf diese Erwähnung des Almagest hin, das hebräische Schriftchen ohne Weiteres für unächt, vielleicht aus dem nachfolgenden excerpirt (!) erklärt; so ist das nur ein Beispiel von der herrschenden Nachlässigkeit der Catalogisten, die äusserst selten die Originale hebräischer Bearbeitungen zur Hand nahmen; weshalb auch viele Verwirrung angerichtet worden und manche willkommene Nachricht unbekannt geblieben.

Ich habe die Münchener Handschrift und die Durchzeichnungen aus der Vaticanischen mit der Ausgabe Paris 1557 der Optik verglichen, und theile hier das Resultat in aller Kürze mit. Die hebräische Bearbeitung beginnt unmittelbar nach der eben mitgetheilten Vorbemerkung mit den unvollständigen und etwas umgestellten, auch nicht gezählten Thesen, nämlich 1—6, 12, 7. Die Münchener Handschrift geht dann nur bis zu Lehrsatz 32, welcher dem 31. jener Ausgabe entspricht, weil die beiden Absätze im 6. des Original in zwei (6, 7) getrennt sind. Die Vaticanische Handschrift scheint die Lehrsätze auch am Rande nicht zu zählen; die letzten 9 Zeilen (Bl. 12) entsprechen Lehrsätzen 60 ff. des Originals. Ich setze einige Lesarten zur Probe als Varianten zu dem nachfolgenden Anfang aus dem *liber de aspectibus Euclidis*, welches im erwähnten Pariser Cod. Bl. 88 beginnt (Bl. 86, Col. 2, Z. 25 beginnen *Radices super quas est convenientia. Radius solaris egreditur ex corpore solis ad superficiem omnium speciorum speculorum.* Dieses Stück übergeht *Libri* I, 298). Die Ziffer der Thesen schalte ich ein:

Radius egreditur ab oculo super lineas equales (fehlt im Hebräischen) *rectas, et accidit post ipsum rectitudo recta* (heisst: es entstehen durch ihre Zahl gerade Wege) *cuius multidini non est finis.* (2) *Et figura quam continet* (h.: umgiebt) *radius est piramis, cuius caput sequitur* (h.: ist nahe) *oculum et basis eius sequitur finem visi* (h.: ist nahe dem Gesehenen). (3) *Et res super quas cadit radius videntur* (h.: sind sichtbar). (4). *Et ille* (= *illae*) *super quas non cadit* (h.: der Strahl) *non videntur.* (6) *Et quod videtur ex angulo parvo apparet parvum.* (5) *Et quod videtur ex angulo magno apparet magnum.* (7) *Et res quae videntur ex angulis equalibus apparent equalia.*[34])

Also auch hier nur 7 Thesen, und zwar ohne die 12, welche der Hebräer zwischen 6, 7 einschaltet. Dann folgt auch hier der erste Lehrsatz: *Nullum visibilium totum videtur simul.* Die Handschrift reicht aber nur (Bl. 92) bis *propositum XXXVII: Et si non fuerit linea que egreditur ex loco visus ad centrum circuli. . . . Et illud est quod voluimus declarare.* Am Rande steht noch *XXXVIII*, aber der Rest des Blattes ist weiss.

Wer ist der Uebersetser der lateinischen Handschrift, und aus welcher Sprache hat er übersetzt? Ich vermuthe, aus dem Arabischen. —

In allen erwähnten hebräischen Handschriften folgt auf die Optik noch ein ספר המראים (*Sefer ha Mar'im*, Buch der *Spiegel* oder *Aspecte*) des Euclid — und zwar lautet die vollständigere zweideutige Ueberschrift im Cod. München (Bl. 261): „von Euclid dem Weisen (Gelehrten) in den Elementen". Anfang und Ende stimmt mit denen der Vaticanischen Handschrift. Es finden sich hier 5 gezählte Lehrsätze, deren erster, wie man in einem Spiegel einen Andern und nicht sich selbst sehen könne. Dann folgt ein ungezählter (Bl. 262) über einen nach vorne und hinten wirkenden Brennspiegel. Nur dieser hat Aehnlichkeit mit dem 31. (letzten) Lehrsatz der griechischen Katoptrik: *A concavis speculis Soli oppositis, ignis accenditur.* — Weder der arabische noch der hebräische Uebersetzer beider Tractate ist in den beiden Handschriften genannt.

Der oben erwähnte lat. Codex Par. 9335 enthält auf Blatt 82, 83 Euclid's (Libri setzt hinzu *imo Ptolemaei*) *de speculis*, ich kann jedoch über das Verhältniss zur Katoptrik noch nichts Näheres angeben, bemerke jedoch, dass der bei Libri (No. 15) verzeichnete Titel: *De exitu radiorum et conversione eorum* von Herrn Janin übergangen, also wohl nur Ueberschrift eines Paragraphen ist.

ad 4) **Theodosius** *Sphaerica.* Nach den arabischen Handschriften (auch bei Uri und Nicoll p. 295) übersetzte *Costa ben Luca* bis zur 5. Figur des dritten Buches, wofür Chwolsohn (die Ssabier I, 557) das zweite Buch setzt, weil *Hagi Khalfa* I, 389, No. 1099 dies „ausdrücklich angebe!" Die Worte

---

34) Man vergleiche hiermit die Paraphrase der 12 Thesen bei Abraham bar *Chijja* (*Hebr. Bibliogr.* 1864, S. 93).

in latinum in Flügel's Uebersetzung von *H. Kh.* V, 48, No. 9883 sind natürlich ein *lapsus calami* für *in arabicum*. An beiden Stellen sagt *H. Kh.*, dass das Werk „59 Figuren enthalte, in einigen Exemplaren eine fehle". Dasselbe liest man auch in der Handschrift bei Nicoll p. 259, und ist hiernach bei Pusey p. 599 zu I, 194 für *sab'a* (7) zu lesen *tas'a* (diese arabischen Worte unterscheiden sich nur durch die Punkte der ersten 2 Buchstaben); so dass es heisst: „59, in einigen Exemplaren 58". Die Summe 59 geben auch 3 Handschriften bei Uri.

Von der hebräischen Uebersetzung, auf welche schon *Harless* IV, 22 (vergl. unten zu 14) hinweist, ohne dass *Wenrich* darauf Rücksicht nähme, sind mir nur die beiden Codd. bei Uri 431 und 433 bekannt. Die Handschrift München 31 enthält auf Bl. 319 nichts als eine allgemeine Ueberschrift: „Buch des Theodosius über Geometrie"; das darauf folgende Bl. 320 enthält schon die Canones vom Jahre 1465 (worüber siehe *Hebr. Bibliogr.* 1864, S. 18, Anm. 4). Welche Bewandtniss es mit dem Commentare des *Jeremia Kohen* in *Cod. Vatic.* 379,[a] habe (vgl. Zeitschr. f. d. relig. Interessen d. Judenth., herausg. v. Frankel 1846, S. 275 u. 400), wäre noch zu untersuchen. Der hebräische Uebersetzer ist unbekannt und diese Uebersetzung nicht zu verwechseln mit dem selbstständigen Werke des *Costa* über die Sphäre in 65—66 Paragraphen, welches Jakob ben Machir (der bekannte Astronom *Prophatius*) übersetzte (vgl. vorläufig *Hebr. Bibliogr.* 1862, S. 130). — *Uri* 433 giebt die Figurenzahl 24 + 33 + 22, also im Ganzen 79 an.

Auch Gerard von Cremona soll die Sphaerica aus dem Arabischen übersetzt haben (Boncompagni, *della vita etc. di Gherardo* p. 63). Ob ihm die in der oft erwähnten Pariser Handschrift 9335 auf Bl. 1—19 enthaltene lateinische Uebersetzung angehöre (deren erstes Buch 22 Figuren zählt), muss noch untersucht werden. In Bezug auf die, ebenfalls aus dem Arabischen geflossene, in Venedig 1518 zweimal gedruckte Uebersetzung des Plato aus Tivoli (welche *Fabricius* IV, 21 u. 22, aber nicht *Wenrich* p. 207 erwähnt), heisst es in der Vorrede des *Jo. Pena* zu seiner Uebersetzung aus dem Griechischen (1558, bei *Boncompagni*, *Delle versioni . . di Platone Tiburtino* p. 8): „*Theodosius multitudinem theoramatum consulto vitavit, et totum Sphaericum negotium sexaginta propositionibus absolvit. At Arabes hunc numerum triente auxerunt, et pro sexagenis octogenas (!) cumularunt.*" Der Schreibfehler liegt hier wohl in „*triente*"; denn nach Boncompagni's genauer Beschreibung der beiden seltenen Ausgaben (p. 11, 12, 13) hat das I. Buch 33, das II. 33, das III. 14 (ungezählte) Propositionen. — Vergl. auch noch einige andere Nachweisungen in der Hebräischen Bibliographie 1864, S. 91, Anm. 16.

ad 5) **Autolycus** *de sphaera*. Für die Reihenfolge wichtig ist die Bemerkung *Nicoll's* (p. 260 n. c.), dass in der arabischen Handschrift Uri 908 dieses Buch ausdrücklich als das fünfte der „mittleren Schriften" bezeichnet werde. —

12 Figuren geben Handschriften bei Uri und auch *H. Khalfa* V, 140, No. 10418 ausdrücklich an. Im Index VII, 1045, No. 1735 fehlt die nachträgliche Stelle VII, 847 zu V, 48, die freilich schon durch I, 389, No. 1098 (vergl. VII, 612) erledigt scheint. — Die lateinische Uebersetzung des Gerard von Cremona (bei Boncompagni l. c. p. 5) befindet sich wahrscheinlich in Cod. 184 der *St. Marco*-Bibliothek und in dem oft genannten Pariser 9335, Fol. 19, indem ich bereits anderswo auf das Verhältniss letzterer Handschrift zum Verzeichnisse von Gerard's Uebersetzungen hingewiesen (D. M. Zeitsch. XVIII, 167) und vergl. noch weiter unten. — Wer die hebräische Uebersetzung (siehe die Angabe der Handschriften in der Hebr. Bibliogr. 1864, S. 91, Anm. 15) verfasst habe, ist unbekannt.

Es sei hier gelegentlich noch bemerkt, dass bei *Uri* p. 197, Cod. 908, 3 ein Werk von Autolycus *de sectionibus conicis* angegeben ist (und so auch in seinem Index, sowie im Index zu Nicoll und Pusey). *Wenrich* p. 209 hat das übersehen. Mir ist es unzweifelhaft, dass der, schon in seiner Orthographie (اولوطوقيوس) auffallende Name aus Apollonius verstümmelt, also bei *Wenrich* p. 200 hinzuzufügen sei.

ad 6) **Archimedes** über Sphäre und Cylinder. Abweichende Angaben über die Zahl der Figuren in der Uebersetzung des Honein (?), welche Thabit vermehrte, finden sich bei *Wenrich* p. 190, der auch hier die arabische Uebersetzung des Costa übergeht, deren hebräische Uebersetzung des Kalonymos in zweiter Bearbeitung sich in der einzigen mir bekannten Bodleianischen Handschrift erhalten hat (vgl. *Catal. Codd. hebr. Lugd.* p. 319, No. 2). Eine pariser Handschrift (bei *Woepcke* zu Omar Alkhayami p. 103) enthält eine Ausgabe des Buches, welche der anonyme Verfasser bearbeitet hat nach der gewöhnlichen, von Thabit verbesserten Ausgabe des Textes und nach einer Uebersetzung des Commentars des Eutocius, welcher die Textstellen des Archimedes enthielt. Sowohl dieser Commentar, als auch noch ein besonderer Text des I. Buches bis zur 14. Proposition wird dem Uebersetzer Ishak ben Honein zugeschrieben.[35]) Vgl. auch Chwolsohn, Ssabier I, 556 und zur folgenden Nummer.

ad 7) **Archimedes** *de dimensione circuli.* In der Hebr. Bibliogr. 1864, S. 92, Anm. 20 habe ich, ausser einigen Berichtigungen bei *Wenrich* und *Chwolsohn*, auch nachgewiesen, dass die lateinische Uebersetzung des Gerard von Cremona, kenntlich durch die aus arabischer Entstellung stam-

---

35) Ueber den Comm. des Eutocius s. ausführlicher unten Anm. 64. — Ergänzende Abhndl. von Heitham, Abu Sahl el-Kuhi und Mahani siehe bei Wöpcke zu Omar S. 91 u. s. w. — Mahani blühte um 854—66 (Ibn Junis bei Caussin und Delambre p. 79 ff.). Zu Wöpcke's Anführungen über diesen Autor (Omar p. 2) ist nachzutragen: Gartz p. 29, §. 27, wo das Richtige, während die irrthümlichen Angaben p. 10 u. 30 allein bei Flügel, *Dissert.* p. 28 u. 59 angeführt sind; Wenrich p. XXXIV; Hammer *III, 261, No.* 1155 = V, 308, No. 4055!

mende Namensform: *Archimenides*, *Ersemides* u. dergl.,[36]) wahrscheinlich noch in Handschriften erhalten sei. Dahin gehört wohl auch die Turiner Handschrift 1306 bei *Fabricius* IV, 188. — Ferner bin ich durch die Liberalität des Fürsten Boncompagni und die Freundlichkeit des Herrn Narducci in den Stand gesetzt, eine, bisher ganz unbekannte hebräische Uebersetzung dieses Schriftchens (aus dem Arabischen) nachzuweisen und zugleich ein mehrfaches Missverständniss aufzuklären. Seit *Bartollocci* nämlich wurde mehrfach auf eine angeblich unbekannte Schrift „die Elemente" des Archimedes hingewiesen, welche sich in einer hebräischen Handschrift des Vatican erhalten habe. Zuletzt hat *Libri* (*Hist.* I, 40) hervorgehoben, dass diese Piece nach der Beschreibung Assemani's nur Bl. 422 des Cod. 384 einnehme. Meiner Bitte um Abschrift dieses Blattes zu genügen, war nicht leicht, da ein solches Blatt in diesem Codex — gar nicht existirt! Ich erhielt daher Durchzeichnungen von verschiedenen Stellen des Codex, aus welchen sich Folgendes ergab. Bl. 385 beginnen Bemerkungen (oder fortlaufender Commentar?) eines Anonymus zum XIII. Tractat des Almagest, von Anfang dieses Tractates angefangen. Bl. 410 bis 411 *verso* enthält eine kleine Abhandlung, betitelt *Ikkar ha-Ikkarim*, d. h. „Wurzel der Wurzeln" oder „Grund der Grundregeln". Es hat nämlich Isak Israeli in seinem (im Jahre 1310 zu Toledo verfassten) astronomischen Werke: „Fundament der Welt", im I. Tractat (Kap. 2, Bl. 13 der Berliner Ausgabe 1848) als Grundlage für seine wichtigsten Lehrsätze 3 Grundregeln über die Dreiecke, welche aus dem grossen Bogen einer Kugel gebildet werden, aufgestellt, ohne die Begründung zu geben. Der anonyme Verfasser leitet dieselben aus der 2. Figur des III. Buches des Menelaus ab, von welcher weiter unten zu No. 10 die Rede sein wird. Den Titel dieses Schriftchens hat Bartolocci offenbar im Auge gehabt, als er eine Schrift *Ikkarim* (Grundregeln) des Archimedes fingirte, und in den Index des Codex selbst die hebräische Ueberschrift setzte, welche Assemani von dort wiederholt! Das Schriftchen des Archimedes auf Bl. 411 hat die deutliche Ueberschrift *Sefer Archimedes bi-Meschihat ha-Agula*, wörtlich dem arabischen Titel entsprechend: *de mensura circuli*.

Neben diesem Titel nennt el-Kifti (bei Casiri I, 383) noch: *de quadratura circuli*, wie auch *Bradwardin*. Wenn Casiri zum Titel unsrer Schrift in Parenthese setzt: *a Petro della Valle latine redditus*, so ist das wohl eine Confusion mit dem von della Valle edirten Werke des Ibn Heitham — „Ithem" bei *Fabricius* IV, 174—5.

ad 8) **Theodosius** *De habitationibus*, 12 Figuren auch bei *Hagi Khalfa* V, 150, No. 10485 und in der Leydener Handschrift bei *Wenrich* p. 207; *Harless* zu *Fabr.* IV, 22 notirt diese Handschrift (513, **2**, nicht 3, wie bei Wenrich) irrthümlich als eine hebräische Uebersetzung des *Costa* vom Buche über

36) Z. B. *Archimenide philosopho* bei Fibonacci, Geometrie p. 88. Vergl. zur pseudopigr. Lit. S. 32.

die Sphäre! ie lateinische Uebersetzung des Gerard (*Boncompagni* p. 5 *de locis habita bus*) enthält wahrscheinlich der oft erwähnte lateinische Pariser Codex (No. 5) Fol. 25.

ad 9) A yeos *de ascensionibus*. Dass Kifti bei *Casiri* p. 145 und (wohl nach ihm) Faradsch III Bücher angeben, bemerkt *Harless* IV, 18, aber nicht *Wenrich* p. 208. Vielleicht war ursprünglich das Buch der Sphäre mitverstanden? — 36 Figuren haben *Hagi Khalfa* V, 112, No. 10270 und Uri, nämlich 15 + 21, also ist wohl 37 im Verzeichniss bei Nicoll Irrthum. — Dass der Leydener Catalog als Uebersetzer *Costa* nenne, hat wohl *Harless* IV, 18, aber nicht *W rich* und selbst *Chwolsohn* l. c. I, 558, No. 3 berücksichtigt, obwohl le rer jenen Catalog citirt.

ad 10 *de diebus* No. 10444 n.

ad 11) i Cod. 805 wohl Irrthum, siehe Cod. 875. — E die engsten Grenzen dieses Artikels hinaus fusion hinzuweisen, welche sich durch alle Bibliographen hin leicht nur durch Benutzung einer Handschrift des Kifti vollst zu be tigen ist. Es wird hierbei eine genauere Mittheilung de iri.

In den Auszügen der Name ارسطيقوس geschrieben, das ist wörtlich *Ari* ; aber Casiri substituirt mit Recht Aristarch, denn die Beinamen *Schami* es *Sami*) und *Zufani* (lies *Zenoni*) lassen keinen Zweifel übrig, dass von dem Samier, dem Schüler Zeno's, die Rede sei. Seine Schriften sind:

a) das Buch الجبر (*el-Dschebr*), was Casiri falsch: *Arithmetica* übersetzt (und so aufgenommen bei *Harless* zu *Fabricius* IV, 10).

b) القدر والحدود (*el-Kadr w'el-Hodud*), was Casiri übersetzt: *De magnitudinibus et distantiis Solis et Lunae*. Wörtlich heisst es blos: „Buch des Maasses und der Grenzen". Dieses Buch übersetzte und commentirte mit mathematischen Beweisen *Abu 'l Wefâ Muhammed etc. Buzdschani*, der durch Sedillot's vielbesprochene Forschungen bekannte Astronom, der hier als '*hasib* (*calculator*) bezeichnet wird.

c) Ueber die Eintheilung der Zahlen.

Wenrich p. 209, No. 85, citirt neben der Wiener Handschrift des Kifti auch Casiri, ohne auf den Namen des Autors und die Verschiedenheit des Titels *sub b*) zu achten; ob der von ihm allein mitgetheilte arabische Titel (*Ketab Dscheremi etc.*) im Text des Kifti stehe, weiss man nicht; er ist vielleicht nur aus der Uebersetzung des *Costa* genommen. Dieser und ein ähnlicher Titel erscheint bei *Hagi Khalfa* nicht blos für ein Werk des Aristarch (der Name wird richtig als Composition von Aristo-archos erklärt, während *Herbelot* daraus Aristoxenos macht), wie ich schon in meiner Abhandlung: „Zur pseudopigraphischen Literatur" (Berlin 1862, S. 86) bemerkt.[37]) Den Titel von *a*) übersetzt Wenrich (p. 210) *de fractionum ad integritatem reductione.*

Unter dem Namen Aristippus Cyrenaeus führt *Wenrich* (p. 291) dieselben 2 Schriften *a*) und *c*) auf, und zwar *a*) übersetzt und commentirt von Abu'l Wefa etc., mit einziger Berufung auf dieselbe Seite der Wiener Handschrift des Kifti! Auf *Hagi Khalfa* hat er an beiden Stellen (wie überhaupt nicht selten) keine Rücksicht genommen, durch welchen er jedenfalls auf die Identität von *c*) gerathen wäre.

H. Kh. V, 136, No. 10391 nennt den Verfasser des Buches über die Eintheilung der Zahlen im Texte Flügel's ارسطيفوس („*Aristifus*"), aber *Flügel*, der *Aristippus* übersetzt, bemerkt im Commentar (VII, 856), dass die Codices ارسطيقوس haben und beruft sich für seine Emendation auf *Schmölders, Docum. phil.* p. 4, wo freilich der Philosoph Aristipp ebenfalls irrthümlich mit ق geschrieben ist — das Zusammenfliessen der Punkte in den arabischen Handschriften hat bekanntlich eine Reihe von Varianten von *f*, *k* und *k* u. A. auch in griechischen Namen veranlasst, welche den Bibliographen genug zu schaffen gemacht. *Herbelot* (Ketab Kesmet, III, 69 der deutschen Uebersetzung) hat sogar hier Arisficus (!) herausgebracht. Vielleicht ist auch das Buch des Aristoteles *de numeris* (*H. Kh.* V, 46, No. 9863, *Wenrich* p. 159) nur ein Missverständniss? Schlimmer steht es um die beiden andern Bücher, für welche *H. Kh.* einen noch anders lautenden Text vor sich hatte, oder auf eigene Faust sich etwas zurecht machte. V, 73, No. 10043 unter dem Schlagwort كتاب الحدود stellt er verschiedene Werke zusammen, — *Herbelot* hielt es fur gerathen, diesen ganzen Artikel zu übergehen — zuerst ein Werk von Aristoteles (vgl. *Wenrich* p. 152: ὅροι), dann das Buch der (Definitionen) und Beschreibungen des Juden Isak ben Salomo,[38]) und des Helal u. s. w., dann heisst es: „und von ارسطيقوس dem

37) Auf der dort erörterten Trennung und Abbreviatur beruht auch vielleicht das Citat: Thales oder Ethor bei Wilhelm von Auvergne? siehe Jourdain, Untersuchungen, deutsch von Stahr S. 579.

38) Hier fehlt im Arabischen, oder muss hinzugedacht werden: *we'l-Hodud.* Flügel's Uebersetzung: *de notis definitionum* ist unrichtig. Das Buch handelt von Definitionen und Beschreibungen (*Rosum*), also *lib. definitionum et descriptionum,* wie am Ende der gedruckten latein. Uebersetzung des Constantinus Afric. (s. meinen *Catalogus libror. hebr. in Bibl. Bodl.* p. 1118, vgl. Haarbrücker l. c. S. 10). Den vollen aber umgestellten Titel liest man in dem Verzeichniss der Uebersetzungen Gerard's von Cremona (bei *Boncompagni* l. c. p. 6 in der Rubrik: *De fisica,* weil der Verfasser ein Arzt!): *de descriptione rerum et diffinitionibus earum et de differentia.* Den Namen Gerard's führen unter andern die Pariser Handschriften 6443,[18] und die ehemalige *St. Victor* 208, jetzt 145. Allein aus den Proben, welche mir Herr Eugene Janin auf Veranlassung des Fürsten Boncompagni abschrieb, ergiebt sich eine, von Herrn Janin selbst constatirte auffallende Uebereinstimmung dieser Uebersetzung mit der des Constantin! — Auch Glossen über Isak's medizinische Schriften werden dem Gerard zugeschrieben, deren Handschriften noch zu untersuchen sind.

Griechen, welches genannt wird *Ketab el-G'ebr* (vgl. die Varianten VII, 850), übersetzt von *Abu'l-Wefa* u. s. w., dem Calculator,[39]) der es emendirte und erläuterte u. s. w. (wie oben). Dass Flügel bei einem Buch „der Definitionen" nur an Aristipp dachte, ist wohl begreiflich; dennoch kann es keinem Zweifel unterliegen, dass die ganze Stelle aus einer über das Buch des Maasses und der Entfernungen von Aristarch entstanden ist![40]) — In *Hammer's* Literaturgeschichte der Araber (V, 306, 313) wird zweimal das Verzeichniss der Schriften Abu'l Wefa's gegeben, ohne auch nur des Aristarch zu erwähnen. In der Dissertation *De arabicis scriptor. graecor. interpretibus* (*Misenae* 1841, p. 31, No. 60) wusste auch *Flügel* noch nichts von Aristipp.

Ich kann die Vermuthung nicht unterdrücken, dass auch die angebliche Algebra des Aristarch auf einem Schreibfehler beruhe. *Wenrich* (p. 210) bemerkt, dass man dem Hypsicles ein Buch der Körper (اجرام) und der Distanzen (so ist der Titel wörtlich) beilege,[41]) vielleicht aus Verwechselung

39) Ich lese nämlich auch hier *el-'hasib* für *el-muhasib*, was Flügel: *rationum exactor* übersetzt. Im Index der Autoren (VII, 1215, No. 9050 u. 9051) zweifelt Flügel an der Identität dieses Abulwefa mit dem bekannten Buzdschani, der z. B. III, 565 als „Geometer" bezeichnet wird. Dieser Zweifel hat wieder nur seinen Grund in dem supponirten Inhalt des Buches.

40) „Aristones" (bei Casiri I, 384, Wenrich p. 197) ist nicht Aristarch, sondern Eratosthenes (Wöpcke zu Omar p. XIII, siehe unten Anm. 65), welcher in Gerard's Uebersetzung des Dschabir Ibn Aflah („Geber") Arcusianus heisst (*Delambre, hist. . . moy. âge* p. 182). In Cod. Sorb. 980, Fol. 59, Col. 2 liest man: *Inditiorum (Judiciorum?) Ptolemei ad Aristonem filium suum liber.*

41) Ein Buch der Distanzen und Körper von Ahmed ben Abdallah .. dem Calculator (*el-'Hasib*), führt *Hagi Khalfa* V, 30, No. 9751 an. Der weitere Name darf weder *Dschins* noch *Khanes* (III, 366, VII, 738) gelesen werden, sondern Habasch, schwerlich Hobeisch (Diminutivform), und es ist der, aus den Tafeln des Ibn Junus (bei *Caussin* und *Delambre* l. c. p. 77, 83 ff., 87, 97, 139) bekannte Verfasser der sog. verificirten Tafeln unter Maamun, der auch kurzweg Habasch, auch Merwezi, Bagdadi genannt wird, bei Casiri I, 426, 432, Hammer Litgesch. III, 260, No. 1149 mit dem Jahre 217 (832). Diese Tafeln heissen daher bei *H. Kh.* III, 564, No. 6943 nicht *Zidsh 'habs* („Hassis"; bei *Herbelot* IV, 663, deutsche Ausg.) *el-hasebah*, wie Flügel liest, mit der Uebersetzung: *quibus rationes continentur*, sondern wohl „*Habasch's*. des Calculators". Hieraus ergiebt sich zunächst die Identität der 3 im Index zu *H. Kh.* aufgeführten Autoren (VII, 1023, No. 813, 818 u. 824). Kein andrer ist „Habesch" der Berechner von Merw u. s. w. mit dem Jahr 180 H. (796) bei Hammer III, 255, No. 1134 nach el-Kifti, Bailly, Caussin (d. h. Ibn Junus) und Grässe, Litgesch. I, 509! Hier wird ein Werk über den Gebrauch des Astrolabs zweimal aufgeführt (vgl. *H. Kh.* III, 366). Dies führt auf weitere Identificationen und den Beinamen. Die Pariser Handschrift *suppl. ap.* 952, 30 (bei Wöpcke, *Essai* p. 11) enthält die Abhandlung des Abu Dscha'far Ahmed ben Abdalla über das flache Astrolab (*almusatta'h*, nicht *almubta'h*, wie Wöpcke liest und unerklärt lässt). Also ist identisch Abu Dscha'far ben Ahmed ben Abdallah, weled Habasch bei Casiri I, 408 (der wieder falsch *de planisphaerio* übersetzt), bei Hammer III, 267, No. 1176 (. . . ben Hobeisch) als vermuthlicher Verwandter von No. 1149! — Ob auch der Verfasser der Arithmetik in der hebr. Handschrift des *Vatican* 396 identisch sei, werde ich anderswo erörtern.

mit Aristarch. Könnte also nicht auch الجبر (namentlich die Variation الجبر, *H. Kh.* VII, 850) aus الاجرام u. s. w. entstanden sein?

ad 12) **Hypsicles**, anstatt dessen hat *Gartz* nach *Assemani:* Aesculap (Hermes etc.), wie schon *Pusey* l. c. p. 541 bemerkt, *Wenrich* (p. 210) übergeht den mediceischen Codex zu dieser Stelle. *Hagi Khalfa* V, 152, No. 10499 (vgl. II, p. 213, No. 2496) sagt ausdrücklich, dass das Buch des Hypsicles aus 3 Praefationen und 2 Figuren bestehe, was die Identität mit dem angeblichen Aesculap ausser Zweifel setzt. Die Namensentstellung bei den Arabern hat sich auch auf lateinische Quellen verpflanzt; denn in dem Verzeichniss der Uebersetzungen Gerard's von Cremona (bei *Boncompagni* p. 5) erscheint ein *Liber esculegij tractatus I*, offenbar identisch mit *Liber Esculei de ascensionibus* in dem oben erwähnten Pariser Codex (No. 3) Bl. 22. — Die Uebersetzung des Ishak ben Honein, verbessert von Thabit, in der Pariser Handschrift Suppl. 952,* bei Wöpcke (Essai etc. p. 11) ist weder Wenrich noch Chwolsohn bekannt.

ad 13) **Archimedes** *Lemmata*. Dieses Schriftchen besitzen wir bekanntlich in mehren lateinischen Ausgaben, denen eine arabische Bearbeitung zu Grunde liegt. Ich handle darüber ausführlich in meinem 3. Brief an Boncompagni,[42]) zu dessen Resultaten hier nur einige auf unser Thema bezügliche Bemerkungen folgen.' Dass der Uebersetzer Thabit 14 Figuren hinzugesetzt habe, notirt der einzige Bodl. Codex bei Uri 895; *Wenrich* (p. 192) und *Chwolsohn* (Ssabier I, 556). Der weitere Bearbeiter und Glossator, welcher überall unter seinem halben Ehrentitel Almochtass figurirt, heisst Abu'l Hasan Ali b. Ahmed el-Nasawi oder Nesewi, d. h. aus Nesa und blühte um das Jahr 1000. Um so wichtiger für unser Thema sind die Anfangsworte seiner Vorbemerkung, die ich hier wörtlich aus dem mir von Herrn Prof. Lasinio mitgetheilten Original übersetze:[43])

---

42) *Intorno a Nasawi ed Abu Sahl el-Kuhi Matematici arabi Commentatori del liber Assumptorum attribuito ad Archimede Lettera III di M. Steinschneider a D. B. Boncompagni.* 4. *Roma* 1864, paginirt 23—37 als Fortsetzung der ersten beiden Briefe (1863), nämlich *Intorno al liber Karastonis* (enthält ein Specimen des unedirten Buches von Thabit über die Handwage) und *Intorno al libro Saraceni cuiusdam de eris stampato nel* 1549 *ed al libro tabule Jahen tradotto da Gherardo Cremonese.* Einige Berichtigungen zu dem, ohne meine Revision gedruckten 3. Briefe werden beim 4. Briefe folgen. Vgl. auch weiter unten.

43) Nach den mediceischen Handschriften 275 u. 286 (dass die Copie in Cod. 271 nicht bis zu diesem Buche reiche, ist schon oben bemerkt). In Bezug auf No. 275 theilt mir noch Herr Lasinio mit, dass die in demselben vorangehenden 3 Bücher (V—VII) der Kegelschnitte des Apollonius von Abraham Ecchellensis für den Fürsten Leopold von Toscana abgeschrieben sind. In einem undatirten lateinischen Briefe an denselben, welchen Assemani unbeachtet gelassen, bemerkt Abraham, dass er den Apollonius aus einem alten, zerrissenen, fast aller diacritischen Punkte entbehrenden und daher schwer leserlichen Codex abgeschrieben und corrigirt habe *ne facile menda admittantur, si contingat aliquando eum typis mandari Arabicis.* (Vergl. die Vorrede Abrahams zur lat. Ausgabe.) Von dem nachfolgenden Buche des Archi-

„Es spricht der vorzügliche Gelehrte: Diese Abhandlung wird dem Archimedes beigelegt; in ihr sind schöne Figuren, gering an Zahl, gross an Nutzen, über Grundsätze der Geometrie, im höchsten Grade der Vortrefflichkeit und Subtilität. Es haben auch die Neuern dieselbe zu der Gesammtheit der mittleren Schriften (*Mutawassatal*) gezählt (*idhafaha*), deren Lectüre zwischen dem Buche des Euclid und dem Almagest erforderlich ist." Aus dieser Bemerkung — welche bei *Hagi Khalfa* V, 144, No. 10540 = V, 351, No. 11208 und V, 371, No. 11358 (VII, 870) ohne Quelle mitgetheilt ist — lässt sich schliessen, dass die Bestimmung dieser „mittleren" Bücher ziemlich hoch hinaufragt, während der technische Ausdruck hier noch gewissermassen von der Definition begleitet ist.

Nasawi hat einige Bemerkungen aus dem Buche: „Ausschmückung des Buches Archimedes' von den Lemmaten" seinen Noten eingeschaltet, dessen Autor Abu Sahl el-Kuhi, mit eigentlichem (persischen) Namen Widschan ben Rustem, als Astronom bekannt ist. Das arabische Wort für „Ausschmückung" ist, wie ich von Herrn Lasinio erfuhr, in der Abschrift des Abr. Ecchellensis (Cod. 275) durch eine Lücke bezeichnet, in Cod. 286 nicht mit Punkten versehen, muss aber jedenfalls *Tezjin* gelesen, und nicht wie bei Ecchellensis mit „*ordinationis*", sondern *ornationis* übersetzt werden, wie ich im 3. Briefe S. 34 aus *Hagi Khalfa* V, 144 erwiesen. Der Name wird auch irrthümlich „Wastam" geschrieben von Wöpcke (*Essai d'une restitution etc.* p. 6, 7 oder in den *Mémoires présentés* T. XIV, p. 663 bis 664), und sind die in der Handschr. Suppl. arab. 952, No. 2 u. 8 enthaltenen 2 Abhandlungen die in meinem Briefe p. 33 nach den ungenauen Angaben el-Kifti's erwähnten No. 5, 7. (Erst kürzlich habe ich von der Notiz Wöpcke's über Abu Sahl, in einer Note zu Omar al-Khayami p. 55, erfahren, nachdem ich ein Exemplar erworben und mit Bequemlichkeit durchgehen konnte.)

Bei Wenrich (p. 196) sind noch nachzutragen die Antworten auf Fragen über die Lemmata von Abu Saïd Ahmed b. Muhammed ben Abd el-Dschelil *el-Sidschzi*, d. h. aus Sidschistan (nicht *Schadschri* oder *Sindschari* u. dgl.), welcher um 969—70 in Schiraz lebte. Ich gebe hier gleich, der Kürze halber, den vollen Namen, Vaterland und Zeit, wie sich dieselben aus der interessanten Handschrift *suppl. arab.* 952 in Paris ergeben, welche Ahmed meist selbst geschrieben, und worin vier eigene Abhandlungen, nämlich No. 10, 27 (an Abu'l Hasan Mohammed u. s. w., ist der Vater?), 31 und 46. Das Nähere hat Wöpcke in seinem *Essai d'une restitution etc.* angegeben, und Einiges zu Omar al-Khayami p. 117 veröffentlicht, namentlich aus Cod. Leyden 1098, wo der Name im Catalog: *Ahmed ben Ghalil Sugiuraeus*

---

medes findet sich in diesem Briefe Nichts, obwohl er auf Bl. 66—77 von derselben *Hand geschrieben* ist.

lautet. Eine Analyse jener Antworten gab aus der Pariser Handschr. 1104 (von Golius herstammend) Sedillot (*Notices et Extr.* Bd. XIII, p. 126 ff. und *Materiaux etc.* p. 401). Nach Labbeus erwähnt diesen Ahmed schon *Montucla* (I, 374—5); an unrichtiger Stelle erscheint er bei Hammer (Litgesch. VI, 434). Aus der Vergleichung der einzelnen Stellen bei *Hagi Khalfa* ergiebt sich ferner die Identität dreier im Index getrennter Autoren, nämlich: Ahmed ben Abd el-Jelil p. 1023, No. 827, Abu Saïd Ahmed ben Mohammed p. 1205, No. 7702 und Sig'zi p. 1230, No. 8497 (vgl. VII, 941). Das von *H. Kh.* V, 60, No. 9957 = I, 171, No. 144 erwähnte astronomisch-astrologische Werk befindet sich in dem Bodl. Codex 948 (bei Uri p. 206), mit richtigem Namen bis auf „*Schadschari*", geschrieben im Jahre 1291; aber Pusey (p. 603) citirt wieder aus der Handschrift des *H. Kh.* den Autor: *Schadschari* Mohammed ben Abd el-Wahid, der 734 H. (1333—4) gestorben sein soll! Vielleicht ist unser „Ahmed b. Muhammed" der Verfasser der Abhandlung über den Quadranten, deren hebräische Uebersetzung aus der Sammlung (No. 349) des Karäers Firkowitzsch (siehe Greiger's wissensch. Zeitschr. f. jüd. Theologie Bd. III, 1837, S. 444, No. 22[b]) kürzlich in die Petersburger Bibliothek übergegangen. Der Uebersetzer heisst nicht Mose b. Jehuda „Goli", wie l. c. gedruckt ist, sondern „Galeno" nach einer, durch Herrn Prof. Dorn vermittelten Mittheilung; ich vermuthe, dass es Galiano oder Galiago heissen solle, da ein Mose Galiago auch in *Cod. Orat.* 182 hinter Euclid und Autolycus und in *Cod. Orat.* 172 als Verfasser (oder Uebersetzer) einer Geomantie vorkommt (vgl. Mose ben Elia Galino in meinem *Catal. libr. hebr.* p. 929 nach Corrig.). Hingegen ist Ahmed b. Muhammed, Verfasser des Buches *de augmentatione et diminutione* im Fihrist (bei Wöpcke, *Mém. sur la propag.* p. 181, nicht „Addition und Subtraction", wie bei Hammer, IV, 307, No. 2404), der Zeitgenosse des Muhamed b. Musa unter Maamun, dessen Einleitung in die Astrologie bei *H. Kh.* V, 473, No. 11684 vorkommt.

ad 14) **Menelaus** — bei den Arabern und den aus ihnen schöpfenden Autoren des Mittelalters: „Mileus" oder latinisirt „Milleius" u. dergl.[44]) Selbst unter diesem Autor, dessen Sphaerica bekanntlich sich nicht im griechischen Original erhalten haben, hat es *Wenrich* (p. 210) nicht für angemessen gehalten, der aus dem Arabischen stammenden lateinischen Ausgaben auch nur mit einem Worte Erwähnung zu thun, namentlich der von Halley (starb 1724) „*collatis MSS. Hebraeis et Arabicis*" veranstalteten, welche Costard 1758 mit einem Titelblatt versah, und über welche man Näheres bei *Montucla* I, 291, *Fabricius Harless* IV, 24 und *Chasles*, Gesch. d. Geometrie, deutsch von Sohncke, S. 153, das Nähere findet;[45]) abgesehen von den An-

44) Siehe die Anführungen in der Hebr. Bibliogr. 1864, S. 91; vgl. „Milius" im Buche des Dschabir Ibn Afla'h (Cod. Ashmol. 357 [II] bei Black), bei Alpetragius (*Delambre, hist.* p. 173, wo das Datum 845 nach Nebukadnezar), bei Fibonacci, Geometrie p. 197, Z. 13.

45) Nicht überflüssig ist es, zu bemerken, dass auf dem Titelblatt die Worte: Prae-

gaben über die astronomischen Beobachtungen (vgl. *Hagi Khalfa* III, 471, No. 6475), welche *Delambre* (*hist.* l. c. p. XLIII—IV) auf ihren Werth oder Unwerth zurückführt, und von dem Werke über die Quantität gemischter Körper u. s. w., dessen Titel Wenrich (p. 211) ungenau wiedergiebt, ohne die, an einen König Thimothäus (??) gerichtete Handschrift bei Casiri I, p. 386 zu erwähnen, welche schon *Harless* (zu Fabr. IV, 24) verzeichnet.[46]) — Ich beschränke mich auf wenige, unsere *Sphaerica* betreffende Bemerkungen.

Nach *Hagi Khalfa* I, 390, No. 1100 redet Menelaus in diesem Buche einen König Basilides *el-Ladsi* (?) an, welchen Flügel (VII, 612) sonst nirgends gefunden hat. Sollte hier eine Verwechselung mit Hypsicles stattgefunden haben, welcher in seiner Ergänzung des Euclid (Bd. XIV) den (Sohn?)

---

fationem addidit G. Costard zu lesen sind; dass es aber dieser beabsichtigten Vorrede nicht besser ergangen zu sein scheint, als der Halley's. Zwei Exemplare der Berliner Bibliothek enthalten keine solche, und auch die Bibliographen (Ebert, Brunet, Schweiger) geben nur die 112 Seiten des Textes an. Es ist bedauerlich, dass man auf diese Weise über das Verhältniss der verschiedenen Quellen nicht genügend unterrichtet ist. Das Wenige, was ich in dem Buche selbst über die orientalischen Texte gefunden, beschränkt sich auf die Angabe der verschiedenen Eintheilung zu Ende der betreffenden Propositionen (p. 15, 23, 38, 56, 61, 64, 68), was ich hier in Kürze zusammenfasse. Der Araber theilt im I. Buche die 14. Pr. in 2, die 18. in 3, die 30. in 2 (= 33, 34) — muss also im Ganzen 39 zählen. Halley folgt dem Hebräer (und Maurolycus). Im II. B. theilt der Araber Pr. 2, 4, 5 je in 2, die 6. in 5 (= 9 — 13), die 7. in 3 (= 14 — 16); hiernach erhielte man 22 für 13. Ferner hat der Hebräer zu II, 1 — 9 auch die Zählung 36 — 44, insofern dieselben nach einigen Codd. noch zu Buch I gerechnet werden. Dann folgen 4 Theoremata als Anfang des II. Buches, die aber nur eine Recapitulation der letzten 4 (5 — 9), daher Halley ein Scholion daraus macht. Zu den 15 Propp. des des III. Buches wird keine Differenz angemerkt. — Für Halley's oder seines Helfers Kenntniss des Hebräischen spricht gerade nicht die Uebersetzung der einzigen zwei im Texte mitgetheilten Titel: III, 12, p. 101, wird (von Menelaus selbst?) ein „*liber Propositionum sex potius Lemmatum Cyclicorum, uti verba videntur reddenda*" citirt; aber das hebr. התמונות החקשירות würde heissen: der „analogen Figuren"; vermuthlich soll es הקשתיות heissen, also Buch der bogenartigen Figuren. III, 15, p. 108 soll das Buch des Apollonius den Titel הכולל „*forte de Principiis (!) universalibus*" haben; es ist vielmehr eine gewöhnliche Bezeichnung für „umfassende" Bücher, und bedeutet wohl hier die bekannten Kegelschnitte des Apollonius!

46) Mit diesem Schriftchen beginnt Casiri eine Nummer 3 einer nicht näher angegebenen Handschrift, welche zwischen Cod. 955 und 956 eingeschaltet ist, ohne dass Nummer 1 u. 2 dieser Handschrift angegeben wäre! — Casiri theilt die Anfangsworte „o König" mit, aber nicht den arabischen Namen des Königs, und da Casiri bei der Wiedergabe, resp. Deutung arabischer Namen mitunter sich grosse Freiheit erlaubt (siehe Anm. 65), so darf man nur zunächst an dem, sonst meines Wissens in arab. Quellen nicht vorkommenden Namen Timotheus zweifeln. Ein „König" Themistius erscheint in dem pseudo-aristotelischen *Secretum secretorum* Abschnitt III der hebr. Uebersetzung als abschreckendes Beispiel des Sturzes durch Verschwörung, während die lateinische Uebersetzung (*cap. 2 de cornu*) von einem Themistius als Erfinder eines *Instrumentes* für das Heer spricht!

Basilides anredet?[47]) Die hebr. Uebersetzung rührt von dem oben erwähnten Jakob ben Machir her, nicht von Mose Tibbon, welchen *Fabricius* aus Wolf (*Bibl. hebr.* I, p. 133) als Uebersetzer von Theodosius und Menelaus anführt, während Wolf diese beiden nur als Bestandtheile der Handschrift des Euclid erwähnt. Ich habe die beiden Oxforder Handschriften (bei Uri 431 u. 433) vor mehr als 10 Jahren flüchtig angesehen. Sie beginnen beide mit den Definitionen (wie Halley), die erste ist nicht vollständig, die zweite enthält noch: „Worte einiger (oder eines?) Alten über das Buch Mileus, und was sie (er?) gesagt über die Figur (*sector?*)" (vgl. unten zu 16). Der arabische Uebersetzer ist nicht *Honein* (wie Uri hebr. Cod. 431, 433 und *Wenrich* p. 211 angeben), sondern dessen Sohn Ishak, wie schon *Gagnier* bei Wolf III, p. 682 richtig mittheilt und *Pusey* p. 590 zu I, 194 emendirt. (Ueber den angeblichen Commentar des Muhammed b. Dschabir, siehe weiter unten §. 8 zu 16.) Es gab jedoch verschiedene Resensionen, die sich auch in der Zahl der Figuren unterschieden. *Hagi Khalfa* (I, 390) berichtet uns nach Nasir ed-Din Tusi, dass die Recensionen[48]) entweder drei oder zwei Bücher zählen, erstere haben entweder im I. Buche 39 Figuren, im letzten[49]) 25, im mittleren meist 24, bei Abu Na'sr Men'sur Ibn Irak[50]) 21; oder im I. Buche 61, im II. 18, im III. 72. Die Recensionen von II Büchern enthalten 61 und 30, und kommen auch hier Abweichungen vor. Im Ganzen schwankt die Summe zwischen 85 bis 91. Vergleicht man hiermit die Zahl der Figuren in den beiden Handschriften bei Uri, so finden wir in Cod. 875 II Bücher mit 60 und 30, in Cod. 895 III Bücher mit 39, 24, 25. Nach *H. Kh.* l. c. hätte Tusi sich erst mit der Recension des Ibn Irak beruhigt; hat er auch die Figurenzahl angenommen? — Die lateinische Uebersetzung des

---

47) Siehe Nicoll, *Catalogus* p. 257. In der hebr. Uebersetzung heisst Basilides Apsalides (Hebr. Bibliogr. 1558, S. 105). El-Kindi, bei *Hagi Khalfa* I, 381, erzählt, dass Hypsicles seine 2 Bücher für „den König" verfasst habe, anscheinend für denselben König, welchem Euclid, der Lehrer des Hypsicles, seine Elemente gewidmet haben soll.

48) In Flügel's Uebersetzung wird diese Angabe durch *quae* in specielle Beziehung zur Recension des Abu Na'sr gesetzt, was mir unrichtig sch int.

49) Für *we'l mukhtar* (bei Flügel: *ex opinione autem quae praevaluit, ei viginti quinque tantum tribuuntur)* lese ich *we'l mutaakhar*, d. h. *posterior*, wodurch der Sinn einfach und klar wird, übereinstimmend mit Cod. Uri 895.

50) Im Index VII, 1184, No. 6865 identificirt ihn Flügel mit Abu Na'sr Men'sur ben Ali ben Irak, dem Verfasser einer Schrift über das Astrolab, und unterlässt vielleicht deswegen die Verweisung auf VII, 612, wo er ihn mit dem Theologen .. ben Ahmed (Index No. 6864) combinirt hatte. Allein diese Verweisung war darum nöthig, weil dort auch auf Nicoll p. 600 verwiesen ist, wo Abu Nasr ben Iraf als Verfasser dreier Abhandlungen über das Astrolab in Cod. Uri 910, 3 = 913 vorkommt. Bei *Wenrich* im Index p. XXVIII ist Abu Na'sr Men'sur nachzutragen, der p. 211 auch nach dem Leydener Catalog, Cod. 1142, genannt wird, wo derselbe als „Emir" bezeichnet ist. — Der Name „ben Irak" kommt übrigens noch bei einem Gelehrten des XVI. Jahrh. vor (Abu'l Hasan Ali u. s. w. *H. Kh.* VII, 1086, No. 3275).

Gerard von Cremona (*Boncompagni* l. c. p. 5 u. 63) enthalten vielleicht die alten Handschriften des *Mileus*, wie z. B. Cod. Digbi, Cod. S. Marco 184 (bei Boncomp ni: *delle versioni di Platone di Tivoli* p. 36) und der oft erwähnte Pariser Codex lat. 9335 (No. 10) Bl. 32^a, 45^b, 48^b mit dem Titel: *Liber Mileij de figuris spericis.* Folgende, aus letzterem von Herrn Janin citirten Stellen mögen als Beispiel der, wie es scheint, wörtlichen Uebersetzung dienen:

Anfang: *Declarare uolo qualiter faciam super punctum datum arcus circuli magni dati supra superficiem spere, angulum equalem angulo dato quem contineant duo arcus duorum circulorum magnorum super illam superficiem notam punctum b ....* In dem ersten Buche werden am Rande die Propositionen von I bis XLVI gezählt. Der Anfang des II. Buches lautet:

Cum fuerit figura trilatera duorum inequalium crurium modo fuerit angulus qui est apud caput eius maior angulo recto et non fuerit longius crus eius maius quarta circuli et separantur ex una duorum crurium duo arcus equales et protrahuntur ex extremitatibus eorum arcus ad basem et proveniunt cum ea anguli equales angulo quem continet latus aliud cum basi tunc ipsi separabunt ex basi duo arcus in equales quorum maior erit ille qui sequetur latus quod non dividitur. Quod si duo arcus qui separantur non fuerint separati nisi ex maiore duorum crurium tunc minor arcuum qui protrahuntur cum aggregabitur cum latere quod non dividitur, erit minor duorum reliquorum arcuum eorum cum aggregabuntur, et si duo arcus equales non fuerint separati nisi ex minore duorum arcuum erit arcus minor cum latere quod non dividitur maior duorum arcuum reliquorum. Sit ergo figura etc.

Dies ist offenbar die Recapitulation von Prop. 6—9, wovon Halley spricht. Die Propositionen sind hier I—VI gezählt.

Das III. Buch beginnt: *Sint in superficie spere duo arcus duorum circulorum magnorum supra quos sint* $\overline{n.\ e.}$ $\overline{l.\ n.}$ *et protraham inter eos duos arcus* $\overline{e.\ t.\ a.}$ $\overline{l.\ t.\ m.}$ *et secent se super punctum t. dico quod proportio nadir arcus* $\overline{a.\ n.}$ *ad nadir arcus* $\overline{e.\ m.}$ *est composita ex proportione* $\overline{n.\ c.}$ *ad* $\overline{e.\ m.}$ *et ex proportione nadir arcus s. t. ad nadir ad arcus* $\overline{t.\ l.}$ *Et ego quidem non significo cum dico nadir arcus nisi lineam que subtenditur duplo illius arcus secundum quod fit ille arcus minor semicirculo. Cuius hec est demonstratio, ponam centrum spere etc.*

Die Propositionen sind hier auch am Rande nicht gezählt.

Der Ausdruck „*nadir arcus*" heisst wörtlich das dem Bogen Gegenüberstehende, es ist derselbe bekannte für Fusspunt als Gegensatz des Scheitelpunktes (*Semt*, vulgo *Zenit*), daher auch der hebr. Uebersetzer (siehe Halley p. 82) das Wort *Ne'hochut* gewählt hat, welches wörtlich das „Gegenüberstehende" heisst, und wohl nicht als *plural* (*Ne'hochot*: die Gegenüberstehenden) zu vocalisiren ist. Derselbe Name (*No'hach*) dient als Bezeichnung des Fusspunktes im Hebräischen. Der Araber hat (nach Halley) überall *Dscheib*, d. h. *sinus*.[51]) Sollte der lateinische Uebersetzer eine andere Lesart vor sich gehabt, oder selbst den Ausdruck *sinus* noch nicht gekannt und dafür *nadir arcus* gesetzt haben?

Endlich mag noch bemerkt werden, dass ein Schriftchen in 9 Propositionen über sphärische Trigonometrie von Abu'l Welid (vielleicht Averroes), dessen Analyse bei Sedillot (*Materiaux* p. 416) gegeben ist, als Zusatz zu „den Sphäricis" (*Okar*) für das Verständniss des Almagest bezeichnet wird; es fragt sich, ob nach dem Worte „*Sphaerica*" ein bestimmter Name, nämlich Menelaus oder Theodosius oder Autolycus fehlt, oder alle drei darunter zu verstehen seien.

ad 15) **Thabit ben Korra:** *Data*, hat 36 Figuren in allen Handschriften, deren Cataloge die Figuren angeben (siehe *Wüstenfeld*, Gesch. der arab. Aerzte S. 35, No. 7); *Hagi Khalfa* (V, 154, No. 10514) bemerkt, dass in einigen nur 34 Figuren vorkommen, bei Assemani heisst es: *in aliis vero exemplaribus* 30. Dass dieses Schriftchen wegen seines etwaigen Verhältnisses zu dem gleichnamigen Buch des Euclid (oben 1) Beachtung verdiene, hat schon Chasles (Gesch. der Geometrie, deutsch von Sohncke S. 579) bemerkt. Nach *H. Kh.* l. c. No. 10511 und den erwähnten bodl. und mediceischen Handschriften hat Thabit auch die Uebersetzung der Data des Euclid von Ishak ben Honein emendirt.[52]) *Chwolsohn* (l. c. I, 560) erwähnt die Data des Euclid nicht unter den von Thabit verbesserten Uebersetzungen. Es verdient Beachtung, dass *Hagi Khalfa* für die δεδομένα des Euclid, wie el-Kifti (bei Casiri I, 342) den etymologisch entsprechenden arabischen Titel *Ma'atijjât* gebraucht (II, 213, V, l. c., No. 10511), hingegen hat er für das Werk des Thabit (an beiden Stellen) den Titel *Mefrudât*, d. h. wörtlich *liber definitorum* oder *determinatorum*. Josef Ibn Aknin (siehe oben §. 7) sagt ausdrücklich, dass das Buch auch diesen letzteren Titel führe, welchen man auch in der bodl. Handschrift (Uri 875, 14) findet. Hingegen nennt *H. Kh.* (No. 10514) bei dem Buche des Thabit auch unmittelbar noch Archimedes, wie schon el-Kifti (bei Casiri I, 184), und daher auch Wenrich (p. 194), der hinzufügt: *nemini veterum nominatus*. Sollte hier nur eine Verwechselung mit Euclid obwalten?

ad 16) **Muhammed ben Musa.** Der Titel lautet bei *Assemani* (und daher bei *Gartz*): *Liber de sphera in plano describendo.* Assemani giebt ausdrücklich 18 Figuren an. *Pusey* (p. 541) hat die Sache nicht genau angesehen, indem er bemerkt, dass *Hagi Khalfa* für Archimedes *de dimensione circuli* (welches Assemani zuletzt nenne) das Buch *de cognitione dimensionis figu-*

---

51) Ursprünglich *Dschib* für sanscrit. *jiva* Chorde; s. *Munk* bei Wöpcke, *Mem. sur la propag.* p. 145.

52) Auch hier sagt Wenrich (p. 182, Z. 2) irrthümlich: *posterior codicum Mediceorum etc.* (was den mittleren, nämlich 273 bezeichnen soll?), da die Recension des Tusi bereits die von Thabit verbesserte benutzte.

um (scil. planarum et sphaericarum)[53]) setze, welches er (*sub voce*) dem sa ben Ali, dem Kurden, beilege; da vielmehr dieses Buch offenbar identisch ist mit dem bei Assemani genannten. Der Name Musa b. Ali ist freilich eine Variante der oxforder Handschrift des *Hagi Khalfa*, in Flügel's Ausgabe (V, 633, No. 12414) liest man deulich als Verfasser die Söhne, des Musa: Muhammed, Hasan und Ahmed; das Buch habe 18 Figuren und sei von Tusi emendirt; wörtlich dasselbe unter diesem Titel, jedoch mit Weglassung des Wortes: *cognitio* und Vorsetzung von *Kitab* (Buch): V, 150, No. 10481![54]) Ja diese letztere Stelle citirt *Pusey* selbst (p. 603) zu dem von Uri unter Codex 960, 8 (p. 208) erwähnten Schriftchen, welches sich auch dort an einige der mittleren Schriften anschliesst.[55]) Jedoch hat auch hier wieder die oxforder Handschrift des Hagi Khalfa als Autor einen Musa ben Muhammed el-Labani, gestorben 602 H.! Nur II, 213 nennt *H. Kh.*, auch in der Handschrift Pusey's, keinen Autor; die in Klammer gesetzten Worte: *auctoribus beni Musae* sind ein Zusatz Flügel's.

Ehe wir die Spuren dieser, wie es scheint, interessanten Abhandlung weiter verfolgen, wird es nöthig sein, ein Wort über die Verfasser einzuschalten. Die „drei Brüder" (siehe weiter unten), Söhne des Musa ben Schakir (nicht Schabir), haben sich berühmt gemacht sowohl durch ihre Theilnahme an der ersten Gradmessung des Meridians unter Ma'amun, als auch durch ein Buch über Mechanik,[56]) welches der bisher nicht näher untersuchte arab. Cod. Vatic. 317 enthält. Der älteste, Muhammed, starb im Januar 783.[57]) Man hat diesen Muhammed ben Musa vielleicht schon frühzeitig confundirt mit dem älteren, in neuester Zeit oft erwähnten *Chowarezmi* (*Algorismi*), und es ist daher ein Zweifel entstanden, welcher von beiden den Beinamen Abu Abdallah oder Abu Dscha'afar führe.[58]) Das

---

53) Ich bediene mich hier gleich der lateinischen Uebersetzung dieses Titels, da es auf den arabischen nicht ankommt.

54) Herbelot (*Ketab mussahat etc.* III, 77 der deutschen Ausgabe 1789) stoppelt den Namen: Abu Musa Mohammed ben Hossain zusammen.

55) Unter anderem auch: über die Theilung der Figuren, welche Archimedes ... *μαχιον* (?) nannte; das Wort lässt Pusey unenträthselt; die Schrift fehlt bei Wenrich p. 194.

56) *Hagi Khalfa* übergeht dieses Werk nur unter dem Schlagwort (Hammer, l. c. IV, 309), aber er nennt es als Hauptvertreter der Wissenschaft der pneumatischen Instrumente (I, 401, No. 1126), ebenso Ibn Aknin (oben S. 465) und Maimonides, vielleicht schon Abraham bar Chijja (oben S. 466).

57) So (genau) bei Wüstenfeld, Gesch. der arab. Aerzte S. 26, Anm. 66.

58) D. M. Zeitschr. XVIII, S. 172. Der unsre heisst irrthümlich Abu Abdallah bei Wüstenfeld l. c., siehe im Brief Thabit's bei *Delambre, Hist. de l'astr. du moyen âge* p. 81: *Abou jafar ebn Moussa ebn Shaker*. Neuerdings wurde er confundirt mit dem Chowaresmi bei Chwolsohn, die Ssabier I, 483 (488, 548), wo auf Reinaud's Einleitung zu Abulfeda p. 45 verwiesen wird, der von dem Chowarezmier handelt. Ein Abu Abdallah Muhammed ben Ahmed Katib (Secretair) el-Khowarezmi, in der zweiten Hälfte des X. Jahrh., verfasste eine Encyklopädie der Wissenschaften (siehe Chwolsohn I,

Verzeichniss der 12 Schriften der drei Brüder, welches el-Kifti (bei Casiri I, 418) mittheilt, nennt fast überall denjenigen unter ihnen, der als Verfasser anzusehen ist; in dieser Beziehung giebt Casiri den arabischen Text genauer wieder als Hammer (IV, 309). Zu dem ersten Buche über „*Karaston*“ d. h. die Handwaage (wie ich im ersten Briefe an Boncompagni nachgewiesen) ist kein Name genannt. Als 6. lesen wir bei Casiri: *De Figura Geometrica a Galeno (forte Herone) demonstrata.* Hammer lässt die Conjectur Casiri's weg, ohne an den Namen Galen Anstoss zu nehmen. Nun berich-

483, II, 506, 744, fehlt im Index S 849; *Hagi Khalfa* VII, 1150, No. 5649). — In Flügel's Index zu *Hagi Khalfa* erscheinen die drei Brüder an fünf Stellen ohne gegenseitige Verweisung, nämlich *Beni Shakir* VII, 1057, No. 2174; *Ahmed ben Musa ben Shakir* p. 1027, No. 902 = *Ahmed ben Shakir* p. 1028, No. 1017; *Hasan ben Musa ben Shakir* p. 1083, No. 3158 und *Mohammed ben Musa* p. 1160, No. 6036 (wo nicht alle Stellen angegeben sind). In Wenrich's Index ist p. XXXIV Muh. b. Musa zu streichen und auf Abu Dschafar p. XXVI zu verweisen, p. 201' u. 244 hinzuzusetzen. — Auch eine weitergehende Conjectur mag hier möglichst kurz erledigt werden. Ein Bearbeiter des X. Buches des Euclid und Verfasser von Schriften über astronomische Instrumente u. dgl., Abu Dscha'afar el Khazin (d. h. Bibliothekar oder Schatzmeister) wird genannt von el-Kifti bei Casiri I, 408; vergl. Gartz p. 16 mit p. 10, Anm. 17, Nicoll p. 262, 541, Wenrich p. 187; *Hagi Khalfa* VII, 1109, No. 4137, wo auch die Form „al-Khazini“; vgl. Wöpcke zu Omar el-Khayami p. 103, auf welchen auch Flügel im Comm. VII, 696 verweist. Das Zeitalter dieses Autors ist nirgends näher untersucht; Hammer Litgesch. III, 264, No. 1163 (nach Kifti, ohne Casiri zu citiren) lässt ihn im J. 218. H. blühen, hingegen Litgesch. VI, 429 (wo der arab. Name falsch *Chasin* mit langem *i* und kurzem *a*) lässt er ihn um 468 (1075) sterben! Seine Quellen sind hier Casiri und Sedillot's Einleitung zu Olug Beg p. LXXXVIII u. CLIII, wo die Jahreszahl mit beigesetztem Fragezeichen in der That unbegründet ist. Ich glaube aber ein zwischen beiden Daten liegendes Zeitalter dieses Autors aus einer bisher unbeachteten Stelle beweisen zu können. Nach Kifti (bei Casiri I, 244, 247) verfasst Abu Zeid el-Balkhi Etwas über das Buch von dem Himmel und der Welt (so heisst bei den Arabern das Buch περι κοσμου) des Aristoteles für Abu Dscha'afar al-Khazin (letzteres lässt Wenrich p. 173 weg). Abu Zeid Ahmed b. Sahl aus Balkh starb, nach den verschiedenen Angaben bei *Hagi Khalfa* (zusammengestellt bei Flügel VII, 641), zwischen 322 und 355 H.; die Hauptlesart scheint 340 (951—2). Diesen Autor nennt Wüstenfeld in seinem Verzeichniss arab. Geographen (Zeitschr. f. vergl. Erdkunde I, 1842, S. 30, No. 25) und Hammer (IV, 283, No. 2372) unter den Philosophen mit dem ungefähren Jahre 286 (808), und als 32. Werk: „Die Auslegung des Buches: die Gestalten (für: Formen?) des Himmels und der Welt, von Ebu'l Dschafar, dem Schatzmeister.“ Die Quelle anzugeben hat H. vergessen. Ferner erscheint derselbe Ahmed (Abu Zeid) u. s. w. bei Hammer V, 326, No. 4091 unter den Geographen zwischen Autoren der Jahre 945—948; als Quelle wird das Buch Fihrist angegeben, — welches im Jahre 987—8 verfasst ist. Hiernach hat Abu Dscha'fer wohl gegen Ende des IX. oder im X. Jahrhundert gelebt, und kann nicht identisch sein mit „Muhammed b. Musa dem Bibliothekar des Khalifen Ma'mun“ (letzterer starb 834), wie Flügel (*H. Kh.* VII, 942) vermuthet; dieser Bibliothekar war nämlich der Chowarezmier (vgl. *Hammer* III, 263, No. 1158), während es von dem Perser Abu Dscha'fer ausdrücklich heisst, dass er mehr seinem Vornamen, als seinem Namen nach bekannt gewesen (Wöpcke, zu Omar, p. 3, wohl nach Kifti; vgl. Hammer III, 264).

ıwar Honein (bei Wenrich p. 250) ganz umständlich, wie „Abu Dscha'-
ıhammed n Musa“ die Commentare des Galen zum Buch der Epi-
E pc.. ates zu übersetzen (oder übersetzen zu lassen?) ange-
ıen, und u onein im Jahre 873 starb, und ausdrücklich (bei Wenrich
als Ueber tzer für unseren Muhammed ben Musa bezeichnet wird;
ın nur von iesem die Rede sein, dem also auch die Uebersetzung der
n 8 Bücher von Galen's *de methodo medendi* bei Kifti (Wenrich p. 244)
t. Auffallend genug hat weder Wüstenfeld noch Hammer, welche
Geschichte der arabischen Aerzte des Ibn Abi O'scibia benutzten,
ıs hierü vermerkt. Jedenfalls wird bei einer geometrischen
Galen“ zu denken sein, noch an das sehr unähnliche Wort
„Iran“, wird freilich von dem Beni Musa citirt), sondern
ıschalinus“ ist wohl aus Apollonius (dessen *Conica* Mu-
commentirte) oder Menelaus verstümmelt; im letzteren Falle
an die Figur *sector* zu denken (siehe weiter unten). — Als 11. Werk
t el-Kifti (ohne besonderen Autornamen): *de Sphaerae dimensione*, wie
richtig übersetzt, nicht „Buch des Raumes der Erdkugel“, wie
r. Dieser Titel dürfte abgekürzt sein aus dem unseres Schriftchens
... mensione figurarum etc., zu welchem wir nach dieser scheinbaren Abschweifung zurückkehren.

Auf lateinische Handschriften, welche die *verba filiorum Moysi filii Sakir* enthalten, hat Chasles wiederholt hingewiesen; die Stellen sind wiedergegeben bei Boncompagni, *Della vita e delle opere di Leonardo Pisano etc.*, Rom 1852, p. 61–64, und in desselben Schrift über Gerard von Cremona p. 64, wo die Idendität dieser geometrischen Schrift mit dem *Liber trium fratrum tractatus I.* im Verzeichniss der Uebersetzungen Gerard's mit Recht vermuthet wird. Doch wird es nicht überflüssig sein, die betreffende Schrift genauer zu präcisiren und gelegentlich über einige, sich fast überall anschliessende Abhandlungen Auskunft zu geben, wobei ich verschiedene Durchzeichnungen von Handschriften benutze, welche ich der Liberalität des Fürsten Boncompagni verdanke.

Die Ueberschrift *verba filiorum Moysi filii Sakir, id est Maumeti, Ameti, Asathi* oder *Afath* (in Cod. 9335 richtig *Hasen*) darf, wie ich glaube, nur auf den unmittelbar folgenden:

Tractatus de mensuratione superficierum et solidorum in primis autem circuli et sphaerae

bezogen werden, welcher mit den Worten beginnt: *Propterea quod vidimus quod conveniens est necessitas scientiae mensurae figurarum*, und endet: *Qui vocet ut sciatur demonstratio super operationem eius. Completus est liber etc.*

Man vergleiche mit diesem Titel den einer Abhandlung von Thabit, welchen Casiri (I, 387, Sp. 1) übersetzt: *de dimensione Planorum omnium et Solidorum etc.*, Hammer (IV, 349, No. 16): von der Messung der Flächen und Körper in der Natur u. s. w. (!); nach dem arab. Texte (bei Casiri I, 390, Z. 9) wörtlich: Ueber das Maass der flachen Figuren und der andern einfachen (Flächen) und der körperlichen Figuren, und über die Natur der Sterne und ihren Einfluss (Letzteres halte ich für ein besonderes Werk). — Einen gleichen Titel führt eine geometrische Abhandlung eines Said in der Handschrift des *Catalogus Manuscr. Angliae* II, 393, No. 9260, 5: *de scientia figurarum superficialium et corporearum*, wenn diese Ueberschrift nicht aus dem Anfange entnommen ist, den ich, nebst dem Ende, aus der Pariser Handschrift 9335 (Bl. 125 *verso* Spalte 1) in der Anmerkung mittheile.[59]) Ich habe früher in dem Namen Said „Abuochmi" den Namen Ibn Ahmed vermuthet (D. M. Zeitschr. XVIII, 168), aber die Lesart *Abuothmi* zu Anfang des Pariser Cod. bringt mich auf die Vermuthung, dass hier Abu Othman Saîd ben Jakub der Damascener gemeint sei, von welchem sich u. A. die Uebersetzung des Commentars des Valens über das X. Buch des Euclid erhalten hat, und zwar auch in einer lateinischen Uebersetzung.[60])

In allen 3 pariser Handschriften folgt auf die Abhandlung der drei Brüder ein kleiner, in den Catalogen und auch bei Libri übergangener Anhang, dessen eigentliche Ueberschrift ich hier zuerst aus Cod. 9335 (Blatt 63 *verso* Spalte 1, Zeile 16) mittheile:

Iste modus est sufficiens in arte heptagoni cadentis in circulo.

---

59) Anfang: *Scias quod scientia figurarum superficialium et corporearum est ut noscas quid in figura cuius area queritur ex quantitate nota in qua convenerunt contineatur, videlicet in figura superficiali quantum continetur ex superficie quadrata equilatera et orthogonia in omni parte cubitus aut alia quantitas in qua convenerunt orthogonia vero est que non est cum declinatione etc.* Ende (Bl. 126, Spalte 1): *Pars autem secunda duarum primarum partium que est habentium tantum duo latera equidistantia dividuntur in duas partes scilicet in quadratum habens duo latera equalia quod est quadratum lati capitis equale et in quadratum diversorum laterum quod est quadratum angusti lati capitis diversum. Intellige. Omnis preterea figure quadrilatere tria quelibet latera cum coniunguntur sunt reliquo longius. Hec ergo sunt ea que in omni contingunt triangulo quadrato.* — Dieses Schriftchen hat also nichts gemein mit der anonymen (ins Hebräische übersetzten) Ausführung der Algebra des Muhammed ben Musa.

60) Die Pariser Handschrift, in welcher Chasles den Namen Yrinius (für Iran, Hero, oben Anm. 22) gefunden zu haben glaubte, enthält offenbar ein Fragment dieses, von Wöpcke (*Essai d'une restit.*) zuerst bekannt gemachten Commentars! (Siehe Hebr. Bibliogr. 1862, S. 92, Anm. 19). Die verschiedenen Versionen über Abu Othman's Uebersetzung von Büchern des Euclid hat schon Gartz l. c. p. 17 gesammelt, — die Berichte über Euclid lauten überhaupt verschieden, siehe z. B. D. M. Zeitschr. XVII, 243. Euclid wird unter Abu Said übergangen nicht blos bei Wüstenfeld, Gesch. der arab. Aerzte S. 20, §. 48, sondern selbst bei Flügel, *Dissert.* l. c. p. 19 No. 37. Ueber andre Schriften oder Uebersetzungen siehe Wenrich p. XXVIII; Hagi Khalfa VII, 1195, No. 7293; über die Theologie vgl. Steinschneider, Zur pseudepigr. Lit. S. 11 u. Hebr. Bibliogr. 1863, S. 107; vgl. *Catal. libror. hebr.* p. 1121. Hammer, Litgesch. III, 272, No. 1190 versetzt ihn ins Jahr 768, dagegen IV, 379, No. 2493 um 941, da er schon 302 H. = 914 von Ali ben Isa dem Spital vorgesetzt wurde.

Diese Piece beginnt: *Sit ergo circulus a b. d. in circuitu centri g.* und endet: *Et illud est quod declarare voluimus.*[61])

Hierauf f[illegible]t eine Abhandlung *de proportione et proportionalitate*, deren Verfasser in Cod. 7225 A. u. Mazarin 1256 Amet filius Moysis heisst. Hiernach wäre an den einen der obigen 3 Brüder zu denken, welcher bei Ibn Junus (*Delambre, Hist. de l'astr. du moyen âge* p. 86, Anno 951—2, u. p. 99) den Beinamen Abu'i Kasim führt. Es ist aber sehr wohl möglich und mir wahrscheinlich, dass gerade die Verbindung mit obiger Schrift des gelehrten Triumvirats den Zusatz *filius Moysis* veranlasst hat. Es findet sich nämlich dieselbe Abhandlung in drei anderen Handschriften, und zwar in Florenz, im Kloster *St. Marco* Cod 184,[62]) in der Bodleiana, Cod. Ashmol. No. 357,[14] (p. 269 in *Black's* Catalog dieser Sammlung, oder *Catal. MSS. Angliae* I, 316, No. 6644) und in dem oft erwähnten Pariser 9335, Bl. 64, Sp. 2. In diesen 3 Handschriften heisst der Verfasser Amet filius Josephi. Unter dem Namen Abuiafar Amet fil. Josephi findet sich eine *Epistola de arcubus similibus* in der Pariser Handschrift 9335, Bl. 30, Spalte 1 bis Bl. 31 *verso* Spalte 2, über welche ich noch nichts Näheres angeben kann; aber jedenfalls ist sie identisch mit dem ohne Autornamen im Verzeichniss der Uebersetzungen Gerard's aus Cremona (als 7.) angeführten: *Liber de arcubus similibus tractatus I.* (wohl auch sonst anonym in Handschriften zu finden), so wie die andere Abhandlung in demselben Verzeichniss hinter dem *Liber trium fratrum* als *Liber ameti de proportione et proportionalitate tractatus I* erscheint; vergl. auch das dem Verzeichniss vorangehende Encomium (bei Boncomp. p. 4), wo es heisst: *Et sic de utroque, de scientia videlicet et ydiomate confisus, quemadmodum hametus in epistola sua de proportione et proportionalitate refert (oportet ut interpres, preter excellentiam quam adeptus est ex notitia lingue de qua et in qua* [lies *quam*, das Facsimile hat das Nasalzeichen] *artis quam transfert scientiam habeat) etc.* Die Person des Ahmed ist an beiden Stellen nicht durch den Namen des Vaters näher bestimmt; ich komme darauf zurück, nachdem ich noch über diese Schrift Einiges herangebracht.

Der Anfang derselben stimmt gegenseitig in den näher beschriebenen Handschriften, und wohl auch in allen übrigen. Sie beginnt nämlich mit einem *Prologus*, der auf Euclid Bezug nimmt.[63]) Das Ende dieses Prologs

61) Boncompagni, *della vita etc. di Leonardi* p. 65. In der Beschreibung des Cod. Mazarin 1256, das. p. 64, werden als Schlussworte dieser Abhandlung irrthümlich diejenigen angegeben, welche den Prolog des Ahmed in der gleich zu nennenden Abh. *de proportione etc.* beschliessen.

62) Dies ersah ich zunächst aus der Beschreibung dieser Handschrift bei Boncompagni, *delle versione fatte da Platone Tiburtino*, p. 35.

63) Ich gebe hier den Anfang des Prologs, den ich bei einer andern Gelegenheit vollständig mittheile, nach der Florentiner Handschrift Bl. 90 und den 3 Pariser Handschriften, unter welchen 9335 allein correct ist: *Jam respondi tibi ut scias quod quisivisti de causa geometrice proportionis et eius essentie et proportionalitatis et casuum*

lautet: *et ne extimet (existimet) quod per eam possit pervenire ad aliquam rem (quam querit).* Dann folgt der Anfang: *Incipiamus ergo loqui de proportione et proportionalitate.* Von da ab reicht mein Material nicht aus, um das Verhältniss genauer anzugeben. In Cod. Mazarin lautet das angebliche Ende: *ne qui hanc considerat epistolam scientia sit vacuus.* Es folgt aber noch eine Abhandlung, anfangend:

Arsanides[64]) *quoque ponderum* (*pro pondere*, diese 2 Worte, wahrscheinlich irrig, fehlen in Cod. 7225) *proporcionalitatem diffinivit,* endend: *sic habes duos inter duos*, in 73 gezählte Paragraphen getheilt.[65]) Zur Unterscheidung von einem Schriftchen des Kindi über denselben Gegenstand

---

earum, et quod voluit Euclides de multiplicibus que eis assumuntur, et sue pretermissionis textus tocius quod plane convenit ad divisionem eius in libro suo qui vocatur elementorum liber. Et licet ab eius conscriptione prius fuerim teritus ne aspicientibus reprehensio et male exponentibus in ipso timeretur et voluerim illud agere affuerint michi tamen querentium indagacio et studentium inquisicio q̄ me ad declarationem figure doctrine despecte in hoc opere compulerunt.

64) Offenbar ist hier Archimedes gemeint; vgl. oben unter 6, 7.

65) Ich habe den Fürsten Boncompagni ersucht, diese Abhandlung näher untersuchen zu lassen, namentlich ob sie im Zusammenhang stehe mit dem von Thabit übersetzten Fragment des Comm. des Eutocius zu Archimedes über Sphäre und Cylinder Buch II, Prop. 2 (oder 3?) „über 2 Linien zwischen 2 Linien, welche in continuirlicher Proportion stehen". Dieses Fragment, aus 18 Figuren bestehend, giebt die Lösung von 11 alten Geometern, deren Namen Wöpcke (zu Omar p. XIII) aus der Pariser Handschrift Suppl. 552 (oder 44, Bl. 191, siehe dessen *Essai d'une restit.* p. 13) angiebt, und wonach die Beschreibung des offenbar identischen Codex Escurial bei Casiri I, 382 (bei Wenrich p. 195) zu berichtigen ist. Unter diesen Namen befindet sich Plato (vgl. Wöpcke l. c. p. 94 und den Commentar des Valens in desselben *Essai* p. 34, die Araber nennen ein Buch Plato's *de proportionibus* und über Geometrie, siehe Wenrich p. 121—7), Philo der Byzantiner (bei Casiri Philemon), bestätigend diese Lesart bei *Hagi Khalfa* I, 401, wo er als Mechaniker erscheint (Varianten VII, 613; diese Stelle nachzutragen im Index p. 1190, No. 7310) und Nicomedes, in einer corrumpirten Form, welche offenbar identisch ist mit Sumidas (über Spirallinien) bei Casiri I, 382, wofür Wenrich (p. 197, vgl. p. 194) Archimedes vermuthet. Ueber „Aristones" siehe oben Anm. 40. Zu untersuchen wäre der in der bodleian. Handschrift den Text begleitende Commentar des Eutocius, dessen Uebersetzer nicht genannt ist, während der anonyme Bearbeiter bei Wöpcke, zu Omar p. 103, ausdrücklich Ishak ben Honein angiebt (oben Anm. 35); vgl. auch die Nachricht von einer hebr. oder arab. Handschrift des Commentars über beide Bücher in der Hebr. Bibliogr. 1864, S. 91—92, Anm. 17—18. — Das erwähnte, von Thabit übersetzte Fragment scheint mir ausserdem die Veranlassung geworden zu sein, dass man dem Eutocius eine Abhandlung „über die beiden Linien" beilegte, welche Thabit übersetzt haben soll (Wenrich, p. 198; Chwolsohn, Ssabier I, S. 556, erwähnt den Commentar des Eutocius gar nicht). Dasselbe Thema behandelten u. A. Hasan ben Musa ben Schakir (*Casiri* I, 418; *Hammer* IV, 311) und ein „Abu-Tahir" (siehe die Analyse bei Sedillot, *Materiaux* p. 374). Mir ist im Augenblick kein Mathematiker dieses Beinamens bekannt, als der spanische Geometer des XII. Jahrh. Muhammed ben Abd el-Aziz, aus welchem Casiri (I, 365) Auszüge über Maasse und Gewichte gegeben.

gebe ich auch dessen Anfang[66]). — Der Schluss des Ahmed in Cod. Ashmol. lautet bei Black: „*est sufficiens et tutor bonus. Finit. epist. Ameti filii Josefi (sic)*". Hier liegt offenbar eine der Schlussformeln vor, die willkürlich in einzelnen Handschriften zugesetzt, oder in anderen weggelassen sind, die aber leider von den Catalogisten nicht in der Weise beachtet zu werden pflegen, dass der eigentliche Schluss des Buches vorangesetzt würde. Aus dem Cod. St. Marco habe ich den in der Anmerkung[67]) mitgetheilten Schluss in einem Facsimile vor mir.

Wer ist aber Abu Dscha'far Ahmed ben Jusuf? Nachdem ich vor 20 Jahren zuerst die unrichtigen Combinationen bei Casiri und Wenrich, später auch ähnliche bei Nicoll beleuchtet,[68]) wird es wohl hier angemessen sein, alle Nebenforschungen abzuschneiden und das neuerdings bereicherte Material einfach in ein Verzeichniss von Schriften zu verwandeln, deren Verfasser mir identisch scheint, und daraus das Zeitalter desselben zu ermitteln. Ich beginne mit den von el-Kifti (schon bei Casiri I, 372, vergl. Hammer III, 266, No. 1142) erwähnten Schriften eines „Ahmed ben Jusuf".

1. *De proportione et proportionalitate* (arabisch *fi 'nnusbe we'ttenasib*), so übersetzt Gerard, richtiger als Casiri („*de Chronologia et Genealogia*" !) und Hammer („Buch des Bezugs und Verhältnisses").
2. Commentar über das Centiloquium (*καρπος*, arabisch *Thamere*) des Ptolemäus. El-Kifti bezeichnet diese Schrift als eine astrologische — *de judiciis astrorum* —, Casiri lässt das weg, Hammer trennt es ab und zählt: „2. das Buch (!) der Gestirne, 3. Commentar der Frucht (!) des Ptolemäus". — Diesen Commentar erwähnt auch Flügel (*Dissert.* p. 34, No. 76), ohne nähere Nachweisung. Er ist nicht blos in der hebr. Uebersetzung des Kalonymos vom

66) *Proportio est duarum quantitatum eiusdem generis ad se invicem habitudo: Cum duarum quantitatum eiusdem generis una dividit aliam quod exit (!) dicitur deno(mina,)tio proportionis divisae ad dividentem: proportionem produci (?) aut componi ex proportionibus est denominationem produci ex denominationibus, proportionem dividi per proportionem aut dividentem abire (?) ex dividenda est denominationem dividendae dividi per denominationem dividentis.* Dieses Schriftchen ist enthalten in Cod. Boncomp. 265, Fol. 25—31 (siehe Narducci, *Catalogo di Manoscritti ora posseduti da D. Bald. Boncompagni, Roma* 1862, p. 120, wo für *tract. aureus* lies *unicus*). In dem weitläufigen Verzeichniss der Schriften Kindi's in Flügel's Monographie finden sich folgende, an unsere Abhandlung kaum streifende Titel: S. 23, No. 41 Abhandlung über die Formen (oder Verschiedenheiten) der Proportionen und Zeiten; S. 26, No. 110: Abhandlung über die Proportionen der Zeit, d. h. über die nach den Jahreszeiten veränderlichen Verhältnisse der Zeit (diese Erklärung gehört Flügel an); S. 32, No. 204 Abhandlung über die (nach den verschiedenen Jahreszeiten verschiedenen) Proportionen der Zeit. Der arabische Text zu beiden letzteren ist derselbe.

67) .. *libri quinti euclidis. Sed cum luc. sunt duae quantitates. S. ba. auct. medietas circuli .... proportio ab. ad medietates circuli bgd. et hoc est ecą. et illud ē.* (so) *Expleta est epistola ameti de proportione et proportionalitate ecą* (so).

68) *Catalogus Codd. hebr. Bibl. Lugd. Batav.* (1858) p. 368.

Jahre 1314 handschriftlich erhalten, welcher den vollen Namen: Abu Dsch. Ahmed b. Jusuf ben Ibrahim angiebt,[69]) sondern auch in einer lateinischen Uebersetzung, welche unter dem Namen des *Haly Rodoam* (d. i. Ali Ibn Ridhwan) gedruckt ist, wahrscheinlich wegen des Letzteren Commentar zum *Quadripartitum* des Ptolemäus. Der lateinische Uebersetzer ist wahrscheinlich Plato aus Tivoli (1116); siehe D. M. Zeitschr. XVIII, 124, Anm. 9.

3. Eine Abhandlung *de arcubus consimilibus* in arabischer Sprache befindet sich in Cod. Bodl. 941 bei Uri, nach der Ergänzung Pusey's (p. 602); offenbar ist sie das Original von Gerard's oben erwähnter Uebersetzung. Der Autorname ist dort vollständig.
4. Eine Abhandlung über die allgemeine Scheibe (des Astrolab's) enthält derselbe arabische Codex, aber in schlechtem Zustande, ebenso wie 3.
5. Eine Abhandlung über astrologische Wählerei (*Electiones*) von „Ahmed ben Jusuf" erwähnt *Hagi Khalfa* I, 199, No. 267; — der Autor, im Index VII, 1028, No. 1041, ist also identisch mit dem des folgenden Buches.
6. Einen blosen Titel *Husn el-Ukbà*, nach Flügel: *Pulchritudo compensationis*, nach Hammer (III, 241 unter Kindi): Schönheit des guten Endes, erwähnt *H. Kh.* III, 68, No. 4509 mit den vollen 4 Namen (Index VII, 1109, No. 4134). Der Inhalt ist fraglich, aber aus einem Citat des Ibn Abi O'seibia (bei Flügel, Al-Kindi S. 15) ersehen wir, dass Ahmed in diesem Schriftchen nach dem Zeugnisse des Arithmetikers (oder Calculators?) *Abu Kamil Schodscha etc.* von den Angriffen der Brüder Ahmed und Muhammed, Söhne Musa's Ben Schakir, auf al-Kindi unter der Regierung Mutewekkil's erzähle (cf. Nachtrag S. 498).
7. Zweifelhaft ist die Identität des Ahmed ben Jusuf ben Ibrahim, Verfasser von *Ohud el-Jununijje*, Cod. Par. 921 bei Herbelot *s. v.;* da dieses Buch ethische Sentenzen von Plato und Aristoteles enthalten soll.

Aus No. 6 kann man schliessen, dass der Verfasser nicht vor Ende des IX. Jahrhunderts gelebt hat. Zu Ende von No. 2 (lat. Uebers.) ist vom Jahre 392 H. (1001—2) die Rede.

Kehren wir nun nach diesem kleinen Excurse zur Schrift der 3 Brüder über die Mensuration zurück, um ihr Verhältniss zur griechischen Geometrie und ihre mögliche Bedeutung als Mittelglied für die Geschichte dieser Wissenschaft hervorzuheben. In einer Anzeige der von Boncompagni herausgegebenen Geometrie des Leonardo Pisano (Fibonacci) in der

69) Auch „Ahmed b. Josef" in Excerpten oder Citaten, siehe: Zur pseudopigr. Lit. S. 29, Anm. 4.

Zeitschrift für Mathematik und Physik (IX. Jahrg., 4. Heft) wird darauf hingewiesen, dass wir vielleicht in jener Schrift die Mittelquelle finden, durch welche die Geometrumena des Heron zur Kenntniss Leonardo's gelangten.[70]) Die gewünschte Herausgabe derselben durch Boncompagni wird hoffentlich erfolgen, sobald er einige andere Publicationen, namentlich die vermehrte und verbesserte Separatausgabe seiner grossen Abhandlung über die italienische Arithmetik vom Jahre 1478 (welche der letzte Band der *Atti dell Acad. Pontif. dei nuovi Lincei* enthielt) beendet hat. Es sei mir nur noch gestattet, auf ein anderes Werk hinzuweisen, dessen Vergleichung mit der Geometrie des Fibonacci durch einen Sachkundigen wünschenswerth scheint, nämlich *liber Embadorum* des „Savosorda", dessen hebräisches Original, von Abraham bar Chijja verfasst, nunmehr in mehreren Exemplaren, und zwar in zwei etwas abweichenden Recensionen, unter Andern in zwei Münchener Handschriften zugänglich ist, in denen ich dieses Werk erkannte, sowie auch mehrere Handschriften der lateinischen Uebersetzung des Plato aus Tivoli vorliegen, welche bei Lebzeiten, vielleicht unter Mitwirkung des Verfassers selbst gemacht sein dürfte. Die wenigen Stellen, welche ich aus dieser Uebersetzung vergleichen konnte, schliessen sich dem Inhalte nach dem hebräischen Text genau an.

ad 17 u. 18) **Thabit** und **Nasir ed-Din Tusi**: *de figura sectore.* Ueber diese Schriften darf ich im Allgemeinen auf meinen dritten Brief an Boncompagni verweisen, und die Resultate hier kurz zusammenstellen. Sie behandeln die Figur, welche entsteht, wenn zwei Bogen sich schneiden in dem Winkel, welcher gebildet wird durch zwei Bogen von grössten Kreisen. Diese Grundlehre der mittelalterlichen Trigonometrie wird zu Anfang des III. Buches des Menelaus behandelt, und ist wahrscheinlich ihm entlehnt von Ptolemäus (Almagest I, 12), wie Halley zu Menelaus p. 82 bemerkt. Derselbe fügt hinzu, dass die Araber diese Regel, welche sie *Regula intersectionis* nennen, in vielen Schriften behandelten, auch die europäischen Mathematiker mit der Sache den Namen entlehnt und über die Figur *Catha* schrieben, wie z. B. der Engländer Simon de Bredon (in Handschriften auch Simon Biridanus) um 1350.[71]) Die richtige Form ist aber *Katta* (oder *Kattha*), und die Bedeutung *sector.* Die uns näher bekannten Schriften über diesen Gegenstand beziehen sich in der That ausdrücklich auf Menelaos oder Ptolemäus, und in diesem Umstande lag wohl die Veranlassung zum Anschluss der obigen Schriften an die „mittleren".

Das arabische Original der Schrift Thabit's findet sich im Escurial

70) Dass Heron von den Söhnen Musa's ausdrücklich angeführt werde, hat schon Chasles hervorgehoben (vergl. auch mein Vorwort zu: „*Mischnat ha-Middot*, die erste geometrische Schrift in hebräischer Sprache nebst Epilog der Geometrie von Abraham bar Chijja", Berlin 1864, S. V, Anm. 12). Vergl. auch S. 489, Anm. 60.

71) Halley spricht von mehreren bodleianischen Handschriften; im *Catal. MSS. Angliae* finde ich keine.

Cod. 967,[2] und in Paris Suppl. 952,[2]; die hebräische Uebersetzung des Kalonymos ben Kalonymos vom Jahre 1313 in der Bodleiana, Cod. Hunt. 96. Eine lateinische Uebersetzung, wohl die des Gerard von Cremona, enthält die Pariser Handschrift 7377 B. Ich bin in dem dritten Briefe an Boncompagni (p. 29) auf die Vermuthung gekommen, dass das in Venedig 1518 zweimal gedruckte anonyme Schriftchen *de figura sectore* vielleicht das des Thabit sei, und ich bat den Fürsten, einen Abdruck derselben anzuhängen, was er mit seiner allzeitigen Bereitwilligkeit auch that; da ich aber dies Schriftchen niemals vorher gesehen, so bin ich erst nach Abdruck meines Briefes in die Lage gekommen, diejenigen Untersuchungen zu veranlassen, welche die sehr fragliche Identität zu entscheiden vermögen, aber bis jetzt noch nicht ausgeführt werden konnten. Es sei hier nur hervorgehoben, dass der Verfasser zunächst auf Ptolemäus sich bezieht.

Abu Muhammed Dschabir Ibn Aflah aus Sevilla, bekannt unter dem Namen „*Geber*" (um 1100), welcher von der Anwendung dieser Figur bei Ptolemäus spricht, in der Einleitung zu seinen von Gerard von Cremona übersetzten IX Büchern der Astronomie (bei *Delambre* p. 179), hat auch eine kleine Monographie über die in Menelaos vorkommenden Figuren verfasst, welche sich nur in der hebräischen Uebersetzung eines Ungenannten erhalten hat; die Anfangsworte, die ich aus der einzigen bekannten bodleianischen Handschrift vor mehr als 10 Jahren notirt habe,[72]) sind leider unverständlich. Es scheint, dass von 18 Figuren die Rede sei, welche Thabit in Bezug auf jene Figur erläutert habe, und dass Dschabir dieselben in einer angemesseneren oder leichteren Anordnung beweisen wollte.

Dass dieses Schriftchen mit dem der 3 Brüder über die Mensuration der Flächen und körperlichen Figuren — worin 18 Figuren vorkommen — irgendwie zusammenhänge, wie ich im 3. Briefe (p. 30) angedeutet, lasse ich nunmehr dahingestellt. Hingegen habe ich oben (S. 487) auf eine Schrift des Muhammed b. Musa über eine Figur des „Galen" hingewiesen, wo vielleicht Menelaos zu lesen, und an den *sector* zu denken ist, wie auch (S. 475) eine hebräische Abhandlung nachgewiesen worden, welche die Lehrsätze des Isak Israeli daraus ableitet.

Nasir ed-Din Tusi hat nach dem ausdrücklichen Zeugnisse Hagi Khalfa's (V, 212) eine Abhandlung in 5 Büchern über den *sector* zuerst persisch geschrieben, dann arabisch übersetzt. Es kann daher keinem Zweifel unterliegen, dass diese Abhandlung den Schluss der beiden bod-

---

72) Siehe: *Zur pseudepigraphischen Literatur* S. 73, wo die Nachrichten über diesen Astronomen gesammelt sind. Ich trage hier nach, dass Averroes in seinem Compendium des Almagest (hebräische Uebersetzung, Handschrift München 31, Fol. 161 *verso*) dem Dschabir Ibn Aflah den Vorwurf macht, dass er in Bezug auf die Stellung von Venus und Merkur falsche Bemerkungen gegen Ptolemäus vorbringe.

leianischen Handschriften bilde, in welchen freilich anstatt der in der Vorrede erwähnten 5 Bücher 7 erscheinen, obwohl die arabische Bearbeitung eine abgekürzte des persischen Originals ist.

Berlin, im Februar 1865.

Nachtrag (vom October 1865).

Seitdem obige Abhandlung abgefasst und abgesendet worden, hatte ich Gelegenheit, manches Einzelne weiter zu untersuchen und durch neue handschriftliche Mittel auch manche Vermuthung zur Gewissheit zu erheben. Ich beschränke mich jedoch im Nachfolgenden auf einige Bemerkungen über die drei Brüder (S. 486—7), aus einer zu erwähnenden Veranlassung.

Von den bisher im Text bekannten arabischen Quellen scheint fast Alles zurückzuführen auf el-Kifti, dessen verkürzter Text bei Casiri I, 417, und so abgedruckt bei Sedillot (*Proleg.*, *Introd.* p. XXI, ohne Varianten aus der Pariser Handschrift). Die Ergänzung aus der Wiener Handschrift bei Flügel (*Dissert.* p. 30, cf. p. 10) betrifft fast nur den Vater, und ist wesentlich enthalten in dem auszüglichen Excerpt bei Bar-Hebräus (p. 183 der lat. Uebersetzung Pocock's). Aus Casiri übersetzt De Rossi, *Dizion. stor. degli autor. arab.* p. 146. Mit Kifti stimmt auch Ibn Khallikan No. 718 (III, 322 der engl. Uebersetzung Slane's); jedoch hat er den Beinamen Abu Abd Allah (und wohl daher Wüstenfeld, oben Anm. 33), den aber wieder fallen lässt Abulfeda (*Annales mosl.* II, 241, vgl. 711), obwohl er schliesslich (p. 243) ausdrücklich Ibn Khallikan als Hauptquelle bezeichnet; vgl. auch Colebrooke, *Essays* II, 518. Mit unserem identisch ist wohl Muh. ben Musa, genannt el-Dschelis bei Hammer III, 263, No. 1159, nach el-Kifti (unter welchem Artikel?); das geht aus Bar-Hebräus p. 161 hervor, und hat Pocock mit richtigem Takt im Index unter Abu Jaafer und Mohammed ben Musa gegenseitig verwiesen. — Die Mechanik erwähnt auch Ibn Khaldun bei Wöpcke: *Recherches etc.* I, p. 12. — Einen Lehrsatz aus der *Epistola tr. fratr.* erläutert Kinkelin in Grunert's Archiv XXIX, 186. Näheres werden wir hoffentlich bald von Hrn. Dr. Curtze erfahren, welcher sich mit einer interessanten Handschrift der Gymnasialbibliothek in Thorn beschäftigt, worin sich ausser dem *lib carastonis* auch diese Epistel und *Campani tract. de figura sectore* befindet, letzterer Tract. identisch mit dem oben (S. 495) erwähnten, wodurch meine Combination mit Thabit sich wohl erledigen wird. — Eine Stelle über die Bearbeitung des Apollonius theilt aus dem Commentar des Schirazi mit Pusey p. 600, eine andere, aus Fihrist, Wöpcke *Essay* p. 2. — Bei dieser Gelegenheit ergänze ich meine Vermuthung über den angeblichen Galenus (oben S. *487, 495)* durch eine Hinweisung auf Chwolsohn l. c. I, 561, wo der Verfasser der Abhandlung *de ratione sectionis* (Apollonius) im Arabischen Adschalinus heisst. Uebrigens hat Chwolsohn übersehen, dass eine selbstständige Schrift Thabit's: „Ueber die Messung des Schnittes der Linien" auch bei el-Kifti vorkommt; Casiri (I, 388) übersetzt unrichtig: *de linearum sectione et dimensione*, Hammer (IV, 350, No. 67): Buch der Messung des Durchschnittes der Linien. Das Wort „Messung" scheint hier überflüssig und das Wort: „*proportionata*" zu fehlen.

Nachdem diese Abhandlung mehrere Monate in den Händen der Redaction war, kam ich zufällig darauf, dass Abu Dscha'fer el-Khazin (S. 487) auch von Chwolsohn (Ssabier I, 615) besprochen werde, und zwar deshalb, weil derselbe, nach einer Lesart im Fihrist, identisch ist mit dem Ssabier Ibn Ru'h — in anderen Quellen Abu Ru'h, oder Rau'h (wie Flügel zu Hagi Khalfa VII, 1198, No. 7393 liest; „Ru'h" in seiner *Dissert.* p. 28, No. 55). Auch Chwolsohn versetzt ihn in den Anfang des X. Jahrhunderts, ohne die Stellen bei Hammer und Wöpcke zu kennen; obwohl er jedoch die Stelle bei Casiri beachtet (die übrigens auch schon in meinem *Catal. libr. hebr.* p. 2169 hervorgehoben ist), so ist ihm doch Abu Zeid el-Balkhi (fehlt im Index) „sonst unbekannt". Ich habe seitdem noch weitere Quellen über Letzteren gefunden. Er erscheint nämlich bei Hammer IV, 501, No. 2681 unter den Philologen, mit dem Todesjahr 933 (genauer November 934); nicht mehr als 26 Schriften desselben zählt Flügel (die grammatischen Schulen der Araber, erste Abtheilung, unter den Abhandlungen der D. M. Gesellschaft, Leipzig 1862, S. 204). Ohne Zweifel ist er der „Abu Zeid el-Balkhi", an welchen der berühmte Arzt Razi (vulgo Rhazes, starb 932 oder 923) ein medizinisches Schriftchen richtete (siehe Wüstenfeld, l. c. S. 48, No. 174; bei Hammer, Literaturgesch. IV, S. 374, No. 134). — Was Ibn Ru'h betrifft, so erwähnt Hammer IV, 1085, No. XIII, 9 nach Fihrist: Abu Ru'h, Secretair des Ali ben Isa. Der Titel *Zidsch es-'Safaih* bedeutet nicht astronomische Tabellen, wie Chwolsohn gegen Casiri's *tabula latitudinum* urgirt, sondern die Tabellen und Linien auf der Tafel des Astrolab's (*Safi'ha*, siehe Wöpcke zu Omar p. 3). Was die Schrift über Aristoteles oder Alexander von Aphrodisia zur Physik betrifft, so hat Chwolsohn ein Missverständniss bei Casiri berichtigt (wie schon das Richtige bei Hottinger, *Promptuarium* p. 233 zu lesen ist). Hingegen hat weder er noch sonst Jemand bisher die, an Unsinn grenzende Uebersetzung der ganzen Stelle bei Casiri beleuchtet, die freilich mit einem weiteren Missverständniss bei el-Kifti selbst zusammenhängt. Bei Letzterem ist nämlich ein ganzes Stück, welches zum Artikel Aristoteles gehört, in den Artikel Alexander gerathen, oder es war wohl eher Letzterer ursprünglich ein Zwischenartikel des Ersteren. Die Erörterung darüber kann natürlich hier nicht beabsichtigt sein, da sie mit einer grossen Zahl bibliographischer Missverständnisse in den besten Quellen bis auf Flügel herunter (el-Kindi S. 8) zusammenhängt. — Sollten etwa die „Antworten an den Perser" bei Hammer IV, 283, No. 31, zu No. 32 (oben S. 487) gehören?

Das auf S. 493 unter 6 erwähnte Werk scheint Erzählungen zu enthalten, in welchen darauf hingewiesen wird, wie angefeindete Männer wieder zu Ehren gekommen. Im Artikel Honein citirt Ibn Abi O'seibia (Handschrift der königl. Bibliothek hierselbst Bl. 730) etwas über die Verfolgungen jenes Gelehrten aus der „Abhandlung über die Vergeltung" (*Risale fi'l Mukafa*) des Ahmed ben Jusuf ben Ibrahim; vgl. Hammer IV, 34f.

Kleinere Mittheilungen.

XXXVI. Diophantus bei den Arabern im neunten Jahrhundert.

In meinem ersten Briefe an den Fürsten Boncompagni (*Intorno al liber Karastonis* p. 5) glaubte ich eine vermeintliche, für die Geschichte der Mathematik wichtige Entdeckung wieder aufgeben zu müssen; ich reclamire dieselbe auf Grund der mir inzwischen zugänglich gewordenen Quelle. Wenige Worte genügen zur Aufklärung des Sachverhältnisses.

In dem ersten Artikel über Kosta, Sohn des Luca, nennt v. Hammer (Literaturgesch. d. Arab. IV, 281) zuletzt 3 Werke, welche Ibn Abi O'seibia übergangen haben soll, aus dem Werke des Kifti („Kofthi"), darunter das Buch „*Karschun*". Dies brachte mich auf den irrigen Gedanken, dass der Name Diophantus in der erstgenannten Quelle eine Variante des Karaston sei (wie es heissen muss). Dem ist nicht so. Die Handschrift des Ibn Abi O'seibia, welche aus der Sammlung des Consul Wetzstein sich in der hiesigen königlichen Bibliothek befindet, nennt unter Kosta in der That alle drei von Hammer nachgetragenen Schriften; — auf die eine über den Brennspiegel habe ich schon in jenem Briefe p. 3 hingewiesen. — Es bleiben hiernach die unabhängigen Angaben des Ibn Abi O'seibia in ihrer — freilich noch zu prüfenden — Autorität, so weit sie bei Hammer S. 281, No. 38 u. 57 und S. 328, No. 36 u. 55 mitgetheilt sind. Ich übersetze die betreffenden Stellen aus dem arabischen Original:

„Buch betreffend (*fi*) Uebersetzung des Diophantus über die Algebra" (*el-Dschebr we'l Mokabela*).

„Commentar dreier Tractate und eines Stückes aus dem Buche des Diophantus über Zahluntersuchungen oder Fragen" (*Mesaïl el-adadijje*).

Dem letzteren Titel geht voran: „Abhandlung zur Herausbringung (Lösung, *Istikradsch*) von Zahlfragen aus dem III. Tractat des Euclid".

Berlin, im August 1865. M. Steinschneider.

XXXVII. Notiz über ein bestimmtes Integral.

Das zu entwickelnde Integral sei

$$S=\int_0^{2\pi} f(\cos nu)\, l\sin \tfrac{1}{2}u\, du$$

und darin f eine willkührliche Function, n eine ganze Zahl. Substituirt man zuerst $u=\frac{2v}{n}$, so wird

$$S=\frac{2}{n}\int_0^{n\pi} f(\cos 2v)\, l\sin \frac{v}{n}\, dv;$$

das vorstehende Integral lässt sich nach dem Schema

$$\int_0^{n\pi}=\int_0^{\pi}+\int_{\pi}^{2\pi}+\int_{2\pi}^{3\pi}+\ldots+\int_{(n-1)\pi}^{n\pi}$$

zerlegen, und wenn man in den Integralen rechter Hand der Reihe nach die Substitutionen

$$u=w,\quad w+\pi,\quad w+2\pi,\quad \ldots\quad w+(n-1)\pi$$

vornimmt, so erhalten alle Integrale die gleichen Integrationsgrenzen 0 und π, so dass folgende Zusammenziehung eintritt

$$S=\frac{2}{n}\int_0^{\pi} f(\cos 2w)\left[l\sin\frac{w}{n}+l\sin\frac{w+\pi}{n}+\ldots+l\sin\frac{w+(n-1)\pi}{n}\right]dw$$

$$=\frac{2}{n}\int_0^{\pi} f(\cos 2w)\, l\left(\frac{\sin w}{2^{n-1}}\right)dw.$$

Die Vergleichung des ersten und letzten Werthes von S giebt

$$\int_0^{2\pi} f(\cos nu)\, l\sin\tfrac{1}{2}u\, du=\frac{2}{n}\int_0^{\pi} f(\cos 2w)\,[l\sin w-(n-1)\,l2]\, dw.$$

Zerlegt man das Integral linker Hand in zwei andere von 0 bis π und von π bis 2π und substituirt im zweiten $u=2\pi-u'$, so findet man leicht, dass beide Integrale gleich sind. Aehnlich verhält sich die Sache rechter Hand, wenn man erst $w=\frac{1}{2}u$ setzt und dann die nämlichen Operationen vornimmt; daher ist

$$\int_0^{\pi} f(\cos nu)\, l\sin\tfrac{1}{2}u\, du=\frac{1}{n}\int_0^{\pi} f(\cos u)\,[l\sin\tfrac{1}{2}u-(n-1)\,l2]\, du.$$

Im speciellen Falle $f(x)=x$ giebt diese allgemeine Formel

$$\int_0^{\pi} l\sin\tfrac{1}{2}u.\cos nu\, du=\frac{1}{n}\int_0^{\pi} l\sin\tfrac{1}{2}u.\cos u\, du=-\frac{1}{n}.\frac{\pi}{2},$$

wie man rechts durch theilweise Integration leicht findet. Dieses besondere Resultat ist hinreichend bekannt. Schlömilch.

XXXVIII. Ueber die näherungsweise Rectification der Ellipse.

Im dritten Jahrgange S. 124 habe ich gezeigt, wie man mittelst der Methode der kleinsten Quadrate die Coefficienten p und q so bestimmen kann, dass die Gleichung $f(x)=p\varphi(x)+q\psi(x)$,
worin $f(x)$, $\varphi(x)$, $\psi(x)$ gegebene Functionen von x bedeuten, zwischen gegebenen Grenzen $x=x_0$ und $x=x_1$ mit möglichster Genauigkeit stattfindet. Das dort entwickelte Verfahren lässt sich ohne Mühe auf den allgemeineren Fall $f(x)=p\varphi(x)+q\psi(x)+r\chi(x)+\ldots$
anwenden und liefert z. B., wenn

$$f(x)=p+qx+rx^2 \text{ und } 0<x<1$$

gesetzt wird, folgende Rechnungsvorschrift: man bestimme zunächst die Werthe der drei Integrale

$$\mathfrak{A}=\int_0^1 f(x)\,dx,\quad \mathfrak{B}=\int_0^1 xf(x)\,dx,\quad \mathfrak{C}=\int_0^1 x^2 f(x)\,dx$$

und nacher p, q, r aus den drei Bedingungsgleichungen

$$p+\tfrac{1}{2}q+\tfrac{1}{3}r=\mathfrak{A},$$
$$\tfrac{1}{2}p+\tfrac{1}{3}q+\tfrac{1}{4}r=\mathfrak{B},$$
$$\tfrac{1}{3}p+\tfrac{1}{4}q+\tfrac{1}{5}r=\mathfrak{C},$$

welche geben

$$p=+\ 9\mathfrak{A}-\ 36\mathfrak{B}+\ 30\mathfrak{C},$$
$$q=-36\mathfrak{A}+192\mathfrak{B}-180\mathfrak{C},$$
$$r=+30\mathfrak{A}-180\mathfrak{B}+180\mathfrak{C}.$$

Diese Formeln wollen wir auf das Integral

$$f(x)=\int_0^{\frac{1}{2}\pi}\sqrt{\cos^2\varphi+x^2\sin^2\varphi}\;.\,d\varphi$$

anwenden, welches die Länge des Quadranten einer aus den Halbaxen 1 und x construirten Ellipse darstellt. Zur Berechnung von $\mathfrak{A}$ empfiehlt sich am besten die Simpson'sche Regel, indem man aus den Tafeln von Legendre oder Kulik folgende Werthe von $f(x)$ entnimmt:

$$f(0)=1,$$

x	$f(x)$	x	$f(x)$
0,1	1,0159935	0,2	1,0505022
0,3	1,0964775	0,4	1,1506556
0,5	1,2110560	0,6	1,2763199
0,7	1,3455922	0,8	1,4180834
0,9	1,4932901		

$$f(1)=\tfrac{1}{2}\pi=1,5707963;$$

an erhält auf diesem Wege

$$\mathfrak{A} = 1,2337.$$

Das zweite Integral $\mathfrak{B}$ findet sich direct:

$$\mathfrak{B} = \int_0^1 x\,dx \int_0^{\frac{1}{2}\pi} \sqrt{\cos^2\varphi + x^2 \sin^2\varphi}\,.\,d\varphi$$

$$= \int_0^{\frac{1}{2}\pi} d\varphi \int_0^1 \sqrt{\cos^2\varphi + x^2 \sin^2\varphi}\,.\,x\,dx = \int_0^{\frac{1}{2}\pi} d\varphi\,\frac{1-\cos^3\varphi}{\sin^2\varphi},$$

d. i.

$$\mathfrak{B} = \tfrac{2}{3}.$$

Für das letzte Integral ist wieder die Simpson'sche Regel am bequemsten; sie giebt

$$\mathfrak{C} = 0,4026.$$

Hiernach sind die Werthe von p, q, r

$$p = 0,9827; \quad q = 0,3110; \quad r = 0,2867,$$

und es ist folglich

$$\int_0^{\frac{1}{2}\pi} \sqrt{\cos^2\varphi + x^2 \sin^2\varphi}\,.\,d\varphi = 0,9827 + 0,3110\,.\,x + 0,2867\,.\,x^2.$$

Setzt man $x = \frac{b}{a}$ und multiplicirt mit a, so erhält man folgende Näherungsformel für die Länge E des Quadranten einer aus den Halbaxen a und b construirten Ellipse

$$E = 0,9827\,.\,a + 0,3110\,.\,b + 0,2867\,.\,\frac{b^2}{a}.$$

Um den erreichten Genauigkeitsgrad beurtheilen zu können, nehmen wir $a = 1$, b der Reihe nach $= \frac{1}{10}, \frac{2}{10}, \ldots \frac{9}{10}$ und stellen die genauen und angenäherten Werthe von E neben einander:

b	wahrer Werth von E	Näherungswerth von E	Differenz
0,1	1,0160	1,0167	— 0,0007
0,2	1,0505	1,0564	— 0,0059
0,3	1,0965	1,1018	— 0,0053
0,4	1,1507	1,1530	— 0,0023
0,5	1,2111	1,2099	+ 0,0012
0,6	1,2763	1,2725	+ 0,0038
0,7	1,3456	1,3409	+ 0,0047
0,8	1,4181	1,4150	+ 0,0031
0,9	1,4933	1,4948	— 0,0015

Der grösste Fehler erreicht also noch nicht $0,006 = \frac{3}{5}$ Procent der grossen Halbaxe, was für alle praktischen Anwendungen ausreichen dürfte.

SCHLÖMILCH.

XXXIX. Beweis eines allgemeinen Satzes über algebraische Curven.

Im IX. Bande dieser Zeitschrift, S. 34, habe ich folgenden Satz, welcher für alle algebraischen Curven Gültigkeit besitzt, aufgestellt:

„Wenn eine gerade Linie eine Curve n^{ten} Grades schneidet, so bildet sie mit den Tangenten in den n Schnittpunkten Winkel, für welche die Summe der Cotangenten ebenso gross ist, als für die Winkel, welche sie mit den n Asymptoten jener Curve einschliesst."

Der am angegebenen Orte angedeutete Beweis dieses Satzes ist zwar sehr einfach, ich will aber im Nachstehenden einen noch directeren Beweis mittheilen, welcher der dort angestellten Betrachtungen nicht bedarf.

Die schneidende gerade Linie möge in die X Axe fallen, und

$$x = \alpha_1, \quad \alpha_2, \quad \alpha_3 \; \ldots \ldots \; \alpha_n$$

mögen die Coordinaten der n Punkte sein, in welchen sie der Curve n^{ten} Grades begegnet. Alsdann wird die Gleichung dieser Curve die Form haben:

$$(x-\alpha_1)(x-\alpha_2)(x-\alpha_3)\ldots(x-\alpha_n)+y\,\Phi(x,y)=0,$$

wobei $\Phi(x,y)$ eine ganze, rationale Function $(n\text{-}1)^{\text{ten}}$ Grades ist von x und y.

Die Richtungsconstante der Tangente in dem Curvenpunkte (x,y) wird nun bestimmt durch den Differentialquotienten $\frac{dy}{dx}$. Dieser aber wird, sobald man das Product der n Differenzen $(x-\alpha)$ gleich P setzt,

$$\frac{dy}{dx}=-\frac{\frac{dP}{dx}+y\frac{d\Phi}{dx}}{\Phi+y\frac{d\Phi}{dy}}.$$

Dieser Werth vereinfacht sich bedeutend, wenn der Curvenpunkt speciell einer der Punkte α_m in der Abscissenaxe wird, es wird einfach

$$\frac{dy}{dx}=-\frac{P'(\alpha_m)}{\Phi(\alpha_m)}.$$

Darin ist $\Phi(\alpha_m)$ eine Function $(n-1)^{\text{ten}}$ Grades von α_m und zwar, sobald man setzt:

$$\Phi(x,y)=A_{n-1}x^{n-1}+A_{n-2}x^{n-2}+\ldots+A_0+y(B_{n-2}x^{n-2}+B_{n-3}x^{n-3}+\ldots)+\ldots,$$

$$\Phi(\alpha_m)=A_{n-1}\alpha_m^{n-1}+A_{n-2}\alpha_m^{n-2}+\ldots+A_0$$

$$=\Sigma A_p\alpha_m^p.$$

Ferner wird, da allgemein:

$$P'(x)=(x-\alpha_1)(x-\alpha_2)\ldots(x-\alpha_n)\left(\frac{1}{x-\alpha_1}+\frac{1}{x-\alpha_2}+\ldots+\frac{1}{x-\alpha_n}\right)$$

$$P'(\alpha_m)=(\alpha_m-\alpha_1)(\alpha_m-\alpha_2)\ldots(\alpha_m-\alpha_{m-1})(\alpha_m-\alpha_{m+1})\ldots(\alpha_m-\alpha_n).$$

Somit wird die Richtungsconstante der Tangente in dem Punkte α_m:

$$\frac{dy}{dx}=-\frac{(\alpha_m-\alpha_1)\ldots(\alpha_m-\alpha_{m-1})(\alpha_m-\alpha_{m+1})\ldots(\alpha_m-\alpha_n)}{\Phi(\alpha_m)}$$

und ihre zu bestimende Summe der reciproken Werthe aller n Richtungsconstanten:

$$\Sigma\frac{dx}{dy}=-\left\{\frac{\Phi(\alpha_1)}{(\alpha_1-\alpha_2)(\alpha_1-\alpha_3)..(\alpha_1-\alpha_n)}+\frac{\Phi(\alpha_2)}{(\alpha_2-\alpha_1)(\alpha_2-\alpha_3)..(\alpha_2-\alpha_n)}+\dots\right.$$
$$\left.+\frac{\Phi(\alpha_n)}{(\alpha_n-\alpha_1)(\alpha_n-\alpha_2)(\alpha_n-\alpha_{n-1})}\right\}.$$

Diese Summe zerfällt aber, weil

$$\Phi(\alpha_m)=\Sigma A_p\alpha_m^p$$

ist, in Einzelsummen von folgender Form:

$$A_p\left\{\frac{\alpha_1^p}{(\alpha_1-\alpha_2)(\alpha_1-\alpha_3)..(\alpha_1-\alpha_n)}+\frac{\alpha_2^p}{(\alpha_2-\alpha_1)(\alpha_2-\alpha_3)..(\alpha_2-\alpha_n)}+\dots\right.$$
$$\left.+\frac{\alpha_n^p}{(\alpha_n-\alpha_1)(\alpha_n-\alpha_2)..(\alpha_n-\alpha_p)}\right\}.$$

Diese Summen können nun leicht gefunden werden. Es ist zunächst aus der Theorie der Zerlegung in Partialbrüche bekannt, dass:

$$\frac{x^p}{(x-\alpha_1)(x-\alpha_2)..(x-\alpha_n)}=\frac{\alpha_1^p}{(\alpha_1-\alpha_2)(\alpha_1-\alpha_3)..(\alpha_1-\alpha_n)}\cdot\frac{1}{x-\alpha_1}$$
$$+\frac{\alpha_2^p}{(\alpha_2-\alpha_1)(\alpha_2-\alpha_3)..(\alpha_2-\alpha_n)}\cdot\frac{1}{x-\alpha_2}+\dots$$

ist, wobei $p\leqq n-1$ sein muss. Daraus folgt sofort:

$$\frac{x^{p+1}}{(x-\alpha_1)(x-\alpha_2)..(x-\alpha_n)}=\frac{\alpha_1^p}{(\alpha_1-\alpha_2)(\alpha_1-\alpha_3)..(\alpha_1-\alpha_n)}\cdot\frac{x}{x-\alpha_1}$$
$$+\frac{\alpha_2^p}{(\alpha_2-\alpha_1)(\alpha_2-\alpha_3)..(\alpha_2-\alpha_n)}\cdot\frac{x}{x-\alpha_2}+\dots$$

und der Umstand, dass für $x=\infty$:

$$\frac{x}{x-\alpha_m}=1$$

ist, führt darauf, dass die oben in A_p multiplicirte Summe nichts weiter ist, als der Werth von

$$\frac{x^{p+1}}{(x-\alpha_1)(x-\alpha_2)\dots(x-\alpha_n)}$$

für ein unendlich grosses x. Festzuhalten ist dabei stets, dass

$$p\leqq n-1$$

sein muss. Dieser Werth ist nun, wie die einfachsten Betrachtungen lehren,

gleich 0, für $p<n-1$;
gleich 1, für $p=n-1$.

Die Summen, welche das Aggregat

$$\Sigma\frac{dx}{dy}$$

zusammensetzen, verschwinden daher, mit Ausnahme der in $-A_{n-1}$ multiplicirten, welche gleich 1 wird. Daher ist auch:

$$\Sigma\frac{dx}{dy}=-A_{n-1}.$$

Ordnet man jetzt die Gleichung der Curve n^{ten} Grades nach Potenzen von x und y an, so wird dieselbe:

$$x_n + A_{n-1}\, x^{n-1}\, y + \ldots . = 0.$$

Ein bekannter Satz sagt aber, dass in der Gleichung einer algebraischen Curve der negative Coefficient von $x^{n-1}y$, d. i. hier A_{n-1}, dividirt durch den Coefficienten von x^n, d. i. hier die Einheit, die Summe liefert, welche man erhält, wenn man die reciproken Werthe der Richtungsconstanten der n Asymptoten addirt. Hieraus schliesst man endlich die Richtigkeit des im Anfange ausgesprochenen Satzes, indem man die beiden, dem Werthe $-A_{n-1}$ gleichen Summen einander gleich setzt.

Es möge noch eine andere Art, die oben vorkommenden Summen

$$\frac{\alpha_1^p}{(\alpha_1-\alpha_2)(\alpha_1-\alpha_3)\ldots(\alpha_1-\alpha_n)} + \frac{\alpha_2^p}{(\alpha_2-\alpha_1)(\alpha_2-\alpha_3)\ldots(\alpha_2-\alpha_n)} + \ldots .$$

zu bestimmen, hier Platz finden. Als Beispiel mögen die Summen dienen:

$$\frac{\alpha^p}{(\alpha-\beta)(\alpha-\gamma)(\alpha-\delta)} + \frac{\beta^p}{(\beta-\alpha)(\beta-\gamma)(\beta-\delta)} + \frac{\gamma^p}{(\gamma-\alpha)(\gamma-\beta)(\gamma-\delta)}$$
$$+ \frac{\delta^p}{(\delta-\alpha)(\delta-\beta)(\delta-\gamma)},$$

in welcher vier Werthe von α genommen und einfacher mit α, β, γ, δ bezeichnet worden. Die bei diesem Beispiele auszuführenden Operationen bleiben ganz dieselben im allgemeinen Falle.

Zunächst bringe man die ganze Summe auf gemeinschaftlichen Nenner; dieser wird hier:

$$(\alpha-\beta)(\alpha-\gamma)(\alpha-\delta)(\beta-\gamma)(\beta-\delta)(\gamma-\delta),$$

d. i. nach einem bekannten Satze aus der Lehre von den Determinanten, gleich der Determinante:

$$D = \begin{vmatrix} \alpha^3 & \alpha^2 & \alpha & 1 \\ \beta^3 & \beta^2 & \beta & 1 \\ \gamma^3 & \gamma^2 & \gamma & 1 \\ \delta^3 & \delta^2 & \delta & 1 \end{vmatrix}.$$

Der Zähler dagegen wird dann:

$$\alpha^p(\beta-\gamma)(\beta-\delta)(\gamma-\delta) - \beta^p(\gamma-\delta)(\gamma-\alpha)(\delta-\alpha) + \gamma^p(\delta-\alpha)(\delta-\beta)(\alpha-\beta)$$
$$-\delta^p(\alpha-\beta)(\alpha-\gamma)(\beta-\gamma)$$
$$= \alpha^p \begin{vmatrix} \beta^2 & \beta & 1 \\ \gamma^2 & \gamma & 1 \\ \delta^2 & \delta & 1 \end{vmatrix} - \beta^p \begin{vmatrix} \gamma^2 & \gamma & 1 \\ \delta^2 & \delta & 1 \\ \alpha^2 & \alpha & 1 \end{vmatrix} + \gamma^p \begin{vmatrix} \delta^2 & \delta & 1 \\ \alpha^2 & \alpha & 1 \\ \beta^2 & \beta & 1 \end{vmatrix} - \delta^p \begin{vmatrix} \alpha^2 & \alpha & 1 \\ \beta^2 & \beta & 1 \\ \gamma^2 & \gamma & 1 \end{vmatrix},$$

d. i. nach einem andern Satz aus der Determinantenlehre, gleich der Determinante:

$$\begin{vmatrix} \alpha^p & \alpha^2 & \alpha & 1 \\ \beta^p & \beta^2 & \beta & 1 \\ \gamma^p & \gamma^2 & \gamma & 1 \\ \delta^p & \delta^2 & \delta & 1 \end{vmatrix}.$$

Diese Determinante verschwindet aber identisch, sobald p einen der Werthe 0, 1, 2 annimmt, weil dann zwei Verticalreihen derselben gleich werden, sie wird dagegen gleich D für $p=3$. Es folgt daraus, was zu beweisen war, nämlich, dass die zu bestimmende Summe verschwindet für $p=0$, 1 oder 2, dagegen gleich der Einheit wird für $p=3$.

Schliesslich sei noch folgender interessanter Satz erwähnt, der aus dem geometrischen Satze dieses Artikels sofort sich ergiebt.

> Die Summe aus den Cotangenten der n Winkel, unter welchen eine gerade Linie eine Curve n^{ten} Grades schneidet, ist gleich gross für alle zu jener parallel laufenden geraden Linien, sowie für alle Curven n^{ten} Grades, welche mit der ursprünglichen dieselben unendlich entfernten Punkte besitzen.

Selbstverständlich ist, dass hierbei die Schenkel aller Winkel stets in demselben Sinne zu nehmen sind. Fr. Em. Eckardt.

XL. Ueber das Deltoid. Von Dr. C. G. Reuschle in Stuttgart.

Die Krystallographie hat einen Körper, dessen Name „Trapezoeder" jedenfalls ein unberechtigter ist. Denn nimmt man Trapez im heutigen Sinn (Viereck mit 2 parallelen Seiten), so enthält das „Trapezoeder" der Krystallographie gar kein Trapez. Nimmt man aber Trapez im euclidischen Sinn (als Nichtparallelogramm), so ist das Viereck des Trapezoeders ein sehr specielles Nichtparallelogramm, nämlich das (convexe) Deltoid, d. h. ein Viereck, welches aus 2 mit gemeinschaftlicher Basis an einander gelegten gleichschenkligen Dreiecken besteht. Je nachdem diese Dreiecke in einerlei oder in verschiedenen Ebenen liegen, hat man das ebene oder das windschiefe Deltoid. Je nachdem sie in dem ebenen Deltoid von der Basis aus nach entgegengesetzten oder nach einerlei Seite liegen, hat man das convexe oder concave Deltoid*). Ich theile nun einige, soweit mir bekannt, neue Bemerkungen und Sätze über das (ebene) Deltoid mit.

1) Die 3 Vierecke: das Parallelogramm, das gleichschenklige Trapez und das ebene Deltoid bilden eine Familie von Vierecken, deren Gemeinschaftliches darin besteht, dass sie Combinationen zweier congruenten Dreiecke sind in einer vollständigen Trichotomie von Fällen. Denn legt man zwei beliebige congruente Dreiecke mit einer der gleichen Seiten unsymmetrisch an einander, so hat man

*) Als ich mich vor langer Zeit das erstemal mit dieser Figur beschäftigt hatte, war mir der Name Deltoid (eigentlich Doppeldelta, Didelt) noch unbekannt und hatte ich das Viereck von dem rechtwinkligen Kreuz seiner Diagonalen Staurogramm oder kurzweg Staur genannt und demgemäss den Namen Trapezoeder in Stauroeder verwandelt.

das Parallelogramm, wenn symmetrisch, das Deltoid. Legt man sie aber mit einem der gleichen Winkel (nämlich so, dass die gleichen Winkel Scheitelwinkel werden) unsymmetrisch an einander, so entsteht wieder das Parallelogramm, wenn symmetrisch, zunächst ein verschränktes Viereck mit parallelen Diagonalen, alsdann aber, wenn man die letzteren als Seiten betrachtet*), das gleichschenklige Trapez.

2) Während das Parallelogramm eine unsymmetrische oder axenlose, aber eine centrische, d. h. mit einem eigentlichen Mittelpunkt begabte Figur ist, sind die beiden anderen Vierecke axiale aber mittelpunktslose Figuren; deshalb soll die Diagonale der ungleichen Winkel als Axe des Deltoids die Axendiagonale, die Andere die Querdiagonale heissen. Das gleichschenklige Trapez ist stets Sehnenviereck, das Deltoid Tangentenviereck, das Parallelogramm keines von beiden; sowohl das eine als das andere sind nur specielle Fälle der 3 Vierecke, nämlich das gleichseitig-rechtwinklige Parallelogramm, das rechtwinklige Deltoid (d. h. wo die zwei gleichen Winkel rechte sind) und dasjenige gleichschenklige Trapez, in welchem die Mittelparallele**) dem Schenkel gleich ist.

3) Die ausgezeichnetste Eigenschaft des Deltoids besteht darin, dass es ausser dem einbeschriebenen Kreis (No. 2) einen zweiten Berührkreis aller 4 Seiten (in deren Verlängerungen***) besitzt, was sonst bei keinem Tangentenviereck stattfinden kann. Die beiden Mittelpunkte O, P liegen in der Axendiagonale und die Endpunkte derselben A, B sind, wie der blose Anblick der Figur (Taf. V, Fig. 1) lehrt, die Aehnlichkeitspunkte der beiden Berührpunkte. Daher liegen die 4 Punkte A, B, O, P harmonisch.

4) Die Halbmesser der beiden Kreise verhalten sich (der innere r zum äusseren r') wie die Differenz der ungleichen Seiten $a = AC$, $b = BC$

*) Nach dem Princip der 3 Paare conjugirter Linien im vollständigen Viereck.

**) So nennt man füglich in jedem Trapez diejenige Parallele seiner Grundlinien, welche die Schenkel und die Diagonalen, überhaupt alle zwischen den Grundlinien gezogenen Transversalen, halbirt, während „Mitteltransversale" diejenige Transversale heissen kann, welche die Grundlinien und überhaupt die zwischen den Schenkeln, sowie die zwischen den Diagonalen enthaltenen Stücke aller Parallelen halbirt, und sowohl durch den Durchschnittspunkt der Diagonalen als durch denjenigen der verlängerten Schenkel geht. Von diesen Linien des Trapezes gilt der leicht zu beweisende Satz: Die Quadratensumme der Schenkel eines beliebigen Trapezes ist gleich der doppelten Quadratensumme der Mitteltransversalen und des zwischen den Diagonalen enthaltenen Stückes der Mittelparallele.

***) Sofern man zunächst ein convexes Deltoid ins Auge fasst; bei dem concaven Deltoid sind auch beide Kreise vorhanden, aber jeder berührt 2 Seiten desselben selbst, die beiden andern in ihren Verlängerungen. Für das convexe und das concave Deltoid, welche zusammen ein vollständiges Vierseit (No. 4) bilden, sind es die nämlichen beiden Kreise.

des Deltoids zu ihrer Summe. Denn ist ferner die Axendiagonale $AB = c$, die halbe Querdiagonale $EC = d$, so ergiebt sich sogleich

$$r = \frac{cd}{a+b}, \quad r' = \frac{cd}{a-b},$$

folglich

$$r : r' = (a-b) : (a+b).$$

Auch ist

$$AO = \frac{ac}{a+b}, \quad AP = \frac{ac}{a-b}$$

$$BO = \frac{bc}{a+b}, \quad BP = \frac{bc}{a-b}$$

und daher

$$OP = \frac{2abc}{a^2-b^2}.$$

5) Das vollständige Vierseit $ACDBC'D'$ des Deltoids enthält ein convexes $ACBC'$ und ein concaves Deltoid $ADBD'$ mit gemeinschaftlicher Axendiagonale AB und parallelen Querdiagonalen CC', DD', deren Verhältniss dem Flächenverhältniss der beiden Deltoide gleich ist. Die Querdiagonalen bilden mit den Verlängerungen des einen Paars gleicher Seiten (des convexen Deltoids) ein gleichschenkliges Trapez $CDD'C'$, dessen umschriebener Kreis zum Mittelpunkt die Mitte K der Geraden OP hat, welche die Mittelpunkte der beiden Berührkreise verbindet. Dies folgt augenblicklich aus dem Satz von den harmonischen Strahlen, deren eines Paar die Winkel des anderen Paares halbirt, wie CO, CP, CA, CB, dass dann das erstere Paar einen rechten Winkel einschliesst, also OCB ein rechter, OP Durchmesser des um $CDD'C'$ beschriebenen Kreises. Der Halbmesser R dieses Kreises hat daher, weil (No. 4) $OP = \frac{2abc}{a^2-b^2}$, den Werth

$$R = \frac{abc}{a^2-b^2}.$$

6) Unter den zahlreichen **Relationen**, welche **zwischen den Elementen des vollständigen Deltoids** stattfinden, sollen nur wenige der interessantesten erwähnt werden. Es seien, ausser den bisherigen Bezeichnungen, a', b' die ungleichen Seiten des concaven Deltoids, $AD = a'$, $BD = b'$, so findet man leicht

$$aa' = \frac{a^2c^2}{a^2-b^2}, \quad bb' = \frac{b^2c^2}{a^2-b^2},$$

woraus

$$aa' - bb' = c^2, \quad aa' : bb' = a^2 : b^2,$$

also

$$a' : a = b' : b,$$

oder

$$a'b = ab',$$

und wenn man $Rc = \frac{abc^2}{a^2-b^2}$ hinzunimmt,

$$aa' : Rc, : bb' = a^2 : ab, : b^2 = a'^2 : a'b', : b'^2,$$

mithin Rc die mittlere Proportionalfläche zwischen den Rechtecken

$$aa' \text{ und } bb', \text{ und } R = \frac{a'b}{c} = \frac{ab'}{c}.$$

Setzt man ferner $AE = h,\quad BE = i,\quad EF = k,$
so ergeben sich als weitere Werthe des Halbmessers R

$$R = \frac{(a'-a)(b'+b)}{2k} = \frac{b(a'-a)}{2i} = \frac{a(b+b')}{2h} = \frac{a(b'-b)}{2i} = \frac{b(a'+a)}{2h},$$

woraus:

$$bh(a'-a) = ai(b'+b)$$
$$bi(a'+a) = ah(b'-b),$$

sodann:

$$b^2 : a^2 = (b'^2 - b^2) : (a'^2 - a^2) = bb' : aa' = b'^2 : a'^2 \text{ u. s. w.}$$

7) Andere Eigenschaften ergeben sich durch Vergleichung der Kreise der in der Figur enthaltenen Dreiecke mit den Kreisen des Deltoids. Ist ϱ der Halbmesser des dem Dreieck ABC (oder ABC') einbeschriebenen Kreises, also $\varrho = \frac{cd}{a+b+c}$, weil der Inhalt des Dreiecks ABC oder $\frac{1}{2}cd$ gleich ist dem Rechteck aus ϱ und dem halben Umfang des Dreieckes, also in Verbindung mit obigem Werth von r (No. 3):

$$\varrho : r = (a+b) : (a+b+c).$$

Ist ferner ϱ' der Halbmesser des dem Dreieck ABD (oder ABD') in der Seite BD (resp. BD') anbeschriebenen Kreises, also, indem die halbe Querdiagonale $FD = d'$ gesetzt wird, $\varrho' = \frac{cd'}{a'-b'+c}$, weil der Inhalt des Dreiecks ABD oder $\frac{1}{2}cd'$ gleich ist dem Rechteck aus ϱ' und dem Ueberschuss seines halben Umfanges über die zu ϱ' gehörige Seite b', so erhält man durch Vergleichung mit dem obigen Werth von r' (No. 3)

$$\varrho' : r' = (a'-b') : (a'-b'+c).$$

8) Bekanntlich schneiden sich für jedes vollständige Vierseit die 4 Kreise in einem Punkt, welche um diejenigen 4 Dreiecke beschrieben werden, deren Ecken zugleich diejenigen des vollständigen Vierseits sind und deren Seiten in die Seiten eben desselben Vierecks fallen, in der Figur also die Dreiecke ACD', $AC'D$, BCD, $BC'D'$. Im vollständigen Deltoid ist dieser Durchschnittspunkt der 4 Kreise identisch mit dem Punkt K (No. 5). Denn der Punkt K ergänzt, wie mittelst der Hilfslinien KC, KD, KC', KD' sogleich erhellt, jedes von jenen 4 Dreiecken zu einem Sehnenviereck. Die Punkte M, N, M', N' sind die Mittelpunkte der 4 Kreise, von welchen je 2, wie die Dreiecke, um welche sie beschrieben sind, congruent sind und symmetrisch liegen, und für deren Halbmesser man findet

$$\frac{bb'(a'-a)}{2c(d'-d)} \text{ für die Dreiecke } BCD,\ BC'D'$$

und

$$\frac{aa'(b'+b)}{2c(d'+d)} \text{ für die Dreiecke } ACD, ACD'.$$

Denn der Halbmesser des umschriebenen Kreises ist gleich dem Producte der 3 Seiten, dividirt durch den 4fachen Inhalt des Dreiecks, das Dreieck BCD ist gleich dem halben Ueberschuss des concaven $(=c'd')$ über das convexe Deltoid $(=cd)$, das Dreieck $AC'D$ aber gleich der Summe des Dreiecks BCD und des convexen Deltoids.

9) Endlich kann man noch fragen, was die allgemeinen Sätze vom ebenen Viereck in dem speciellen Fall des Deltoids geben. Der eine dieser Sätze ist der von der Quadratensumme der Seiten. Es sei Q die Mitte der Axendiagonale, der Abstand der Diagonalenmitten $EQ=e$ und $CQ=f$, so giebt der genannte Satz zunächst

$$2a^2+2b^2=c^2+4d^2+4e^2 \text{ oder } a^2+b^2-\tfrac{1}{2}c^2=2d^2+2e^2,$$
$$\text{aber } 2d^2+2e^2=2f^2, \text{ also } a^2+b^2-\tfrac{1}{2}c^2=2f^2,$$

man kommt also, da $f=CQ$ die zur Seite $c=AB$ gehörige Schwerlinie im Dreieck ABC ist, auf den bekannten Satz vom Quadrat der Schwerlinie zurück. Ist ebenso für das zugeordnete concave Deltoid $FQ=e'$, $DQ=f'$, so hat man

$$a'^2+b'^2-\tfrac{1}{2}c^2=2d'^2+2e'^2=2f'^2,$$

folglich, wenn man diese Formel mit der entsprechenden

$$a^2+b^2-\tfrac{1}{2}c^2=2d^2+2e^2=2f^2$$

combinirt,

$$a'^2+b'^2+a^2+b^2=2(f'^2+f^2)+c^2 \text{ u. s. w.}$$

10) Der andere allgemeine Vierecksatz ist der verallgemeinerte ptolemäische (oder der Riecke'sche) Satz, welcher durch die Formel ausgedrückt wird

$$zz'=xx'\cos[(yz')-(y'z)]+yy'\cos[(xz')-(x'z)],$$

wo x, x' das eine Paar, y, y' das andere Paar Gegenseiten, z, z' die Diagonalen des Vierecks bezeichnen, (yz') den Winkel von y mit z' und ebenso die übrigen. Setzt man nun gemäss den bisherigen Bezeichnungen für das Deltoid $x=y=a$, $x'=y'=b$, $z=c$, $z'=2d$, ferner, indem man die Winkel des Deltoids bei A, B, $C=C'$ mit α, β, γ bezeichnet,

$$(xz')=(yz')=\delta, \qquad (x'z)=(y'z)=\tfrac{1}{2}\beta,$$

so erhält man

$$cd=ab\cos(\delta-\tfrac{1}{2}\beta)=ac\sin\gamma,$$

weil $\quad \delta-\tfrac{1}{2}\beta=90-\tfrac{1}{2}(\alpha+\beta)=90-(180-\gamma)=\gamma-90,$

aber $ab\sin\gamma$ drückt den Inhalt des Deltoids $=2\Delta ABC$ aus, mithin besagt die Formel, was bekanntlich für alle Vierecke gilt, deren Diagonalen sich rechtwinklig schneiden, dass der Inhalt dem Rechteck der Diagonalen gleich ist.

XLI. Ueber die Grösse der Luftmolecüle. Von J. Loschmidt.

Die Wissenschaft verdankt der neueren Gastheorie bereits viele wichtige Aufschlüsse in den interessantesten Fragen. So u. A. die Kenntniss der mittleren Geschwindigkeit der Gastheilchen, so die ihrer mittleren Weglänge. Maxwell hat in seiner Arbeit über den letzten Gegenstand eine Formel gefunden, welche eine merkwürdige Beziehung zwischen molecularem Wegvolumen und molecularem Raumvolumen festsetzt. Unter molecularem Raumvolumen wird dasjenige Volumen verstanden, welches auf ein Gasmolecül kommt, wenn der Raum, welchen das Gas einnimmt, durch die Anzahl der darin enthaltenen Molecüle dividirt wird. Das moleculare Wegvolumen aber ist jener cylindrische Raum, welchen ein kugelförmiges Gasmolecül auf seinem Wege von einem Zusammenstosse zum nächsten berührt. Es hat derselbe also zur Höhe die mittlere Weglänge und zum Querschnitt den centralen Durchschnitt eines Moleculesl. Die erwähnte Formel heisst nun: Das moleculare Gasvolumen ist $5\frac{1}{3}$ mal grösser als das moleculare Wegvolumen. Beide sind überdies für alle Luftarten gleich gross. — Dieses Fundamental-Theorem bahnt den Weg zu einer annähernden Grössenbestimmung der Luftmolecüle. Zu diesem Zwecke wird in dasselbe der Ausdruck des Condensationscoefficienten eingeführt, jener Grösse nämlich, welche angiebt, der wievielte Theil eines mit Gas gefüllten Raumes von der Materie der Molecüle wirklich ausgefüllt wird. Nach dieser Umformung lautet dasselbe: *Der Durchmesser eines Gasmolecüles ist gleich der achtfachen mittleren Wegelänge multiplicirt mit dem Condensationscoefficienten.* Der Condensationscoefficient ist aber für jene Substanzen, welche man sowohl im gasförmigen, als auch im tropfbar-flüssigen Zustande kennt, annäherungsweise bekannt. Denn es ist aller Grund vorhanden, anzunehmen, dass in den Flüssigkeiten die Molecüle einander berühren, oder genauer, dass die Mittelpunkte zweier nächstgelegener Molecüle in der Flüssigkeit sich sehr nahe in demselben Abstande von einander befinden, wie während des Zusammenstosses in der Dampfform. Leider ist aber die Luft nicht condensirbar, und doch kennt man nur für sie die mittlere Wegelänge. Glücklicherweise hat die Chemie in der letzten Zeit Mittel gefunden, die Dichte einer Flüssigkeit mit grosser Zuverlässigkeit aus ihrer Zusammensetzung zu berechnen. Diese Formeln liefern für die atmosphärische Luft den Condensationscoefficienten $\frac{1}{1155}$ und da die genauesten Untersuchungen für die mittlere Wegelänge derselben den Werth 170 Millionstel-Millimeter gegeben haben, so erhalten wir schliesslich $l = 1{,}17$ Millionstel-Millimeter, d. h. der Durchmesser eines Luftmolecüls beträgt ungefähr 1 Millionstel des Millimeters.

Zu den kleinsten gemessenen Grössen der Physik gehört die Länge der Lichtwellen. Der berechnete Molecül-Durchmesser beträgt nur den 700. Theil der Wellenlänge des rothen Lichts, und er verhält sich zur Länge einer Linie ungefähr wie die Linie selbst zur deutschen Meile.

Faraday hat durch ein sinnreiches Verfahren Goldhäutchen dargestellt, welche nur mehr eine Dicke von $\frac{1}{100}$ Wellenlänge des Lichtes besassen, und demnach nur noch 3 bis 5 Goldmolecüle übereinander geschichtet enthielten. Sie waren auch bereits mit weissem Lichte durchscheinend. Ein Cubikmillimeter Luft enthält 866 Billionen Molecüle; wäre aber die Luft zur Flüssigkeit condensirt, so würde diese Anzahl zur Trillion aufsteigen, und endlich haben wir im Trillionstel Milligramm die schickliche Gewichtseinheit für die Atome der Chemiker.

Aber bei aller Grossartigkeit dieser Zahlen bleibt es noch immer fraglich, ob sie ausreichen für den Bedarf der unendlich kleinen Welten unserer Mikroskopiker. Ihre besten Instrumente tragen bis zur Sichtbarmachung eines Raumgebildes, dass nur mehr 2 Millionen Molecüle thierischer Materien, wie Albumin u. dgl. zu fassen vermöchte. Es liegt auf der Hand, dass diese Zahl schon nicht mehr ausreicht, einen etwas complicirteren Organismus aufzubauen, ebenso wie es nicht möglich ist, mit 1000 farbigen Glasstiften ein Gemälde in Mosaik zu reproduciren. Und wenn berühmte Forscher hinter dem heutzutage ihren Instrumenten Erreichbaren noch ganze Reihen von Wesen in absteigender Kleinheit vermuthen, so ist dieses mit den obigen Berechnungen schlechterdings nicht in Einklang zu bringen. Der sich zunächst darbietende Ausweg, das Gasmolecül selbst aus einer grossen Zahl chemischer Molecüle zusammenzusetzen, ist unzulässig wegen der nothwendigen und doch höchst unwahrscheinlichen Gleichheit dieser Zahl für alle Gase und Dämpfe. Ein zweiter Ausweg würde wenigstens keine neuen Annahmen in die Atomenlehre hineinbringen, wir meinen die Beziehung der die Atome umgebenden Aetherhüllen. In der Lehre vom Licht und von der Elektricität ohnehin unentbehrlich, dürften sie vielleicht auch geeignet sein, hier als Träger der zarteren Lebenserscheinungen mitzuwirken, und auf dem sonst allzuengen Schauplatz eine unerschöpfliche Mannigfaltigkeit derselben zu ermöglichen. Das chemische Element selbst würde dann zum eigentlichen Elementarorganismus, von dem in der tastbaren Materie nur das grobe Gerüste im mikroskopischen Gesichtsfeld zur Anschauung gebracht wird. Doch sind dies Speculationen, über deren Zulässigkeit wohl erst eine ferne Zukunft entscheiden wird und welche hier nur als Möglichkeiten angedeutet werden sollen. (Sitzungsbericht der Wien. Akad.)

Berichtigung.

(Zeitschrift für Mathematik und Physik X, 25.)

Seite 383 Zeile 4 v. u. statt $\frac{\partial u}{\partial t}$ lese man $\int_0^h \left(\frac{\partial u}{\partial t}\right)^2 \partial x$.

Druck von B. G. Teubner in Dresden.

Literaturzeitung

der

Zeitschrift für Mathematik und Physik

herausgegeben

unter der verantwortlichen Redaction

von

Dr. O. Schlömilch, Dr. E. Kahl

und

Dr. M. Cantor.

Zehnter Jahrgang.

LEIPZIG,

Verlag von B. G. Teubner.

1865.

Inhalt.

Geschichte der Mathematik.

Arithmetik und Analysis.

Geometrie und Trigonometrie.

Descriptive Geometrie.

Astronomie und Physik.

Literaturzeitung.

Recensionen.

Heronis Alexandrini *geometricorum et stereometricorum reliquiae: accedunt Didymi Alexandrini mensurae marmorum et Anonymi variae collectiones ex Herone, Euclide, Gemino, Proclo, Anatolio aliisque. E libris manu scriptis edidit* F. Hultsch. Berlin, Weidmann 1864.

In dem IX. Bande dieser Zeitschrift hat Herr Dr. Hultsch bei Gelegenheit einer vortrefflichen Abhandlung „über den Heronischen Lehrsatz über die Fläche des Dreiecks als Function der drei Seiten" (S. 225—249) eine Herausgabe der sämmtlichen geometrischen und stereometrischen Schriften des Heron angekündigt. Die Vollendung des Druckes dieses Werkes ist es, welche wir heute das Vergnügen haben, unsern Lesern zu melden. Allerdings würde die Bedeutsamkeit der genannten Schriften, deren Entstehung auf das Geheiss des ptolemäischen Regenten hin Hultsch so schön nachgewiesen hat, eine eingehende Besprechung verdienen. Es wäre eine schöne, dankbare Aufgabe, welche gleichfalls Hultsch in der Vorrede seiner Ausgabe schon andeutet, die Werke Herons in der Weise zu prüfen, dass man zu ermitteln suchte, was bei diesen Erzeugnissen des zweiten vorchristlichen Jahrhunderts als altegyptisches Eigenthum, was als griechischen Ursprunges zu betrachten sei, was dem geistvollen Heron selbst angehöre, was endlich erst durch spätere Ueberarbeitung hinzugekommen. Wir würden uns dieser Aufgabe, zu deren Lösung Martin wie Hultsch einen grossen Theil der Vorarbeiten geliefert haben, nicht entzogen haben, wenn uns nicht ganz bestimmte Gründe daran verhindert hätten, unter welchen nur der Wunsch genannt sein mag, eine rasche Anzeige des Buches zu liefern, während die Zeit zu einem ausführlicheren, mit eigenen Untersuchungen verknüpften Referate uns jetzt, wie für die nächsten Monate durchaus fehlt. So mögen denn unsere Leser ebenso wie der gelehrte Herausgeber die Kürze dieser Notiz entschuldigen, und aus derselben weder auf ein geringeres Interesse schliessen, welches wir an dem Werke nehmen, noch auch, und das noch viel weniger, auf ein geringeres objectives Interesse, welches der neuen und ersten zuverlässigen Ausgabe der heronischen Geometrie innewohnt.

Cantor.

Leibnizens mathematische Schriften herausgegeben von C. I. Gerhardt. 7 Bände. Berlin und Halle, 1849—1863. 8. Ladenpreis: 28 Thlr. 5 Ngr.

Leibniz hat durch die Vielseitigkeit seiner Bildung, den Umfang seines Wissens, die Tiefe seiner wissenschaftlichen Forschungen, die anregende Macht seiner Persönlichkeit, die innigen Beziehungen, in welche er sich zu seinen hervorragendsten Zeitgenossen zu setzen wusste, einen so bedeutenden Einfluss auf die Fortentwickelung der Philosophie, der Geschichte u. s. f., besonders auch der Mathematik ausgeübt, er hat ferner dadurch in einer Zeit, in welcher der Deutsche zumal ausserhalb des Reiches gering geachtet ward, dem Auslande solche Achtung und so hohe Anerkennung deutscher wissenschaftlicher Tüchtigkeit abgerungen, dass es schon deshalb Pflicht der Dankbarkeit ist, Leibnizens Andenken hoch und in Ehren zu halten. Und als Zeichen solcher Dankbarkeit ist auch eine jener grossen Verdienste würdige Gesammtausgabe seiner Werke allseitig begrüsst worden.

Leider muss jedoch Referent bekennen, dass der von Gerhardt redigirte mathematische Theil der Ausgabe jene Anforderung, der hohen wissenschaftlichen Bedeutung Leibnizens zu entsprechen, nicht erfüllt. Der Herausgeber hätte, bevor er eine solche Arbeit übernahm, sich prüfen sollen, ob er ihrer Ausführung auch gewachsen sei. So trägt die Ausgabe nach verschiedenen Seiten hin so sehr das Gepräge des Ungenügenden, dass es wirklich zu wünschen gewesen wäre, Gerhardt hätte die viele Mühe, die ihm gleichwohl seine Arbeit gekostet haben mag, einem andern seinen Kräften adaequateren Gegenstande zugewendet.

In seiner „Entdeckung der höheren Analysis“ p. 75 giebt Gerhardt an, Edleston: „*Correspondence of Sir Isaac Newton and Professor Cotes*“ als Quelle benutzt zu haben — was jedoch Referent in hohem Grade bezweifelt —, hätte er doch diese Ausgabe bei einem Theile seiner Arbeit sich wenigstens zum Muster genommen.

Um zur specielleren Beurtheilung der Gerhardt'schen Sammlung überzugehen, so ist zuerst zu bemerken, dass Gerhardt allerdings für dieselbe sich einen Plan gemacht hat. Die ersten Bände (I bis IV) sollen Leibnizens Briefwechsel in möglichst chronologisch geordneter Reihenfolge (Bd. I, p. VII), die übrigen Leibnizens mathematische Abhandlungen nach ihrer innern Zusammengehörigkeit und sodann ebenfalls nach der Zeit ihrer Abfassung (Bd. V, p. I) zusammengestellt enthalten.

Band I umfasst die Correspondenzen Leibnizens mit Oldenburg, Collins, Newton (1670—93), mit Galloys (1675—78) und Vitale Giordano (1689), Band II die mit Hugens (1673—95), de l'Hospital (1692—1701), Band III mit Jacob, Johann und Nicolaus Bernoulli (1687—1716), Band IV mit Wallis (1696—1700), Varignon (1701—16), Grandi (1703—14), Zendrini (1715—16), Hermann (1704—16) und *Tschirnhaus* (1677—1705).

Wenn nun hierbei **Gerhardt** vorzüglich im Betreff der Correspondenz mit **Tschirnhaus** von seinem Plane der Befolgung einer chronologischen Reihenfolge abgewichen ist, so möchte dies darin seine Erklärung finden, dass dieser Briefwechsel erst 1851 aufgefunden ward; Band III ist jedoch 1855 erschienen.

Nicht aber ist es mit einer planvollen Redaction übereinstimmend, dass **Leibnizens** Briefe an **Schulenburg** sich mitten unter den mathematischen Abhandlungen und seine Correspondenz mit **Bodenhausen** am Ende des 7. Bandes befindet; und wozu ferner ein besonderer Supplementband — den ja **Gerhardt** zu einem ganz anderen Zweck (Bd. V, p. 216) bestimmt hatte — für den Briefwechsel mit **Chr. Wolf**? Etwa weil er nur zum Theil in die mathematische Sammlung gehört?

Ebenso hat auch **Gerhardt** im Betreff der mathematischen Abhandlungen seinen oben angeführten Plan nicht überall consequent durchgeführt. Dieselben sind, nachdem die „*dissertatio de arte combinatoria*“ den Reigen eröffnet hat, in folgender Weise gruppirt: 1. *De quadratura arithmetica circuli, ellipseos et hyperbolae*: 2. *Characteristica geometrica Analysis situs*; 3. *Analysis Infinitorum*; 4. *Dynamica*; 5. *Initia mathematica*, *Arithmetica*, *Algebraica*: 6. *Geometrica*.

Hätte **Gerhardt** die Gruppen 2 und 6, ferner 1 und 5 und im Anschluss daran 3 mit einander verschmolzen, so würde er verschiedenen Abhandlungen, wie der Nr. X (Bd. V, p. 278) — die nicht in den 5., sondern in den 7. Band gehört —, der Nr. XII (Bd. V, p. 285) — die nicht in die 3., sondern in die 1. Gruppe zu setzen ist — u. s. f. die richtigen Stellen angewiesen haben.

Ist es ferner überflüssig, Nr XXIII (Bd. V p. 350) im 4. Bande (p. 95) wiederzufinden, so zeigt es von einer unverzeihlichen **Flüchtigkeit**, die Abhandlung XI (Bd. V, p. 279 ff.) in ihrer vollen Ausdehnung im 7. Bande p. 331 ff. wiederum abgedruckt zu sehen.

Wenn dem Herausgeber dafür Dank zu zollen ist, dass er wie die Correspondenzen an **Tschirnhaus**, **Varignon**, **Jacob Bernoulli** u. s. f., so auch viele Abhandlungen **Leibnizens** aus dessen Manuscripten hervorgesucht und zum ersten Male veröffentlicht hat, so würde er sich sicherlich ein grösseres Verdienst erworben haben, wenn er in der Auswahl derselben vorsichtiger verfahren wäre. Wozu die Veröffentlichung der sämmtlichen ersten 7 Nummern des 7. Bandes, die theilweise Fragmente mit ganz elementarem Inhalt sind? Dass **Leibniz** auch Elementarbegriffe klar zu fassen und in richtige Zusammengehörigkeit zu bringen verstand, brauchte doch nicht durch so viele ausführliche Documente erhärtet zu werden. Oder wollte **Gerhardt** seine Leser überzeugen, dass er wirklich treu Bd. V, p. 136 einige Stellen aus Bd. VII, Nr. I, p. 249 f. wiedergegeben habe, oder damit sie erfahren, wie **Leibniz** Bd. VII, p. 84 mittheilt, dass wie $b + a = + a + b$, so auch $b - a = a - b$ sei, etc.?

Je wünschenswerther demnach eine umsichtige Beschränkung bei der Herausgabe der Manuscripte gewesen und nicht alles abgedruckt worden wäre, was irgend druckbar erschien, um so befremdender erscheint es, dass Gerhardt mehrere von Leibniz selbst veröffentlichte Abhandlungen nicht wieder veröffentlicht hat. Geschieht dies absichtlich, oder ist es nur durch Mangel an Umsicht erfolgt? So hat Referent ausser anderen die Abhandlung: „*Unum opticae.... principium*“ (*Acta Erud.* 1682, p. 185) vergeblich gesucht, die, weil Leibniz zuerst in ihr öffentlich seine neue Methode *de maximis et minimis* erwähnt und angewendet hat, weit eher eine Aufnahme in die Sammlung verdiente, als so manche andere.

Es möge jedoch ein zweiter Punkt in das Auge gefasst werden. Wie ein allgemeines Specialinhaltsverzeichniss, so vermisst Referent auch eine Gesammteinleitung, in welcher in gedrängter Darstellung die wichtigsten Momente aus dem Leben Leibnizens, seine vorzüglichsten mathematischen Entdeckungen und Arbeiten, ihrem Gange und Wesen nach, so wie Leibnizens Beziehungen zu den Mathematikern seiner Zeit u. s. w. mitgetheilt würden. Anstatt dessen hat es Gerhardt vorgezogen, mehr als 20 besondere Vorreden zu den einzelnen Abtheilungen zu geben, wovon zunächst die natürliche Folge die ist, dass sich Wiederholungen verschiedener Einzelheiten in unerquicklicher Weise anhäufen.

So wird — um nur Einzelnes anzuführen — der Beziehungen Leibnizens zu Boineburg Bd. I, p. V, p. 3; Bd. VI, p. 1, zu Hugens Bd. I, p. V; Bd. II, p. 4f.; Bd. V, p. 216; Bd. VI, p. 7 gedacht; ferner zu Joh. Bernoulli allein wegen der Erfindung der Integralrechnung Bd. III, p. 115; Bd. IV, p. 427; Bd. V, p. 218; Suppl. Bd. V, p. 4 und dabei Ausdrücke wie: „Auf schamlose Weise verfuhr namentlich Joh. Bernoulli“; „die Folge davon war, dass Joh. Bernoulli der Erfinder der Integralrechnung zu sein sich anmasste, und bis auf die neueste Zeit auch dafür gehalten worden ist“. Warum sagt Gerhardt nicht von wem? Warum verweist nicht Gerhardt auf Leibnizens Abhandlung „*de geometria recondita*“ (*A. E.* 1686, p. 292)?

Abgesehen von der oft überaus unangenehmen Breite der Darstellung, der wiederholten Anwendung der Superlative, der mehrfach vorkommenden „vielleicht“, „wahrscheinlich“, „wie es scheint“ .... können einzelne Vorreden, wie die zu den Correspondenzen mit Oldenburg, Hugens, den Bernoullis, im Ganzen genügend genannt werden, obgleich auch sie noch vielerlei zu wünschen übrig lassen. Während z. B. die Notizen über das Leben, die Werke von Hugens, der Bernoulli in den bezüglichen Vorreden höchst unvollständig sind, und nur die allgemeinen Inhaltsangaben der Correspondenzen mit den Bernoullis, mit Hugens (— obgleich auch hier Verschiedenes, wie z. B. im Betreff des *Calculus exponentialis* fehlt —) befriedigend sind, so ist dagegen in der Vorrede zu Tschirnhaus, dessen Lebensverhältnisse ausführlich mitgetheilt werden, von einer Inhaltsangabe nichts wahrzunehmen, während die zu Wallis in jeder Beziehung ungenügend ist. Nennt das Gerhardt nach einem Plane arbeiten? Aehnliches gilt auch von den Vorreden, die den einzelnen Abtheilungen der mathematischen Abhandlungen vorausgeschickt sind. Während z. B. die Einleitung zur I. Abtheilung des 5. Bandes (p. 83 ff.) — von Gerhardt zugleich als Programmabhandlung benutzt — befriedigt, kann dies von den übrigen Einleitungen desselben Bandes weniger, am wenigsten aber von denen des 7. Bandes gesagt werden, denen nach Styl und Ausarbeitung das Zeichen voller Flüchtigkeit aufgeprägt ist. Zuweilen ist est schwer zu errathen, für welche Leser Gerhardt seine Ausgabe veranstaltet hat. Für wen hat Gerhardt es z. B. nothwendig erachtet Bd. II, p. 6 das Problem der Isochrone in deutscher, französischer und lateinischer Sprache aufzuzeichnen? Für wen Bd. II, p. 5 die Erklärung: „Das umgekehrte Tangentenproblem (d. h. aus der gegebenen Gleichung für die Tangente die Curve zu finden)" u. s. f.? Für wen hat Gerhardt (Bd. V, p. 137) aus Leibnizens Manuscripten die belehrende Bemerkung ziehen zu müssen geglaubt: „Aehnlichkeit, die aus der Form der Figur entspringt, und die Congruenz, die durch Verbindung der Gleichheit und Aehnlichkeit hervorgeht"? Für wen die noch wichtigere Belehrung (Bd. II, p. 214), dass „die Integration der Differentialgleichungen eine allgemeine Integrationsmethode sei" (!)?

Weshalb sind ferner einzelne Vorreden durch unnöthige Excerpte unnöthig erweitert? Was soll z. B. Bd. V, p. 219 das lange Excerpt, während die ganze Stelle drei Seiten später wiederkehrt? Was sollen die Excerpte Bd. II, die den grössten Theil der Seiten 7 und 8 einnehmen, da sie in dem folgenden Briefwechsel wiederkehren u. s. w.? Einfache Citate hätten vollständig ausgereicht und der hierdurch wie in anderer Weise unnütz vergeudete Raum hätte zweckdienlicher verwendet werden können.

Um aber nicht ungerecht zu erscheinen, zumal da oben auch von der Unfähigkeit des Herausgebers gesprochen ward, so möge noch zum Schluss auf den Inhalt einer grösseren Einleitung z. B. der zu den Abhandlungen des VI. Bandes (— *Dynamica* —) specieller eingegangen werden.

Die erste Seite (3) enthält ausser unzureichenden Notizen über Leibnizens Stellung und Thätigkeit in den Jahren 1668—1672, und sodann der unnöthigen, weil Raum wegnehmenden, Aufzeichnung der — später p. 17, 18, 61 und 62 einnehmenden — ausführlichen Titel von Leibnizens Abhandlung *Hypothesis physica*, zum Schluss noch in einer Anmerkung die Mittheilung, dass die erste Abtheilung der *Hypothesis physica* in einem besonderen Abdruck erschienen, ein solcher im Besitz des Herrn Prof. Drobisch in Leipzig und ihm (Gerhardt) von diesem höchst zuvorkommend zur Einsicht mitgetheilt sei. Soll man sich hierbei mehr über Gerhardt's dankbares Gemüth freuen, oder es mehr beklagen, dass ihm bei der Herausgabe aller übrigen Schriften Leibnizens solche Zuvorkommenheit nirgend weiter zu Theil geworden ist?

Auf Seite 4 hält Gerhardt es für nothwendig, von der genannten Jugendschrift Leibnizens — die Leibniz selbst später nicht als so sehr bedeutend erachtete — eine „genaue" Analyse zu geben, „weil Leibniz in Betreff seiner Ideen nicht immer genau verstanden worden und daher vielfachen Angriffen ausgesetzt gewesen sei" (von wem?). Zu diesem Zwecke reiht nun Gerhardt einige Sätze aus einem, 6 Jahre später geschriebenen Briefe Leibnizens an Fabri (p. 85) und aus p. 21, 22 und 58 der die p. 17 bis 80 umfassenden Abhandlung an einander, und nennt das eine „genaue Analyse"! Als Hauptsentenz wird hierbei (p. 5) hervorgehoben, dass Leibniz in dem einen Princip — „der durch die Einwirkung des Sonnenlichtes auf den alle Körper durchdringenden Aether hervorgebrachten kreisförmigen Bewegung desselben" — die Grundlage für die Mechanik der Himmelskörper aufzustellen versucht, hierbei sich an die Alten angeschlossen und nichts von den Neueren (? cf. p. 149) entlehnt habe, wie er denn auch in dem — als Nr. II, p. 81—98 aus Leibnizens Manuscripten veröffentlichten — Briefe an Fabri (wo?) ausdrücklich bemerke, dass er seine *Hypothesis physica* verfasst habe, bevor er das Cartesianische System vollständig gekannt (— Andere würden p. 84 übersetzen „hinreichend verstanden" —) habe.

Zu der eben erwähnten Nr. II, die mit den Worten beginnt: „*Nuper ex Gallia reversus incidi in Epistolas*" .... macht Gerhardt die nothwendige und wichtige Bemerkung: „Es lässt sich nicht bestimmt angeben, wenn dieses Schreiben verfasst ist, indess geht aus seinem Inhalte hervor, dass es sehr bald nach Leibnizens Rückkehr aus Frankreich (wann?) niedergeschrieben sein muss". Wenn sodann Gerhardt den ganzen Inhalt dieses Schreibens als eine in einer Reihe von Lehrsätzen zusammengefasste Wiederholung des Inhaltes der *Hypothesis physica* bezeichnet, wozu die unnöthige Aufnahme desselben in die vorliegende Sammlung?

Nachdem Gerhardt p. 6 noch einmal auf die *Hypothesis physica* zurückgekommen, um in ihr eine Fülle bemerkenswerther Ideen zu finden*), Leibniz die Entdeckung der Undulationstheorie zu sichern, und seines Umganges mit Hugens 1672—1676 etc. gedacht ist, wird p. 8 und 9 ganz unnöthig ein Excerpt aus einer Leibniz'schen Aufzeichnung abgedruckt und in noch überflüssigerer Weise nimmt Gerhardt hiervon Veranlassung, Faucher de Careil den Vorwurf zu machen, dass er bei der Herausgabe seiner „*Nouvelles lettres et opuscules inédits de Leibniz*" (p. 13) nicht einmal gewusst habe, dass Leibniz im October 1676 nach Hannover zurückgekehrt sei. Hätte doch Gerhardt sich um sich gekümmert und dergleichen unnütze Abschweifungen vermieden! Wenn auch Faucher

---

*) Etwa auch: p. 39: „*Attractio electrica meo judicio facile explicari potest, explicata attractione qua fumus attrahit ignem*" oder p. 35: „*Sonus non consistit in motu aëris*" oder p. 21: „ .... *admittere non possum: sequetur enim, ut lapis ad terram, ita terram ceterosque planetas ad solem tendere.*

de Careil irrt, so irrt Gerhardt nicht minder; im October war Leibniz nicht aus Frankreich über England nach Hannover zurückgekehrt, vielmehr verweilte er auch noch während des Monats November 1676 in Amsterdam (Cf. Bd. I, p. 147).

Indess Gerhardt schweift noch weiter ab und hält diese Vorrede zu den Abhandlungen Leibnizens aus dem Gebiete der Mechanik für den geeigneten Ort, um Fragen, die in das Bereich der Philosophie gehören, vor das Forum seiner geistigen Superiorität zu ziehen, sich selbst aber für vollkommen competent, „eine von Anderen (wem?) aufgestellte Ansicht, als habe Leibniz seine Philosophie absichtlich bald esoterisch, bald exoterisch vorgetragen, als einen nicht sehr glücklich gemachten Unterschied zu bezeichnen" und dazu eine scharfsinnige Bemerkung zu machen, die (p. 10) mit den Worten schliesst: „Die französisch abgefassten (Abhandlungen) bewegen sich durchaus in leichterer Form, so wie es die Natur dieser Sprache verlangt, dagegen herrscht in den lateinisch (über denselben Gegenstand) geschriebenen die gehaltene Ausdrucksweise". Gelegenheit, die Wahrheit dieser wichtigen Bemerkung zu erproben, bietet dem Leser eine Vergleichung der Abhandlungen V und VI mit Abhandlung XII.

Von den in den *Actis Eruditorum* (1684—86) veröffentlichten Abhandlungen Leibnizens über den Widerstand der festen Körper und das Princip der Erhaltung der lebendigen Kraft (Nr. III und IV) wird (p. 10) wenig mehr als die überflüssig wiederholten Titel mitgetheilt, während die mit Nr. IV und XII denselben Gegenstand behandelnde Abhandlung V ebenso wie VI unerwähnt bleiben, möglich dass Gerhardt ihre Veröffentlichung aus Leibnizens hinterlassenen Papieren selbst für überflüssig hielt, aber es ist ja genug Raum da, wozu da mit ihm kargen?

Hierauf gedenkt Gerhardt der beiden 1689 in den *Actis Eruditorum* erschienenen Abhandlungen Leibnizens „*de resistentia medii*" und des „*Tentamen de motuum coelestium causis*". Ueber die erstere Nr. VII wird gar nichts gesagt, desto Bedeutenderes liefert Gerhardt zur zweiten Nr. VIII. Zunächst erklärt er: „Sein (Leibnizens) Scharfblick liess ihn sogleich erkennen, dass durch die Gravitationshypothese Newtons — die früher von Gerhardt (Bd. II p. 8) als die glücklichste aller Hypothesen gepriesen ward — im Grunde nichts beigebracht wird zur Erklärung der Mechanik des Himmels." . . . Leibniz hielt sich demnach berufen, im Betreff dieser hochwichtigen Frage (p. 11) seine Ansichten zusammenzustellen. Und nun behauptet Gerhardt mit einer unnachahmlichen Naivität: Leibniz habe in jenem Tentamen als Hypothese zur Erklärung der Mechanik des Himmels den Satz aufgestellt, „dass das von der Sonne ausgehende Licht eben jene nach dem Quadrate der Entfernung abnehmende Kraft sei, welche den im Kosmos vorhandenen Aether in Bewegung setze, wodurch denn weiter . . . ." Wenn Gerhardt allerdings solche Sachen aus jenem Tentamen herauszulesen sich erkühnt, so weiss man wirklich nicht, ob man dies mehr einer natürlichen Keckheit oder wirklicher Unfähigkeit zumessen soll. Es steht von jener Behauptung auch nicht das Geringste in der gedachten Abhandlung, und Gerhardt erröthet nicht, wenn er vorher in's Blaue hinein Vorwürfe vom Nichtverstehen Leibniz'scher Ideen macht. Nachdem Gerhardt noch Weiteres hinzugefügt, schliesst er seine Zusammenstellung mit den Worten: „Und dennoch beharrte Leibniz bei der Behauptung, dass die Gravitationshypothese Newtons unzulänglich sei, ebenso wie sein Lehrer und Freund Hugens. Er unterwarf (p. 12), nachdem er Newtons Werke (*sic!*) genau studirt hatte, den oben genannten unter sehr ungünstigen Verhältnissen ausgearbeiteten Entwurf einer sehr sorgfältigen Revision — es ist dies die hier (Nr. IX) zum ersten Male gedruckte zweite Bearbeitung des Tentamen." — Wie aber Referent den Herausgeber wiederholt in seinen Behauptungen unzuverlässig gefunden hat, so ist er auch hier — und nicht allein zur Ehre Leibnizens — der Ansicht, dass Nr. IX die ursprünglich von Leibniz verfasste Abhandlung ist, und dass sie entweder von Leibniz selbst oder von Pfautz in Leipzig so weit abgekürzt ward, um nachher in der Gestalt von Nr. VIII zu erscheinen.

Aber auch, wenn dies nicht der Fall wäre, so ist der Abdruck der ganzen Nr. IX wieder überflüssig; dasjenige, was IX — es sind mit Ausnahme kleiner in Artik. 7 und 8 anzubringender Aenderungen nur Zusätze — mehr enthält, brauchte nur bei Nr. VIII p. 149 als Anhang zur Einleitung, desgleichen bei Artik. 2, 11, 18, 19, 20 und 27 in Klammern beigefügt zu werden; die übrigen 24 Artikel sind in beiden Abhandlungen vollständig gleichlautend, ihr Wiederabdruck also unnütze Raumverschwendung. Wollte etwa Gerhardt erklären, dass in dem zur Einleitung von Nr. VIII fehlenden Zusatz jene Behauptung von Leibnizens Sonnenlichthypothese enthalten sei, so möge er erst etwas genauer den betreffenden Abschnitt durchlesen (p. 164 *analogos!*).

Wie jedoch anderwärts Gerhardt, sobald der Gegenstand ein tieferes Eindringen in das Gebiet der höheren Mathematik verlangt, sich in Schweigen hüllt, so ist auch in der Einleitung von dem eigentlichen Inhalte des Tentamen nichts gesagt, auch nichts darüber, ob Leibniz etwas aus Newtons *Principiis philosophiae naturalis* entlehnt habe, und ebensowenig wird später (p. 12) von Gerhardt angegeben, worin die Vertheidigung Leibnizens (Nr. XVII und XVIII) gegen den deshalb von D. Gregory (Astr. phys. p. 99) erhobenen Angriff bestand. War es unangenehm, dem Varignon, den Gerhardt gemäss seiner Klassifaction der Mathematiker dem 2. Range zugesellt (Bd. IV, p. 87), wegen der von ihm dem Leibniz gemachten Mittheilung (Bd. IV, p. 139) ein höheres Verdienst beizulegen, oder wünschte Gerhardt der Rechtfertigung der Leibniz'schen Theorie hinsichtlich der Erklärung der Cometenbewegungen durch die Vortices enthoben zu sein?

Die ferneren Erörterungen p. 12 ff. beziehen sich u. A. auf die Leibniz'sche Eintheilung der Kräfte in active und passive etc., die Gerhardt einer der Nr. II beigefügten Beilage entnimmt, welche Beilage richtiger nach Nr. XVI zu setzen war. Nachdem sodann noch einmal auf Nr. IV, dessen ausführlicher Titel wiederum angeführt wird, zurückgegangen und des Streites mit Papin, Conti etc. über das Princip der Erhaltung der lebendigen Kraft gedacht war, schliesst die Vorrede mit der Nennung des, wie Gerhardt sagt, grossen und selbständigen Werkes Leibnizens: „*Dynamica de potentia et legibus naturae corporeae*", über dessen Inhalt Gerhardt nichts weiter angiebt, das aber, wie es selbst Leibnizens Zeitgenossen nicht viel Neues geboten haben würde, so auch für die Gegenwart nicht von so grossem Interesse ist, dass sein Abdruck aus Leibnizens Manuscripten so überaus nothwendig war.

Drittens hat Gerhardt erkannt, dass eine Ausgabe der Werke Leibnizens füglich mit Noten bedacht sein müsse, wie denn natürlich in den Correspondenzen und Abhandlungen so verschiedene Persönlichkeiten, Probleme und Beziehungen erwähnt werden, im Betreff deren auch einem in der Mathematik und ihrer Geschichte sehr bewanderten Leser eine kurze Aufklärung oder Verweisung auf diese oder jene Quelle wünschenswerth wäre. Das erfordert freilich eine umsichtige und mühevolle Redaction. Von einer solchen ist jedoch in der vorliegenden Sammlung wenig zu spüren. Gerhardt hat meist nur benutzt, was sich ihm zufällig und bequem darbot. Dieses Urtheil in derselben Ausführlichkeit wie vorhin zu begründen, steht Referent Herrn Gerhardt gern zu Diensten; hier möge z. B. der Kürze halber nur Einzelnes aus Bd. I und V folgen.

Die Anmerkungen zu Bd. I enthalten theils selbständige Zusätze Leibnizens, theils Angaben von Sammlungen, denen Gerhardt einzelne Briefe entnommen hat, theils die unnützen Bemerkungen: „Bereits gedruckt" wobei nicht gesagt wird, wann und wo? (z. B. p. 51, 53 ff.), die um so überflüssiger sind, als dasselbe dann auch p. 154, 162 ff. hätte bemerkt werden müssen, da die betreffenden Briefe ebenfalls früher wiederholt im Druck erschienen sind; ferner umfassen sie noch einige Emendationen wie p. 24 Küfleriano, p. 81 Bombelli, p. 73 Darium; was sollen aber diese Notizen, wenn nicht bemerkt wird, wer Küfler, Bombelli, Darius waren? Wenn die nach anderen Quellen p. 52, 53 . . . . gegebenen 8 Correcturen am Ort sind, warum fügt dazu Gerhardt nicht auch p. 121, „*hujus naturae*" für „*ludus naturae*"? Die weiter von Gerhardt beigebrachten acht Notizen sind brauchbar, lassen es aber um so mehr wünschen, dass über Pell, Hook, Jac. Gregory, Kaufmann etc., deren wiederholt im ersten Bande Erwähnung geschieht, auch kurz referirt wäre.

Im V. Bande finden sich p. 123, 126, 128 die unnöthigen Bemerkungen: „Zuerst gedruckt in den *Act. Erud.*" . . . (— wie fast immer trotz der vorangehenden Ausführlichkeit ohne Angabe der betreffenden Seite —), ferner p. 220, 226, 234 .... stets die Bemerkung: „*Act. Erud.* ....“, die eben so überflüssig sind, da dieselbe Notiz bereits p. IV ff. steht.

Wie Gerhardt sich bei der Abfassung seiner Noten von reiner Willkür leiten lässt, bekundet z. B. p. 135, auf welcher des Vieta, Descartes, Pascal, Desargues und Carcavi gedacht wird, und nur im Betreff der Persönlichkeit Carcavi's eine kurze Notitz gegeben wird? Ist etwa Desargues um so viel bekannter? Wie hätte der zu andern Zwecken unnöthig in Anspruch genommene Raum im Bezug hierauf zu einer Leibnizens würdigen Ausgabe verwendet werden können? Am besten wäre es gewesen, Gerhardt hätte sich aller Noten enthalten, denn was er sich hierbei erlaubt, ist zuweilen unbegreiflich. So steht Bd. VII, p. 5 die Note: „Siehe die Correspondenz mit Tschirnhaus Bd. IV“, ohne jede Angabe der betreffenden Seite 501. Es liegt in solchem flüchtigen Verfahren eine Nichtachtung und eine Arroganz, die sich nur aus ihrer Vereinigung mit ihrer ähnlich lautenden Genossin erklären lassen möchte, die aber eines Mannes unwürdig ist, der Grund genug hat Leibniz dankbar zu sein, der zur Erhöhung von Leibnizens Ruhm bei weitem nicht so viel beigetragen, als er demselben entzogen hat. Mit bloser ungemessener Lobhudelei dient man keinem grossen Manne.

Wünschenswerth wäre viertens zuweilen eine genauere Angabe gewesen, aus welcher bestimmt ersichtlich wäre, in welchem Umfange Gerhardt ausser den Manuscripten die vorhandenen Quellen benutzt hat.

In der Vorrede zu dem Briefwechsel mit Hugens (Bd. II, p. 9) sagt Gerhardt, dass er bei seiner Redaction die Uylenbroek'sche Sammlung benutzt habe, und dass der aufmerksame Leser bei Vergleichung beider Ausgaben sich überzeugen werde, das die Gerhardt'sche mehrere Briefe enthalte, die bei Uylenbroek fehlen, und dass andere Briefe, die in der Uylenbroek'schen Sammlung nur nach dem Hugens'schen Entwurfe mitgetheilt sind, bei ihm vollständig erscheinen. Hätte Gerhardt selbst nicht so aufmerksam seinen Lesern gegenüber sein und kurz angeben können, welche Briefe er der Uylenbroek'schen Sammlung entlehnt hat? Fürchtete er vielleicht den Vorwurf zu grosser Penibilität? Die von Uylenbroek gegebenen Entzifferungen Hugens'scher Anagramme (Uylenbroek Bd. II, p. 38 und 83) fehlen bei Gerhardt (Bd. II, p. 48 und 87). Eben so wenig giebt Gerhardt im I. Bande überall bestimmt an, welche Briefe von ihm nach vorhandenen Originalen herausgegeben, welche er aus Wallis, Dutens u. s. f. entlehnt hat, was in einzelnen Fällen sehr erwünscht wäre, nicht blos wegen des p. 154 fehlenden Datums (21. Juni 1677).

Im Betreff des Briefwechsels mit Johann Bernoulli stand Gerhardt die 1745 in Genf erschienene Ausgabe desselben zu Gebote. Gerhardt sagt von derselben (Bd. III, p. 132), „dass sie lückenhaft und unvollständig sei, nur die wenigsten Briefe ohne Auslassung abgedruckt sind .... und dass der unbekannte Herausgeber die harten und nicht eben auf feine Weise ausgedrückten Urtheile Bernoullis unterdrücken zu müssen geglaubt habe. In seiner Ausgabe seien die Lücken dagegen sämmtlich ausgefüllt, und lieferten ein treffliches Material, um ein deutliches Bild von dem Charakter Joh. Bernoullis zu gewinnen. Die Briefe Leibnizens hätten jedoch in Ermangelung der Originale grösstentheils so wiedergegeben werden müssen, wie sie in der Genfer Ausgabe sich vorfänden". Dazu ist zu bemerken, dass Gerhardt eine Sammlung der Werke Leibnizens zu geben hat; daher war es minder nothwendig, dasjenige mit aufzunehmen, was in den Bernoulli'schen nicht von weiter bedeutendem Interesse ist — mag es auch noch so sehr zur Charakteristik Bernoullis beitragen, von dem Gerhardt in nicht harter und nicht eben unfeiner Weise sagt: „Er strotzt durch und durch von ungemessenem Stolze und höchster Anmassung etc." (Bd. III, p. 113) — und zwar um so weniger, als es ja Gerhardt nicht möglich war, die in den Leibniz'schen Briefen vorhandenen Lücken sämmtlich auszufüllen, und als drittens Gerhardt in den Briefwechseln mit Varignon und Hermann es (Bd. IV, p. 88 und 258) für nothwendig erachtet hat, alles auszuscheiden, was nicht von wissenschaftlichem Interesse ist. Oder soll man das etwa auch Consequenz nennen? Und weiter, weshalb glaubt Gerhardt sich berechtigt, jenen unbekannten Herausgeber nur zu tadeln, zumal da 1. Gerhardts Bemerkung „dass nur die wenigsten Briefe ohne Auslassungen abgedruckt sind", übertrieben ist, da 2. Gerhardt wissen musste, dass ohne Bernoulli's — der erst 1748 starb — Zustimmung jene Ausgabe gar nicht veranstaltet werden konnte, und Bernoulli, wie gering auch Gerhardt von seinem Charakter denken mag, doch noch so viel Tact besass, Bemerkungen, die in Rücksicht auf gegenseitige Discretion gemacht waren, nicht der Oeffentlichkeit preisgegeben zu sehen, 3. aber Gerhardt es unerwähnt gelassen hat, dass er die meisten seiner Notizen zu dem gedachten Briefwechsel jener Ausgabe entnommen hat? Warum zeigt sich denn Gerhardt nicht hier auch dankbar? Weit ehrenvoller wäre es für Gerhardt gewesen, wenn er der Genfer Ausgabe die ihr gebührende Anerkennung hätte gönnen wollen. Sie hat vor der seinen mancherlei Vorzüge: 1. ausser der kurzen Inhaltsübersicht der einzelnen Briefe am Anfang den sehr brauchbaren Index am Ende des Werkes, 2. die grössere Anzahl der Citate und 3. grössere Sorgfalt der Correctur.

Hierbei kann es Referent überhaupt nicht verschweigen, wie störend ihm wiederholt die vielen bei der Lectüre der Gerhardt'schen Gesammtausgabe entgegentretenden Druck- und Redactionsfehler gewesen sind; Referent hat deren allein weit über hundert bemerkt; und geradezu lächerlich ist es, bei solcher Fülle am Ende des II. Bandes 3, und des IV. Bandes 1 Druckfehler, im Ganzen demnach 4 verzeichnet zu sehen.

Zum Schluss noch einige Bemerkungen. Gerhardt ist wie bereits erwähnt, ein eifriger Lobredner Leibnizens, sich oft zu überschwänglichen Ausdrücken versteigend und auch damit den Raum ausfüllend (z. B. Band V, p. 4: „Kranz der Unsterblichkeit“, „riesiges Unternehmen“, „kolossales Unternehmen“, „Grossartigkeit des Unternehmens“, Energie eines grossen Geistes“, „grossartiger Gedanke“ .... alles auf einer Seite). Dass Leibniz als Mensch menschlicher Schwäche unterworfen, also auch dem Irrthum ausgesetzt war, davon will Gerhardt nur wenig wissen. Es ist schon viel, wenn Gerhardt durch Leibnizens eigne Geständnisse gezwungen wird, zuzugestehen, dass Leibniz irrt; dann weiss er aber auch triftige Entschuldigungsgründe beizubringen. So sind die von Leibniz in der Abhandlung (*A. E.* 1706 p. 10) „*de lineae super linea incessu* ....“ begangenen Versehen nach Gerhardt (Bd. III, p. 129) nur Folge der Aufregung Leibnizens über das taktlose Benehmen Bernoullis, weshalb er nicht mit gewohnter Ruhe und Ueberlegung habe arbeiten können“. Rührt es nun von einem gewissen innern Widerstreben her, oder liegt es darin, dass Gerhardt, wie Sloman („Anspruch Leibnizens auf die Erfindung der Differentialrechnung p. 57“) behauptet, bisweilen unbewusst etwas giebt, wovon er nichts versteht, und ist es so eine eigene Ironie des Schicksals, genug Gerhardt giebt durch seine Ausgabe, wie oben angedeutet ward, Veranlassung, Leibnizens Charakter keineswegs immer in ungetrübtem Lichte glänzen zu lassen. Darüber noch Einiges nach der Reihenfolge der Bände.

I. Wenn Gerhardt die Briefe, welche Leibniz mit de la Loubère, mit Conti, Remond, Chamberlayne, mit Fatio de Duillier (durch Vermittelung des hannöverschen Gesandten de Beyrie) u. A. gewechselt hat, in seine vollständige Gesammtausgabe nicht aufgenommen hat, so hätte er dasselbe auch hinsichtlich der drei, eigentlich nur zwei Briefe umfassenden Correspondenz mit Galloys (Bd. I) thun können, denn ihr Inhalt ist theilweise auch anderswoher bekannt. Indess die Briefe sind aufgenommen und gewähren den wenig erfreulichen Anblick, den Leibniz um vergeblichen Strebens nach äusserer Ehre willen, einem Manne, wie Galloys, von welchem er selbst verächtlich dachte (Bd. III, p. 816), schmeichelnd huldigen und einem andern Manne, dem er so vielen Dank schuldete, nicht einmal einen kleinen Freundschaftsdienst erweisen zu sehen. Oldenburg nämlich hatte Leibniz, als er Ende October 1676 von London nach Holland reiste, gebeten, Briefe von ihm an Spinoza mitzunehmen. Obgleich nun Leibniz den Spinoza im Laufe des Novembers 1676 mehrmals sprach (Cf. Briefwechsel mit Galloys, Bd. I p. 179), so hatte er dennoch jene Briefe nicht abgegeben (Bd. I, p. 150).

II. In den *Actis Er.* 1699 p. 87 war eine anonyme, aber von Leibniz herrührende (Bd. III. p. 541— 581) Recension einer aus den Phil. Trans. in die Acta aufgenommenen Abhandlung von Dav. Gregory „*de*

Catenaria“ (*A. E.* 1698, p. 305) erschienen. Weshalb hat Gerhardt diese in seine Sammlung (Bd. V, p. 336) aufgenommen und abweichend von der Veröffentlichung in den *Actis* als Leibniz angehörig in der Ueberschrift bezeichnet, da doch andere Recensionen Leibnizens in seiner Gesammtausgabe fehlen? Wollte etwa Gerhardt dem Leser Veranlassung geben, zu beobachten, wie Leibniz in nicht eben offener und ehrlicher Weise diese seine Autorschaft dem Wallis gegenüber (Cf. Bd. IV, p. 71 f.) verhehlt und dessen bittere Bemerkung: „*Est utique quoddam hominum genus, qui .... magis satagunt, aliorum famam laedere, quam ut bene mereantur ipsi*“ ruhig auf sich nimmt?

III. Hermann — wie in andern Fällen, so mag auch hier die Erörterung anderer Einzelheiten, zu denen z. B. p. 256, ferner p. 258 und 321 des Briefwechsels zwischen Hermann und Leibniz Veranlassung geben, unterlassen bleiben — hatte auf Leibnizens Wunsch (Bd. IV, p. 284) einen Nekrolog seines Lehrers Jacob Bernoulli geschrieben, und denselben Leibniz (p. 288) zugesendet, damit ihn dieser behufs seiner Veröffentlichung in den *Actis Er.* (1706 p. 41) an deren Herausgeber, Mencken in Leipzig, übermittele. Ausser dem innern Drange, auch seinerseits den genannten von der Berliner Akademie der Wissenschaften 1757 zuerst veröffentlichten Briefwechsel zu emendiren, hatte Gerhardt durchaus keine Verpflichtung, jenen Nekrolog mitzutheilen; aber der Leser soll doch sehen, wie Leibniz den Schluss dieses Nekrologs, in welchem die verschiedenen Arbeiten Jacob Bernoullis aufgezählt werden und auch Leibniz als Erfinder der Differentialrechnung genannt wird, in eine Verherrlichung seiner eigenen Persönlichkeit umzuwandeln versteht und sich nicht scheut, ohne Hermann's Erlaubniss zuvor erbeten zu haben, das Manuscript in der so veränderten Weise auch wirklich zu veröffentlichen. Liegt es nicht nahe den Leibniz der Undankbarkeit gegen Jacob Bernoulli zu zeihen? Und wie dankbar ist diese Mittheilung Gerhardts von den Gegnern Leibnizens hinsichtlich des Prioritätsstreites zwischen Leibniz und Newton wegen Erfindung der Infinitesimalrechnung zu benutzen.

IV. Bd. V, p. 215 spricht Gerhardt von „einer Leibniz sehr missgünstigen Kritik, die Leibniz der Ignoranz zeihe und die alte Anklage des Plagiats gegen ihn erneuere“. Wie wiederholt anderwärts, so bewegt sich auch hier Gerhardt in allgemeinen Behauptungen. Warum nennt er denn den betreffenden Kritiker (wohl Sloman?) nicht, und warum widerlegt er nicht dessen Irrthümer? Entweder vermag er es nicht, oder ist zu bequem, oder scheint gefühlt zu haben, dass Slomann Recht hat, wenn er in Gerhardt selbst die Veranlassung zu seinen Ausschreitungen erkennt, denn Gerhardt hat, wie solches Referent früher a. e. a. O. bereits bemerkt hat, durch, weil ungegründete, darum auch unzweckmässige Uebertreibungen dem Leibniz nicht immer grossen Dienst erwiesen (Cf. Bd. III, p. 132, Abhandlung 1855, p. 62).

Aber noch eigenthümlicher ist es, dass Gerhardt selbst den Leibniz der Unwahrheit bezüchtigt und ihn indirect als Plagiarius hinstellt. Wie oben (S. 8) bereits erwähnt ward, behauptet Gerhardt Bd. VI, p. 12, dass Leibniz die Abhandlung Nr. IX, des VI. Bandes das „*Tentamen de motuum coelestium causis*“ (2. Bearbeitung nach der Gerhardt'schen Annahme), geschrieben habe, nachdem Leibniz Newtons Werke genau studirt habe. Nun erklärt Leibniz Bd. VI, p. 255: „*Constat me tunc cum Tentamen ad Actorum Lipsiensium Collectores misi in itinere dissitisque locis fuisse, neque Newtonianorum Principiorum Librum adhuc inspexisse, sed tantum Recensionem ejus vidisse in Actis factam*“ und dasselbe nur in anderer Weise in eben jener Nr. IX Bd. VI p. 181: „*Video hanc propositionem jam tum innotuisse etiam viro celeberrimo Isaaco Newtono, ut ex relatione Actorum apparet, licet inde non possim judicare, quomodo ad eam pervenerit*“, wie er die gleiche Versicherung öffentlich in Nr. VIII gegeben hatte. Gerhardt wird nun zwar behaupten: „Ja, Leibniz hat hier öffentlich eine Unwahrheit gesagt, denn in dem von mir zuerst veröffentlichten Briefe an Hugens (Bd. VI, p. 189), sagt Leibniz ausdrücklich: „*Après avoir bien consideré le livre de M. Newton, que j'ai vu à Rome pour la première fois, j'ai admiré*“, und im Jahre 1688 war Leibniz in Rom; ferner liegt zwischen dem Erscheinen der Pfautz'schen Relation in den *Actis* (1688 p. 303) und der Veröffentlichung des „*Tentamen*“ (1689 p. 92) und der beiden andern gleichzeitig publicirten Leibniz'schen Abhandlungen (*de lineis opticis* .... und *de resistentia medii et motu projectorum gravium in medio resistente*), in Berücksichtigung, dass damals Leibniz in Italien war, allzukurze Zeit, als dass jene Relation die erste unmittelbare Veranlassung zur Schöpfung der genannten Abhandlungen war.

Ist aber Gerhardts Behauptung wahr, so liegt es nahe, dass Leibniz bei der Anfertigung des *Tentamen* und des *Schediasma de resistentia medii*, in welchem Leibniz zum Schluss so stolz von sich sagt: „*Sed nobis nunc fundamenta Geometrica jecisse suffecerit* ....“. Newtons Principia benutzt habe, und zeiht dann Gerhardt den Leibniz nicht indirect des Plagiats?

Zuletzt nur noch die Versicherung, dass die zur Begründung der vom Referent aufgestellten Behauptungen gemachten Anführungen in vielen Fällen nicht unbedeutend hätten vermehrt werden können, und dass wiederholt sich aufdrängen wollende schärfere Bemerkungen mit Absicht unterdrückt worden sind.

Delitzsch. GIESEL.

Lehrbuch der Geometrie für die oberen Klassen der Mittelschulen. Von Dr. K. Sonndorfer. I. Theil, Geometrie der Ebene. Wien W. Braumüller 1865.

Nach dem Vorworte dieses Werkes sollte man glauben, der Verfasser habe eine in mancher Beziehung originelle Arbeit geliefert; wie sich aber in Wirklichkeit die Sache verhält, mag die folgende Nebeneinanderstellung zeigen, bei welcher links einige Partieen aus dem Lehrbuche des Referenten (Grundzüge der Geometrie des Maasses, 3. Aufl., Eisenach 1859), rechts die entsprechenden Partieen aus der Sonndorfer'schen Geometrie excerpirt sind.

Schlömilch.	*Sonndorfer.*
S. 2: Durch stetige Bewegung eines Punktes kann eine Linie beschrieben oder construirt werden (indem man die Linie gewissermaassen als die Spur ansieht, welche der Punkt hinter sich zurücklässt). Die genannte Entstehungsweise der geometrischen Gestalten führt von selbst auf einige der wichtigsten Grundbegriffe der Geometrie. Soll nämlich ein Punkt sich stetig fortbewegen, um eine Gerade zu beschreiben, so muss er die Stelle des Raumes, an welcher er sich befindet, verlassen und sich nach einer anderen Gegend des Raumes begeben, d. h. er muss in irgend einer Richtung weiter gehen. Hierbei können nun zwei Fälle eintreten; entweder nämlich behält der Punkt bei seiner Bewegung die einmal eingeschlagene Richtung fortwährend bei oder nicht, wodurch natürlich verschiedene Linien entstehen. Im ersten Falle nennt man die beschriebene Linie eine gerade Linie oder kurzweg Gerade und kann daher sagen: die gerade Linie ist diejenige, welche durchaus nach einer und derselben Richtung verläuft u. s. w.	S. 8: Wir können uns eine Linie entstanden denken durch die stetige Fortbewegung eines Punktes, indem wir voraussetzen, dass der Punkt gleichsam eine Spur zurücklässt. Diese Entstehungsweise führt uns auf einige der wichtigsten Grundbegriffe der Geometrie. Der sich bewegende Punkt muss offenbar von jener Stelle des Raumes, wo er sich befindet, sich zu einem anderen Orte des Raumes begeben, d. h. er muss in irgend einer Richtung weiter gehen. Entweder behält nun der Punkt die einmal eingeschlagene Richtung fortwährend bei oder er ändert sie stetig. Die entstehenden Linien müssen also nothwendigerweise zweierlei Art sein, und wir nennen daher die im ersten Falle entstehenden Linien gerade Linien, die im zweiten Falle krumme Linien. Wir sagen daher: Die gerade Linie ist diejenige, welche durchaus nach einer und derselben Richtung läuft u. s. w.
S. 7: Die Eigenschaften der geraden Linie sind fast sämmtlich so ursprüngliche und einfache, dass sich von denselben kein Beweis, sondern nur ein Nachweis geben lässt. a) Das einzige Merkmal, welches wir an einer unbegrenzten Geraden wahrnehmen, ist ihre Richtung; gleichwohl aber reicht die Kenntniss dieser Richtung nicht hin, um die Gerade selbst so unzweifelhaft zu bestimmen, dass man sie von jeder anderen Geraden sogleich unterscheiden würde; denn es kann offenbar mehrere Gerade geben, welche dieselbe Richtung besitzen, ohne deshalb mit jener völlig einerlei zu sein, und man erhält in der That solche Gerade, wenn man von verschiedenen Punkten des Raumes aus jedesmal nach einer und derselben Richtung fort-	S. 9: Die Eigenschaften der geraden Linie sind so einfach, dass sich eigentlich gar kein Beweis für sie geben lässt. Das erste, was wir an einer unbegrenzten geraden Linie unterscheiden, ist ihre Richtung. Diese reicht jedoch zu deren Bestimmung noch nicht hin; denn wir können von jedem Punkte des Raumes nach ein und derselben Richtung fortgehen. Soll somit eine Gerade bestimmt sein, so muss ausser ihrer Richtung auch noch ein in ihr liegender Punkt gegeben sein.

geht. Ist dagegen ausser der Richtung der Geraden noch der Punkt bekannt, von welchem sie aus oder durch welchen sie hindurch geht, so kann kein Zweifel mehr über die Lage der Geraden sein, d. h.: Eine Gerade ist ihrer Lage nach bestimmt, sobald ein Punkt in ihr und ihre Richtung gegeben sind.

b) Nehmen wir, statt eines Punktes, zwei Punkte (*A* und *B*) in einer geraden Linie an, so sondert sich aus der unbegrenzten Geraden ein begrenztes Stück aus. Ueber diese begrenzte Gerade gelten folgende Grundsätze, erstens: zwischen zwei gegebenen Punkten ist nur eine einzige Gerade möglich (wohl aber beliebig viele krumme Linien), und zweitens: von allen Linien zwischen zwei Punkten ist die gerade Linie die kürzeste.

S. 8: *c*) Von den beiden Merkmalen einer begrenzten geraden Linie (Richtung und Länge) ist nun jedes einer Veränderung fähig. Geht die Gerade, welche von einem gegebenen Punkte ausläuft, in eine andere Richtung über, ohne jedoch ihren Anfangspunkt zu verlassen, so sagt man, sie habe sich um ihren Anfangspunkt gedreht. Behält die gerade Linie bei dieser Bewegung auch noch ihre Länge bei, so beschreibt ihr Endpunkt eine Linie, welche die Eigenschaft besitzt, dass jeder ihrer Punkte von dem festen Anfangspunkte der Geraden gleich weit entfernt liegt etc.

d) Aendert zweitens die Gerade ihre Grösse, so tritt eine Verlängerung oder Verkürzung derselben ein. Geschieht die Zunahme so, dass die Gerade um ihre eigene Grösse mehrmals nach einander verlängert wird, so vervielfacht man die Gerade. Umgekehrt muss es auch möglich sein, eine gegebene Gerade in eine vorgeschriebene Anzahl gleicher Theile zu theilen. Fassen wir nun das Bisherige zusammen, so dürfen wir sagen: Es ist jederzeit möglich, Gerade von gegebenen Längen zu addiren, zu subtrahiren, zu vervielfachen und zu theilen.

§. 2. Zwei Gerade.

Man kann zwei Gerade auf doppelte Weise mit einander vergleichen, indem man entweder ihre Richtungen, oder, im Fall beide begrenzt sind, ihre Längen in's Auge fasst. Hier soll nur die erste dieser Vergleichungen vorgenommen werden, die zweite dagegen überlassen wir dem späteren Capitel von der Ausmessung geradliniger Gebilde. Hinsichtlich der Richtungen zweier Geraden sind nun zwei Fälle möglich; entweder nämlich haben beide

Betrachten wir statt eines Punktes zwei Punkte einer geraden Linie, so ist der zwischen diesen beiden Punkten liegende Theil dieser unbegrenzten Geraden eine begrenzte Gerade, und wir haben für diese folgende Grundsätze: 1. Zwischen zwei gegebenen Punkten ist nur eine Gerade möglich. Krumme Linien können beliebig viele durch zwei Punkte gelegt werden. 2. Die gerade Linie ist der kürzeste Weg zwischen zwei Punkten.

S. 10: Eine gerade Linie hat also vorzüglich zwei Merkmale: *Richtung und Länge*. Beide können sich ändern. Schlägt die Gerade eine andere Richtung ein, ohne dass sie hierbei ihren Anfangs- oder Ausgangspunkt verlässt, so sagen wir, die Gerade hat sich um ihren Anfangspunkt gedreht.

Wird bei dieser Drehung die Länge der Geraden nicht geändert, so beschreibt der Endpunkt derselben eine Linie, welche die Eigenschaft besitzt, dass jeder ihrer Punkte von dem Anfangspunkte dieser sich drehenden Geraden gleich weit entfernt ist u. s. w.

Aendern wir aber nicht die Richtung, sondern die Länge einer begrenzten Geraden, so kann entweder eine Verlängerung oder Verkürzung eintreten.

Nimmt die Gerade mehrmals um ihre eigene Länge zu, so sagen wir, die Gerade vervielfacht sich. Umgekehrt muss es auch immer möglich sein, eine Gerade in eine vorgeschriebene Anzahl gleicher Theile zu theilen.

Aus dem Bisherigen folgt also: Gerade von gegebener Länge können addirt, subtrahirt, multiplicirt und dividirt werden.

4. Zwei Gerade Linien.

Zwei begrenzte gerade Linien können auf zweifache Weise mit einander verglichen werden: entweder betrachten wir ihre Richtung oder ihre Länge. Hier wollen wir uns mit dem ersteren befassen; das letztere für das Capitel über die Ausmessung geradliniger Gebilde aufsparend.

Vergleichen wir zwei gerade Linien bezüglich ihrer Richtung, so können zwei Fälle eintreten Die beiden Geraden haben

Gerade eine und dieselbe Richtung, oder sie laufen nach verschiedenen Richtungen u. s. w.	entweder dieselbe oder eine verschiedene Richtung u. s. w.
S. 11: Sind nun die Geraden wirklich soweit verlängert, dass sie in einem Punkte zusammentreffen, so entsteht an diesem Punkte ein neues geometrisches Gebild: der Winkel. Bezeichnet wird ein Winkel entweder, wenn keine Verwechselung möglich ist, durch einen einzigen an seinen Scheitel gesetzten Buchstaben (*O*) etc. Statt des Wortes „Winkel" pflegt man gewöhnlich das einfache Zeichen $\angle$ zu setzen.	S. 12: Verlängern wir zwei gerade Linien verschiedener Richtung so lange, bis sie sich schneiden, so entsteht durch ihren Durchschnitt ein neues geometrisches Gebilde, der Winkel. Um einen Winkel zu bezeichnen, schreibt man entweder nur zu dem Scheitel einen Buchstaben (*A*), vorausgesetzt, dass keine Verwechslung möglich ist etc. Statt des Wortes „Winkel" pflegt man gewöhnlich das Zeichen $\angle$ zu setzen.
S. 13: Eintheilung der Winkel. Denkt man sich die Drehung der Geraden *OA* soweit fortgesetzt, bis sie in die der ursprünglichen Lage gerade entgegengesetzte Lage *OB* kommt, so entsteht derjenige Winkel, welchen man den gestreckten Winkel nennt, und man kann daher die Erklärung aufstellen: der gestreckte Winkel ist derjenige, dessen Schenkel in einer geraden Linie einander entgegengesetzt liegen. Da der gestreckte Winkel zu seiner Entstehung nicht eine beliebige, sondern eine ganz bestimmte Drehung erfordert, welche sich stets gleich bleibt, so folgt auf der Stelle, dass der gestreckte Winkel der einzige seiner Art ist und mithin alle gestreckten Winkel einander gleich sind etc.	S. 13. 6. Eintheilung der Winkel. Drehen wir die Gerade *AB* um ihren Anfangspunkt *A* so lange, bis sie in die der ursprünglichen Lage gerade entgegengesetzten Lage *AC* kommt, so nennen wir den von diesen zwei Geraden gebildeten Winkel einen gestreckten oder flachen Winkel. Der gestreckte Winkel ist also derjenige, dessen Schenkel in einer Geraden einander entgegengesetzt liegen. Der gestreckte Winkel ist der einzige seiner Art, denn er erfordert zu seiner Entstehung eine ganz bestimmte Drehung. Daraus folgt also: Alle gestreckten Winkel sind einander gleich etc.

Wie man sieht, ist die Uebereinstimmung eine fast wörtliche; die etwaigen kleinen stylistischen Abweichungen, die überdies nicht selten Verstösse gegen Grammatik und Logik enthalten, sind von derselben wohlbekannten Art, wie sie ein fauler Tertianer macht, der eines Anderen Arbeit abschreibt und den Lehrer durch einige schlau angebrachte Aenderungen zu täuschen meint. In dieser Weise geht es nun so weit fort, als es des Referenten Buch erlaubte, und wer sich die Mühe des Vergleichens nehmen will, wird diese Behauptung namentlich in folgenden Abschnitten bestätigt finden:

Cap. II, §§ 5, 7, 8, 9	=	vierter Abschnitt, No. 16, 17,
§§ 14, 15	=	fünfter Abschnitt, No. 23,
pag. 48, 49, 50	=	pag. 69, 70,
pag. 52, 53	=	pag. 71, 72,
§§ 22, 23, 24, 25, 26	=	achter Abschnitt, No. 36, 37, 38, 39.

An vielen anderen Stellen ist die Uebereinstimung zwar keine wörtliche, aber der Sachverständige wird doch augenblicklich bemerken, dass der Verfasser keine eigenen Gedanken giebt, sondern nur das paraphrasirt, was er aus des Referenten Buche entnommen hat. Ein Beispiel hierzu liefert die Definition der trigonometrischen Functionen stumpfer und überstumpfer Winkel. Um nämlich die Nothwendigkeit der entgegengesetzten Vorzeichen fühlbar zu machen, ging Referent von dem Begriffe der Projection aus, und indem er gleichzeitig den veränderlichen Bogen und dessen Endradius auf den Anfangsradius projicirte, benutzte er den im ersten Quadranten selbstverständlichen Satz: „die Projection des Radius ist der Unterschied zwischen dem Radius und der Projection des Bogens", als allgemeine Erklärung der Projection des Radius, wodurch sich das Vorzeichen der Projection des Radius von selbst bestimmt. Der Cosinus wurde dann allgemein als das Verhältniss der Radiusprojection zum Radius definirt und damit gleich das nöthige Vorzeichen festgestellt. Für den Sinus diente ganz analog die Nebenprojection etc. Dies Alles findet man ebenso bei Herrn Dr. Sonndorfer, die Hauptsätze auch mit denselben Worten ausgedrückt. Trotzdem fällt es dem Verfasser nirgends ein, die von ihm auf eine so ungebührliche Weise ausgebeutete Quelle zu nennen, und es bleibt daher dem Referenten nichts übrig, als Herrn Dr. Sonndorfer's Gebahren der öffentlichen Meinung Preis zu geben, welche ohne Mühe entscheiden wird, ob hier ein Plagiat vorliegt oder nicht.

SCHLÖMILCH.

Leitfaden für den Unterricht im technischen Zeichnen. Von Dr. C. F. DIETZEL, Oberlehrer am Gymnasium und der damit verbundenen Realschule, sowie Lehrer an der königl. Baugewerkenschule in Zittau. Mit Holzschnitten. — I. Heft. Die Elemente der Projectionslehre (73 S.); II. Heft. Die Schattenconstruction (59 S.); III. Heft. Die Elemente der Perspective (78 S.); IV. Heft. Die angewandte Projectionslehre (96 S.). — Leipzig, E. A. Seemann, 1864.

Die vorliegenden vier Hefte sind ihrer didactischen Bedeutung wegen in dieser Zeitschrift wohl einer kurzen Besprechung werth. Sie enthalten die Projectionslehre oder die Lösung der Aufgabe, einen Körper (oder ein begrenztes geometrisches Gebilde überhaupt) von bekannter Gestalt, Grösse und Stellung in einer Zeichnung darzustellen, und deren Anwendungen. Das erste Heft zeigt die Darstellung durch rechtwinklige Parallelprojectionen, das dritte die durch die Centralprojection oder Perspective; beide umfassen im Wesentlichen das Pensum der beiden oberen Klassen der sächsischen Realschulen. Das zweite Heft giebt die Schattenconstruction und das vierte die angewandte Projectionslehre (Durchschnitte von Mauern und Gewölben, Durchdringungen und Netze der Körper, Ausmittelung der Dachflächen, Schrauben, Darstellung von Treppen, Grundzüge der axonometrischen und schiefwinkligen Parallelprojection); alle vier Hefte zusammengenommen enthalten das Pensum der Baugewerken-, Werkmeister- und mittleren Gewerbschulen. Eine Bemerkung muss der Referent gleich hier machen, dass nämlich die im vierten Hefte enthaltenen Abschnitte von der Durchdringung der Körper und von den Netzen — vielleicht auch die über die axonometrische und schiefwinkliche Parallelprojection — zweckentsprechender ihre Stelle in dem ersten Hefte gefunden hätten. Da das vorliegende Buch für einen ganz bestimmten Schülerkreis geschrieben worden ist, so muss dieser Umstand bei der Beurtheilung maassgebend sein. Wer, wie der Verfasser, eine lange Reihe von Jahren den Unterricht in der Projectionslehre an Schulen der oben genannten Art ertheilt hat, hat Gelegenheit gehabt, die Bedürfnisse solcher Anstalten kennen zu lernen. Die geringe Anzahl von Lehrstunden gestatten dem Lehrer nicht viel Zeit auf Vortrag und Repetition zu verwenden, vielmehr müssen die Stunden hauptsächlich den Uebungen gewidmet werden. Hierin liegt eine Aufforderung, dem Schüler ein Buch in die Hand zu geben, aus dem er sich auf die Stunden vorbereiten, oder wonach er das Vorgetragene zu Hause wiederholen kann. Der vorliegende Leitfaden gewährt nun dem Schüler die Hilfe, die er in vielen Fällen nöthig hat. Da das Buch die Unterweisung durch einen Lehrer nicht ersetzen soll, so wird man es auch ausreichend finden, dass die Figuren im kleinen Maassstabe in Holzschnitt ausgeführt sind, namentlich wenn man noch berücksichtigt, dass es bei einem Schulbuche darauf ankommt, den Preis desselben möglichst niedrig zu stellen. Der Preis der einzelnen Hefte ist auch in der That sehr gering. Was nun die Arbeit des Verfassers selbst betrifft, so müssen wir dieselbe als klar und verständlich rühmen; sie hält, und das verlangte der Zweck des Buches, die rechte Mitte zwischen einer streng wissenschaftlichen und einer mehr populären Darstellung. Nach genauer Durchsicht kann daher der Referent die anspruchlosen Hefte als praktisches Schulbuch nur empfehlen. Für seine Brauchbarkeit spricht gewiss auch der Umstand, dass dasselbe gleich nach seinem Erscheinen in mehrere Schulen eingeführt oder wenigstens den Schülern zur Anschaffung empfohlen worden ist. Die äussere Ausstattung des Buches ist sehr sauber, nur sind, was wir nicht verschweigen wollen, hier und da Druckfehler stehen geblieben.

Plauen. Dr. RUDOLF HOFFMANN.

Lehrbuch der Trigonometrie für höhere Lehranstalten. Von Herm. GRASSMANN, Professor am Gymnasium zu Stettin. Berlin, Verlag von Enslin.

Das vorliegende kleine Werk von 115 Seiten gehört unter die nicht gerade sehr häufigen Lehrbücher, denen man mit Vergnügen ansieht, dass sie aus einer längeren pädagogischen Praxis entsprungen sind, und die sich eben deswegen durch ein gewisses didaktisches Geschick auszeichnen. Es ist daher nicht überraschend, dass der Verfasser zunächst nur eine trigonometrische Function betrachtet und zwar den *cosinus*, weil bei diesem nur Stücke der beiden Schenkel des betreffenden Winkels vorkommen. Erst nach einer ausführlicheren Untersuchung des *cosinus* geht der Verfasser zu den übrigen Functionen über, beschränkt sich aber im § 1 immer auf die Voraussetzung spitzer Winkel. In § 2 folgt die Verallgemeinerung der früheren Sätze und zwar mittelst des Begriffes der Projection, welcher u sorgfältig erläutert wird und wobei die Vorzeichen der Projectionen stimm ng finden. Der Verfasser definirt dann (übereinstimmend mit t ten) den *cosinus* als das Verhältniss der Projection einer Strecke zur Str cke selber, und zufolge der genannten Vorarbeiten, die überh eine Zierde des Buches bilden, ist es ihm nun leicht, die Formel n sogleich allgemein zu beweisen. Die übrigen trigonome- t. ionen definirt der Verfasser durch die Gleichungen

$$si\,n\,x = cos\,(90^\circ - x),\ tan\,x = \frac{sin\,x}{cos\,x}\ \text{u. s. w.,}$$

kurz, aber insofern nicht consequent ist, als dabei der auch hier der Projection aufgegeben oder wenigstens in blosse Formeln § 3 Auflösung des schiefwinkligen e Fo metrischen Wege abgeleitet wer- dem mli e Sammlung complicirterer Auf- z. B. die Berechnung Drei aus seinen drei Höhen. In § 4 ist Viereck behandelt und eine kurze Notiz über die Auflösung der Polygone hinzugefügt; Referent vermisst hierbei die allgemeinen Formeln der Polygonometrie

$$0 = a\,cos\,\alpha - b\,cos\,(\alpha+\beta) + c\,cos\,(\alpha+\beta+\gamma) - \ldots,$$
$$0 = a\,sin\,\alpha - b\,sin\,(\alpha+\beta) + c\,sin\,(\alpha+\beta+\gamma) - \ldots,$$

die sich durch Projectionen unmittelbar ergeben und eine weitere Ausführung jener Notiz gestattet haben würden. Eine Reihe von Vermessungsaufgaben (Pothenot'sches Problem und dergleichen) bildet den Inhalt von § 5; ferner findet man in § 7 die trigonometrische Auflösung der quadratischen und cubischen Gleichungen; den Beschluss macht § 8, die sphärische Trigonometrie, leider ohne Anwendungen und ohne den Legendre-schen Satz, der wohl einen Platz verdient hätte.

Den einen, bei der vorigen Inhaltsangabe unerwähnt gelassenen Paragraphen (6) möchte Referent gestrichen sehen, denn die vom Verfasser dort gegebenen Entwickelungen der Reihen für *cos x*, *sin x*, *arcsin x*, *arctan x* etc. genügen nach keiner Richtung. Schon der Anfang ist wunderlich genug; er lautet nämlich: „es sei die Aufgabe gestellt, den *sinus* und *cosinus* eines Winkels x in unendlichen Potenzenreihen von x zu entwickeln". Da nun bis zu dieser Stelle Winkel nie anders als in Graden, Minuten etc. ausgedrückt worden sind, so kann der Schüler auch unter x sich nichts Anderes als eine Anzahl von Graden, Minuten etc. denken und dann wird es ihm mit Recht als eine absurde Forderung erscheinen, solche benannte Zahlen zu potenziren. Um diesen Uebelständen zu entgehen, musste der Verfasser gleich im Voraus dafür sorgen, dass x eine unbenannte Zahl war, und dann wäre die nachträgliche Untersuchung, mit welchem Maasse man eigentlich gerechnet hat (S. 87 und 88), überflüssig gewesen. Was nun die Reihenentwickelungen selber betrifft, so sind dieselben mittelst der Methode der unbestimmten Coefficienten ungefähr so ausgeführt, wie dies zu

Abraham Gotthelf **Kästner's** Zeiten üblich war. In wieweit die erhaltenen Resultate richtig sind, wird gar nicht untersucht, vielmehr scheint der Verfasser an dem alten Aberglauben festzuhalten, dass die Convergenz der gefundenen Reihe nicht nur eine nothwendige, sondern auch die hinreichende Bedingung für das Bestehen der fraglichen Gleichung sei. Welche sonderbaren Consequenzen daraus gezogen werden können, möge folgendes Beispiel darthun. Wie gewöhnlich bezeichne $arctan\, x$ den kleinsten Bogen, welcher x zur Tangente hat, und es sei

$$arctan\, x = c_1 \frac{x}{1+x^2} + c_3 \left(\frac{x}{1+x^2}\right)^3 + c_5 \left(\frac{x}{1+x^2}\right)^5 + \cdots.$$

Differenzirt man beiderseits, was auch elementar gemacht werden kann, so erhält man nach Multiplication mit $1+x^2$

$$1 = \frac{1-x^2}{1+x^2} \left\{ 1\, c_1 + 3 c_3 \left(\frac{x}{1+x^2}\right)^2 + 5 c_5 \left(\frac{x}{1+x^2}\right)^4 + \cdots \right\}.$$

Das Quadrat dieser Gleichung lässt sich wegen

$$\left(\frac{1-x^2}{1+x^2}\right)^2 = 1 - 4 \left(\frac{x}{1+x^2}\right)^2$$

und bei Gebrauch der Abkürzung

$$\frac{x}{1+x^2} = z$$

auf folgende Weise darstellen:

$$1 = (1 - 4 z^2)(1 c_1 + 3 c_3 z^2 + 5 c_5 z^4 + \ldots)^2,$$

und hieraus erhält man nach vollständiger Entwickelung die Werthe

$$c_1 = 1,\ c_3 = \frac{2}{3},\ c_5 = \frac{6}{5},\ c_7 = \frac{20}{7}, \ldots.$$

oder allgemein

$$c_{2n+1} = \frac{(2n)_n}{2n+1},$$

worin $(2n)_n$ den mittelsten Binomialcoefficienten für den Exponenten $2n$ bedeutet. In der hiermit abgeleiteten Gleichung

$$arctan\, x = \frac{x}{1+x^2} + \frac{(2)_1}{3} \left(\frac{x}{1+x^2}\right)^3 + \frac{(4)_2}{5} \left(\frac{x}{1+x^2}\right)^5 + \cdots$$

ist die Reihe convergent für **jedes** reelle x, wollte man aber hieraus schliessen, dass auch die Gleichung für jedes reelle x gelte, so würde man sich die Folgerung

$$arctan\, x = arctan\, \frac{1}{x}$$

gefallen lassen müssen, denn die Reihe bleibt dieselbe, wenn $\frac{1}{x}$ an die Stelle von x gesetzt wird.

SCHLÖMILCH.

Bibliographie

vom 1. November bis 15. December 1864.

Periodische Schriften.

Ma[illegible]mati[illegible]e Abhandlungen der Königl. Akademie der [illegible]haften zu Berlin. Aus dem Jahre 1863. Berlin, Dümmler. 8 Ngr.

Physikalische Abhandlungen der Königl. Akademie der Wissenschaften zu Berlin. Aus dem Jahre 1863. Ebendas. 2 Thlr. 22 Ngr.

Journal für reine und angewandte Mathematik, herausgeg. von C. W. Borchardt. 64. Bd., 1. Heft. Berlin Reimer. pro compl. 4 Thlr.

Astronomisches Jahrbuch für 1867. Herausgeg. von der Direction der Berliner Sternwarte, unter Redaction von Wolfers. Berlin, Dümmler. 3 Thlr.

Reine Mathematik.

Durège, H., Elemente der Theorie der Functionen einer complexen veränderlichen Grösse. Leipzig, Teubner. 1 Thlr. 18 Ngr.

Strauch, G. W., Praktische Anwendungen für die Integration der totalen und partialen Differentialgleichungen. 1. Bd. Braunschweig, Vieweg. 3 Thlr.

Blazek, G., Transformation und Berechnung einiger bestimmten Integrale. Wien, Gerold's Sohn. 4 Ngr.

Sohncke's Sammlung von Aufgaben aus der Differential- und Integralrechnung. 3. Aufl., herausgeg. von E. Heis. 2 Theile. Halle, Schmidt. 2 Thlr. 2 Ngr.

Heis, E., Sammlung von Beispielen und Aufgaben aus der allgemeinen Arithmetik und Algebra. 14. Aufl. Cöln, DuMont-Schauberg. 1 Thlr.

Escher, P., Elementare Theorie der Differenzen briggischer und trigonometrischer Logarithmen. Wien, Gerold's Sohn. 12 Ngr.

Schrön's Logarithmen. 3 Tafeln. 5. Ster.-Ausg. Braunschweig, Vieweg. 1⅓ Thlr.

Ohlert, B., Lehrbuch der Mathematik für Realschulen etc. 2. Abth. Arithmetik. 1. Cursus. Elbing, Neumann-Hartmann. ⅔ Thlr.

Unferdinger, J., Die Wurzelform der allgemeinen Gleichung vierten Grades. Wien, Gerold's Sohn. 2 Ngr.

Boymann, J., Lehrbuch der Mathematik für Gymnasien. 1. Thl. Geometrie der Ebene. 3. Aufl. Cöln und Neuss, Schwann'sche Verlagshandlg. ⅜ Thlr.

Martini, F., Das Dreieck und seine Parallelogramme. Ravensburg, Dorn. 14 Ngr.

Sonndorfer, R., Lehrbuch der Geometrie. 1. Thl. Geometrie der Ebene. Wien, Braumüller. 1 Thlr. 26 Ngr.

Grassmann, H., Lehrbuch der Mathematik für höhere Lehranstalten. 2. Thl. Trigonometrie. Berlin, Enslin. ⅙ Thlr.

Wittiber, Sammlung trigonometrischer Aufgaben nebst Auflösungen. 2. Thl. Auflösungen. Breslau, Maruschke & Berendt. ¼ Thlr.

Pfeil, L. v., Anwendung der Secanten zur Auffindung der Sinus, Tangenten und Bogen kleiner Winkel aus fünfstelligen Tafeln. Greifswald, Koch. ⅙ Thlr.

Hofmann, F., Aufgaben über die Anwendung der Algebra auf Geometrie. Bayreuth, Grau. 6 Ngr.

Breymann, C., Grundzüge der sphärischen Trigonometrie, analytischen Geometrie und höheren Analysis. Wien, Braumüller. 3 Thlr.

Schwarz, C. A., *De superficiebus in planum explicabilibus primorum septem ordinum. Dissert. inaug.* Berlin, Calvary & Comp. ⅓ Thlr.

Heronis Alexandrini geometricorum et stereometricorum reliquiae. Accedunt Didymi Alex. mensurae marmorum et anonymi variae collectiones ex Herone, Euclide etc. *e libris manuscriptis ed. F. Hultzsch.* Berlin, Weidmann. 2⅔ Thlr.

Angewandte Mathematik.

Kraft, G., Anfangsgründe der Theodolithmessung und der ebenen Polygonometrie. Hannover, Helwing. 1 Thlr.

Nägeli, C. u. Schwendener, Das Mikroskop. Theorie und Anwendung desselben. 1. Thl. Theorie des Mikroskops und der mikroskopischen Wahrnehmung. Leipzig, Engelmann. 1 Thlr. 18 Ngr.

Bauernfeind, C. M., Die atmosphärische Strahlenbrechung auf Grund einer neuen Aufstellung über die physikalische Constitution der Atmosphäre. 1. Abth. Die astronomische Strahlenbrechung. München, Liter.-artist. Anstalt. 12 Ngr.

Olbers', W., Abhandlung über die leichteste und bequemste Methode, die Bahn eines Cometen zu berechnen. 3. Ausg., vermehrt mit einem Anhange etc. von J. G. Galle. Leipzig, Voigt & Günther. 2⅔ Thlr.

—— —— Der Nachtrag separat. ⅔ Thlr.

OPPOLZER, TH., Untersuchung über die Bahn des Planeten (73) „Clytia". Wien, Gerold's Sohn. 4 Ngr.

ENGELMANN, R., Messungen von 90 Doppelsternen, am 9füssigen Refractor der Leipziger Sternwarte ausgeführt. Leipzig, Engelmann. 1 Thlr. 12 Ngr.

BRUHNS, C. u. W. FÖRSTER, Bestimmung der Längendifferenz zwischen den Sternwarten zu Berlin und Leipzig, auf telegraphischem Wege ausgeführt. Leipzig, Günther. 1⅓ Thlr.

CARL, PH., Repertorium der Cometen-Astronomie. München, Rieger's Univ.-Buchh. 3 Thlr.

BRÜNNOW, F., *Spherical astronomy. Translated by the author.* Berlin, Dümmler. 5 Thlr.

DARBY, W. A., *The astronomical observer; a handbook to the observatory and the common telescope.* London, Hartwicke. 7 sh. 0 d.

Physik.

FECHNER, C. TH., Ueber die physikalische und philosophische Atomenlehre. 2. Aufl. Leipzig, Mendelssohn. 1⅓ Thlr.

CLAUSIUS, R., Abhandlung über die mechanische Wärmetheorie. 1. Abth. Braunschweig, Vieweg. 1⅓ Thlr.

FISCHER-OOSTER, C. v., Beiträge zur Kenntniss der Vertheilung der Wärme im Raume. Bern, Huber & Comp. 4 Ngr.

SCHEFFLER, H., Die physiologische Optik. Eine Darstellung der Gesetze des Auges. 1. Theil. Braunschweig, Vieweg. 2⅔ Thlr.

STEFAN, J., Ueber die Dispersion des Lichtes durch Drehung der Polarisationsebene im Quarz. Wien, Gerold's Sohn. 6 Ngr.

—— —— Ueber eine Erscheinung am Newton'schen Farbenglase. Ebendas. 1½ Ngr.

BRASAK, H., Spectralanalytische Untersuchungen der Metalle. Halle, Schmidt. ⅚ Thlr.

HASSENSTEIN, C. H., Das elektrische Licht. Erläuternde und kritische Besprechung seiner Benutzung zur Beleuchtung von Strassen etc. 2. Aufl. Weimar, Voigt. 1¼ Thlr.

Meteorologische Beobachtungen an 88 Stationen der Schweiz. Jahrg. 1864. 1. Heft. Zürich, Höhr. 7⅓ Thlr.

KUNZEK, A., Lehrbuch der Physik mit mathematischer Begründung. 3. Aufl. Wien, Braumüller. 3⅔ Thlr.

Literaturzeitung.

Recensionen.

Passages relatifs à des sommations de séries de cubes *extraits de deux manuscripts arabes inédits, par* M. F. Woepcke. Rome 1864.

In der Literaturzeitung des vorigen Jahrgangs Seite 49 habe ich eine Brôchure gleichen Titels angezeigt, einen Separatabzug eines in den Tortolini'schen Annalen veröffentlichten Aufsatzes. Die gegenwärtig mir vorliegende Brochure bildet eine ergänzende Fortsetzung der früheren Abhandlung, leider die letzte, welche von Seiten des gelehrten Verfassers zu gewärtigen ist, der bekanntlich im vorigen Frühjahre in der Blüthe seines Mannesalters, im 37. Jahre seines arbeitvollen Lebens der Wissenschaft entrissen worden ist. Ich halte es daher doppelt für meine Pflicht, die Fortsetzung in gleicher Weise zu besprechen, wie es mit der ersten Abhandlung geschah. Damals zeigte Woepcke mit Rücksicht auf einige Pariser Codices, dass die Summationsformel der Cubiczahlen mindestens auf Ibn Albannâ, den Zeitgenossen Leonardo's von Pisa, zurückzuführen ist, vielleicht sogar bis auf einen Mathematiker des Jahres 1000. In der neuen Abhandlung hat Wöpcke zwei noch unedirte Codices des British Museum in London benutzt. Das Hauptinteresse, welches an dieselben sich knüpft, besteht theils darin, dass jene Formel wieder in Zusammenhang mit einer Schrift des Ibn Albannâ erscheint, theils dass es wieder zwei Mathematiker des S. XV sind, welche die Formel mittheilen. Der erste Codex (bezeichnet CCCCXVII der orientalischen Manuscripte) ist nämlich ein Commentar zu dem Talkhîs (Rechenbuch) des Ibn Albannâ von Ibn Almadjdî aus dem Jahre 1431. Die Handschrift selbst trägt das Datum 1436. Hier finden sich Regeln für die Summation der Cuben aller auf einander folgenden Zahlen, der graden Zahlen und der ungraden Zahlen. Der zweite Codex (bezeichnet CCCCXIX der orientalischen Manuscripte) enthält in einer Abschrift vom Jahre 1589 ein Originalwerk von Ghiyâth Alqâchâui, betitelt „Schlüssel der Rechenkunst". Das Zeitalter dieses als Arzt und Mathematiker berühmten Schriftstellers erhellt daraus, dass er Mitarbeiter an den bekannten Tafeln von Ouloug Beg war, welche 1437 vollendet wurden. Hier findet sich nicht blos die Formel für die Summe der auf einander folgenden Cubiczahlen, sondern auch für die Summe der vierten Potenzen der Zahlen von 1 bis n; freilich beide ohne Beweis, während in dem zuerst genannten Commentare eine eben so strenge als elegante Beweisführung vorhanden ist, wie es mit dem Wesen einer zur Erläuterung dienenden Schrift übereinstimmt.

CANTOR.

Le Talkhys d'Ibn Albannâ *publ. et trad. par* *Aristide Marre, professeur, officier de l'instruction publique.* Rome 1865. XII. 31. (*Extrait des Atti dell' Accademia pontificia de' nuovi Lincei. T. XVII. 7ème séance du 5. Juin 1864.*)

Der im vorigen Jahre durch einen frühen Tod der Wissenschaft leider entrissene, durch Kenntniss der Mathematik wie der orientalischen Sprachen ausgezeichnete Gelehrte, Franz Woepcke, hatte den Abriss der Rechenkunst des Ibn Albannâ im Original aus der Handschrift Marsh 378 No. CCXVII der Bodleyanischen Bibliothek in Oxford copirt, um durch Uebersetzung desselben die Kenntniss der Leistungen der Araber zu erweitern, wofür er so werthvolle Beiträge bereits geleistet hatte. Mit seinem Verlust drohte auch der Verlust der vorbereiteten Arbeit. Dass dieser verhütet wurde, verdankt man der Bemühung des um die Geschichte der Mathematik hoch verdienten Fürsten Balthasar Boncompagni, der Herrn Marre bestimmte, die Uebersetzung jenes Werkes auszuführen. Diese erschien zunächst in den Acten der päpstlichen Akademie de' nuovi Lincei mit dem arabischen Text nach der Abschrift Woepcke's. Ohne letzteren ist sie nun auch als selbstständiges Werk bekannt gegeben.

Ibn Albannâ (c. 1222 n. Chr.) giebt in seinen Talkhys, von Marre mit *traité d'analyse des opérations du calcul* übersetzt, einen gedrängten Abriss der damaligen Arithmetik und Algebra in 2 Theilen. Der 1. Theil handelt von der bekannten Zahl; der Numeration, Addition, wozu auch die Summirung geometrischer und arithmetischer Reihen, und Reihen von Quadraten und Cuben beigegeben wird; von der Subtraction, an welche die Auffindung der Reste bei Division einer Zahl mit 9, 8, 7 sich anschliesst; von der Multiplication und Bildung des Quadrates eines mehrgliedrigen Ausdrucks; von der Division und der Vertheilung nach Verhältnissen, der Zerlegung in Factoren und Ausfindigmachung der Primzahlen; von der Bestimmung der Zahl, mit der eine Zahl multiplicirt zu einer grösseren oder zu einer kleineren wird, wie z. B. 8 durch 3 zu 24, 36 durch $\frac{1}{3}$ zu 12 wird. Diese Erhöhung und Verminderung (*réintégration* und *abaissement* nach Marre) findet ihre Anwendung bei den Gleichungen, wenn der Coefficient des Quadrates der Unbekannten ein echter Bruch oder eine ganze Zahl ist, und deshalb auf 1 zu erhöhen oder zu erniedrigen ist. Ferner handelt der 1. Theil von den Brüchen, ihren Arten und der Bildung der Zähler, ihrer Addition, Subtraction, Multiplication, Division, Erhöhung, Erniedrigung, Umwandlung in einen Bruch mit gegebenem Nenner. Endlich handelt der 1. Theil von den Quadratwurzeln aus ganzen Zahlen, Brüchen und Binomen mit Wurzelgrössen, und von der Addition, Subtraction, Multiplication und Division von Quadratwurzeln; letztere wird auch auf den Fall ausgedehnt, dass der Divisor ein Binom mit Wurzelgrössen ist. Der 2. Theil handelt in grosser Kürze von der Auffindung einer unbekannten Grösse, 1, durch die Proportion, 2, durch die Regel über die Resultate zweier beliebigen Annahmen für die Unbekannte, 3, durch die Gleichungen von folgender Art: $ax^2=bx$, $ax^2=n$, $bx=n$, $ax^2+bx=n$, $ax^2+n=bx$, $bx+n=ax^2$. Daran reihen sich Anweisungen, zwei- und mehrgliedrige Ausdrücke zu addiren und subtrahiren, von denen die Umwandlung eines Ausdrucks wie $(8x^2-5)-(6x^2-3x)$ in $(8x^2+3x)-(6x^2+5)$ durch Addition von $3x$ und 5 bei den beiden eingeklammerten Ausdrücken, hervorzuheben sein dürfte; ferner die Multiplication zweier Potenzen mit gleicher Grundzahl, die Reduction einer Gleichung wie $8x^4=16x^3+64x^2$ auf $8x^2=16x+64$, das Gesetz der Vorzeichen bei der Multiplication, die Division einer Potenz durch eine andere von gleicher Grundzahl, die Division einer Differenz mit einer Zahl, während der umgekehrte Fall als nicht statthabend angeführt wird.

Die Uebersetzung des Herrn Marre scheint mit Mühe gemacht zu sein; derselbe nimmt auch die Nachsicht der Orientalisten und Mathematiker in Anspruch. Sie ist aber an keiner Stelle zu dunkel und wo man über die Sache zweifelhaft sein könnte, ist durch erklärende Anmerkungen nachgeholfen. Bezüglich der Darstellungen des Inhaltes in der heutigen Form sollte an einigen Stellen der Wortlaut noch genauer eingehalten sein, z. B. Seite 5, Note 1, $S_2=(\frac{2}{3}n+\frac{1}{3}.1).S$, statt $S_2=\frac{2n+1}{3}.S_1$. Seite 7, Note 2 $S_3=S_1.2S_1$ statt $S_3=2S_1^2$. Aus gleichem Grunde sollten Seite 17 in der Einmaleinstabelle 10 und die Producte aus 10 noch beigefügt sein.

Herr Marre hat übrigens mit grösster Sorgfalt der ihm gewordenen Arbeit sich unterzogen und es darf nicht unbemerkt bleiben, dass er an 2 Stellen, Seite 22 und 26, den Text aus dem Commentar des Alkalçâdî ergänzt hat. Kurz vor der 1. Stelle soll nach dem Druckfehlerverzeichniss *par le numerateur* nach dem Worte *le numerateur* ergänzt werden; vielleicht soll aber die Stelle vollständig heissen *le numerateur du dividende par le numerateur du diviseur.*

Möge der Bemühung des Herrn Marre die verdiente Beachtung zu Theil werden!

Ansbach. FRIEDLEIN.

Lehrbuch der Geometrie mit Einschluss der Coordinatentheorie und der Kegelschnitte. Zum Gebrauche bei den Vorträgen an der vereinigten Artillerie- und Ingenieurschule und zum Selbstunterricht bearbeitet von Dr. K. H. M. Aschenborn, Professor am Berliner Cadettenhause, Lehrer und Mitglied der Studiencommission der vereinigten Artillerie- und Ingenieurschule. — Erster Abschnitt. Die ebene Geometrie. Berlin 1862. Verlag der Königl. Geh. Oberhofdruckerei. — Zweiter, dritter und vierter Abschnitt. Die Stereometrie, die Coordinatentheorie und die Kegelschnitte. Daselbst 1864.

Das hier in zwei Bänden vorliegende, ziemlich ausführliche Lehrbuch der Geometrie schliesst sich nach Zweck und Methode an das früher von demselben Verfasser veröffentlichte Lehrbuch der Arithmetik, welches im sechsten Jahrgange dieser Zeitschrift (S. 71 der Literaturzeitung) kurz angezeigt worden ist und bildet mit demselben einen vollständigen Lehrgang der elementaren Mathematik.

Was zunächst die ebene Geometrie betrifft, so wird diese in acht Kapiteln behandelt. Das erste Kapitel bespricht die Lage gerader Linien in der Ebene, den Winkel und seine verschiedenen Arten, die Abhängigkeit der Winkel von der Lage der Geraden (Parallelentheorie, die Eigenschaften der Winkel in Vielecken). Das zweite Kapitel enthält zunächst einige besondere Sätze, welche sich auf die Abhängigkeit der Winkel von der Länge der Seiten in geradlinigen Figuren beziehen (die Winkel gleichschenkliger Dreiecke und Verwandtes), sodann folgt die Lehre von der Congruenz der Dreiecke, woran sich verschiedene Folgerungen, namentlich die Besprechung der verschiedenen Arten der Parallelogramme und ihrer Eigenschaften, sowie die Auseinandersetzung der einfachsten geometrischen Constructionen schliessen. Das dritte Kapitel hat die Vergleichung der von geraden Linien begrenzten Figuren in Rücksicht auf ihren Inhalt und die Bestimmung des letzteren zum Gegenstande. Besonders hervorzuheben haben wir die Sorgfalt, mit welcher der Verfasser seine Entwickelungen auf den Fall incommensurabler Linien ausgedehnt hat. Der Inhalt dieses Kapitels bietet vielen Stoff zu Uebungen, indem theils eine grössere Anzahl Uebungsaufgaben sich vorfinden, theils auch viele Lehrsätze (§. 64—74) behandelt sind, welche nützliche Anwendungen der früher behandelten Sätze enthalten. Im vierten Kapitel wird die Vergleichung der Figuren in Rücksicht auf ihre Form, ihre Aehnlichkeit und die Proportionalität der Seiten vorgetragen. An die Spitze des Kapitels hat der Verfasser die folgende Definition gestellt: „Zwei Vielecke von gleicher Seitenzahl heissen ähnlich, wenn die Seiten des einen sich zu einander verhalten, wie in derselben Ordnung die Seiten des andern, und wenn die von homologen Seiten eingeschlossenen Winkel beider Vielecke einander gleich sind" (S. 82). Nach dieser Definition gehören zur Aehnlichkeit zweier Vielecke von n Seiten $2n-2$ Bedingungen, nämlich $n-1$ von einander unabhängige Proportionen und eben so viele Gleichungen *zwischen* je zwei Winkeln. Da aber die Aehnlichkeit zweier solcher Vielecke schon durch $2n-4$ Bedingungen (z. B. die Proportionalität der Seiten und der von zwei entsprechenden Ecken ausgehenden Diagonalen) erwiesen ist, so enthält die Definition des Verfassers zwei Bedingungen zu viel, schliesst also einen Lehrsatz in sich und ist daher formell nicht zulässig. Uebrigens bietet auch dieses Kapitel eine grosse Reichhaltigkeit des Inhaltes, indem sich an die Sätze über die Aehnlichkeit der Vielecke noch eine Menge anderer, auf die Lehre von den Transversalen und die harmonische Theilung bezüglicher anschliessen. Das fünfte Kapitel ist der Kreislehre gewidmet. Als beachtenswerth und von dem gewöhnlichen Verfahren abweichend heben wir die Methode hervor, deren sich der Verfasser zur Berechnung der Umfangszahl π bedient. Ist nämlich u der Umfang eines regulären Vieleckes von n Seiten, R der Radius des umschriebenen, r der des eingeschriebenen Kreises, so lassen sich leicht die beiden analogen Radien R' und r' eines regulären Vieleckes von $2n$ Seiten finden, das denselben Umfang hat. Durch eine ganz einfache geometrische Betrachtung ergiebt sich nämlich

$$r' = \frac{R+r}{2}, \quad R' = \sqrt{Rr'}.$$

Ausgehend nun von einem Vielecke mit dem Umfange 6, für welches $R=1$, $r = \frac{1}{2}\sqrt{3}$ ist, findet man für ein Vieleck von 3072 Seiten

$$R = 0{,}95492982, \quad r = 0{,}95492933;$$

zwischen diesen Werthen liegt demnach der Halbmesser des Kreises, dessen Umfang $= 6$ ist, woraus für π sich die Grenzen

3,1415937 und 3,1415921

ergeben. Dieses zuerst vom Cardinal Nicolaus von Cusa angewandte Verfahren verdient vielleicht wegen der leichten Entwickelung der zur Ausführung desselben nöthigen Formeln mehr Beachtung als ihm bisher geschenkt worden ist.

Auch diesem Kapitel sind zahlreiche Beispiele und Uebungsmaterialien beigegeben.

In ziemlicher Ausführlichkeit behandelt das sechste Kapitel die geometrische Analysis. Nachdem der Begriff der geometrischen Analysis erörtert, die Aufgaben in örtliche und nicht örtliche, bestimmte und unbestimmte eingetheilt, und die Determination der Aufgaben besprochen worden, wendet sich der Verfasser zur Auseinandersetzung der verschiedenen Methoden. In dieser Beziehung unterscheidet er Analysis durch Gesetze, A. durch Data, A. durch geometrische Oerter, A. durch Reductionen. Es folgen dann Dreiecksaufgaben (§. 175), die Pothenot'sche Aufgabe (§. 176), Kreisaufgaben (§. 177), vermischte (§. 178), Verwandlungs- (§. 179) und Theilungsaufgaben (§. 180). Noch umfangreicher ist das siebente Kapitel, welches die algebraische Geometrie enthält. Der Inhalt dieses Kapitels ist indessen zu mannigfaltig, als dass wir in der Kürze einen

berblick ... n könnten. Bemerken wollen wir nur, dass der letzte P
aph d ... en die Entwickelung der Lagny'schen Reihe für π gieb
ang ... Verfahren ist Nichts weiter als die Methode der unb
mmte ... ienten; der Verfasser setzt nämlich zunächst

$$Arctan\ x = a_1 x + a_2 x^2 + a_3 x^3 + \ldots,$$

zeigt dann, ... uns in der Sprache der Differentialrechnung kürzer ausz
drücken, d

$$\frac{d}{dx} Arctan\ x = \frac{1}{1+x^2}$$

ist durch eine einfache geometrische Betrachtung und gelangt dadur zur Bestimmung der Coefficienten $a_1, a_2, a_3, \ldots$; für $x = \sqrt{\frac{1}{3}}$ ergiebt si dann die gesuchte Reihe. Gegen dieses Verfahren lassen sich natürli alle die Bedenken erheben, die man gegen die Methode der unbestimmt Coefficienten aufgestellt hat, indessen ist die Ausführung desselben so ei fach und anschaulich, dass dasselbe beim Unterrichte wohl von Nutzen se kann. Uebrigens hat der Verfasser ganz dasselbe Verfahren im §. 220 z Entwickelung der Sinus- und Cosinusreihen angewandt; doch sind die zwei Reihen schon im Lehrbuche der Arithmetik auf ihre Convergenz u tersucht worden. — Das letzte, achte Kapitel endlich beschäftigt si mit der ebenen Trigonometrie. Aufgefallen ist uns hier, dass der Verfa ser die Auflösung der Dreiecke ziemlich weit zurückstellt, denn er en wickelt erst die ganze Goniometrie und ihrt die Auflösung von Gleichu gen zwischen den Functionen eines unbekannten Winkels, ehe er zur B rechnung der rechtwinkligen Dreiecke übergeht. Indessen beeinträchti diese Anordnung nicht die Anwendung des Buches beim Unterrichte, hier leicht die späteren Paragraphen sich früher besprechen lassen. D verschiedenen trigonometrischen Formeln leitet der Verfasser alle aus de Sinussatze ab, giebt aber ausserdem noch von jeder einen geometrisch Beweis.

Die Stereometrie zerfällt in fünf Kapitel. Das erste behand die Lage der Linien und Ebenen im Raume, das zweite ganz kurz d körperliche Ecke. Im dritten Kapitel kommen die verschiedenen Kö per, namentlich die Berechnung des Inhaltes derselben, ausführlich z Sprache. Der Gang, den unser Verfasser einschlägt, weicht hier etw von dem sonst üblichen ab. Zunächst nämlich handelt er vom Inhalte d Prismen und Cylinder und geht dann über zu den Körpern mit veränd lichen parallelen Durchschnittsflächen; für diese entwickelt er dann d Regel, dass wenn der Querschnitt die Form hat

$$y = a + bx + cx^2 + \ldots,$$

der Inhalt K durch die Gleichung

$$K = ax + \tfrac{1}{2}bx^2 + \tfrac{1}{3}cx^3 + \ldots$$

gegeben ist. Als ein specieller Fall dieses Theoremes erscheint die Sim son'sche Regel, welche den Inhalt eines Körpers von dem Querschnit

$$y = a + bx + cx^2 + dx^3$$

genau durch die Formel

$$K = \frac{h}{6}(G_1 + 4G_2 + G_3)$$

angiebt, wo h die Höhe, G_1 und G_3 die parallelen Endflächen und G_2 den Querschnitt in der halben Höhe bedeuten. Zu den Körpern dieser Art, den von Simpson'schen Körpern gehören nun Pyramide, Obelisk, Kegel und Kugel, deren Inhalt sich demnach leicht finden lässt. — Im vierten Kapitel trägt der Verfasser die sphärische und körperliche Trigonometrie vor. Den Ausgangspunkt bildet hier die Formel

$$\cos a = \cos b \cos c + \sin b \sin c \cos \alpha,$$

wo a, b, c die Seiten des sphärischen Dreiecks bedeuten, α der Gegenwinkel von a ist. Mittels des Polareckdreieckes ergiebt sich daraus die entsprechende Formel

$$\cos \alpha = -\cos \beta \cos \gamma + \sin \beta \sin \gamma \cos a,$$

und aus diesen zweien werden nun die übrigen abgeleitet. Nach Aufstellung der verschiedenen Formeln wird dann die Berechnung der rechtwinkligen und schiefwinkligen Dreiecke gelehrt, woran sich noch die Entwickelung der Formel von L'Huilier für den sphärischen Excess (nach Lobatto abgeleitet), der Legendre'sche Satz, betreffend sphärische Dreiecke von geringer Krümmung, und die Betrachtung der regulären Körper schliesst. Anhangsweise wird an dieser Stelle noch der Satz Euler's über die Anzahl der Ecken, Flächen und Kanten eines Polyeders abgeleitet. — Das fünfte Kapitel hat zum Gegenstande die beschreibende Geometrie. Der Verfasser löst hier die Fundamentalaufgaben, die Darstellung von Punkten, geraden Linien und Ebenen betreffend, mit Hilfe senkrechter Parallelprojection und entwickelt dann noch die wichtigsten Sätze der axonometrischen Projection.

Der dritte Abschnitt enthält in drei Kapiteln die Coordinaten-Theorie. Sowie das vorige Kapitel nur den Zweck hat, dem besonderen Unterricht im geometrischen Zeichnen als mathematische Grundlage zu dienen, so soll der dritte Abschnitt nur für die darauf folgende Theorie der Kegelschnitte, sowie für das Studium der mechanischen Wissenschaften die Vorbereitung bilden, aber keineswegs eine ausführliche Darstellung der analytischen Geometrie enthalten. Der Inhalt der drei Kapitel ist folgender: 1) Allgemeine Gesetze, welche aus der Beziehung der Raumgrössen auf ein Coordinaten-System entspringen. 2) Coordinatengleichungen in der Ebene. Die gerade Linie. Die Kreislinie. 3) Coordinatengleichungen im Raume. Die Ebene. Die gerade Linie im Raume. Die Kugeloberfläche.

Der vierte Abschnitt endlich giebt eine kurze Theorie der Kegelschnitte. Nachdem zuerst die verschiedenen Arten der Schnitte des normalen Kreiskegels im Allgemeinen characterisirt worden, werden die Eigenaften r ıınpunkte auf die übliche Art mittels einer in den Kegel g ,Dem Kugel entwickelt. Die weitere Untersuchung zerfällt el und wird mittels der Methoden der analytischen Geometri. Im ersten Kapitel werden die Gleichungen der Kegelschnitte a st und mittels dieser Gleichungen verschiedene Eigenschaften ht; die drei nächsten Kapitel beschäftigen sich spezieller mit urabel, Ellipse und Hyperbel.

Aus die Uebersicht wird man erkennen, dass der Inhalt dieses Lehrbuches ein sehr reichhaltiger ist. Die Darstellung ist fast durchgängig der Sache angemessen, deutlich und streng; die grosse Anzahl der Uebungsaufgaben, welche allen Kapiteln beigegeben sind und zur Einübung und Erläuterung der vorgetragenen Sätze dienen können, erhöhen noch die Brauchbarkeit desselben. Ob w ursprünglich bestimmt, den Vorträgen des Verfassers an der vereinigten rtillerie- und Ingenieur-Schule als Grundlage zu dienen, wird das Werk doch auch beim mathematischen Unterrichte an jeder anderen höheren Lehranstalt, Realschule oder Gymnasium, mit Nutzen zu gebrauchen sein.

Gretschel.

L. A. Sohncke's Aufgaben aus der Differential- und Integralrechnung. Dritte vermehrte Auflage, herausgegeben von Prof. Dr. E. Heis. Halle, Druck und Verlag von H. W. Schmidt. 1865.

Die zweite Auflage des vorliegenden bekannten Werkes ist bereits im 4. Jahrgange der Literaturzeitung besprochen worden, und es braucht daher nur angegeben zu werden, in wie fern sich die dritte Auflage von ihrer Vorgängerin unterscheidet.

Zuerst muss Referent lobend hervorheben, dass der Herr Herausgeber das Buch von den sehr vielen Druckfehlern gesäubert hat, welche die Brauchbarkeit der vorigen Auflagen wesentlich beeinträchtigten. Ferner ist die Zugabe eines neuen Kapitels (IV), „die Taylor'sche und Maclaurin'sche Formel; Entwickelung der Functionen in Reihen", ohne Zweifel ein guter Gedanke, dessen Ausführung nur leider den modernen Ansprüchen in keiner Weise genügt. So findet man z. B. den Rest der Taylor'schen Reihe zwar angegeben (jedoch nur in der älteren unbequemen Form), derselbe erscheint aber als ein blosser Luxusartikel, denn bei allen folgenden Anwendungen der Sätze von Taylor und Maclaurin ist von Restuntersuchungen keine Rede. Es wird höchstens die Convergenzbedingung für die erhaltene Reihe aufgesucht und dann der Rest ohne Umstände über Bord geworfen, wodurch der Anfänger zu dem Glauben verleitet wird, die Convergenz der Reihe habe selbstverständlich das Verschwinden des Restes zur Folge. Dies braucht aber gar nicht der Fall zu sein; wird nämlich die in der Gleichung

$$f(x) - R_n = a_0 + a_1 x + a_2 x^2 + \ldots + a_n x^n$$

vorkommende Reihe für $n=\infty$ zu einer convergirenden Reihe, so folgt schlechterdings weiter nichts, als dass $f(x)-R_\infty$ eine endliche Grösse, mithin auch R_∞ eine endliche Grösse ist; ob dieselbe den Werth Null hat, oder eine gewisse Function von x bildet, würde dann immer noch einer besonderen Untersuchung bedürfen. Der genannte Irrthum ist um so gefährlicher, als es bei Reihen von anderen Formen in der That Fälle giebt, wo der Rest nicht verschwindet, auch wenn die Reihe convergirt. Setzt man z. B.

$$\tfrac{1}{2}x = a_1 \sin x + a_2 \sin 2x + \ldots + a_n \sin nx + R_n,$$

so findet man durch Differentiation leicht

$$a_1 = -\frac{1}{1},\ a_2 = -\frac{1}{2}, \ldots a_n = -\frac{1}{n},$$

$$R_n = \int_0^{\frac{1}{2}x} \frac{\sin(2n+1)t}{\sin t}\,dt;$$

bei unendlich wachsendem n convergirt zwar die Reihe, der Rest aber verschwindet nicht, namentlich im Falle $0 < x < \pi$ wird $R_\infty = \tfrac{1}{2}\pi$.

Einen groben Fehler enthält das Beispiel 12 auf S. 79. Für $\varphi(x) = \tan x$ findet nämlich der Herr Herausgeber

$$\varphi(0)=0,\ \varphi''(0)=0,\ \varphi^{IV}(0)=0, \ldots.$$
$$\varphi'(0)=1,\ \varphi'''(0)=2,\ \varphi^{V}(0)=2^3,\ \varphi^{VII}(0)=2^5;$$

hier ist der letzte Werth unrichtig, vielmehr muss es heissen $\varphi^{VII}(0) = 16.17 = 272$. Dieses kleine Versehen hätte an sich wenig zu bedeuten, wenn nicht im Buche hieraus die voreilige Consequenz $\varphi^{(2n+1)}(0) = 2^{2n-1}$ gezogen wäre, welche dann auf S. 80 zu der seltsamen Gleichung

$$\tan x = \frac{x}{1} + \frac{2^1 x^3}{1.2.3} + \frac{2^3 x^5}{1.2..5} + \frac{2^5 x^7}{1.2..7} + \ldots$$

Veranlassung giebt. Hiernach wäre also

$$\tan x = \frac{x}{2} + \frac{e^{2x} - e^{-2x}}{8}.$$

Man kann sich nur verwundern, dass der Herr Herausgeber diese auf der Hand liegende Folgerung übersehen hat und dass er durch das Fehlen der Bernoulli'schen Zahlen, deren Vorkommen in der Tangentenreihe doch wohl bekannt genug sein dürfte, nicht auf das vorige Versehen aufmerksam geworden ist. Uebrigens fehlt bei dieser Entwickelung und allen folgenden jede Angabe über die Grenzen ihrer Gültigkeit; dieser Vorwurf wiegt um so schwerer, als es bei Gleichungen wie

$$e^{\tan x} = 1 + \frac{x}{1} + \frac{x^2}{1.2} + \frac{3x^3}{1.2.3} + \ldots.$$

nur der Substitution $x=\pi$ bedarf, um sich zu überzeugen, dass dieselben nicht für alle x richtig sein können.

Neu hinzugekommen ist noch Kapitel V, welches die Definitionen und Differentialquotienten der hyperbolischen Functionen enthält. Referent

ii ei nur, dass der Herr Herausgeber die unpraktische und für
e(e glische, französische und überhaupt nichtdeutsche Mathe-
. I ı ıbrauchbare Bezeichnung Cos., Sin. etc. beibehalten hat,
Bl k in Liouville's Journal zeigt, dass die nicht wesentlich
I ı t bhendere Bezeichnung *snkp.*, *cskp.* etc., welche Referent
s or ır Zeit vorschlug, sich einzubürgern beginnt.
rige Inhalt des Buches ist bekannt.

Schlömilch.

Die Lehre von den elliptischen Integralen und den Theta-Functionen. Von K. H. Schellbach, Professor etc. Berlin, Druck und Verlag von Georg Reim

Der Verfasser erklärt in u urrede, er beabsichtige mit seinem Buche, mehr das iner Leser zu fördern, und verfolge in so fern re e Zwecke; überhaupt betrachte er die Theta-Functionen als e s, zu wenig bekanntes Instrument der Mathematik, mit dessen E o r die jüngere Generation vertraut machen wolle. Diesem Zwecke rechend, lässt der Verfasser die systematische Darstellung in den Hint...und treten und benutzt bald diese bald jene Hülfsmittel, wenn sie nur rasch zu einem Resultate führen. Es hat dies freilich den Nachtheil, dass die einzelnen Theile der Lehre von den elliptischen Integralen und Functionen etwas bunt durcheinander vorkommen und dass hierdurch der Ueberblick über das Ganze und dessen inneren Zusammenhang erschwert wird; da jedoch kaum anzunehmen ist, dass Jemand seine Kenntniss der genannten Theorie aus dem vorliegenden Buche allein wird schöpfen wollen, so verliert jener Nachtheil an Gewicht. Was den Inhalt des Werkes betrifft, so ist derselbe folgender.

In den 10 ersten Paragraphen wird der Begriff eines elliptischen Integrals festgestellt und gezeigt, wie alle Integrale dieser Gattung mittelst bekannter Substitutionen auf auf die schon von Legendre angegebenen drei Normalformen zurückgeführt werden können. Von hier springt die Darstellung plötzlich über zur Untersuchung des unendlichen Productes

$$(1-x)(1-xr)(1-xr^2)(1-xr^3)\ldots,$$

um in den §§. 11—18 zu den vier Jacobi'schen Functionen $\Theta(x)$, $\Theta_1(x)$, $\Theta_2(x)$, $\Theta_3(x)$ zu gelangen, welche hier durch die bekannten, nach den Cosinus und Sinus der Vielfachen von x fortschreitenden Reihen definirt werden. Zur Transformation der letzteren dient der bekannte Satz

$$\Sigma F(x+n\pi)=\frac{1}{\pi}\,\Sigma\int_{-\infty}^{\infty}F(u)\cos 2n(x-u)\,du,$$

$$n=-\infty,\ldots -2,\,-1,\,0,\,+1,\,+2,\ldots +\infty,$$

von welchem der Verfasser in §. 19 eine Ableitung giebt, die Referent durchaus nicht für streng gelten lassen kann. Nachdem mittelst jener Transformation die Theta-Functionen gewisser complexer Argumente auf Functionen reeller Argumente reducirt sind, wird in §. 23 gezeigt, dass die Quotienten

$$\frac{\Theta_1(x)}{\Theta(x)}, \quad \frac{\Theta_2(x)}{\Theta(x)}, \quad \frac{\Theta_3(x)}{\Theta(x)}$$

doppelt periodische Functionen von x sind; der Verfasser bezeichnet sie, nicht eben glücklich, mit $f(x)$, $g(x)$, $h(x)$, entwickelt in den §§. 24—35 ihre hauptsächlichsten Eigenschaften und kommt schliesslich zu dem Resultate, dass aus der Gleichung

$$u = \int_0^{\varphi} \frac{d\varphi}{\sqrt{1 - k^2 \sin^2\varphi}}$$

die drei umgekehrten Gleichungen folgen

$$\sin\varphi = \frac{1}{\sqrt{k}} f\left(\frac{\pi u}{2K}\right), \qquad \cos\varphi = \sqrt{\frac{k'}{k}}\, g\left(\frac{\pi u}{2K}\right),$$

$$\sqrt{1 - k^2 \sin^2\varphi} = \sqrt{k'}\, h\left(\frac{\pi u}{2K}\right).$$

Der vierte Abschnitt (§§. 36—64) behandelt die numerische Berechnung des elliptischen Integrales erster Art und empfiehlt sich hauptsächlich durch den dargebotenen Reichthum an Methoden und die vielen numerischen Beispiele. Im fünften Abschnitt (§§. 65—71) werden die Grundformeln für die Theta-Functionen nach einer zweiten Methode transformirt und hierdurch mehrere wichtige, von Jacobi herrührende Sätze auf einfache Art bewiesen. Der sechste Abschnitt (§§. 72—96) beschäftigt sich mit den zahlreichen Reihenentwickelungen für $\Theta(u)$, *snam u*, *csam u*, *Δam u* etc., welche in den Fundam. n. funct. ellipt. nach anderen, bekanntlich nicht völlig genügenden Methoden ausgeführt sind. Abschnitt VII enthält die Darstellung von $a + ib$ durch elliptische Functionen, Abschnitt VIII die Additionstheoreme, Abschnitt IX und X die Theorie der elliptischen Integrale zweiter und dritter Gattung. In den drei nächsten Kapiteln handelt es sich vorzugsweise um die Reduction verschiedener Integrale auf elliptische Integrale; Abschnitt XIV zeigt nachträglich, wie die sogenannte Stirling'sche Interpolationsreihe zur näherungsweisen Berechnung elliptischer Integrale benutzt werden kann.

Die zweite Abtheilung enthält Anwendungen der Theorie auf Probleme der Geometrie und Mechanik, namentlich Complanation des Ellipsoides und des schiefen Kegels, geodätische Linie, sphärisches Pendel, Drehung eines starren Körpers um einen festen Punkt.

Schlömilch.

..ch der algebraischen Analysis, von O. Schlömilch. 3. Aufl. Jena 1862.

Da es vielleicht manchem Leser der Zeitschrift von Interesse sein wird, ..in französisches Urtheil über das obige Buch zu hören, so möge hier die ..rrn Professor Houel zu Bordeaux in den „*Nouvelles Annales de Ma-*..." 2e série, t. III, 1864, veröffentlichte Besprechung auszugsweise ... Sie lautet:

„..us proposions depuis longtemps de signaler aux lecteurs des ...nales cet excellent ouvrage, dont nous ne saurions trop recommander l'étude aux candidats à nos grandes écoles et aux auditeurs des facultés des sciences. Les théories exposées dans ce livre forment une introduction à l'étude du calcul infinitésimal, servant de complément aux traités d'algèbre, et renfermant la plupart des formules importantes, qui ..uvent s'établir d'une manière simple et naturelle sans le secours de la ... ion ... rentielle. On en pourra juger d'après l'analyse sommaire que ... s donner des principaux chapitres. (Folgt die Angabe des In-...:) D'après cet aperçu nécessairement imcomplet, on peut juger ... é serait la lecture de cet ouvrage pour tous ceux qui veulent pousser ... des Mathématiques au delà des premiers éléments. Il serait donc bien à desirer que ce livre fût traduit dans notre langue. Cependant, grâce aux progrès que fait de nos jours l'enseignement des langues vivantes, il est à espérer que bientôt aucun candidat serieux à l'école polytechnique ne sera arrêté par la difficulté du texte allemand, dont le style est d'une clarté toute française."

Fünfstellige Logarithmentafeln der Zahlen und der trigonometrischen Functionen nebst den Gauss'schen Additions- und Subtractionslogarithmen und verschiedenen Hülfstafeln. Zweite Auflage. Von Dr. G. J. Hoüel, Professor der reinen Mathematik an der Facultät der Wissenschaften in Bordeaux. Berlin, Verlag von Asher & Comp. 1864.

Das vorliegende compendiöse Werk enthält ausser der üblichen Einleitung eine reichhaltige Sammlung von Formeln und Constanten nebst deren Logarithmen und dann folgende Tafeln: 1. Logarithmen der Zahlen von 1 bis 10800. 2. Tafel der Längen von Kreisbögen etc. 3. Logarithmen der trigonometrischen Functionen von Minute zu Minute. 4. Natürliche trigonometrische Functionen von Grad zu Grad, nebst Hülfstafeln zur Verwandlung von Stunden, Minuten und Secunden in Sexagesimatheile des Tages und in Decimaltheile des Tages. 5. Additions- und Subtractionslogarithmen. 6. Acht- und zehnstellige Logarithmen verschiedener oft vorkommender Zahlen. 7. Achtstellige Logarithmen der Zahlen von 100 bis 1000. 8. Abgekürzte Tafel zur Berechnung der Logarithmen mit 20 Decimalen. 9. Vier- und dreistellige gemeine Logarithmen, vierstellige Antilogarithmen und vierstellige natürliche Logarithmen. 10. Tafel der kleinsten Divisoren aller durch 2, 3 und 5 nicht theilbaren Zahlen von 49 bis 10841. 11. Zehnstellige natürliche trigonometrische Functionen und Kreisbögen von Grad zu Grad. Der Verfasser sagt zwar, seine Tafeln bildeten im Wesentlichen nur eine Wiederausgabe der Tafeln von Lalande, zufolge mancher Aenderungen und Zusätze muss man aber doch das Werk als ein neues betrachten. Im Uebrigen unterschreibt Referent gern die Empfehlung, welche Professor Grunert in einem besonderen Vorworte dem Buche vorausgeschickt hat, und ganz besonders ist er mit dem Wunsche einverstanden, dass auf den Schulen fünfstellige Tafeln immer mehr Eingang finden möchten. Wer das Kunststück zu Wege gebracht hat, eine Standlinie von 10000 Meter Länge bis auf einen Millimeter genau zu messen, der mag in Gottes Namen mit siebenstelligen Logarithmen rechnen; wer es aber noch nicht zu einer solchen Genauigkeit gebracht hat, der gleicht beim Rechnen mit sieben Stellen einem Rentier, der sich seine Zinsen bis auf Tausendtelpfennige auscalculirt.

Schlömilch.

Tables diverses pour la décomposition des nombres en leurs facteurs prémiers. *Par V. A. Lebesgue, professeur honoraire de la faculté des sciences de Bordeaux, membre de l'Institut. Paris, Gauthier-Villars.* 1864.

Der Verfasser, ein bekannter würdiger Veteran der Zahlentheorie, giebt in diesem kleinen, 37 Seiten umfassenden Schriftchen mehrere interessante Bemerkungen über die Construction und den Gebrauch des Zahlensiebes nebst der zugehörigen Tafel, welche Professor Houel berechnet hat. Es ist dies gewissermaassen ein Nachtrag zu den im Jahre 1859 von demselben Verfasser herausgegebenen *Exercices d'analyse numérique, Paris, Leiber et Faraguet*, an welche hier wegen ihres sehr lehrreichen Inhaltes erinnert sein möge.

Schlömilch.

Mathematische Tabellen, Formeln und Constructionen. Von H. Hertzer, **Lehrer an der königl. Bergakademie zu Berlin.** Berlin, Verlag von Rud. Gaertner. 1864.

Das vorliegende, 268 Seiten zählende Werk ist zwar zunächst für mathematisch gebildete Techniker bestimmt, denen es als Nachschlagebuch dienen und Specialwerke (z. B. Integraltafeln) ersetzen soll, dasselbe verdient aber auch den Mathematikern von Fach empfohlen zu werden, denn es enthält in streng wissenschaftlichem Geiste so ziemlich Alles, was man bei Untersuchungen gewöhnlicher Art zu brauchen pflegt. Aus dem ungemein reichen Inhalte heben wir zum Beweise des Gesagten Folgendes hervor. Die erste Abtheilung giebt die fünfstelligen Logarithmen aller Zahlen von 1 bis 10000, die Längen der Kreisbögen für Grade, Minuten und Secunden, die Logarithmen der goniometrischen Functionen von Minute zu Minute, die natürlichen Winkelfunctionen gleichfalls von Minute zu Minute, Tafeln verschiedener Potenzen und Wurzeln, natürliche Logarithmen, Factorentafeln u. dergl. m. Die zweite Abtheilung enthält alle gebräuchlichen Formeln und Lehrsätze der Algebra, algebraischen Analysis, Differential- und Integralrechnung, der synthetischen und analytischen Geometrie mit Einschluss der Anwendungen von höherer Analysis zur Discussion von Curven und Flächen (Krümmungsverhältnisse, Quadraturen, Rectificationen etc.). In der dritten Abtheilung werden 57 Constructionen mitgetheilt; dieselben behandeln theils Berührungsaufgaben, theils beziehen sie sich auf Brennpunkte, conjugirte Durchmesser, Tangenten, Normalen und Krümmungshalbmesser von Kegelschnitten. Der Anhang enthält noch das Nöthigste aus der Axonometrie, der Methode der kleinsten Quadrate, Maassvergleichungen u. s. w.

Referent hat sich im Laufe eines Jahres mit diesem Werke sehr befreundet und benutzt es namentlich auch bei Vorträgen gern als Nachschlagebuch und zur Bildung von Beispielen.

Schlömilch.

Bibliographie

vom 15. December 1864 bis 15. Februar 1865.

Periodische Schriften.

Archiv der Mathematik und Physik, herausgeg. von J. A. Grunert. 43. Thl., 1. Heft. Greifswald, Koch. pro compl. 3 Thlr.

Wochenschrift für Astronomie, Meteorologie und Geographie; redig. von E. Heis. Neue Folge. 8. Jahrgang. 1865. No. 1. Halle, Schmidt. pro compl. 3 Thlr.

Mémoires de l'académie imp. des sciences de St. Pétersbourg. 7. Série. Tome VIII, No. 5—8. Leipzig, Voss. 1 Thlr. 14 Ngr.

Reine Mathematik.

Hankel, H., Ueber die Vieldeutigkeit der Quadratur und Rectification algebraischer Curven. Leipzig, Voss. 12 Ngr.

Schlömilch, O., Compendium der höheren Analysis. 2. Aufl. 2. Bd., 1. Lief. Braunschweig, Vieweg. 1⅓ Thlr.

Hansen, P. A., Relationen zwischen Summen und Differenzen, sowie zwischen Integralen und Differentialen. Leipzig, Hirzel. ⅔ Thlr.

Prym, F., Neue Theorie der ultraelliptischen Functionen. Bonn, Habicht. 1⅔ Thlr.

Klein, H., Leitfaden zu den Elementen der Geometrie. 1. Heft, 2. Aufl. Meissen, Mosche. ⅙ Thlr.

Nerling, W., Lehrbuch der ebenen Geometrie. 2. Aufl. Dorpat, Gläser. 18 Ngr.

Rogner, J., Sammlung von Aufgaben aus der Arithmetik und Algebra. 2. Aufl. Wien, Gerold's Sohn. 2⅔ Thlr.

Woeckel's Geometrie der Alten in einer Sammlung von 850 Aufgaben. 7. Aufl. neu bearb. von Th. Schröder. Nürnberg, Bauer & Raspe. 18 Ngr.

Martus, H. C., Mathematische Aufgaben zum Gebrauche in den obersten Classen höherer Lehranstalten. Greifswald, Koch. 28 Ngr.

August, E. F., Vollständige logarithmische und trigonometrische Tafeln. 6. Aufl. Leipzig, Veit & Comp. ½ Thlr.

Dase, Z., Factorentafel für alle Zahlen der neunten Million (8010001—9000000) mit den darin vorkommenden Primzahlen. Ergänzt von H. Rosenberg. Hamburg, Perthes, Besser & Mauke. 6 Thlr.

Chasles, M., *Traité des sections coniques, faisant suite au Traité de géométrie supérieure.* Paris, Gauthiers-Villars. 9 frcs.

Angewandte Mathematik.

Wiegand, A., Versicherung gegen Erwerbsunfähigkeit. Vollständige Berechnung der Prämien und Reserven für Invalidenpensionskassen. Halle, Berner. ⅓ Thlr.

Weisbach, J., Lehrbuch der Ingenieur- und Maschinenmechanik. 2. Thl. Statik der Bauwerke und Mechanik der Umtriebsmaschinen. 4. Aufl. 1. und 2. Lief. Braunschweig, Vieweg. à ½ Thlr.

Kepleri opera omnia ed. Ch. Frisch. Vol. V. Frankfurt a. M., Heyder & Zimmer. 4 Thlr.

Physik.

Hessler, J. F., Lehrbuch der Physik für höhere technische Schulen. 3. Aufl. 1. Bd. 1. Hälfte. Wien, Braumüller. pro compl. 4⅔ Thlr.

Müller, J., Lehrbuch der kosmischen Physik. (Pouillet-Müller's Physik, Bd. 3). 2. Ausg. der 2. Aufl. Braunschweig, Vieweg. 4 Thlr.

Emsmann, A. H., Physikalische Vorschule. 2. Aufl. Leipzig, O. Wigand. ⅔ Thlr.

Fortschritte der Physik im Jahre 1862. Dargestellt von der physikalischen Gesellschaft zu Berlin; redig. von E. Jochmann. 18. Jahrg., 2. Abth. Berlin, G. Reimer. 2⅓ Thlr.

Schneider, F. A., Fernere Nachrichten über die Fortschritte der Astrometeorologie. Leipzig, List & Francke. ⅔ Thlr.

Roessmann, Mathematisch-physikalische Studien. Königsberg, Theile. ⅔ Thlr.

Lersch, B. M., Hydrophysik oder Lehre vom physikalischen Verhalten der natürlichen Wässer namentlich von der Bildung kalter und warmer Quellen. 2. Aufl. Berlin, Hirschwald. 1⅔ Thlr.

Literaturzeitung.

Recensionen.

Metrologicorum Scriptorum Reliquiae. *Collegit recensuit partim nunc primum edidit* F. HULTSCH. *Volumen I, quo scriptores Graeci continentur.* Leipzig, Teubner, 1864.

Es bedarf wohl kaum mehr als der blossen Anführung des Titels des uns vorliegenden Werkes, um die Ueberzeugung zu erwecken, dass mit demselben einem wahren wissenschaftlichen Bedürfnisse abgeholfen werden soll, und der Name des Herausgebers bürgt in gleicher Weise dafür, dass das angestrebte Ziel auch erreicht ist. Der Verfasser der Metrologie, der Herausgeber der geometrischen Schriften Hero's von Alexandrien war in beiden Eigenschaften gleich befugt, jene Fragmente aus gedruckten und ungedruckten Büchern und Abhandlungen zu sammeln und zu veröffentlichen, welche dem Metrologen wie dem Geschichtschreiber der Mathematik gleich unentbehrlich, seither zu sehr zerstreut, manchmal auch unzugänglich waren, um jedesmal benutzt werden zu können, wo der Gegenstand der Untersuchung eigentlich diese Benutzung erheischte. Referent hat selbst den Mangel einer solchen Sammlung bei früheren Arbeiten zu schmerzlich vermisst, um nicht das Verdienstliche derselben in vollem Maasse würdigen zu können. Dem Abdrucke der eigentlichen Fragmente hat Hr. Hultsch eine grössere Abhandlung: *Prolegomena in scriptores Graecos*, S. 3—176, vorausgeschickt, welche in allen ihren Theilen lesenswerth eine Fülle von neuen Untersuchungen über die betreffenden Schriftsteller und von neuen dem Verfasser eigenthümlichen Resultaten enthält, auf deren Auseinandersetzung und Prüfung indessen hier nicht eingegangen werden kann. Nur eine Bemerkung sei gestattet hinsichtlich eines Wortes, das in den metrologischen Fragmenten häufig vorkommt, und welches dem Verfasser in seiner Vorrede zu den geometrischen Schriften des Hero von Alexandrien zu einer Notiz Gelegenheit gab, welche nicht ganz berechtigt erscheint. Auf S. XIV jener Vorrede heisst es nämlich: *Est hic locus, ut de usu quodam Graeci sermonis commemorem, qui nondum notus esse videtur. Et enim .... ἀνά ante numeralia adverbii loco usurpabatur eo sensu quo Latini distributivis utuntur.* Dieser Gebrauch von ἀνά ist dagegen so wenig unbekannt, dass noch die modernen Aerzte beim Schreiben der Recepte dasselbe Wort in derselben

Bedeutung von je anwenden. Aus der Vorrede zu dem gegenwärtig vorliegenden Buche füge ich die weitere Bemerkung hinzu, dass jetzt endlich pag. V, s. die räthselhaften Zeichen völlig erklärt sind, welche einst Niebuhr in einem griechischen Palimpseste des S. VII fälschlich für arabische Ziffern hielt, welche alsdann vor zwei Jahren auf meine Veranlassung Prof. Spezi in Rom einer neuen Untersuchung unterwarf, die wenigstens das Ergebniss hatte, den Gegenstand der betreffenden Stelle näher festzustellen und die Niebuhr'sche Hypothese für immer zu beseitigen. Hr. Hultsch hat darin griechische Buchstaben in ihrer Anwendung als Zahlzeichen und und das griechische Unzenzeichen wieder erkannt.

CANTOR.

Kholâçat al Hissâb ou Quintessence du Calcul par Behâ-Eddîn al Aamouli, *traduit et annoté par* ARISTIDE MARRE. 2*ième éd.* Rome 1864. XI, 82.

Die erste Ausgabe der französischen Uebersetzung des Werkes des Behâ-Eddîn erschien, wie der Verfasser bemerkt, 1846 im 5. Band der von Terquem und Gérono herausgegebenen *Nouvelles annales de mathématiques*, also im 3. Jahre, nachdem Nesselmann dasselbe Werk arabisch und deutsch in Berlin hatte erscheinen lassen. Wie weit die Arbeit Nesselmann's vom Verfasser benützt wurde, giebt derselbe nicht an; dass er sie aber kannte, geht aus der 6. Anmerkung S. 55 der 2. Aufl. hervor, in welcher gesagt wird, dass der Verfasser das Wort *balance* als Uebersetzung des arabischen Wortes *myzân* dem von Nesselmann gebrauchten Norm vorgezogen habe. Wäre dieses erst bei der 2. Aufl. geschehen, so würde der Verfasser dies wohl bemerkt haben. Welche Uebersetzung genauer ist, muss denen zur Beurtheilung überlassen bleiben, welche in der Sprache des Urtextes bewandert sind. Ueber das Verhältniss der 2. Aufl. zur ersten sagt der Verfasser selbst, dass die Uebersetzung keine bemerkenswerthe Veränderung erlitten hat, dass hingegen die Noten verbessert und beträchtlich erweitert wurden. Letzteres geschah besonders durch die Vergleichung des Werkes von Behâ-Eddîn mit der Algebra des Mohammed ben Musa Alkhârizmî und durch Hervorhebung der Spuren indischen Ursprunges in den Werken der Araber. Beide Bemühungen sind als verdienstlich anzuerkennen, wenn es auch besser gewesen wäre, beides im Zusammenhange durchzuführen und nicht in Anmerkungen zu zerstückeln. Einen früher ausgesprochenen Irrthum nimmt der Verfasser gleich im Anfang zurück (S. V), und ebenso giebt er S. 81 in der 59. Anm. die genaueren Resultate Angelo Genocchi's. Da diese auch die Bemerkungen Nesselmann's (S. 71—73) berichtigen und ergänzen, so sei hier bemerkt, dass Genocchi zu den Gleichungen $x+y=10$ und $(x+\sqrt{x})(y+\sqrt{y})=n$

die Werthe $x=1$ und $y=9$ gefunden hat für $n=24$ und dass er zu den Gleichungen $x^2+x+2=y^2$, $x^2-x-2=z^2$ die Werthe $x=\frac{34}{15}$, $y=\frac{46}{15}$, $z=\frac{14}{15}$ giebt, während Nesselmann $x=-\frac{17}{15}$ fand. Da nun der Verfasser sich gern bereit zeigt, fremdes Verdienst anzuerkennen, und dies in der 36. Anm. auch gegenüber Nesselmann thut, so ist es wohl nur ein Versehen, dass in der 54. Anm. nicht beigefügt ist, dass den Beweis Nesselmann (S. 70—71) gegeben hat. Aehnlich giebt S. 65 in der 33. Anm. der Verfasser eine Verbesserung, die nach Nesselmann (S. 66, Note 19) Ruschen Ali bereits gab. Das Versehen Nesselmann's S. 65 ($\frac{1}{2}x+4$ statt $x+\frac{1}{2}x+4$) hat H. Marre S. 58 verbessert. Eine schwache Seite des Verfassers ist die Kenntniss des Griechischen. So sollen (S. 54, 3. Anmerkung) die Griechen *λογοὶ* und *ἀλογοὶ* (Euclid, X ὅρ. 6. 7. *ῥηταί, ἄλογοι!*) für rational und irrational gesagt haben. Andere Notizen sind dagegen sehr ansprechend; z. B. S. 67 die Erklärung des Wortes *sinus: „la corde de l'arc double pliée en deux"* (vergl. Cantor, Mathematische Beiträge, S. 238); ferner S. 68 die Angaben über die Kenntniss der Binomialcoefficienten; S. 79—80 der Beitrag zu der Frage, wie das rechtwinklige Dreieck zu der eigenthümlichen Bezeichnung: „Figur der Braut" kommen konnte. Bei der Umsetzung des Verfahrens Behâ-Eddîn's in unsere jetzige Schreibweise hätte Einzelnes noch mehr dem Wortlaute gleich gemacht werden können, z. B. S. 61 in der 27. Anm., wo statt $x=\frac{a}{2}-\frac{(b+c)(b-c)}{2a}$ genauer $x=\frac{a-\frac{(b+c)(b-c)}{a}}{2}$ zu schreiben war. Am wenigsten befriedigt S. 77, Anm. 51, die Erklärung des Satzes, den Behâ-Eddîn (S. 44 der Uebersetzung von Marre, S. 48—49 bei Nesselmann) anwendet, dass nämlich die Differenz der zwei Theile einer in zwei ungleiche Theile getheilten Zahl doppelt so gross ist, als die Differenz zwischen der Hälfte der Zahl und einem ihrer Theile. Dieser Satz ist wahrscheinlich auf geometrischem Wege abgeleitet worden. Ist nämlich AB die gegebene Zahl und AC der grössere, BC der kleinere Theil, $AE=BE=\frac{1}{2}AB$ und $AD=BC$, dann ist sofort ersichtlich, dass $CD=AC-BC=2.CE=2(AC-\frac{1}{2}AB)=2(\frac{1}{2}AB-BC)$.

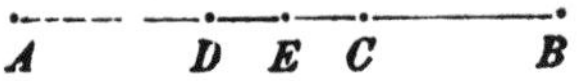

Ebenso leicht ersichtlich ist, dass $AC=\frac{1}{2}AB+\frac{1}{2}CD$.

Druckfehler sind: S. 62, Z. 2 v. o. 2 statt 20,

„ 66, „ 17 v. u. $\frac{b}{n}$ „ $\frac{ab}{n}$,

„ 71, „ 5 v. u. $100-x$ statt $100-10x$.

Erwähnt sei noch, dass das hier besprochene Werk dem Fürsten Balthasar Boncompagni gewidmet ist, als dem unermüdlichen Forscher und gelehrten Herausgeber ausgezeichneter Werke über die Geschichte der hematik und dem freigebigen und opferwilligen Förderer aller Untersuchungen in diesem Fache.

Ansbach. G. Friedlein.

Anfangsgründe der Naturlehre für die unteren Klassen der Mittelschulen von Dr. Jos. Krist, Lehrer der Physik an der k. k. Schottenfelder Oberrealschule in Wien.

Der Verfasser ist von der gebräuchlichen Anordnung des Stoffes in physikalischen Lehrbüchern abgewichen, wie folgendes Inhaltsverzeichniss lehrt: Einleitung, von der Schwere, von der Wärme, von den chemischen Erscheinungen, von dem Magnetismus, von der Elektricität, vom Gleichgewichte und von der Bewegung, Wirkungen der Molecularkräfte, von den tropfbarflüssigen Körpern, von den luftförmigen Körpern, vom Schalle (Akustik), vom Lichte (Optik). Diese Abweichung von der gebräuchlichen Ordnung ist dem Zwecke des Buches jedenfalls vollkommen angemessen, welches bestimmt ist, jugendliche Schüler mit den Erscheinungen bekannt zu machen und dieselben nach und nach zu gewöhnen, das Gemeinsame in ihnen, das Naturgesetz, aufzufinden. Diese letztere Absicht des Verfassers wird aber jedenfalls bei der von ihm angenommenen Ordnung im Material auf die beste Weise erreicht, da zu Anfang die leichtere Aufgabe sich dem Schüler darbietet, um die Erscheinungen kennen zu lernen, wozu sich später die Zumuthung gesellt, einfache Erklärungen zu geben, welche keine geometrische Anschauung verlangen, welche sich erst als Schwierigkeit in den letzten Kapiteln des Buches mit einfindet. Ebenso wie die Anordnung des Lehrstoffes im Einklange mit dem Lehrzweck steht, sind ihm auch Auswahl und Ausdehnung vollkommen angepasst. Dass bei einem Buche, welches zum ersten Unterrichte in der Physik bestimmt ist und dabei die erste Anleitung zur Erkenntniss des gesetzmässigen Zusammenhanges in den Erscheinungen geben soll, die für die Fassungskraft des jugendlichen Anfängers keineswegs geeigneten Kapitel der Polarisation, Interferenz des Lichtes etc. nicht mit im Lehrplane erscheinen konnten, bedarf natürlich keiner weiteren Erörterung. Das 4. Kapitel, welches die chemischen Erscheinungen behandelt, beschäftigt sich nur mit den Elementen Sauerstoff, Stickstoff, Wasserstoff, Chlor, Jod, Brom, Schwefel, Kohlenstoff, mit dem Verbrennungs- und Athmungsprocess, so dass später bei den galvanischen Strömen deren chemischen Wirkungen die gebührende Erklärung zu Theil werden kann. Dem Schülerkreise, den sich der Verfasser vorstellte, angemessen, blieb bei den galvanischen Erscheinungen der Leitungswiderstand und das Ohm'sche Gesetz weg, dagegen ist der mechanische Theil ziemlich ausführlich behandelt worden.

Wir fügen zum Schluss noch hinzu, dass dem Inhalte des Buches entsprechend, die äussere Ausstattung in Papier, Druck und den Holzschnitten im Text ebenso sehr zum Gebrauch als Schulbuch empfiehlt, als die Bearbeitung des Verfassers.

Dr. Kahl.

Praktische Anwendungen für die Integration der Differentialgleichungen. Von Dr. G. W. Strauch, Rector der höheren Unterrichtsanstalt zu Muri im Kanton Aargau. Erster Band. Braunschweig, Druck und Verlag von Fr. Vieweg & Sohn.

Nicht mit Unrecht bemerkt der Verfasser in der Vorrede, dass die vorhandenen Sammlungen von Aufgaben aus der höheren Analysis zwar reichhaltigen Stoff für die Integration gesonderter Differentiale und für die damit zusammenhängenden geometrischen Anwendungen (Quadratur, Rectification etc.) darbieten, obschon es sich dabei meistens nur um mechanische Substitutionen handelt, dass sie aber gerade das wichtige und weit mehr Geschick verlangende Capitel von der Integration der Differentialgleichungen sehr stiefmütterlich behandeln.*) Je weniger sich diese Thatsache ableugnen lässt, um so dankbarer muss man den Fleiss anerkennen, womit der Verfasser die bezeichnete Lücke ausgefüllt hat, und zwar im vorliegenden Bande zunächst für die Differentialgleichungen zwischen zwei Variabelen. Besondere Hervorhebung verdienen auch die sorgfältigen, zum Theil neuen Untersuchungen des Verfassers über die singulären Integrale. Dahin gehört z. B. die Discussion des (gewöhnlich nicht sonderlich beachteten) Falles, wo einer und derselben Differentialgleichung erster Ordnung mehrere singuläre Integrale entsprechen, ebenso die Erörterung über die einfach und zweifach singulären Integrale von Differentialgleichungen zweiter Ordnung.

Diese Mittheilungen werden genügen, um dem reichhaltigen Werke die verdiente Aufmerksamkeit zuzuwenden; nur möge sich der Leser durch die etwas kirchenväterliche Breite der Darstellung nicht abschrecken lassen.

Schlömilch.

---

*) Dieselbe Bemerkung gilt übrigens auch für die Lehre von den doppelten und dreifachen Integralen. Es sind also gerade die beiden Abschnitte vernachlässigt, ohne welche man in der Mechanik kaum eine tiefere Untersuchung vornehmen kann.

Bibliographie

vom 15. Februar bis 1. Mai 1865.

Periodische Schriften.

Monatsbericht der königl. preussischen Akademie der Wissenschaften zu Berlin. Jahrg. 1865, 1. Heft. Berlin, Dümmler. pro compl. 2 Thlr.

Annalen der Physik und Chemie. Herausgeg. von J. C. Poggendorff. Jahrg. 1865. No. 1. Leipzig, Barth. pro compl. 9⅓ Thlr.

Bremiker, C., Nautisches Jahrbuch oder vollständige Ephemeriden und Tafeln für das Jahr 1867. Berlin, G. Reimer. ⅔ Thlr.

Lamont, J., Annalen der königl. Sternwarte bei München. 14. Bd. München, Franz. 1⅔ Thlr.

Bibliotheca historico-naturalis, physico-chemica et mathematica, ed. E. A. Zuchold. 14. Jahrg. 2. Heft, Juli-December 1864. Göttingen, Vandenhoeck & Ruprecht. ⅙ Thlr.

Annales de l'observatoire imp. de Paris, publiées par U. J. Le Verrier. *Observations. Tome* 9. 1850—1851. Paris, Mallet-Bachelier. 40 frcs.

Annuario marittimo per l'anno 1865 *compilato dal Lloyd austriaco.* 15 *annata.* Liter.-artist. Abth. des österreich. Lloyd zu Triest. 1⅓ Thlr.

Reine Mathematik.

Gauss, C. F., Werke, herausgeg. von der königl. Gesellschaft der Wissenschaften zu Göttingen. 2. Bd. Göttingen, Dieterich. 5⅓ Thlr.

Autenheimer, F., Elementarlehrbuch der Differential- und Integralrechnung mit zahlreichen Anwendungen etc. Weimar, Voigt. 2⅙ Thlr.

Colenso, J. W., Elemente der Algebra nebst Aufgaben. Aus dem Englischen übersetzt von G. Wolpert. 2. Ausg. (Titelaufl.) Stuttgart, Koch. ½ Thlr.

Ohlert, B., Lehrbuch der Mathematik für Realschulen etc. 2. Abth. Arithmetik, 1. Cursus. Elbing, Neumann-Hartmann. ⅔ Thlr.

sprechend, die äussere Ausstattung in Papier, Druck und den Holzschnitten im Text ebenso sehr zum Gebrauch als Schulbuch empfiehlt, als die Bearbeitung des Verfassers.

Dr. KAHL.

Praktische Anwendungen für die Integration der Differentialgleichungen. Von Dr. G. W. STRAUCH, Rector der höheren Unterrichtsanstalt zu Muri im Kanton Aargau. Erster Band. Braunschweig, Druck und Verlag von Fr. Vieweg & Sohn.

Nicht mit Unrecht bemerkt der Verfasser in der Vorrede, dass die vorhandenen Sammlungen von Aufgaben aus der höheren Analysis zwar reichhaltigen Stoff für die Integration gesonderter Differentiale und für die damit zusammenhängenden geometrischen Anwendungen (Quadratur, Rectification etc.) darbieten, obschon es sich dabei meistens nur um mechanische Substitutionen handelt, dass sie aber gerade das wichtige und weit mehr Geschick verlangende Capitel von der Integration der Differentialgleichungen sehr stiefmütterlich behandeln.*) Je weniger sich diese Thatsache ableugnen lässt, um so dankbarer muss man den Fleiss anerkennen, womit der Verfasser die bezeichnete Lücke ausgefüllt hat, und zwar im vorliegenden Bande zunächst für die Differentialgleichungen zwischen zwei Variabelen. Besondere Hervorhebung verdienen auch die sorgfältigen, zum Theil neuen Untersuchungen des Verfassers über die singulären Integrale. Dahin gehört z. B. die Discussion des (gewöhnlich nicht sonderlich beachteten) Falles, wo einer und derselben Differentialgleichung erster Ordnung mehrere singuläre Integrale entsprechen, ebenso die Erörterung über die einfach und zweifach singulären Integrale von Differentialgleichungen zweiter Ordnung.

Diese Mittheilungen werden genügen, um dem reichhaltigen Werke die verdiente Aufmerksamkeit zuzuwenden; nur möge sich der Leser durch die etwas kirchenväterliche Breite der Darstellung nicht abschrecken lassen.

SCHLÖMILCH.

---

*) Dieselbe Bemerkung gilt übrigens auch für die Lehre von den doppelten und dreifachen Integralen. Es sind also gerade die beiden Abschnitte vernachlässigt, ohne welche man in der Mechanik kaum eine tiefere Untersuchung vornehmen kann.

Hülfstafeln zur Berechnung specieller Störungen, enthaltend die rechtwinkligen Eklipticalcoordinaten und die vom Orte des gestörten Körpers unabhängigen Theile der störenden Kräfte für die Planeten Venus, Erde, Mars, Jupiter, Saturn, Uranus und Neptun von 1830—1864. Leipzig, Engelmann. $1\frac{2}{3}$ Thlr.

Stieber, F. C. G., Die wahre Gestalt der Planeten- und Kometenbahnen. Jena, Frommann. $1\frac{1}{6}$ Thlr.

Dy. Die Derivation der Spitzgeschosse als Wirkung der Schwere. 2. Aufl. Cassel, Krieger. 1 Thlr.

Biermann, G. A., *Problemata quaedam mechanica functionum ellipticarum ope soluta.* Berlin, Calvary & Comp. $\frac{1}{6}$ Thlr.

Mertens, C. J., *De functione potentiali duarum ellipsoidium homogenearum.* Ebendaselbst. $\frac{1}{3}$ Thlr.

Physik.

Encyclopädie der Physik, herausgeg. von G. Karsten. 16. Lief. Leipzig, Voss. $2\frac{2}{3}$ Thlr.

Emsmann, A. H., Physikalisches Handwörterbuch. Hilfswörterbuch für Jedermann bei physikalischen Fragen. 1. Lief. Leipzig, O. Wigand. 24 Ngr.

Beetz, W., Leitfaden der Physik. 3. Aufl. Berlin, Nauck'sche Buchhandlung. 24 Ngr.

Feilitzsh, v., Die Lehre von den Fernwirkungen des galvanischen Stromes. Elektromagnetismus, Elektrodynamik, Induction und Diamagnetismus. Leipzig, Voss. 10 Thlr.

Stefan, J., Theorie der doppelten Brechung. Wien, Gerold's Sohn. 3 Ngr.

Literaturzeitung.

Recensionen.

Galileo Galilei und die römische Verurtheilung des kopernikanischen Systems von Dr. CHRISTIAN HERMANN VOSEN. Frankfurt a. M. 1865. Verlag für Kunst und Wissenschaft (G. Hamacher).

Die vorliegende kleine, 2 Bogen starke Brochüre durfte wohl im Voraus einigermassen die Neugier des Referenten auf sich ziehen, nachdem durch die Zeitungen bekannt geworden war, dass der sogenannte katholische Brochürenverein eine Bearbeitung der Streitigkeiten zwischen Galilei und der Inquisition veranlasse, welche er alsdann seinen Mitgliedern darbringen wolle. Eine Behandlung des Galilei'schen Prozesses von streng kirchlichem Standpunkte ist aber eine überaus schwierige Arbeit, wenn der Verfasser mehr geben will, als bereits in dem anonymen Aufsatze der „Historisch-politischen Blätter für das katholische Deutschland", Bd. VII (Jahrgang 1841), oder in der officiellen Darstellung des römischen Prälaten Marino Marini, *Galileo e l'inquisizione* (Roma 1850) enthalten ist. Unpartheiische Behandlungen desselben Gegenstandes sind dagegen wenig geeignet, die Zwecke zu fördern, welche der genannte Brochürenverein mit seinen Veröffentlichungen verfolgt, wenn auch ebensowenig Stoff zur alleinigen Verurtheilung des Papstes und seines Gerichtshofes aus demselben zu entnehmen ist, wie Referent in seinen, im 9. Bde. dieser Zeitschrift abgedruckten Untersuchungen zu zeigen unternommen hat. Es war vielmehr eine Parthei, kirchlicher gesinnt als das Haupt der Kirche selbst, welche im 17. Jahrhunderte gegen die Wissenschaft und ihre Vertreter zu Felde zog, zu einflussreich, um nicht sogar den vorurtheilslosen Urban VIII. zeitweise wenigstens zu umgarnen, zu mächtig, als dass man ihrer Feindschaft auf die Länge hätte erfolgreich widerstehen können, als dass nicht Urban VIII. selbst bis zu einem gewissen Grade ihre Verfolgungswuth gewähren lassen musste. Die Neugier, ob Herr Dr. Vosen auch mit allen neueren Forschungen über seinen Gegenstand vertraut sein würde, ob er beispielsweise versuchen werde, mit Bezug auf das Vorhandensein oder Nichtvorhandensein einer Lücke in den Prozessakten (vergl. Bd. IX, S. 105), oder auf die möglicherweise von Urban VIII. selbst verfasste Vorrede zu dem Gespräche über die beiden grossen Weltsysteme (Bd. IX, S. 184), oder auf die Deutung der in dem Urtheile vorhandenen Worte *examen rigorosum* (Bd. IX Literaturzeitung, S. 20) und andere dergleichen nicht unwichtige Punkte in kritische vielleicht in polemische Erörterungen sich einzulassen, diese Neugier freilich erwies sich als eine sehr müssige gegenüber der jetzt vorliegenden Arbeit. Der Partheistandpunkt des Herrn Verfassers ist schon aus der Entstehung seiner Arbeit zu entnehmen; sein wissenschaftlicher Standpunkt aber ist in den Worten gleich auf der ersten Seite dargestellt, wo es heisst: „Wir besitzen gegenwärtig in wünschenswerther Vollständigkeit die Quel-„len für die richtige Auffassung der Geschichte Galilei's. Vor Allem ist „hier die italienische Schrift des Ritters Venturi von Wichtigkeit, in „welcher neben vollständig genügenden Auszügen aus den Prozessakten „eine Reihe sehr wichtiger Briefe des damaligen toskanischen Gesandten „in Rom, Niccolini, vorliegen. Aeltere Nachrichten und die vorhande-„nen Briefe Galilei's werden hierdurch vervollständigt, während einige „neuere Schriften noch brauchbares Material hinzufügen.“ Die Gegenwart des Herrn Verfassers besteht darnach, so weit er sie bestimmt angiebt, aus den Jahren 1818—1821, während welcher die zwei von Venturi herausgegebenen Bände Denkwürdigkeiten erschienen! Mit ihm zu rechten ist darnach unmöglich. Soll man etwa gegen den Satz: „Von Folter „konnte schon an sich der Sachlage nach nicht die Rede sein, denn es han-„delte sich ja nicht um irgend ein erforderliches Geständniss, wofür allein „an etwaige Tortur zu denken wäre“ (S. 24), soll man dagegen eine Stelle von Marino Marini anführen, dem officiellen Darsteller, wie ich schon sagte? z. B. dessen Beschreibung der noch vorhandenen Prozessakten (S. 65), wo es heisst: „*quinti alla* 451, *che segue immediatamente, giacchè qui e cessata la* „*numerazione a piè delle facce, è riportato il decreto di doversi interrogare* „*Galileo sulla intenzione.*“ Es wäre in der That überflüssige Mühe einem Geschichtsbaumeister gegenüber, der von seinen Handlangern so dürftiges und schlechtes Material geliefert bekam. Mit diesem Materiale hat dagegen, das muss man Herrn Vosen zugestehen, derselbe gemacht, was nur damit zu machen war. Er hat auf ganz geschickte Weise einzelne objective Irrthümer der Gegner Galilei's zugestanden, um nicht partheiisch zu erscheinen; er hat daraus für sich selbst die Befugniss hergeleitet, die subjective Gerechtigkeit von Galilei's Verurtheilung zu versichern. Er hätte, wir sind es überzeugt, noch besser die ihm gestellte Aufgabe erfüllt, wenn er wenigstens die beiden Arbeiten gekannt hätte, welche wir oben nannten, die von Marino Marini und die von Prof. Clemens, denn dass dieser der Anonymus der Görres'schen Zeitschrift ist, bestätigt Marino Marini auf S. 39, Note 2. Wäre ihm daran gelegen, noch vollständiger sich zu unterrichten, dann freilich müssten wir ihn auf Bd. IX dieser Zeitschrift verweisen, so wie auf einen etwas später noch erschienenen Aufsatz des bekannten französischen Akademikers Bertrand in der „*Revue des deux mondes*“. CANTOR.

Tetraedrometrie von Dr. GUSTAV JUNGHANN. Zweiter Theil. Die Eckenfunctionen in Verbindung mit Längen-, Flächen- und Körpergrössen. Mit 2 lithographirten Tafeln. Gotha, E. F. Thienemann. 1863. 8. (X und 190 S.).

Bekanntlich hat v. Staudt bereits vor längerer Zeit (Crelle's Journal, Bd. 24) den goniometrischen Factor, mit welchem man das Product der drei in einer Ecke zusammenstossenden Kanten eines Parallelepipedons multipliciren muss, um dessen Inhalt zu bekommen, mit dem Namen Sinus der Ecke belegt. Sind a, b, c die Kanten- und α, β, γ die gegenüberliegenden Flächenwinkel der Ecke, so hat dieser Eckensinus den Werth

$$\sin a \sin b \sin\gamma = \sin b \sin c \sin\alpha = \sin c \sin a \sin\beta$$
$$= \sqrt{(1 - \cos^2 a - \cos^2 b - \cos^2 c + 2\cos a \cos b \cos c)}$$
$$= 2\sqrt{[\sin s \sin (s-a) \sin (s-b) \sin (s-c)]},\quad s = \frac{a+b+c}{2}.$$

Der Verfasser der vorliegenden Schrift hat nun die Hälfte dieses Factors unter der Bezeichnung P-Sinus der Ecke in die Geometrie einzuführen versucht und ausserdem noch den analogen Ausdruck für die Polarecke, oder

$$\tfrac{1}{2}\sin\alpha \sin\beta \sin c = \tfrac{1}{2}\sin\beta \sin\gamma \sin a = \tfrac{1}{2}\sin\gamma \sin\alpha \sin b$$
$$= \tfrac{1}{2}\sqrt{(1 - \cos^2\alpha - \cos^2\beta - \cos^2\gamma - 2\cos\alpha \cos\beta \cos\gamma)}$$
$$= \sqrt{[-\cos\sigma \cos(\sigma-\alpha) \cos(\sigma-\beta) \cos(\sigma-\gamma)]},\quad \sigma = \frac{\alpha+\beta+\gamma}{2},$$

einer näheren Untersuchung unterworfen und als Π-Sinus bezeichnet. Es ist daher

$$\frac{P}{\Pi} = \frac{\sin a}{\sin\alpha} = \frac{\sin b}{\sin\beta} = \frac{\sin c}{\sin\gamma},$$

welche Grösse Bretschneider den Modulus der Ecke genannt hat. In diesen beiden Functionen P und Π glaubt unser Verfasser die Grundlagen einer neuen geometrischen Disciplin gewonnen zu haben, die er Tetraedrometrie nennt, und welche die Aufgabe zu lösen hat, aus den gegebenen und zur Bestimmung hinreichenden Stücken eines Tetraeders die übrigen durch Rechnung zu finden.

In dem ersten Theile der diesen Gegenstand behandelnden Schrift, welcher im Jahre 1862 erschien, sind nun zunächst diejenigen Relationen entwickelt, welche zwischen den P- und Π-Functionen mehrerer Ecken mit gemeinschaftlichem Scheitel stattfinden. Die hier gewonnenen Formeln sind ganz analog denen der gewöhnlichen Goniometrie, wie folgendes Beispiel zeigen mag, das uns zugleich mit den allgemeinsten dieser Formeln bekannt macht, aus welchen sich eine grössere Anzahl anderer als specielle Fälle ergeben.

Gehen von einem Punkte O im Raume fünf Strahlen aus, welche r_0, r_1, r_2, r_3, r_4 heissen mögen, von denen im Allgemeinen keine drei in einer Ebene liegen, und schneidet man diese durch eine Ebene in den Punkten A, B, C, D, E, so ist immer

$$OBCD + OBDE + OBEC + OEDC = 0,$$

wenn man sich das Vorzeichen jedes Tetraedervolumens in der von Möbius (Barycentrischer Calcul, S. 22) angegebenen Weise bestimmt denkt, dass man das Auge in dem Punkte annimmt, welcher durch den ersten Buchstaben der Formel angegeben wird, und nun zusieht, ob ein Umgehen der Gegenfläche in der Reihenfolge, wie die Buchstaben der Formel es vorschreiben, als eine Drehung in demselben Sinne wie diejenige eines Uhrzeigers, oder als eine Drehung im entgegengesetzten Sinne erscheint.

Statt der vorigen Gleichung kann man aber die folgende setzen:

$$OB.OC.OD.P(r_1r_2r_3) + OB.OD.OE.P(r_1r_3r_4) + OB.OE.OC.P(r_1r_4r_2) + OE.OD.OC.P(r_4r_3r_2) = 0.$$

Setzt man voraus, dass OA senkrecht zu der Schnittebene steht, so ist

$$OB = OA \sec r_0r_1,\quad OC = OA \sec r_0r_2,\quad OD = OA \sec r_0r_3,\quad OE = OA \sec r_0r_4$$

und durch Einsetzung dieser Werthe geht die vorige Gleichung über in

$$a)\quad P(r_1r_2r_3)\cos r_0r_4 + P(r_1r_3r_4)\cos r_0r_2 + P(r_1r_4r_2)\cos r_0r_3 + P(r_4r_3r_2)\cos r_0r_1 = 0.$$

Das planimetrische Seitenstück dieser Gleichung lautet

$$\sin r_1r_2 \cos r_0r_3 + \sin r_2r_3 \cos r_0r_1 + \sin r_3r_1 \cos r_0r_2 = 0$$

und wird ganz analog bewiesen, indem man sich die von einem Punkte O ausgehenden Strahlen r_0, r_1, r_2, r_3 durch eine zu r_0 senkrechte Gerade geschnitten denkt. Lässt man r_0 mit r_2 coincidiren, so ergiebt sich die Formel für den Sinus der Summe oder Differenz zweier Winkel als ein specieller Fall.

Die Formel a) hat aber auch noch ein stereometrisches Seitenstück. Sind nämlich e_0, e_1, e_2, e_3, e_4 fünf Ebenen, welche auf die Strahlen r_0, r_1, r_2, r_3, r_4 senkrecht stehen, so gilt für dieselben die folgende Gleichung

$$b)\quad \Pi(e_1e_2e_3)\cos e_0e_4 + \Pi(e_1e_3e_4)\cos e_0e_2 + \Pi(e_1e_4e_2)\cos e_0e_3 + \Pi(e_4e_3e_2)\cos e_0e_1 = 0.$$

Die vorstehende kurze Ableitung der Formeln a) und b) macht allerdings die Anwendung des Princips der Vorzeichen nöthig, ein Princip, dessen sich unser Verfasser nicht bedient hat. Letzter Umstand ist aber ein Mangel, der den Verfasser auch nöthigt, in seinem sechsten Capitel, wo er diese Formeln entwickelt, verschiedene Fälle zu unterscheiden und in diesen verschiedenen Fällen den einzelnen Gliedern der Gleichung andere Vorzeichen zu geben. Es bedarf kaum der Erwähnung, dass auch bei der Bezeichnung der Functionen P und Π dieses Princip zur Anwendung zu bringen ist, dass also z. B.

$$P(r_1r_2r_3) = P(r_2r_3r_1) = -P(r_1r_3r_2)$$

ist u. s. w.

Was nun den uns vorliegenden zweiten Band des Werkes betrifft, so behandelt derselbe verschiedene selbstständige Aufgaben und ist eigentlich bestimmt, durch die That zu zeigen, welcher Nutzen aus der Anwendung der Functionen P und Π bei den verschiedensten stereometrischen Untersuchungen erwächst. Die Tetraedrometrie in dem eingangs angegebenen Sinne ist darin noch zu keinem einigermassen abgeschlossenem Systeme ausgebildet, ja der Verfasser hat eigentlich nur einige Hauptaufgaben behandelt, nämlich die Berechnung des Tetraeders aus seinen sechs Kanten (Cap. XIV) und die Berechnung aus dem Halbmesser der umschriebenen Kugel und fünf von den sechs Winkeln, welche die vier nach den Ecken des Tetraeders hinlaufenden Radien einschliessen (Cap. XVI). Um nun beurtheilen zu können, in wieweit die Erwartungen, welche der Verfasser an die Einführung der Eckenfunctionen knüpfte, gegründet sind, müssen wir uns einige der behandelten Probleme und ihre Lösungen etwas näher betrachten.

Zunächst behandelt der Verfasser im Capitel IX, dem ersten des zweiten Theiles, das **Parallelepipedon und die Transformation der Coordinaten im Raume.** An der Spitze dieses Capitels steht ein Satz, welcher als ein stereometrisches Seitenstück des planimetrischen Sinussatzes zu betrachten ist. Sind nämlich u, p, q die drei in einer Ecke zusammenstossenden Kanten eines Parallelepipedons und ist d die von derselben Ecke ausgehende Diagonale, so verhält sich

$$u : p : q : d = P(pqd) : P(uqd) : P(upd) : P(upq).$$

Es werden dann verschiedene Folgerungen aus diesem durch Vergleichung der hier vorkommenden Tetraedervolumina leicht zu beweisenden Satze vorgeführt, z. B. der Satz, dass vier an einem Punkte im Raume wirkende Kräfte im Gleichgewicht sind, wenn sie sich verhalten wie die P-Sinus ihrer Gegenecken (S. 2). Als die wichtigste Anwendung erscheint unserem Verfasser aber die Formel, welche er (S. 12) für die Transformation räumlicher Parallelcoordinaten gewinnt. Sind nämlich x, y, z die alten, u, p, q die neuen Coordinaten und u_1, p_1, q_1 die auf das neue System bezogenen Coordinaten des früheren Anfangspunktes, so ist

$$u = u_1 + \frac{1}{P(upq)}[x\,P(xpq) + y\,P(ypq) + z\,P(zpq)]$$

und analog lauten die Formeln für p und q. Auf diese Formeln legt der Verfasser augenscheinlich ein sehr grosses Gewicht. Denn S. 13 äussert er sich: „Es ist der Mühe werth, mit den einfachen Formeln 130 (den eben angeführten) die weitschweifigen und schwer zu übersehenden **trigonometrischen** Formeln zu vergleichen, mit denen man sich für die Coordinatenverwandlung bisher hat behelfen müssen, wie sie z. B. im **Grunert**schen Supplement zu **Klügel**'s mathematischem Wörterbuch, Art. Coordinaten, No. 15, S. 471, gefunden werden," und an einer späteren Stelle (S. 130, §. 181) lesen wir: „Die Vergleichung dieser Formeln mit . . . allen bisher für diese Aufgabe aufgestellten ist vielleicht mehr, als irgend ein anderer in diesem Buche abgehandelter Gegenstand geeignet, die Tetraedrometrie als eine selbstständige, für die stereometrischen Rechnungen nothwendige Disciplin augenfällig hinzustellen." Hiergegen müssen wir zunächst bemerken, dass die Einfachheit der vom Verfasser aufgestellten Formeln doch nur in der äusseren Form besteht; sind die Winkel zwischen den alten und den neuen Axen gegeben, so muss man ja aus diesen mittelst der am Eingange unseres Referates stehenden Formel die P-Functionen berechnen und setzt man in die obigen Formeln statt der Functionen P ihre Werthe ein, so erhält man eben die im mathematischen Wörterbuch stehenden Formeln. Immerhin muss aber dann den Formeln des Verfassers der Vorzug zugesprochen werden, dass sie sich dem Gedächtniss leichter einprägen. Allein diesen Vorzug haben sie gemein mit anderen längst bekannten Formeln für dieselbe Aufgabe und es kann von einem Vorzuge der vom Verfasser aufgestellten Formeln vor allen bisher für die Coordinaten-Transformation aufgestellten gar keine Rede sein. Es werden nämlich die trigonometrischen Formeln für dieses Problem sofort höchst einfach, wenn man die Winkel zwischen den alten Axen und den neuen Coordinatenebenen oder deren Normalen als gegeben annimmt. Schon in der bekannten im Jahre 1837 erschienenen Sammlung von Aufgaben und Lehrsätzen aus der analytischen Geometrie des Raumes von L. J. Magnus findet sich auf S. 51 die Formel

$$x \cos(x, yz) = x' \cos(x', yz) + y' \cos(y', yz) + z' \cos(z', yz)$$

nebst zwei analogen für y und z, wo x, y, z die neuen und x', y', z' die alten Axen sind und (a, yz) in vielleicht nicht recht entsprechender Weise den Winkel zwischen einer Geraden a und der Ebene von y und z bezeichnet. Diese Formeln finden sich auch in vielen spätern Lehrbüchern der analytischen Geometrie, z. B. Lehrbuch der analytischen Geometrie des Raumes von Schlömilch. 1. Aufl. Leipzig 1855. S. 86, Formel (3); Analytische Geometrie des Raumes von George Salmon. Deutsch von Fiedler. Leipzig, 1863. S. 13, Anmerkung. Wenn daher unser Verfasser auf S. 18, §. 93 meint, dass „in der bisherigen Literatur die Aufgabe der Coordinatenverwandlung stets unter dieser Voraussetzung behandelt gefunden wird: nämlich dass die Lage der neuen Axen bestimmt sei durch die Winkel, welche sie mit den primitiven Axen bilden," so befindet er sich in einem Irrthume. Die von ihm auf S. 19 gegebenen trigonometrischen Formeln sind mit den bei Magnus u. a. a. O. zu findenden identisch. Die Ableitung dieser Formeln hat nicht die geringste Schwierigkeit und ist mit wenig Worten abgethan, wenn man sich deß auch von unserem Verfasser angewandten Theorems bedient, dass die Projection eines geschlossenen Polygons auf eine Gerade den Werth Null hat.

Mit Uebergehung des zehnten und elften Capitels, welche das Polarhexaeder (d. h. das System zweier polarer körperlicher Dreiecke) und die Terminologie des Tetraeders zum Gegenstande haben, wenden wir uns zu dem in vieler Hinsicht interessanten zwölften Capitel, in welchem die Moduli des Tetraeders untersucht werden. Unter Modulus des Tetraeders versteht nämlich der Verfasser jede Function einzelner (oder auch aller) Bestimmungsstücke des Tetraeders, die ihren Werth nicht ändert, wenn man diese Bestimmungsstücke durch andere ersetzt. Ein solcher Modulus ist z. B. (§. 115) die Grösse

$$\mu = \frac{2\varrho}{M},$$

wo 2ϱ den Durchmesser des einer Tetraederfläche umschriebenen Kreises (oder den Modulus dieser Tetraederfläche) und M den Modulus der Gegenecke in der von Bretschneider angegebenen Bedeutung bezeichnet. Ein anderer, interessanter Modulus ist

$$\mathfrak{M} = \frac{\Delta}{\Pi},$$

wo Δ eine Tetraederfläche und Π die Π-Function der Gegenecke bedeutet. Es verhalten sich also die Seitenflächen des Tetraeders wie die Π-Sinus ihrer Gegenecken (§. 116), welcher Satz ein Seitenstück des trigonometrischen Sinussatzes ist.

Zu den Moduln des Tetraeders gehört auch der Inhalt desselben. Bei Betrachtung dieses Moduls erwähnt der Verfasser in §. 118 den Feuerbach'schen Satz, dass die algebraische Summe der fünf Pyramiden, welche durch fünf Punkte im Raume bestimmt sind, gleich Null ist. Er findet indessen den Ausdruck „algebraische Summe" unbestimmt und ist genöthigt, verschiedene Fälle zu unterscheiden. Letzteres ist unnöthig, sobald man das Princip der Vorzeichen beachtet, denn es ist alsdann in allen Fällen, wenn A, B, C, D, E die fünf Punkte sind,

$$ABCD + BCDE + CDEA + DEAB + EABC = 0,$$

wie schon Möbius (Barycentr. Calcul, S. 25, Formel I) gezeigt hat. Aus dieser Gleichung ergiebt sich, wenn man $ABCD = \mathfrak{T}$ setzt und die auf die Seitenflächen dieser Pyramide vom Punkte E aus zu fällenden Senkrechten mit h_0, h_1, h_2, h_3, sowie die Π-Functionen der diesen Seitenflächen gegenüberliegenden Ecken mit Π_0, Π_1, Π_2, Π_3 bezeichnet, dass

$$h_0 \Pi_0 + h_1 \Pi_1 + h_2 \Pi_2 + h_3 \Pi_3 = \frac{3\mathfrak{T}}{\mathfrak{M}}$$

eine constante Grösse ist. Es ist dieser Satz das Analogon zu dem planimetrischen Satze, nach welchem

$$h_0 \sin\alpha + h_1 \sin\beta + h_2 \sin\gamma$$

constant ist, wenn h_0, h_1, h_2 die von einem willkürlichen Punkte der Ebene auf die Seiten eines Dreiecks gefällten Perpendikel und α, β, γ die Gegenwinkel dieser Seiten sind. Für die Grösse $\frac{3\mathfrak{T}}{\mathfrak{M}}$, welche gleichfalls ein Modul des Tetraeders ist, theilt der Verfasser noch verschiedene andere Ausdrücke mit.

Auf einen bemerkenswerthen Satz werden wir im §. 129 aufmerksam gemacht. Es verhalten sich nämlich die drei Geraden, welche den Schwerpunkt eines Tetraeders mit den vier Eckenpunkten verbinden, wie die P-Sinus ihrer Gegenwinkel, woraus mit Beachtung des S. 2 angeführten Satzes folgt, dass drei an dem Schwerpunkte eines Tetraeders angebrachte nach den Ecken hin wirkende Kräfte, welche sich wie die Entfernungen des Schwerpunktes von den Ecken verhalten, im Gleichgewicht sind.

Das dreizehnte Capitel enthält nach der eigenen Angabe des Verfassers zum grössten Theile nur Material für spätere Ausführungen, die in dem Buche noch nicht vorhanden sind. Wir übergehen daher seine Besprechung und wenden uns sogleich zum vierzehnten Capitel, in welchem der Verfasser eine Analyse von Carnot's *Mémoire sur la relation qui existe entre les distances de cinq points pris arbitrairement dans l'espace* giebt. Carnot sucht zuerst eine Gleichung zwischen den sechs Verbindungslinien von vier Punkten in einer Ebene, indem er dann in einem dieser Punkte ein Perpendikel von bestimmter Länge auf der Ebene errichtet und die von diesem Punkte ausgehenden Linien ausdrückt durch das Perpendikel und die von dessen Endpunkte aus nach den drei anderen der ersten Punkte gehenden Geraden, gelangt er zu einer Gleichung, die man in der Gestalt

$$144\,\mathfrak{T}^2 = -\Sigma l^4 u^2 - \Sigma l^2 m^2 n^2 + \Sigma l^2 m^2 u^2$$

schreiben kann, wo l und u Gegenkanten, l, m und n Kanten einer Seitenfläche, l, m und u aber Kanten, die nicht in einer Ebene liegen und nicht von einer Ecke ausgehen, bedeuten und Σ das Summationszeichen ist. Unser Verfasser leitet dieselbe Formel dadurch ab, dass er von der Gleichung

$$6\mathfrak{T} = upq\;P(upq)$$

ausgeht, worin u, p, q drei von einer Ecke ausgehende Kanten bedeuten; dann die P-Function durch die Cosinus der Winkel up, pq, uq und endlich diese mittelst der Verallgemeinerung des Pythagoreischen Lehrsatzes durch die Kanten des Tetraeders ausdrückt. Wir wollen hierzu nur bemerken, dass der Gebrauch der P-Function hier ganz überflüssig ist; die Formel

$$3\mathfrak{T} = upq \sin up \sin pq \sin up \,^\wedge pq,$$

sowie der Ausdruck des Sinusproductes durch die Cosinus der Kantenwinkel und dieser durch die Kanten sind längst bekannte Sachen und die Entwickelung der Formel findet sich in dieser Weise schon in der im Jahre 1807 publicirten Sammlung geometrischer Aufgaben von Meier Hirsch, 2. Th., S. 111. Wenn übrigens unser Verfasser in §. 144 meint, die von Carnot angegebene Formel sei „in dieser Gestalt nicht geeignet, grosses Interesse in Anspruch zu nehmen, da sie kein einfaches Gesetz markire," und sich dadurch veranlasst findet, auf S. 81 ein Paar andere Schreibweisen dieser Formel anzugeben, von denen die zweite sich auch schon bei Meier Hirsch findet, so möchten wir auf unsere obige Erläuterung dieser Formel verweisen, aus der ein solches einfaches Gesetz doch wohl zu ersehen ist.

Es folgt nun in §. 145 und 146 die Berechnung des Halbmessers der Kugel, welche sich einem Tetraeder umschreiben lässt. Der von Carnot vorgeschlagene Weg, zu einem Ausdrucke dieses Halbmessers durch die Kanten zu gelangen, ist allerdings etwas mühsam und die tetraedrometrische Rechnung des Verfassers besitzt dem gegenüber den Vorzug der Kürze. Allein es lässt sich die betreffende Formel, welche Crelle (Sammlung math. Aufsätze, I, S. 112 u. folg.) auf die Form

$$576\mathfrak{T}^2 r^2 = (a+b+c)(a+b-c)(a-b+c)(-a+b+c)$$

gebracht hat, wo a, b, c die drei Producte von je zwei Gegenkanten sind und r den gesuchten Halbmesser bedeutet, auch auf sehr einfache Weise durch ein rein geometrisches Verfahren ableiten, wie dieses v. Staudt (Crelle's Journal, Bd. 57, S. 88) gezeigt hat, und die Anwendung der Eckenfunctionen ist daher hier überflüssig. Diese letztere Bemerkung gilt auch für die nächsten Aufgaben, die Bestimmung des Halbmessers der dem Tetraeder eingeschriebenen Kugel, den Ausdruck der Entfernung des Fusspunktes einer Höhenlinie des Tetraeders von einer Ecke oder von einer Seite der Basis mittelst der Kanten, die Berechnung des Neigungswinkels zweier Gegenkanten u. a. Dabei darf nicht unerwähnt bleiben, dass diese Aufgaben z. Th. an sich ganz interessant sind.

Es folgen auf dieses Capitel noch drei andere, welche die gemeinsame Form vieler tetraedrometrischer Gleichungen und die Aufgaben, das Tetraeder zu berechnen aus dem Halbmesser der umschriebenen Kugel und fünf von den sechs Winkeln, welche die vom Mittelpunkte nach den Ecken gezogenen Linien einschliessen, sowie aus der Grösse und Lage der vier von einem Punkte ausgehenden Normalen seiner Seitenflächen, zum Gegenstande haben.

Als nächstes durch die vorliegende Schrift zu erreichendes Ziel hat dem Verfasser die Einführung der Eckenfunctionen in die Stereometrie vorgeschwebt. Dieses Streben halten wir für ein vollkommen berechtigtes, denn es hat sich an vielen Stellen des Buches gezeigt, wie durch die Einführung der Eckenfunctionen der Ausdruck der stereometrischen Sätze oft eine überraschende Einfachheit gewinnt und wie dabei eine auffallende Analogie mit planimetrischen Formeln zu Tage tritt. In Folge des ersten Umstandes werden auch vielfach die Entwickelungen, welche auf rein trigonometrischem Wege an sich ausführbar sind, beträchtlich einfacher. Diese Gründe sind jedenfalls hinreichend, die Einführung der Eckenfunctionen in die Stereometrie zu rechtfertigen.

Anders steht es nach der Ansicht des Referenten mit der vom Verfasser so oft und so nachdrücklich betonten unbedingten Nothwendigkeit einer Einführung dieser Functionen; es dürfte sich in dieser Beziehung doch

mit den Functionen P und Π nicht ganz so verhalten, wie mit den trigonometrischen Functionen Sinus, Cosinus u. s. f. Diese letzteren sind z. B. wirklich unentbehrlich, wenn man den Zusammenhang zwischen den Seiten und den Winkeln eines Dreiecks darstellen will, wogegen man den Zusammenhang zwischen den Seitenflächen und den Winkeln eines Tetraeders anstatt durch
$$\Delta_0 : \Delta_1 = \Pi_0 : \Pi_1$$
auch durch die Proportion
$$\Delta_0 : \Delta_1 = \sin \Delta_1 \Delta_2 \sin \Delta_1 \Delta_3 : \sin \Delta_0 \Delta_2 \sin \Delta_0 \Delta_3$$
ausdrücken kann; ja man wird sogar zu letzterer Formel oder einer ähnlichen greifen müssen, wenn es sich um eine numerische Berechnung handelt.

Zum Schlusse sprechen wir noch die Hoffnung aus, dass die Bemühungen des Verfassers keine vergeblichen sein mögen, und dass die tetraedrometrischen Functionen in Zukunft eine Stätte finden in den stereometrischen Untersuchungen. Ob dieselben berufen sind eine so grosse Rolle zu spielen, wie unser Verfasser es glaubt, oder ob ihr Wirkungskreis ein bescheidenerer sein wird, das wird sich dann von selbst finden. Jedenfalls, daran kann nach den vorliegenden Leistungen kaum gezweifelt werden, sind sie im Stande, manchen nicht bequem zu formulirenden Satz erst in das rechte Licht zu setzen und auf eine einfache Form zu bringen, mancher weitschweifigen Formel eine kürzere Fassung zu verschaffen. Dem Verfasser der von uns besprochenen Schrift wird jedenfalls ein solcher Erfolg der beste Lohn für die auf seine Arbeit verwandte Mühe sein.

Leipzig, Juni 1865. GRETSCHEL.

Lehrbuch der Geometrie, von Dr. K. SONNDORFER. I. Theil. Wien, Braumüller. 1865.

Herr Hofrath Schlömilch hat im vorletzten Hefte seiner Zeitschrift klar nachgewiesen, dass Herr Dr. R. Sonndorfer seine Geometrie des Maasses grösstentheils entweder ganz genau oder mit unbedeutenden Aenderungen abgeschrieben hat; man sollte daher glauben, dass jede weitere Kritik des Sonndorfer'schen Werkes ganz überflüssig sei; aber die letzte Recension dieses Buches durch Herrn Prof. Grunert bestimmte mich, einige Stellen aus Sonndorfer's Geometrie, wo der Herr Verfasser selbstständig auftritt, hervorzuheben.

S. 1: „Die Fläche ist der Weg, welchen die Linie beschreibt, wenn sie sich stetig fortbewegt, vorausgesetzt, dass sie nicht in sich selbst fortgeschoben wird; und der Körper endlich jener Weg, welchen die Fläche zurücklegt, wieder vorausgesetzt, dass dieselbe nicht in sich selbst fortgeschoben wird.“ Wir fragen Herrn S., wie ist die Verschiebung einer krummen Linie oder Fläche in sich selbst möglich? S. 7 heisst es von Pythagoras: Wir werden die von ihm erfundenen schönen Lehrsätze gelegentlich kennen lernen. Im ganzen Buche Sonndorfer's kommt bei den historischen Anmerkungen immer der Ausdruck erfunden statt gefunden vor. S. 23: „Die zwischen je zwei Durchschnittspunkten liegenden begrenzten drei Geraden bilden ein geschlossenes begrenztes geometrisches Gebilde, und dieses nennen wir im Allgemeinen eine Figur.“ Dann werden, ohne dass diese Definition der Figuren geändert wird, die Figuren in geradlinige und krummlinige eingetheilt. S. 32 u. s. f.: Die Congruenz der Dreiecke mit Hilfe der Construction ist durchgängig unrichtig bewiesen, die Beweise setzen die Congruenzlehre bereits voraus. S. 126—140 enthält einige Sätze aus der neueren Geometrie. Dieser Theil enthält die *sectio aurea*, den Satz von Menelaus, die harmonische Theilung, Aehnlichkeitspunkte, Pole und Polaren. Die Behandlung ist eine sehr unzweckmässige, bei der harmonischen Theilung fehlt die Discussion der Lage der conjugirten Punkte, als interessante Anwendung des Satzes von Menelaus, und um dem Anfänger die Leichtigkeit zu zeigen, mit welcher die neuere Geometrie ihre Aufgaben löst, wird das Problem behandelt, „eine gegebene gerade Linie ohne Gebrauch des Zirkels in zwei gleiche Theile zu theilen“. Die Auflösung einer so leichten Aufgabe durch angebliche Sätze der neuen Geometrie ist ganz geeignet, dem Anfänger von diesem Zweige der mathematischen Wissenschaften eine schlechte Meinung beizubringen, da der schwächste Schüler diese Aufgabe mittelst des Satzes, dass die Diagonalen eines Parallelogrammes sich gegenseitig halbiren, auch ohne neuere Geometrie lösen wird. Die Auflösung des allgemeinen Berührungsproblemes für den Kreis, welche Aufgabe dem Anfänger den Nutzen der neueren Methoden ganz deutlich zeigt, wird hingegen nicht gegeben. S. 144. Nachdem die trigonometrischen Functionen als Verhältnisszahlen definirt wurden, sagt Herr S. von denselben: „Diese sechs Verhältnisse müssen alle durch dieselbe Längeneinheit gemessen werden, wenn wir die trigonometrischen Functionen unter einander vergleichen wollen.“ Das Verhältniss zweier Linien ist doch von der Einheit, mit welcher die Linien gemessen wurden, unabhängig. S. 194. Sind zwei Seiten a und b und der von ihnen eingeschlossene Winkel C gegeben, so erhält man die Seite c bekanntlich nach folgender Formel:

$$1)\qquad \sin\varphi^2 = \frac{4ab}{(a+b)^2}\left(\cos\frac{C}{2}\right)^2;\; c = (a+b)\cos\varphi.$$

Ueber die Benutzung dieser Formeln meint Herr S. Folgendes: „Die Berechnung von c aus der Gleichung 1) gewährt dann die grösste Genauigkeit, so lange $\varphi > 45^0$ wird. Je kleiner φ, desto ungenauer c“. Jedem Anfänger in der Trigonometrie ist bekannt, dass, wenn der Winkel φ gross ist, derselbe sich aus dem Sinus nicht genau bestimmen lässt, andererseits der Cosinus für jeden kleinen Fehler in φ sehr empfindlich ist; es findet gerade das Gegentheil Statt. Ist $\varphi < 45$, so ist die Formel 1) zur Berechnung von c geeignet.

Um zu sehen, wie sicher die numerischen Rechnungen des Hrn. Sonndorfer sind, rechnete ich die drei Beispiele S. 197, 200 und 203 durch. Im ersten sind vier, im dritten drei Fehler. Interessant durch die Fehler ist das Beispiel S. 200:

$$\log b \sin A = 1.5930172 \text{ statt } 1.5930162$$
$$\log a = 1.6490192 \quad „ \quad 1.6490183.$$

Herr Sonndorfer erhält nun aus seinen Zahlen zwei Werthe des Winkel C $C = 74^{\circ} 9' 41''.53$; $C' = 17^{\circ} 12' 35''.57$.
Die Seiten c und c' werden nach den Formeln gerechnet:

$$c = \frac{a \sin C}{\sin A}, \quad c' = \frac{a \sin C'}{\sin A}.$$

Nun ordnet Herr S. die Rechnung folgendermassen an:

$$\log a \sin C = 1.6322092$$
$$\log \sin A = 9.8442247$$
$$\log a \sin C' = 1.1201233.$$

Die Differenz der beiden ersten Logarithmen giebt $\log c$, die Differenz der beiden letzteren Logarithmen giebt $\log c'$; in beiden Fällen muss $\log \sin A$ als Subtrahend genommen werden. Herr S. irrt sich, nimmt $\log a \sin C$ als Subtrahend, erhält daher:

$$\log c' = 8.7241014,$$

daraus $c' = 0.0529787$. (Der wahre Werth von c ist $c = 18.875565$.)

Auf diese Art erhält Herr S. ein Dreieck mit folgenden drei Seiten:

$$a = 44.5676, \quad b = 56.078, \quad c = 0.0529787,$$

also $a + c$ viel kleiner als b. Der schwächste Anfänger wird nicht gegen den Satz, dass die Summe zweier Seiten grösser ist als die dritte verstossen; ja selbst wenn derselbe sich nicht an diesen Satz erinnern würde, so müsste ihm die Kleinheit von c' im Verhältnisse gegen die übrigen Bestimmungsstücke auffallen, und er in der Rechnung einen Fehler vermuthen.

Die analytische Geometrie ist in einem ähnlichen Umfange, wie in den übrigen Lehrbüchern für Mittelschulen behandelt. Das Compendium der höheren Mathematik von Burg wurde viel benutzt. Doch das Werk S. enthält auch einige Sätze aus der neueren Geometrie auf analytischem Wege behandelt; dieser Theil ist beinahe wörtlich (nur in anderer Zusammenstellung der einzelnen Sätze, unbedeutenden Veränderungen der Zwischenrechnungen) aus Aderholdt Lehrbuch der analytischen Geometrie abgeschrieben. Man sehe Sonndorfer S. 271—287, S. 306 u. s. f. Aderholdt S. 27—39, 62. Die ganze Darstellung in der analytischen Geometrie ist eine sehr weitläufige, entbehrt grösstentheils jeder Einfachheit und Natürlichkeit. S. 226, enthaltend eine Lobrede auf die analytische Geometrie, heisst es von derselben: „Ihr allgemeiner Charakter überwindet mit Leichtigkeit alle Hindernisse, mit denen die synthetische Geometrie noch zu kämpfen hat."

Was Herr S. von der neueren Geometrie gelesen haben muss, dürfte aus folgender Stelle klar werden: „sie ist frei von jeder algebraischen Rechnung und betrachtet nur Verhältnisse der geradlinigen Entfernungen einer gewissen Art".

S. 264 sagt Herr S., dass bei der durch die Gleichung 1)

$$(x-p)^2+(y-q)^2=r^2 \tag{1}$$

dargestellten Curve, die Abscissen- und Ordinatenaxe alle auf sie senkrechten Sehnen halbirt.

S. 289. „Der erste, welcher die Kegelschnittslinien von diesem allgemeinen Standpunkte aus (nämlich durch eine Gleichung zweiten Grades zwischen zwei Veränderlichen) behandelte, war der deutsche Mathematiker Euler (1707—1783) in seiner *Introductio in analysin infinitorum*, welche 1748 erschien." ..... „Trotzdem ein Euler die Kegelschnitte so allgemein behandelte, so war es weder den alten noch den neuern Geometern möglich, auch über die Krümmung dieser Linien etwas Näheres anzugeben. Erst als der deutsche Mathematiker Leibnitz den Calcul des Unendlich-Kleinen erfand und auf diesem gestützt der englische Mathematiker Taylor (1685 bis 1731) seinen nach ihm benannten Lehrsatz aufstellte, war man im Stande, auch die Krümmung der Kegelschnitte und der krummen Linien überhaupt genau zu untersuchen und anzugeben." Der arme Euler musste also nach Herrn S. erst warten, bis der um ungefähr hundert Jahre früher lebende Leibnitz die Differentialrechnung erfand, und musste warten bis Taylor seinen Lehrsatz aufstellte, damit die um hundert Jahre früher lebenden Nachfolger Euler's die Krümmung der Kegelschnitte untersuchen können.

Wir müssen die ganze Arbeit des Herrn Sonndorfer, abgesehen von den Unrichtigkeiten, die selbst ein mittelmässiger, nur mit den nöthigsten Kenntnissen ausgerüsteter Gymnasialschüler vermieden hätte, eine sehr flüchtige nennen. Das Werk ist voll von Druck-, orthographischen und logischen Fehlern. Höchst naiv, ja wahrhaft lächerlich klingt uns die Entschuldigung Herrn S. am Schlusse seiner Vorrede, wo er erzählt, dass die im October 1863 begonnene und im September 1864 vollendete Arbeit leider zu wiederholten Malen durch die traurigsten Familienereignisse unterbrochen wurde, in Folge dessen einzelne Paragraphen vielleicht als etwas zu flüchtig behandelt erscheinen könnten. Wer hat denn Herrn S. befohlen: innerhalb einer Jahresfrist ein schlechtes Lehrbuch der Geometrie zu schreiben?

Wir besitzen wahrhaftig eine grosse Menge guter Werke aus der Geometrie, und Herr Sonndorfer hätte uns daher mit seiner Arbeit ganz gut verschonen können.

Wien, den 22. April 1865. Dr. Johann Frischauf.

Elemente der Theorie der Functionen einer complexen veränderlichen Grösse. Von Prof. Dr. Durège. Leipzig, bei B. G. Teubner.

Ich habe mit Freuden das Erscheinen eines Buches begrüsst, welches ich für wohl geeignet halte, die Kenntniss der Arbeiten Riemann's zu verbreiten.

Die Anordnung des Stoffes ist eine, wie ich glaube, durchaus zweckmässige; das vom Verfasser in der Vorrede geäusserte Bedenken in Bezug auf §. 21 möchte ich dahin erledigen, dass der an und für sich zwar nicht überflüssigen Bemerkung über $\int \varphi(z)\,dz$, um einen Verzweigungspunkt herum erstreckt, ein etwas zu grosser Raum gestattet ist; anstatt des Satzes auf S. 88 hätte die einfache Bemerkung genügt, dass auf den Werth genannten Integrales, sei der Unendlichkeitspunkt ein Verzweigungspunkt oder nicht, nur der Werth von $(z-a)\varphi(z)$ von Einfluss sei.

Ueberhaupt scheint es mir, als ob ein grosser Theil der, namentlich in Abschnitt VII, gegebenen einzelnen Sätze nur ihren Werth haben, wenn sie sofort auf ein vorliegendes, praktisches oder wissenschaftliches Beispiel angewandt werden; auch scheint die Entwickelung vieler dieser speciellen Sätze vermöge des allgemeinen Satzes über die Gültigkeit der Reihenentwickelungen, oder vermöge des Ausdruckes

$$\varphi(t) = \frac{1}{2\pi i}\int^{s} \frac{\varphi(z)\,dz}{z-t}$$

so leicht, dass sie füglich jedem Leser überlassen sein mag.

Doch will ich hierüber nicht mit Jemand rechten, welcher eine um so Beträchtliches längere Zeit der Erfahrung in Lehrthätigkeit vor mir voraus hat.

Mehr Gewicht möchte ich hier auf einen andern Punkt legen.

Alle die allgemeinen Sätze über Functionen sind unter der Voraussetzung gemacht, dass die Function differentiirbar ist; dies möchte ich speciell als Bedingung der Stetigkeit angeben und von dem Unendlichwerden scheiden.

Diese Stetigkeit hört selbstverständlich auf, sobald die Function selbst in einem Punkte keinen bestimmt angebbaren Werth hat; lässt man die Voraussetzung der Stetigkeit für ganze Flächentheile des Gebietes der unabhängig Variablen fallen, so hört die Gültigkeit aller dieser allgemein angegebenen Gesetze auf; von diesen Fällen kann man jedoch mit vollem Rechte so lange zunächst ganz absehen, als eben nicht solche Functionen als bekannt vorausgesetzt werden und ausser dem Bereiche der Betrachtung bleiben.

Anders ist es mit den Functionen, die in einem bestimmten Punkte keinen bestimmt angebbaren Werth haben; hier gelten, wenn man will, immer noch die früheren Sätze, aber es ist wohl der Mühe werth, nachzusehen, in wie weit sie als unrichtig erscheinen. Beispiele liefern die bekanntesten transcendenten Functionen: e^{x}, $e^{e^{x}}$ oder, um den angedeuteten speciellen Werth von x nicht im Unendlichen zu lassen: $e^{\frac{1}{x}}$, $e^{e^{\frac{1}{x}}}$.

Diese Functionen verhalten sich so, dass Herr Weierstrass den Satz auf S. 125: „eine einwerthige Function wird in der ganzen unendlichen Ebene ebenso oft Null wie unendlich“, als falsch bezeichnet für alle transcendenten Functionen; ich möchte sagen, er verliert nur seine Bedeutung möglicherweise ganz und gar, sobald die betrachtete Function transcendent wird; als transcendent kann man jede unendlich vieldeutige Function betrachten, sowie auch jede Funtion, welche irgend einen Werth unendlich oft annimmt. Von letzerer Natur sind unsere Beispiele.

Setzen wir $x = \delta e^{\varphi i}$, δ sehr klein, so ist

$$e^{\frac{1}{x}} = e^{\frac{1}{\delta}(\cos\varphi - i\sin\varphi)}.$$

Dieser Ausdruck kann für $\delta = 0$ jeden Werth annehmen; in der That, man mache φ so nahe gleich $\frac{\pi}{2}$ oder gleich $3\frac{\pi}{2}$, dass $\frac{\cos\varphi}{\delta}$ endlich bleibe, wie klein auch δ sei, so ist $\sin\varphi$ nahezu gleich $+1$ oder -1 und $e^{\pm\frac{i}{\delta}}.e^{\frac{\cos\varphi}{\delta}}$ kann, indem δ unterhalb jeder noch so klein angenommenen Grenze liegt, jeden Werth erlangen. In $x=0$ hat also $e^{\frac{1}{x}}$ überhaupt keinen angebbaren Werth; diese Function wird nur Null oder unendlich, wenn $x=0$ ist; der Satz, dass eine jede Function ebenso oft jeden beliebigen Werth erlangt, als sie unendlich 1. Ordnung wird, verliert demnach hier seine Bedeutung vollständig.

Die Function $e^{\frac{1}{x}}$, überhaupt jede eindeutige Function von $e^{\frac{1}{x}}$, hat ähnliche Eigenschaften.

Der Satz auf S. 108: „eine einwerthige Function kann nur dadurch unstetig werden, dass sie unendlich wird“, gilt nur, sobald man für die Function die Unstetigkeit anderer Art ausschliesst. Doch wären hier nur noch Unstetigkeiten zulässig, die durch Abänderung des Werthes in einem Punkte hebbar sind. Soll nämlich die Formel

$$\varphi(t) = \frac{1}{2\pi i}\int \frac{\varphi(z)\,dz}{z-t}$$

überall innerhalb eines endlichen Gebietes den t, mit Ausnahme von $t=a$, gelten; nehmen wir dann an, die Function habe in diesem Punkte nicht den Werth

$$A = \frac{1}{2\pi i}\cdot\int \frac{\varphi(z)\,dz}{z-a},$$

sondern den Werth A_1, so würde $\varphi(t)$, welches innerhalb des betrachteten Gebietes stetig ist, auch in a' stetig bleiben, wenn man der Function in $z=a$ statt A_1 den Werth A gäbe.

Diese Art Unstetigkeiten lassen sich auch leicht bei den Betrachtungen im 11. Abschnitt berücksichtigen, wenn man den Punkt $z=a$ durch eine sehr kleine geschlossene Curve als Querschnitt ausscheidet; zu beiden Seiten derselben unterscheidet sich dann die Function um (nahezu) eine Constante, und das Begrenzungsintegral wird, durch diesen Querschnitt erstreckt, unendlich klein sein; derartige Unstetigkeiten lassen demnach den Ausdruck

$$\int\left[\left(\frac{\partial\alpha}{\partial x}\right)^2+\left(\frac{\partial\alpha}{\partial y}\right)^2\right]dx\,dy$$

ein Minimum bleiben, und können immer in willkürlicher Anzahl und Lage noch angenommen werden.

Der Verfasser hat jedoch, vielleicht mit Unrecht, derartige Unstetigkeiten absichtlich nicht berücksichtigt. Möglicher Weise sind die hier gemachten Bemerkungen von Nutzen für denjenigen, welcher seine erste Kenntniss Riemann'scher Anschauungsweise aus dem Buche geschöpft hat, welches hier besprochen wird.

Die Bemerkungen, welche der Verfasser in der Anmerkung zu S. 100 darüber giebt, ob eine convergente Reihe integrirt werden darf, lassen sich durch sehr einfache ersetzen. Das Wesen der convergenten Reihe besteht darin, dass der nach n Gliedern noch übrige Rest R_n durch Vergrösserung von n unter jede noch so klein angenommene endliche Grenze gebracht werden kann; hierbei bleibt n immer endlich und im Integrale von

$$r_0+r_1+\ldots+r_{n-1}+R_n$$

darf daher jedes Glied einzeln integrirt werden. Offenbar muss auch, wenn die Reihenglieder r und der Rest R_n Functionen von z sind, und R_n unter jede noch so kleine Grösse gebracht werden kann, für alle innerhalb der Integrationsgrenze liegenden Werthe von $z \int_a^b R_n\,dz$ so klein gemacht werden können, als man nur immer will; hieraus ergiebt sich die Convergenz der durch Integration entstehenden Reihe; auch ist ersichtlich, dass diese neue Reihe wirklich die Function von z darstellt, welche durch Integration derjenigen Function entsteht, welche die erste Reihe darstellt.

Ist R_n als Function von z sehr klein, so braucht deshalb nicht $\frac{dR_n}{dz}$ klein zu sein; die Differentiation der Reihe ist also mit grösserer Vorsicht auszuführen als die Integration.

Bei den in Rede stehenden Potenzreihen sieht man auch ohne Schwierigkeit, dass der Integrationsweg auch sich bis ins Unendliche erstrecken darf, ohne dass das Integral $\int R_n\,dz$ endlich würde, während R_n unendlich klein bleibt. Man kann dies auch dadurch erledigen, dass man die Reihe als Function einer Grösse ζ betrachtet, wo etwa

$$\zeta=\frac{az+b}{cz+d}$$

so gewählt wird, dass es während der Integration endlich bleibt.

Auf S. 64—67 untersucht der Verfasser die verschiedenen möglichen Lagen der Verzweigungsschnitte für gegebene Flächen. Ich hätte hier gern Beispiele gesehen von mehr als zweiblättrigen Flächen; dann lassen sich innerhalb gewisser Grenzen die Verzweigungspunkte zwischen einzelnen Blättern ganz und gar entfernen und auf andere Blätter übertragen.

Im 8. Abschnitt, namentlich in der zweiten Hälfte desselben, wäre es auch gut gewesen, meiner Meinung nach, die Integrale logarithmischer oder ähnlicher, transcendenter Functionen zu betrachten, für welche in der Nähe gewisser Punkte gar keine convergente Reihenentwickelung existirt. Für solche Functionen hört das in §. 44, S. 149 gegebene Kriterium für die Endlichkeit von

$$\int_a^z f(z)\,dz$$

auf. So ist z. B.

$$\int_a^z \frac{dz}{z \cdot lgz} = C + lg(lg\,z)$$

unendlich für $z = 0$, obgleich

$$z \cdot \frac{1}{z \cdot lgz} = \frac{1}{lgz}$$

Null ist für $z = 0$.

Während mir diese ersten Parthien des Buches den Eindruck grösster Ausführlichkeit und Deutlichkeit machen, hätte ich z. B. im Abschnitt IX stellenweise ein grösseres Eingehen gewünscht; so speciell auf S. 161.

Nehmen wir an, dass b_1 mit a_2, $a_3 \,..\, a_n$ (also $n-1$ der geschlossenen Curven $a_1 \,..\, a_n$) einen Flächentheil begrenzte; ferner m mit allen $a_1 \,..\, a_n$, so haben beide Flächen die Linien

$$a_2,\ a_3 \ldots a_n$$

gemeinschaftlich und durch Vereinigung der Flächen entsteht die Fläche, welche von a_1, b_1 und m begrenzt wird; denn in der gesammten Fläche sind die den beiden Theilen gemeinsamen Begrenzungen nicht mehr als Begrenzungslinien enthalten; hier ist es also nicht möglich, wie der Verfasser durchführt, a_1 durch b zu ersetzen. Man muss sich hier begnügen zu sagen, dass b_1 immer **wenigstens eine** der Curven $a_1 \,..\, a_n$ ersetzen kann, mit denen letzteren (allen oder einigen) m einen Flächentheil begrenzt. Die Theorie dieser Curven, und damit zusammenhängend, der Querschnitte, ist einer der schwierigeren Theile dieser Betrachtungen, so dass mir hier ein genaueres Eingehen auf Einzelheiten besonders zweckmässig erschienen wäre. Indess ist gerade in diesem Abschnitt die Behandlung greifbarer Beispiele zu rühmen, und es kann der Leser, welcher dieselben mit Aufmerksamkeit verfolgt, wohl die vermissten Details sich selbst liefern. Ueberlässt der Verfasser jedoch dies dem Leser mit Recht, so wäre in den vorhergehenden Abschnitten eine kürzere Fassung auch entschieden zu wünschen.

Die Bestimmung der Function durch Grenz- und Unstetigkeitsbedingungen enthält eine Lücke; es kommt hierbei wesentlich darauf an, zu wissen, dass die Function α von x und y, welche $\Omega(\alpha)$ zum Minimum macht (siehe S. 202), nirgends unendlich werden kann, oder, bei den Betrachtungen von §. 54, zu wissen, dass α keine andern als die vorgeschriebenen Unstetigkeiten besitzt; dies ist evident, sobald man weiss, dass das Integral:

$$\Omega(\alpha) = \int\int \left[\left(\frac{\partial \alpha}{\partial x}\right)^2 + \left(\frac{\partial \alpha}{\partial y}\right)^2\right] dx\,dy$$

stets unendlich werden muss, sobald α reeller Theil einer Function von $x + yi$ ist, welche nicht überall endlich bleibt. Dies beweist der Verfasser

(S. 207); und es hätte daher nur einiger kurzen Worte bedurft, um diese Lücke auszufüllen, welche dem Anfänger jedenfalls grosse Schwierigkeiten machen kann.

Die betreffende Bemerkung am Schlusse von Riemann's „Bestimmung einer Function einer veränderlichen complexen Grösse durch Grenz- und Unstetigkeitsbedingungen", Crelle J. B. 54, ist allerdings etwas dunkel.

Bei dieser Gelegenheit konnten auch, wie ich schon vorhin bemerkte, ohne grosse Schwierigkeit die Unstetigkeiten berücksichtigt werden, welche durch Abänderung des Werthes der Function in einem Punkte hebbar sind. Man braucht nur diesen Punkt durch einen unendlich kleinen Kreis von der übrigen Fläche auszuscheiden; das über diesen Kreis erstreckte Integral (44) S. 203 muss ohne Einfluss auf den Werth des gesammten Integrales bleiben, da der Integrationsweg unendlich klein ist.

Als Schluss des Werkes hätte ich die Darstellung der elliptischen Functionen durch ϑ-Functionen gewünscht, indess ist die Ausführung anderer Beispiele, sowie im Abschnitt X gegeben sind, schon sehr instructiv und lässt an Deutlichkeit nichts zu wünschen übrig.

Fernere Beispiele, die sehr geeignet gewesen wären, den Leser vom Nutzen dieser Theorien zu überzeugen, sind die trigonometrischen Reihen für die elliptischen Functionen, sowie die Darstellung dieser letzteren durch Partialbrüche. Ich bezweifle durchaus nicht, dass die Aufnahme einer grösseren Anzahl solcher wissenschaftlichen Beispiele sehr ermuthigend zum Weiterstudium sein musste, und glaube, dass auch anderntheils durch solche Beispiele die Lecture dieses Werkes selbst um Vieles interessanter geworden wäre.

Die Einleitung des Werkes darf man als vollständig klar und scharf bezeichnen; die daselbst gegebene Auseinandersetzung wird jeden aufmerksamen Leser von der Berechtigung der complexen Grössen überzeugen; ebenso klar und scharf sind die Betrachtungen der Einleitung über die Definitionen der mathematischen Operationen in der allgemeinen Zahlenreihe (S. 9, 10 etc.).

Ich möchte, nach allen diesen Ueberlegungen, das Werk von Durège allen Anfängern empfehlen, welche sich eine erste Kenntniss der modernen mathematischen Anschauungsweisen erwerben wollen. Ich halte dafür, es sei sehr zweckmässig, dass der Lernende ziemlich bald sich an die Betrachtung der Eigenschaften der Functionen gewöhnt. Das gewöhnliche mathematische, mehr rechnende Verfahren, wird durchaus nicht überflüssig durch diese neuere Betrachtungsweise; es lassen sich aber oftmals doch sehr grosse Rechnungen ersparen; ferner, was sowohl für das Studium, als auch für selbstständige Arbeiten von grösstem Werthe ist, die Möglichkeit gewisser Darstellungen (als z. B. der elliptischen Functionen durch die ϑ) lässt sich sofort übersehen; es wird dadurch leichter, den Faden einer gegebenen Rechnung, welche man nachstudirt, zu behalten, und es kann viel zielloses Rechnen bei selbstständigen Arbeiten vermieden werden.

Die im Laufe dieses Referates gemachten Ausstellungen berühren zum grossen Theile nur Punkte, die erst bei einem etwas tieferen Eingehen bemerkbar werden; ich empfehle daher das Werk nochmals einem Jeden, welcher sich mit Riemann'schen Arbeiten vertraut machen will, zum Vorstudium.

Halle, den 3. Mai 1865. G. Roch.

Bibliographie

vom 1. Mai bis 1. Juli 1865.

Periodische Schriften.

Sitzungsberichte der kaiserl. Akademie der Wissenschaften zu Wien. Mathem.-naturwissenschaftl. Classe. Jahrg. 1865. 1. Abth. 1. und 2. Heft. 2. Abth. 1. und 2. Heft. Wien, Gerold's Sohn. pro Abth. compl. 8 Thlr.

Reine Mathematik.

Winckler, A., Einige Eigenschaften der Transcendenten, welche aus der Integration homogener Functionen hervorgehen. (Akad.) Wien, Gerold's Sohn. ⅛ Thlr.

Steinhauser, A., Kurze Hilfstafel zur Berechnung fünfzehnstelliger Logarithmen und der Zahlen zu solchen Logarithmen. Wien, Beck'sche Univers.-Buchhdlg. 16 Ngr.

Hofmann, F., Aufgaben aus der Arithmetik und Algebra. 2. Thl. Algebr. Aufgaben. 1. Abth. 3. Aufl. Bayreuth, Grau. 24 Ngr.

Salomon, J., Lehrbuch der Elementarmathematik. 1. Bd. Algebra. 3. Aufl. Wien, Gerold's Sohn. 1⅛ Thlr.

Hoppe, R., Lehrbuch der Differentialrechnung und Reihentheorie mit strenger Begründung der Infinitesimalrechnung. Berlin, G. F. O. Müller. 1½ Thlr.

Eggers, H., Grundzüge einer graphischen Arithmetik. Schaffhausen, Schoch. ½ Thlr.

Martus, H. C. E., Mathematische Aufgaben für die obersten Classen höherer Lehranstalten. II. Resultate. Greifswald, Koch. 28 Ngr.

Kommerell, Lehrbuch der Stereometrie. Tübingen, Laupp. 18 Ngr.

Wiecke, P., Lehrbuch der Mathematik. 1. Thl. Planimetrie und ebene Trigonometrie. Leipzig, O. Wigand. ⅝ Thlr.

Rottok, H., Lehrbuch der Planimetrie. Rendsburg, Ehlers. 18 Ngr.

Gandtner, O., Die Elemente der analytischen Geometrie. 2. Aufl. Minden, Volkening. ¼ Thlr.

Libri, G., *Histoire des sciences mathématiques en Italie depuis la renaissance des lettres jusqu'à la fin du 17. siècle. 2. Edition. Tome I et II.* Halle, Schmidt. 2⅔ Thlr.

Angewandte Mathematik.

Müller, J., Die constructive Zeichnungslehre (Parallelprojection, Perspective und Schattenconstruction). 2 Thle. mit Atlas. Braunschweig, Vieweg. 5⅓ Thlr.

Tilscher, F., System der technisch-malerischen Perspective. 1. Abth. mit Atlas. Prag, Tempsky. 1⅕ Thlr.

Sella, Q., Die geometrischen Principien des Zeichnens, insbesondere der Axonometrie. Uebersetzt von M. Curtze. Greifswald, Koch. ⅓ Thlr.

Berchthold, J. A., Das Maassensystem der Natur und die daraus entwickelten Verhältnisse zwischen Raum und Zeit. Herausgegeben von J. Baumgartner. Berlin, Springer. ⅔ Thlr.

Schrauf, A., Ueber Volumen und Oberfläche der Krystalle. (Akad.) Wien, Gerold's Sohn. 4 Ngr.

—— Beitrag zu den Berechnungsmethoden der Zwillingskrystalle. (Akad.) Wien, Gerold's Sohn. 4 Ngr.

Lesser, O., Tafeln der Metis, mit Berücksichtigung der Störungen durch Jupiter und Saturn. Leipzig, Engelmann. 1⅓ Thlr.

Weiss, E., Bahnbestimmung von Maja (66). (Akad.) Wien, Gerold's Sohn. 3 Ngr.

Felgel, R., Bahnbestimmung der Galathea (74). (Akad.) Wien, Gerold's Sohn. 3 Ngr.

Littrow, K. v., Physische Zusammenkünfte von Asteroiden im Jahre 1865. (Akad.) Ebendas. 1½ Ngr.

Gerhard, E., Ueber den Bilderkreis von Eleusis. 3. Abhdlg. (Akad.) Berlin, Dümmler. 1 Thlr.

Hofmann, F., Grundzüge der Statik und Dynamik fester Körper. Für höhere Lehranstalten bearb. Bayreuth, Grau. 12 Ngr.

Moshammer, K., Zur Theorie eines Systems von Varianten der conoidischen Propellerschraube. (Akad.) Wien. Gerold's Sohn. 12 Ngr.

Taschenbuch des Ingenieurs; herausgeg. von dem Verein „Hütte". 6. Aufl. Berlin, Ernst & Korn. 1⅓ Thlr.

Bertrand, J., *Les fondateurs de l'astronomie moderne. Copernic, Tycho-Brahé, Kepler, Galilei, Newton.* Paris, Hetzel. 6 frcs.

Pratt, H. J. A., *Astronomical investigations: the cosmical rela-*

tions of the revolution of the lunar apsides, oceanic tides London, Churchill. 5 sh.

TODHUNTER, J. A., *History of the mathematical theory of probability frome the time of Pascal to that of Laplace.* London, Macmillan. 18 sh.

Physik.

WÜLLNER, A., Lehrbuch der Experimentalphysik. 2. Bd. 2. Abth. 1. Lief. Leipzig, B. G. Teubner. 2 Thlr.

ULLRICH, G., Lehrbuch der Physik für die unteren Classen der Mittelschulen. Wien, Sallmayer. ⅜ Thlr.

EMSMANN, A. H., Physikalisches Handwörterbuch. 4. Lief. Leipzig, O. Wigand. 24 Ngr.

Fortschritte der Physik im Jahre 1863. Redig. von E. Jochmann. 1. Abth. Berlin, G. Reimer. 2 Thlr.

WINKLER, E., Die Akustik in elementarer Darstellung. Dresden, Türk. ½ Thlr.

KETTELER, E., Beobachtungen über die Farbenzerstreuung der Gase. Abhängigkeit der Fortpflanzung des Lichts von Schwingungsdauer und Dichtigkeit. Bonn, Henry. 16 Ngr.

THOMSEN, J., Die Polarisationsbatterie. Ein neuer Apparat zur Hervorbringung eines continuirlichen Stromes von hoher Spannung und constanter Stärke mit Hilfe eines einzigen Elementes. Hamburg, Hoffmann & Campe. ⅙ Thlr.

LANGGUTH, Ueber die Bewegung der Elektricität in Körpern, welche eine constante oder mit der Richtung veränderliche Leitungsfähigkeit besitzen. Greifswald, Koch. 9 Ngr.

STEFAN, J., Ueber einige Thermoelemente von grosser elektromotorischer Kraft. (Akad.) Wien, Gerold's Sohn. 1½ Ngr.

ZEHFUSS, G., Beiträge zur Theorie der statischen Elektricität. Frankfurt a. M., Hermann. 12 Ngr.

BEER, A., Einleitung in die Elektrostatik, die Lehre vom Magnetismus und die Elektrodynamik. Nach dem Tode des Verfassers herausgeg. von J. Plücker. Braunschweig, Vieweg. 2 Thlr.

VIVENOT, R. v., Ueber die Messung der Luftfeuchtigkeit zur richtigen Würdigung der Klimate. Wien, Seidel & Sohn. 6 Ngr.

ARNDT, J. A., Resultate der auf der königl. meteorologischen Station zu Torgau in den Jahren 1848—1864 gemachten Beobachtungen. Torgau, Jacob. ⅙ Thlr.

Mathematisches Abhandlungsregister.

1864.

Erste Hälfte: 1. Januar bis 30. Juni.

A.

Analytische Geometrie der Ebene.

1. *On the magical equation to the tangent of a curve.* *Hiern.* *Quart. Journ. math* *VI*, 31.
2. *Analogues of Pascal's theorem.* *Clifford.* *Quart. Journ. math. VI*, 216.
3. *Proprietà d'una maniera di poligoni derivati.* *Rubini.* *Annali mat. V*, 5.
4. *Théorème sur les cercles passant par deux points donnés et coupant une courbe algébrique d'un degré quelconque.* *Janfroid.* *N. ann. math. XXIII*, 134.
5. *Lieu d'un point duquel on mène des tangentes à deux cercles égaux dont le produit est constant.* *Plissart.* *N. ann. math. XXIII*, 223.
6. *Lieu du point d'intersection de la polaire d'un point A par rapport à un cercle donné avec la tangente en et d'une circonférence que A parcourt.* *Salles.* *N. ann. math XXIII*, 268.
7. *Sur un triangle à la fois inscrit dans une courbe du troisième degré et circonscrit à cette même courbe.* *Griffiths.* *N. ann. math. XXIII*, 173.
8. Zwei geometrische Aufgaben aus der Curvenlehre. Dewall. Grun. Archiv XLII, 65.
9. *Sur le lieu des intersections de deux courbes mobiles.* *Nicolaides.* *N. ann. math. XXIII*, 39.
10. *On the nodal curve of the developable derived from the quartic equation* $(a, b, c, d, e)(t, e)^4 = 0$. *Cayley.* *Phil. Mag. XXVII*, 437.
11. *Circonférences se rapportant à une série de limaçons de Pascal.* *Haag.* *N. ann. math. XXIII*, 170. — *Schnée ibid.* 171.
12. Ueber eine besondere Art cyclischer Curven. Durège. Zeitschr. Math. Phys. IX, 209.
13. *Alcune proprietà di una curva trascendente.* *Azzarelli.* *Annali mat. V*. 72.

Vergl. Asymptoten. Coordinatenveränderung Ellipse. Hyperbel. Imaginäres 125. Kegelschnitte. Kreis. Sigularitäten.

Analytische Geometrie des Raumes.

14. *Méthode pour trouver des procédés de transformation en géométrie et en physique mathématique.* *Haton de la Goupillière*, *Compt. rend. LVIII*, 1001.
15. Analytisch-geometrische Untersuchungen. Enneper. Zeitschr. Math. Phys. IX, 96.
16. Ableitung der Gleichungen einer durch die Raumpunkte M, P, N gehenden Geraden aus der Eigenschaft $MN = MP + PN$. Rogner. Grun. Arch. XLII, 95.
17. *Considérations générales sur les courbes dans l'espace. Courbes du cinquième ordre.* *Cayley.* *Compt. rend. LVIII*, 994.
18. *Sur les sections du tore.* *Darboux.* *N. ann. math. XXIII*, 156.

Vergl. Determinanten in geometrischer Anwendung. Ellipsoid. Geodätische Linien. Krümmung. Oberflächen. Oberflächen 2ter Ordnung. Singularitäten. Sphärik. Stereometrie.

Astronomie.

19. *Sur une équation dans la théorie du mouvement des comètes.* *Gasparis.* *Compt. rend. LVIII*, 85.

20. *Sur la parallaxe du soleil déduite par M. Hansen de la théorie de la lune.* Babinet. *Compt. rend. LVIII*, 150.
21. *An investigation of the differential equations of the moon's motion.* Walton. *Quart. Journ math VI*, 65.
Vergl. Nautik.

Asymptoten.

22. *Nouvelle manière d'envisager les asymptotes d'une courbe, dont l'équation est donnée en coordonnées polaires.* Janfroid & Mansion. *N. ann. math. XXIII*, 62. — Mannheim *ibid.* 189.

B.

Bernoullische Zahlen.

23. *Sur le calcul des nombres de Bernoulli.* Catalan. *Compt rend. LVIII*, 1105.
24. *On Staudt's proposition relating to the Bernoullian numbers.* Schläfli. *Quart. Journ. math VI*, 75.
25. *On Staudt's proposition relating to the Bernoullian numbers.* Jeffery. *Quart. Journ. math. VI*, 179.
26. *Sur les nombres des Bernoulli.* Lebesgue. *Compt. rend. LVIII*, 853, 937. — Catalan *ibid.* 902. — Chasles *ibid.* 903.
Vergl. Reihen 224.

Bestimmte Integrale.

27. *On a paradox in definite integration.* Walton. *Quart. Journ. math. VI*, 319.
28. Beweis eines Theorems, von welchem die Theoreme, welche sich auf die Fourierschen Doppelintegrale beziehen, und viele andere nur ganz specielle Fälle sind. Grünwald Zeitschr. Math. Phys. IX, 131.
29. Ueber die Reduction von Doppelintegralen auf Producte einfacher Integrale. Schlömilch. Zeitschr. Math. Phys. IX, 205.
Vergl. Elliptische Functionen. Gammafunctionen.

C.

Combinatorik.

30. *On the notion and boundaries of algebra.* Cayley. *Quart. Journ. math. VI*, 382.
31. *Question sur un jeu de cartes.* Le Cointe. *Annali mat. V*, 108.

Coordinatenveränderung.

32. *Formules existants, pourvu que* $Ax^2+Bxy+Cy^2=A'X^2+B'XY+C'Y^2$. Lemonnier. *N. ann. math XXIII*, 66. — Faure *ibid.* 70.
Vergl. Analytische Geometrie des Raumes 14.

Cubatur.

33. Körperinhalt eines schief abgeschnittenen Cylinders. Eilles. Grun. Archiv XLII, 186.
34. *Sur les volumes des surfaces podaires.*

D.

Determinanten.

35. *Sur une extension de la théorie des résultants algébriques.* Sylvester. *Compt. rend. LVIII*, 1074, 1130, 1178.
36. *On differential resolvents.* Spottiswoode. *Quart. Journ. math. VI*, 262.
37. *Condition nécessaire pour qu'une équation du troisième degré ait deux racines égales.* Brioschi. *N. ann. math. XXIII*, 188.

Determinanten in geometrischer Anwendung.

38. *On the invariants of the equation of the second degree.* Routh. *Quart. Journ. math VI*, 270, 308.
39. *On trilinear and quadriplanar coordinates.* Greer. *Quart. Journ. math VI*, 237.
40. Ueber einige Transformationen von Flächen. Enneper. Zeitschr. Math. Phys. IX, 126.
41. *On certain developable surfaces.* Cayley. *Quart. Journ. math. VI*, 108.

42. *Les points milieux des 28 droites, qui joignent deux à deux les centres des 8 sphères inscrites dans un tétraèdre quelconque sont sur une même surface du troisième ordre.* Piquet & Cornu. *N. ann. math. XXIII*, 225.
Vergl. Kegelschnittte 139, 140.

Differentialgleichungen.

43. Construction derjenigen linearen Differential-Gleichung, deren particuläre Integrale die Producte der particulären Integrale zweier gegebenen linearen Differential-Gleichungen sind. Spitzer. Grun. Archiv XLII, 62.
44. Construction derjenigen linearen Differential-Gleichung, deren particuläre Integrale die Quadrate sind der particulären Integrale der linearen Differential-Gleichung $X_2 y'' + X_1 y' + X_0 y = 0$. Spitzer. Grun. Archiv XLII, 64.
45. Construction der linearen Differential-Gleichung, der genügt wird durch $y = e^{\lambda} \int \frac{\sqrt{m+x}}{n+x} . dx$. Spitzer. Grun. Archiv XLII, 345.
46. *Differential equations of the first ordre.* Hargreave. *Phil. Mag. XXVII*, 355.
47. *Sur l'intégration des équations linéaires.* Hulphen. *Compt. rend. LVIII*, 471.
48. *Méthode nouvelle pour l'intégration des équations différentielles linéaires ne contenant qu'une variable indépendante.* Caqué. *Journ Math. XXIX*, 185.
49. *Sur l'intégration sous forme finie de l'équation différentielle linéaire du second ordre et à coëfficients rationnels.* Pepin. *Annali mat. V*, 185.
50. Ueber lineare Differential-Gleichungen. Spitzer. Zeitschr. Math. Phys. IX, 60. [Vergl. Bd. IX, No. 49.]
51. *Direct investigation of Lagrange's and Monge's methods of solution of partial differential equations.* Watson. *Quart. Journ math. VI*, 140.
52. Integration der Differentialgleichung $(a + bx + cx^2)(b + 2cx) y'' + A(a + bx + cx^2) y' + B(b + 2cx) y = 0$. Spitzer. Grun. Archiv XLII, 330.
53. Integration der Differentialgleichung $(b + 2cx) y'' + A(a + bx + cx^2) y' + B(b + 2cx)(a + bx + cx^2) y = 0$. Spitzer. Grun. Archiv XLII, 331.
54. Integration der Gleichung $(b + 2cx) y'' + A(a + bx + cx^2) y' + B(b + 2cx) y = 0$. Spitzer. Grun. Archiv XLII, 332.
55. Ueber 3 specielle Fälle der Gleichung $x^2 (a_2 + b_2 x^n) y'' + x(a_1 + b_1 x^n) y' + (a_0 + b_0 x^n) y = 0$. Spitzer. Grun Archiv XLII, 340.
56. Ueber die Differentialgleichung $sy'' + (r + qx) y' + (p + nx + mx^2) y = 0$. Hoppe. Zeitschr. Math. Phys. IX, 56. [Vergl. Bd. IX, No 47.]
57. Integration der Gleichung $y''' = 3mx^2 y'' + 6m(\mu + 2) xy' + 3m(\mu + 2)(\mu + 1) y$ für den Fall, wo m eine beliebige constante und μ eine ganze negative Zahl bezeichnet. Spitzer. Grun. Archiv XLII, 102.
58. Integration der Gleichung $x^m \frac{d^{2m} y}{dx^{2m}} = y$ für den Fall, wo m eine ganze negative Zahl ist. Spitzer. Grun. Archiv XLII, 328.

Differenzenrechnung.

59. *Sopra alcune formole nel calcolo delle differenze finite.* Tortolini. *Annali mat. V*, 181.

E.

Elasticität.

60. *Sur les contractions d'une tige, dont une extrémité a un mouvement obligatoire, et application au frottement de roulement sur un terrain uni et élastique.* Saint-Venant. *Compt. rend. LVIII*, 455.

Ellipse.

61. *Note sur une propriété de l'ellipse.* Brasseur. *N. ann. math. XXIII*, 111.
62. *De parallelogrammis circa ellipsin datam circumscriptis.* Lindman. Grun. Archiv XLII, 275.
63. *Note on geometrical conics.* Taylor. *Quart. Journ. math. VI*, 21.
Vergl. Maxima und Minima 159. Quadratur.

Ellipsoid.

64. *Equations of an ellipsoid and its enveloping cone.* Scott. *Quart. Journ. math. VI*, 258.

65. *Théorème sur deux ellipsoïdes concentriques semblables et semblablement placées.* Courtin & Godard. *N. ann. math XXIII*, 74. — Debatisse & Nouette *ibid.* 76.
66. Einiges über die Richtung der Verticale bei verschiedenen Höhen über dem Erdboden. Bacaloglo. Grun. Archiv XLII, 271. [Vergl. Bd. VI, No. 64.]
Vergl. Krümmung 153.

Elliptische Functionen.

67. *Sur deux intégrales définies.* W. Roberts. *Annali mat. V*, 52.
68. *Construction géometriques de deux transformations de la fonction F pour le cas* $p=3$. W. Roberts. *Annali mat. V*, 225.
69. *Application d'un théorème d'Abel sur les transformations modulaires des fonctions elliptiques à la solution d'un problème de géometrie.* W. Roberts. *Compt. rend. LVIII*, 709.

F.

Functionen.

70. *Sur les fonctions à périodes multiples.* Casorati. *Compt. rend. LVIII*, 127, 201.
71. *Etant* $a_x = a_{x-1} + b_{x-1}$, $b_x = a_{x-1}$ *trouver* $\lim \frac{a_x}{b_x}$ *lorsque x devient infini.* Saint-Prix. *N. ann. math. XXIII*, 260.
72. $1^2.2^2.3^2..n^2 > n^n$. Hoüel. *N. ann. math. XXIII*, 186. — Toubins *ibid.* 186. [Vergl. Bd. IX, No. 67]
73. Darstellung der Function $y = e^{\lambda x^r}$, in welcher λ eine constante und r eine ganze positive Zahl bezeichnet in der Form $y = f[A_m e^{mx}]$. Spitzer. Grun. Arch. XLII, 104.
Vergl. Determinanten. Elliptische Functionen. Gammafunctionen. Gleichungen 101, 102. Homogene Functionen. Hyperbolische Functionen. Unbestimmte Formen.

G.

Gammafunctionen.

74. Die Euler'schen Integrale bei unbeschränkter Variabilität des Argumentes. H. Hankel. Zeitschr. Math. Phys. IX, 1.
75. *On the derivatives of the gamma-function.* Jeffery. *Quart. Journ. math. VI*, 82.

Geodätische Linien.

76. *Démonstration du théorème de Gauss relatif aux petits triangles géodésiques situés sur une surface courbe quelconque.* Ossian Bonnet. *Compt. rend, LVIII*, 183.

Geometrie (descriptive).

77. *Sopra un teorema di geometria descrittiva e sua applicazione al tracciamento del contorno dell' ombra di alcuni corpi.* Bruno. *Annali mat. V*, 18.

Geometrie (höhere).

78. *Etudes sur les courbes à double courbure tracées sur une surface algébrique d'un ordre quelconque.* De Jonquières. *Annali mat. V*, 24.
79. *Nombre des courbes d'un même système d'ordre quelconque, qui coupent des courbes données d'ordre également quelconque sous des angles donnés ou sous des angles indéterminés, mais dont les bissectrices on des directions données.* De Jonquières. *Compt. rend. LVIII*, 535. — Chasles *ibid* 537.
80. *Propriétés diverses de systèmes de surface d'ordre quelconque.* De Jonquières. *Compt. rend. LVIII*, 567.
81. *De la transformation géométrique des figures planes et d'un mode de génération de certaines courbes à double courbure de tous les ordres.* De Jonquières. *N. ann. math. XXIII*, 97.
82. *Du contact des courbes planes et en particulier des contacts multiples des sections coniques avec une même courbe d'ordre quelconque.* De Jonquières. *N. ann. math. XXIII*, 218.
83. Einen ebenen Büschel von 4 Strahlen durch eine Gerade zu schneiden, dass auf derselben in 2 nicht neben einander liegenden Winkeln jenes Büschels gegebenen Strecken enthalten sind. Wiener. Zeitsch. Math. Phys. IX, 54.

84. *Sur les lieu des foyers d'un faisceau de courbes de l'ordre n ayant n² points communs.* Cremona. *N. ann. math. XXIII*, 21.
85. *Sur la perpendiculaire d'un point sur la polaire de ce point par rapport à une conique B, le point décrivant une courbe A de l'ordre n.* Cremona. *N. ann. math. XXIII*, 25.
86. *Sulla projezione iperboloidica di una cubica gobba.* Cremona. *Annali mat. V*, 227.
87. *Théorème de Desargues.* Poudra. *N. ann. math. XXIII*, 202.
Vergl. Krümmung 155.

Geschichte der Mathematik.

88. *Les signes numéraux et l'arithmétique chez les peuples de l'antiquité et du moyen-age.* Th. Henry Martin. *Annali mat. V*, 257, 337.
89. Zur Geschichte der Zahlzeichen und unseres Ziffernsystemes. Friedlein. Zeitschr. Math. Phys. IX, 73.
90. Gerbert's Regeln der Division. Friedlein. Zeitschr. Math. Phys. IX, 145.
91. *Intorno al Liber Karastonis.* Steinschneider. *Annali mat. V*, 54.
92. *Passages relatifs à des sommations de séries de cubes extraits de trois manuscrits arabes inédits.* Woepcke. *Annali mat. V*, 147.
93. *Sur l'édition des oeuvres de Desargues faite par M. Poudra.* Cremona. *Annali mat. V*, 332.
94. *Extrait d'une lettre de Descartes à Mersenne.* *N. ann. math XXIII*, 222.
95. Galileo Galilei. Cantor. Zeitschr. Math. Phys. IX, 172.
96. Galileo Galilei. Streit. Grun. Archiv XLII, 241.
97. *Maclaurin, auteur de la théorie des poduires successives.* W. Roberts. *N. ann. math. XXIII*, 80.
98. *A contribution to the history of the problem of the reduction of the general equation of the fifth degree to a trinomial form.* Harley. *Quart. Journ. VI*, 38.
99. *Cenno necrologico di Ottaviano Fabrizio Mossotti.* *Annali mat. V*, 60.
100. Eröffnung der *Academia scientifico-letteraria* und des *Istituto tecnico superiore* zu Mailand. Brioschi. Grun. Archiv XLII, 42.
Vergl. Gleichungen 116. Planimetrie 191.

Gleichungen.

101. *Introductory chapter of coresolvents.* Cockle. *Quart. Journ. math. VI*, 9, 151, 226.
102. *Illustrations on the theory of critical functions.* Warren. *Quart. Journ. math. VI*, 231, 372.
103. *Remarques sur la transformations et l'abaissement des équations.* Prouhet. *N. ann. math. XXIII*, 122.
104. *Inégalité existant entre les coëfficients de l'équation $Ax^m + Bx^{m-1} + \ldots + U = 0$, dont toutes les racines sont réelles.* E. M. *N. ann. math. XXIII*, 37. — Courtin & Godard. *ibid.* 136.
105. *Sur une extension de la théorie des équations algébriques.* Sylvester. *Compt. rend. LVIII*, 689.
106. *Sur les groupes des équations résolubles par radicaux.* Jordan. *Compt. rend. LVIII*, 963.
107. *Intorno la risoluzione delle equazione algebriche generali mediante trascendenti.* Pievani. *Annali mat. V*, 57.
108 *Sur la limite du nombre des racines réelles d'une classe d'équations algébriques.* Sylvester. *Compt. rend. LVIII*, 494.
109. *Extension du théorème de Rolle aux racines imaginaires des équations.* Liouville. *Journ Math. XXIX*, 84.
110. *Equations dont les racines sont les carrés des différences entre les racines d'une équation donnée.* Beltrami *N. ann. math. XXIII*, 64.
111. *Expression for the resultant of two binary cubics.* Cayley. *Quart. Journ. math. VI*, 380.
112. Ueber die Beurtheilung der Wurzeln einer vorgelegten cubischen Gleichung. Kerz. Grun. Archiv XLII, 121. [Vergl. Bd. IX, No. 313.]
113. *Sur l'équation du troisième degré et sur une équation du dixième degré de Jacobi.* Faure. *N. ann. math. XXIII*, 116.
114. *Résolution du cas irréductible sans recourir aux séries.* Valz. *Compt. rend. LVIII*, 1186.
115. *Résolution de l'équation du quatrième degré.* Bellavitis. *N. ann. math. XXIII*, 121.

116. *Sulla risolvente di Malfatti per le equazioni del quinto grado.* Brioschi. *Annali mat. V*, 233.

H.

Homogene Functionen.

117. *Theorems connecting the sums of homogeneous products with division and the roots of equations.* Horner. *Quart. Journ. math. VI*, 360.
118. *On the resolution of composite quantics into linear factors.* Walker. *Quart Journ. math VI*, 328.
Vergl. Quadratische Formen.

Hydrodynamik.

119. *Researches in hydrodynamics with reference to a theory of the dispersions of light.* Challis. *Phil. Mag. XXVII*, 452.

Hyperbel.

120. *Dans l'hyperbole équilatère le produit de la distance d'un point de la directrice au centre par la tangente de l'angle sous lequel on voit de ce point l'hyperbole égale l'axe transverse.* Contet. *N. ann. math. XXIII*, 264.

Hyperbolische Functionen

121. Einige Integrale, welche bei der Auflösung des ballistischen Problems vorkommen. Ligowsky. Grun. Archiv. XLII, 55.

Hypsometrie.

122. *On a simple formula and practical rule for calculating heights barometrically without logarithms.* Ellis. *Phil. Mag. XXVII*, 68.
123. *On the measurement of heights by the barometer.* Saint-Robert. *Phil. Mag XXVII*, 132, 401.

I.

Imaginäres.

124. *Elementary physical applications of quaternions.* Tait. *Quart. Journ. math. VI*, 279.
125. Untersuchungen über die Anwendung der imaginären Grössen in der Curvenlehre. Durège. Grun. Archiv XLII, 1. [Vergl. Bd. IV, No. 123 und Bd. V, No. 466.]
Vergl. Gammafunctionen 74. Gleichungen 109.

K.

Kegelschnitte.

126. Die Kegelschnitte und die höheren Curven als Resultate einer Ortsbestimmung. Eckardt. Zeitschr. Math. Phys. IX, 22.
127. *Geometrical demonstration of certain fundamental properties of conic sections.* Horne. *Quart. Journ. math. VI*, 47.
128. *Détermination du nombre des sections coniques qui doivent toucher cinq courbes données d'ordre quelconque ou satisfaire à diverses autres conditions.* Chasles. *Compt. rend. LVIII*, 222.
129. *Constructions des coniques qui satisfont à cinq conditions. Nombre des solutions dans chaque question.* Chasles. *Compt. rend. LVIII*, 297.
130. *Système de coniques qui coupent des coniques données sous des angles données, ou sous des angles indéterminés, mais dont les bissectrices ont des directions données.* Chasles. *Compt. rend. LVIII*, 425.
131. *Différence entre la méthode exposé par M. Chasles et la méthode analytique.* Chasles. *Compt. rend. LVIII*, 1167.
132. *Duabus sectionibus conicis se intus in vertice axis majoris (principalis) contingentibus, geometricum invenire locum punctorum, ubi ea pars secantis per verticem transeuntis, quae inter curvas jacet in duas partes aequales dividitur.* Lindman. *Grun. Archiv XLII*, 278
133. Geometrischer Ort der Mittelpunkte aller durch denselben Punkt gehenden Sehnen eines Kegelschnittes. Am Ende. Grun. Archiv XLII, 98, 358. — Baehr. ibid. 114. — Unferdinger. ibid. 118. — Lobatto. ibid. 283. [Vergl. Bd. IX, No. 278.]

134. *On the conics which pass trough three given points and touch a given line.* Cayley. *Quart. Journ. math. VI,* 24.

135. *Analytical theorem relating to the four conics inscribet in the same conic and passing through the same three points.* Cayley. *Phil. Mag. XXVII,* 42.

136. Beweise und Erörterungen einiger Sätze über Kegelschnitte, welche durch vier Punkte gelegt werden. Wiener. Zeitschr. Math. Phys IX, 44.

137. *Conique passant par les 6 points milieux des côtés et de diagonales d'un quadrilatère.* Jaquin. *N. ann. math. XXIII,* 265.

138. *Triangle inscrit dans une conique, et dont deux côtés sont tangents à une seconde conique.* Josselin. *N. ann. math XXIII,* 175.

139. *Conique circonscrite à un triangle.* Brisse. *N. ann. math. XXIII,* 253.

140. *Conique inscrite dans un triangle.* Brisse. *N. ann. math. XXIII,* 257.

141. *Sur les plans doublement tangents à la surface engendrée par une conique tournant autour d'une droite.* M. N. *N. ann. math. XXIII,* 36.

142. *Sur les tangentes communes à une conique donnée et à une série des coniques homothétiques entre elles.* P. Serret. *N. ann. math. XXIII,* 49.

143. *On the chords of curvature at any point of a conic.* Besant. *Quart. Journ. math VI,* 326.

144. *Sulla teoria delle coniche.* Cremona. *Annali mat.* V, 330.

145. *Geometrical notes.* Taylor. *Quart. Journ. math. VI,* 128.

146. *Geometrical problems.* Taylor. *Quart. Journ. math. VI,* 214.

147. *Théorème sur un faisceau de coniques.* Cremona. *N. ann. math. XXIII,* 30. — De Jonquières, *ibid.* 33.

Vergl. Ellipse. Hyperbel. Kreis. Krümmung 155.

Kettenbrüche.

148. Ueber die *n*ten Näherungswerthe der periodischen Kettenbrüche $\frac{1}{a+\frac{1}{a+\dots}}$ und

$$\frac{1}{a+\frac{1}{b+\frac{1}{a+\frac{1}{b+\dots}}}}$$

Strehlke. Grun. Archiv XLII, 343.

Kreis.

149. *Enveloppe des circonférences ayant leur centres sur un circonférence donnée et tangentes à une droite donnée.* De Marsilly. *N. ann. math. XXIII,* 260. — Mansion *ibid* 263.

150. *On the nine-points-circle.* Griffiths. *Quart. Journ. math VI,* 229.

151. *Geometrical theorems concerning the nine-points-circle.* Griffiths. *Quart. Journ. math. VI,* 357.

Vergl. Analytische Geometrie der Ebene 11, 12. Maxima und Minima 160. Schwerpunkt 225.

Krümmung.

152. *On Meunier's theorem and on the curvature of curves in space.* Besant. *Quart. Journ math. VI,* 140.

153. Kugel der mittleren Krümmung des Ellipsoids. Grunert. Grun. Archiv XLII, 256, 356.

154. *Sopra la curvatura di alcune linee prodotte dall' intersezione di due superficie del secondo grado.* Tortolini. *Annali mat. V,* 305.

155. *Lieu des pieds des perpendiculaires abaissées d'un point P sur toutes les tangentes d'une conique donnée.* Mansion. *N. ann. math. XXIII,* 77

L.

Logarithmen.

156. Elementare Berechnung der Logarithmen. Paugger. Grun. Archiv XLII, 197.

M.

Maxima und Minima.

157. *On maxima and minima of two independent variables.* Aldis. *Quart. Journ. math. VI,* 301.

158. Ueber den grössten Werth von $\sqrt[x]{x}$ und einige damit zusammenhängende Sätze. Oettinger. Grun. Archiv XLII, 106
159. *Dans une ellipse donnée inscrire un triangle équilatéral dont le côté soit 1° un maximum, 2° un minimum.* *Hemming.* *N. ann. math. XXIII,* 131.
160. *Per punctum intra circulum datum duas rectas inter se orthogonales ita ducere, ut figura inter eas et arcum ab iis abscissam maxima aut minima fiat.* *Lindman.* *Grun. Archiv XLII,* 279.

Mechanik.

161. *On reciprocal figures and diagrams of forces.* *Maxwell.* *Phil. Mag. XXVII,* 250.
162. *Fundamental theorems in couples.* *Horner.* *Quart. Journ math. VI,* 4.
163. *On the orthometric relations between the strains of a disturbed system.* *Warren. Quart. Journ. math. VI,* 189.
164. *Principle of the equilibrium of polyhedral frames.* *Rankine.* *Phil. Mag. XXVII,* 92.
165. *On the calculation of the equilibrium and stiffness of frames.* *Maxwell.* *Phil. Mag. XXVII,* 294.
166. *Solution de divers problèmes de Mécanique, dans lesquels les conditions imposées aux extrémités des corps, au lieu d'être invariables, sont des fonctions données du temps, et où l'on tient compte de l'inertie de toutes les parties du système.* *Phillips. Journ Mathém XXIX,* 25. — *Compt. rend LVIII,* 317.
167. *The equation for determining the initial tension of a string.* *Besant.* *Quart. Journ. math. VI,* 327.
168. *Mechanical solutions of geometrical problems.* *Quart. Journ. math. VI,* 127. — *Sylvester ibid.* 130.
169. Biegung eines Ringes durch gleichmässigen Druck von aussen. Hoppe. Zeitschr. Math Phys. IX, 37.
170. *Intorno ad un problema di meccanica applicata.* *Cipolletti.* *Annali mat. V,* 251.

Vergl Elasticität. Hydrodynamik. Hyperbolische Functionen. Imaginäres 124. Optik. Schwerpunkt. Trägheitsmoment.

N.

Nautik.

171. Lösung einer nautischen Aufgabe. Paugger. Grun. Archiv XLII, 200.
172. Ueber die Reduction der grössten Sonnenhöhe auf den Meridian bei veränderlichem Beobachtungsorte. Friesach. Grun. Archiv XLII, 180.
173. *Sur une méthode nouvelle proposée par M. de Littrow pour determiner en mer l'heure et la longitude.* *Faye.* *Compt. rend. LVIII,* 437, 597.

O.

Oberflächen.

174. Wichtiger allgemeiner Satz von den Flächen. Beltrami. Grun. Archiv XLII, 116. [Vergl. Bd. IX, No. 356.]
175. *On a transformation of the general equations of wave propagation due to internal forces.* *Warren* *Quart. Journ. math. VI,* 137. [Vergl. Bd. VI, No. 165.]
176. *Sur un triple système particulier de surfaces orthogonales.* *Lombescure.* *Annali mat. V.* 39.
177. *Sur quelques systèmes triples orthogonaux de surfaces algébriques.* *W. Roberts.* *Compt. rend. LVIII,* 291.
178. *On surfaces of oblique revolution.* *Walton.* *Quart. Journ. math. VI,* 134.
179. *On the theory of cubic surfaces.* *Cayley.* *Phil. Mag. XXVII,* 493.
180. Schneiden sich zwei Flächen gegenseitig in einer Krümmungslinie, so bilden die Normalen zu beiden Flächen in jedem Punkte der Schnittcurve denselben Winkel mit einander. Enneper. Zeitschr. Math. IX, 217. [Vergl. Bd. IX, No. 242]

Vergl. Determinanten in geometrischer Anwendung 40, 41. Geodätische Linien. Geometrie (höhere) 78, 80, 86. Krümmung 153, 154. Optik 188, 189. Singularitäten.

Oberflächen zweiter Ordnung.

181. *Méthode de Lagrange pour simplifier l'équation des surfaces du second ordre.* *Brassinne.* *N. ann. math. XXIII.* 248.

182. *Théorème sur les surfaces du second degré.* Mirza Nizam. *N. ann. math. XXIII,* 167.
183. *Analytical theorem relating to the sections of a quadric surface.* Cayley. *Phil. Mag. XXVII,* 43.
184. *Sur l'intersection d'une sphère et d'une surface du second degré.* Darboux. *N. ann. math. XXIII,* 199.
185. *Sur la surface engendrée par une droite assujettie à s'appuyer sur deux droites fixes et sur une circonférence de cercle qui rencontre ces deux droites.* Romand. *N. ann. math. XXIII,* 52.

Vergl. Ellipsoid. Kegelschnitte 133. Sphärik.

Operationscalcül.

186. *Examples of the use and application of representative notation.* Blissard. *Quart. Journ. math. VI,* 49.
187. *On differential covariants.* Cockle. *Phil. Mag. XXVII,* 225. [Vergl. Bd. VIII, No. 385.]

Optik.

188. *On the equiradial wave-cone of the wave-surface.* Walton. *Quart. Journ. math. VI,* 78. [Vergl. Bd. VIII, No. 390.]
189. *On the equiradial curve of the wave-surface.* Walton. *Quart. Journ. math. VI,* 144.
190. *Sulla rifrazione di una supposta atmosfera lunare.* Mossotti. *Annali mat. V,* 102.

P.

Planimetrie.

191. *Sur une construction d'Aboul Wafa.* Aristide Marre. *N. ann. math. XXIII,* 165.
192. Ueber einen merkwürdigen Punkt des Dreiecks. Harnischmacher. Grun. Archiv XLII, 90. — *Reuschle ibid.* 352.
193. Construction eines gleichschenkligen Dreiecks. Nagel. Grun. Archiv XLII, 97. [Vergl. Bd. IX, No. 380.]
194. *Théorème sur un triangle et un cercle.* Barrère. *N. ann. math. XXIII,* 79.
195. Ueber die Seiten des regelmässigen Fünfecks und Zehnecks. C. Schmidt. Grun. Archiv XLII, 193.
196. Eine geometrische Aufgabe aus Rogner's „Materialien u. s. w.“. Dewall. Grun. Archiv XLII, 80.

Vergl. Zahlentheorie 251.

Q.

Quadratische Formen.

197. *Sur les théorèmes de M. Kronecker relatifs aux formes quadratiques.* Hermite. *Journ. Mathém. XXIX,* 145.
198. *Sur la forme* $x^2+xy+y^2+3z^2+3zt+3t^2$. Liouville. *Journ. Mathém. XXIX,* 223.
199. *Sur la forme* $x^2+xy+y^2+6z^2+6zt+6t^2$. Liouville. *Journ. Mathém. XXIX,* 181.
200. *Sur la forme* $x^2+y^2+z^2+t^2+u^2+2v^2$ Liouville. *Journ. Mathém. XXIX,* 161.
201. *Sur la forme* $x^2+y^2+z^2+t^2+u^2+3v^2$. Liouville. *Journ. Mathém. XXIX,* 89.
202. *Sur la forme* $x^2+y^2+z^2+t^2+2u^2+2uv+2v^2$. Liouville. *Journ. Mathém. XXIX,* 115.
203. *Sur la forme* $x^2+y^2+z^2+5t^2$. Liouville. *Journ. Mathém. XXIX,* 1.
204. *Sur la forme* $x^2+y^2+2z^2+2zt+3t^2$. Liouville. *Journ. Mathém. XXIX,* 13.
205. *Sur la forme* $x^2+y^2+2z^2+2zt+2t^2+3u^2+3v^2$. Liouville. *Journ. Mathém. XXIX,* 123.
206. *Sur la forme* $x^2+2y^2+2yz+2z^2+3t^2$. Liouville. *Journ. Mathém. XXIX,* 160.
207. *Sur la forme* $x^2+2(y^2+z^2+t^2+u^2+v^2)$. Liouville. *Journ. Mathém. XXIX,* 175.
208. *Sur la forme* $x^2+3(y^2+z^2+t^2+u^2+v^2)$. Liouville. *Journ. Mathém. XXIX,* 105.
209. *Sur la forme* $x^2+5(y^2+z^2+t^2)$. Liouville. *Journ. Mathém. XXIX,* 17.
210. *Sur la forme* $2x^2+2xy+2y^2+3z^2+3zt+3t^2$. Liouville. *Journ. Mathém. XXIX,* 183.

211. *Sur la forme* $2x^2+2xy+2y^2+3(z^2+t^2+u^2+v^2)$. *Liouville.* *Journ. Mathém.* *XXIX*, 119.
212. *Sur la forme* $2x^2+2xy+3y^2+5z^2+5t^2$. *Liouville.* *Journ. Mathém.* *XXIX*, 23.

Quadratur.

213. *L'aire de la polaire du centre d'une ellipse est une moyenne arithmétique entre les aires des cercles décrits sur les axes comme diamètres.* *N. ann. math. XXIII*, 129.

R.

Rechenmaschine.

214. Die Thomas'sche Rechenmaschine. Junge. Zeitschr. Math. Phys. IX, 198.
215. *Nouvelle règle à calcul.* *Burdon.* *Compt. rend. LVIII*, 573.

Rectification.

216. *On the geometry of my eighth decimal approximation to the circular circumference.* *Drach.* *Phil Mag. XXVII*, 318.
217. *On Roeber's construction of the heptagon.* *W. R. Hamilton.* *Phil. Mag. XXVII*, 124. [Vergl. Bd. IX, No. 400.]
218. *On fractional values for the heptagon and circle.* *Norton.* *Phil. Mag. XXVII*, 281.
219. *On Albert Dürer's heptagon-chord.* *Drach.* *Phil. Mag. XXVII*, 320.

Reihen.

220. *Sur un nouveau développement en série des fonctions.* *Hermite.* *Compt. rend. LVIII*, 93, 266.
221. *On the transformation of a certain series.* *Walton.* *Quart. Journ. math. VI*, 22.
222. *On the generalization of certain formulae investigated by Mr. Walton.* *Blissard.* *Quart. Journ math. VI*, 167.
223. *Sur une généralisation de la formule de Taylor.* *Roch.* *Journ Mathém. XXIX*, 129. — *Compt. rend. LVIII*, 379.
224. *On ce sums of reciprocals.* *Blissard.* *Quart. Journ. math. VI*, 242.
Vergl. Functionen 73. Unbestimmte Formen 243.

S.

Schwerpunkt.

225. Der Mittelpunkt des einem ebenen Dreiecke umschriebenen Kreises ist der Schwerpunkt der mit gleichen Gewichten beschwert gedachten 4 Berührungskreise des Dreiecks. Grunert. Grun. Archiv XLII, 354.
226. Ueber den Schwerpunkt des Vierecks und der Vielecke überhaupt. Grun. Arch. XLII, 280.
227. Einige Constructionen des Schwerpunktes des Vierecks. Endemann. Grun. Archiv XLII, 299.

Singularitäten.

228. *Etude sur les singularités des surfaces algébriques.* *De Jonquières.* *N. ann. math. XXIII*, 5.
229. *Recherche des points multiples à l'infini dans les courbes algébriques.* *Painvin.* *N. ann. math. XXIII*, 145, 193, 241.
230. *On the cusp of the second kind or nodecusp.* *Cayley.* *Quart. Journ. math. VI*, 74.
231. *On points of visible inflection and curvature at multiple points.* *Walton.* *Quart. Journ. math. VI*, 204.
232. *On the inflexions of the cubical divergent parabolas.* *Cayley.* *Quart. Journ. math. VI*, 199.

Sphärik.

233. *Courbes semblables sur la sphère.* *Laisant.* *N. ann. math. XXIII*, 235.
234. *On the circle, which touches the four circles, which touch the sides of a given spherical triangle.* *Salmon* *Quart. Journ. math. VI*, 67.
Vergl. Determinanten in geometrischer Anwendung 42.

Stereometrie.

235. *Théorème sur l'angle trièdre trirectangle.* *Cremona.* *N. ann. math. XXIII*, 127.
Vergl. Cubatur 33.

T.

Tabellen.

36. Anwendung der Sectanten zur Auffindung der Sinus, Tangenten und Bogen kleinerer Winkel aus Tafeln von 5 Stellen. L. v. Pfeil. Grun. Archiv XLII, 305.

Vergl. Hypsometrie.

Taylor's Reihe.

Vergl. Reihen 223.

Trägheitsmoment.

37. *Moment of inertia of a triangle.* Routh. *Quart. Journ. math. VI*, 267.
38. *Dei momenti d'inertia e di elasticità delle sezioni.* Cipolletti. *Annali mat. V*, 113.

Trigonometrie.

39. Trigonometrische und geometrische Elementarsätze. Grunert. Grun. Archiv XLII, 232.

Ueber das Dreieck, dessen einer Winkel doppelt so gross ist, als ein zweiter. Grunert Grun. Archiv XLII, 220.

Equations entre les fonctions trigonométrique des trois angles d'un triangle rectiligne quelconque. Saint-Prix. *N. ann. math. XXIII*, 72. — De Virieu *ibid.* 143.

U.

Unbestimmte Formen.

Ueber die Auffindung des Werthes von Ausdrücken von der Form $\frac{0}{0}$ ohne Anwendung der Differentialrechnung. Grunert. Grun. Archiv XLII, 348.

On the limit of the expression $\left(1+\frac{1}{n}\right)^n$, *when n is a positive integer.* Donkin. *Quart Journ. math. VI*, 1.

44. *Valeur de la fonction* x^x *pour* $x=0$. Le Cointe. *Annali mat. V*, 106.

V.

Variationsrechnung.

245. Lösung einer Aufgabe der Variationsrechnung. Spitzer. Grun. Archiv XLII, 301.

W.

Wahrscheinlichkeitsrechnung.

246. Berechnung der jährlichen Prämie bei Aussteuerkapitalien mit Rückvergütung der Prämien im Falle des Todes. Dienger. Grun. Archiv XLII, 333.

Z.

Zahlentheorie.

247. *Arithmetical notes.* Akin. *Quart. Journ. math. VI.* 222.
248. *On certain remarkable properties of numbers.* Whitworth. *Quart. Journ. math. VI*, 163. [Vergl. Bd. VIII, No. 456.]
249. *On a magic square.* Holditch *Quart. Journ. math VI*, 181.
250. *Sur une equation indéterminée du troisième degré.* Lebesgue. *Annali mat. V*, 328. — Genocchi *ibid.* 329.
351. *La surface d'un triangle, dont les côtès sont donnés en nombres entiers ne saurait être rationnelle si les côtés étant débarrassés du facteur commun 2 la somme des quotients est impaire.* De Virieu. *N. ann. math XXIII*, 168.
352. *Nouveau théorème concernant le quadruple d'un nombre premier de l'une ou de l'autre des deux formes* $20k+3$, $20k+7$. Liouville. *Journ. Mathém. XXIX*, 135.
253. *Théorèmes concernant l'octuple d'un nombre premièr de l'une ou de l'autre des deux formes* $20k+3$, $20k+7$. Liouville. *Journ. Mathém. XXIX*, 137.

Vergl. Combinatorik 31.

Druck von B. G. Teubner in Dresden.

Literaturzeitung.

Recensionen.

Elemente der analytischen Geometrie der Ebene für höhere Lehranstalten und zum Selbststudium von Dr. WILHELM SCHÜTTE, Oberlehrer an der Realschule zu Stralsund. Mit 4 Figurentafeln. Breslau, G. Ph. Aderholz. 8 (IV und 164 S.).

Das vorliegende Buch ist zur ersten Einführung in die analytische Geometrie bestimmt, insBesondere hat der Verfasser die Bedürfnisse früherer Gymnasiasten, die sich dem Studium der Mathematik widmen, im Auge gehabt. Diese sind nämlich insofern in einer üblen Lage, als auf den Gymnasien die analytische Geometrie nicht getrieben wird und doch die akademischen Vorlesungen über diese Disciplin nur kurze Zeit bei den Elementen verweilen, so dass ein Buch, welches gerade die ersten Anfangsgründe ausführlicher behandelt, höchst erwünscht sein muss. Diese Rücksicht, sowie überhaupt das Streben, sein Buch für das Selbststudium möglichst zweckmässig einzurichten, haben den Verfasser bewogen, bei den ersten Anfangsgründen verhältnissmässig lange zu verweilen und dem Leser an einer Anzahl von Problemen, deren Lösungen schon aus den Elementen der Geometrie bekannt sind, das eigenthümliche Verfahren der analytischen Geometrie vorzuführen.

Was nun den Inhalt betrifft, so zerfällt dieser in neun Capitel, welche folgende Gegenstände behandeln: 1. Die Methode der Parallel-Coordinaten im Allgemeinen und die gerade Linie; 2. den Kreis; 3. die Transformation der Coordinaten und die Polar-Coordinaten; 4. die Parabel; 5. die Ellipse; 6. die Hyperbel; 7. die Linien zweiten Grades im Allgemeinen; 8. Verbindung zweier Kegelschnitte (gemeinsame Punkte zweier Kegelschnitte, Berührung derselben, Krümmungskreise); 9. Curven höherer Ordnung. Dazu kommt noch ein Anhang, welcher eine Anzahl Aufgaben enthält.

An diese kurze Inhaltsübersicht müssen wir zunächst einige Bemerkungen knüpfen, welche sich auf die Behandlung einzelner Punkte beziehen.

In §. 67 hat der Verfasser die Quadratur der Parabel vorgetragen, und zwar auf eine von dem gewöhnlichen Verfahren abweichende Art. Um nämlich das von einer beliebigen Sehne AB abgeschnittene Stück der Parabelfläche zu bestimmen, ermittelt er zunächst die Fläche des grössten über AB errichteten Dreieckes, welches sich in dieses Segment einzeichnen lässt. Die Spitze C dieses Dreieckes ist der Punkt, in welchem der zur Sehne AB conjugirte Durchmesser die Curve schneidet. Ist $y^2 = px$ die Axengleichung der Parabel und sind η und η_1 die Ordinaten der Punkte A und B, so ist

$$\Delta ABC = \frac{(\eta - \eta_1)^3}{16p}.$$

Construirt man dann über den Seiten AC und BC wiederum die grössten Dreiecke, welche sich in die von diesen Linien abgeschnittenen Segmente einzeichnen lassen, so ist jedes von diesen Dreiecken gleich $\frac{1}{8}$ des ersten Dreieckes, ihre Summe beträgt also $\frac{1}{4}$ von ABC. Fährt man so fort, indem man über den Seiten der schon vorhandenen Dreiecke neue zeichnet, so findet man, dass die Summe der Flächen der Dreiecke jeder Gruppe immer $\frac{1}{4}$ von der Summe der Flächen der vorhergehenden Gruppe beträgt, und man gelangt so zu dem Resultate, dass die Fläche S des ganzen Parabelsegmentes den Werth hat

$$S = \Delta ABC\left(1 + \frac{1}{4} + \frac{1}{4^2} + \frac{1}{4^3} + \ldots\right) = \frac{4}{3}\,\Delta ABC = \frac{1}{12}\cdot\frac{(\eta - \eta_1)^3}{p}.$$

Dieses Verfahren, welches in der Hauptsache von Archimedes herrührt, ist an sich ganz vorzüglich, aber in einem Lehrbuche der analytischen Geometrie, welches seine Leser nicht mit einzelnen scharfsinnigen Kunstgriffen sondern mit den allgemeinen Methoden, die in allen Fällen anwendbar sind, bekannt machen soll, scheint es uns nicht recht am Platze zu sein. Da man sich bei Anwendung von Parallelcoordinaten die zu berechnende Fläche immer in schmale Streifen zerlegt denkt, welche einer Coordinatenaxe parallel liegen, so war auch hier zunächst dieses Verfahren auseinander zu setzen, um so mehr, als die Quadratur der Parabel das erste Beispiel einer Quadratur ist, welches uns das Buch vorführt.

Eine zweite Bemerkung bezieht sich auf die in §. 97 behandelte Quadratur der Hyperbel. Ist $xy = r^2$ die auf die Asymptoten bezogene Gleichung dieser Curve und soll das Flächenstück ermittelt werden, welches zwischen ihr, der Abscissenaxe und den zu den Abscissen x und X gehörigen Ordinaten liegt, so schaltet der Verfasser zwischen x und X die Werthe ein

$$x_1 = xq, \quad x_2 = xq^2,$$

wo q eine mit wachsenden n zur Grenze 1 abnehmende Zahl bedeutet, welche durch die Gleichung $X = xq^n$ bestimmt ist. Für die gesuchte Fläche F findet sich dann bei Anwendung der allgemein üblichen Methode die Relation

$$a) \qquad nr^2 \sin\varphi\,\frac{q-1}{q} < F < nr^2 \sin\varphi\,(q-1),$$

wo φ den Asymptotenwinkel bezeichnet. Unser Verfasser setzt dann $n = \frac{1}{z}$ und schreibt für q seinen Werth

$$q = \left(\frac{X}{x}\right)^{\frac{1}{n}} = \left(\frac{X}{x}\right)^z;$$

dadurch geht die obige Relation über in

$$r^2 \sin\varphi \frac{\left(\frac{X}{x}\right)^z - 1}{z\left(\frac{X}{x}\right)^z} < F < r^2 \sin\varphi \frac{\left(\frac{X}{x}\right)^z - 1}{z}.$$

Um nun den gemeinschaftlichen Grenzwerth zu ermitteln, dem sich die rechts und links stehenden Ausdrücke nähern, wenn man z zur Grenze Null abnehmen lässt, wird die Reihenentwickelung

$$b) \qquad \left(\frac{X}{x}\right)^z = 1 + mz + \frac{m^2 z^2}{2} + \frac{m^3 z^3}{2.3} + \ldots,$$

in welcher $m = lg\,nat\left(\frac{X}{x}\right)$ ist, als bekannt vorausgesetzt, und mit deren Hilfe findet sich dann, dass für ein zur Grenze Null abnehmendes z

$$Lim \frac{\left(\frac{X}{x}\right)^z - 1}{z\left(\frac{X}{x}\right)^z} = Lim \frac{\left(\frac{X}{x}\right)^z - 1}{z} = lg\,nat\left(\frac{X}{x}\right),$$

und sonach

$$c) \qquad F = r^2 \sin\varphi\, lg\,nat\left(\frac{X}{x}\right)$$

ist.

Gegen dieses Verfahren ist zunächst einzuwenden, dass es immer ein Umweg ist, wenn man sich zur Ermittelung des Werthes eines einzelnen Gliedes einer Reihenentwickelung bedient; ausserdem aber dürfte die Reihenentwickelung b) den Lesern, für welche der Verfasser sein Buch vorzugsweise bestimmt hat, schwerlich bekannt sein. Das ganze vorstehend angegebene Verfahren kann aber durch ein anderes sehr einfaches ersetzt werden, welches in der Hauptsache von Grunert (Archiv XXV, S. 85 u. f.) angegeben worden ist. Man setzt nämlich für n seinen Werth

$$n = \frac{lg\left(\frac{X}{x}\right)}{lg\,q}$$

in die Relation a), wodurch diese in

$$r^2 \sin\varphi \frac{q-1}{q\,lg\,q}\, lg\left(\frac{X}{x}\right) < F < r^2 \sin\varphi \frac{q-1}{lg\,q}\, lg\left(\frac{X}{x}\right)$$

übergeht. Da die Basis des Logarithmensystems noch willkürlich zu wählen ist, so wird man, um die Formel möglichst zu vereinfachen, den Versuch machen, dieselbe aus der Ungleichung

$$\frac{q-1}{q\,lg\,q} < 1 < \frac{q-1}{lg\,q},$$

oder

$$\frac{q-1}{q} < lg\,q < q-1$$

zu bestimmen. Setzt man nun $q = 1 + \frac{1}{\omega}$, wo ω eine über alle Grenzen wachsende positive Zahl bedeutet, so erhält man weiter

$$\frac{1}{\omega+1} < lg\left(1+\frac{1}{\omega}\right) < \frac{1}{\omega},$$

und wenn man nun die gesuchte Basis des Logarithmensystems mit e bezeichnet, so ergiebt sich zur Bestimmung dieser Zahl die Ungleichung

$$\left(1+\frac{1}{\omega}\right)^{\omega+1} > e > \left(1+\frac{1}{\omega}\right)^{\omega}.$$

Hierdurch ist e zwischen zwei Grenzen eingeschlossen, welche einander beliebig nahe gebracht werden können, es ist also die wirkliche Existenz von e dargethan und zugleich ein Mittel zur Berechnung dieser Zahl gegeben.

Da übrigens die Hyperbel gewöhnlich nicht durch ihre Potenz r^2 und den Asymptotenwinkel φ bestimmt wird, sondern durch die Halbaxen a und b, so hätte für F auch die Formel

$$F = \tfrac{1}{2}\,a\,b\,lg\,nat\left(\frac{X}{x}\right)$$

angegeben werden sollen. Ausserdem hätte aus der entwickelten Flächenformel auch die zwischen der Hyperbel, ihrer Hauptaxe und einer zu dieser senkrechten Ordinate gelegene Fläche mit leichter Mühe sich entwickeln lassen, wodurch die Frage nach der Hyperbelfläche eine vollständigere Beantwortung gefunden haben würde.

Eine dritte Bemerkung betrifft die Regel für die Construction des Krümmungskreises an einem Punkt P eines Kegelschnittes, welche der Verfasser in §. 120 in folgender Fassung giebt: „Zieht man durch P die Normale PU und schlägt um irgend einen ihrer Punkte L einen Kreis mit LP, so wird derselbe in P den Kegelschnitt zweipunktig berühren und in A und B schneiden. Verbindet man diese Durchschnittspunkte und lässt A auf dem Kegelschnitte hingleiten, während die Sehne parallel mit AB fortrückt, so wird eine dreipunktige Berührung stattfinden, wenn A mit P zusammenfällt, wobei B in C fällt, wenn PC parallel AB ist. Zieht man daher durch P eine Parallele zu der gemeinsamen Sehne des Kegelschnittes und des in L geschlagenen Kreises, so giebt C den vierten gemeinsamen Durchschnittspunkt des Krümmungskreises mit der Curve, so dass man den Krümmungsmittelpunkt erhält, wenn man $OCP = OPC$ macht."

Dieses von Poncelet angegebene Verfahren zur Bestimmung des Krümmungskreises ist allerdings sehr elegant, allein das Vorstehende enthält keinen Beweis für die Richtigkeit desselben; denn es ist keineswegs selbstverständlich, dass, wenn man eine beliebige Sehne des Kegelschnittes parallel mit AB zieht und nun durch die beiden Endpunkte dieser Sehne und durch P einen Kreis legt, dieser den Kegelschnitt in P berühren müsse, und deshalb ist auch nicht einzusehen, warum der durch P und C gelegte Berührungskreis der Krümmungskreis sein soll. Es beruht diese ganze Construction auf einem Satze, den wir in dem vorliegenden Buche nicht haben finden können, nämlich diesem: Wenn ein System von Kreisen (oder allgemeiner von ähnlichen und ähnlich liegenden Kegelschnitten) mit irgend einem Kegelschnitte dieselben zwei Punkte (welche auch coincidiren können) gemein hat, so liegen die Sehnen, welche sich durch die zwei Schnittpunkte legen lassen, in welchen ein jeder von ihnen den Kegelschnitt ausserdem noch schneidet, alle parallel. Dieser Satz ist eine einfache Folge des in §. 116 bewiesenen Theorems, „dass, wenn drei Kegelschnitte eine gemeinsame Sehne haben, die drei übrigen je zweien von ihnen gemeinsamen Sehnen sich in einem Punkte schneiden.“ Ist nämlich k ein willkürlicher Kegelschnitt und sind a und b ein Paar unter sich ähnliche und ähnlich liegende Kegelschnitte, welche k in denselben zwei Punkten schneiden, und ist β die Sehne, welche durch die zwei andern Schnittpunkte von k und a geht, α die Sehne durch die zwei andern Schnittpunkte von k und b und endlich $\varkappa$ die Sehne durch die zwei andern Schnittpunkte von a und b, so müssen α, β und $\varkappa$ sich in einem Punkte schneiden. Nun schneiden sich aber die beiden ähnlichen und ähnlich liegenden Kegelschnitte a und b ausser in den beiden ersten in unendlicher Ferne liegenden reellen Punkten nur noch in zwei unendlich entfernten Punkten und haben also eine unendlich entfernte gemeinschaftliche Sehne (bei Kreisen und Ellipsen sind natürlich diese unendlichen Schnittpunkte imaginär, die Sehne aber ist immer reell); mithin liegt auch der Schnittpunkt von α und β in unendlicher Ferne und diese Sehnen sind parallel. Freilich findet sich der Satz, dass zwei ähnliche und ähnlich liegende Kegelschnitte, welche sich in zwei endlich entfernten Punkten schneiden, ausserdem noch zwei unendlich entfernte (reelle oder imaginäre) Punkte gemein haben, auch nicht in dem vorliegenden Buche, was wir übrigens an und für sich nicht tadeln wollen.

Zur wirklichen Berechnung des Krümmungshalbmessers wendet darauf der Verfasser ein von dem gewöhnlich üblichen abweichendes Verfahren an. Da zwei Kegelschnitte, deren Gleichungen

$$x^2+2bxy+cy^2+2dx=0 \text{ und } x^2+2b_1xy+cy^2+2dx=0$$

sind, sich im Anfangspunkte der Coordinaten dreipunktig berühren, so dass die Ordinatenaxe die gemeinschaftliche Tangente ist, so denkt sich der Verfasser zunächst den Anfangspunkt der Coordinaten nach dem Punkte der Curve verlegt, dessen Krümmungskreis zu bestimmen ist, und nimmt die Tangente als Ordinatenaxe. Sodann transformirt er die beiden vorstehenden Kegelschnittsgleichungen so, dass die Ordinatenaxe bleibt, die neue Abscissenaxe aber in die Normale fällt. Hierauf wird die Bedingung dafür aufgesucht, dass der eine der beiden Kegelschnitte ein Kreis ist. Als Radius dieses Kreises findet sich dann, wenn v den Winkel zwischen der Tangente und der ersten Abscissenaxe bedeutet

$$\varrho = \frac{d}{c \sin v}.$$

Der Verfasser wendet dann dieses Verfahren auf die drei Kegelschnitte an und kommt zu den bekannten Formeln für ϱ. Darunter befindet sich leider keine einzige, welche ohne Weiteres eine Construction gestattet, und der Anfänger wird also nicht recht wissen, was er mit diesen Ergebnissen anfangen soll. Es hätte da doch die Formel

$$\varrho = n \sec^3 \varphi,$$

in welcher n die bis zur Hauptaxe verlängerte Normale und φ den Winkel zwischen Normale und Leitstrahl bedeutet, mit angegeben werden sollen, da dieselbe auf eine höchst einfache Construction führt, die merkwürdigerweise in nicht wenigen Lehrbüchern noch fehlt, obwohl sie längst bekannt ist, und schon in der von Le Seur und Jacquier besorgten Ausgabe der Principia Newton's sich findet. Uebrigens ist die Praxis des Verfahrens, welches der Verfasser anwendet, um für die einzelnen Kegelschnitte den Werth von ϱ zu ermitteln, keineswegs sonderlich elegant und er hätte wohl besser gethan, wenn er sich auf das gewöhnliche Verfahren beschränkt hätte, nach welchem man erst den Krümmungsmittelpunkt als Durchschnittspunkt zweier Nachbarnormalen bestimmt, ein Verfahren, welches er im §. 122 nur im Bezug auf die Parabel durchführt, im letzten Capitel aber auch auf Curven höherer Ordnung anwendet.

Was dieses letzte Capitel betrifft, so wird in demselben keine ausführliche Theorie der Curven höherer Ordnung gegeben, sondern der Verfasser zeigt nur an verschiedenen Beispielen, auf welche Art man die Form einer Curve aus ihrer Gleichung zu erkennen vermag, wie man Tangenten, Normalen, Krümmungskreise, singuläre Punkte durch elementare Hilfsmittel bestimmen kann. Aus der allgemeinen Theorie hätten indessen doch die Sätze mit erwähnt werden sollen, dass der Grad der Gleichung von der Wahl der Coordinatenaxen unabhängig ist, und dass eine Curve n^{ter} Ordnung von einer Geraden im Allgemeinen in n Punkten geschnitten wird.

Abgesehen von diesen Ausstellungen halten wir das Buch im Ganzen für seinen Zweck entsprechend; die Auswahl des Stoffes ist im Allgemeinen die richtige, die Behandlung desselben zwar nicht elegant, aber doch klar und verständlich.

Leipzig. GRETSCHEL.

Die Akustik in elementarer Darstellung. Leitfaden für Gymnasien, Real- und Gewerbeschulen. Von Dr. E. Winkler, Lehrer der Mathematik und Physik am Lehr- und Erziehungs-Institute für Knaben in Friedrichstadt-Dresden. Separatabdruck aus der Einladungsschrift zu den öffentlichen Prüfungen von genanntem Institute zu Ostern 1865. Dresden, Verlag von Woldemar Türk. 1865.

Wie aus der Vorrede hervorgeht, ist es dem Verfasser bei seinem Unterricht am oben genannten Institute darum zu thun, nicht nur die Phänomene in hinreichender Vollständigkeit zu lehren, sondern auch ihre Erklärung aus den Naturgesetzen zu bewerkstelligen. Deswegen wird der mechanische Theil der Physik in einem Jahre in der 3. Classe, Magnetismus, Elektricität und Wärme in der 2. Classe zur Erledigung gebracht, in der 1. Classe wird erst Optik, hierauf ein neuer Cursus in der Mechanik gelehrt, wobei die ganze ebene Geometrie, die Anfangsgründe der Stereometrie und Trigonometrie und Algebra bis zu den Gleichungen 2. Grades zur Anwendung kommt. Als letzter Theil der Physik wird die Akustik behandelt. Wenn schon aus dem physikalischen Unterrichtsplan die Werthschätzung der Deduction hervorgeht, so wird dieselbe in folgender Stelle der Vorrede besonders klar ausgesprochen:

„In vielen Lehrbüchern der Physik ist die Akustik etwas stiefmütter- „lich behandelt. Bei der Hauptsache, nämlich der Darstellung der Schwin- „gungsgesetze, beschränkt man sich meist darauf, die durch Versuche oder „durch Theorie gefundenen Gesetze anzuführen, ohne Gründe für die Rich- „tigkeit derselben anzugeben. Für die Schüler hat dies keinen grossen „Nutzen; diese Gesetze vergessen sich bald wieder, so dass im Gedächt- „niss nicht viel mehr zurückbleibt, als einige Versuche, welche auf das Auge „oder Ohr Effect gemacht haben. Erlaubt der vorausgesetzte Stand der Mecha- „nik auch nicht, ganz bestimmte Formeln für die Schwingungsgesetze zu „ermitteln, was ja selbst der höheren Mathematik zum Theil nicht geringe „Schwierigkeiten bereitet, so erlaubt er doch in der Mehrzahl der Fälle, „die Gründe für die Richtigkeit der durch Versuche oder durch die Theo- „rie gewonnenen Resultate zu entwickeln, und hierauf habe ich bei vorlie- „gender Arbeit mein Hauptaugenmerk gerichtet. Dann bietet die Akustik „eine treffliche Uebung in der Anwendung der Mechanik und hierauf lege „ich beim Unterricht in der Akustik den Hauptwerth."

Der hierin vom Verfasser ausgesprochenen Ansicht kann man nur beistimmen, ob aus dieser Ansicht ein recht tüchtiges und brauchbares Product hervorgegangen ist, versuchen wir in den nachfolgenden Zeilen zu entscheiden.

Das Schriftchen (gr. 8) enthält ausser der Vorrede (2 Seiten) 90 Seiten, auf denen die akustischen Erscheinungen in 4 Abtheilungen vorgetragen worden sind: 1. Abtheilung: Schwingungen im Allgemeinen; 2. Abtheilung: Empfindung des Schalles; 3. Abtheilung: Erregung des Schalles;

4. Abtheilung: Fortpflanzung des Schalles. Diese Eintheilung, die der Verfasser „aus praktischen Gründen“ bei seinem Unterricht gewählt hat, hätte wahrscheinlich zum Vortheil für den Gebrauch des Schriftchens durch folgende logischere ersetzt werden können: 1. Erregung von Schwingungen und einfache Schwingungen; 2. Fortpflanzung des Schalles durch die fortschreitenden Schwingungen; 3. Empfindung des Schalles.

Der Leser findet in den vom Verfasser angenommenen 4 Capiteln die in die Akustik gehörigen Erscheinungen recht vollständig vor und der Verfasser hat sich möglichste Mühe gegeben, das in der Vorrede ausgesprochene Princip festzuhalten, überall durch einfache Betrachtungen bei den mathematisch ableitbaren Gesetzen die ungefähre wahrscheinliche Form des später mitgetheilten genaueren Gesetzes, wie es nur auf dem Wege der höhern Mathematik erhalten werden kann, zu bestimmen. Dass dergleichen Betrachtungen für den Lernenden bei gehöriger Vorsicht bei der Anwendung nur nützlich werden können, liegt auf der Hand. Dieses Verfahren des Verfassers hat auch eine gute Frucht getragen, sein Bestreben, die wahrscheinliche Form des Gesetzes durch einfache Betrachtungen auszumitteln, hat ihn auf einen netten Beweis geführt, der sich eigentlich auf einen aus der höhern Mathematik zu beweisenden Satz gründet, der von ihm aber hier ohne Beweis in Form eines Principes zu Grunde gelegt worden ist. Dieser Beweis steht auf S. 6 und bezieht sich auf die Gesetze der einfachen Schwingungen.

Zu bedauern ist es, dass der Verfasser bei seinem Bestreben, in seinem Schriftchen zum Nachdenken über die Erscheinungen anzuregen, bisweilen etwas zu flüchtig verfahren ist, wodurch die meist anzurühmende Klarheit verletzt wird. So z. B. steht auf S. 15: Wenn die Schwingungen eines Körpers sehr langsam erfolgen, so pflanzen sich dieselben gar nicht fort, was offenbar mechanisch unmöglich ist. Unrichtig ist geradezu die Definition auf S. 18 zu nennen: „Den Abstand zweier Töne oder ihren Intervall „bestimmt man durch das Verhältniss der Differenz dieser Töne zum nie- „dern Tone, so ist z. B. der Intervall zwischen den Tönen $\frac{3}{2}$ und $\frac{5}{3} = \frac{\frac{5}{3} - \frac{3}{2}}{\frac{3}{2}}$.“

Aus den genannten guten Seiten des Büchelchens und aus den zuletzt genannten Fehlern geht für uns nur der Wunsch hervor, der Verfasser möge nicht in seiner Strebsamkeit nachlassen, aber auch durch sorgfältige Revisionen seiner Manuscripte vor dem Druck den Producten die Correctheit sichern, welche so massgebend für die gewünschte weitere Verbreitung ist.

Für den Gebrauch des Schriftchens ist es noch wünschenswerth, zu erfahren, dass der Druck (lateinische Lettern) deutlich ist, dass die Figuren (30) in Form von Holzschnitten in den Text mit aufgenommen sind, dass zahlreiche geschichtliche Notizen mit kleinerer Schrift beigedruckt sind, und endlich, dass ein kurzes Namenregister auf der 90. S. das Wiederauffinden bestimmter Gegenstände erlei[illegible]

Dr. Kahl.

Repertorium der Cometen-Astronomie von Dr. Ph. Carl, Privatdocent an der Universität München. München, M. Rieger'sche Universitätsbuchhandlung. 1864. (VI und 378 S.) 8.

Der Verfasser der vorliegenden Schrift hat sich die Aufgabe gestellt, die verschiedenen Cometenerscheinungen, von denen uns die Geschichte Kunde giebt, in historischer Reihenfolge zu verzeichnen, was über die Bahnen derselben bekannt ist, anzugeben und die Quellen nachzuweisen, aus denen weitere Nachrichten zu schöpfen sind. Er wollte auf diese Weise eine Vorarbeit zu einer vollständigen Cometographie liefern, ein Unternehmen, bei welchem er jedenfalls auf den Dank des astronomischen Publikums rechnen darf. Schon im vorigen Jahrhunderte hat Pingré in seiner *Cométographie ou Traité historique et théorique des Comètes* diese Aufgabe in einer für seine Zeit mustergiltigen Weise gelöst, und an dieses Werk hat sich auch unser Verfasser bei der Bearbeitung der ersten Abschnitte seines Buches zunächst angeschlossen, ohne sich aber das Zurückgeben auf die Originalliteratur, soweit sie ihm zugänglich war, zu ersparen oder die Benutzung neuerer Quellen zu vernachlässigen.

Das ganze Werk zerfällt in fünf Abschnitte, deren Inhalt wir hier kurz angeben wollen.

Der erste Abschnitt enthält die Cometen bis zu Ende des 16. Jahrhunderts. Wir treffen hier 53 Cometen aus der Zeit vor Christi Geburt und 408 aus der Zeit von Christi Geburt bis zum Jahre 1599. Der Verfasser hat dabei nur solche Cometen verzeichnet, deren Existenz nicht zu bezweifeln ist und beginnt mit dem Cometen von 612 v. Chr., während Pingré noch ältere Cometen angiebt. Unter diesen 461 Cometen befinden sich nur 49, für welche man Bahnen berechnet hat. Die Grundlage für diesen Abschnitt bildete zunächst das schon erwähnte Werk von Pingré, ausserdem sind aber namentlich auch die Auszüge aus den chinesischen Annalen benutzt worden, welche Biot in der *Connaissance des Temps pour l'an* 1843 veröffentlicht hat.

Der zweite Abschnitt, welcher die Cometen des 17. Jahrhunderts behandelt, zählt im Ganzen 27 Cometenerscheinungen auf, von denen blos bei 8 die Beobachtungen keine Bestimmung der Bahn zulassen. Hier, wie auch im vorigen Abschnitte, finden sich in den Quellennachweisen zahlreiche cometomantische Schriften mit verzeichnet, welche in den ersten Jahrhunderten nach der Erfindung der Buchdruckerkunst in grosser Menge veröffentlicht wurden, und die zwar in rein astronomischer Beziehung zum Theil ganz werthlos sind, für die Geschichte der Wissenschaften aber immerhin ein Interesse haben.

Im dritten Abschnitte finden wir die Cometenerscheinungen des 18. Jahrhunderts, im Ganzen 69, nämlich 33 telescopische und 36 mit blossem Auge wahrnehmbare. Bei 6 der beobachteten Cometen reichen die Angaben nicht zur Bestimmung einer angenäherten Bahn aus.

Im vierten Abschnitte sind die Cometen des 19. Jahrhunderts mit Einschluss der zwei ersten des Jahres 1864 bearbeitet. In diesem Abschnitte war eine grössere Gleichmässigkeit der Darstellung möglich, als in den früheren. Bei jedem Cometen ist zunächst die Zeit seiner Entdeckung und der Name des Entdeckers angegeben; dann folgen Ort und Dauer der Beobachtungen nebst Angabe des Ortes der Publikation, endlich werden noch die Bahnelemente übersichtlich zusammengestellt. Bei einzelnen Cometen sind auch noch einige andere für wichtig erachtete Bemerkungen beigefügt worden; doch sind Angaben über die physische Beschaffenheit der Cometen nur im Allgemeinen gemacht worden, weil hier die einzelnen Beobachter bedeutend von einander abweichen.

Der fünfte Abschnitt endlich giebt eine Uebersicht der periodischen Cometen. Der Verfasser unterscheidet hier I. Cometen mit kurzer Umlaufszeit: *a*) der Encke'sche, *b*) der Biela'sche, *c*) der Faye-Möller-sche, *d*) der De Vico'sche, *e*) der Brorsen'sche, *f*) der D'Arrest'sche, *g*) der Winnecke'sche Comet und *h*) Cometen mit kurzer Umlaufszeit, welche blos bei einer einzigen Sonnennähe beobachtet worden sind, nämlich 1766, II. (nach Burkhardt 5,025 Jahre Umlaufszeit), 1783 (nach Burkhardt 5,613 Jahre), 1819, IV. (nach Encke ziemlich unsicher 4¾ Jahre), 1846, VI. (nach D'Arrest 19,89 Jahre, nach Peters 12,8 Jahre), 1855, II. (nach Schulze 14,25 Jahre, während Donati 492,95 Jahre fand) und 1858, I. (nach Bruhns 13,7 Jahre). — II. Cometen mit einer Umlaufszeit von circa 70 Jahren: *a*) der Halley'sche Comet und *b*) Cometen mit einer Umlaufszeit von circa 70 Jahren, welche blos bei einer einzigen Sonnennähe beobachtet worden sind, nämlich 1812 (nach Encke 70,68 Jahre), der Olbers'sche Comet von 1815 (nach Bessel 74,05 Jahre), 1846, IV. (nach van Deinse 73,25 Jahre) und 1847, V. (nach D'Arrest nahezu 70 Jahre). — III. Cometen mit sehr grosser Umlaufszeit, deren hier 24 aufgezählt werden.

Es dürfte unnöthig sein, zur weiteren Empfehlung dieser mit grossem Fleisse gearbeiteten Schrift Etwas beizufügen. Wir bemerken nur noch, dass der Verfasser, falls seine Schrift den Beifall des astronomischen Publikums sich erwerben sollte, woran wir nicht zweifeln, beabsichtigt, in besonderen Nachträgen etwaige Lücken, welche sich in seiner Arbeit etwa noch finden sollten, auszufüllen und dabei gleichzeitig eine Uebersicht der seitherigen Untersuchungen über die allgemeinen Punkte der Cometenastronomie zu geben.

Leipzig. GRETSCHEL.

Jahresbericht der Realschule mit Progymnasium zu Chemnitz, womit zu den vom 4. bis 7. April 1865 stattfindenden öffentlichen Prüfungen ergebenst einladet der Director Professor CARL AUGUST CASPARI.

Inhalt:

1. Das „Geometrische Zeichnen", als Unterrichtsgegenstand in Realschulen, vom Oberlehrer Braunersreuther.
2. Schulnachrichten, vom Director.

Die in diesem Programm enthaltene Abhandlung über das geometrische Zeichnen hat mich in einer Weise interessirt, dass ich mir erlaube, mit einigen Worten auf den Inhalt derselben aufmerksam zu machen. Zunächst ist zu bemerken, dass das Wort „geometrisches Zeichnen" in seiner weitesten Bedeutung genommen ist, und dass, wie der Titel besagt, vorzugsweise auf Realschulen Bezug genommen wird. Trotz des letzteren Umstandes aber sind die hier ausgesprochenen Gedanken auch für andere Lehranstalten von Wichtigkeit und verdienen überhaupt eine allgemeinere Beachtung.

Unter Fachgenossen werden das bildende Element und die praktische Wichtigkeit des geometrischen Zeichens wohl allgemein gebührend gewürdigt. Dagegen aber sind die Ansichten über die Methodik dieses Unterrichtsgegenstandes noch sehr aus einander gehend. In weiteren Kreisen ist das geometrische Zeichnen noch nicht allgemein genug, oder doch wenigstens nicht seinem wahren Werth und Wesen nach hinlänglich bekannt. Nach diesen Richtungen hin sucht nun der Verfasser aufzuklären, weiter zu führen und zu vervollkommnen, und es ist ihm dies in nicht geringem Grade gelungen.

In der Einleitung führt der Verfasser die in Beziehung auf das geometrische Zeichnen herrschenden irrigen Vorstellungen, sowie deren Ursachen vor Augen und gelangt dabei zugleich zu den Hindernissen, welche einer gedeihlichen Entwickelung dieses Unterrichts im Wege stehen. Die hier gesprochenen Worte verdienen die Beachtung nicht blos der Lehrer, sondern insbesondere auch der Schulbehörden und der Aeltern der Schüler. Die am Ende der Einleitung gegebene kurze historisch-statistische Rundschau über die Stellung dieses Unterrichtsgegenstandes in aussersächsischen Staaten gewährt einen wohlthuenden Eindruck, indem man aus derselben erkennt, dass sich das Gute und Nothwendige trotz aller Hindernisse und Schwierigkeiten doch Bahn bricht.

Im ersten Abschnitt, „das geometrische Zeichnen an sich", stellt der Verfasser die verschiedenen Begriffe fest, die man mit dem Worte „geometrisches Zeichnen" verbindet, führt die Darstellungsobjekte vor, bespricht die verschiedenen Darstellungsmethoden und stellt schliesslich die Beziehungen fest, in welchen das geometrische Zeichnen zum Freihandzeichnen, zur geometrischen Formenlehre und zur Geometrie steht. Dieser Abschnitt ist insbesondere darauf berechnet, dem Laien die wissenschaftliche Seite des vorliegenden Gegenstandes vorzuführen.

Im zweiten Abschnitte, „die pädagogische Wichtigkeit des geometrischen Zeichnens“, behandelt der Verfasser den Einfluss des geometrischen Zeichnens auf die formale Ausbildung des Geistes, auf die Bildung für das Berufsleben und auf die Förderung anderer Unterrichtsgegenstände der Realschule. Das hier Gesagte hat zweifellos nicht blos für Realschulen, sondern auch für jede andere verwandte Lehranstalt, die Gymnasien nicht ausgenommen, unbeschränkte Gültigkeit.

Im dritten Abschnitte, „die methodische Behandlung des geometrischen Zeichnens“, bespricht endlich der Verfasser die allgemeinen Gesichtspunkte, nach welchen man bei der Auswahl, Behandlung und Vertheilung des Stoffes für das geometrische Zeichnen verfahren muss. Fachgenossen werden diesen Abschnitt mit Nutzen und Vergnügen lesen, da die in demselbem niedergelegten methodischen Winke alle Beachtung verdienen.

Es wäre zu wünschen, dass diese Abhandlung eine grössere Verbreitung fände, als es durch ein Programm voraussichtlich der Fall sein wird.

Es ist nicht meine Absicht, die in diesem Programm enthaltenen Schulnachrichen näher zu besprechen. Indessen soll doch nicht unerwähnt bleiben, dass es jedenfalls eine sehr lobenswerthe Einrichtung ist, dass die bei den Reifeprüfungen gestellten schriftlichen Aufgaben, insbesondere auch die mathematischen, vollständig abgedruckt sind. Im Uebrigen lassen die gestellten mathematischen Aufgaben erkennen, dass die betreffenden Theile der Mathematik an der Realschule zu Chemnitz sehr eingehend behandelt werden müssen.

Freiberg. AUGUST JUNGE.

Bibliographie

vom 1. Juli bis 1. October 1865.

Periodische Schriften.

Abhandlungen der Königl. Sächsischen Gesellschaft der Wissenschaften. Mathem.-phys. Cl. 7. Bd. Leipzig, Hirzel. 5⅔ Thlr.

Sitzungsberichte der Königl. Bayrischen Akademie der Wissenschaften. 1865. Heft 2, 3, 4. München, Franz. à 16 Ngr.

Denkschriften der Kaiserl. Akademie der Wissenschaften zu Wien. Mathem.-naturw. Cl. 24. Bd. Wien, Gerold's Sohn. 14 Thlr.

Vierteljahrschrift der naturforschenden Gesellschaft in Zürich. Redig. von R. Wolf. 10. Jahrg. 1865. 1. Heft. Zürich, Höhr. pro complet 3 Thlr.

Archiv der Mathematik und Physik, herausgeg. von J. A. Grunert. 44. Theil, 1. Heft. Greifswald, Koch. pro complet 3 Thlr.

Bibliotheca historico-naturalis, physica-chemica et mathematica ed. E. A. Zuchold. 15. Jahrg. 1. Heft, Januar — Juni 1865. Göttingen, Vandenhoeck & Ruprecht. 8 Ngr.

Reine Mathematik.

Jelinek, P. C., Die Auflösung der höheren numerischen Gleichungen mit besonderer Rücksicht auf die imaginären Wurzeln, nach einer neuen Methode dargestellt. Leipzig, O. Wigand. ⅓ Thlr.

Neumann, K. W., Lehrbuch der allgemeinen Arithmetik und Algebra. Leitfaden zur Aufgabensammlung von Heis. Barmen, Langewiesche. 24 Ngr.

Wirth, G., Algebraische Aufgaben mit elementaren Lösungen versehen. 4. Aufl. Langensalza, Schulbuchhdlg. 9 Ngr.

Grunert, J. A., Lehrbuch der Mathematik. 1. Thl. Allgemeine Arithmetik. 4. Ausg. Brandenburg, Wiesicke. 17½ Ngr.

GRÜTTEFIEN, E., Die Integration zusammengesetzter Functionen mittelst unbestimmter Coefficienten. Berlin, Beelitz. 12 Ngr.

GRONAU, J. F. W., Theorie und Anwendungen der hyperbolischen Functionen. Danzig, Anhuth. $\frac{2}{3}$ Thlr.

DIENGER, J., Theorie der elliptischen Integrale und Functionen. Stuttgart, Metzler. 1 Thlr.

WINCKLER, A., Ueber die Umformung unendlicher Reihen. (Akad.) Wien, Gerold's Sohn. 4 Ngr.

FRISCHAUF, J., Ueber die Integration der linearen Partialgleichungen mit drei Variabelen. Ebendas. 3 Ngr.

ALLÉ, M., Ueber die Entwickelung von $(1 - 2qx + q^2)^{-\frac{1}{2}m}$ nach aufsteigenden Potenzen von q. (Akad.) Wien, Gerold's Sohn. 6 Ngr.

STUBBA, A., Sammlung algebraischer Aufgaben nebst Anleitung zur Auflösung derselben durch Verstandesschlüsse. 5. Aufl. Altenburg, Pierer. 20 Ngr.

SALMON, G., Analytische Geometrie des Raumes, deutsch bearb. von W. FIEDLER. 2. Thl. Räumliche Curven und algebraische Flächen. Leipzig, Teubner. $3\frac{2}{3}$ Thlr.

WIEGAND, A., Geometrische Aufgaben für höhere Lehranstalten. 2. Aufl. Halle, Schwetschke. $1\frac{1}{5}$ Thlr.

PLANUDES, M., Rechenbuch. Nach den Pariser Handschriften herausgeg. von C. J. GERHARDT. Halle, Schmidt. 24 Ngr.

LIBRI, G., *Histoire des sciences mathématiques en Italie depuis la renaissance des lettres jusqu'à la fin du 17. siècle. 2. edit. Tome IV.* Halle, Schmidt. 1 Thlr. $12\frac{1}{2}$ Ngr.

Angewandte Mathematik.

SCHNEDAR, R., Grundzüge der darstellenden Geometrie und ihrer Anwendung auf Schattenbestimmung und Perspective. 3. Aufl. Brünn, Winiker. 1 Thlr. 4 Ngr.

BEHSE, W., Darstellende Geometrie mit Rücksicht auf technische Anwendung (Steinschnitt, Construction gewundener Treppen etc.). Halle, Knapp. $2\frac{2}{3}$ Thlr.

HANSEN, P. A., Geodätische Untersuchungen. Leipzig, Hirzel. 1 Thlr. 26 Ngr.

FILS, A. W., Höhenmessungen im Regierungsbezirke Erfurt. Ilmenau, Banse. $\frac{1}{3}$ Thlr.

Generalbericht über die mitteleuropäische Gradmessung für das Jahr 1864. Berlin, G. Reimer. $\frac{5}{6}$ Thlr.

GRASSMANN, R., Das natürliche System der Maasse, Gewichte und Münzen. Stettin, Grassmann. 4 Ngr.

Trunk, C., Die Planimeter, deren Theorie, Praxis und Geschichte. Halle, Schmidt. 4 Thlr.

Bachoven v. Echt, Die Kürzeste auf dem Erdsphäroid nebst den Hauptaufgaben der Geodäsie. Coesfeld, Wittneven Sohn. 24 Ngr.

Lepsius, R., Die alt-ägyptische Elle und ihre Eintheilung. (Akad.) Berlin, Dümmler. 1⅓ Thlr.

Weisbach, J., Lehrbuch der Ingenieur- und Maschinenmechanik. 2. Thl. Statik der Bauwerke und Mechanik der Umtriebsmaschinen. 4. Aufl. Lief. 3, 4, 5 und 6. Braunschweig, Vieweg. à ⅓ Thlr.

Hoffmann, F., Neue Methode in der analytischen Darstellung der krummlinigen Bewegung eines freien Punktes in der Ebene sammt elementarer Ableitung der vier Kepler-schen Centralbewegungsgesetze. Klagenfurt, Leon. ⅙ Thlr.

Bondy, E., Ueber den Auftrieb von Flüssigkeiten, welche Körperchen suspendirt enthalten. (Akad.) Wien, Gerold's Sohn. 2 Ngr.

Fahle, H., Hydraulische Formeln für den Abfluss von Wasser aus Gefässen. (Programm-Abhandlung.) Danzig, Anhuth. 10 Ngr.

Zöppritz, K., Theorie der Querschwingungen eines elastischen am Ende belasteten Stabes. Königsberg, Schubert & Seidel. 10 Ngr.

Grundlegung der mathematischen Psychologie. Ein Versuch zur Nachweisung des fundamentalen Fehlers bei Herbart und Drobisch. Duisburg, Falk & Volmer. ¼ Thlr.

Brunn, J., *De computando refractionis effectu in minorum angulorum determinationibus micrometricis. Dissert.* Berlin, Calvary. ⅙ Thlr.

Lauth, F. J., *Les Zodiaques de Denderah. Mémoire où l'on établit, que ces sont des calendriers commémoratifs de l'époque gréco-romaine.* Leipzig, Brockhaus. 4 Thlr.

Physik.

Bolze, H., Lehrbuch der Physik für Schule und Haus. 2. Aufl. Cottbus, Heine. 27 Ngr.

Emsmann, A. H., Physikalisches Handwörterbuch. 5. Lief. Leipzig, O. Wigand. 24 Ngr.

Fliedner, C., Aufgaben aus der Physik. 3. Aufl. Braunschweig, Vieweg. 16 Ngr.
Auflösungen 24 Ngr.

Pisko, F. J., Die neueren Apparate der Akustik. Wien, Gerold's Sohn. 2 Thlr.

Zöllner, J. C. F., Photometrische Untersuchungen mit besonderer Rücksicht auf die physische Beschaffenheit der Himmelskörper. Leipzig, Engelmann. 3 Thlr.

Brücke, E., Ueber Ergänzungsfarben und Contrastfarben. (Akad.) Wien, Gerold's Sohn. 16 Ngr.

Ditscheiner, L., Ueber die Krümmung der Spectrallinien. (Akad.) Ebendaselbst. 5 Ngr.

Ellner, B., Ueber die Rückschritte der Wärme im Monat Mai (Sct. Pankraz, Servaz etc.) nebst Witterungsbeobachtungen angestellt zu Bamberg. Bamberg, Hepple. 12 Ngr.

Marcus, L., Ueber eine neue Thermosäule. (Akad.) Wien, Gerold's Sohn. 6 Ngr.

Hankel, W. G., Elektrische Untersuchungen. 6. Abhdlg. Maassbestimmungen der elektromotorischen Kräfte. 2. Thl. Leipzig, Hirzel. 28 Ngr.

Lösche, G. E., Meteorologische Abhandlungen. I. (Ueber die periodischen Veränderungen des Windes nach Beobachtungen zu Dresden von 1853—1858.) Dresden, Meinhold. 3 Thlr.

Mühry, A., Supplement zur klimatographischen Uebersicht der Erde. Leipzig, Winter. 4 Thlr.

—— —— Das Klima der Alpen dargestellt nach den ersten Befunden des meteorologischen Beobachtungssystems in der Schweiz. Göttingen, Rente. 12 Ngr.

Lloyd, H., *Observations made at the magnetical and meteorological observatory at Trinity-College, Dublin.* *London, Longman.* 12 *sh.*

Literaturzeitung.

Recensionen.

Das Rechnenbuch des Maximus Planudes. Nach den Handschriften der kaiserl. Bibliothek zu Paris herausgegeben von C. J. GERHARDT. Halle, Schmidt, 1865. XII, 47.

Da geschichtliche Untersuchungen zu um so verlässigeren Ergebnissen führen, je vollständiger die Quellen vorliegen, aus denen geschöpft wird, so ist es immer höchst erfreulich, wenn ein nur aus Handschriften von Wenigen gekanntes, aber in Folge seines Inhaltes zur Zahl der zu benutzenden Quellen beigezogenes Werk durch den Druck allen auf dem betreffenden Gebiet Nachforschenden zugänglich gemacht wird. Dies ist der Fall mit der *ψηφοφορία* des Maximus Planudes.

Nachdem Villoison nach 2 Handschriften in Venedig den Anfang desselben mit den indischen Ziffern und Woepcke nach 4 Pariser Handschriften einen Abschnitt der Multiplication und nach 2 derselben einen Theil der Division im Urtext bekannt gemacht hat, und dadurch dieses Werk in die Untersuchungen über den Ursprung unserer Ziffern und unseres jetzigen elementaren Rechnens hereingezogen ist, erscheint es als eine sehr verdienstliche Arbeit, dass Herr Gerhardt dasselbe aus 2 Handschriften in Paris vollständig herausgab, und zwar so, dass die Zifferformen, wie sie höchst wahrscheinlich Planudes selbst schrieb, im Druck wiedergegeben sind. Vergleicht man diese Formen mit den Facsimile, die Woepcke, *Sur l'introd. de l'arithm. ind. en occident, Rome* 1859, S. 27 aus den 4 Handschriften mittheilt, so muss man zugestehen, dass die Grundzüge möglichst getreu dargestellt sind.

Was nun den Text betrifft, so benutzte Herr Gerhardt nur die 2 ältesten Handschriften 2509 *s.* XIV und 2381 *s.* XV (Herr G. nennt die Nummern nicht, während die genaue Bezeichnung doch sehr wünschenswerth ist), von denen die erste mit der Multiplication abbricht. Dass die dritte Handschrift 2428 *s.* XV unbeachtet blieb, lässt sich dadurch rechtfertigen, dass sie mehr eine Bearbeitung der *ψηφοφορία* ist, als eine Abschrift derselben. Für die Nichtbeachtung der 4. Handschrift 2382 *s.* XVI lässt sich als Grund angeben, was Woepcke a. a. O. S. 39 in der Anmerkung sagt, dass dieselbe von dem Ms. 2381 abhängig ist, und zu merklicher Verbesserung des Textes nichts beiträgt. Dennoch hätte eine Vergleichung derselben wohl den Nutzen gehabt, das unleserliche Wort S. 24 zu enträthseln, und auch sonst über den Wortlaut einigen Aufschluss zu geben.

Vergleicht man nämlich den Text des Herrn G. mit dem, was Woepcke davon in der genannten Schrift S. 27—30 und S. 39—46 mittheilt, so ergeben sich einige Verschiedenheiten, die vielleicht durch Beiziehung des Ms. 2382 nicht vorhanden wären. Gleich im Titel ergiebt sich eine solche. Herr G. giebt S. XII an: *μοναχοῦ καὶ τοῦ μαξίμου τοῦ πλανούδου ψηφοφορία*, W. (S. 20) *μοναχοῦ κυρίου μαξίμου τοῦ πλανούδη ψηφοφορία*. Sicher ist *κυρίου* die richtige Lesart und ebenso in der Aufschrift des Ms. 2428 (S. XII) statt *καὶ τοῦ* zu lesen. Die Form *πλανούδου* ist vielleicht nur ein Schreibversehen. S. 10, Z. 5 v. u. hat W. nach *πολλαπλασιαζόμενος* das nothwendige $\overline{\omega\mu}$. Z. 2 v. u. steht das Eingeklammerte bei W. im Texte. S. 11, Z. 7 v. o. steht bei W. *ἐκπεπληρώσθω* statt *ἐκπληρούσθω*. Z. 12 v. o. G.: *κατέχω τά*, W.: *κατέχω καί*. S. 20 u. 21 fehlen bei den Diagrammen die Reste, die bei W. übereinstimmend mit dem Texte an der Seite stehen. S. 21 fehlt das Diagramm

$$\frac{\begin{matrix}1\\40\end{matrix}}{\begin{matrix}1\\36\end{matrix}},$$

das W. mittheilt, und S. 23 fehlen 2 Diagramme, die bei W. S. 44 u. 46 den Text verdeutlichen. Wahrscheinlich fehlen sie in dem von Herrn G. benutzten Ms. Möglich auch, dass W. sie erst selbst beigegeben hat. Sie sind aber zum Verständniss der Stelle fast unentbehrlich. S. 20, Z. 8 v. o. ist *πάν* wohl nur ein Druckfehler für *πάλιν*. Der Herr Herausgeber scheint überhaupt eine sehr grosse Mühe mit der Correctur gehabt zu haben, so dass manche Ungenauigkeiten, wie in den Accenten, nicht hoch angerechnet werden dürfen. Z. 16 v. o. steht nach dem ersten *γράφω* die Zahl, die nach W. in beiden Mss. fehlt. Z. 18 steht *ἑνῶν*, was W. aus dem handschriftlichen *ἐν* nur vermuthete. Z. 11 v. u. fehlt *ὅταν* nach *πρὸς ἐλάττονα δὲ*. S. 21, Z. 14 v. o. fehlt nach *μονάδος* das nöthige *τρίτον*. Z. 26 steht *ἀνωτέρω*, bei W. *κατωτέρω*, allerdings unrichtig, aber es fragt sich, was die Handschriften haben. Z. 6 v. u. steht bei W. vor *ὑπὸ τὸν* noch *τὸν*. S. 22, Z. 2 v. o. ist die Lücke bei W. richtig nach *ἑπτάκις* angedeutet, welches Wort ein oder zwei Zeilen später nochmals stand und dadurch die Lücke veranlasste. S. 23, Z. 5 v. o. lautet der Anfang bei W. ziemlich abweichend: *μετὰ τὸ 7 καὶ 12 καὶ 7 κειμένων*. Z. 7 v. o. fehlt nach W. die Zahl nach *τῶν* in den Mss., und in der folgenden Zeile steht dort nicht *οὐ γὰρ*, sondern *εἰ γὰρ*. Ferner stehen bei W. vor diesem *οὐ γὰρ* noch die gleich darauf sich wiederholenden Worte: *σια τοῦτο τοίνον ὑπὸ τὸν 7 τὰ 3 τίθημι*. Ausser diesem kommen noch kleinere Abweichungen vor, deren Aufzählung hier zu weit führen würde. Im Allgemeinen zeigt sich bei W. ein etwas genauerer Text, und es ist wohl nicht irrig, den Grund davon in der Benutzung der grösseren Anzahl von Mss. zu sehen. Vielleicht hat Herr G. noch Gelegenheit, das Gleiche zu thun und dadurch sein Verdienst um das Werk des Planudes noch zu erhöhen. Aber schon jetzt ist seine Arbeit eine sehr dankenswerthe und leistet den Nachforschungen über den Stand der Arithmetik im 14. Jahrhundert eine bedeutende Hilfe.

Es erübrigt nun noch, Einiges über die dem Text vorangehenden Angaben über Planudes und sein Werk zu bemerken. Den Zusammenhang mit der indischen Arithmetik vermuthet Herr G. von der Art, dass Planudes von byzantinischen Kaufleuten oder Missionaren lernte, die längere Zeit in Indien sich aufgehalten hatten. Einem solchem fast unmittelbaren Zusammenhang widerstreitet aber die Form der Ziffern und das Wort *τζίφρα*, welches beides Woepcke, *Journ. asiat.* 1863, S. 526 u. 527, bestimmte, eine Vermittelung durch die Araber des Orients anzunehmen (vergl. auch Cantor, math. Beiträge S. 263). Letzteren Punkt bespricht Herr G. nicht; von ersterem aber ist allerdings seine Ansicht, dass die Ziffern, die Planudes neben den griechischen Zahlbuchstaben gebraucht, die Anfangsbuchstaben der entsprechenden indischen Zahlwörter sind. Dies zeige sofort eine Vergleichung mit der letzten Reihe der *Initial lettres modern* in Prinsep's *Essay of Indien Antiquities Tom II, pl. XL.* Es wäre sehr zu wünschen, dass in solchen Fällen die verglichenen Zeichen neben einander gestellt und dadurch dem Leser die Möglichkeit gegeben würde, von der Richtigkeit des Vergleiches aus eigener Anschauung sich zu überzeugen. Referent kann nämlich die Ansicht nicht theilen, dass man in den modernen Anfangsbuchstaben der indischen Zahlwörter sofort die Zeichen des Planudes erkennt, am wenigsten vermag er dies bei den Zeichen für 2, 3 und 8. Auch hier muss er Woepcke beitreten, der (*Journ. asiat.* 1863, S. 73—78) in den Sanskritbuchstaben des 2. Jahrhunderts nach Chr. die Grundzüge der Gobarziffern findet, welche nicht die Ziffern des Planudes sind. Es scheint daher um vieles wahrscheinlicher, dass die Kenntnisse von der indischen Arithmetik dem Planudes durch die Araber des Orients vermittelt wurden.

In Bezug auf die Verwandtschaft der *ψηφοφορία* mit dem *Liber Abaci* des Leonardo von Pisa stimmt Herr G. mit W. im Wesen überein, dass nämlich eine directe Benutzung des Werkes des Letzteren nicht nachweisbar ist. Die Aehnlichkeit lässt sich mit Herrn G. erklären aus einer Benutzung von Werken aus Leonardo's Schule, oder mit W. aus Benutzung gleicher oder verwandter Quellen von Seite Beider. Bezüglich der Neunerprobe aber besteht eine diametrale Verschiedenheit. Herr G. spricht dieselbe auf Grund einer Bemerkung Taylor's den Indern ab, Herr W. belegt (*Journ. asiat.* S. 501—504) mit 2 Stellen aus einer Arithmetik des Avicenna den indischen Ursprung derselben. Auf wessen Seite das Richtige ist, müssen weitere Forschungen auf dem Gebiet der indischen Alterthumskunde und der Kunde vom Orient überhaupt noch zeigen. Möge nur die sehr fühlbare Lücke, die durch Woepcke's Tod entstanden ist, bald ausgefüllt werden!

Die ausführliche Inhaltsangabe, die Herr G. S. V—XII von dem Werk des Planudes giebt, ist für die Verwerthung desselben von sehr grossem Werthe und verdient eine besonders rühmliche Erwähnung.

Ansbach. FRIEDLEIN.

Die Integration zusammengesetzter Functionen nach der Methode der unbestimmten Coefficienten. Von E. GRÜTTEFIEN, Baumeister. Berlin, Verlag von Carl Beelitz. 1865.

Die Methode des Verfassers wird durch folgendes Beispiel klar werden. Um das Integral

$$\int \frac{\alpha + \beta x + \gamma x^2 + \delta x^3}{\sqrt{a + bx + cx^2}} dx$$

auf das einfachere und bekannte Integral

$$\int \frac{dx}{\sqrt{a + bx + cx^2}}$$

zurückzuführen, setze man

$$\int \frac{\alpha + \beta x + \gamma x^2 + \delta x^3}{\sqrt{a + bx + cx^2}} dx = f(x)\sqrt{a + bx + cx^2} + \int \frac{K\,dx}{\sqrt{a + bx + cx^2}},$$

wo $f(x)$ eine noch zu bestimmende Function von x, und K eine unbekannte Constante bezeichnet. Differenzirt man und schafft nachher die Brüche weg, so folgt

$$\alpha + \beta x + \gamma x^2 + \delta x^3$$
$$= f'(x)(a + bx + cx^2) + f(x)(\tfrac{1}{2}b + cx) + K.$$

Damit die rechte Seite von demselben Grade sei wie die linke, darf $f(x)$ den zweiten Grad nicht übersteigen; man nimmt daher

$$f(x) = A + Bx + Cx^2, \quad f'(x) = B + 2Cx$$

und vergleicht nach Substitution dieser Ausdrücke die Coefficienten von x^0, x^1, x^2, x^3 in der vorigen Gleichung. Man erhält dadurch vier Bedingungen für die Unbekannten A, B, C, K, man kennt also auch $f(x)$ und K, womit die Reduction des ursprünglichen Integrales abgemacht ist.

Dieses Verfahren dürfte wohl schon von Jedem benutzt worden sein, der öfter Integrationen ausgeführt oder Integralrechnung vorgetragen hat. Dasselbe verursacht allerdings in manchen Fällen weniger Rechnung als der Gebrauch der üblichen Reductionsformeln, dagegen verlangt es häufig eine geschickte Wahl von $f(x)$ und der ursprünglichen hypothetischen Gleichung.

Wer solches Geschick nicht besitzt, verliert dabei leicht die Zeit mit unglücklichen Versuchen, und eben deswegen dürfte dieses Verfahren nicht den Jüngern der Wissenschaft als Regel, sondern nur Lehrern für Uebungsbeispiele und Excurse zu empfehlen sein. SCHLÖMILCH.

Mathematische Aufgaben zum Gebrauche in den obersten Classen höherer Lehranstalten. Aus den bei Abiturientenprüfungen an preussischen Gymnasien und Realschulen gestellten Aufgaben ausgewählt und mit Hinzufügung der Resultate zu einem Uebungsbuche vereint von H. C. E. MARTUS, Oberlehrer an der Königstädtischen Realschule in Berlin. — I. Aufgaben (XII u. 187 S.), II. Resultate (196 S.). 8. Greifswald, 1865. C. A. Koch's Verlagsbuchhandlung.

Das Material zu der vorliegenden Aufgabensammlung haben theils die in den Programmen von Michaelis 1857 bis Ostern 1862 veröffentlichten Abiturientenaufgaben der preussischen Gymnasien, theils die früheren Prüfungsarbeiten der Berliner Gymnasien geliefert, namentlich die des Friedrichs-Werder'schen Gymnasiums seit Ostern 1832, die des Cölnischen Realgymnasiums seit Ostern 1836, des Joachimsthal'schen Gymnasiums seit Ostern 1837 und des Friedrich-Wilhelms-Gymnasiums seit Michaelis 1842. Ausserdem ist ein Theil der Aufgaben aus der angewandten Mathematik den Programmen der preussischen Realschulen vom Jahre 1863 entnommen. Beim Ordnen des so zusammengebrachten reichen Materials zeigten sich die verschiedenen Gebiete der Geometrie ungefähr gleichmässig vertreten; in der Arithmetik und Algebra aber hatten einzelne Abschnitte nur wenige Aufgaben aufzuweisen. Um daher eine Aufgabensammlung herzustellen, welche zur Einübung des ganzen Cursus der beiden oberen Classen an Realschulen und Gymnasien dienen könne, sah sich der Verfasser genöthigt, in solchen Abschnitten selbst Aufgaben zu erfinden, um die Lücken auszufüllen. Er hat so bei den Combinationen die Hälfte, bei den Anwendungen des binomischen Satzes $1/3$, bei den Progressionen $1/5$, bei den Kettenbrüchen $2/5$, bei den unendlichen Reihen $4/5$, bei den diophantischen und den in Zeichen gegebenen Gleichungen $1/3$, bei den cubischen $3/5$ und bei den höheren Gleichungen $4/5$ der Aufgaben selbst hinzugesetzt. Aufgaben, welche sich bereits in anderen Sammlungen finden, hat der Verfasser wissentlich nicht aufgenommen, ohne sie durch Aenderung des Zahlenbeispieles oder durch Erweiterung umzuwandeln.

Betrachten wir uns nun die auf diese Art entstandene Sammlung von 1500 Aufgaben etwas genauer, so finden wir zunächst, dass der Verfasser durch eine sehr ins Einzelne gehende Ordnung des Stoffes das Aufsuchen der Aufgaben und damit die Benutzung des Buches überhaupt sehr bequem gemacht hat. Wir können in der nachstehenden Uebersicht des Inhaltes nur die Hauptpunkte dieser Eintheilung angeben. Diese sind folgende:

Erster Theil. Geometrie. A. Planimetrie. I. Lehrsätze 1—15, II. Constructionsaufgaben 16—118 (Construction des Dreieckes aus verschiedenen Bestimmungsstücken, unter denen die Fläche, die Summe und Differenz zweier Seiten, die Höhenlinien, die Radien der Berührungskreise u. a. vorkommen, desgleichen auf das Viereck und den Kreis bezügliche Constructionen), III. Aufgaben aus der algebraischen Geometrie 119—187 (theils Aufgaben, bei denen die Formelentwickelung auf eine Construction führt, theils numerische Berechnungen).

B. Trigonometrie. I. Goniometrie und trigonometrische Gleichungen 188—209, II. ebene Trigonometrie 210—374 (Berechnung der Dreiecke aus den verschiedenartigsten Bestimmungsstücken, Anwendungen der Trigonometrie auf Längenbestimmungen), III. sphärische Trigonometrie 375 bis 400 (Aufgaben aus der mathematischen Geographie, Verwandlung astronomischer Coordinaten u. a.).

C. Stereometrie. 1. Pyramide 401—446, 2. Prisma 447—463, 3. Kegel 464—543, 4. Cylinder 544—561, 5. Kugel 562—622, 6. die regelmässigen Körper 623—642, 7. Maxima und Minima 643—675.

D. Coordinatengeometrie. 1. Gerade Linie 676—681, 2. Kreis 682—686, 3. Parabel 687—712, 4. Ellipse 713—742, 5. Hyperbel 743—750, 6. alle drei Kegelschnitte 751 u. 752, 7. Curven höheren Grades 753—755.

Zweiter Theil. Arithmetik. A. Algebra. I. Gleichungen vom ersten und zweiten Grade und solche Gleichungen, welche sich auf diese zurückführen lassen 756—1029 (dieselben sind theils in Zeichen, theils in Worten gegeben), II. Diophantische Gleichungen 1030—1065 (vom ersten und zweiten Grade), III. cubische Gleichungen 1066—1138, IV. höhere Algebra 1139—1178 (höhere algebraische und transcendente Gleichungen).

B. Niedere Analysis. I. Progressionen 1179—1266 (arithmetische Reihen erster und höherer Ordnung, geometrische Progressionen, zusammengesetzte Reihen), II. Zins auf Zins 1267—1329 (Zinseszins- und Rentenrechnung), III. Kettenbrüche 1330—1349, IV. Combinationslehre 1350—1377 (Permutationen, Variationen und Combinationen, Wahrscheinlichkeitsrechnung), V. binomischer Lehrsatz 1378—1391 (verschiedene Reihenentwickelungen mittelst des Binomialtheorems), VI. unendliche Reihen 1392 bis 1400 (Fragen nach der Convergenz von Reihen, Reihenentwickelungen mittelst der Methode der unbestimmten Coefficienten, einige specielle Anwendungen der Sinus- und Cosinusreihen).

Dritter Theil. Aufgaben aus der Physik. I. Mechanik 1401 bis 1462 (Hebel, Schwerpunkt, freier Fall, Gravitation, schiefe Ebene, Wurfbewegung, Schwungkraft, Pendel, specifisches Gewicht, Luftdruck), II. Wärmelehre 1463—1474 (Ausdehnung, Wärmecapacität, Dampfmaschine), III.

Optik 1475—1500 (Reflexion und Intensität des Lichtes, Hohlspiegel, Prismen, Linsen, der Regenbogen).

Die Aufgaben sind meist geschickt gewählt, und viele derselben dürften sehr geeignet sein, das Interesse der Schüler zu erregen. Einzelne unter ihnen gehen allerdings über das Gebiet der mathematischen Disciplinen hinaus, welche auf Gymnasien und Realschulen zu behandeln sind; indessen hat der Verfasser derartige Aufgaben besonders bezeichnet und kenntlich gemacht. Uebrigens sind die Aufgaben von sehr verschiedener Beschaffenheit rücksichtlich ihrer Schwierigkeit; während manche auch von weniger geübten Schülern sich in wenigen Minuten lösen lassen, dürften andere zu längerer Beschäftigung der Schüler Anlass geben. Es werden daher Lehrer, denen der mathematische Unterricht in den oberen Classen von Gymnasien oder Realschulen obliegt, in dem vorliegenden Buche den mannigfaltigsten Uebungsstoff für ihre Schüler finden und dem Verfasser Dank wissen für die Mühe, welche die Zusammenstellung dieser Aufgabensammlung gemacht hat. Wir unsererseits wünschen, dass diese Sammlung eine recht weite Verbreitung finden und zur Belebung der mathematischen Studien sich recht förderlich erweisen möge.

Ein besonderes Interesse gewährt das Buch noch insofern, als es uns eine ungefähre Vorstellung von dem Standpunkte verschafft, auf welchem sich die mathematischen Studien auf den Gymnasien unseres Nachbarstaates befinden. Dieser muss, wenigstens auf den Schulen, welche zu der Sammlung Material geliefert haben, als ein sehr befriedigender bezeichnet werden, und wir möchten nur wünschen, dass überall an ähnlichen Anstalten ein gleiches Ziel erreicht werde.

Leipzig, October 1865. GRETSCHEL.

Die Principien der neueren ebenen Geometrie und deren Anwendungen auf die geradlinigen Figuren und den Kreis. Ein Lehrbuch für höhere Unterrichtsanstalten von CARL SCHMITT, Hauptmann im k. k. Geniestabe, Professor der höheren Mathematik an der k. k. Genieakademie. Wien, Verlag von Carl Gerold's Sohn. 1864. (IX u. 148 S. 8).

Das vorliegende Schriftchen enthält eine kurze systematische Darstellung der Principien der neueren ebenen Geometrie, bei der es dem Verfasser seiner eigenen Angabe nach besonders darauf ankommt, diese Disciplin in ihren Elementen möglichst eng mit der analytischen Geometrie zu verknüpfen und die Anschauungsweisen der neueren Geometrie bis zu dem Punkte zu entwickeln, wo es vortheilhaft erscheint, neue, der analytischen Geometrie angehörige Hilfsmittel und Betrachtungsweisen eintreten zu lassen. In einem zweiten Bande gedenkt der Verfasser später die analytische

Geometrie der Ebene mit Anwendung und weiterer Ausführung der in der vorliegenden Schrift entwickelten Principien folgen zu lassen. — Der Inhalt des Werkchens ist folgendermassen vertheilt.

In der Einleitung werden zunächst die einfachsten Sätze über geradlinige Strecken und Winkel abgeleitet; es handelt sich dabei hauptsächlich um die Begründung des Princips der Vorzeichen im Bezug auf Gerade und Winkel in der aus den Schriften von Möbius und Chasles bekannten Weise.

Das erste Capitel hat die Bestimmung der Lage der Punkte einer geradlinigen Punktreihe zum Gegenstande. Am Schlusse dieses Capitels führt der Verfasser auch den Begriff der imaginären Punktepaare ein, d. h. solcher Punkte, deren Lage in einer bestimmten Geraden im Bezug auf einen Fundamentalpunkt durch eine quadratische Gleichung mit complexen Wurzeln bestimmt ist. Als Anwendung ist eine kurze Theorie der Chordalen zweier Kreise beigegeben.

Das zweite Capitel behandelt das entsprechende Thema im Bezug auf die Strahlen eines ebenen Strahlenbüschels.

Im dritten Capitel werden die Theilungsverhältnisse des Dreieckes besprochen. Es werden hier entwickelt die Sätze, welche sich beziehen 1) auf Strahlen aus den Ecken eines Dreieckes nach den Gegenseiten, 2) auf Strahlen aus einem Punkte nach den Ecken und Seiten des Dreieckes, 3) auf die Durchschnittspunkte der Seiten und Eckstrahlen eines Dreieckes mit einer Geraden, 4) auf die Schnittpunkte des Kreises mit den Seiten des Dreieckes, 5) auf die Tangenten aus den Ecken eines Dreieckes zum Kreise.

Hieran schliesst sich ergänzend im vierten Capitel die Behandlung der Theilungsverhältnisse der ebenen Polygone im Allgemeinen und des Viereckes ins Besondere. Diese Theilungsverhältnisse beziehen sich theils auf die Schnittpunkte einer Geraden mit den Vielecksseiten, theils auf Strahlenbüschel, deren Strahlen nach den Ecken des Polygones gehen, und deren Winkel entweder durch die successiven Seiten des Polygones oder durch ein zweites concentrisches Strahlenbüschel getheilt werden, dessen Strahlen wieder nach bestimmten Punkten der Polygonseiten gerichtet sind und ähnliches.

Im fünften Capitel wird der Begriff des anharmonischen Verhältnisses von vier Punkten und vier Strahlen erläutert, als specieller Fall kommt dabei auch das harmonische Verhältniss zur Sprache, dessen geometrische Eigenschaften zum Theil schon vorher in den beiden ersten Capiteln entwickelt worden sind.

Das sechste und siebente Capitel behandeln die collinearen Punktreihen und Strahlenbüschel, und zwar ersteres die geometrischen Eigenschaften, letzteres die algebraischen Relationen. Vermisst haben wir hier die ausdrückliche Hervorhebung des wichtigen Satzes, auf welchen

Chasles im 41. Bd. der *Comptes rendus* aufmerksam gemacht hat, und welchem zufolge zwei Punktreihen oder Strahlenbüschel oder eine Punktreihe und ein Strahlenbüschel, deren Elemente einander eindeutig entsprechen, stets collinear sind. Dieser wichtige Satz, welcher in den neueren Darstellungen der Geometrie, z. B. in Cremona's Einleitung in eine geometrische Theorie der ebenen Curven, mit Recht an die Spitze der Theorie der collinearen Punktreihen und Strahlenbüschel gestellt wird, hätte in §. 80, wo unser Verfasser als allgemeinen Ausdruck für collineare Punktreihen eine lineare Gleichung nachweist, seine natürliche Stelle finden können, da er in der That nur der Ausdruck des erwähnten analytischen Merkmales ist.

Im achten Capitel werden die Eigenschaften der Doppelpunkte collinearer Punktreihen und der Doppelstrahlen collinearer Strahlenbüschel entwickelt.

Die beiden letzten Capitel endlich behandeln die Involution von collinearen Punktreihen und Strahlenbüscheln, und zwar enthält das neunte Capitel die allgemeine Theorie der Involution, während das zehnte die Involutionen beim Dreiecke, Vierecke und Kreise bespricht.

Wesentlich neues enthält die vorliegende Schrift allerdings nicht; auch hat sie mit manchen anderen Schriften ähnlichen Inhaltes das gemein, dass sie die Behandlung ihres Gegenstandes gerade da abbricht, wo derselbe erst anfängt interessant zu werden, und wo sich auch die Fruchtbarkeit der bis dahin entwickelten Lehren erst recht augenscheinlich zu zeigen beginnt. Indessen findet dieses Abbrechen im vorliegenden Falle seine Erklärung in dem Plane des Verfassers, die vorgetragenen Principien noch durch die Hilfsmittel der analytischen Geometrie zu ergänzen. Dieser Plan ist jedenfalls auch die Veranlassung dazu gewesen, dass in der vorliegenden Schrift mehr Rechnungswerk zu finden ist, als in manchen anderen Lehrbüchern der neueren Geometrie; doch kann man nicht sagen, dass die rein geometrische Betrachtungsweise deswegen vernachlässigt worden ist. Da die Darstellung im Ganzen sehr ansprechend ist, so eignet sich das Werkchen sowohl als Grundlage für den Unterricht an höheren Lehranstalten, als auch als Hilfsmittel für das Selbststudium. Sehr passend für beide Zwecke ist es, dass der Verfasser die Hauptlehren immer durch eine hinreichende Anzahl von Aufgaben und Lehrsätzen erläutert hat, welche in kleinerem Drucke an der betreffenden Stelle beigefügt sind.

Leipzig, October 1865. GRETSCHEL.

Lehrbuch der Planimetrie. Für Schulen und zum Privatgebrauch von M. JOB, Oberlehrer an der Annen-Realschule zu Dresden. 2. Abtheilung. Mit 80 in den Text gedruckten Abbildungen. Dresden, Verlag von Carl Adler. 1865.

Die erste Abtheilung dieses Lehrbuches ist in dieser Zeitschrift bereits früher (IX. Jahrgang, S. 100 der Literaturzeitung) von uns kurz angezeigt worden. Was wir von dieser lobend hervorgehoben haben, Strenge der Darstellung bei gehöriger Ausführlichkeit und leichter Verständlichkeit, das gilt auch von der vorliegenden zweiten Abtheilung, welche die Kreislehre enthält. Den Anfang bilden die Sätze über Centri- und Peripheriewinkel, dann werden die Eigenschaften der Sehnen und Tangenten behandelt, bei welcher Gelegenheit auch die Aehnlichkeitspunkte zweier Kreise, die Berührungkreise des Dreieckes, sowie die Eigenschaften des Kreisviereckes zur Sprache kommen; den nächsten Gegenstand der Untersuchung bilden die regelmässigen Vielecke, deren Umfangsberechnung weiter auf die Rectification des Kreises führt, an welche sich die Quadratur desselben anschliesst. Sodann werden die verschiedenen Fälle des Apollonischen Berührungsproblems, bis zur allgemeinsten Aufgabe aufsteigend, behandelt; den Schluss bildet eine Entwickelung der wichtigsten Sätze über harmonische Theilung von geraden Strecken nebst verschiedenen Anwendungen dieser Theorie, unter denen die Construction der Kreistangente mit alleiniger Benutzung des Lineales zuletzt vorgetragen wird. In diesem letzten Abschnitte, welcher dem Gebiete der sogenannten neueren Geometrie angehört, hätte der Verfasser unserer Ansicht nach der in dieser Disciplin jetzt üblichen Bezeichnung und nicht der älteren folgen sollen. Während man nämlich gegenwärtig sagt, die Linie AB sei in den Punkten C und D harmonisch getheilt, wenn die Proportion besteht

$$AC : CB = AD : BD,$$

ist bei dem Verfasser die harmonische Theilung der Linie AB durch die Punkte C und D charakterisirt durch die Proportion

$$AB : BC = AD : CD,$$

welche in der Sprache der neueren Geometrie ausdrückt, dass AC von B und D harmonisch getheilt wird. Es ist die ganze Sache deshalb nicht gleichgültig, weil bei Anwendung der vom Verfasser benutzten älteren Terminologie die bestimmte Fassung vieler Sätze verloren geht; man erkennt die Richtigkeit dieser Bemerkung, wenn man etwa den kurzen Satz: „jede Sehne wird durch einen in ihrer Verlängerung liegenden Punkt und dessen Berührungssehne harmonisch getheilt", vergleicht mit dem Ausdrucke desselben Satzes, welcher sich auf S. 104 (Lehrsatz 161) der vorliegenden Schrift findet.

Leipzig, October 1865. GRETSCHEL.

Die physiologische Optik. Eine Darstellung der Gesetze des Auges. Von Dr. Hermann Scheffler. Erster Theil; mit 226 in den Text eingedruckten Holzschnitten. Braunschweig, Schulbuchhandlung. 1864.

Der auf dem Gebiete der Physik schon rühmlich bekannte Verfasser hat mit vorliegendem Werke einen neuen Beweis geliefert, wie scharfsichtig er nicht blos beobachtet, sondern auch wie glücklich er es versteht, in überzeugender Weise die von ihm gemachten Beobachtungen in die bis jetzt anerkannten Gesetze einzureihen. Mit Recht sagt er selbst, dass es noch grosse Gesammtclassen von Erscheinungen und physiologisch-optischen Gesetzen giebt, denen es an genügender Begründung fehlt, und dass eben deshalb eine Durchforschung des Gebietes der physiologischen Optik ebenso wünschenswerth für die Wissenschaft, wie sie wegen des interessanten Gegenstandes, der uns so zahlreiche und schöne Naturwunder enthüllt, anziehend für den Forscher sei.

Bevor er sich in seiner Schrift zum Auge selbst wendet, bemüht er sich in einer kritischen Entwickelung der Grundanschauungen der Theorie des Lichtes in dem Leser volle Klarheit über die Erscheinungen der Lichtmaterie, Lichtintensität, der Farben, der Reflexion, der Beugung, der Interferenz, der Brechung, des Spectrums, der Fluorescenz etc. etc. hervorzurufen; nicht minder über gewisse optische Begriffe, wie Linsenbild, Krümmung und Verrückung der Linse, Brechungscoefficient etc. Auf eine generelle Beschreibung des Auges folgt alsdann in mehreren Paragraphen eine speciellere, welche mit ausserordentlicher Genauigkeit nicht nur die einzelnen Theile dieses Sinnesorganes, sondern auch die Dimensionen derselben und ihren inneren Mechanismus bespricht. Von ganz besonderem Werthe erscheint uns §. 8, in welchem die mathematische Theorie der Accomodation und der Linsensysteme überhaupt in ausführlicher Weise behandelt wird. Nach der Darlegung der Gehirnthätigkeit beim Sehen, insbesondere beim Sehen mit 2 Augen, wobei das Schielen nicht unberücksichtigt bleibt, giebt der Verfasser eine Anzahl erläuternder Experimente, welche wegen ihrer Einfachheit von Jedermann leicht nachzuahmen, zur Erklärung vorher besprochener Erscheinungen aber höchst instructiv sind. Die Aufmerksamkeit des Lesers wird hierauf namentlich gefesselt durch die klare Auseinandersetzung des Wettstreites und der Identität der Sehfelder, sowie des Einfachsehens trotz zweier Augen. Einsender dieses beabsichtigt indessen nicht, eine förmliche Inhaltsanzeige der ganzen Schrift zu geben, fühlt sich aber zu dem Geständniss gedrängt, dass er bis jetzt kein zweites Buch kennt, in welchem der wichtige Process des Sehens in allen seinen Einzelheiten mit gleicher Schärfe als das Resultat eigener tiefer Forschung im Gebiete der Optik dargelegt wäre. Aus vollster Ueberzeugung empfiehlt er daher das vorligende Buch Jedem, auch dem Laien, dem darum zu thun ist, zu einer klaren und fasslichen Anschauung über die Thätigkeit seines wichtigsten Sinnesorganes zu gelangen. Die äussere Ausstattung gereicht übrigens dem Herrn Verleger zu aller Ehre.

W. O. H.

Die Theorie der geraden Linie und der Ebene; ein Versuch zur strengen Begründung der ersten geometrischen Grundanschauungen, von Dr. Hermann Schwarz, Oberlehrer an der höheren Bürgerschule zu Düren. Halle, Anton. 1865.

Wenn der Verfasser in der Vorrede erklärt, dass es durchaus nothwendig sei, den Begriff der Bewegung in die Elementargeometrie einzuführen, so ist das ohne Zweifel richtig, aber keineswegs etwas so Neues, als der Verfasser zu glauben scheint, denn ein grosser Theil der in den letzten 20 Jahren erschienenen Lehrbücher der Geometrie zeigt hinreichend, dass man vielfach bemüht ist, die starren Euklidischen Definitionen durch genetische, also fast durchweg phoronomische Erklärungen zu ersetzen (z. B. beim Kreise). Origineller dagegen ist die Art und Weise, wie der Verfasser diesen Begriff verwendet; er geht nämlich von unendlich kleinen Bewegungen aus, lässt durch diese zunächst Linienelemente, Winkelelemente etc. entstehen und setzt aus diesen die endlichen Linien und Winkel etc. zusammen. In §. 5 z. B. findet sich folgende Definition: „Linienelement heisst dasjenige Raumgebild, welches entsteht, indem ein Punkt aus seiner primitiven Lage unmittelbar, d. h. ohne Durchlaufung von Zwischenpunkten, in eine angrenzende Lage übertritt.“ Diese Erklärung scheint dem Referenten sehr unglücklich, denn sie verlangt von der Anschauung geradezu das Unmögliche. Wie nahe auch zwei Punkte einander liegen mögen, so giebt es doch immer noch unendlich viele Zwischenpunkte, und wenn umgekehrt keine Zwischenpunkte da sein sollen, so müssen sich die Punkte decken. Des Verfassers Linienelement ist also entweder ein Complex zweier sich deckender Punkte, und dann hören alle weiteren Deductionen des Verfassers sofort auf, oder das Linienelement enthält Zwischenpunkte, dann involvirt aber die Erklärung einen Widerspruch, und die nachherigen Deductionen leisten nichts weiter, als dass sie die Eigenschaften grosser Linien aus denen kleiner herleiten. — Der Verfasser hebt die Analogie zwischen seinen geometrischen Speculationen und der Anschauungsweise der Analysis hervor; in Wirklichkeit aber ist diese Analogie gar nicht vorhanden. Es hat sich wohl noch kein Analytiker einfallen lassen, den Begriff des Differentiales als einen Urbegriff anzusehen und die Existenz endlicher Zahlen aus der Existenz ihrer Differentiale erklären zu wollen; im Gegentheil geht man von der endlichen Zahl aus und gelangt durch Division derselben mit einem unendlich wachsenden Divisor zum Differential. Der Verfasser dagegen hält seinen durchaus widerspruchsvollen und zufolge des Ausdrucks „angrenzende Lage" ziemlich dunkeln Begriff des Linienelementes für den Urkeim des Linienbegriffes überhaupt; er geht also gerade den entgegengesetzten Weg, wie die Analysis. Ueberdies ist das Linienelement durchaus verschieden vom Liniendifferential. Letzteres ist nämlich selbst eine Linie, es enthält immer noch unendlich viele Punkte und unter allen Umständen ist ds gleichartig mit s; des Verfassers Linienelement dagegen soll nur zwei Punkte enthalten, es bildet keinen Theil einer Linie und ist, deutsch gesagt, ein geometrisches Unding. — Dieselben Bemerkungen wiederholen sich beim Winkelelement etc., und kann daher Referent nicht finden, dass der Verfasser die geometrischen Grundanschauungen irgendwie strenger begründet habe.

Schlömilch.

Bibliographie

vom 1. October bis 1. November 1865.

Periodische Schriften.

Berichte über die Verhandlungen der Königl. Sächs. Gesellschaft der Wissenschaften. Mathem.-phys. Cl. 1864. Leipzig, Hirzel. ⅙ Thlr.

Annalen der Physik und Chemie, herausg. von J. C. Poggendorff. Namen- und Sachregister zu den Bänden 91—120. Bearbeitet von W. Barentin. Leipzig, Barth. 24 Ngr.

Jahrbuch der Erfindungen und Fortschritte auf den Gebieten der Physik, Chemie, Technologie, Mechanik, Astronomie und Meteorologie. Herausgeg. von H. Hirzel u. H. Gretschel. 1. Jahrgang. Leipzig, Quandt & Händel. 1⅓ Thlr.

Reine Mathematik.

Müller, A., Anfangsgründe der Algebra. Wittenberg, Herrosé. ¼ Thlr.

Baltzer, R., Die Elemente der Mathematik. 1 Bd. Arithmetik und Algebra. 2. Aufl. Leipzig, Hirzel. 1¼ Thlr.

Haberl, J., Lehrbuch der Arithmetik und Algebra. Wien, Braumüller. 1⅓ Thlr.

Lübsen, H. B., Lehrbuch der Analysis. 3. Aufl. Leipzig, Brandstetter. 1⅕ Thlr.

Navier, L., Lehrbuch der Differential- und Integralrechnung. Deutsch, herausgeg. von Wittstein. 2 Bde. 3. Aufl. Hannover, Hahn. 3½ Thlr.

Schrön, L., Logarithmentafeln. 6. Ster.-Ausg. Braunschweig, Vieweg. 1¼ Thlr.

Winckler, A., Allgemeine Formeln zur Schätzung und Grenzbestimmung einfacher Integrale. (Akad.) Wien, Gerold's Sohn. 4 Ngr.

Hechel, C., Compendium der Planimetrie nach Legendre. 2. Aufl. Reval, Kluge. ⅓ Thlr.

SPIEKER, TH., Lehrbuch der ebenen Geometrie. 2. Aufl. Potsdam, Riegel. ⅚ Thlr.

WIEGAND, A., Dritter Cursus der Planimetrie (neuere Geometrie). Halle, Schmidt ⅓ Thlr.

NERLING, W., Lehrbuch der Stereometrie. Dorpat, Gläser. 16 Ngr.

HECHEL, C., Stereometrische Aufgaben nebst ihren Auflösungen. 1. Heft. Reval, Kluge. ⅔ Thlr.

Angewandte Mathematik.

BOYMANN, R., Grundlehren der Astronomie und mathematischen Geographie; für Gymnasien etc. Cöln und Neuss, Schwann. ⅙ Thlr.

WIECKE, P., Leitfaden in der reinen und angewandten Mechanik. Leipzig, O. Wigand. ⅔ Thlr.

ZEUNER, G., Grundzüge der mechanischen Wärmetheorie mit Anwendungen auf die Theorie der calorischen Maschinen und Dampfmaschinen. 2. Aufl. 1. Hälfte. Leipzig, Felix. 1⅔ Thlr.

Physik.

WÜLLNER, A., Lehrbuch der Experimentalphysik. 2. Bd. 2. Abth. Leipzig, Teubner. 2⅔ Thlr.

EMSMANN, H., Physikalisches Handwörterbuch. 6. Lief. Leipzig, O. Wigand. 1⅓ Thlr.

FRITSCH, K., Ueber die mit der Höhe zunehmende Temperatur der untersten Luftschichten. (Akad.) Wien, Gerold's Sohn. 3 Ngr.

REIS, P., Das Wesen der Wärme. Versuch einer neuen Stoffanschauung der Wärme und Vergleichung der übrigen Wärmetheorien. Leipzig, Quandt & Händel. 27½ Ngr.

DITSCHEINER, C., Eine absolute Bestimmung der Fraunhoferschen *D*-Linien. (Akad.) Wien, Gerold's Sohn. 2 Ngr.

WALTENHOFEN, A. v., Einige Beobachtungen über das elektrische Licht in höchst verdünnten Gasen. (Akad.) Ebendas. 2 Ngr.

—— —— Elektromagnetische Untersuchungen, mit besonderer Rücksicht auf die Anwendbarkeit der Müller'schen Formel. (Akad.) Ebendas. 6 Ngr.

Mathematisches Abhandlungsregister.

1864.

Zweite Hälfte: 1. Juli bis 31. December.

A.

Aerodynamik.

254. Zur Theorie des Gehörorgans. Mach. Wien. Akad.-Ber. XLVIII, 283.

Analytische Geometrie der Ebene.

255. *Signification géométrique de la transformation d'une équation non homogène en équation homogène.* *Aelt.* *N. ann. math.* *XXIII*, 289.
256. *Transformations de propositions géométriques.* *Zenthen.* *N. ann. math.* *XXIII*, 297.
257. Ueber die einhüllenden Curven, welche eine constante Länge zwischen zwei sich schneidenden Graden beschreibt. Unferdinger. Wien. Akad.-Ber. XLV, 251.

Vergl. Kegelschnitte, Planimetrie 379.

Analytische Geometrie des Raumes.

258. *Etude des points à l'infini dans les surfaces algébriques.* *Painvin.* *Compt. rend.* *LIX*, 666.
259. Analytisch-geometrische Untersuchungen. Enneper. Zeitschr. Math. Phys. IX, 377. [Vergl. No. 15.]
260. *De la distance de l'origine à une droite donnée.* *Lhopital.* *N. ann. math.* *XXIII*, 386.
261. *Quand deux angles trièdres trirectangles on un même sommet, leur 6 arêtes sont sur un même cône du second degré.* *N. ann. math.* *XXIII*, 469.
262. *Sur l'intersection de deux cones.* *De Trenquelléon.* *N. ann. math.* *XXIII*, 539.
263. *Section du tore par un plan bitangent.* *Godard.* *N. ann. math.* *XXIII*, 350.

Vergl. Krümmung, Oberflächen, Oberflächen zweiter Ordnung.

Approximation.

264. *Calcul approché de r dans la formule des intérêts composés.* *Lemonnier.* *N. ann. math.* *XXIII*, 337. — *Gérono ibid.* 340.

Vergl. Rectification 388.

Astronomie.

265. Ableitung der Hansen'schen Fundamentalformeln für die Störungen des Ortes eines Planeten in seiner Bahn. Brünnow. Astr. Nachr. LXIV, 259.

Vergl. Geschichte der Mathematik 297, Refraction.

Attraction.

266. Ueber die Anziehung eines Cylinders. Grube. Zeitschr. Math. Phys. IX, 277. [Vergl. Bd. IX, No. 243.]
267. Ueber die senkrecht gegen die Axe gerichtete Anziehungscomponente eines kreisförmigen Kegels. Grube. Zeitschr. Math. Phys. IX, 279.
268. *Sur le mouvement de plusieurs corps qui s'attirent mutuellement dans l'espace.* *Schiaparelli.* Astr. Nachr. LXII, 353.

B.

Bestimmte Integrale.

269. Reductionsformeln der Integralrechnung. Winckler. Wien. Akad.-Ber. XLVII, 146.
Vergl. Elliptische Functionen, Gammafunctionen, Reihen 392.

C.

Complanation.

270. Ueber einige auf elementarem Wege ausführbare Quadraturen. Gretschel. Grun. Archiv XLII, 424.

Cubatur.

271. Ueber Volumbestimmungen mit Zuziehung der Schwerpunktstheorie. Blazek. Wien. Akad.-Ber. XLVI, 342.
272. *Théorème sur les volumes de quelques tétraèdres.* *Godard & Courtin.* *N. ann. math. XXIII*, 322.

D.

Determinanten.

273. *Valeur d'un certain déterminant.* *Smet-Jamar.* *N. ann. math. XXIII*, 395. — *Cornu & Picquet ibid.* 397.
Vergl. Elliptische Functionen 286, homogene Functionen.

Determinanten in geometrischer Anwendung.

274. Ueber den gegenseitigen Zusammenhang der 28 Doppeltangenten einer allgemeinen Curve 4ten Grades. Aronhold. Berl. Akad.-Ber. 1864, 499.
Vergl. Cubatur 272.

Differentialgleichungen.

275. *Méthode nouvelle pour l'intégration des équations différentielles linéaires.* *Caqué.* *Compt. rend. LIX*, 248.
276. *Remarque sur une intégration.* *Mention.* *N. ann. math. XXIII*, 471.
277. Integration der Differentialgleichung $(m+x)(n+x)y''+(m-n)y'-\lambda^2(m+x)^2y=0$, in welcher m, n und λ constante Zahlen sind. S. Spitzer. Grun. Archiv XLII, 375.
Vergl. Lamé'sche Function.

E.

Elektricität.

278. Grundzüge einer Molecularphysik und einer mechanischen Theorie der Elektricität und des Magnetismus. Subic. Wien. Akad.-Ber. XLVI, 46.

Ellipse.

279. *Sur les normales d'une ellipse, dont les points d'intersections se trouvent sur la développée de l'ellipse.* *Dyrion.* *N. ann. math. XXIII*, 320.
280. *Dans un cercle donné on inscrit une corde de longueur donnée; par les extrémités de cette corde on mène des parallèles à deux droites données; ces lignes se coupent sure une ellipse.* *Haag.* *N. ann. math. XXIII*, 313.
281. *La projection sur le rayon vecteur F M du point d'intersection T du petit axe d'une ellipse avec la tangente M T a pour lieu géometrique un cercle.* *Dyrion.* *N. ann. math. XXIII*, 385.
282. *Sur un rectangle constant dont la construction dépend d'une ellipse.* *Mirza-Nizam.* *N. ann. math. XXIII*, 329.
Vergl. Homogene Functionen 316.

Ellipsoid.

Vergl. Homogene Functionen 316.

Elliptische Functionen.

283. *Sur la réduction d'une intégrale contenant un radical de second degré d'un polynôme de quatrième à la forme canonique d'une intégrale elliptique.* *Alexeff.* *Compt. rend. LIX*, 244.

284. *Sur quelques formules relatives au module dans la théorie des fonctions elliptiques.* Hermite. *Journ. Mathém XXIX,* 313. [Vergl. Bd. IX, No. 286.]
285. *Sur les formules d'addition des fonctions elliptiques de Jacobi.* Broch. *Compt. rend. LIX,* 999
286. *Sur quelques formules pour la multiplication des fonctions elliptiques.* Brioschi. *Compt. rend. LIX,* 769.
287. *Développement de cos am x.* Hermite. *Journ. Mathém. XXIX,* 289.
Vergl. Integralrechnung 322.

F.

Functionen.

288. *Division d'une polynôme entier* f(x) *par* $x^2 + px + q$; *forme du reste. N. ann. math. XXIII,* 467.
Vergl. Elliptische Functionen, Gammafunctionen, homogene Functionen, hyperbolische Functionen, Lamé'sche Functionen, Partialbrüche.

G.

Gammafunctionen.

289. Ueber ein Paar durch Gammafunctionen ausdrückbare Integrale. Schlömilch. Zeitschr. Math. Phys. IX, 356.

Geodäsie.

290. Ueber die Bestimmung der Abplattung der Erde aus den gleichzeitigen Angaben eines Quecksilber- und eines Aneroid-Barometers. Unferdinger. Grun. Archiv XLII, 443.

Geometrie (descriptive).

291. Ueber die Transformationen in der darstellenden Geometrie. Fiedler. Zeitschr. Math. Phys. IX, 331.
292. *Sur quelques chapitres de géométrie descriptive.* De la Gournerie. *Journ. Mathém. XXIX,* 401.

Geometrie (höhere).

293. Ueber eine geometrische Erzeugung von confocalen Curven 4. Grades. Berner. Zeitschr Math. Phys. IX, 369. [Vergl Bd. IX, No. 331.]
Vergl. Involution.

Geometrische Progression.

294. *Théorème sur les progressions géométriques.* Dufour. *Compt. rend. LIX,* 1008.

Geschichte der Mathematik.

295. Der Heronische Lehrsatz über die Fläche des Dreiecks als Function der drei Seiten. Hultsch. Zeitschr. Math. Phys IX, 225.
296. Das Rechnen mit Columnen vor dem 10. Jahrhundert. Friedlein. Zeitschr. Math. Phys IX, 297.
297. *Sur le tome III des oeuvres astronomiques d'Alphonse X de Castille publiées par D. M. Rico y Sinobas.* Leverrier. *Compt. rend LIX,* 765.
298. *Passages relatifs à de sommations des séries de cubes.* Woepcke. *Journ. Mathém. XXIX,* 337. [Vergl. No. 92.]
299. Nekrolog von W. Struve. Winnecke. Astr. Nachr. LXIII, 241.
300. Nekrolog von Capitain Gilliss. Davis. Astr. Nachr. LXIV, 199.
301. *Biographie d'Adolphe Gubert.* Beynac. *N. ann. math. XXIII,* 547.

Gleichungen.

302. *Remarques sur la transformation et l'abaissement des équations.* Prouhet. *N. ann. math XXIII,* 433, 508. [Vergl. No. 103.]
303. *Sur la résolution des équations algébriques.* Heegmann. *Compt. rend. LIX,* 590. [Vergl. Bd. VII, No. 79.]
304. *Sur certaines limites des racines dans les équations algebriques.* Realis. *N. ann. math XXIII,* 477.
305. Ueber die Behandlung des irreducibeln Falles der cubischen Gleichungen beim mathematischen Unterrichte. Gretschel. Grun. Archiv XLII, 431.

306. *Racines de l'équation générale du quatrieme degré.* Martelli. *N. ann. math. XXIII,* 401.

307. Ueber einen Zusammenhang der Seiten eines Kreisvierecks mit den Wurzeln einer biquadratischen Gleichung. Matthiessen. Zeitschr. Math. Phys. IX, 453.

308. *Décomposer en facteurs réels du second degré l'expression* $(x^2 + px + q)^2 + 1$. *D'Astre. N. ann. math. XXIII,* 465.

309. *Sur les racines d'une équation du quatrième et d'une autre du cinquième degré. Janfroid. N. ann. math. XXIII,* 399.

310. *Sur la théorie des racines réelles et imaginaires des équations du cinquième degré. Sylvester. Compt. rend. LIX,* 749, 944.

311. *Sur la réalité des racines de l'équation* $x^5 + 5px^3 + 5p^2x + q = 0$. *Boutmy. N. ann. math. XXIII,* 373. — *Rousseau ibid.* 377.

312. *Sur les racines égales des équations transcendantes. Turquan. Compt. rend. LIX,* 701.

313. Ueber annähernde Auflösung einer transcendenten Gleichung aus der *Theoria motus* von Gauss. Wolfers. Astr. Nachr. LXIV, 193.

314. *Résoudre l'équation* $2x + \sin 2x - \frac{2\pi}{m} = 0$. *N. ann. math. XXIII,* 466.

H.

Homogene Functionen.

315. Ueber eine Transformation einer homogenen Function zweiten Grades. Enneper. Zeitschr. Math. Phys. IX, 358.

316. Verallgemeinerung eines geometrischen Satzes. Enneper. Zeitschr. Math. Phys. IX, 362.

Hydrodynamik.

317. Ueber die Bewegung flüssiger Körper. Stefan. Wien. Akad.-Ber. XLVI, 8, 495.

318. Ueber die Molecularwirkung der Flüssigkeiten. Mach. Wien. Akad.-Ber. XLVI, 125.

Hyperbel.

319. *Sur les hyperboles équilatèrs tangentes à une droite fixe en un point donné. Haag. N. ann. math. XXIII,* 316.

Hyperbolische Functionen.

320. *Sur les fonctions hyperboliques et sur quelques tables de ces fonctions. Hoüel. N. ann. math. XXIII,* 416.

I.

Imaginäres.

321. *Note sur les imaginaires. Cheyrézi. N. ann. math. XXIII,* 445. [Vergl. Bd. IX, No. 115.]

Vergl. Gleichungen 305, 309, 310, 311. Partialbrüche 376.

Integralrechnung.

322. *Sur l'intégration de la différentielle* $\frac{x+A}{\sqrt{x^4+\alpha x^3+\beta x^2+\gamma x+\delta}}\,dx$. *Tchebichef. Journ. Mathém. XXIX,* 225.

323. *Sur l'intégration des différentielles irrationelles. Tchebichef. Journ. Mathém. XXIX,* 242.

Involution.

324. *De l'involution plane. Poudra. N. ann. math. XXIII,* 498.

K.

Kegelschnitte.

325. *Exemple des procédés de démonstration annoncés auparavant. Chasles. Compt. rend. LIX,* 7. [Vergl. No. 131.]

326. *Suite des propriétés relatives aux systèmes de sections coniques.* Chasles. *Compt. rend. LIX*, 93.
327. *Questions dans lesquelles il y a lieu de tenir compte des points singuliers des courbes d'ordre supérieur.* Chasles. *Compt. rend. LIX*, 209.
328. *Questions dans lesquelles entrent des conditions multiples.* Chasles. *Compt. rend. LIX*, 345.
329. *Sur les coniques qui touchent des courbes d'ordre quelconque.* Cayley. *Compt. rend. LIX*, 224.
330. *Sur le nombre des coniques qui satisfont à des conditions doubles.* Cremona. *Compt. rend. LIX*, 776.
331. *Sur l'homothétie dans les coniques.* Lemonnier. *N. ann. math. XXIII*, 461.
332. *Théorème sur la signification de* f(α, β) *si le point* α, β *ne se trouve pas sur la conique* f(x, y) = 0. Transon. *N. ann. math. XXIII*, 458.
333. *Sur le signe de* f(α, β) *en admettant que* f(x, y) = 0 *soit l'équation d'une conique et que le point* α, β *ne se trouve pas sur la courbe.* Gérono. *N. ann. math. XXIII*, 381.
334. *Considérations sur les équations du second degré à 2 variables.* Lemonnier. *N. ann. math. XXIII*, 518.
335. *Soient* C *et* C' *deux coniques homofocales,* M *un point pris sur la première,* MN *la normale menée au point* M *et terminée à l'axe focal. La grandeur de la projection de* MN *sur la tangente à* C' *menée par* M *est indépendante de la position du point* M. Smet-Jamar. *N. ann. math. XXIII*, 391.
336. *Le lieu des points de contact des droites parallèles à une droite fixe* AA' *et tangentes aux coniques passant par 3 points fixes* A, B, C *et touchant la droite* AA' *est une conique.* Painvin. *N. ann. math. XXIII*, 357. — Gérono *ibid.* 363. — Duranton *ibid.* 455.
337. *Un angle constant tourne autour de sont sommet placé au foyer d'une courbe du second degré; aux points, où les deux côtés de l'angle rencontrent la sourbe, on mène des tangentes à cette courbe, qui se coupent sur une nouvelle conique.* Mister & Neuberg. *N. ann. math XXIII*, 351. — Chopet *ibid.* 472.
338. *La puissance du centre d'une conique par rapport au cercle circonscrit à un triangle conjugué est égale à la somme algébrique des carrés de ces demi-axes.* Mention. *N ann math. XXIII*, 535.
339. *De la somme des carrés des axes d'une conique inscrite dans un triangle.* Sartiaux. *N. ann math XXIII*, 393. [Vergl. No 140]
340. *Demonstration géometrique de quelques théorèmes sur les coniques. N. ann. math. XXIII*, 511.

Kreis.

341. *Note sur un cercle.* Griffiths. *N. ann. math. XXIII*, 345.
342. *Soient* O *un cercle fixe,* O' *un cercle mobile dont le centre se meut sur un autre cercle fixe* O'', *l'axe radical des deux premier a pour enveloppe une conique.* De Meyer. *N. ann. math XXIII*, 388.
Vergl. Ellipse 280.

Kreistheilung.

343. Das reguläre Siebzehneck. Grunert. Grun. Archiv XLII, 361.

Krümmung.

344. Strenger Beweis eines bekannten Satzes von dem Krümmungskreise der Curven im Raume oder der Curven von doppelter Krümmung mittelst der Grenzenmethode. Grunert. Grun. Archiv XLII, 467. [Vergl. Bd. IV, No. 145.]
Vergl. Oberflächen 358.

Krystallographie.

345. Beitrag zu den Brechungsmethoden des hexagonalen Krystallsystems. Schreich. Wien. Akad.-Ber. XLVIII, 250.

L.

Lamé'sche Functionen.

346. Ueber lineare Differentialgleichungen zweiter Ordnung, so wie über die Existenz und Anzahl der Lamé'schen Functionen erster Art. Heine. Berl. Akad.-Ber. 1864, 13.

M.

Mechanik.

347. Ueber die Drehung eines Körpers, dessen ursprüngliche Rotationsaxe keine seiner freien Axen war. Rouvroy. Zeitschr. Math. Phys. IX, 401.
348. Drehung eines Körpers um einen Punkt ohne Kräftepaar. Hoppe. Zeitschr. Math. Phys. IX, 436.
349. *Sur l'écoulement des corps solides soumis à de fortes pressions. H. Tresca. Compt. rend. LIX*, 754.
350. *Potentiel de torsion. De Saint-Venant Compt. rend. LIX*, 806.
351. Ueber die Gesetze des Mitschwingens. Mach. Wien. Akad.-Ber. XLVII, 33.
352. Ueber eine neue Einrichtung des Pulswellenzeichners. Mach. Wien. Akad.-Ber. XLVII, 53.
353. Zur Theorie der Pulswellenzeichner. Mach. Wien. Akad-Ber. XLVI, 157.
354. Ueber die transversalen Schwingungen belasteter Stäbe. Lippich. Wien. Akad.-Ber. XLV, 91.

Vergl. Aerodynamik, Attraction, Elektricität, Hydrodynamik, Optik, Schwerpunkt, Wärmethorie.

N.

Nautik.

355. Ueber die Reduction der grössten Sonnenhöhe auf den Meridian bei veränderlichem Beobachtungsorte. Friesach. Wien Akad.-Ber. XLVII, 49.
356. Ueber die Methode der Längenbestimmung durch Differenzen von Circummeridianhöhen. K. v. Littrow. Wien. Akad.-Ber. XLVII, 394.

O.

Oberflächen.

357. *Sur la théorie des surfaces orthogonales. Darboux. Compt. rend. LIX*, 240.
358. *Lignes de courbure d'une classe des surfaces du quatrième ordre. Moutard. Compt. rend. LIX*, 243.
359. *Sur la transformation par rayons vecteurs réciproques. Moutard. N. ann. math. XXIII*, 306.
360. *Sur les surfaces anallagmatiques du quatrième ordre. Moutard. N. ann. math. XXIII*, 536.
361. Ueber die Flächen 4ten Grades mit 16 singulären Punkten. Kummer. Berl. Akad.-Ber. 1864, 264, 495.
362. Ueber die Flächen 4ten Grades, auf welchen Schaaren von Kegelschnitten liegen. Kummer. Berl. Akad.-Ber. 1863. 324, 539. — Weierstrass ibid. 337. — Schröter ibid. 520.
363. *Sur les 28 droites, qui joignent 2 à 2 les centres de 8 sphères. A. Sartiaux. N. ann. math. XXIII*, 307. [Vergl. No. 42.]
364. *Sur le lieu des points dont la somme des distances à deux droites fixes est constante. Picard. N. ann. math. XXIII*, 292.

Vergl. Optik 371.

Oberflächen zweiter Ordnung.

365. *Note sur les surfaces du second degré. Picart. N. ann. math. XXIII*, 532.
366. *Sur la détermination des foyers d'une section plane dans une surface du second ordre. Painvin. N. ann. math. XXIII*, 481.
367. *Etant donnés une surface du second degré et un point fixe, on mène par ce point toutes les cordes dont ce point est le milieu. Lieu de ces droites. N. ann. math. XXIII*, 470
368. *Courbes d'intersections de trois familles de surfaces. W. Roberts. N. ann. math. XXIII*, 311.

Vergl. Homogene Functionen 316, Sphärik.

Optik.

369. Ueber die Natur der Aetherschwingungen im unpolarisirten und theilweise polarisirten Licht. Lippich. Wien. Akad.-Ber. XLVIII. 146.
370. *Sur la dispersion de la lumière. E. Mathieu. Compt. rend. LIX*, 885.

371. Die Lichtintensitätscurven auf krummen Flächen. Kammerer. Wien. Akad.-Ber. XLVI, 405.

P.

Parabel.

372. *Rayons de courbure correspondant aux extrémités d'une corde focale de la parabole.* *Dyrion. N. ann. math. XXIII,* 324. — *Picquet ibid.* 326. — *Marini ibid.* 327. — *Cousin ibid.* 460.

373. *Intersections d'une parabole et d'un cercle. Stouls. N. ann. math. XXIII,* 446.

374. *Courbe engendrée par deux paraboles égales. N. ann. math. XXIII,* 379

375. *Tangente mobile à une courbe quelconque donné coupant une parabole donnée. Dyrion. N. ann. math. XXIII,* 327.

Partialbrüche.

376. Zerlegung algebraischer Functionen in Partialbrüche nach den Principien der complexen Functionentheorie. Hankel. Zeitschr. Math. Phys. IX, 425.

377. *Sur la décomposition des fractions rationelles. Realis. N. ann. math. XXIII,* 438.

Planimetrie.

378. *Construire un triangle connaissant un angle la mediane et la hauteur comprise dans cet angle. Godart & Courtin. N. ann. math. XXIII,* 391.

379. *Démontrer géométricquement que le lieu représenté par l'équation* $\varrho = m \,.\, \sin\omega + n \,.\, \cos\omega$ *est un cercle. Grouard. N. ann. math. XXIII,* 476.

380. *Etant donné un triangle* ABC *on demande de mener par le point* C *une droite* CD *telle que la somme des projections des côtés* AC *et* BC *sur cette droite soi égale à une longueur donné. Mouchel. N. ann. math. XXIII,* 473.

Vergl. Kegelschnitte 340, Kreistheilung.

Politische Arithmetik.

381. Unter welchen Verhältnissen ist es für die Staatskasse vortheilhaft, ein deprimirtes Papiergeld oder Banknoten gegen Verzinsung einzuziehen. L. v. Pfeil. Grun. Archiv XLII, 434.

Vergl. Approximation.

Q.

Quadratische Formen.

382. Ueber den Gebrauch der Dirichlet'schen Methoden in der Theorie der quadratischen Formen. Kronecker. Berl. Akad.-Ber. 1864, 285.

383. *Nombre des représentations d'un entier sous la forme d'une somme de 12 carrés. J. Liouville. Journ. Mathém. XXIX,* 296.

384. *Sur la forme* $x^2+y^2+z^2+t^2+2(u^2+v^2)$. *J. Liouville. Journ. Mathém. XXIX,* 257.

385. *Sur la forme* $x^2+y^2+2(z^2+t^2+u^2+v^2)$. *J. Liouville. Journ. Mathém. XXIX,* 273.

386. *Sur la forme* $x^2+2(y^2+z^2+t^2+u^2)+4v^2$. *J. Liouville. Journ. Mathém. XXIX,* 421.

387. *Sur la forme* $x^2+2y^2+3z^2+6t^2$. *J. Liouville. Journ. Mathém. XXIX,*, 299.

R.

Rectification.

388. *Sur le rapport de la circonférence au diamètre. N. ann. math. XXIII,* 310. — *Vincent ibid.* 458.

389. *Exercises sur la rectification des courbes planes. Prouhet. N. ann. math. XXIII,* 403.

Refraction.

390. Ueber athmosphärische Strahlenbrechung. Bauernfeind. Astr. Nachr. LXII, 209.

Reihen.

391. Ueber Reihenentwickelungen. Friesach. Wien. Akad.-Ber. XLVII, 246.

392. *Sur la transformation de séries et sur quelques intégrales définies.* Catalan. *Compt. rend. LIX*, 618.
Vergl. Elliptische Functionen 287, Geometrische Progression, Geschichte der Mathematik 298, Gleichungen 303.

S.

Schwerpunkt.

393. Constructive Ermittelung der Gleichgewichtslagen schwimmender Körper und ihrer Stabilität. Hoppe. Zeitschr. Math. Phys. IX, 371.
Vergl. Cubatur 271.

Singularitäten.

Vergl. Kegelschnitte 327, Oberflächen 361.

Sphärik.

394. Das sphärische Dreieck dargestellt in seinen Beziehungen zum Kreise. Unferdinger. Grun. Archiv XLII, 453. [Vergl. Bd. V, No. 462.]
395. Die merkwürdigen Geraden der dreiseitigen körperlichen Ecke und ihre Entfernungen von einander. Grunert. Grun. Archiv XLII, 377.
396. *De l'aire d'une figure sphérique. Al. M. N. ann. math. XXIII*, 454.

Stereometrie.

397. Ueber Euler's Satz von den Polyedern. Schaeffer. Zeitschr. Math Phys. IX, 365. [Vergl. Bd. IX, No. 412.]

T.

Trigonometrie.

398. *Equations entre les fonctions trigonométriques de trois angles. Saint-Prix. N. ann. math. XXIII*, 371. [Vergl. No. 241.]
399. Die Pothenot'sche Aufgabe als algebraisches Problem. Schlömilch. Zeitschr. Math. Phys. IX, 433.
Vergl. Planimetrie 380.

W.

Wärmetheorie.

400. Ueber den Wärmezustand der Gase. Puschl. Wien. Akad.-Ber. XLV, 357; XLVIII, 35.
401. Ueber die Molecularbewegung in gasförmigen Körpern. Clausius. Wien. Akad.-Ber. XLVI, 402.
402. Zur Theorie der Gase. Stefan. Wien. Akad.-Ber. XLVII, 81.
403. Ueber die Fortpflanzung der Wärme. Stefan. Wien. Akad.-Ber. XLVII, 326.
404. Ueber die absolute Grösse der inneren Arbeit, des Aequivalentes der Temperatur und über den molecularen Sinn der specifischen Wärme. Subic. Wien. Akad.-Ber. XLVIII, 62.
405. *Sur les lois de compressibilité et de dilatation des corps. Dupré. Compt. rend. LIX*, 490, 768. — *W. Thomson ibid.* 665, 705. — *Combes ibid.* 717.

Z.

Zahlentheorie.

406. *Sur quelques formules générales, qui peuvent être utiles dans la théorie des nombres. J. Liouville. Journ. Mathém. XXIX*, 249, 281, 321, 389. [Vergl. Bd. VI, No. 214.]
407. Klassenanzahl der aus zusammengesetzten Einheitswurzeln gebildeten idealen complexen Zahlen. Kummer. Berl. Akad.-Ber. 1863, 21. — Kronecker ibid. 340.
408. Auflösung der Pell'schen Gleichung mittelst elliptischer Functionen. Kronecker. Berl. Akad.-Ber. 1863, 44.
409. *Détermination de la valeur du symbole* $\left(\frac{b}{a}\right)$ *dû à Jacobi. Lebesgue. Compt. rend. LIX*, 940, 1067.

Lightning Source UK Ltd.
Milton Keynes UK
UKHW010810301118
333024UK00010B/1695/P

9 780332 623580